MARGARET GEORGE

MARIA STUART

Der Roman ihres Lebens

Deutsch
von Rainer Schmidt

mit
Buchkunstarbeiten
von Axel Bertram

BASTEI
LÜBBE

Shetland-
Inseln
Bressay
Sound
Aberdeen
SCHOTT
LAND
Edin-
burgh
Glasgow
Carlisle
ENG
LAND
Bolton
Sheffield
Tutbury
Fotheringhay
Themse
London
FRANK
REICH
Seine
Reims
Paris
Orleans
Chambord
Loire
Chenonceau
0 50 100 150 200 250 300 km
0 50 100 150 200 Mi

Margaret George

MARIA STUART

BASTEI LÜBBE

DAS KÖNIGREICH DER SCHOTTEN
zur Zeit von Maria Stuart
SCHOTTLAND
Schlacht von Corrichie
Aberdeen
Perth
Lake Menteith
Abtei von Inchmahome
Loch Leven
St. Andrews
Stirling
Wemyss
Linlithgow
Glasgow
Edinburgh
Dunbar
Holyrood
Schlacht von Carberry Hill
Borthwick
Schlacht von Langside
Traquair House
Jedburgh
Hermitage
Carlisle
Dundrennan
Workington
0 10 20 30 40 50 60 70 80 km
0 10 20 30 40 50 Mi

BASTEI-LÜBBE-TASCHENBUCH
Band 12427

1. und 2. Auflage: Dezember 1995
3. Auflage: Februar 1996

Titel der amerikanischen Originalausgabe:
Mary Queen of Scotland and the Isles

Originalverlag: St. Martin's Press, New York

Ungekürzte Taschenbuchausgabe
Printed in Germany
Gesamtgestaltung: Axel Bertram, Berlin
Satz: Kremerdruck GmbH, Lindlar-Hartegasse
Druck und Bindung: Elsnerdruck, Berlin
ISBN 3-404-12427-8

Für Scott George
1920 – 1989
Geliebter Vater, Freund und Lehrer

Mit Dank

an meine Tochter Alison Kaufman und meinen Mann Paul Kaufman, die vier Jahre lang mit *Maria Stuart* gelebt haben; meine Schwester Rosemarie George für nützliche und merkwürdige historische Details; meine Mutter Dean George für ihren Humor; meine Großeltern Charles und Lois Crane dafür, daß sie meine Mme. Rallay waren; meine Freundin Lynn Courtney, Historikerin, für Quellenmaterial; meinen Freund und Autorenkollegen Dick Huff für kreative Inspiration.

Besonderer Dank gebührt auch meiner Lektorin Hope Dellon, die bei der Entstehung von sowohl *Heinrich VIII.* als auch *Maria Stuart* zugegen war, und meinem Agenten Jacques de Spoelberch, der von Anfang an an mich geglaubt hat.

INHALT

Die Finsternisse von Sonne und Mond,
die Gefangenschaft wilder Elefanten und Schlangen
und die Armut der Weisen zu sehen,
dies zeigt, daß das Schicksal immer obsiegt.

Indisches Sprichwort

Prolog

IN MEINEM ENDE IST MEIN ANFANG

ENGLAND 1587

In der Stunde der tiefsten Nacht, als alle Kerzen bis auf eine ausgelöscht waren und alles still ruhte, ging die Frau leise hinüber zu ihrem Schreibpult und setzte sich. Sie stellte die eine Kerze zu ihrer Rechten und strich ein Stück Papier auf der Tischplatte glatt, so langsam wie möglich, um kein Geräusch zu machen. Die linke Seite hielt sie mit der Hand nieder – einer weißen Hand mit langen, schlanken Fingern, die der französische Dichter Ronsard einmal als einen »Baum mit ungleichen Ästen« beschrieben hatte. Die Hand sah jung aus, wie die eines fünfzehnjährigen Mädchens. Von der anderen Seite des Zimmers betrachtet, beleuchtet nur von der einzelnen Kerze, erschien das Gesicht der Frau ebenso jung. Bei näherem Hinsehen indessen waren die Umrisse der Schönheit zwar noch vorhanden, doch im Gerüst des alten Liebreizes fanden sich Falten und Dellen und schlaffes Gewebe. Die Haut spannte sich nicht mehr straff über die hohen Wangenknochen, die lange, gebieterische Nase, die mandelförmigen Augen, sondern sie lag weich darüber, zeichnete jede Aushöhlung nach und offenbarte sie so.

Mit dieser überraschend schlanken, elegant beringten Hand rieb sie sich die Augen; die Lider waren schwer, und Spuren der Erschöpfung zeigten sich darunter. Seufzend tauchte sie die Feder in die Tinte und begann zu schreiben.

An Heinrich III., den Allerchristlichsten König von Frankreich
8. Februar 1587

Monsieur mon beau frère, estant per la permission de Dieu – Königlicher Bruder, nachdem ich mich nach Gottes Willen für meine Sünden, wie ich glaube, in die Macht der Königin, meiner Cousine, gegeben habe, von deren Hand ich seit fast zwanzig Jahren manches gelitten, bin ich nun von ihr und ihren Ständen endgültig zum Tode verurteilt worden. Ich habe um meine Papiere gebeten, die mir weggenommen wurden, damit ich mein Vermächtnis aufsetzen kann, doch ich habe nichts zurückerhalten können, was irgendwie brauchbar für mich wäre; auch habe ich nicht die Erlaubnis erhalten, mein Testament nach meinem Belieben zu verfassen oder meinen Leib nach dem Tode, wie ich es wünschen möchte, in Dein Königreich überführen zu lassen, in dem ich die Ehre hatte, Königin zu sein, Deine Schwester und alte Verbündete.

Heute nach dem Abendessen hat man mich von meinem Urteil in Kenntnis gesetzt: Ich soll hingerichtet werden wie eine Verbrecherin um acht Uhr in der Frühe. Ich habe nicht die Zeit gehabt, Dir einen umfassenden Bericht über alles, was geschehen ist, zukommen zu lassen, aber wenn du meinem Arzt und meinen anderen unglücklichen Bediensteten zuhörst, wirst Du die Wahrheit erfahren und auch, wie ich, Dank sei Gott, den Tod geringachte und ihm unschuldig jeglicher Verbrechen entgegentrete, gleich als wäre ich ihnen untertan. Der katholische Glaube und das Bestehen auf meinem gottgegebenen Recht auf den englischen Thron, dieser beiden Dinge wegen bin ich verurteilt.

Sie hielt inne und starrte vor sich hin, als habe ihr Geist plötzlich aufgehört, Worte zu bilden, oder als seien sie ihr ausgegangen. Die französische Sprache war besänftigend, einlullend. Selbst grausige Dinge klangen auf Französisch nicht so scheußlich. Ihr Geist vermochte, wagte es nicht, sie auf Schottisch zu formulieren.

»Cé porteur & sa compaignie la pluspart de vos subiectz …

Der Überbringer dieses Briefes und seine Begleiter, die meisten davon Deine Untertanen, werden Zeugnis ablegen davon, wie ich mich in meiner letzten Stunde gezeigt habe. Mir bleibt nur, Deine Allerchristlichste Majestät, meinen Schwager und alten Verbündeten, der Du immer Deine Liebe zu mir beteuert hast, zu bitten, Deine Güte nunmehr in allem folgenden unter Beweis zu stellen: Erstens durch Mildtätigkeit, indem Du meinen unglückseligen Bediensteten die Löhne auszahlst, die ihnen noch zustehen – es ist dies eine Last auf meinem Gewissen, die nur Du mir nehmen kannst; und überdies, indem Du zu Gott betest für eine Königin, die den Titel Allerchristlichste Königin von Frankreich getragen hat und die als Katholikin stirbt, all ihrer Habe beraubt.

Ich habe mir die Freiheit genommen, Dir zwei kostbare Steine zu senden, Talismane gegen Krankheit, in der Hoffnung, daß Du Dich guter Gesundheit und eines langen und glücklichen Lebens erfreuen mögest. Nimm sie von Deiner liebenden Schwägerin in Empfang, die Dir, da sie stirbt, ihr herzliches Gefühl für Dich bezeugt. Verfüge, so es Dir gefällt, daß um meiner Seele willen ein Teil dessen, was Du mir schuldest, ausgezahlt werde und daß mir um Jesu Christi willen genug übrigbleibe, eine Messe in meinem Gedenken zu feiern und die üblichen Almosen zu verteilen.

Mittwoch, um zwei Uhr morgens.

Deine Dich über die Maßen liebende und treue Schwester,

Königin von Schottland

Sie legte die Feder hin, tat einen Lidschlag. Dann schob sie sorgfältig zwei kleine Bücher auf das Papier, um es niederzuhalten. Jede Bewegung war zierlich, aber müde. Die feinen, schlanken Finger streckten sich einmal und ruhten dann. Sie blies die Kerze aus.

Langsam ging sie zum Bett auf der anderen Seite des Zimmers und legte sich ausgestreckt und bekleidet hin. Sie schloß die Augen.

Es ist vollbracht, dachte sie. Das Leben, das auf dem Tiefpunkt der Geschicke Schottlands begann, ist jenem Schicksal gefolgt, und jetzt ist es am Ende.

Ein kleines Lächeln spielte um ihre Lippen. Nein. Ich bin am Ende. Oder, besser gesagt, ich wünschte, ich wäre es. O Jesu, laß mich jetzt nicht versagen!

BUCH

I

Königin von Frankreich

1542–1560

Im rauchig blauen Dunst war nichts zu sehen außer immer noch mehr Dunst. Die Sonne, verschleiert und gedämpft, umgab sich mit einem diffusen Lichtkranz, und sie war das einzige, das die Männer erkennen konnten, als sie versuchten zu kämpfen. Aber wenn sie den Feind nicht sehen konnten, wie sollten sie sich da verteidigen?

Der Dunst wehte und wirbelte, strich tief über grünen Morast und schlammigen Boden, umschmiegte das nasse Gelände und trieb seinen Schabernack mit den Männern, wenn sie versuchten, sich aus dem tückischen Sumpf zu befreien. Er war kalt und feucht, mitleidslos wie die Hand des Todes, mit dem er Arm in Arm daherkam.

Oberhalb des Sumpfes standen ein paar einsame Bäume, deren Äste von den Herbststürmen schon kahlgefegt waren; nackt und verloren ragten sie über das Schlachtfeld. Männer mühten sich ihren grauen, runzligen Stämmen entgegen, weil sie hofften, sich kletternd in Sicherheit zu bringen. Tausende von Füßen hatten den Boden rund um die Bäume zu einem quallenden Feld zertrampelt. Der Nebel lag wie eine Decke über allem.

Als der Nebel am nächsten Tag verflog, aufs Meer hinauswehte und die letzten Spuren der Verwirrung mitnahm, offenbarte sich ganz Solway Moss als ein jammervoller Schlachtplatz. Sumpf, Schilf und glitschiges Gras in den Mäandern des Flusses Esk zeigten, daß Solway Moss, das Moor von Solway, seinen Namen zu Recht trug. Dort in der südwestlichen Ecke der Gegend, wo England und Schottland zusammenstießen, hatten die beiden uralten Feinde miteinander gerungen wie zwei Hirsche, taumelnd im Schlamm. Aber der englische Hirsch hatte über seinen Gegner triumphiert, und der Sumpf war übersät von Lederschilden, weggeworfen von den Schotten, die sich in der Falle gesehen hatten. Dort würden sie verrotten, denn trocknen würde die Sonne sie nie.

Einer der englischen Soldaten, der seine Gefangenen davonführte, warf noch einmal einen Blick auf das Gelände, das grün und ruhig in den schrägen Strahlen der Herbstsonne lag. »Gott sei Schottland gnädig«, sagte er leise. »Niemand sonst wird es sein.«

Draußen begann es zu schneien – sanft erst, wie ein leises Seufzen, und dann immer heftiger, als habe jemand ein riesiges Kissen aufgerissen. Der Himmel war ganz weiß, und bald war es auch die Erde; der Wind trieb den Schnee beinahe waagerecht vor sich her, so daß er die Flanken von Bäumen und Häusern überzog und die ganze Welt in weniger als einer Stunde erbleichte. Die großen runden Türme von Falkland Palace erhoben sich wie riesige Schneemänner, die den Eingang bewachten.

Drinnen schaute der König blicklos aus dem Fenster.

»Eure Majestät?« fragte ein banger Diener. »Bitte, was wünscht Ihr?«

»Hitze. Hitze. Zu kalt hier«, murmelte er, schüttelte den Kopf hin und her und schloß die Augen.

Der Diener legte noch mehr Holz auf das Feuer und fächelte es an, um die Flammen um die neuen Scheite zu locken. Es war wirklich kalt; niemand konnte sich erinnern, daß es so früh in dieser Jahreszeit schon so kalt gewesen war. Schon waren die Schiffe in den Häfen festgefroren, und die öden Felder waren eisenhart.

In diesem Augenblick erschienen ein paar der königlichen Feldsoldaten und spähten vorsichtig in den Raum. Er schien sie zu sehen, obwohl seine Augen geschlossen waren.

»Die Schlacht?« fragte er. »Bringt ihr Nachricht von der Schlacht?«

Sie kamen herein, die Kleider in Fetzen, und knieten vor ihm nieder. Schließlich sagte der Ranghöchste unter ihnen: »Ja. Wir wurden angegriffen und gründlich geschlagen. Viele ertranken beim Rückzug im Esk. Viele andere gerieten in Gefangenschaft – zwölftausend Gefangene im Gewahrsam des englischen Feldherrn.«

»Lösegeld?« Die Stimme des Königs war ein Flüstern.

»Kein Wort davon. Es heißt ... vielleicht werden sie alle als Gefangene nach England gebracht.«

Jäh stemmte der König sich von seinem Stuhl, und starr stand er da. Er ballte die Fäuste und löste sie wieder, und ein leiser Laut von grenzenlosem Schmerz entfuhr ihm. Wild schaute er in die Runde der Soldaten. »Wir sind geschlagen?« fragte er. Als sie nickten, rief er: »Alles ist verloren!«

Er wandte sich ab und stolperte zur Tür; dann sackte er am Türrahmen zusammen, als habe ein Speer ihn durchbohrt. Seine Hand krallte sich in seine Seite, und er taumelte in seine Privatgemächer, in die sie ihm nicht folgen konnten. Sein Kammerdiener lief ihm nach.

Der König suchte sein Bett; er warf sich hinein, lag stöhnend da und hielt sich die Seite. »Alles ist verloren!« murmelte er immer wieder.

Einer der Bediensteten schickte nach dem Arzt, ein anderer sprach mit den Soldaten.

»Ist es wirklich so schlimm, wie Ihr berichtet?« fragte er.

»Ja – und schlimmer«, antwortete einer der Soldaten. »Wir sind nicht nur geschlagen wie in Flodden, sondern entehrt noch dazu. Unser König war nicht bei uns; unser König hatte uns alleingelassen, um trübsinnig den Kopf hängen zu lassen, allein und fern vom Schlachtfeld – wie eine gezierte Jungfrau.«

»Sschh!« Der Diener sah sich um, ob etwa jemand zuhörte. Als er sicher war, daß es unmöglich war, sagte er: »Der König ist krank. Er war krank, bevor diese Nachricht kam; der Schmerz über den Verlust seiner Erben, der kleinen Prinzen, hat ihn gebrochen.«

»Es ist die Pflicht eines Königs, solche Verluste zu tragen.«

»Der Verlust seiner beiden Erben wenige Tage nacheinander hat ihn davon überzeugt, daß sein Glück ihn verlassen habe. Und wenn einer davon erst überzeugt ist, dann ist es schwer, noch mit Autorität zu führen.«

»Ja, wie ein weichlicher Pfaffe oder ein Knabe, der an Fallsucht leidet!« rief ein anderer Soldat. »Wir brauchen einen Kriegsmann, der uns führt, kein Weib!«

»Ja, ja. Er wird genesen. Er wird wieder zu sich kommen. Wenn der Schmerz sich gelegt hat.« Der Diener zuckte die Achseln. »Höchstwahrscheinlich hat der König inzwischen einen neuen Erben. Seine Königin sollte jeden Augenblick ins Kindbett gebracht werden.«

Der Soldat schüttelte den Kopf. »Schade bloß, daß er so viele Bastarde hat und daß keiner von denen als Thronfolger zu gebrauchen ist.«

Der König weigerte sich, von seinem Bett aufzustehen; schlaff lag er da wie in Trance. Ein paar seiner Edlen kamen zu ihm und standen um sein Bett. Der Earl von Arran, das vierschrötige Oberhaupt des Hauses Hamilton und in der Erbfolge der nächste Thronanwärter nach den leiblichen Kindern des Königs, schaute fürsorglich zu. Kardinal Beaton, der Staatssekretär, lauerte wie einer, der die letzte Beichte abzunehmen gekommen war. Die Vettern Stewart, lauter mächtige Clanführer von eigenen Gnaden, standen diskret im Gemach. Alle trugen schwere Wollsachen unter ihren leuchtenden

Festgewändern; es war noch immer bitterkalt. In anderen Gemächern verharrten die Mätressen des Königs, frühere und derzeitige, in Sorge um ihre Kinder. Würde der König geruhen, sich an sie zu erinnern?

Der König sah sie an; sie schillerten und gerannen vor seinen Augen, und manchmal schienen sie ganz zu zerfließen. Diese Gesichter ... aber keines von ihnen war ihm teuer, nein, kein einziges.

Schottland war geschlagen; das war sein einziger Gedanke, wenn der Schmerz ihn stechend durchfuhr.

»Die Königin«, flüsterte jemand. »Denkt an Eure Königin. Ihre Stunde ist nahe. Denkt an Euren Prinzen.«

Aber die Prinzen waren tot, die hübschen kleinen Knaben, gestorben nur wenige Stunden nacheinander, der eine in Stirling, der andere in St. Andrews. Orte des Todes. Keine Hoffnung. Alles dahin. Sinnlos, noch Hoffnung zu hegen; das Schicksal war stärker.

Dann ein neues Gesicht vor ihm. Jemand schaute ihm aufmerksam in die Augen, versuchte in ihnen zu lesen. Jemand Neues, forsch und unberührt.

»Sire, Eure Königin hat wohlbehalten entbunden.«

Der König mühte sich, die Worte hervorzubringen. Seltsam, wie schwer das Sprechen fiel. Früher war er von sich aus wortkarg gewesen, aber jetzt zeigte sein Körper sich verschlossen, obwohl sein Geist sich mitzuteilen wünschte. Seine Kehle versagte den Dienst. »Ist es ein Knabe oder ein Mädchen?« zwang er Zunge und Lippen schließlich zu sagen.

»Eine schöne Tochter, Sire.«

Tochter! Also auch die letzte Schlacht verloren.

»Auch das noch? So hol's der Teufel! Adieu, lebt wohl. Die Stewarts sind gekommen mit einer Maid, und sie werden gehen mit einer Maid«, murmelte er.

Das waren die letzten Worte, die er sprach, auch wenn der Arzt, als er sah, daß es mit ihm zu Ende ging, ihn ermahnte: »Gebt ihr Euren Segen! Gebt Eurer Tochter Euren Segen, um des lieben Gottes willen! Scheidet nicht, ohne Eurer Erbin diese Gnade und Sicherheit zu hinterlassen.«

Aber der König lachte nur leise und lächelte dann, küßte seine Hand und reichte sie all seinen Lords ringsum; und kurz danach wandte er den Kopf von seinem Gefolge ab zur Wand und starb.

»Was hat er mit seinen Worten gemeint?« flüsterte einer der anwesenden Lords.

»Die Krone von Schottland«, antwortete einer. »Sie kam über Marjorie Bruce auf die Stewarts, und er fürchtet, sie werde von ihnen gehen durch … wie heißt die Prinzessin?«

»Prinzessin Maria.«

»Nein«, sagte der andere, als er sah, wie die Ärzte den toten König langsam umdrehten und ihm die Hände falteten, damit der Priester ihn salben konnte. »Königin Maria. Maria, Königin der Schotten.«

Seine Frau, die Königinwitwe, bemühte sich, nach der Geburt möglichst schnell wieder zu Kräften zu kommen. Für sie gab es keine mähliche Genesung im Wochenbett, nicht das Empfangen von Besuchern mit ihren Geschenken, denen zum Lohn für ihre guten Wünsche das Kind zur Besichtigung präsentiert wurde, umhüllt von weißer Spitze und Taft und eingewickelt in viele Ellen vom weichsten Samt in der vergoldeten königlichen Wiege.

Nein, Marie de Guise, die Hinterbliebene – welch wunderliche Bezeichnung, dachte sie – Seiner Majestät James' V. von Schottland, mußte sich aufrichten und darauf gefaßt sein, ihr Kind zu verteidigen wie eine Wolfsmutter in einem harten Winter. Und es war ein sehr harter Winter, nicht nur, was Schneestürme und vereiste Straßen anging, sondern für Schottland insgesamt.

Im rötlichen Schein der Feuer, die sie beständig in Gang hielt, konnte sie sich fast vorstellen, daß die Zähne der Edlen eher wie die Reißzähne von Hunden aussahen. Einer nach dem andern begaben sie sich nach Linlithgow Palace, dem goldenen Palast an einem langgestreckten, schmalen See – einem »Loch« – gleich westlich von Edinburgh, und verneigten sich vor dem Kind – ihrer neuen Königin. Sie kamen in schwere Pelze gehüllt, die gestiefelten Füße mit Tierhäuten umwickelt, und es war schwer, ihre eisverkrusteten Bärte von den Pelzen zu unterscheiden, die ihre Gesichter umgaben. Sie knieten nieder und murmelten sich etwas über ihre Gefolgschaftstreue in den Bart, aber ihre Augen glänzten übernatürlich hell.

Da waren all die Clans, die kamen, um sicherzustellen, daß kein anderer Clan ihnen den Weg zur Macht versperrte; denn dies war die größte aller Gelegenheiten – dem Tod eines Hirsches gleich, der die Aasfresser des Waldes in Scharen herbeilockte. Ein Säugling war ihre Monarchin, ein hilfloses Kind, beschützt nur von einer ausländischen Mutter, einer Französin, die von den Gebräuchen hier nichts wußte und fern ihrer Heimat lebte.

Der Earl von Arran, James Hamilton, war da; wäre dieses Kind nicht zur Welt gekommen, dann wäre er jetzt König gewesen. Wohlwollend lächelte er dem Säugling zu. »Ich wünsche ihr ein langes Leben«, sagte er.

Der Earl von Lennox, Matthew Stuart, der behauptete, nicht Arran, sondern er sei der wahre Thronerbe, kam gleich darauf und schaute sehnsuchtsvoll auf das Baby herab. »Möge sie alle Gaben der Anmut und der Schönheit besitzen«, sagte er.

Patrick Hepburn, der »schöne Earl« von Bothwell, trat vor und drückte einen längeren Kuß auf die Hand der Königinmutter. »Möge sie die Macht haben, jeden, der sie anschaut, dazu zu bringen, daß er sie liebt«, sagte er und hob den Blick zu Marie.

Der rotgesichtige, stämmige Earl von Huntly stapfte an der Wiege vorbei und verbeugte sich. »Möge sie stets ruhig unter Freunden weilen und niemals in die Hände ihrer Feinde fallen«, sagte er.

»Mylord«, wandte Marie de Guise ein, »warum von Feinden sprechen? Warum in dieser Stunde auch nur an sie denken? Ihr verbindet Eure guten Wünsche mit etwas Unheimlichem. Ich bitte Euch, verbessert Eure Worte.«

»Ich kann sie verbessern, aber niemals ungesagt machen. Einmal gesprochen, sind sie in ein anderes Reich entfleucht. Aber gut: Mögen ihre Feinde verflucht sein und in Verwirrung stürzen.«

»Dieses *Wort* gefällt mir nicht.«

»Ich kann aber nicht versprechen, daß sie keine Feinde haben wird«, antwortete er störrisch. »Es wäre auch kein guter Wunsch. Es sind die Feinde, die einen Menschen machen und formen. Nur ein Nichts hat keine Feinde.«

Als die Lords gegangen waren, saß Marie de Guise an der Wiege und bewegte sie sanft hin und her. Das Kind schlief. Der Feuerschein malte die eine Hälfte des Gesichtes rosig an, und das Baby krümmte und streckte die dicken, von Grübchen gezierten Fingerchen.

Meine erste Tochter, dachte Marie, und sie sieht anders aus. Ist es meine Phantasie? Nein, ich glaube, sie ist von echter Weiblichkeit. Die Schotten würden sagen, ein Mädel ist immer anders als ein Bub, schon von Anfang an. Diese Tochter hat eine Haut wie Mandelmilch. Und ihr Haar – sanft schob sie die Haube des Kindes zurück –, welche Farbe wird es wohl bekommen, bei dieser Haut? Es ist noch zu früh, um es zu erkennen; der Flaum hat die gleiche Farbe wie bei allen Säuglingen.

Maria. Nach mir selbst habe ich sie getauft, und nach der Heiligen Jungfrau; schließlich ist sie am Tag der Heiligen Jungfrau geboren, am Tag der Unbefleckten Empfängnis, und vielleicht wird die Jungfrau sie schützen und sie in ihre besondere Obhut nehmen.

Maria, Königin Schottlands und Herrin der Inseln. Meine Tochter ist schon eine Königin – sechs Tage alt, und dann wurde sie Königin.

Bei diesem Gedanken regte sich ein leises Schuldgefühl in ihr. Der König, mein Herr und Gemahl, ist gestorben, und so ist meine Tochter vor der Zeit Königin geworden. Brennenden Schmerz sollte ich fühlen. Den König sollte ich betrauern, mein Schicksal beklagen, anstatt staunend meine Tochter anzuschauen, die Kindkönigin.

Das Kind *wird* schön werden, dachte sie, als sie die Gesichtszüge betrachtete. Schon jetzt kann ich sehen, daß sie die Augen ihres Vaters hat, diese Stewart-Augen, schräg und mit schweren Lidern. Seine Augen, die so viel verhießen, die so beruhigend und doch so verschlossen waren und ihre eigenen Tiefen verbargen.

»Meine teure Königin.« Hinter sich hörte sie eine vertraute Stimme: Kardinal Beaton. Er war nicht mit den anderen gegangen; aber er fühlte sich auch zu Hause hier, und das jetzt mehr denn je, nachdem der König für immer gegangen war. »Betrachtet Ihr Euer Werk? Seht Euch vor, sonst verliebt Ihr Euch noch in Eure eigene Schöpfung.«

Sie richtete sich auf und drehte sich um. »Es ist schwer, sie nicht mit ehrfürchtigem Staunen zu betrachten. Sie ist schön, und sie ist eine Königin. Meine Familie in Frankreich wird außer sich sein. Endlich können sich die Guise einer Monarchin rühmen.«

»Ihr Familienname ist nicht Guise, sondern Stewart«, erinnerte sie der beleibte Kirchenmann. »Nicht ihr französisches Blut bringt sie auf den Thron, sondern ihr schottisches.« Er gestattete sich eine Verbeugung und streichelte dem Kind die Wange. »Nun, was werdet Ihr tun?«

»Den Thron für sie halten, so gut ich kann«, sagte Marie.

»Dann werdet Ihr in Schottland bleiben müssen.« Er richtete sich auf und ging zu einer Silberschale mit Süßigkeiten und Nüssen. Er nahm ein Stück und steckte es in den Mund.

»Das weiß ich!« Sie war empört.

»Keine Pläne für die Flucht nach Frankreich?« Er lachte scherzhaft. »Aus Sevilla-Orangen gemacht«, bemerkte er und lutschte an dem süßen Brocken. »Kürzlich habe ich von einer kandierten Rinde aus Indien gekostet. Viel süßer.«

»Nein. Wenn dieses Kind nicht gekommen wäre, wenn ich eine kinderlose Witwe wäre, dann würde ich gewiß nicht länger hier verweilen. Aber jetzt habe ich eine Aufgabe, und zwar eine, der ich mich nicht entziehen kann.« Es fröstelte sie. »Sofern ich hier nicht erfriere oder die Schwindsucht bekomme.«

Draußen schneite es wieder. Sie ging durch das Zimmer zum Steinbogen des Kamins, wo auf ihren Befehl hin ein großes Feuer loderte. Das Gemach des Kindes mußte warmgehalten werden, mochte das bitterkalte Wetter in Schottland noch so wild toben.

»Ach, David«, sagte sie, und ihr Lächeln verging, »was wird aus Schottland werden? Die Schlacht ...«

»Wenn es nach den Engländern geht, wird es ein Teil Englands werden. Sie werden versuchen, es auf diese oder jene Art an sich zu raffen, höchstwahrscheinlich durch eine Heirat. Als Sieger von Solway Moss, mit tausend hochrangigen Gefangenen in ihrer Gewalt, werden sie die Bedingungen diktieren. Wahrscheinlich werden sie Maria zwingen, ihren Prinzen Edward zu heiraten.«

»Niemals! Das lasse ich nicht zu«, rief Marie.

»Sie muß jemanden heiraten«, erinnerte sie der Kardinal. »Das ist es ja, was der König meinte, als er sagte: Sie werden gehen mit einem Mädchen. Wenn sie heiratet, geht die Krone auf ihren Ehemann über. Und einen französischen Prinzen, der in Frage käme, gibt es nicht. Die Erben König Franz', Heinrich von Valois und Katharina von Medici, sind unfruchtbar. Wenn die kleine Maria versucht, einen Schotten zu heiraten, einen ihrer eigenen Untertanen, werden die übrigen sich voller Eifersucht erheben. Wen also, wenn nicht einen Engländer?«

»Keinen englischen Prinzen«, wiederholte Marie immer wieder. »Keinen englischen Prinzen. Es sind lauter Ketzer dort unten.«

»Und was gedenkt Ihr mit den Bastarden des Königs anzufangen?« fragte der Kardinal leise.

»Ich werde sie alle zusammenführen und hier großziehen, im Palast.«

»Ihr seid verrückt. Führt sie lieber alle zusammen und beseitigt sie.«

»Wie ein Sultan?« Marie mußte lachen. »Nein, das ist keine christliche Handlung. Ich werde ihnen Barmherzigkeit zuteil werden lassen und ein Heim schenken.«

»Und sie mit Eurer eigenen Tochter großziehen, der rechtmäßigen Königin? Das ist nicht christlich, sondern fahrlässig. Ihr werdet vielleicht noch erleben, wie Eure Tochter die bösen Früchte dieser irregeleiteten Güte erntet. Hütet Euch, daß Ihr keine Schlangen nährt, die sie später beißen könnten, wenn Ihr nicht mehr seid.« Das fette, faltenlose Gesicht des Kardinals zeigte echte Besorgnis. »Wie viele sind es?«

»Oh, etwa neun, glaube ich.« Sie lachte und verspürte dann auch deshalb Gewissensbisse.

Ich sollte die Untreue des Königs mit Mißfallen betrachten, dachte sie. Aber das tue ich nicht. Warum nicht? Ich habe ihn wohl nicht geliebt. Denn sonst wäre ich über diese Weiber hergefallen und hätte ihnen die Augen ausgekratzt.

»Es sind lauter Jungen; nur ein Mädchen ist dabei: Jean. Sein Lieblingsbankert war der, der seinen Namen trug: James Stewart. Der ist jetzt neun Jahre alt und lebt mit seiner Mutter im Schloß zu Lochleven. Es heißt, er sei schlau«, sagte Marie.

»Daran zweifle ich nicht. Niemand ist schlauer als ein königlicher Bastard. Sie hegen ungebührliche Hoffnungen. Zwingt ihn in die Kirche und bindet ihn dort, wenn Euch die Sicherheit der kleinen Königin am Herzen liegt.«

»Nein, am besten holt man ihn in den Palast und läßt ihn lernen, seine Schwester zu lieben.«

»Seine Halbschwester.«

»Meine Güte, seid Ihr verstockt. Ich weiß Eure Warnungen zu schätzen, aber ich werde die Augen schon offenhalten.«

»Und was ist mit den Adeligen? Ihr könnt doch keinem von ihnen vertrauen, oder?«

»Doch. Ich vertraue denen, die die Mädchen geheiratet haben, die ich aus Frankreich mitgebracht habe. Lord George Seton, der meine Zofe Marie Pieris geheiratet hat. Lord Robert Beaton, der mit Joan de la Reynville vermählt ist. Lord Alexander Livingston, den Gatten von Jeanne de Pedefer.«

»Aber die größeren Edelleute sind nicht auf dieser Liste.«

»Nein.«

In diesem Augenblick fing die kleine Königin an zu schreien, und die Mutter nahm sie auf. Der winzige Mund war zitternd verzogen, und die großen Augen schwammen in Tränen.

»Schon wieder hungrig«, sagte Marie. »Ich werde die Amme rufen.«

»Sie ist eine Schönheit«, sagte der Kardinal. »Es ist schwer vorstellbar, daß jemand ihr Böses wünschen könnte.« Er kitzelte das Baby unterm Kinn. »Ich grüße Euch, Eure Majestät.«

»Jedermann beklagte, daß das Reich ohne einen männlichen Erben geblieben war«, schrieb ein junger Priester namens John Knox langsam und nachdenklich. Er blickte auf zu seinem Kruzifix, das über seinen Pult hing, als er die Feder in das Tintenfaß tauchte.

Warum hast Du Deine Hand von uns genommen, beschwor er stumm das Kreuz.

Warum, o Herr, hast Du Schottland verlassen?

Das Septemberwetter hatte den ganzen Tag Schabernack gespielt. Erst hatte es einen Wolkenbruch gegeben, mit starkem, böigem Wind, der hoch oben bei den zweihundertfünfzig Fuß hohen Türmen von Stirling Castle noch heftiger geweht hatte. Dann hatten sich die Wolken verzogen, nach Osten, in Richtung Edinburgh, und einen gleißend blauen Himmel und ein bitteres Gefühl von Sauberkeit zurückgelassen. Jetzt drängte wieder schwarzes Gewölk heran, aber Marie de Guise stand noch in der Sonne, und sie erkannte in der Ferne einen Regenbogen über den abziehenden Gewitterwolken, die einen Dunstschleier hinter sich herschleppten, welcher bis zur Erde reichte.

Ob das ein Omen war? Es war verzeihlich, daß die Königinmutter heute von banger Unruhe erfüllt war: Es war der Krönungstag ihrer Tochter.

Die Zeremonie war in aller Hast arrangiert worden; es war ein Akt tollkühnen Trotzes gegen England, der nichtsdestoweniger von allen Schotten unterstützt wurde. Bis auf den letzten Mann hatten sie die bald anmaßende, bald herablassende Behandlung durch Heinrich VIII. unerträglich und ungenießbar gefunden. Seine selbstgefälligen Forderungen und seine kindischen Drohungen, seine absolute Unfähigkeit zu begreifen, daß Schottland eine Nation war, nicht etwa ein Sack Korn, den man kaufen und verkaufen konnte, die kühle Selbstverständlichkeit, mit der er annahm, daß er alle Macht habe und daher immer seinen Willen bekommen müsse – all das überzeugte die Schotten davon, daß sie sich bis zum Äußersten widersetzen mußten und widersetzen würden.

Zuerst mußte Marias Zwangsverlobung mit Edward aufgelöst werden, eine Verlobung, die zur Bedingung hatte, daß Maria nach England geschickt und dort erzogen werde. Als dies verwehrt worden war, hatte König Heinrich sie in die Obhut eines englischen Haushalts in Schottland geben und ihre Mutter aus ihrer Nähe verbannen wollen. Es war sein Wille, daß sie sich ständig in englischer Hand befinden solle; mit anderen Worten, sie sollte von ihrem eigenen Volk ferngehalten und englisch, nicht schottisch erzogen werden – damit sie die Interessen ihres Volkes später um so leichter verraten würde, so dachte er.

Heinrichs »verpflichtete Lords«, die Gefangenen von Solway Moss, hatten das Banner gewechselt und der englischen Politik widersagt, sobald das möglich gewesen war, und jetzt betrieb man mit Eile den zweiten Akt des Trotzes: Maria würde heute nachmittag zur Königin von Schottland gekrönt werden, um die Tatsache zu bekräftigen, daß Schottland eine unabhängige Nation mit einem eigenen Souverän war, auch wenn dieser Souverän erst neun Monate zählte.

Das auserwählte Datum war höchst unglückselig, dachte die Königinmutter: Der 9. September, der Jahrestag der furchtbaren Schlacht von Flodden Field, wo vor genau dreißig Jahren Marias Großvater sein Ende gefunden hatte, niedergemetzelt von den Engländern.

Gleichwohl lag auch hierin eine gewisse trotzige Regung, als werde nicht nur Heinrich VIII. herausgefordert, sondern das Schicksal selbst.

Sie blickte hinauf zum Himmel, der nun wieder dunkler wurde, und eilte dann über den Hof zum Palast. Jetzt war keine Zeit, die französischen Arbeiten zu bewundern, die ihr Gemahl bei der Ausschmückung des grauen Steinpalastes so verschwenderisch hatte anbringen lassen, bis hin zu den wunderlichen Steinstatuen, die er überall an der Fassade aufgestellt hatte. Sogar von ihr war eine darunter, die jetzt auf ihr lebendes Vorbild herunterschaute, das raschen Schritts auf den Eingang des Schlosses zuging.

Ihre Tochter war bereit; sie trug schwere königliche Gewänder in Miniaturausführung. Ein karminroter Samtmantel mit hermelingefütterter Schleppe war an ihrem kleinen Hals befestigt, und ein juwelenbesetztes Kleid aus Atlasseide mit langen, weiten Ärmeln umhüllte das Kind, das schon sitzen, aber noch nicht laufen konnte.

Die Mutter strich der Kleinen über den Kopf – der nun bald die Krone tragen sollte –, betete stumm für sie und übergab sie mit ernster Miene an Lord Alexander Livingston, ihren Hüter, der sie in feierlicher Prozession über den Hof zur Königlichen Kapelle tragen würde. Als sie draußen vorüberzogen, sah die Königinmutter, daß die Sonne geflohen war; der Himmel war schwarz. Aber noch hatte es nicht angefangen zu regnen, und das Kind gelangte in seinen Zeremoniengewändern trocken in die Kapelle, gefolgt von einer Prozession von Staatsbeamten.

Nicht viele waren in der Kirche. Der englische Botschafter, Sir Ralph Sadler, der hier die Pläne seines Herrn zunichtegemacht sah, stand düster da und wünschte der Zeremonie und allen Beteiligten Unglück. D'Oysell, dem französischen Gesandten, war es ein Greuel, überhaupt anwesend zu sein, denn durch seine Anwesenheit schien er dieser Sache seine Billigung zu geben. Aber König Franz würde über alle Einzelheiten informiert werden müssen, oder er würde seinen Botschafter wegen seiner Unkenntnis furchtbar bestrafen. Die übrigen Vormünder der kleinen Königin waren in einer Zuschauerreihe angetreten. Kardinal Beaton stand bereit, die Zeremonie zu vollziehen; er wartete vor dem Thron.

Die Krönung selbst war kein prunkvoller, nicht einmal ein komplizierter Akt, wie dergleichen in England gewesen wäre. Die Schotten wollten es hinter sich bringen, und so trug Livingston, der Hüter, Maria auf schlichteste Weise nach vorn zum Altar und setzte sie behutsam auf den dort aufgestellten Thron. Dann blieb er daneben stehen und hielt sie fest, damit sie nicht herunterpurzelte.

Rasch sprach Kardinal Beaton ihr den Krönungseid vor, den der Hüter als ihr Pate für sie nachsprach; mit seiner Stimme gelobte sie, Schottland zu schützen und zu lenken und ihm eine treue Königin zu sein, im Namen des Allmächtigen Gottes, der sie dazu auserkoren hatte. Sogleich nahm der Kardinal ihr daraufhin die schweren Gewänder ab und machte sich daran, sie auf Rücken, Brust und Handflächen mit heiligem Öl zu salben. Als die kalte Luft sie berührte, fing sie an zu weinen; sie jammerte und schluchzte.

Der Kardinal hielt inne. Sicher, sie war nur ein Baby und weinte, wie alle Babys weinten, unerwartet und bestürzend. Aber in der Stille der steinernen Kirche, wo die Nerven ohnehin angespannt waren ob der unerlaubten, rebellischen Natur dieser ganzen Zeremonie, klangen diese Laute niederschmetternd. Das Kind weinte wie über den Fall des Menschen, wie im Grauen vor der ewigen Verdammnis.

»Psst, pst«, murmelte er. Aber die kleine Königin ließ sich nicht beruhigen; sie heulte, bis der Earl von Lennox das Zepter brachte, einen langen Stab aus vergoldetem Silber, mit Kristall und schottischen Perlen besetzt. Er legte es dem Kind in die Hand, und die Kleine umfaßte den schweren Schaft mit ihren dicken Fingerchen. Ihr Weinen verebbte. Dann wurde ihr vom Earl von Argyll das prachtvoll vergoldete Staatsschwert präsentiert, und der Kardinal umgürtete den kleinen runden Leib feierlich mit dem drei Fuß langen Schwert.

Dann trug der Earl von Arran die Krone herbei, einen schweren Traum aus Gold und Edelsteinen, in den goldenen Reifen geschmiegt, den Robert Bruce in der Schlacht von Bannockburn, in der Nähe von Stirling, auf seinem Helm getragen hatte. Der Kardinal nahm die Krone behutsam und ließ sie auf den Kopf des Kindes sinken, wo sie auf einem Rundhäubchen aus Samt ruhte. Unter der Krone, schwer vom Leid ihrer Vorfahren, spähten Marias Augen hervor. Der Kardinal stützte die Krone, und Lord Livingston hielt das Kind aufrecht, als die Earls von Lennox und Arran ihr zum Zeichen ihrer Gefolgschaftstreue die Wange küßten, gefolgt von den übrigen Edelleuten und Prälaten, die vor ihr niederknieten, die Hand auf die Krone legten und ihr Treue schworen.

Heinrich VIII. entfesselte die ganze Wucht seiner Wut gegen die Schotten. Ein Heer wurde zum Sturm auf Stirling Castle ausgesandt; man sollte Maria gefangennehmen und die ganze Umgebung ausplündern und in Brand stecken, Männer, Frauen und Kinder durch das Schwert niedermachen, Edinburgh zerstören, Holyrood dem Erdboden gleichmachen, die Klöster im Grenzland niederreißen und die Ernte, die schon eingebracht war, in Flammen aufgehen lassen.

Die englischen Soldaten zogen metzelnd und mordend nach Edinburgh. Sie kamen durch das Canongate und zu den Türen von Holyrood Abbey, und sie drangen in das Heiligtum ein. Sie suchten die Gräber der Stewarts, fanden das große, geschlossene Monument auf der rechten Seite der Abteikirche, nicht weit vom Altar, brachen es auf und entweihten die königlichen Grabstätten. Sie öffneten das Grab, in dem Marias Vater lag, und schleiften seinen Sarg hinaus ins

Tageslicht, wo sie ihn verhöhnten und dann liegenließen, einsam und verloren im Mittelgang.

Schottland weinte und wehklagte. Schottland war verwundet und schrie, aber niemand war da, der ihm half. Tote stanken zum Himmel, Kinder gingen hungrig ins Bett, aufgenommen von Verwandten, die überlebt hatten, und die verwüsteten Straßen von Edinburgh waren voller Rauch. Das schottische Volk sah die zerstörten Klöster und die verlassenen Kirchen und suchte die einzige Hilfe, die ihm noch blieb, die göttliche, auf ganz neue Art. Obgleich alle protestantische Literatur mit einem Bann belegt war, fanden jetzt eingeschmuggelte protestantische Übersetzungen der Heiligen Schrift – William Tyndales Fassung und sogar Kopien der englischen Großen Bibel von 1539 – den Weg nach Schottland. Wo die ketzerischen Prediger sich nicht verstecken konnten, ließ sich eine Bibel verbergen; wo Gott zu schweigen schien, statt durch seine bisherige Kirche, die Kirche Roms, zu sprechen, da sprach Er nun unmittelbar durch Sein Wort, wie es sich in der Schrift offenbarte. Prediger streiften durch das ganze Land; sie waren ausgebildet in Genf, in Holland, in Deutschland. Die Leute lauschten ihren Predigten und fanden Trost darin, wie Gott ihnen seine Hand entgegenstreckte. Er bot ihnen Seine Hand, und sie ergriffen sie.

In Stirling Castle waren die Königinmutter und ihre Tochter wohlverwahrt. Die alte Burg auf dem hohen Felsen, der weithin über die Ebene ragte, hielt allen Unbillen stand und war für die Engländer uneinnehmbar. Hinter den Mauern des Schlosses schuf Marie de Guise ein Heim für ihre Tochter, mit Spielkameraden, Lehrern und Haustieren. Es war eine Welt für sich, hoch über dem Tal des Forth; hier schaute man hinunter auf die Stirling Bridge und das Tor zum Hochland, wo man spurlos verschwinden und sich in Sicherheit bringen konnte vor allen ausländischen Feinden, die einen bedrohten. Selten gab es auch Gelegenheit zur Beiz und zur Jagd oder auch, sich das Land anzuschauen, ehe man sich rasch wieder in die Sicherheit der Felsenfestung zurückzog.

Es gab Wolkendunst. Und heulende Winde und eisbedeckte Hügel, auf denen die Kinder manchmal Schlitten fuhren; auf Kuhschädeln sausten sie den Hang hinter der Burg herunter. Es gab kleine, struppige Pferde, auf denen die kleine Maria und ihre Spielkameradinnen – die alle ebenfalls Maria hießen, was so lustig war – das

Reiten lernten. Es gab Nebel und Heide, grüne Täler – die Glens – und einen unermeßlichen Himmel, über den die Wolken dahinjagten wie Banditen.

Oben in der Burg gab es einen Raum in den königlichen Gemächern – leer jetzt – mit runden Medaillons an der Decke. Zuweilen wanderte das Kind in diesen Raum und betrachtete im Zwielicht, das durch die verrammelten Fenster fiel, die holzgeschnitzten Köpfe. Eine der Figuren hatte Hände, die den Rand des Rundteils umklammerten – als wolle sie herausspringen und in die wirkliche Welt entfliehen. Aber sie bewegte sich nie, sondern verharrte für alle Zeit an der Grenze zu einer neuen Welt, die sie nicht betreten konnte, und starrte von der Decke zu ihr herunter.

Ihrer Mutter gefiel es nicht, wenn sie hier war. Meistens kam sie Maria suchen und brachte sie zurück in die Gemächer der Königin, wo sie wohnte und ihren Unterricht bekam, in denen es Kissen gab und einen Kamin und ein Gewimmel von Menschen.

Irgendwann im Dunst der frühen Kindheit lernte sie ihre Halbgeschwister kennen. Ihre Mutter hatte in seltsamer Mildherzigkeit – oder war es politischer Scharfsinn – vier der unehelichen Nachkommen ihres verstorbenen Gemahls versammelt und sie nach Stirling Castle gebracht. Maria liebte sie alle; sie liebte es, einer großen Familie anzugehören, und da ihre Mutter anscheinend keinen Anstoß daran nahm, daß sie Bastarde waren, nahm sie auch keinen.

James Stewart war ernst und würdevoll, aber weil er der älteste war, schien ihnen sein Urteil das weiseste zu sein, und sie beugten sich ihm. Wenn er sagte, sie sollten nicht noch einmal den Berg hinunterschlittern, ehe das Tageslicht verblaßte, so war seine Einschätzung, wie Maria lernte, immer richtig, und wenn sie ihm nicht gehorchte, würde sie sich, unten angekommen, plötzlich im Dunkeln wiederfinden.

Bevor sie Marias Halbgeschwister für eine Weile nach Stirling geholt hatte, hatte Marie schon eine andere kleine Familie für ihre Tochter zusammengestellt, vier Töchter von Freunden, die alle Mary hießen und alle gleich alt waren: Mary Fleming, Mary Beaton, Mary Livingston und Mary Seton.

Mary Fleming war reine Schottin und hatte auch Stewart-Blut in den Adern; es war allerdings schon etwas älter und kam von der falschen Seite der Bettdecke: Sie war die Enkelin James' IV. Mary

Flemings Mutter Janet besaß die Familieneigenschaften der Stewarts, Schönheit und einen frohen Mut, und sie diente als Gouvernante der fünf kleinen Marien. Von frühester Jugend an war Mary Fleming – ihr Spitzname war *La Flamina* – die einzige, die Marias Herausforderungen annahm und sie an Keckheit noch übertraf.

Die anderen drei Marys hatten zwar echte schottische Namen und schottische Väter, aber ihre Mütter waren Französinnen: Kammerfrauen, die mit Marie de Guise herübergekommen waren. Daß ihre Töchter allesamt mit Maria befreundet waren, bereitete der Königinmutter große Genugtuung und das Gefühl, in dieser Festung in einem fremden Land zu Hause zu sein. Zwar sprachen die Mütter Französisch miteinander, aber die Töchter waren anscheinend entweder nicht interessiert oder nicht imstande, es selbst auch zu lernen, auch wenn sie vermutlich ein paar Worte verstanden. Wenn die Mütter heimlich über die Mädchen reden wollten, konnten sie es jederzeit unbeschadet auf Französisch tun.

Um sie voneinander zu unterscheiden, wurde Mary Livingston, robust und sportlich, von den anderen Lusty genannt; Mary Seton, groß und reserviert, rief man bei ihrem vornehmen Familiennamen; Mary Beaton, rundlich, hübsch und zu Tagträumen neigend, hieß Beaton, weil sich das auf Seton reimte und die beiden so ein Paar bildeten. Mary Fleming trug den Spitznamen La Flamina wegen ihrer überschwenglichen Persönlichkeit. Einzig Maria war immer nur Maria, *die* Maria.

Die acht kleineren Kinder tollten, prügelten sich, hatten Geheimbünde, Cliquen und eigene Sprachen. Sie hielten Haustiere, spielten Karten und sagten einander die Zukunft weis; sie zankten miteinander und schworen sich am nächsten Tag ewige Freundschaft. Der neunte, James Stewart, hatte den Vorsitz über ihre kleine Welt, und er tat es mit fünfzehnjährigem Ernst, auf halber Höhe zwischen der Welt der Erwachsenen und der Welt der Kinder, ohne zu einer der beiden wirklich ganz zu gehören. Beide wandten sich an ihn, wenn die eine Seite wegen der anderen einen Rat brauchte.

Maria war erst sechs Monate alt, als sie nach Stirling kam, um dort zu leben, und für sie war die ganze Welt in dieser Bergfestung enthalten. Hier wurde sie gekrönt; hier tat sie ihre ersten stolpernden Schritte; ihre Lehrer erteilten ihr hier, im Vorzimmer zu den Gemächern der Königin, den ersten Unterricht. Als sie gerade drei Jahre alt war, bekam sie ein winziges Pony von den Inseln im höchsten

Norden Schottlands geschenkt, und so lernte sie hier auch das Reiten. Lusty fand natürlich genauso schnell wie sie Gefallen an den Ponys, derweil Seton und Beaton einem ruhigeren Zeitvertreib im Hause den Vorzug gaben. Flamina konnte ganz gut reiten, aber sie zog die Abenteuer mit Menschen solchen mit Tieren vor.

Maria blickte zu James auf und folgte ihm eifrig umher. Als sie sehr klein war, klebte sie an ihm und bedrängte ihn ständig, mit ihr zu spielen. Als sie älter wurde, erkannte sie, daß es ihm mißfiel, wenn sie ihn anfaßte und hierhin und dorthin zerrte, und daß solches Benehmen gerade die entgegengesetzte Wirkung auf ihn hatte. Wenn sie wollte, daß er ihr seine Aufmerksamkeit zuwandte, mußte sie woanders hinschauen und mit anderen sprechen. Dann lockte die Neugier ihn an.

Einmal, als sie vier Jahre alt war, wanderte sie vom oberen Hof, wo die Kinder zwischen der Großen Halle und der königlichen Kapelle Ball spielten, davon und schlich sich in die verbotenen königlichen Gemächer. Hier waren stets alle Fensterläden geschlossen, und es war dunkel, aber die Räume zogen sie an. Die großen, runden Medaillons an der Decke erfüllten den Raum mit ihrer brütenden Gegenwart, als hüteten sie ein Geheimnis. Sie stellte sich immer vor, wenn sie nur in jede Ecke schaute und eifrig genug suchte, würde sie ihren Vater hier finden. Er hätte sich dann nur versteckt, um ihnen einen Streich zu spielen. Und wie glücklich ihre Mutter sein würde, wenn sie ihn herausholte!

Mit laut pochendem Herzen durchquerte sie eilig die Wachstube. Sie wußte schon, daß hier nichts war. Der Raum war kahl, und es gab nichts, wo ein König sich hätte verstecken können. Der nächste Raum, das Audienzzimmer, war gleichfalls leer. Aber es gab mehrere kleine, verborgene Kammern, die an das Schlafgemach des Königs grenzten. Sie wußte, daß sie da waren; sie hatte sie auf einem Plan gesehen. Und dort war vermutlich das Versteck des Königs – falls er sich überhaupt versteckte.

Aber sie waren am entlegensten – und sehr dunkel. Noch nie hatte sie gewagt, dort hineinzugehen. Einmal war sie bis an die Tür des königlichen Schlafgemachs gekommen, und dort hatte sie den dunklen Eingang zu einer Kammer gesehen. Aber der Mut hatte sie verlassen, und sie war umgekehrt.

Heute würde sie hineingehen. Halb wünschte sie, sie hätte Flamina mitgebracht. Aber sie wußte, daß ihr Vater nicht erscheinen würde, wenn noch jemand bei ihr wäre. Sie mußte allein gehen.

Gleichzeitig wußte sie, daß es nur ein Spiel war. Er war ja nicht wirklich da; es war nur eine Mutprobe, die sie sich selber stellte. Sie schlich durch das halbdunkle Zimmer auf das Schlafgemach zu. Ihre Augen hatten sich an die Dunkelheit gewöhnt, und sie konnte schon viel besser sehen. Dann hatte sie die Tür zum Schlafgemach erreicht und spähte hinein.

Es stand immer noch ein Bett dort, und sogar die Vorhänge waren noch erhalten. Sie fragte sich, ob sie den Mut hatte, sich auf Hände und Knie sinken zu lassen und unter ihnen hindurchzulugen. Sie tat es und zitterte dabei so sehr, daß sie fast in Ohnmacht gefallen wäre. Aber da war nichts hinter den Bettvorhängen – nur Staub und Stille.

Jetzt mußte sie es tun: Sie mußte in die angrenzende Kammer gehen. Kein Laut war zu hören außer ihrem eigenen Atem. Sie wollte umkehren, und sie wollte es doch nicht. Sie hielt den Atem an und huschte auf leisen Sohlen in den Raum.

Es war schrecklich finster. Irgend etwas schien hier anwesend zu sein, und wohlwollend war es nicht. Sie zwang sich, den Umfang der Kammer abzuschreiten; sie berührte die Wände, aber als sie die Hälfte des Weges hinter sich hatte, war ihr beinahe schlecht vor lauter Angst. Die Knie fingen an zu zittern, und sie ließ sich auf alle viere fallen und kroch zur Tür.

Aber dann fand sie sich in einem noch dunkleren Zimmer. Der Raum mußte zwei Türen gehabt haben, vielleicht sogar drei. Wie sollte sie hinauskommen? Das Grauen übermannte sie, und alle logischen Gedanken flogen davon. Sie kauerte sich auf den Boden und zitterte im Gefühl ihrer Hilflosigkeit.

Dann hörte sie ein Geräusch. Der Geist! Der Geist ihres Vaters. Er kam, um die Verabredung einzuhalten, und plötzlich wollte sie ihn nicht mehr sehen. Vor allem wollte sie keinen Geist sehen!

»Aber Maria«, sagte eine ruhige Stimme. »Hast du dich verlaufen?«

Sie sprang auf. Wer sprach da? »Ja. Ich möchte in den Hof zurück.« Sie bemühte sich, würdevoll zu klingen. Aber ihre Knie wollten nicht aufhören zu zittern.

»Warum bist du hergekommen?« Die Stimme überging ihren Wunsch.

»Ich wollte ein wenig auskundschaften«, sagte sie großartig. Es gab keinen Grund, von dem Geist zu reden – oder von der Möglichkeit eines Geistes.

»Und jetzt hast du dich verlaufen.« In der Stimme klang die spöttische Parodie des Mitgefühls. »Wie schade.« Sie schwieg einen Moment. »Weißt du, wo du bist?«

»Nein … nicht genau.«

»Ich könnte dich hinausführen.«

»Wer bist du?« Sie kannte die Stimme; sie wußte es.

Eine Gestalt trat auf sie zu und nahm sie bei der Hand. »Aber ich bin James, dein Bruder.«

»Oh! Gott sei Dank! Laß uns zusammen hinausgehen.«

»Ich habe gesagt, ich könnte dich hinausführen.« Ein Widerhaken lag in seinem Ton. »Und das würde ich mit dem größten Vergnügen tun, aber dafür möchte ich, daß du auch etwas für mich tust.«

»Was denn?« Das war sonderbar. Wieso benahm er sich so merkwürdig?

»Ich möchte eine Belohnung haben. Ich möchte die Miniatur deines Vaters, die du hast – die du in diesem Augenblick trägst.«

Sie hatte sie an diesem Morgen an ihr Mieder gesteckt, als würde das helfen, ihn heraufzubeschwören. Sie liebte die Miniatur; sie war eine der greifbaren Erinnerungen an ihn, die sie besaß. Gern studierte sie sein Gesicht, das gestreckte Oval mit der schmalen Nase und den wohlgeformten Lippen. Insgeheim fragte sie sich, ob sie aussah wie er oder ob sie später einmal so aussehen würde. Sie wußte, mit ihrer Mutter hatte sie keine Ähnlichkeit außer in der Größe.

»Nein«, sagte sie. »Such dir etwas anderes aus.«

»Ich will nichts anderes.«

»Ich kann sie dir nicht geben. Sie ist mir kostbar.«

»Dann kann ich dir nicht helfen. Sieh selbst zu, wie du hinausfindest.« Flink zog er seine Hand weg und lief zur Tür.

Sie hörte, wie seine Schritte verklangen, und stand allein im Dunkeln.

»James!« rief sie. »James, komm zurück!«

Er lachte im äußeren Gemach.

»James, ich befehle es dir!« kreischte sie. »Komm sofort her! Ich bin die *Königin!*«

Sein Lachen brach ab, und einen Augenblick später stand er wieder neben ihr.

»Du kannst mir befehlen, zurückzukommen«, sagte er verstockt. »Aber du kannst mir nicht befehlen, dich hinauszuführen, wenn ich beschließe, mit dir hierzubleiben. Ich werde einfach so tun, als hätte ich mich ebenfalls verirrt. Also. Gib mir die Miniatur, und ich führe dich hinaus. Andernfalls bleiben wir hier sitzen und haben uns zusammen verirrt, bis eine Wache kommt und uns findet.«

Sie wartete; ihre Unterlippe bebte. Schließlich sagte sie: »Also gut. Nimm die Miniatur.« Sie weigerte sich, die Nadel selbst zu öffnen; mochte James sich doch dabei in die Finger stechen.

Geschickt löste er den Verschluß; er mußte sie schon lange Zeit beäugt haben, wenn er sie sogar im Dunkeln öffnen konnte, dachte sie. »So«, sagte er. »Du vergißt, daß er auch mein Vater ist. Ich möchte etwas von ihm haben. Ich verspreche dir, sie zu hüten, damit sie niemals zu Schaden kommt.

»Bitte führe mich hinaus«, sagte sie. Der Verlust der Brosche war so schmerzlich, daß sie so schnell wie möglich wieder in die Sonne hinaus wollte, als könne das Sonnenlicht sie ihr auf irgendeine geheimnisvolle Weise zurückbringen.

Sie bemühte sich, die ganze Sache zu vergessen, und mit der Zeit gelang es ihr fast, sich einzureden, sie hätte die Brosche in den dunklen Gemächern verloren, sie ihrem Vater als Geschenk überlassen. Sie war froh, als James für mehrere Monate zu seiner Mutter nach Lochleven zog. Als er zurückkam, hatte sie keine klare Erinnerung mehr an die Miniatur.

Der Wind peitschte die kahlen, schneebestäubten Felder, während die kleine Schar voranstapfte. Sie waren unterwegs von Longniddry zu der größeren Stadt Haddington; dort würde George Wishart predigen, wie der Heilige Geist es ihm eingab, der Warnung zum Trotz, die der Lord der Gegend, Patrick Hepburn, Earl von Bothwell, ihm hatte zukommen lassen. Während sie durch den grauen Januarnachmittag wanderten, hielten sie wachsam Ausschau nach verdächtigen Bewegungen. Es konnten die freundlichen Lords sein, die versprochen hatten, sich hier mit ihnen zu treffen – aber es konnten auch ihre Feinde sein.

Vorn an der Spitze der Gruppe ging eine schlanke, aufrechte Gestalt, deren Blicke die Straße absuchten und deren Fäuste ein zweihändiges Schwert umklammerten. Es war ein junger Mann von etwa dreißig Jahren, der bei Sir Hugh Douglas von Longniddry als Hauslehrer für dessen beide kleinen Söhne in Dienst stand und überdies als Notar des Bezirks tätig war. Sein Name war John Knox, und er kniete nicht mehr vor Kruzifixen oder flehte Gott an, ihm zu offenbaren, weshalb Er Schottland verlassen habe. Er hatte die Antwort bekommen, und zwar durch George Wishart: Schottland war es gewesen, das sich von Gott abgewendet hatte, in die Irre gelaufen im »Pfuhl der Papisterei«. Knox hatte daraufhin seinerseits seinen Priesterberuf aufgegeben und sich dem reformierten Glauben zugewandt. Es war eine gefährliche Entscheidung.

Vor den Mauern der eigenständigen Burg auf dem Stirling Rock, wo die Königin residierte, und jenseits der nicht minder eigenständigen Burg zu St. Andrews, wo Kardinal Beaton wohnte, huschten Reformatoren von Haus zu Haus mit ihren geschmuggelten Bibeln und ihren verbotenen Botschaften. Sicher vor den wachsamen Augen der Königin und des Kardinals taten sie ihre Bekehrungsarbeit in einer Bevölkerung, die es zwar nicht gerade »hungerte und dürstete nach der Gerechtigkeit«, die aber doch wenigstens darauf brannte, neue Wege zu Gott zu finden. Dieses Gefühl lag in der Luft, in der ganzen Christenheit, wie eine leise Strömung, ein Sirenengesang: Kommt und trinkt vom Wasser dieses Brunnens. Und die Leute kamen und tranken, aus all den Gründen, die Leute zu verbotenen Wassern treiben – manche aus echtem Durst, andere aus Neugier, wieder andere aus Wagemut und Aufsässigkeit. Das trojanische Pferd Heinrichs VIII. waren nicht die bestochenen und eingeschüchterten Adeligen, die er in den Norden zurückgeschickt hatte, sondern die Reformatoren, die ihnen in eigener Mission auf dem Fuße folgten.

George Wishart, durchglüht vom neuen Gebräu der Protestantischen Theologie aus Europa, lehrte und predigte laut genug, um die Ohren des Kardinals zu erreichen, und dieser – wie ein Jagdhund, der einen Otter erspäht hat – suchte ihn zur Strecke zu bringen. Wishart predigte weiter kühn vor großen Versammlungen und konnte dem Kardinal eine Zeitlang entgehen. Jetzt war sein Ziel eine Gegend in der Nähe von Edinburgh, obwohl die Gläubigen ihn gewarnt hatten, daß die Königin und ihr Scherge, der Earl von Bothwell, darauf vorbereitet waren, ihn festzunehmen.

Zumindest, baten ihn seine Anhänger, tritt nicht so öffentlich auf.

»Was denn – soll ich mich in den Ecken herumdrücken wie ein Gentleman, der sich seiner Geschäfte schämt?« hatte der Missionar erwidert. »Ich werde es wagen, zu predigen, solange andere es wagen, mir zuzuhören!«

Nun zogen sie also über die Felder von Lothian, um ihre Anhänger aus dem westlichen Teil Schottlands zu treffen. Zu diesem Zweck hatten sie das sichere Fife verlassen, wo die größte Zahl von Konvertiten lebte.

John Knox zog den rauhen Wollkragen seines Mantels hoch und spähte über das Land. Bei Gott, mochten die Feinde nur erscheinen: Er würde sie niedermähen! Er faßte sein Schwert fester.

Geistliche sollten keine Waffen tragen, das wußte er. Aber bin ich noch ein Geistlicher, fragte er sich. Nein, beim Blute Christi! Dieser Hohn von einer Zeremonie, der ich mich in meiner Unwissenheit unterzogen habe und in der ich zum Priester geweiht wurde, war nichts, war schlimmer als nichts! Nein, solange ich nicht den klaren Ruf aus dem Munde Gottes höre, bin ich kein Geistlicher.

Wishart predigte zweimal in Haddington, in der größten Kirche der Gegend. Nur wenige erschienen, um ihn zu hören – nach den Tausenden, die anderswo zu all seinen Predigten drängten.

»Das macht der Earl von Bothwell«, sagte Wishart nachher, als sie bei einem kleinen Abendessen im Hause des John Cockburn von Ormiston saßen. »Er ist der Lord hier; er muß die Menschen davor gewarnt haben, zu kommen.« Sorgfältig kaute er sein braunes Brot. Er hatte es gesegnet und dem Herrn dafür gedankt, und jetzt schmeckte es anders. »Wie ist er eigentlich, dieser Bothwell?« Er blickte über den Tisch in die Runde der Männer, die dort versammelt waren: Douglas von Longniddry, Cockburn von Ormiston, der Laird von Brunstane, Sandilands von Calder. Wishart war nicht sehr vertraut mit den schottischen Edlen der Gegend von Lothian.

»Ein Lump«, sagte Cockburn. »Ein Mann, der jeden betrügt. Sein Wort ist wertlos. Und ehrgeizig ist er. Er würde seine Seele und auch seine Mutter verkaufen, wenn es ihn voranbrächte.«

»Seine Frau hat er schon verkauft!« sagte Brunstane. »Er hat sich gerade von ihr scheiden lassen – eine feine Lady, eine geborene Sinclair –, weil er die Hoffnung hegte, sich bei der Königinmutter einzuschmeicheln.«

»Er hoffte, in ihr Bett zu gelangen«, ergänzte Cockburn unverblümt. »Rechtmäßig, meine ich.«

»Soll das heißen, er maßt sich an, um die französische Königin zu werben?« Wishart war schockiert.

»Ja. Und er hat seine Werbung noch nicht aufgegeben.«

John Knox überlegte, ob er das Wort ergreifen sollte. Er aß noch ein paar Bissen vom Hammeleintopf, bevor er sagte: »Meine Familie kennt die Hepburns seit Generationen. Wir haben in vielen Kriegen unter ihrem Banner gekämpft. Sie sind ein tapferer Haufen, und meistens loyal. Dieser ›schöne Earl‹ ist eine Ausnahme; aber wir sollten in dieser Verbindung keinen Makel für den Rest der Familie sehen. Eines seiner Schlösser steht nur wenige Meilen flußabwärts: Hailes Castle am Tyne. Wahrscheinlich ist er jetzt gerade dort.«

»Ist er … fromm?« fragte Wishart.

Knox lachte wider Willen. »Der einzige Altar, vor dem er betet, ist sein Spiegel.«

Draußen war es dunkel geworden, und der Wind wehte. Den Männern wurde unbehaglich, auch wenn sie versuchten, sich nichts anmerken zu lassen. Normalerweise – in anderer Gesellschaft – hätten sie ihre Unruhe mit ein paar Gläsern Wein übertüncht. Aber jetzt blinzelten sie einander nur an und warteten. Schließlich erhob sich Wishart und sagte: »Lasset uns in der Schrift lesen und beten.«

Sie versammelten sich am anderen Ende des kleinen Raumes, wo in einem steinernen Kamin ein mageres Feuerchen brannte. Wishart zog seine abgenutzte Bibel hervor, und auf eine kleine Gebärde seiner Hände öffneten sich gehorsam die Seiten. Er las aus dem achten Kapitel des Römerbriefs und betete dann vor.

Unmittelbar nach dem Amen teilte Douglas ihm mit, er werde noch am selben Abend nach Longniddry zurückkehren.

Wishart lächelte; er hatte gewußt, daß es so kommen würde, und es war zum Wohle aller. Er wandte sich an Knox. »Dann mußt du deinen Herrn begleiten.«

Knox protestierte. »Nein, ich muß hierbleiben, um dich zu beschützen. Ich werde zuschlagen wie Petrus im Garten Gethsemane, und mit großem Genuß werde ich dem Diener des Hohenpriesters das Ohr abschlagen.«

»Gib mir das Schwert, John«, sagte Wishart.

Widerstrebend, aber bedingungslos gehorsam, reichte Knox ihm die Waffe.

»Jetzt mußt du zu deinen Kindern zurückkehren, und Gott segne dich. Einer genügt als Opfer.«

Später, als es wirklich Nacht geworden war und die meisten Menschen schliefen, saß Wishart noch da und wartete. Cockburn saß bei ihm; es wäre eine Nachlässigkeit gewesen, ins Bett zu gehen und seinen Gast alleinzulassen.

Fürsorglich legte Cockburn neues Holz auf das Feuer und brachte dem Prediger heißes Ale. Aber Wishart starrte nur in die Flammen, als sei er in Trance. Endlich fing er an zu sprechen.

»Armes Schottland. Es wird eine schwere Geburt werden, wenn der Reformierte Glaube an die Öffentlichkeit kommt. Aber nur der Glaube kann es retten.«

»Irgendeinen Glauben haben sie schon seit tausend Jahren.«

»Aber offensichtlich keinen, der sie tragen kann. Seht Euch Schottland an. Es steht im Begriff, seine Unabhängigkeit zu verlieren. Die Engländer bekriegen es von außen, die Franzosen gängeln es von innen. Die Königinmutter und ihr Bundesgenosse, der Kardinal, haben Franzosen in alle führenden Stellungen gebracht. Und die kleine Königin ist erst vier Jahre alt, eine Marionette.«

Cockburn zog sich eine Decke um die Schultern. »Ich kann bloß nicht erkennen, was der Reformierte Glaube daran ändern soll.«

»Oh, er gibt den Menschen Hoffnung – die Hoffnung, daß sie von Gott auserwählt sind. Und wer die erst fühlt, ist niemandes Sklave – weder der Engländer, noch der Franzosen, noch der Königin. Dann werden die Schotten sich erheben und ihr Geschick selbst in die Hand nehmen.«

Es klopfte laut an der Tür. Cockburn schrak hoch, Wishart indessen nicht. Cockburn schlurfte zur Tür, öffnete und schaute in das Gesicht des »schönen Earl« von Bothwell persönlich.

»Ah, da ist Wishart!« sagte der Earl und nickte ihm zu. »Wohlgetroffen, Sir.«

Draußen hinter dem Earl sah und hörte Cockburn eine große Anzahl von Männern. Auch ein Jüngling war dabei, im Alter irgendwo an der Grenze zwischen Knabe und Mann.

»Ihr müßt Euch mir ergeben«, sagte der Earl. »Kommt mit.« Als Wishart zwar aufstand, aber nicht auf ihn zukam, sagte der Earl: »Es gibt kein Entkommen. Das Haus ist umstellt, und Kardinal Beaton selbst befindet sich nur eine Meile weit entfernt in Elphinstone Tower und hat eine Kompanie Soldaten dabei. Aber ich verspreche Euch, ich werde Euch selbst in Gewahrsam nehmen und Euch niemals dem Kardinal ausliefern.« Er schaute zur Seite; der Jüngling hatte sich herangedrängt, um ins Haus zu starren. »Mein Sohn James. Er ist erst elf und möchte einen Blick auf den berühmten Wishart werfen. Nun, Sir, seid Ihr bereit, friedlich mitzukomen?«

Wishart sah ihn lange und traurig an. Dann richtete er den Blick auf den Jungen, der ihn hingerissen anstarrte. »Es ehrt mich, daß du gekommen bist, um mich zu sehen«, sagte er und wandte sich wieder an den Earl. »Habe ich Euer Ehrenwort, daß Ihr mich nicht dem Kardinal ausliefern werdet?«

»Ihr habt mein Wort«, sagte der Earl.

Der Earl brachte Wishart nach Hailes Castle und übergab ihn am nächsten Tag an Kardinal Beaton.

Der sanftmütige Prediger wurde ordnungsgemäß vor Gericht gestellt und zum Tode verurteilt. Er sollte erwürgt und verbrannt werden, und zwar vor den Augen des Kardinals, der auf einem gepolsterten Sitz vor den Bastionen von St. Andrews Castle saß und zuschaute.

Der Henker bat sein Opfer traditionsgemäß um Vergebung; Wishart beugte sich vor und küßte ihn auf die Wange. Knox beobachtete den Kardinal im Schutze der Menge, wie er regungslos dasaß, ein leises Lächeln auf den Lippen.

Auf ein Zeichen des eleganten Kardinals hin entzündete das Hinrichtungskommando den Scheiterhaufen unter dem zusammengesackten Leichnam Wisharts, der von Seilen aufrecht am Pfosten gehalten wurde. Das Holz fing knisternd Feuer, und die Henker beeilten sich, von der Plattform zu springen. Knox sah, wie die aufsteigende Flammensäule den Leib Wisharts umhüllte; das Bild schien in Rauch und Hitze zu flirren und zu flimmern. Die Haut wurde schwarz und schälte sich ab; die Augen platzten auf, und Flüssigkeit rann heraus. Haar und Bart loderten in einem Feuerkranz auf, daß es für den Jünger aussah wie ein Heiligenschein. Dann wehte ein stechender und in sich widerlicher, scharfer Geruch im Wind herüber. Es war der Gestank von versengtem, geröstetem rohem Menschenfleisch.

Knox sah, wie sich der Kardinal ein Spitzentaschentuch vor die Nase hielt. Aber er selbst, Knox, atmete die Asche des Freundes ein, sog die rauchige Luft tief in seine Lunge, als ehre er damit seinen Geist und nehme ihn in sich auf.

Jetzt hatte er den Ruf von Gott empfangen.

Der Kardinal drehte sich um und reckte sich auf den seidenen Laken. Es war ein prachtvoller Maienmorgen, und in den tanzenden Lichtreflexen des Meeres, die an seiner Schlafzimmerdecke spielten, konnte er die Laune der See erkennen: mutwillig und einladend. Ganz wie seine Mätresse, Marion Ogilvy, die neben ihm schlief. Ihr dichtes, dunkles Haar bedeckte sie wie Wolken des Vergessens. Vergessen – das war es, was er in der vergangenen Nacht bei ihr gefunden hatte. Aber heute morgen, ach, war er der Welt der Menschen wiedergegeben, und Vergessen tat nun nicht mehr not.

Es klopfte, und er erschrak. Wie spät war es? Nach der Sonne zu urteilen, hatte er gedacht, es sei noch früh. Hatte er verschlafen?

»Einen Augenblick bitte.« Er griff nach seinem Atlasmantel. Marion murmelte etwas, rührte sich und schlug die Augen auf. Der Kardinal erhob sich vom Bett und ging zur Tür; das Klopfen hatte nicht aufgehört.

»Ich kann recht gut hören!« rief er warnend. Wer immer das sein mochte, er war unhöflich und respektlos.

Er öffnete die Tür und sah sich einer Schar von Arbeitern gegenüber – Arbeitern mit Dolchen in den Händen. Besser gesagt: Meuchelmördern im Arbeitergewand. Sie stürzten sich auf ihn. Er wollte die Tür zuschlagen, aber sie stießen sie wieder auf und stürmten herein. Marion kreischte, als einer der Männer den Kardinal bei der Gurgel packte und ein anderer das Messer hob.

»Bereue dein altes, sündiges Leben!« zischte der mit dem Messer. »Wir sind von Gott gesandt, dich zu bestrafen. Ich schwöre hiermit, daß nicht der Haß auf deine schmierige Person, noch das Verlangen nach deinem Reichtum, noch die Angst vor Verfolgung mich bewegen, dich zu erschlagen. Ich tue es nur, weil du ein verstockter Feind Jesu Christi und seines wahren Evangeliums gewesen bist.«

»Ich bin ein Priester!« krächzte der Kardinal. »Ich bin ein Priester! Ihr werdet keinen Priester ermorden!«

Die Messerklingen bohrten sich mit dumpfem Geräusch in seinen Leib; zwischen ihnen und seinem weichen, weißen Fleisch war nichts als eine dünne Schicht von Atlasseide.

»Bereue den Mord an George Wishart!« waren die letzten Worte, die er hörte.

Die Sonne hatte den Weg zum mittäglichen Zenit erst halb zurückgelegt, als die Menschen, die vor St. Andrews Castle zusammenströmten, den Anblick gewahrten: Man hatte dem nackten Kardinal die Genitalien abgeschnitten und in den Mund gestopft und ihn an einem Arm und einem Bein an der Mauer aufgehängt, just an der Stelle, wo er zwei Monate zuvor zugesehen hatte, wie Wishart verbrannt worden war.

In der Maiensonne warteten Maria und zwei der Marys – Livingston und Fleming – darauf, daß die Stallknechte ihnen ihre Ponys herausbrachten. Heute wollten sie auf den kleinen Tieren in dem Lustgarten am Fuße der Mauern von Stirling Castle umherreiten, der wegen seiner verschlungenen Anlage King's Knot – »des Königs Knoten« – hieß. Im Knot gab es erhöhte, geometrisch angelegte Terrassen, allesamt bepflanzt mit Ziersträuchern, mit Rosen und Obstbäumen, wie ein künstlicher Berg. An seinem Fuße aber gab er einen hübschen Reitweg ab, und die königlichen Gärtner, die jetzt düngten und stutzten, hatten nichts dagegen, denn sie hatten dort noch nicht mit ihrer Arbeit begonnen.

Maria hatte beschlossen, ein Rennen zu veranstalten. Sie liebte das Reiten, und sie ritt gern schnell; wenn sie sich an das kleine Pferdchen von Shetland klammerte, war es, als fliege sie durch die Luft. Allzu selten hatte sie Gelegenheit, so schnell zu reiten, wie es ihr gefiel, zumal auf ihrem Lieblingspony Juno. Manchmal durfte sie Juno außerhalb des Schloßgeländes reiten, nämlich wenn ihre Mutter und der Kardinal sie mit ihrem eigenen Falken Ruffles mit auf die Beiz nahmen. Diese Ausflüge in die Wälder liebte sie immer.

Als sie jetzt in der warmen Sonne warteten, kündigte sie Mary Livingston an, daß sie um die Wette reiten würden. Lusty warf ihr Haar zurück und meinte, ihr sei es recht, aber sie habe nicht die Absicht, zu verlieren. Es müsse schon ein *echtes* Rennen sein, kein vorgetäuschtes.

Die Ponys wurden um die Ecke der Bastion herangeführt, und die drei Mädchen liefen ihren Tieren entgegen, um aufzusteigen. Es waren niedliche Tiere, kaum mehr als drei Fuß hoch, mit dickem, rauhem Fell und breiten kleinen Gesichtern. Sie waren auf den Inseln im Norden gefangen und mit dem Schiff hergebracht worden. Ihre Zähmung war ein langwieriges Unterfangen, das die Stalljungen liebevoll in Angriff nahmen. Aber inzwischen hatten sie fast vergessen, daß sie jemals wild gewesen waren, und gingen sehr sanft mit ihren jungen Reiterinnen um.

Maria saß als erste im Sattel und trabte auch auch erste davon, aber Lusty war ihr dicht auf den Fersen.

»Schnell, schnell«, flüsterte Maria drängend ihrer Juno ins Ohr und beugte sich über ihren Hals. Das Pony fiel von einem holprigen Trab in einen leichten Galopp.

Der Himmel über ihnen war hellblau und beinahe wolkenlos. Ein scharfer, sauberer Geruch nach Frühling lag in der Luft, die im Südwind aus dem fernen Hochland heranwehte. Es war der Geruch von schmelzendem Schnee und sich erwärmender Erde, und auch der leise Duft von tausend Wildblumen lag darin, die jetzt auf dem Teppich des frisches Grases in den Glens, den Tälern, erblühten.

»Weg da, Platz machen!« rief Lusty und überholte Maria auf ihrem schwarzen Pony Cinders.

»Schneller!« befahl Maria ihrer Juno. Juno war schneller als Cinders, ließ sich indessen nicht so leicht zur Eile antreiben. Jetzt aber gehorchte sie, und Maria sah, daß sich ihr Abstand zu Lusty verringerte.

Ein Horn ertönte; es klang seltsam fremdartig hier, wo keine Jäger waren. Ein Stallknecht auf einem großen Pferd kam ihnen vom Schloß herunter entgegen. »Halt!« rief er und stieß noch einmal in sein Horn. »Auf Befehl Ihrer Hoheit, der Königinmutter, sollt Ihr sofort in den Palast zurückkehren.« Und er winkte den Mädchen.

Maria war erbost, und Lusty noch mehr. Das Rennen war verdorben. Sie schauten einander an und erwogen, ungehorsam zu sein und das Weite zu suchen. Aber sie wußten, daß sie dem Stallknecht mit seinem großen Pferd nicht entkommen konnten, und so folgten sie ihm zurück auf die Burg. Flamina war bereits abgestiegen und wartete, daß sie die steile Schloßtreppe mit ihr hinaufstiegen.

Und so stapften die drei Mädchen die scheinbar endlosen Stufen zum Burgtor hinauf.

Die Königinmutter ging unruhig auf und ab und konnte das Zittern ihrer Hände kaum unterdrücken.

Du darfst ihnen deine Angst nicht zeigen. Wenn sie unversehrt hier sind, darfst du sie nicht erschrecken. Kommen sie da? Oh, Gott sei Dank! Sie seufzte, als sie die drei durch den Eingang treten sah.

»Mein Schatz, mein süßes Kind!« Sie stürzte sich auf Maria, umarmte sie hysterisch und weinte in ihr Haar.

Maria bekam in ihrer heftigen Umarmung kaum noch Luft. Ihre Mutter redete immer weiter, und was sie sagte, klang verwirrend in den Ohren des kleinen Mädchens. »Sie machen vor gar nichts halt … schlimmer als Tiere … gegen Gott und die heilige Kirche … böse Menschen …«

Lady Fleming, Flaminas Mutter und die Gouvernante der Kinder, kam herbei, um die Königinmutter zu beruhigen und die Mädchen in ihre Obhut zu nehmen. »Es sind ein paar Kleider aus der Zeit James' IV. in einer Truhe, die ich eben geöffnet habe«, erzählte sie. »Und auch einiger Kopfputz mit goldenen Borten. Die Sachen liegen in der kleinen Kammer neben dem Schlafgemach der Königin. Probiert sie an und seht, wer von euch der eigenen Großmutter am ähnlichsten sieht.« Sie winkte fröhlich, und die Mädchen hüpften davon.

»So«, sagte sie und nahm die Königinmutter bei der Hand. »Zumindest wissen wir, daß sie unversehrt sind.«

Marie de Guise stand fröstelnd im warmen Sonnenschein. »Die arme kleine Beaton – er war ihr Verwandter, der Kardinal, den sie getötet haben. Ach, wie kann ich es ihr jemals sagen? Doch wenn ich es nicht tue, werden andere es tun. Oh, Janet!« Sie wandte sich zu Lady Fleming um. »Sie haben ihn ermordet und aufgehängt wie ein Vieh – ich habe Angst!« Die Worte sprudelten nur so aus ihrem Mund. »Als nächstes kommen sie zu uns!«

»Nein, nein«, sagte Lady Fleming, »das werden sie nicht, denn das können sie nicht. Stirling ist die sicherste Festung von ganz Schottland. Deshalb habt Ihr sie ausgesucht.«

»Aber St. Andrews galt auch als sicher. Der Kardinal hat die Befestigungen verstärkt; Tag und Nacht waren die Arbeiter am Werk. Und doch sind *sie* durchgedrungen.« Ein Schauder überlief sie.

Lady Fleming hob stolz die Hand. »Ja, aber es waren die *Engländer*, gegen die er sich sicherte. Seine eigenen Landsleute hatte er nicht im Verdacht. Sie kamen als Arbeiter verkleidet. Wer waren sie?«

»Protestanten – radikale Ketzer, die sich rächen wollten für die Verbrennung ihres Anführers George Wishart.«

»Ach, der.« Lady Fleming winkte ab.

»Ich habe Angst, Janet, wirklich Angst. Wer hätte gedacht, daß sie solche Rache üben könnten?«

»Dann müßt Ihr Hilfe von außen rufen. Wendet Euch an Eure mächtigen Verwandten in Frankreich. Euer Bruder, Herzog Franz, ist ein großer Soldat, und er kann den König überreden, Schiffe und Waffen zu schicken.«

Marie lächelte nervös. »Wohl kaum. Der König von Frankreich ist sehr krank; ihn kümmert nur noch, wie er vor seiner Krankheit fliehen kann. Es ist nicht leicht, bei ihm Gehör zu finden.«

Zusammen traten sie an die Mauerbrüstung und schauten über die Ebene unter ihnen.

Sie sahen die lockenden Hügel, die dann ins Hochland übergingen, eine Gegend, wo den ganzen Sommer über ein kühler Wind herabwehte. Der Fluß lag in seinem Bett wie eine Silberkette in einer Samtschatulle. Man sah keine Truppenbewegungen, nichts Bedrohliches. Aber diese Fanatiker kamen ja auch nicht in Gestalt eines Heerzuges.

Als sie so auf der windigen Bastion stand, erfüllte Marie die plötzliche und tiefgreifende Erkenntnis, wie ganz und gar allein sie war. Ihr Verbündeter und Ratgeber war nicht mehr da; es gab niemanden mehr, der sie politisch leiten und der sie beschützen konnte. Sie versuchte, das Bild des Kardinals vor ihrem geistigen Auge zu vertreiben, wie er da an seinen Bettlaken aufgehängt an der Burgmauer baumelte, und sich auch nicht vorzustellen, wie er angeblich jetzt aussah: eingesalzen wie ein Stück Rindfleisch in einem Faß im Kerkergewölbe der Burg.

Marion Ogilvy hatten sie gehen lassen, nachdem sie hatte mit ansehen müssen, wie sie ihn ermordeten und verstümmelten. Sie vergnügten sich nicht selbst mit ihr – dazu waren sie viel zu heilig, diese reformerischen Lairds aus Fife, die frühmorgens auf einem Karren in die Festung gekommen waren, verkleidet als Bauarbeiter.

»Wer sind diese Lairds?« fragte Janet sich laut.

»Den Berichten zufolge waren die Mörder selbst etwa sechzehn an der Zahl«, sagte Marie, die den Boten eingehender befragt hatte als die schockierte Gouvernante. »Aber andere sind dabei, sich ihnen anzuschließen. Sie haben vor, die Burg für sich zu behalten.«

»Was? Für sich? Wozu denn?«

»Sie nennen sich die Kastilier und wenden sich jetzt an England um Hilfe.«

»Ah.« Jetzt war es klarer als je zuvor. »Das alles ist Teil der englischen Angriffe gegen Schottland, die niemals aufhören. Sie sind entschlossen, uns zu verschlingen! Seit die Schotten den Ehevertrag aufgelöst haben, versuchen die Engländer, uns mit militärischen Mitteln einen neuen aufzuzwingen«, stellte Lady Fleming fest.

Das aber bedeutete, daß sie niemals aufhören würden, erkannte Marie im selben Augenblick, und Übelkeit stieg in ihr auf. Und

Schottland hatte nicht die Kraft, ihnen sehr viel länger zu widerstehen, wenn sie dermaßen entschlossen waren.

An diesem Abend, als Marie de Guise sich zum Schlafen bereitmachte – obgleich sie wußte, daß der Schlaf nicht kommen würde –, ließ sie sich von ihrer Kammerzofe das Haar bürsten, das lang gewachsen war.

Der Rhythmus der Bürstenstriche war beruhigend; sie begannen an den Haarwurzeln und zogen sich hinunter bis zu den Spitzen, daß ihre Kopfhaut kribbelte. Das Feuer und die Kerzen warfen lange, tanzende Schatten an die Wand, und die Schatten verdunkelten die farbenfrohen Bilder von Göttern und Göttinnen, Rittern und Damen auf den Wandteppichen, die aus einem sicheren und wohlgeordneten Land wie Flandern importiert waren.

Ganz so, wie Schottland mit seiner Finsternis und seinen Schatten alles, was den Menschen stützen kann, verdunkelt, dachte sie, während die Liebkosungen der Haarbürste ihre Gedanken frei umherschweifen ließen. Es ist ein Land am Ende der Welt, wo die Menschen sich in etwas anderes verwandeln. Ganz Schottland ist wie diese Burg zu Stirling – uralt und blutbefleckt, und nur notdürftig überdeckt von einem dünnen Stuck aus kultivierten Statuen, Verzierungen und Zerstreuungen wie diesen weißen Pfauen, die rings um die künstlichen Fischteiche auf dem Palastgelände umherstolzieren. Sie haben nichts zu bedeuten, sie lenken nur den Blick von den Nebelbergen in der Ferne ab oder von den Feinden, die sich durch das Tal des Forth heraufschleichen.

Der halbe Adel scheint sich mit Hexerei zu beschäftigen, sann sie. Man sagt, James' Mutter, Lady Douglas, sei eine Hexe und habe ihre Zauberkunst benutzt, um den König an sich zu binden. Und Patrick, der dritte Lord Ruthven, einer der vom Parlament bestellten Vormünder Marias, soll selbst ein Hexenmeister sein. Die dunklen Mächte erscheinen hier so nah.

»Das genügt, Meg«, sagte sie. Die Kopfhaut begann ihr vom Bürsten wehzutun. »Ich will jetzt zur Ruhe gehen.«

»Wie Ihr wünscht, Madam.« Meg holte die Spitzenhaube hervor, die die Königinmutter im Bett zu tragen pflegte. Sie setzte sie ihr auf, band sie fest und zog die Bettvorhänge zurück.

Aber in Frankreich gibt es auch Hexerei, dachte Marie, als sie im Bett lag. Die Italienerin, Katharina von Medici – meine Brüder sagen, sie zieht Zauberer und Wahrsager zu Rate, jeden, der sie von ihrer

Unfruchtbarkeit kurieren kann. Sie würde sich mit Satan selbst abgeben – hat es vielleicht sogar getan, denn endlich, nach zehn Jahren, haben sie und Heinrich Valois einen Sohn bekommen, Franz. Er ist ein Jahr nach meiner Maria zur Welt gekommen, unter höchst ungünstigen Vorzeichen, während einer Sonnenfinsternis. Jeder Dummkopf weiß, daß das ein schlechtes Omen ist, das denkbar schlechteste – denn was sollte das Verlöschen der Sonne bedeuten, wenn nicht das Verlöschen des betreffenden Menschen? Allerdings haben sie versucht, es zu vertuschen, indem sie einen Wappenschild für das Kind entwerfen ließen, auf dem eine Sonne und ein Mond zu sehen waren, und dazu das kühne Motto: »Zwischen diesen trat ich hervor.« Seitdem hat die Italienerin noch eine Tochter bekommen, Elisabeth, und jetzt ist sie schon wieder schwanger. Der Teufel hält sich an seine Abmachungen. Auf seine Art ist er eine redliche Kreatur – das sagen jedenfalls die, die mit ihm Geschäfte machen.

Marie drehte sich um und machte es sich bequemer. Jetzt war ihr wärmer; sie schlug die oberste Decke zurück.

Es hieß, der kleine Franz sei kränklich, aber er schien kräftiger zu werden. Vielleicht ist die »Finsternis« bei seiner Geburt am größten gewesen – vielleicht hat das Omen weiter nichts zu bedeuten, dachte sie. Vielleicht wird er am Leben bleiben für meine Maria ... Ach, wenn der Kardinal mir doch helfen könnte! Oh, David!

Niemand hörte es, als sie weinte um ihren einzigen Freund, ihren einzigen Ratgeber.

Kaum ein halbes Jahr später starb Heinrich VIII., und sein Nachfolger auf dem Thron von England war der neunjährige Edward, in Wirklichkeit aber der Onkel des Jungen, der Herzog von Somerset, als Protektor, Reichsverweser. Der Tod des Königs trug nicht dazu bei, die wilde »rauhe Brautwerbung« zu mildern – *»rough wooing«*: so bezeichneten die Schotten sarkastisch die militärischen Bemühungen der Engländer, durch Brand, Mord und Plünderung im ganzen schottischen Land die Ehe der kleinen Maria mit dem jetzt zum König gekrönten Edward zu erzwingen.

Als der Winter in den Frühling überging, folgte der französische König Franz I. Heinrich VIII. ins Grab. Sein Sohn, der schwache und unfähige Heinrich II., regierte jetzt in Frankreich und war viel eifriger darauf bedacht, der mächtigen Familie Guise zu Gefallen zu sein, als der alte Franz I. es je gewesen war. Ihnen gefällig zu sein bedeutete natürlich, den Schotten gegen die Engländer beizustehen.

Die Rebellen, die Kardinal Beaton ermordet hatten, hatten monatelang in St. Andrews Castle ausgehalten und vergebens auf englischen Entsatz gehofft. Hinter den starken Festungsmauern, wo der eingepökelte Leichnam des Kardinals in seinem eigenen Kellergewölbe lagerte, hatten die Mörder abwechselnd in wüstem Überschwang und in tiefer Reumütigkeit gelebt. Hungrig nach Unterhaltung und Gesellschaft hatten bestimmte Väter dem Lehrer ihrer Kinder befohlen, die Knaben in die Burg zu bringen. John Knox, der Lehrer, gehorchte und kam zu Ostern.

Nach anfänglichem Zögern legte er den Mantel seiner Berufung an: Er begann zu predigen, Gottesdienste zu halten und mit seiner »Gemeinde« zu debattieren – mit einer Gemeinde im Exil. Der dreiunddreißig Jahre alte Schulmeister stand auf der Kanzel wie Johannes der Täufer und predigte donnernd von der machtvollen Bestrafung, die kommen würde, wenn sie nicht widersagten der Synagoge des Satans, der Hure Babylon, der Römischen Kirche mit ihrem Papst, dem Sündenmenschen. Er peitschte sie bis zur Raserei religiöser Ekstase.

Frankreich schickte Truppen, und gegen Ende Juli 1547 mußte die Festung sich ergeben. Knox geriet in Gefangenschaft und kam mit seinen Mitrebellen als Ruildersträfling auf die Galeeren der französischen Flotte.

Die Engländer, wie vom Donner gerührt ob des französischen Unternehmens und des französischen Griffs nach Schottland, begannen jetzt zu handeln. Der Protektor selbst führte die Invasionstruppen nach Schottland, durch Northumberland und bei Berwick an der Küste herauf.

Er hatte etwa achtzehntausend Mann, ein Drittel davon Kavallerie. Die Fußsoldaten waren mit Musketen bewaffnet; schwere Artillerie war auch dabei, tausend Wagen fuhren im Troß, und vor der Küste lauerte die ganze Macht der englischen Flotte.

Von überall her waren die Schotten zusammengeströmt, um ihr Land zu verteidigen, und der Earl von Arran hatte zweimal soviele Männer wie der Feind – an die sechsunddreißigtausend. Aber sie hatten keine Gewehre, sondern nur Hochlandbögen; sie hatten keine Artillerie, sondern nur Speere, und Pferde hatten sie auch nicht. Sie marschierten unter einem weißen Banner mit dem Motto:

Afflicte sponse ne obliviscaris – »Die Heilige Kirche fleht zu Christus«.

Bei Pinkie Clough, unweit des Städtchens Musselburgh, etwa sechs Meilen östlich von Edinburgh, bezog der Earl von Arran Gefechtsstellung. Er bildete eine Kampflinie aus vier Divisionen auf hochgelegenem Terrain, und ihre glitzernden Speere sahen aus wie vier große Felder mit reifer Gerste; ein englischer Augenzeuge, der ihre speerstarrenden Reihen beschrieb, sagte, sie seien so dicht wie die Stacheln eines Igels gewesen. Die schwarzgewandete Geistlichkeit stand zusammen, deutlich sichtbar; ihre Köpfe mit den Tonsuren sahen aus wie Reihen von Helmen.

Beide Seiten wußten genau, wofür sie kämpften. Somerset selbst trat vor und bot seinen Rückzug an, sofern die Schotten sich nur bereitfinden wollten, Maria selbst ihren Gemahl wählen zu lassen, wenn sie alt genug wäre.

Statt einer Antwort stürzten die Schotten sich auf ihre Feinde und gaben kopflos ihre starken Stellungen auf. Die englischen Schiffe eröffneten das Feuer und zerstreuten die Bogenschützen, und die Kavallerie mähte sie nieder. Die meisten Toten wiesen Kopfverletzungen auf, weil die berittenen Soldaten mit ihren Schwertern nicht tiefer reichten: Sie schlugen Köpfe ab und hackten Hälse durch. Zehntausend Schotten wurden erschlagen, und die Toten lagen so dicht, daß es von Ferne aussah, als grase eine Herde Kühe auf der grünen Weide. Das weiße Banner mit seinem Motto wurde unter einem Berg von toten Geistlichen hervorgezogen. Die schlammverschmierte Trophäe wurde nach Süden gesandt und Edward IV. zum Zeichen seines Sieges präsentiert.

Jetzt konnten nicht einmal die dicken Mauern von Stirling Castle seine Bewohner vor dem Grauen schützen, das draußen wütete. Unter den Toten, die irgendwo auf den schlüpfrigen Bergen verwesender Leichen lagen, war auch Malcolm Lord Fleming – Mary Flemings Vater und Lady Janet Flemings Ehemann.

Ein Eilbote brachte die Nachricht nach Stirling, und die hochgemute Lady Janet sackte zusammen und taumelte gegen eine Mauer im Hof. Über ihr standen die Statuen der Planetengötter in all ihrer Pracht – Merkur, Jupiter, Saturn – und schauten gütig auf sie herab. Französische Bildhauer hatten sie dort hingestellt – als hätten Ordnung und Schönheit hier Wurzeln schlagen können, dachte Marie de Guise, als sie sah, wie ihre Kammerfrau und Freundin Tränen und

Schrecken niederkämpfte. Sie haben sie auf Befehl meines Gemahls dort aufgestellt, der ebenfalls vor der Zeit starb, auf mysteriöse Weise starb.

»Mut«, war alles, was Marie murmeln konnte. »Mut.«

Lady Fleming richtete sich auf und stützte sich gegen die Mauer. »Ich muß es meiner Tochter sagen, ich muß es meiner Tochter sagen«, wiederholte sie unablässig und taumelte zu den Gemächern der Kinder.

Mary Fleming weinte bitterlich in dieser Nacht, da sie mit ihren Namensschwestern das Schlafgemach teilte. Die andern versuchten sie zu trösten, aber nur indem sie ihre eigenen Verluste aufzählten, Verluste, die ihrer Natur nach nur allzu schottisch waren.

»Mein Vater starb nach Solway Moss«, sagte Maria. »Und mein Großvater fiel bei Flodden Field.«

»Meine beiden Großväter wurden in Flodden erschlagen«, schluchzte die kleine Fleming. »Jetzt ist meine ganze Familie im Kampf gegen die Engländer gestorben.«

»Mein Großvater ist auch in Flodden gestorben«, sagte Mary Seton auf ihre stille, traurige Art.

»Und meiner«, sagte Mary Livingston, deren munterer Seele der Gedanke an Tod und Blut verhaßt war.

»Wir sind allesamt Schwestern im Schmerz«, sagte Maria, die bis zu diesem Augenblick nie über diese Sache nachgedacht hatte. Sie wußte vom Tod ihres Großvaters und ihres Vaters, aber nichts von der späteren Schändung ihrer Gräber und Leichname. Bisher hatte sie ein verwirrendes, aber glückliches Leben geführt, und es entsprach ihrer Natur, den Sonnenschein zu suchen, nicht den Schatten; eher floh sie die Schatten, die sie so rastlos verfolgten. Aber der Schmerz ihrer Freundinnen – ah, das war etwas anderes. Davor konnte man nicht weglaufen.

Ein paar Tage später erwachte Maria in der finstersten Stunde der Nacht, weil leise eine Kerze in ihrem Gemach angezündet wurde. Jean Sinclair, ihre Leibzofe, lief angekleidet im Zimmer umher. Maria sah, daß sie Kleider zusammenraffte und die Kerze hob, um in dunkle Ecken zu spähen. Wonach suchte sie?

Jean kam herüber, setzte sich auf das Bett und schüttelte sie sacht. »Ihr müßt Euch anziehen, Hoheit, und zwar warm. Ihr geht auf eine geheime Reise.«

Maria setzte sich auf. Das war doch sicher ein Traum. Sie wußte, daß man nicht fragte, wohin es gehen sollte, wenn sie hörte, es sei geheim.

»Reisen wir allein?« wisperte sie und kletterte aus dem Bett. Mistress Sinclair hatte bereits ihre Kleider zum Anwärmen auf einen Ständer vor das Feuer gehängt.

»Nein. Eure Mutter kommt mit, die vier Marys, Master Scott, der Schulmeister, und Eure Vormünder, die Lords Erskine und Livingston. Aber das sind alle.«

»Laufen wir fort?« Maria fing an, die schweren Wollsachen anzuziehen, die sie beim Reiten oder beim Spielen auf dem Eis trug.

»Ja! Fort! Niemand wird uns jemals finden können!«

»Und bleiben wir immer dort und kommen nie zurück?«

»Vielleicht nicht.«

»Und werden wir dieses Schloß nie wiedersehen?«

»Vielleicht nicht.«

Maria sprang umher und machte sich bereit, und ihr Herz raste.

Draußen im Hof versammelte sich die Reisegesellschaft bei Fackelschein. Sie trugen Kapuzenmäntel und schwere Stiefel und nur sehr kleine Reisetaschen. Die Erwachsenen sprachen miteinander; ihre leisen Stimmen drangen nicht bis zu den Kindern, die die Köpfe zusammensteckten. Flamina und Lusty erwarteten den nächtlichen Ritt voller Aufregung, Seton hatte sich in ihr Schicksal ergeben, und Beaton war ruhig und gelassen. Maria aber hatte das Gefühl, daß ihre Seele Flügel bekam, als das Abenteuer begann. Es lag Gefahr darin, und statt Angst zu haben, fühlte sie sich wiedergeboren, als sei sie darin neu erschaffen.

Die lange Schloßtreppe stieg die Gesellschaft im Dunkeln hinunter – sie wagten nicht, Fackeln anzuzünden, nachdem am Nachmittag gemeldet worden war, daß die Engländer nur sechs Meilen weit entfernt ständen. Am Fuße der Treppe warteten Pferde auf sie, und die Mädchen wurden hinter die Erwachsenen gesetzt; kein Shetlandpony konnte so schnell laufen, wie diese Gruppe durch die Nacht zu jagen gedachte.

Und dann waren sie unterwegs und galoppierten in die Dunkelheit hinein. Der oberste Pferdeknecht aus den königlichen Stallungen diente als Führer durch die mondlose Nacht.

Die Luft war kalt, und über dem Boden lag Nebel, der wirbelte und wallte, wo sie hindurchritten. Maria klammerte sich an den

Rücken Lord John Erskines, und Maria Livingston ritt hinter ihrem eigenen Vater, Alexander.

In der Nacht hörte Maria Tierlaute im Dickicht: wilde Rinderherden und Rehe und das Flügelschlagen erschrockener Wasservögel. Wiesel und Hermeline raschelten im Unterholz, und einmal – ihre Haarwurzeln kribbelten, als sie es hörte – heulte in der Dunkelheit ein Wolfsrudel.

Das alles erschien wie ein Traum, die Dunkelheit, der wilde Ritt, die fremdartigen Gerüche und Geräusche; und so war es nicht minder ein Traum, als sie am Ufer eines Sees haltmachten, wo ein Fährmann sie erwartete. Während der Himmel sich milchig-grau färbte und Nebelschwaden sich vom See erhoben, der von Schilfrohren wie von gelben Wächtern umstanden war, wurden sie zu einer grünen Insel hinübergerudert, wo weiße Gebäude im perlmutternen Glanz des Morgengrauens leuchteten. Maria trat vom Boot auf einen Teppich aus schwammig weichem, grünem Gras und wurde von einer großen, kapuzenverhüllten Gestalt begrüßt.

»Willkommen, mein Kind«, sagte der Mann und beugte das Knie. »Willkommen in Inchmahome.«

Sein äußerer Mantel war schwarz, und seine Kapuze hatte er so tief ins Gesicht gezogen, daß sie es nicht deutlich erkennen konnte. Aber seine Stimme, so beruhigend und sanft, kam ihr ebenso traumhaft vor wie alles andere in dieser magischen Nacht und an diesem Morgen. Seufzend sank sie dem Prior in die Arme und ließ sich friedlich davontragen.

Sie verschlief Dreiviertel des Tages; als sie schließlich aufwachte, war es spätnachmittags. Lange, honiggelbe Lichtstrahlen fielen durch eine Reihe von Fenstern in ein Zimmer, das sehr groß, aber sehr schlicht wirkte. Die Wände waren verputzt, aber nicht angestrichen oder sonstwie verschönert, und der Boden war aus kahlem Stein. Das Bett, in dem sie lag, war nicht weich, sondern fest, und die Laken waren rauh; sie hatten einen scharfen Geruch wie von sauberer Luft und von Zeug, das in der Sonne gebleicht war. Und ein leiser, fast vergangener Hauch von süßem Waldmeister hing auch noch darin.

Irgendwo hörte sie fernen Gesang. Sie stand auf – sie hatte in den Kleidern geschlafen – und ging langsam hinüber zu einem offenen Fenster. Draußen sah sie Bäume, sehr grünes Gras, Wasser und nebenan eine kleine Kirche. Der Gesang klang von dort herauf, so schwach, daß es schien, als komme er vom fernen Himmelsufer herüber. Maria beugte sich über das Fenstersims und ließ die milde Luft in ihr Haar greifen; schläfrig lehnte sie sich hinaus in die Schönheit der Sonne und der schwebenden Stimmen. Noch nie hatte sie solchen Frieden gefühlt.

So fand sie auch der Prior, als er nach dem Offizium zu seiner Kammer zurückkehrte. Das kleine Mädchen lag hingestreckt über dem Fenstersims und schlief mit einem Lächeln auf dem hübschen, ovalen Gesicht.

Das arme kleine Ding, dachte er. Ich hätte nie gedacht, meine eigene Königin hier in meinem Kloster zu sehen. Sie ist ein Feengeschöpf, von dem wir alle gehört haben, das aber noch keiner gesehen hat, weil man sie in Stirling unter Verschluß hielt.

Der Prior, Bruder Thomas, tat Buße dafür, daß er »Freude am Unrecht« gehabt hatte, wie es im Ersten Korintherbrief, Kapitel 13, Vers 5, verboten wurde: *Die Liebe sucht nicht das Ihre, sie denkt nichts Böses und erfreut sich nicht am Unrecht.* Denn wenn Bruder Thomas auch nicht wirklich erfreut gewesen war über den Tod des Laien Robert Erskine, dem die Oberenwürde des Klosters Inchmahome als königliches Geschenk verliehen worden war, so hatte er doch zumindest frohlockt, weil er die Führung des Klosters vorübergehend wiedererlangt hatte. Bei Pinkie Clough war der junge Robert gefallen; sein Vater, der Vormund der kleinen Königin, war zusammen mit den königlichen Gästen angekommen, und zweifellos würde er seinen zweiten Sohn, John, als Roberts Nachfolger einsetzen. Aber einstweilen regierte wieder Bruder Thomas – und ganz zu Recht, wie er fand. Der Obere eines Klosters *sollte* ein Mönch sein, nicht ein vom König Benannter, der nicht einmal die Namen der verschiedenen Gottesdienste kannte! Oh, ich muß weiter Buße tun, dachte er müde, als er diese Gedanken hegte und sie ihm sogar willkommen waren.

Sanft berührte er das kleine Mädchen an der Schulter, und sie öffnete die Augen – sie waren von zarter Bernsteinfarbe und golden gesprenkelt.

»Guten Tag, Eure Majestät«, sagte er.

Sie reckte sich unbefangen. »Ich bin eingeschlafen, während ich die allerwunderbarste Musik hörte. Es klang wie Engelsgesang.«

»Es waren die Mönche, die hier wohnen«, sagte er. »Seht Ihr, wie sie dort umhergehen, im Kreuzgang?« Er deutete auf den leuchtend grünen Rasen, der zu allen vier Seiten von einer Arkade mit anmutigen Steinbögen umgeben war. Und wirklich, schwarz-weiß gewandete Gestalten bewegten sich dort durcheinander, und ihre Wege kreuzten sich allenthalben. Überhaupt waren nur drei Farben zu sehen: Schwarz, Weiß und Grün, ein exquisites Muster von Stille gegen Bewegung. Sogar die Mauersteine des Klosters trugen diese Farbtöne: Schwarz, Weiß, Grau, gefleckt von grünem Moos.

»Sie haben zu Gott gebetet«, erklärte Prior Thomas. »Wir alle versammeln uns dazu siebenmal am Tag in dieser Kirche.«

»Siebenmal?« rief sie.

»Allerdings. Das erste Mal mitten in der Nacht. Das ist unsere Vigil.«

»Warum?«

»Warum was?«

»Warum steht ihr mitten in der Nacht auf, um zu beten?«

»Weil wir uns dann näher bei Gott fühlen, wenn alle Welt schläft und wir auf das Morgengrauen warten.«

Maria gähnte. »Ihr müßt Gott sehr lieben – mehr als den Schlaf jedenfalls.«

»Nicht immer. Aber es gibt auch den Gehorsam, und der ist eine sehr hohe Form der Liebe. Er kommt einem im Augenblick nur nicht so hübsch vor wie die anderen Arten.«

Wie die mystische Einheit und selbst das Leiden, dachte er und fühlte die Striemen von der Geißel unter seinem grobwollenen Habit. Gehorsam ist eine trockene, langweilige Art der Liebe, nicht die Liebe eines *Liebenden*. Aber Gott scheint sie zu bevorzugen – und das ist nicht die geringste seiner Eigenarten.

»Ihr habt unsere Hauptmahlzeit versäumt«, sagte er. »Ihr müßt sehr hungrig sein. Ich kann sofort etwas zu essen heraufschicken lassen. Brot, Suppe, Eier ...«

»Kann ich nicht mit den Mönchen essen?«

»Doch, aber – das kommt später, und ich fürchte, die letzte Mahlzeit ist karg – kaum mehr als ein oder zwei Bissen.«

»Ich möchte gern mit den Mönchen essen«, beharrte sie.

In ihrem Alter sind solche Dinge ein Spiel, eine Neuheit, dachte er. Mönche, und ein »Fastenmahl« – erst nach Jahren wird es einem zur natürlichen Sache und zugleich zum Opfer.

»Wie Ihr wünscht«, sagte er.

An diesem Abend nahm Maria zusammen mit ihrer Mutter und den vier Marys ihren Platz am langen Tisch des Refektoriums ein. Sie beobachtete die in ihre Kutten gekleideten Gestalten der Mönche, wie sie stumm ihr Brot brachen und mit langsamen, rhythmischen Bewegungen ihre Suppe löffelten. Neben ihnen erschienen die Bewegungen der Außenseiter ruckartig und unbeholfen, wenn sie die Speisen zum Munde führten und aus ihren hölzernen Bechern tranken.

Maria fühlte sich durch ihre Gefährten in Verlegenheit gesetzt; zu gern hätte sie gegessen, wie die Mönche aßen. Sie schaute hinüber zu ihrer Mutter, die genußvoll auf einem Stück Brot kaute. Was sie wohl dachte? Maria bemühte sich, ihren Blick auf sich zu lenken, aber die Königinmutter war ganz mit ihren eigenen Gedanken beschäftigt.

Wir sind auf dieser Insel in Sicherheit, dachte Marie de Guise. Die Engländer werden uns hier niemals finden. Aber jetzt weiß ich, daß Schottland nicht länger allein bestehen kann. Die Schlacht von Pinkie Clough hat es bewiesen. Sie war das Ende Schottlands als wahrhaft unabhängige Kriegsmacht. Die Engländer werden es verschlingen. Wir müssen uns Frankreich anheimgeben, uns ihm auf Gnade oder Ungnade ausliefern.

Der Gedanke an eine solche unterwürfige Kriecherei war bitter. Aber wenn sie Schottland für ihre Tochter bewahren wollte …

Sie schaute hinüber zu Maria, die bei den anderen Mädchen saß. Das Kind beobachtete die Mönche aufmerksam und aß kaum etwas. Ihre Blicke folgten jeder Bewegung, mit der die Mönche ihr Brot brachen und die Köpfe über ihre Suppe beugten.

Für sie ist das alles ein Abenteuer, dachte die Mutter. Der Galopp durch die Nacht, die Fahrt auf die Insel, das Versteck bei den Mönchen … aber für mich ist es kein Spiel. Es ist todernst; eine Entscheidung, die ich heute treffe, wird bestimmen, ob meine Tochter eine Zukunft als Königin von Schottland hat und ob Schottland selbst eine Zukunft hat.

Aber ich *habe* bereits entschieden: Wir werden uns an Frankreich verkaufen. Schade, daß der Kardinal nicht hören kann, wie ich »wir« und »uns« sage – bin ich zu guter Letzt doch noch Schottin geworden? Das würde ihn erheitern. Aber wenn ich zwischen England und Frankreich als Herren zu wählen habe, dann werde ich mich für Frankreich entscheiden; das ist meine Heimat, es ist katholisch und mir geistesverwandt in allen Dingen, auf die es ankommt. Meine Tochter ist selbst eine halbe Französin … Alles wird gut werden.

Sie hob ihren Holzbecher und trank in tiefen Zügen daraus. Der Wein darin war französisch. Wie es schien, kam alles Gute aus Frankreich.

Frankreich … Ihr Gesicht nahm einen träumerischen Ausdruck an, als sie in der Erinnerung versank: die süßen Herbsttage auf dem Familienbesitz in Joinville; die warmen Farben der Blätter, die noch an den Bäumen hingen, wenn die tiefstehende Sonne sie durchstrahlte; das scharfe Knistern, wenn sie auf die Blätter trat, die schon abgefallen waren; der frische Cidre aus den Apfelgärten; der Dunst, der frühmorgens aus den Wäldern stieg, wo man den wilden Eber jagte …

Sie hatte das Gefühl, daß ihre Entscheidung richtig war, ganz und gar richtig. Seltsam, wie eine Entscheidung, die absolut richtig war, sich so einfach darstellte und wie sie ungehindert durch die Schleusen des Geistes strömte, während es, war sie falsch, ein so mühsamer Kampf war, sie durchzusetzen – und dann spürte man immer noch all die Haken und Kanten, wo sie sich festsetzte, querlegte und einen plagte, dachte sie.

Die Königinmutter war plötzlich grenzenlos müde. Es ist vorbei, dachte sie. Es ist vorbei, es ist vollbracht. Ich habe entschieden.

Jetzt blieb nur noch Frankreich in Kenntnis zu setzen. Aber das wäre keine Schwierigkeit.

Es ist soweit, daß ich mich ausruhen kann, dachte sie. Ich habe es verdient.

Mutter und Tochter teilten sich die Kammer des Priors im oberen Stock an der Westseite des Kreuzganges. Bruder Thomas hatte für seine königlichen Gäste das feinste Bettzeug hervorgeholt und sogar Teppiche auslegen lassen; in den Augustinerklöstern, in denen es weniger streng zuging als bei anderen Orden, hielt man solche Dinge für Ehrengäste bereit.

Zur finstersten Stunde der Nacht fuhr Maria plötzlich aus dem Schlaf und war schier übernatürlich wach.

Starr und steif lag sie da und hielt den Atem an; ihr war, als atme auch die Mutter nicht, als sei der ganze Raum ein steinernes Wesen mit Verstand und Gefühl, das wach war, aber stumm. Draußen hörte sie die Bäume auf der Insel; ihr Laub raschelte und seufzte im Wind, und es klang nicht einsam, sondern wie eine zutiefst tröstliche Gesellschaft.

Dann hörte sie, daß sich irgendwo etwas regte, ein leichtes Wispern: das Tappen leiser Schritte und das Rascheln der Kutten. Es waren die Mönche, die zum Gebet gingen.

Draußen war es stockfinster. Sie glitt aus dem Bett und trat ans

Fenster. Es schien kein Mond, aber die Sterne leuchteten hell. Vor der dunkel glänzenden Wasserfläche des Sees sah sie, wie sich die Blätter der großen Bäume bewegten, und in der Kirche glomm ein mattes Licht.

Die Mönche versammelten sich zu geheimer Nachtstunde zu ihrem Gebet. Maria sehnte sich von ganzem Herzen danach, zu ihnen zu gehen, und plötzlich wußte sie, daß sie deshalb geweckt worden war. Sie tastete nach ihren Schuhen, zog sie an und suchte ihren Wollmantel. Vorsichtig, um nicht zu stolpern, suchte sie sich langsam den Weg zur Tür, und es gelang ihr, sich am Bett ihrer Mutter vorbeizudrücken, ohne sie zu wecken. Sehr behutsam hob sie den hölzernen Riegel der Tür und öffnete sie. Sie knarrte nicht; die Mönche hielten alles in bester Ordnung, denn das war ein Teil ihres Dienstes an Gott.

Es war kalt auf der Treppe, die ins Erdgeschoß führte, und Maria zog ihren Mantel vor der Brust fester zusammen. Als sie die Treppe hinuntergestiegen war, rannte sie über das nasse Gras zum Seiteneingang der Kirche. Auch hier hatte die Tür einen tadellos funktionierenden Riegel, und sie konnte die Kirche geräuschlos betreten. Sie schlich sich in die Nische eines Seitenaltars und verbarg sich dort im Schatten. Die Mönche waren bereits versammelt; sie durften sie nicht sehen.

Sie saßen auf den Steinbänken zu beiden Seiten des funkelnden Hochaltars, der von zwei hohen Kerzen flankiert war. Ihre kapuzenverhüllten Köpfe waren gesenkt, und das Murmeln der Rosenkranzgebete umgab sie wie das Gesumm der Bienen in ihrem Korb.

Ave Maria
Gratia plena
Dominus tecum:
Benedicta tu in mulieribus …

Sie wagte nicht, sich zu rühren, sondern kauerte in ihrer steinernen Nische; es war kalt hier, und alles war von einer feinen Schicht Kondensfeuchtigkeit bedeckt. Nach und nach aber sah sie, wie die fünf hohen Fenster hinter dem Hochaltar sich aus der Nacht zu lösen begannen. Erst waren sie kaum sichtbar, schimmernde Flecke nur in der Dunkelheit; aber allmählich begannen die Farben in ihnen zu leuchten und klarer zu werden, bis sie schließlich alle da waren: Granatrot, Dottergelb, Saphirblau, Himmelsviolett und Meergrün –

schlanke, hohe Juwelenflächen, die sich in der Dämmerung zu kostbaren Bildern formten.

Die Mönche gerieten in Bewegung, und ein metallisches Klirren ertönte, als die Weihrauchkörner im Räucherfaß entzündet wurden. Der schwere, duftende Rauch erhob sich in sanften Wolken rund um den Altar, und der Gesang begann: die Morgenandacht.

Te de-um laude-mus …

Die dunklen, gemessenen Kadenzen stiegen mit dem Weihrauch empor. Die Sonne sandte einen ersten dünnen Strahl durch eine purpurrote Lichtscherbe des Fensters. Die Jungfrau Maria in ihrer Nische neben dem Hochaltar schien zu leuchten, als das erste Licht ihr Alabastergesicht liebkoste.

Maria vergingen fast die Sinne vor lauter Schönheit, Kälte und der Aufregung ob ihrer verbotenen Anwesenheit. Sie war in der königlichen Kapelle von Stirling Castle in der Messe gewesen, aber das war eine glanzlose Tageslichtveranstaltung gewesen; dies hier war Magie, die Tür in eine andere Welt, eine Welt, die sie überwältigte und so machtvoll aufsog, daß ihr zumute war, als könne sie geradewegs darin verschwinden.

Die leuchtenden Farben, der mystische Duft, die dunklen, lokkenden, unwirklichen Stimmen und das leuchtende Antlitz der Jungfrau kreisten in ihrer erregten Seele. Sie preßte sich an die Wand und fühlte sich von Ekstase ergriffen, und sie schloß die Augen und ließ sich davontragen.

Das also ist Gott, dachte sie, als sie lautlos vornüberfiel und sich Ihm anheimgab.

Die Mönche entdeckten sie später ausgestreckt auf dem Boden neben dem Seitenaltar. Sie schlief so tief, daß sie schon fürchteten, sie sei ohnmächtig; aber als man sie aufhob, schlug sie die Augen auf und lächelte selig.

»Ist es schon Zeit für den nächsten Gesang?« fragte sie, und die Mönche lachten erleichtert.

»Die Königin der Schotten sollte vielleicht Nonne werden, Eure Hoheit«, sagten sie, als man Maria zur ihrer Mutter zurückbrachte. »Wie die selige Königin St. Margaret. Sie scheint eine Berufung zu verspüren.«

»Ihr ist etwas anderes bestimmt«, antwortete Marie. Der Nachtschlaf hatte sie in ihrer Entschlossenheit vom Abend zuvor noch bestärkt. »Sie muß heiraten und in dieser Welt leben.«

»Es ist gefährlich, einen Ruf von Gott zu ignorieren«, sagte Bruder Thomas scheinbar scherzhaft. »Gottes Liebe ist besitzergreifend, und Er erträgt es nicht gern, wenn man Ihn abweist. Im Gegenteil, hat Er jemanden als Sein eigen erwählt, erträgt Er es überhaupt nicht, wenn man Ihn abweist.«

»Vielleicht am Ende ihres Lebens, wenn ihre irdischen Pflichten erfüllt sind«, sagte Marie. Sie fand dieses Gespräch ärgerlich und sinnlos.

»Gott will von uns nicht die Schalen, sondern die ersten Früchte«, erwiderte Bruder Thomas unbeirrt. »Indes«, fügte er mit aufreizender Selbstgefälligkeit hinzu, »man hat schon erlebt, wie Er unser Letztes in ein Opfer höchster Ordnung verwandelte.«

Im Bauch der französischen Galeere war es stickig heiß, und es stank nach ungewaschener Menschenhaut. Die Ruderer saßen schon seit Stunden auf ihren Bänken, und jetzt, da es dunkel wurde, wußten sie, daß die Tortur bald vorüber sein würde – für ein Weilchen. Nur zehn oder zwölf hatten heute die Peitsche zu spüren bekommen, denn alle hatten hart gearbeitet, und ihr Galeerenmeister war gutmütig – für einen Aufseher.

»Sie haben das Ufer bei Dumbarton gesichtet«, gab der Meister jetzt bekannt. »Morgen legen wir an. Ein paar Tage ausruhen – und dann zurück nach Frankreich.«

»Hier nehmen wir die Königin an Bord?« brummte ein großer, sehniger Ruderknecht. Seine Schultern trugen die verblassenden Striemen von Peitschenhieben, die noch nicht lange zurücklagen.

»Ja, und ihr ganzes Gefolge«, antwortete der Meister. »An die fünfzig, sechzig jungen Leute samt ihren Erziehern.«

»Bah!« sagte der Ruderer. »Dann ist es also so weit, wie? Die kleine Königin soll nach Frankreich gehen, um dort von jenem Gift zu trinken, das ihr ein Leben lang innewohnen soll, auf daß es diesem Land zur Plage und ihr am Ende zum Untergang gereiche.«

»Was kümmert dich das, Knox?« fragte ein anderer Ruderer. »Es bedeutet eine Rast für uns, und weiter bedeutet es nichts. Ich finde, das sollte dir willkommen sein. Wer da oben an Deck ist – was macht das? Wir sehen sie nie.«

»Aber wir *fühlen* sie«, erklärte Knox. »Ihre Anwesenheit verpestet die Luft!«

»Sprichst du derart von der Königin, Mann?«

»Die Königin ist ein Kind, das zur Hälfte Französin ist und jetzt vollends vergiftet werden soll mit dieser ungesunden, verdrehten Denkungsart. Nein, sie ist nicht *meine* Königin!«

Er streckte die verkrampften Arme. Mehr als ein Jahr war es her, daß er beim Fall von St. Andrews Castle in französische Gefangenschaft geraten war; seitdem ruderte er auf den Galeeren. Auf einem Schiff aus Rouen war er gewesen, und sogar auf einem recht angenehmen Einsatz auf der Loire, auch wenn er nie an Deck hatte gehen dürfen, um die legendären Schlösser zu sehen. Aber seit mehreren Monaten diente er jetzt in der Flotte von mehr als hundert Schiffen, die der französische König mit einem doppelten Auftrag ausgesandt hatte: Sie sollten an der schottischen Ostküste, zu Leith, Truppen an Land setzen, um die Garnisonen dort zu bemannen und die Engländer auszuräuchern, und dann sollten sie um die Nordspitze Schottlands fahren – und was für eine Fahrt war das gewesen; keine Galeere hatte eine solche Reise je unternommen – und an der Westküste landen. Dort, in Dumbarton Castle, der Festung, die in felsiger Höhe über dem Firth of Clyde thronte, wartete die kleine Schottenkönigin auf die Überfahrt nach Frankreich.

John Knox hatte fast geweint, als er unterwegs durch die winzigen Luken des Ruderdecks einen Blick auf seine Heimat geworfen hatte. Die Türme von St. Andrews hatten qualvoll lockend in der Ferne geflimmert.

»Eines Tages werde ich dort wieder predigen«, gelobte er feierlich.

»Na klar wirst du das«, knurrte der Mann neben ihm, ein Mörder und Beutelschneider; Knox hatte mit einzigartiger Erfolglosigkeit versucht, ihn zum wahren Evangelium zu bekehren.

Und jetzt sah er den großen Felsen von Dumbarton – so jedenfalls sah es aus der Ferne aus –, umrahmt von der Ruderpforte. Eine kleine Burg war auch zu sehen, die oben auf dem Felsen klebte.

Sie wartet dort oben, dachte er. Dieses irregeleitete Mädchen, umfangen vom Frevel der Papisterei. Und als nächstes soll sie – wie Achill in den Styx – eingetaucht werden in den Fluß der Frivolität und Falschheit namens Frankreich: zum Verderb ihres Charakters und zum Unheil für ihre ganze Erziehung.

So etwas durfte Schottland nicht widerfahren. Nein, dachte er, das durfte nicht sein.

Der Augenblick des Abschieds war gekommen. In all der Aufregung über die hastigen Französischstunden, das Kleideranmessen und die Abschiedsbanketts war der fünfjährigen Maria nicht klargeworden, daß ihre Mutter nicht mitkommen würde.

Sie waren noch nie voneinander getrennt gewesen. Und jetzt, da der Wind die Wimpel an den Schiffen knattern ließ, da das Wasser des Firth in der Sonne aufspritzte und eine große Zahl von Lords und Ladys versammelt war, um an Bord zu gehen, jetzt war ihr plötzlich schlecht. Sie klammerte sich an ihre Mutter.

»Ich kann dich nicht verlassen«, sagte sie, und ihre Augen füllten sich mit Tränen. »Ich kann es nicht, ich kann nicht!«

Marie de Guise, die vor Kummer selbst kaum ein Wort hervorbrachte, betete zur Jungfrau um die Kraft, ihren Schmerz zu verbergen. »Mein liebstes Kind, weine nicht. Ich werde dir folgen, sobald ich kann«, sagte sie. »Es gibt hier noch Dinge, die ich regeln muß. Wenn ich dein Königreich gesichert habe, wenn ich dafür gesorgt habe, daß niemand dir Schottland je wird wegnehmen können, dann, mein Liebling, komme ich nach Frankreich.«

»Wird das bald sein?«

»Das kommt darauf an, wie heftig die Engländer sich sträuben!« versuchte sie zu scherzen. »Und jetzt, *ma chérie*, trockne dir die Augen.« Sie gab Maria ein Spitzentaschentuch. »So ist's brav.«

Sie schaute ihrer Tochter in die Augen und versuchte sie sich einzuprägen, diesen Blick in irgendeinem Winkel ihres Herzens zu bewahren, wo sie ihn jederzeit wiedersehen könnte. »Du fährst zu denen, die dich lieben«, sagte sie. »Der kleine Dauphin – er ist jünger als du und nicht so kräftig. Er sehnt sich nach einer Spielgefährtin. Du wirst ihm vorkommen wie die Antwort auf seine Gebete. Und du wirst lernen, mein Engel: Wenn du die Gebete eines anderen erfüllst, so ist es, als wären deine eigenen in Erfüllung gegangen.« Sie umarmte sie. »Gott segne dich – und die Heilige Jungfrau behüte dich.«

Maria erwiderte die Umarmung, drückte sich an sie und schloß die Augen.

Die Zuschauer jubelten und fingen an, sie zu necken.

»*La Reinette* muß jetzt an Bord ihrer bescheidenen Galeere kommen«, sagte der Edelmann, der als Abgesandter Heinrichs II. zugegen war.

Knox, der durch seine Luke hinausspähte, konnte die kleine Gestalt Marias in ihrem blauen Samtkleid und dem dazu passenden Hut mit der gekräuselten Feder erkennen. Die fette Kuh von Königinmutter war ebenfalls anwesend, sah er. Und all die grinsenden Franzosen – wie Affen in Satin. Und die rothaarige Kinderbrut – die Hälfte von ihnen Stewart-Bastarde – fuhr auch mit.

Pah! Hoffentlich werden sie alle seekrank und besudeln ihre feinen Sachen von hier bis Frankreich, dachte er, und in diesem Augenblick ließ der Aufseher ihn die Peitsche spüren, damit er seinen Platz auf der Bank einnahm.

John Knox' Wunsch ging in Erfüllung. Das gesamte Gefolge der kleinen Königin war zum Sterben seekrank, denn es ging ein stürmischer Wind, und die See war fast während der ganzen Reise nach Frankreich sehr unruhig. Lady Fleming war sogar so krank, daß sie den Kapitän anflehte, er möge sie in Cornwall an Land setzen, worauf der Franzose, Monsieur de Villegaignon, ungalant erwiderte, sie könne nur über das Meer nach Frankreich gelangen oder unterwegs ertrinken.

Nur eine unter all den Reisenden war nicht krank: Maria selbst. Sie war anscheinend entzückt vom Toben der Stürme und auch über die Krise vor der Küste von Cornwall, als das Ruder brach. Aufgeregt klammerte sie sich an der Reling fest – unbeaufsichtigt von Lady Fleming – und schaute den Seeleuten zu, wie sie sich anstrengten, um Ersatz anzubringen. Ihr Bruder James Stewart, wie stets entschlossen, über alles, was vorging, Bescheid zu wissen, mühte sich an Deck, um ein Weilchen zuzuschauen. Aber in der wogenden Dünung war ihm bald wieder übel, und er verschwand taumelnd in seiner Kabine.

Etliche Tage lang war der Kapitän außerstande, an der französischen Westküste, in der Bretagne, zu landen. Als er endlich vor Anker gehen konnte, geschah es bei der Kleinstadt Roscoff, an einem felsigen Ort im Herzen eines von Schmugglern und Piraten beherrschten Gebietes.

Maria brannte darauf, ans Ufer zu gehen, und die Ruderboote wurden bereitgemacht; sie war bei der ersten Gruppe, die an Land gebracht wurde. Fischer und Stadtbewohner, herbeigelockt vom Anblick der großen, sturmzerzausten Galeeren, waren am Ufer zusammengeströmt und standen jetzt dort, um sie zu begrüßen. Ein muskulöser Bretone, dessen Hände nach Fisch rochen, half Maria aus dem Boot und bei ihrem ersten Schritt auf französischem Boden.

Es war der 13. August 1548.

Anfangs fand sie, daß es hier nicht anders aussah als in Dumbarton. Es war die gleiche Landschaft: ein tiefblaues, aufgewühltes Meer und eine rauhe Felsenküste. Aber als die königliche Reisegesellschaft landeinwärts zog – feierlich angeführt vom Herrn von Rohan und den Adeligen aus der Gegend, die ihnen entgegengeeilt waren –, begann die Gegend plötzlich fremdartig auszusehen, und Maria wußte, daß sie in ein neues und ganz fremdes Land gekommen war.

Sie zogen durch die Normandie; das Gelände wurde flach, grün und gut bewässert, und man sah viele strohgedeckte Bauernhäuser. Überall gab es Apfelgärten und Kühe, und wenn die einheimischen Edelleute entlang des Weges sie zum Essen einluden, bewirtete man sie stolz mit köstlichen, schweren Speisen aus Äpfeln, Butter und Sahne: Es gab Pfannkuchen mit Calvados und Eiercreme mit Äpfeln und Karamel. Sogar die Omeletts waren wie verzaubert, als wären sie überhaupt nicht aus einem bescheidenen Ei gemacht – so flauschig und leicht waren sie.

Endlich erreichten sie die Seine, wo eine geschmückte Barke sie erwartete, die der König geschickt hatte. Sie sollten flußaufwärts zum Château von St. Germain-en-Laye fahren, wo die französischen Königskinder – *les enfants de France* – sie empfangen würden.

Die Barke war breit und komfortabel und mit einem Hauch von Luxus ausgestattet. Sie verfügte über eine vollbemannte Küche, einen Speiseraum mit Kristall und goldenem Geschirr, Betten mit vergoldenen Kopfenden sowie Abortkammern, die mit dunkelrotem Samt verhängt und mit frischen Irisblüten in silbernen Vasen an der Wand parfümiert waren.

Und jetzt begannen die schottischen Kinder sich unbehaglich zu fühlen, umgeben von einer silbrig sanften Sprache, die sie nicht verstanden, und in der Erkenntnis, daß sie binnen weniger Tage den französischen Kindern in der königlichen Kinderstube von Angesicht zu Angesicht gegenüberstehen würden. Wenn sie nun schreckliche kleine Dinger waren – heulende, weinerliche Rangen, die beim Spielen mogelten, zankten und andere ärgerten? Bis zu diesem Augenblick hatten »die französischen Kinder«, »der Dauphin« und »die Prinzessinnen« keine wirkliche Bedeutung für sie gehabt.

Und wenn der Dauphin und Maria einander nicht leiden konnten, was dann? Würde man die Allianz aufgeben, oder würde man sie dessenungeachtet trotzdem verheiraten?

Langsam glitt die königliche Barke die Seine in ihrem breiten grünen Tal hinauf, vorbei an Rouen und Les Andelys, an Vernon und Meulan, und schließlich zur Landungsbrücke von St.-Germain-en-Laye: Es war ein großer Steg, dessen Pfähle gold, rot und blau angestrichen waren, und an einem Mast wehte die königliche Standarte von Valois.

Ein Wärter sandte eilig seinen Gehilfen zum Château voraus und beschaffte Pferde, um die Gäste zu befördern, auch wenn der Weg nicht weit war – das Château stand gleich oberhalb des Flußufers. Große, glänzende Reittiere mit schweren Ledersesseln wurden herangeführt, und die Schotten starrten sie an. Sie waren so vollkommen von Gestalt, daß sie überhaupt nicht aussahen wie die Tiere, die in Schottland »Pferde« hießen.

Der Kiesweg zum Château war zu beiden Seiten mit hohen, schlanken Bäumen bepflanzt wie ein heiliger Hain im antiken Griechenland. Und dann ragte vor ihnen, auf einem Kamm oberhalb des Flusses, das graue Gebäude des Châteaus vor ihnen auf.

Jetzt erschienen Diener und Knechte, um sie den Weg hinauf und in den Schloßhof zu begleiten. Man nahm ihnen die Pferde ab und geleitete sie in die »Salle des Fêtes«, eine reichgeschmückte Halle an der Westseite des Innenhofes.

Maria schaute sich um und betrachtete die hohe Decke und die hellen Farben des Wandbemalung: Rosa, helles Wasserblau, Wiesenblumengelb. Die Männer und Frauen auf den Gemälden trugen dünne, durchscheinende Kleider, durch die man hindurchschauen konnte, als wären sie nackt. Sie studierte das alles, als plötzlich eine dunkle Stimme etwas auf Französisch verkündete und jedermann verstummte.

Die hinterste Tür der Halle öffnete sich, und heraus kamen drei Kinder, zwei Mädchen und ein Junge. Nur zwei konnten richtig laufen; das dritte schwankte hin und her auf seinen Babyfüßen und mußte von den anderen gestützt werden. Sie kamen auf die Schotten zu, und instinktiv trat Maria vor, um ihnen entgegenzugehen.

Durch den weiten Raum der Salle des Fêtes kamen die Kinder aufeinander zu, und alle beobachteten sie.

Dieser kleine Junge muß also Franz sein, der Dauphin, dachte Maria. Er hatte ein fettes kleines Gesicht und schräge Augen, und seine schmalen, gekrümmten Lippen waren fest zusammengepreßt. Die hellen Augen blickten wachsam. Er war sehr klein und ein bißchen pummelig.

Sofort verspürte Maria ein beschützerisches Gefühl für ihn, wie sie es bei den kleinen verletzten Tieren empfunden hatte, die sie in Stirling immer beharrlich gesundgepflegt hatte, wenn sie sie auf der Heide liegend oder im Burghof hinkend gefunden hatte.

«Bonjour. Bienvenue à St.-Germain-en-Laye. Je suis Prince François, et ces sont mes soeurs, les princesses Elisabeth et Claude.» Der kleine Junge verneigte sich steif.

«Je suis Marie, votre amie et cousine et – fiancée», antwortete Maria und hatte damit fast ihr ganzes Französisch aufgebraucht.

Zum Entzücken aller Zuschauer lächelten die beiden Kinder einander an, und dann lachten sie und reichten sich die Hände.

Für viele der französischen Höflinge war es das erste Mal, daß sie Franz lächeln sahen.

Zwar waren König und Königin zur Zeit nicht in St. Germain, aber sie hatten sichergestellt, daß Maria, *la Reinette d'Ecosse*, durch Diane de Poitiers, die Mätresse des Königs, in angemessener Weise willkommen geheißen wurde.

Als Maria sie in die Halle treten sah, glaubte sie sogar die Königin vor sich zu sehen, so schön war die »Mond-Mätresse«. Ihr Haar war silbern, ihre Haut blaß, und der Satin ihres Kleides schimmerte weiß und schwarz. Sie schien über den Boden zu schweben wie eine Fee, und Franz und Elisabeth begrüßten sie so warmherzig, als wäre sie ihre leibhaftige Mutter. Maria erstattete der Frau die angemessene, vorschriftsmäßige Reverenz als Königin, aber diese lächelte und sagte: »Nein, nein ...« Dann folgte ein Strom von unverständlichen französischen Worten.

Patrick Scott, ein Mitglied der schottischen Bogenschützenkompanie bei Hofe, kam hastig zu Maria und verbeugte sich. »Darf ich Euch meine Dienste als Übersetzer anbieten, Eure Hoheit? Die Herzogin von Valentinois, Madame de Poitiers, dankt Euch für Eure freundliche Begrüßung und möchte Euch wissen lassen, daß sie – als die geehrte Freundin des Königs und in seinem Namen – Euch in Frankreich willkommen heißt. Der König hofft, daß Ihr hier lauter Glück finden werdet, als Gemahlin seines Sohnes und bei seinem Volk als dessen zukünftiger Königin. Er sehnt sich danach, Euch zu sehen, und wird bald aus Italien zurückkehren, wo er sich auf Staatsreise befindet.«

Bei diesem entzückenden Spiel, wo der eine für den anderen redete, mußte Maria kichern. Dann kicherte Franz ebenfalls, denn es war das erste Mal, daß er die schottische Sprache gehört hatte. Der Rest der beiden Parteien stimmte in das Gelächter ein.

Auf eine Geste der Herzogin hin nahmen Palastdiener ihre Plätze ein und traten den schottischen Gästen zur Seite, um ihnen ihre Quartiere zu zeigen. Sie sagte etwas mit ihrer hübschen Stimme, und Patrick Scott übernahm die Erklärung.

»Königin Maria, Ihr sollt das Zimmer mit Prinzessin Elisabeth teilen. Ich selbst habe die Einrichtung ausgewählt, und ich hoffe, daß es Euch dort gefällt. Wollt Ihr jetzt kommen und Euch alles ansehen? Vielleicht wünscht Ihr nach der Reise auch zu ruhen?«

Die Herzogin, die den kraftlosen und trägen Franz gewöhnt war, zeigte sich überrascht, als Maria ausrief: »O nein, ich bin nicht müde!« Beinahe wäre sie sogar auf und ab gehüpft, aber dann fügte sie höflich hinzu: »Aber gern möchte ich die Einrichtung sehen, die Ihr für mich ausgewählt habt, Madame.«

Die Herzogin führte sie durch einen langen, gewölbten Korridor und die Haupttreppe hinauf zu einer Suite von Gemächern über dem ersten Stock; von hier aus konnte man den langgestreckten Hang hinunter bis zur Seine blicken, die wie ein schmales Band in der Nachmittagssonne funkelte. Maria hatte das Gefühl, sie sei noch nie in einem so riesigen Gebäude gewesen; die Zimmer gingen weiter und immer weiter, Türen und Durchgänge verschwanden in einer endlosen Reihe hinter dem rauschenden Gewand der Herzogin, welches das Licht verstreute wie die Oberfläche einer Flüssigkeit und bei jeder Bewegung erbebte.

Sie führte sie in einen großen, sonnigen Raum, der mit bernsteinfarbenem Holz getäfelt war.

»Hier ist es, Eure Hoheit. Das königliche Kinderzimmer.«

Die kleinen Betten, eines auf jeder Seite des Zimmers, waren mit Schnitzereien verziert, die Vögel, Blätter und Blumen darstellten, und hatten leuchtend blaue und goldene Vorhänge. Es gab Kindertische und -stühle und Spiegel, die in Augenhöhe der Kinder angebracht waren. Wollteppiche machten den Boden weich wie Moos. Auf einem Tisch in der Ecke stand ein kleines Schloß aus Holz – es ließ sich an Scharnieren öffnen, und drinnen hatte es kleine Zimmer mit Miniaturmöbeln. Maria stürzte darauf zu und spähte durch die Fensterchen hinein. Drinnen sah sie eine Zauberwelt wie in einem Traum.

»Oh, Madame«, sagte sie. Ihr fehlten die Worte, um ihr Staunen auszudrücken.

»Es gehört Euch; Ihr könnt damit spielen und es einrichten, wie Ihr wollt. Seht – hier sind die Puppen, die darin wohnen.« Diane deutete auf eine Gruppe von Figuren in dem kleinen Schloßhof. Zu ihrem Erstaunen erkannte Maria sich selbst darunter. Sie nahm die Puppe heraus und schaute sie an.

Sie hatte echtes Haar von der gleichen Farbe wie das ihre und war in ein Falknerkostüm aus grünem Samt gekleidet, wie sie auch eines hatte. Auf dem Handgelenk der Puppe saß ein kleiner Falke aus echten Federn, deren Farbton den Federn ihres Falken entsprach.

»Ist er wie Ruffles?« Die Herzogin schaute Maria lächelnd an, und Maria fühlte sich unverhofft in den Himmel entrückt, wo sie geliebt und in Sicherheit war und wo man ihr Wunder über Wunder zeigte. Sie fühlte sich nicht wie zu Hause hier, sondern an einem Ort, wo es noch unendlich viel besser und zärtlicher zuging. Sie warf der Herzogin die Arme um den Hals und fing an zu weinen vor Aufregung und Freude.

»Still, still, *ma petite*.« Die Herzogin strich ihr das Haar glatt. »Kein Grund zum Weinen.« Über Marias Schulter hinweg winkte sie den Kammerdienern. Ganz offensichtlich war die kleine Königin der Schotten übermüdet von der Aufregung und der Anspannung der langen Reise und brauchte ein wenig Ruhe, ungeachtet dessen, was sie sagte. Und es wurde auch Zeit, daß Prinzessin Elisabeth ihren Mittagsschlaf hielt. Es wäre gut, wenn die beiden zusammen ausruhten.

»Woher wußtet Ihr, wie mein F-falke heißt?« Maria konnte sich nicht vorstellen, wie dieses Wunder zustande gekommen sein sollte.

»Aber wir wissen sehr viel über Euch, denn jedermann in Frankreich ist neugierig auf die tapfere kleine Königin, die vor den Engländern hierher flüchten mußte. Hier seid Ihr schon eine Legende, und wir alle lieben Euch.«

»Aber Ruffles – woher *wußtet* Ihr das?«.

»Von Euren Verwandten hier, mein Kind. Von Eurer Großmutter Antoinette de Bourbon und den Brüdern Eurer Mutter, dem großen Franz und Charles, dem Kardinal von Lothringen. Sie alle haben das Gefühl, Euch bereits zu kennen, denn Eure Mutter schreibt und erzählt ihnen alles. Bald werdet Ihr sie kennenlernen, und sie werden Euch leibhaftig sehen.«

Marias eigene Kinderfrau, Jean Sinclair, kam herbei, um sie ins Bett zu bringen. »Prinzessin Elisabeth muß jetzt ausruhen, und es wäre höflich, wenn Ihr Euch ebenfalls hinlegen wolltet«, sagte sie, und ausnahmsweise fügte Maria sich. Sie war neugierig darauf, das französische Bett auszuprobieren. Ein vergoldeter Fußschemel stand daneben – welche Wunder mochte es außerdem aufweisen?

Als alle Bediensteten außer ihren Schotten gegangen waren und Maria in dem weichen Bett mit der Federmatratze und den dicken Federkissen lag, zugedeckt mit einer weißen Wolldecke, kam die Herzogin noch einmal, um die Bettvorhänge zuzuziehen. »Willkommen in Frankreich«, flüsterte sie und küßte Maria sanft auf die Stirn. »Das ist für Euch.« Sie gab ihr ein Satinkissen, das mit duftenden Kräutern ausgestopft war. »Legt es Euch in den Nacken und stellt Euch vor, Ihr liegt auf einer Frühlingswiese, und Ihr seht die Wolken vorüberziehen und schlaft ...«

Maria seufzte, nahm das duftende Kissen in den Arm und tat, was die Herzogin gesagt hatte, und sie überließ sich einem sinnlichen, schwelgerischen Schlummer.

Als sie am nächsten Morgen erwachte, schien die Sonne. Sie wußte sofort, wo sie war: in diesem fremdländischen Kinderzimmer, in dem alles wundersam kindgroß war. Dann hörte sie gemurmelte Worte in jener neuen Sprache, die so süß klangen wie der Duft des Kräuterkissens.

»*Bonjour, mesdemoiselles*. Es ist ein schöner Tag heute. Kommt, es gibt eine Überraschung für Euch. Die kleinen Pferde der Königin von Schottland sind hier! Zieht Euch rasch an und kommt sie Euch anschauen!«

Während Maria geschlafen hatte, waren alle ihre Kleider ausgepackt, gelüftet, gebügelt und weggeräumt worden. Inzwischen hatte Jean Sinclair – oder Jehan St. Claire, wie sie in Frankreich genannt wurde – sie schon bereitgelegt.

Maria und Elisabeth wurden in ein anderes Zimmer gebracht, wo das Frühstück – *le petit déjeuner* – serviert wurde, für den kleinen Dauphin, die vier Marys und die drei Stewarts. Der Tisch bog sich unter der Last von Körben mit Früchten, glänzenden Brotlaiben mit geflochtenen Verzierungen und etlichen großen runden Dingen, die auf Tellern lagen und aus denen keilförmige Stücke herausgeschnitten waren.

Franz saß bereits auf einem speziellen hochbeinigen Stuhl und hatte eine Winzigkeit auf dem Teller vor sich. Verdrossen starrte er vor sich hin, aber als Maria hereinkam, blickte er auf und lächelte.

Die Stewart-Brüder – James, Robert und John – beäugten die Speisen mißtrauisch.

»Was ist das?« fragte Robert und deutete auf das radförmige, bleiche Ding.

«C'est fromage, de Normandie.»

»Und wie heißt das auf Französisch?« Maria deutete auf eine Schale mit Pfirsichen.

«Pêches», sagte Franz.

«Pêches», wiederholte Maria.

Die Franzosen lachten über ihre Aussprache.

«Pêches», wiederholte sie, sich verbessernd. »Und das?« Sie wies auf ein Glas mit Fruchtmarmelade.

«La confiture», sagte Franz, und dabei sah er sehr selbstzufrieden aus, weil er so viel wußte.

«La confiture», wiederholte sie und ahmte die Aussprache sehr gut nach. »Und das?« Sie nahm einen Laib Brot in die Hand.

«Du pain! Du pain!» schrien die französischen Kinder im Chor.

Maria kostete von allem, was sie benannte, und hatte bald so viel gegessen, daß ihr ganz schlecht war. Aber es hatte den Kindern Spaß gemacht, zu essen und einander kennenzulernen. Jetzt brannten sie darauf, hinauszugehen und zu sehen, was für ein Geschenk die Königin von Schottland – *la Reine d'Ecosse* – mitgebracht hatte: winzig kleine Pferde.

Draußen im Hof warteten die struppigen kleinen Tiere schon fertig gesattelt. Marias eigenes Pony Juno war da, Lustys Cinders ebenfalls und noch ein Dutzend andere von den Inseln im hohen Norden des schottischen Festlands, die meisten dunkelbraun und alle mit dickem, rauhem Fell.

»Du kannst dir aussuchen, welches dir am besten gefällt, mein lieber Franz«, sagte Maria und wies auf die Ponys.

Er lächelte; er verstand ihre schottischen Worte nicht, deutete ihre Geste aber richtig.

Er ging geradewegs auf eines der kleinsten Tiere zu, das einen weißen Stern auf der Stirn trug.

»Ich möchte dieses, *s'il vous plaît*«, rief er. »Und ich nenne es – Marie! Zu Ehren meiner Braut und meines Gastes!«

Alles lachte.

Die nächsten warmen Augusttage verbrachte man damit, das Château von St.-Germain-en-Laye zu erforschen. Das flache Dach des

Schlosses war durch Bäume in Kübeln und Blumen in Pflanzkästen in einen Garten verwandelt worden; kleine Bänke und Sonnensegel schufen einen angenehmen Ort zum Spazierengehen, und man hatte einen weiten Blick über das Land und das Seine-Tal. Der König plante, am Rande des Hanges einen Nachbarpalast zu erbauen; weiter unterhalb gelegene Terrassen sollten entweder unmittelbar von hier aus oder über weitläufige Treppen zu beiden Seiten erreichbar sein. Die Bauarbeiten sollten bald beginnen.

Der König war durch Staatsgeschäfte am Kommen gehindert – er inspizierte italienische Regionen, nach denen es ihn gelüstete –, aber er schickte einen steten Strom von Briefen nach Norden, in denen er den Neuankömmlingen versicherte, daß er und die Königin zurückkehren würden, sobald die Lage es gestattete. Einstweilen sollten sie davon ausgehen, daß Madame la Duchesse de Valentinois ganz und gar im Sinne Seiner Majestät handele.

Die Herzogin sorgte dafür, daß Marias Verwandte, die Guise, sie besuchen kamen. Sie fand einen Schotten, der fließend Französisch sprach und als Dolmetscher dienen konnte. Es mußte ein Schotte sein, denn niemand sonst sprach Englisch oder Schottisch, nicht einmal die Botschafter, die Frankreich, Spanien und Italien nach London entsandt hatten, waren des Englischen mächtig. Es war eine unbedeutende Sprache, ganz und gar insular und nutzlos, unbeachtet von der diplomatischen Gemeinschaft. Aber einige Schotten hatten sich ins Ausland verdingt, und hier in Frankreich waren zweisprachige Leute zu finden.

Die drei am meisten ehrfurchtgebietenden Guise – Mutter und zwei älteste Söhne – kamen mit großem Gepränge zu Pferde von ihrem Hôtel de Guise in Paris nach St.-Germain. Die alte Herzogin Antoinette, Mutter von zwölf Kindern, mit aufrechtem Rücken und aufrechter Natur (sie verwahrte ihren Sarg im Korridor vor ihrem Gemach, so daß sie ihn jeden Morgen auf dem Weg zur Messe sehen mußte), Idol und liebevolle Unterstützerin ihrer Tochter Marie de Guise, war wie immer in Schwarz gekleidet. Ihr furchterregender Soldatensohn François, den man wegen einer Kriegsverletzung an der Wange »le Balafre« nannte und der mit dreißig Jahren genauso alt war wie der König, ritt ein großes kastanienbraunes Schlachtroß. Sein jüngerer Bruder Charles, der Heinrich II. gekrönt hatte und nur fünf Tage später mit dreiundzwanzig Jahren Kardinal geworden war, saß auf einem mit silbernen Schabracken und karmesinroter Atlasseide behangenen Maultier. Wie die Heiligen Drei Könige kamen sie herangeritten, um dieses Kind zu sehen, in das sie große Hoffnungen setzten – diese Prinzessin und Königin, die wie ein Stern aus dem Norden gekommen war, um die Guise zum allerhöchsten Ruhm zu führen. Denn mußte Maria von Schottland, mit dem Dauphin verheiratet, in Kenntnis ihrer Familientreue und ihrer Verpflichtungen, sich nicht als ihre Schutzpatronin erweisen? Und jedes Kind, das sie bekäme, würde zu einem Viertel der Familie Guise angehören, und damit wären sie endlich in königlichen Rang erhoben.

Sicher, sie erhoben Anspruch auf eine Abkunft von Karl dem Großen, aber das gehörte in eine mythische, nebelhafte Vergangenheit, und dieses als intelligent geschilderte, hübsche kleine Mädchen war für sie Gegenwart und Zukunft, und das war etwas sehr viel Handfesteres ...

Also machten sie sich eifrig auf den Weg, und als sie die sanfte Steigung zum Château hinaufritten, empfanden sie Dankbarkeit dafür, daß das alte Glück der Guise fortbestand und sie das Mädchen noch vor dem König und der Königin sehen konnten. Freilich, die lästige Madame de Poitiers war bereits dort in Position gebracht und lebte mit den Kindern zusammen, aber politisch gesehen war sie nur ein Abbild des Königs – gerade so, wie ihr Symbol, der Mond, kein warmes Licht aus eigener Kraft verströmte und wie Diana, die Jägerin, stets vor Apollo weichen mußte.

Nicht, daß König Heinrich II., dieser trübselige, schüchterne, phantasielose Mann, ein Apollo gewesen wäre. Aber er sah sich gern so, und die Schmeichler bei Hofe taten ihm den Gefallen.

In St.-Germain führte man sie in den großartigsten Raum von allen, in die »Salle des Audiences«. Wenn das dazu dienen sollte, sie in Ehrfurcht erstarren zu lassen, so war es ein Fehlschlag. Als Taktik war es zu durchsichtig. In ihrem eigenen Château zu Meudon gab es ebenso eindrucksvolle Räumlichkeiten. Diese Italienerin allerdings, die Königin, war feinsinniger ... man wußte nie genau, woran man mit ihr war, mit dieser Italienerin, oder was ihre heimlichen Absichten waren.

Madame de Poitiers führte die kleine Maria Stewart – oder Stuart, wie man sie in Frankreich bald nennen sollte – in die Halle. Das Kind, wunderschön gekleidet in ein rostbraunes Gewand, das gut zu den langen Locken paßte und den rosigen Hauch auf ihren Wangen widerspiegelte, trat schüchtern vor.

Die Erwachsenen verneigten sich alle vor ihr als einer gesalbten, regierenden Königin. Sie starrte die gesenkten Hüte an und erlaubte ihnen dann, sich aufzurichten. Alle schauten einander eine ganze Weile an, und dann befahl die Herzogin von Guise ihr durch den Dolmetscher: »Komm her, mein Kind, und laß dich ansehen.«

Langsam ging Maria auf ihre Großmutter zu. War das wirklich die Mutter ihrer Mutter? Sie sah nicht so aus. War das die Mutter, die Marie de Guise im Arm gehalten, sie unterrichtet und ihr lange Briefe nach Schottland geschrieben hatte? Sie hatte gesehen, wie ihre Mutter darauf gewartet und sie dann begierig gelesen hatte.

Maria verneigte sich vor dieser strengblickenden Frau. Die Dame lächelte, streckte die Arme aus und umschlang sie.

»Ich danke dir, daß du zu uns gekommen bist«, murmelte sie, aber natürlich konnte Maria sie nicht verstehen, und sie hatte zu leise und vertraulich gesprochen, als daß der Dolmetscher es hätte übersetzen können. Aber Maria verstand, was gemeint war, und erwiderte die Umarmung der alten Frau.

»Und jetzt mußt du deine Onkel kennenlernen«, sagte die Großmutter, und sie trat zurück und deutete auf die beiden.

»Deine Mutter ist meine Erstgeborene. Mein Liebling, glaube ich! Und der Nächstgeborene ist François hier, der Duc de Guise, ein großer Soldat Frankreichs und ein Kämpfer des Königs, der darauf brennt, dir zu dienen, wann immer du es verlangst. Man nennt ihn furchtlos – und er ist wahrhaftig bekannt für seinen Mut, den er wieder und wieder unter Beweis gestellt hat.«

Duc François trat vor und küßte ihr die Hand.

»Mein nächster Sohn, Charles – oh, mit ihm ist es etwas ganz anderes. Er ist ein Gelehrter und Kirchenmann, auch wenn es Leute gibt« – liebevoll legte sie ihren beiden Söhnen die Arme um die Schultern –, »die finden, daß er hübscher ist als sein Bruder.«

Dies wurde pflichtgemäß übersetzt.

»Ich bin sicher, Seine Majestät der König würde mit Wohlgefallen sehen, daß Kardinal Charles über die Erziehung seiner Nichte, *la Reinette d'Ecosse*, wacht«, sagte Madame de Poitiers. »Gewiß ist niemand besser dazu geeignet.«

Die Guise lächelten. Das hatte der König also bereits entschieden. Um so besser.

»Kannst du Latein, Maria?« fragte der Kardinal.

»Noch nicht.«

»Ah, ja, bald wirst du es lernen. Zuvor muß Französisch kommen!«

»Ich glaube, dafür wird Seine Majestät sorgen, sobald er kommt. Sie macht täglich gute Fortschritte darin, es allein zu lernen, und spricht ohne jeden Akzent, aber vielleicht wird es nötig sein, die anderen schottischen Kinder wegzuschicken, damit sie nicht mit ihnen sprechen kann und ihr Französisch damit behindert. Wir werden sehen.«

»Allerdings.« Die Großmutter nickte. »Bald wird sich alles klären.«

»Ich denke, Ihr werdet schon jetzt feststellen, daß sie beinahe ganz und gar französisch ist«, sagte Madame de Poitiers. »Sie muß es im Blut haben.«

Ein Monat verging, ehe der König in St.-Germain eintraf, ein Monat, in dem Maria und ihre Spielgefährten frei durch das Château und seine Umgebung streifen und zu Fuß oder zu Pferde am Flußufer entlangspazieren konnten, um die herbstliche Landschaft in Dunst und Morgenkühle zu sehen. Maria und Franz hatten einander aufrichtig gern; Franz mit seiner Scheuheit und Zerbrechlichkeit erweckte lauter sanfte Gefühle in ihr, und sie mit ihrer vitalen und fröhlichen Art war für ihn wie der Sonnenschein, der seiner düsteren, eigenbrötlerischen Natur Wärme und Aufmunterung brachte. Er war ein Jahr und einen Monat jünger als sie und blickte zu ihr auf, wie ein Kind es tut, für das ein Jahr Unterschied eine große Sache ist.

Als Maria und der König einander schließlich begegneten, geschah es auf sehr informelle Weise – zur Enttäuschung der ausländischen Botschafter, die sie in der Hoffnung belauerten, den historischen Augenblick mitzuerleben.

Der König war eben mit seinem Gefolge in den Hof des Châteaus eingeritten, als Maria mit ihren vier Marys und mit Franz auf ihren Ponys aus dem Stall kamen. In bunten Samt gekleidet, sahen sie aus wie eine Puppenprozession, und kleine Federn wippten auf ihren Hüten.

Bezaubert stieg der König vom Pferd, ging der herantrabenden Schar entgegen und hob die Hände.

»Ist das etwa Feenvolk beim Ausritt in den Zauberwald?« fragte er lächelnd. Er nahm seine Reitmütze ab und hielt Ausschau nach Franz. Zu seiner freudigen Überraschung war er dabei; munter saß er im Sattel.

»Papa!« rief der Prinz. Dann wandte er sich zu Maria und sagte: »Das ist mein Vater, der König. Er ist endlich da!«

Maria starrte ihn an. Sie sah einen Mann mit einem langen, schmalen Gesicht und schrägen Augen. Sein Mund lächelte, aber sein Blick war unergründlich.

»Bonjour, Eure Majestät«, sagte sie rasch und lächelte zurück.

Was für eine angenehme Stimme, dachte der König. Und dieses Lächeln! Es war strahlend.

»Guten Morgen, *Eure* Majestät«, erwiderte er, und zu seiner Überraschung kam Maria zu ihm.

»Ich bin so glücklich hier«, sagte sie schlicht. »Ich liebe Frankreich! Und ich liebe Franz, den Dauphin.«

Der König war erleichtert, so erleichtert, als habe ein geheimnisvoller Wohltäter plötzlich alle Schulden der Krone bezahlt. (Das war eine Szene, die er sich oftmals in Gedanken vorstellte, und deshalb wußte er genau, wie er sich dabei fühlen würde.) Das Mädchen war normal! Wohlgestaltet, wortgewandt, hübsch, munter! Dafür, daß er die Last Schottlands auf sich genommen hatte – eine Last, die von Tag zu Tag größer wurde –, hatte er also doch noch einen Schatz bekommen. Sein Franz würde geliebt werden und dies in gleicher Münze zurückzahlen, und wenn überhaupt irgend etwas ihm Gesundheit verheißen konnte ...

»Verschiebt Euren Ausritt für einige Augenblicke«, sagte er, »und kommt mit mir hinein – Ihr alle!« rief er.

Sein Herz sang – oder war dem Singen doch so nah wie nur jemals.

Der nächste Tag war regnerisch; kalte, durchdringende Regenschauer rissen das goldene Laub von den Bäumen und verwandelten ihr Geäst in schwarze Skelette. Reiten kam an diesem Tag nicht in Frage, aber die Kinder freuten sich in der ersten Aufregung darüber, einmal im Haus zu bleiben (bevor es langweilig und beengt wurde), darauf, *rois et reines* zu spielen: Könige und Königinnen. Sie hatten sich vorgenommen, die Geschichte Karls des Großen aufzuführen; er sollte einer bösen Waldkönigin begegnen, die vier Prinzessinen gefangenhielt (nachdem sie ihnen zuvor vergiftete Pilze zu essen gegeben hatte, um sie einzuschläfern), und diese dann mit Hilfe seiner Ritter erretten. Franz sollte selbstverständlich Karl der Große sein; die vier Marys waren die Opfer Marias, die als böse Königin die beste Rolle bekam. Die drei Stewart-Jungen waren die Ritter Karls des Großen. Sie bauten eine Burg aus Stühlen und Brettern und schufen einen Wald, indem sie sich von den Dienstboten die Topfpflanzen von der Dachterrasse hereintragen ließen. Die *valets de chambre* waren ungehalten über den Schmutz, aber Franz befahl ihnen höchst gebieterisch, den Mund zu halten und zu tun, was man ihnen sagte.

Das Spiel war schon eine Weile im Gange, als Franz den Abort in einem Eckgemach aufsuchen mußte. Die Reineclauden, die er zum Frühstück gegessen hatte, hatten seine Verdauung durcheinandergebracht, und so sah der hehre und mächtige Karl der Große sich genötigt, inmitten eines Sturms auf die Burg seine Notdurft zu verrichten.

»Wirf einen letzten Blick auf deine Opfer, Schurkin!« schrie er Maria zu. »Mach dich bereit zum Sterben! Ich komme wieder!«

Als sich die Tür ein paar Augenblicke später wieder öffnete, begann die letzte Szene des Dramas von neuem: Die Jungfrauen legten sich steif wie Marzipanpuppen auf den Boden, die Ritter zückten ihre Dolche, und Maria wappnete sich zum letzten Gefecht. Aber statt des großen Karl mit seinem Brustpanzer – zwei Fleischplatten, die er sich auf Brust und Rücken gebunden hatte – kam eine untersetzte kleine Frau herein.

»Was ist hier los?« fragte sie herausfordernd. »Was soll das Durcheinander?« Voller Abscheu betrachtete sie den Kübelwald, die Stuhlfestung und die Soldatenzelte aus Bettvorhängen. »Wo ist der Dauphin?«

Als niemand antwortete, befahl sie: »Entfernt diese Sachen! Räumt das Durcheinander auf! Wer hat euch das erlaubt? Dienstbotenkinder, die hier nach Belieben durch das Kinderzimmer toben – dafür werden eure Eltern sich verantworten!«

Noch immer gehorchte niemand – zum Teil, weil sie den genauen Wortlaut nicht verstanden, auch wenn das Gemeinte nur zu klar war –, und die Frau wurde wütend.

»Ich sage euch, tut, was ich sage! Seid ihr taub, ihr kleinen Gören?«

Maria verließ das Bollwerk der Kissen, aus denen die Bastionen ihrer Burg bestand, und trat vor. Sie schaute der Frau gerade in die Augen und sagte in stockendem Französisch: »Seid Ihr Euch bewußt, Madame, daß Ihr in Anwesenheit und für die Ohren der Königin von Schottland sprecht?« Und tapfer reckte sie das Kinn in die Höhe.

»Und ist *dir* bewußt«, antwortete die Frau niederträchtig, »daß du in Anwesenheit und für die Ohren der Königin von Frankreich deine respektlosen Reden führst?« Voller Genugtuung wartete sie darauf, daß Ärger und Verlegenheit sich im Gesicht des Mädchens zeigten. Aber Marias Gesichtsausdruck zeigte daraufhin nur Verwirrung und Ratlosigkeit. Offensichtlich fand sie nicht, daß diese Frau wie eine Königin aussah.

»Nein, Madame«, antwortete sie langsam, aber würdevoll und höflich.

Sie starrten einander an, bis Franz hereinkam und quiekte: *»Maman!«* Er rannte auf sie zu. *»Maman*, dies ist meine teure Marie, die aus Schottland gekommen ist!« Und er warf sich ihr in die Arme.

»Nun«, sagte Katharina von Medici. »Wir waren alle sehr neugierig auf dich und haben unruhig auf deine Ankunft gewartet.« Sie schaute auf Franz hinunter. »Gefällt sie dir, Liebling?«

»O ja!«

»Dann gefällt sie mir auch. Willkommen, kleine Marie.«

Maria verlebte ihre Tage mit den französischen Königskindern in der Palastsuite, und Frankreich selbst kam ihr allmählich vor wie ein Wirbel von lauter Farben, während Schottland sich in dunklem Nebel auflöste und mit jedem Jahr weiter zurückwich, bis ihr fast keine Erinnerung mehr daran geblieben war, ganz wie man sich nach dem Aufwachen nur noch an ein paar Fetzen eines Traumes erinnert.

Das Licht in Frankreich war klar, weich und heiter, vor allem das Licht im Tal der Loire, wo der Hof im Gefolge der Jahreszeiten und der Jagdsaison von einem verzauberten Château zum anderen reiste. Da war Amboise mit seinem mächtigen, kreisrunden Turm, der von einer spiralförmigen Rampe umzogen war, auf welcher fünf Reiter nebeneinander hinaufreiten konnten, und seine geometrisch angelegten Gärten mit den Arabesken aus Buchsbaumhecken und den Statuen nackter Männer und Frauen in immergrünen Hainen. Der Onkel Kardinal meinte, das sei ganz in Ordnung, weil sie aus dem antiken Rom stammten – und ohnedies hatte er eine Anzahl davon in seiner eigenen Villa, wo er auch eine künstliche Grotte hatte anlegen lassen.

Da war Blois mit der großartigen Treppe in einem achteckigen Turm, wo Maria gern in den Hof hinunterschaute und den Leuten tief unten zuwinkte. In den Gärten gab es ausgeklügelte Springbrunnen, die man so einstellen konnte, daß sie Wasserspiele veranstalteten oder die Vorübergehenden naßspritzten, und es gab ein magisches Haus namens *Orangerie*, in dem Apfelsinenbäume wuchsen, die fern ihrer Heimat Früchte trugen.

Da war Chaumont mit seinem astronomischen Observatorium und dem Studierzimmer, in dem Ruggieri, der Astronom – manche sagten auch, der Wahrsager – der Königin seine Instrumente aufbewahrte. Maria durfte dort nicht hinauf, aber einmal erklomm sie doch die Treppe zu diesem Turmzimmer und überraschte Ruggieri, der gerade einen großen flachen Spiegel polierte. Er zuckte zusammen, als habe er ein schlechtes Gewissen, aber als er sah, wer da kam, lächelte er wie jeder andere.

»Oh, Monsieur *Astrologue*, was tut Ihr da?« Sie kam näher.

»Ich putze meinen Zauberspiegel«, sagte er schlicht.

»Könnt Ihr mir meine Zukunft sagen?« fragte sie.

»Ja. Das könnte ich.« Er drehte den Spiegel zu ihr um. Ihre gerade, schlanke Gestalt sah darin noch langgestreckter aus. »Aber ich werde es nicht tun. Ich bin sicher, Eure Zukunft ist beneidenswert.«

»Aber wem sagt Ihr dann das Schicksal vorher?«

»Denen, die Grund haben, sich deshalb Sorgen zu machen.«

»Und sagt Ihr ihnen immer die Wahrheit? Wenn Ihr nun etwas Schlimmes seht?«

»Ich muß es ihnen sagen. Aber behutsam.« Er stellte den Spiegel weg. »Das kann schwierig sein.« Er seufzte.

Da war inmitten eines weiten Jagdwaldes das mächtige weiße Chambord mit seinen riesigen Zwingern für die königliche Hundemeute und mit mehr als dreihundert Jagdfalken in den Gehegen. In dem massiven Château – es hatte vierhundertvierzig Zimmer – gab es ein gigantisches zentrales Treppenhaus mit zweifach ineinander verdrehten Auf- und Abgängen, so daß die Leute, die hinaufgingen, nicht sehen konnte, wer hinunterging. Maria, Franz und die anderen Kinder spielten zu gern dort; sie zogen die Schuhe aus und ließen die auf der unteren Treppe raten, wo sie waren.

Das Dach starrte von einem Wald aus Kaminen, Türmchen, Erkern und Laternen, wo die Kinder Verstecken spielen konnten – und dabei nicht selten Erwachsene aufschreckten, die hier ein ganz anderes Versteckspiel trieben. Die Kinder fanden es zum Schreien komisch, wenn sie einen atemlos keuchenden Höfling mit offener Hose und heruntergelassenen Strümpfen aufstöberten. Einmal sahen sie sogar einen nackten Hintern, und an den roten Bändern an den Schuhen erkannten sie den fetten Grafen von Angers. Das naseweise Treiben führte dazu, daß die Liebespaare bei Hofe gezwungen waren, sich zu ihren Stelldichein in die Gemächer zurückzuziehen.

Auf dem Dach zu Chambord fanden aber auch ruhigere Unternehmungen statt, wenn der König, die Königin und Diane, umgeben vom ganzen Hofstaat, dabei zuschauten, wie Jagdgesellschaften, Militärparaden oder Turniere eröffnet oder beschlossen wurden. Lodernde Fackeln, Feuerwerk und das blecherne Schmettern der Trompeten in der schweren Luft formten sich im Geist des kleinen Mädchens zu einem Bilderteppich aus Klängen und Farben.

Und dann gab es noch Dianes Châteaux: Anet, ein weißer Palast im klassischen Stil, ihrer Witwenschaft geweiht und von der Göttin Diana beherrscht, und Chenonceau, ein Feenschloß, das sich auf Bögen über dem trägen, seichten Fluß Cher erhob. Hier gab es nichts Männliches, nichts Militärisches, nichts Herrisches. Statt dessen wisperte es überall von delikaten, erlesenen Freuden, von Gelüsten, die nur erweckt wurden, um befriedigt zu werden, derweil unten das Wasser floß.

Und immer war der Himmel blaßblau und erstreckte sich weit und offen über dem dunkleren Blau der Loire, umgrenzt von ihren goldenen Sandbänken und überflutet von heiterem klarem Licht.

Nach und nach verlor sich das Gefühl der Fremdartigkeit für Maria, und Frankreich und die französische Art kamen ihr ganz natürlich vor. Jedes Jahr gab es Zuwachs in der königlichen Kinderstube, und Franz regierte seine kleine Schar ganz natürlich. Sie beneidete ihn darum. Ihre eigenen älteren Geschwister hatten sich in Frankreich als Plage erwiese. Sie hatten sich nicht anpassen wollen und beharrlich den Sprachunterricht gestört; sie hatten immer nur nach schottischer Art reiten wollen und bei Hofe stets kleine Dolche mit sich herumgetragen. Maria war erleichtert, als sie nach dem ersten Jahr nach Schottland zurückkehrten. Die Marys indessen hatten sich eifrig bemüht, gefällig zu sein, und hatten nicht einmal protestiert, als der König sie für ein paar Monate in einen Konvent zu Poissy geschickt hatte, damit sie sich dort in die Sprache vertiefen konnten.

Was James anging, den Ältesten von allen, so war er bei der ersten Gelegenheit nach Schottland heimgekehrt, und zwar unter dem Vorwand, er müsse sich um seine Mutter kümmern, die bei Pinkie

Clough verwitwet war. (Auch mußte er in dem reichen Kloster in St. Andrews, das der verstorbene König ihm vermacht hatte, nach dem Rechten sehen.)

So blieb Maria allein bei Hofe, wo der König, die Königin und alle Höflinge sie verhätscheln und verzärteln konnten und wo sie sich – was noch wichtiger war – mit ihnen umgeben und ihre Art erlernen konnte, ohne daß jemand sie dabei störte.

Vom ersten Tag an war ganz Frankreich verliebt in »die sanfte Taube, errettet vor den Klauen gieriger Geier«, wie ein poetisch begabter Höfling *notre petite Reinette d'Ecosse* beschrieb.

Der Hof, der unter der oberflächlichen Tünche aus müdem Zynismus nur um so romantischer empfand, stürzte sich mit Inbrunst auf die kleine Marie Stuart, wie man sie gern nannte, die entflohene Prinzessin aus einem barbarischen, nebeldüsteren Land, die eines Tages ihre Königin sein sollte. Es war lange her, daß sie einen Helden oder eine Heldin in den Himmel hatten heben können: Franz I. war zu blasiert und extravagant gewesen, und Heinrich II. war zu trübsinnig und schwerfällig. Katharina von Medici, »die Italienerin«, konnte man nur fürchten, nicht feiern. (Hatte ihr Diener tatsächlich den verstorbenen Dauphin vergiftet und so dem schüchternen Heinrich den Weg zum Thron freigemacht? Der Diener hatte es gestanden, aber die Wahrheit kannte nur Katharina.) Diane de Poitiers war schön auf eine überirdische Art, entrückt und ätherisch wie die Göttin Diana, der sie nacheiferte. Im Auge des Betrachters erweckte sie ehrfürchtiges Staunen, aber keine Hingabe. Außerdem hatte sie auch eine durchaus irdische Seite: Sie war ein bißchen zu gierig nach Ländereien und Schlössern, als daß sie durch und durch für eine Göttin hätte gelten können.

Aber Marie Stuart mit ihrem hübschen Gesicht, ihrer angenehmen Art und ihrem unglücklichen Erbe sprach die Phantasie der Menschen stark an.

Kein Aspekt ihrer Erziehung wurde vernachlässigt. Sie studierte die Klassiker und lernte Latein lesen und schreiben. Sie sprach Italienisch und Spanisch. Sie bekam Musikunterricht und spielte Laute, Spinett und Zither, und sie hatte auch eine süße Gesangsstimme. Sie studierte Geschichte bei de Pasquier und schrieb schon in früher Jugend Gedichte. Sie war eine anmutige Tänzerin und liebte es vor allem, bei Maskenbällen und Balletten aufzutreten. Sie gab sich Mühe mit ihren Handarbeiten und entwarf zu gern ihre eigenen Stickmuster.

Zugleich aber war sie auch gern unter freiem Himmel; sie war eine gewandte Reiterin und Bogenschützin und verstand sich auf die Jagd und auf die Beiz. Nichts tat sie lieber, als sich davonzuschleichen und mit ihrem kleinen Bogen zusammen mit den jüngsten Mitgliedern der schottischen Bogenschützen, die als Ehrengarde des Königs dienten, das Schießen zu üben.

Eines Tages, es war Frühlingsanfang und sie war gerade sieben Jahre alt, war sie wieder an der stets wachsamen Lady Fleming vorbeigehuscht und vor das Schloß Fontainebleau gelaufen; sie wußte, daß die Bogenschützen gern dort im Wald übten. Sie hatte einen besonderen Liebling unter ihnen, Rob MacDonald, der gerade achtzehn und selbst auch ein bißchen heimwehkrank war und der sich immer freute, sie zu sehen. Sie hatte sich mit ihm angefreundet, und doch hoffte sie, daß sie eines Tages besser schießen würde als er, zumindest hin und wieder.

Und richtig – da war er, am Rande des Waldes, und übte mit seinen Kameraden.

»Eure Majestät!« rief er, als er sie erblickte. »Ihr seid also wieder weggelaufen!«

»Ja«, sagte sie atemlos. Sie wußte nicht, was sie dazu trieb oder weshalb die anderen Kinder anscheinend nie Lust dazu hatten. Sie liebte die Marys und Franz, aber es gab eine Seite an ihr, von der sie nichts verstanden, und Maria hatte das Gefühl, daß sie sie geheimhalten müsse. »Und ich habe meinen Bogen mitgebracht.« Sie hielt ihm das wunderbar gehärtete und geglättete Gerät und den mit ihrem königlichen Wappen gezierten Köcher entgegen.

»Gut«, sagte er und deutete mit dem Kopf zu seinen Gefährten hinüber. »Wir wollten eben an diesem Ziel üben. Möchtet Ihr dort den Anfang machen?«

Sie nickte. Sie hörte es gern, wenn er Schottisch sprach; sie wollte es nicht vergessen, aber sie hatte wenig Gelegenheit, es zu hören oder zu sprechen. Sie zog einen Pfeil hervor, legte ihn auf die Sehne, spannte den Bogen und ließ los. Der Pfeil traf knapp den Rand der Zielscheibe.

»Ach!« sagte Rob, fast ebenso enttäuscht wie sie.

»Ich versuche es noch einmal!« Sie zog einen zweiten Pfeil heraus; diesmal ging es ein bißchen besser, und der Pfeil saß näher am Zentrum.

Eine Stunde lang schossen sie abwechselnd, und Rob unterwies sie in den Feinheiten des Sports.

»Wenn Ihr ein guter Schütze sein wollt, müßt Ihr es so machen.« Er war sehr geduldig.

Schließlich war sie erschöpft. »Aber für dich ist es kein Sport«, sagte sie. »Für dich ist es Arbeit. Wie kommt es, daß Schotten für den französischen König kämpfen? Und wie bist du hierher gekommen.«

Er legte seinen großen Bogen aus der Hand; die Waffe war beinahe sechs Fuß lang und konnte einen Pfeil über hundert Yard weit schießen. »Die Franzosen und die Schotten sind seit langem Freunde«, sagte er. »Sie hatten denselben Feind, England, und wenn zwei denselben Feind haben, können sie leicht feste Freunde sein. Sie nennen es ›Auld Alliance‹, das alte Bündnis – und alt ist es in der Tat: Es besteht seit mindestens zweihundert Jahren. Und warum es die Schottischen Bogenschützen gibt – nun, jedermann weiß, daß die Schotten die besten Soldaten der Welt sind!«

»Aber du hast meine Frage nicht beantwortet. Nicht ganz, jedenfalls. Warum bist *du* hier?«

»Ich hatte das Verlangen, mehr zu sehen als die Gestade meiner Heimat – und sei es nur, damit ich eines Tages zufrieden zu ihnen zurückkehre. Wenn ich mein Heimatland lieben möchte, und wenn ich es liebe, dann soll es nicht aus Unwissenheit sein. Es gibt noch viele Schotten hier; scharenweise sind sie nach Paris gekommen, um zu studieren. Habt Ihr keinen kennengelernt?«

Sie lachte. »Nein. Wie sollte ich? Ich kann nicht durch die Straßen von Paris streifen, als wären es die Wälder von Fontainebleau.«

Der Hauptmann stieß ins Horn. »Ihr solltet jetzt lieber gehen«, sagte Rob. »Ich werde zum Dienst gerufen.« Er sah sie an und lächelte. »Ich werde Euer Geheimnis nicht verraten, meine Allerherrlichste Königliche Jägerin. Hier.« Er reichte ihr eine Handvoll Pfeile. »Es ist besser, wenn Ihr sie nicht im Wald zurücklaßt.«

Als sie auf leisen Sohlen in das Kinderquartier im Schloß zurückkehrte, wachten die Kleineren eben von ihrem Mittagsschlaf auf. Bald würde das Abendessen serviert werden, und Maria hatte inzwischen Heißhunger bekommen.

Meist aßen die Kinder allein, beaufsichtigt von ihren Kinderfrauen und Gouvernanten. Heute aber hatte die Königin befohlen, mit ihr in ihren eigenen Gemächern zu speisen. Gehorsam verfügten sie sich ins Staatsgemach, wo der Tisch für die Kinder, die mit solchen Kostbarkeiten umzugehen wußten – Maria selbst, Lusty, Flamina, Beaton, Seton, Franz und Elisabeth –, mit Kristallkelchen und goldenen Tellern gedeckt war. Maria verspürte leises Mitleid mit Franz, der von lauter Mädchen umgeben war; Rob hatte es draußen im Wald besser.

»Bitte speist mit mir«, sagte die Königin, und ihre seltsam ausdruckslosen Augen zählten die Kinder ab, als sie nacheinander hereinkamen. Die Königin war wieder schwanger; bald würde es Nachwuchs in der Kinderstube geben.

Sie nestelte an Franz herum und bestand darauf, ihm eigenhändig die Serviette umzulegen. Dann nahm sie unter mächtigem Kleidergeraschel Platz und sah den Kindern beim Essen zu. Maria spürte, wie ihr Appetit unter den prüfenden Blicken versiegte.

»Meine lieben Kinder«, sagte Katharina von Medici, »wir werden bald für den Sommer nach Chambord ziehen. Das bedeutet, wie ihr wißt, daß ihr den zahmen Bären hier lassen müßt, wo sein Wärter ist. Gleichwohl dürft ihr euch in den Zwingern zu Chambord einen Hund aussuchen.«

Franz schlug mit der Faust auf den Tisch. »Will den Bären!« knurrte er; er hatte den Bären, der ihm kürzlich geschenkt worden war, besonders liebgewonnen und nannte ihn den »alten Julius«.

Katharina von Medicis Blick senkte sich auf ihn wie eine schwarze Wolke. Er verstummte.

»Und wir müssen uns darauf vorbereiten, eine ganz wunderbare Gesandtschaft aus dem Auslande zu bewirten. Die Königinmutter aus Schottland kommt her.« Ihr Blick glitt zu Maria herüber. »Jawohl, meine Liebe, deine Mutter kommt nach Frankreich.«

Während der nächsten Monate bereitete Maria sich auf den Besuch vor. Daß sie ihre liebe Mutter wiedersehen sollte! Es war, als seien die Gebete der Siebenjährigen erhört worden, denn seit ihrer Ankunft in Frankreich hatte sie ihnen jede Nacht die wehmütige Bitte hinzugefügt, ihre Mutter möge sie besuchen kommen.

Sie arbeitete besonders angestrengt an ihrem Latein, lernte französische Gedichte auswendig und studierte Geschichte, so viel sie konnte. Sie bedrängte ihren Vormund, John Erskine, der bei ihr in Frankreich geblieben war, ihr alles zu berichten, was sich in Schottland zugetragen hatte. Er versuchte ihr die fortgesetzten Probleme mit England zu erklären, aber Maria konnte nicht wirklich begreifen, was er ihr erzählte. Sie verstand nur, daß ihre Mutter kam.

Marie de Guise landete im Sommer 1550 in Frankreich, begleitet von einer Anzahl schottischer Lords. König Heinrich II. und Königin Katharina bereiteten in Rouen einen königlichen Empfang vor, und Marias Lehrer ließ sie eine lange, formelle Begrüßungsrede an ihre Mutter auswendiglernen. Aber als Maria, zitternd vor Aufregung, in die *salle* geführt wurde, wo ihre Mutter wartete, da vergaß sie die Rede und flog ihrer Mutter in die Arme.

Sie herzte sie so heftig, daß sie die steifen Petticoats der Königinmutter knistern ließ. Erst da merkte sie, daß sie seit ihrer Ankunft niemanden mehr ganz ohne Zurückhaltung umarmt hatte.

»Oh, *Maman!*« rief sie, und zu ihrer Verlegenheit liefen ihr die Tränen über die Wangen.

Ihre Mutter streichelte ihr Haar und drückte sie an sich. Marias Kopf lag am Busen ihrer Mutter, und die Tränen befleckten das juwelenbesetzte Mieder.

»Meine teuerste, geliebte Tochter!« Marie de Guise nahm Marias Gesicht in beide Hände und wandte es zu sich. »Sieh nur, wie du gewachsen bist! Bald können wir dich gar nicht mehr *petite Reinette* nennen.« Sie schaute in die Runde des Hofstaats. »Bald wird sie alt genug sein, um einen eigenen königlichen Haushalt zu haben und eigene Hofbeamte zu ernennen.«

Maria verstand nicht, weshalb ihre Mutter so etwas sagte; sie war ja nicht einmal alt genug, um darauf zu bestehen, daß Franz seinen zahmen Bären mitnehmen durfte, wenn sie in ein anderes Schloß zogen. Aber sie drückte der Mutter die Hand und schaute anbetend zu ihr auf. Nur die fast vergessene Stimme zu hören war schon der Himmel.

Marie de Guise war erfreut, ihre Brüder wiederzusehen, und alle drei setzten sich mit der kleinen Maria zusammen, um die Pläne zu erörtern, die sie mit ihr hatten. Ihre Erziehung machte unter der Leitung des Kardinals anscheinend gute Fortschritte; ihre Mutter war jedenfalls zufrieden.

»Ich glaube, du kannst nächstes Jahr anfangen, Griechisch zu lernen«, sagte der Onkel Kardinal. »Dein Latein ist ganz ordentlich. Meinst du nicht auch?« fragte er seine Schwester.

»Mein Latein ist nicht ordentlich genug, um mir ein Urteil zu gestatten«, sagte sie. »Aber sicher, gib ihr nur auch Griechisch dazu, wenn du meinst, daß sie dazu bereit ist. Und, mein lieber Balafre – wie ist deine Einschätzung in der Frage des Haushalts?«

Der muskulöse Herzog rutschte auf seinem Stuhl hin und her; offenbar fiel ihm das lange Sitzen schwer.

»Ich denke«, sagte er, »wir müssen einen separaten Haushalt vorschlagen, sobald es sich machen läßt. Aber ich warne dich: Der König und die Königin betrachten sie lieber als Bestandteil ihres eigenen Hauses.«

»Aber ich will gar keinen eigenen Haushalt!« rief Maria plötzlich. »Ich lebe lieber mit den königlichen Kindern zusammen, besonders mit Franz.«

Maries Augen weiteten sich. »Du magst Franz also?«

»Ja.« Warum stellten sie nur alle diese Fragen?

»Das ist gut, das ist sehr gut«, sagte ihr Onkel Balafre. »Aber vergiß nicht, du lebst für den Rest deines Lebens mit ihm. Und wenn du ein bißchen älter bist, wird es besser sein, wenn du deinen eigenen Haushalt hast.«

»Aber warum? Und besser für wen?«

»Für dich, Kind, für dich«, sagte Onkel Kardinal. »Wenn Franz dich jeden Tag sehen kann wie eine Schwester, nun, dann wird er dich vielleicht eines Tages eher so sehen und nicht als seine Ehefrau.«

»Aber ich werde ihn vermissen!« Sie wollte nicht in einen separaten Haushalt geschickt werden, wo zweifellos viel zuviele Erwachsene herumlaufen würden.

»Nun, wir werden sehen«, sagte ihre Mutter beschwichtigend. »Vielleicht wird es gar nicht so weit kommen.«

Als sie allein waren, besichtigte ihre Mutter mit großem Vergnügen ihre Gemächer. Sie ließ sich von Maria die Truhen mit den schönen Kleidern zeigen, die Säcke und Borde voller Spielzeug, die mit Schnitzereien verzierten Möbel in Kindergröße. Schließlich setzte sie sich auf eines der kleinen Stühlchen, das sie ganz unter sich begrub.

»Und jetzt zu den wirklich wichtigen Dingen«, sagte sie ernst, und Maria fragte sich, welche das wohl sein mochten.

»Ja, *Maman?*«

»Dein Glaube. Arbeitest du für ihn genauso fleißig wie für deine Schulstunden? Denn er ist viel wichtiger.«

»Ja, *Maman*. Wir haben einen Kaplan hier, einen guten und gebildeten Mann ...«

»Es wird Zeit, daß du einen Beichtvater bekommst! Ich werde

dafür sorgen, daß man dir einen geeigneten zuweist, dir ganz allein. Verstehst du?«

Maria wollte etwas erwidern, aber sie sah, wie müde ihre Mutter aussah. Feine Falten umgaben ihre Augen, und ihr Mund lächelte nicht mühelos oder natürlich. »Du hast Sorgen«, sagte sie schließlich statt einer Antwort. »Was macht dir solche Sorgen?«

»Die Härte dieser Welt«, antwortete die Königinmutter schließlich. Sie dachte an den kargen Dank, den sie für ihre Mühen bekommen hatte, nachdem sie dafür gesorgt hatte, daß die schottischen Gefangenen von den französischen Galeeren freigelassen wurden. Kaum waren sie auf freiem Fuß gewesen, hatten Knox und seine Kumpane ihr Gift über sie ausgegossen und ihre Religion und ihre Regierung angegriffen. »Aber ich möchte dir dennoch sagen – und daran sollst du immer denken –, daß Güte und Milde die höchsten Tugenden sind, mag die Welt sein, wie sie will.«

»Ich will mich immer bemühen, gut und milde zu sein, *Maman*«, sagte Maria. »Ich werde nicht vergessen, daß du es mir gesagt hast.«

Maria war glücklich und traurig zugleich. Glücklich, weil es eine *grand fête* geben sollte, die drei Tage dauern würde – mit Bogenschießwettkämpfen, Tennisspielen, Tanz und Jagd. Traurig, weil es zum Abschied ihrer Mutter geschehen sollte, die nach Schottland zurückkehrte. Immerhin, ein Jahr war sie hier gewesen. Sie war so glücklich gewesen, ihre Mutter ein Jahr lang bei sich zu haben, daß die Zeit ihr erschienen war, als sei jeder Tag nur halb so lang.

»Meine liebe Tochter«, sagte Marie, »heute nacht darfst du fast bis zum Morgengrauen aufbleiben. Schließlich bist du jetzt acht Jahre alt, und nach dem Mitternachtsbankett, das auf der Wiese aufgetragen wird, soll es eine Jagd bei Fackelschein geben. Wenn du zu müde wirst, kannst du dich einfach in eines der Zelte legen.«

»Wie ein Soldat!« rief Maria. »Ich wollte schon immer Soldat spielen.«

Ihre Mutter warf ihr einen belustigten Blick zu. »Du hast es hoffentlich nicht schon getan. Die Leute werden sich das Maul zerreißen.«

»Aber warum? Isabella von Kastilien hat ihre Soldaten auch angeführt, und sie war eine große katholische Königin.«

Marie schaute sie lächelnd an. »Und ist das dein Wunsch, meine Liebe? Eine große katholische Königin zu werden?«

»O ja. Es ist mein Traum. Aber ich werde keine Ketzer verbrennen. Ich hasse das Töten.«

Marie empfand Genugtuung über die Art, wie Maria sich immer für ihren Glauben interessiert hatte. Die Bestellung eines privaten Beichtvaters für sie allein hatte ihre geistliche Entwicklung im vergangenen Jahr ohne Zweifel beschleunigt.

»Das geht jedem so«, sagte sie. »Es ist schade, daß es manchmal notwendig ist.« Sie schaute sich im Gemach um. Jetzt war es an der Zeit, es ihr zu sagen. Bestimmt hatte Maria Lady Flemings Abwesenheit bereits bemerkt. »Ich habe eine wunderbare Überraschung für dich«, begann sie. »Es wird eine weitere Ergänzung zu deinem Haushalt geben, jemand, den ich für dich auserwählt habe: Madame Renée Rallay wird Lady Fleming als deine Gouvernante ersetzen. Sie ist eine sehr kluge und scharfsinnige Frau aus der Region Touraine.«

»Ist sie jung? Und wo ist Lady Fleming?« Maria stellte ihre Fragen offenherzig und heiter.

»Nein, sie ist nicht jung – im Gegenteil, ich glaube, sie ist Mitte der Vierzig.«

»Oh!« Maria machte ein langes Gesicht. »Das ist alt.«

»Aber sie ist voller Heiterkeit *und* Weisheit. Du wirst beide Seiten dieser Frau lieben lernen.«

»Hat sie graue Haare? Sieht sie alt aus?«

»Nein, das glaube ich nicht. Du wirst sie mögen, das verspreche ich dir.«

»Aber wo ist Lady Fleming?«

Sollte sie es ihr einfach sagen? War das Kind alt genug? Aber wenn sie es nicht erzählte, würden andere es tun. »Lady Fleming hat sich als … ungeeignet für ihre Position erwiesen.«

Flaminas Mutter – ungeeignet? »Wieso? Wieso?«

»Sie hat … sie bekommt ein Kind von König Heinrich II.!« Welche Schande! Und jetzt hatten sich sowohl des Königs Gemahlin als auch des Königs wahre Mätresse gegen die Schottin gewandt und ihre Entfernung gefordert. Könige waren Könige, aber ausländische Gouvernanten zahlten die Rechnung.

»Was?« Marias Mund klappte auf. Lady Fleming hatte sich die Kleider ausgezogen und war mit dem König ins Bett gestiegen? Maria hatte in Dianes Gemächern schon Gemälde mit nackten Frauen gesehen – nur Allegorien natürlich –, aber dies war doch etwas anderes. »Oh!« Jetzt war auch sie schamrot. Dann mußte sie sofort an die arme Flamina denken. Man würde ihre Mutter fortschicken, und dann hätte sie auch ein uneheliches Geschwister.

»Ich nehme sie mit nach Schottland«, sagte ihre Mutter. »Dort kann sie das Kind in aller Stille zur Welt bringen. Laß dir das eine Lehre sein. Frauen dienen den Männern oft zum Zeitvertreib, und es gibt nichts Unnützeres als einen gehabten Zeitvertreib. Der König und die Königin werden weiterleben wie bisher, und Madame de Poitiers ebenfalls, aber Lady Fleming ist entehrt.«

»Oh.« Maria fing an zu weinen, als sie an ihre Spielgefährtin und deren Mutter dachte.

Marie legte ihr einen Arm um die Schultern. Wie groß das Kind wurde! Sie würde also zur Größe der Guise heranwachsen. »Nicht wirklich entehrt. Ich bin sicher, König Heinrich wird sich ihr gegenüber großherzig zeigen. Aber nun wollen wir an die Festlichkeiten des heutigen Tages denken. Als erstes kommt das Bogenschießen. Die Schottische Garde wird ihre Künste vorführen, und dann wir anderen. Du schießt doch gern, oder?«

Der Wettbewerb der Bogenschützen am Nachmittag war aufregend gewesen. Der Hof befand sich zur Zeit in Blois, und man hatte die Zielscheiben in den Feldern ringsum aufgestellt, nicht weit von einem Jagdpark und einem Obstgarten. Auf den eben abgeernteten Feldern erstreckten sich goldene Stoppelreihen bis hinunter zur Loire und verströmten einen warmen, schläfrigen Duft. Vom Himmel strahlte ein dunstiges Licht, mild und freundlich. Natürlich verblüffte die schottische Garde die Höflinge und ihre Gäste mit der Darbietung ihrer Kunstfertigkeit, und Maria war gebührend beeindruckt von Rob MacDonalds Fähigkeit, sein Ziel noch auf einhundertfünfzig Yard zu treffen. Sie bestand darauf, ihm seinen Preis persönlich zu überreichen, und als er ihn mit gebeugtem Knie auf dem Feld in Empfang nahm, zwinkerte er ihr zu. Fast hätte sie gekichert, aber es gelang ihr, ernst zu bleiben.

Ringsum versammelt waren König Heinrich II., der sich träge als nächster am Bogenschießen versuchte, und Marias Onkel aus der Familie Guise: nicht nur der älteste, le Balafre (der selbstverständlich ein vorzüglicher Schütze war), sondern auch seine drei jüngeren Brüder, Claud, François und René, die sie nur selten zu sehen bekam. Claud, der Duc d'Aumale, war fünfundzwanzig, François war siebzehn und trug bereits den Titel des Grand Prior der Galeeren. René, der Marquis d'Elbœuf, war sechzehn. D'Aumale und d'Elbœuf hatten hautenge Strumpfhosen an und tranken zuviel Wein, und sie lächelten sie an, als ob sie sie wirklich gern hätten.

Sie sind so anders als meine schottischen Verwandten, dachte sie. Alle Guise – und es sind so viele! – sind entweder Soldaten oder Kirchenmänner. Ich weiß, daß es noch vier weitere gibt, und alle vier sind Priester oder Nonnen.

Jetzt waren die Hofdamen an der Reihe zu schießen. Diane de Poitiers trat vor, wie immer in Schwarz und Weiß gekleidet – diesmal in ein nach griechischer Art geschnittenes Kleid, weit und fließend, aber mit schwarzen Bändern geschlossen. Sogar Pfeil und Bogen waren aus Ebenholz mit elfenbeinernen Intarsien. Sie trat an die Abschußlinie und schoß mühelos, und ihr Pfeil traf dicht neben das Ziel. Der König und Katharina von Medici gratulierten ihr warm.

Lusty machte ihre Sache gut, Beaton war schlechter (aber es war ihr gleichgültig) und Seton noch schlechter. Dann trat Flamina kühn an die Linie und schaute herausfordernd in die Runde: Sollte man ihr nur ins Gesicht sehen. Sie hielt den Kopf hoch und zeigte eine ausgezeichnete Leistung. Die Glückwünsche, die sie erntete, galten indessen nicht ihrer Schießkunst, sondern ihrer Tapferkeit.

Nun trat Maria an und traf zu jedermanns Verblüffung mit jedem Schuß ins Schwarze. Das Publikum brach in Jubel aus. Aber Maria hatte nur Augen für den Stolz in Robs Blicken. Sie wandte sich um und verneigte sich, und dann durfte der Wettkampf weitergehen.

Marie de Guise hatte einige Schotten mitgebracht, und Maria sah zu, wie sie jetzt nacheinander auf die Scheiben schossen. Da war der tonnenförmige Earl von Huntly, der sich in der öffentlichen Aufmerksamkeit sonnte. Sie wußte, daß er ein großer katholischer Edelmann aus dem Norden war, der große Macht besaß, aber sie fand ihn eitel und sogar ein bißchen komisch, als er so einherstolzierte und posierte.

Man nennt ihn ja den »Gockel des Nordens«, dachte sie, und in der Tat erinnert er mich an einen Hahn. Er hat ein rotes Gesicht, und er kräht. Und er schiebt den Hintern heraus, als müßte dort eigentlich ein Federschweif sprießen.

Sie fing an zu kichern, und Lusty, die neben ihr stand, fragte: »Was ist hier so lustig?«

»Der Earl von Huntly sieht aus wie ein Gockel«, sagte sie, und da fing Lusty auch an zu lachen, und bald lachte die ganze Reihe der Kinder.

Als nächstes kam ein Mann von majestätischer Haltung, der wie ein echter Edelmann aussah. Aber er war keiner. Es war Richard Maitland aus Lethington, einer von Maries Staatsräten und Beratern. Er war nur ein Laird, ein Rechtsanwalt und zum Zeitvertreib auch ein Dichter. Neben ihm stand ein ziemlich gutaussehender junger Mann, den er als seinen Sohn William vorstellte.

»Er studiert hier in Frankreich, und ich muß diese Gelegenheit nutzen, ihn Euch vorzustellen«, sagte er zu Marie de Guise. »Wenn er in seine Heimat zurückkehrt, wird er sich Euch, so glaube ich, als sehr nützlich erweisen.«

Marie de Guise nickte nur flüchtig, aber Flamina flüstert Maria zu: »Er ist hübsch!«

Maria fragte sich, ob Flamina nicht nur so tat, als interessiere sie sich für diese Dinge, um zu beweisen, daß ihr die Lage ihrer Mutter nichts ausmachte. Tatsächlich war William Maitland nicht hübscher als mancher andere unter den anwesenden Männern. Aber sie nickte zustimmend.

Ein paar entfernte Verwandte Marias, die Lennox Stuarts, waren ebenfalls zugegen: John, Seigneur d'Aubigny, und einige Cousins waren gekommen, um ihre Reverenz zu erweisen. Diese Stuarts hatten einen schottischen Vorfahren, der vor hundertfünfzig Jahren nach Frankreich gekommen war, und waren inzwischen beinahe völlig französisch; sie schrieben sogar ihren Namen auf die französische Art. Sie erinnerte sich, wie Rob ihr erzählt hatte, daß die Verbindung zwischen Frankreich und Schottland schon sehr lange bestehe.

Es gab Erfrischungen für die Erwachsenen, und die Kinder ruhten unter großen, schattigen Bäumen auf Decken, die man dort ausgebreitet hatte. Einige Männer – die jüngeren, darunter auch der König – spielten danach Tennis, bis es dunkel wurde.

Als Maria aufwachte, sah sie, daß die Diener unter den Bäumen lange Speisetische aufstellten. Sie entrollten feine leinene Tafeltücher, und zusätzlich zu den Kerzen, die in Abständen von ungefähr fünf Fuß aufgestellt wurden, hängten sie Lampions an die Äste. Die Dämmerung war gekommen, und der Himmel war von zartem, dunkelblau überhauchtem Violett. Die Schatten lagen wie kleine blaue Pfützen um Bäume, ferne Heuschober und Zäune. Ein sanfter, warmer Wind strich über die Felder bis hinauf zum Waldrand, und wo er die Zweige erfaßte, raschelte und murmelte das Laub. Glühwürmchen kamen hervor, ein Funkeln hier, ein kurzes Aufblitzen dort, und Maria sah eine Kette von Menschen, die in einer Prozession durch die Felder zu den Tafeln heraufkamen. Ihre Kleider leuchteten in den Farben des Sonnenuntergangs, und sie trugen Fackeln und lachten. Musikanten liefen vor ihnen her und spielten auf Flöten und Lauten. Sie sahen aus wie Figuren auf einem verblichenen Wandteppich, und sogar die Musik klang verblaßt und fern.

Sie kamen näher und verwandelten sich in echte, lärmende Menschen. Der König, frisch gekleidet in samtene Gewänder, glühte noch vom Tennisspiel. Seine Königin blitzte vor lauter Edelsteinen, die hier in der freien Natur nicht sonderbar erschienen, sondern ihr sogar zusätzlichen Glanz verliehen. Diane hatte sich wieder umgekleidet und trug ein glitzerndes, spinnwebzartes Gewand. Marias Mutter trug ein modisch besticktes Kleid aus grüner Atlasseide und hatte eine zierliche, silberbeschlagene Samtschatulle mitgebracht.

Alle hatten ihre Plätze zum Waldbankett eingenommen, und die Musikanten spielten immer noch. Der Himmel verdunkelte sich, und das einzige Licht kam nun von den Kerzen, Laternen und Glühwürmchen und beleuchtete die Versammlung weich und traumhaft, diese Menschen aus Frankreich und aus Schottland, Marias Verwandte und Freunde, und sie liebte sie alle mit wild aufwallender Liebe. Sie fühlte sich sicher, geliebt und geschützt – wohlbehalten in den Armen Frankreichs und der ganzen Gesellschaft, die hier in dieser balsamischen Sommernacht unter den Bäumen versammelt war.

Nach dem Mahl, als Marie de Guise ihre formelle Abschiedsrede hielt, öffnete sie die Samtschatulle und hob sie hoch. Maria sah, daß etwas Rotes darin funkelte.

»Dies ist der Schatz, den ich in der Obhut des Königs und der Königin zurücklasse, die auch meinen anderen Schatz in ihrer Obhut haben: meine Tochter. Dies ist das Juwel, das ihrer Großmutter Margaret Tudor gehörte. Sie erhielt es zum Geschenk, als sie James IV. heiratete, und es ist mein innigster Wunsch, daß Königin Maria es bekomme, wenn sie mit dem Dauphin Franz vermählt wird. Ich bitte Euch, bewahrt es treuhänderisch für mich auf.« Feierlich reichte sie Heinrich die Schatulle.

Er schaute hinein, und seine sonst so regungslosen Augen zeigten Erregung. »*Mon dieu!* Es ist groß!« Beeindruckt nahm er das Juwel heraus und hielt es hoch, damit alle es sehen konnten. Es war eine Brosche in der Form des Buchstaben H, aus Rubinen und Diamanten gefertigt.

»Darum heißt sie ›Great Harry‹«, sagte Marie de Guise. »Hütet sie gut.«

Nach dem Essen war es tatsächlich Mitternacht. Aber die Gesellschaft brannte darauf, bei Fackelschein auf die Jagd zu gehen, und man brachte Pferde und die Hundemeute herbei, um auf der benachbarten Heide das Rotwild aufzustöbern. Die Kinder gingen nicht mit; sie schauten nur zu, wie Fackeln und Gelärm von der Dunkelheit verschluckt wurden. Noch später, als sie eines nach dem anderen in den Zelten einschliefen, hörten sie irgendwo in weiter Ferne das Gebell der Hunde, das mit dem Sommerwind heranwehte. Sie schliefen fest, als die Jäger zurückkehrten, und hörten sie nicht.

Als Marie de Guise wenig später abreiste, drückte sie Maria noch einmal an sich und versprach, bald zurückzukommen.

»Komm rasch«, sagte Maria und bemühte sich, nicht zu weinen. Es wäre unziemlich gewesen vor all den Leuten.

»Sobald ich kann«, sagte ihre Mutter. »Und meine Gedanken sind in jedem Augenblick bei dir.«

»Ich liebe dich, teure *Maman*«, flüsterte sie. Aber ihre Mutter war abgelenkt, weil König Heinrich herankam, und hörte die leisen Worte nicht.

Wenn sie in späteren Jahren manchmal zurückschaute, hatte Maria – auch wenn es nicht stimmte – das Gefühl, daß es in Frankreich immer Sommer war, während sie dort aufwuchs. Die Luft war immer schwer und liebkosend, gesättigt vom Duft der Blumenwiesen und heranreifenden Pflaumen und Aprikosen. Die Abende dämmerten milchig, warm und lange, und die Steinmauern der Châteaux schienen zu leuchten, wenn das Tageslicht verblaßte und die Laternen angezündet wurden. Dann flogen große, fahle, federflügelige Motten zu den offenen Fenstern herein und setzten sich auf die Laternen oder umschwirrten die weißen Wachskerzen, die in ihren Haltern brannten.

Weiß war die Farbe Frankreichs: die weißen Schwäne, die das Wasser des Schloßgrabens sprenkelten; die eigentümlichen Loire-Steine, aus denen die Châteaux erbaut waren und die weiß wurden, wenn sie alterten; die großen weißen Kamine, die das vergoldete königliche Emblem mit Salamandern und gekrönten Stachelschweinen trugen; die Milch der Eselinnen, die von den Hofdamen zur Gesichtspflege verwandt wurde und die Maria nun auch zu benutzen anfing, da sie größer wurde; die weißen Lilien von Frankreich, die königlichen Blumen.

Ihre Erstkommunion zu Ostern war eine weiße Pracht; Maria trug ein weißes Taftkleid und einen Maiglöckchenkranz in ihrem rotbraunen Haar, und sie hatte einen Rosenkranz aus Elfenbeinperlen, ein Geschenk von der Großmutter de Guise. Mit zwölf Jahren und nach langen Vorbereitungen durch ihren Beichtvater, Pater Mamelot, hatte sie sich nach dieser ersten Kommunion gesehnt, und schließlich hatte ihr Onkel, der Kardinal, sie für bereit befunden.

»Der glücklichste Tag meines Lebens«, schrieb sie an diesem Abend in ihr kleines privates Tagebuch, und an ihre Mutter in Schottland: »Liebste Mutter, endlich bin ich eine wahre Tochter der Kirche geworden ...« Sie schloß die Augen und sah von neuem die Madonnenlilien rund um den Altar, wie sie ihre glatten Elfenbeinmünder öffneten, als wollten sie Halleluja singen; sie sah, wie die dicke, makellose Osterkerze flackerte, sah das sanfte Lächeln auf dem Alabastergesicht der Jungfrau. »Heute habe ich das Paradies gesehen.«

Aber auf Erden, hier in Frankreich, wurden alle Sinne von Luxus überflutet, einem Luxus, der ihr mehr und mehr bewußt wurde, als sie älter wurde. Der Gaumen wurde liebkost von Erdbeeren aus Saumur und Melonen, die ein neapolitanischer Gärtner vor langer Zeit an der Loire angepflanzt hatte, von Forellen-Paté, Zuckerwerk aus Tours und dem *vin d'Annonville* mit seinem delikaten Bouquet. Die Nase wurde verwöhnt von den beglückenden Erzeugnissen der italienischen Parfümeure, die für Katharina von Medici mit den Blumen von den Feldern der Provence arbeiteten und schwere Duftessenzen herstellten, die man an Hals und Handgelenk trug und mit denen man Handschuhe und Capes besprengte. Hyazinthe, Jasmin und Flieder durchwehten die Räume und dampften aus dem Badewasser in allen Châteaux.

Die Haut wurde gestreichelt von Salben und dem Gefühl von Seide, Samt und Pelz; Gänsedaunenkissen nahmen die müden Leiber am Ende des Tages auf, und im Winter sorgten die neu installierten deutschen Kachelöfen im Schloß von Fontainebleau für gleichmäßige Wärme in allen Räumen.

Die Augen sahen Schönheit allerorten in gewöhnlichen Gegenständen, die opulent und angenehm gestaltet waren: Ein Kristallspiegel war mit samtenen und seidenen Bändern geschmückt, und Knöpfe waren mit Edelsteinen besetzt. Feuerwerk spiegelte sich im Fluß, und es gab Bilder von Leonardo in der langgestreckte Palastgalerie über dem Cher, die das plätschernde Wasser draußen überspannte.

Wohlklingende Laute ertönten überall: im Zirpen zahmer Kanarienvögel und der exotischeren Vögel in den Garten-Volieren, im Gebell der Jagdhunde in den unvergleichlichen Meuten des Königs, im Plätschern und Sprudeln der Springbrunnen und ausgeklügelten Wasserspiele in den formellen Gärten. Und über allem der melodische Klang des Französischen, zierlich gesprochen in geistreicher Konversation, aber auch von den Dichtern des Hofes, wenn sie Verse rezitierten, verfaßt zum Ruhme der aristokratischen Traumwelt, die sie bewohnten, erfüllt von spukhaft wiederkehrender Melancholie, weil das alles eines Tages vergehen würde.

Aber für Maria und ihre Gefährten war alles ewig, selbstverständlich und unveränderlich, und die Klagen der Poeten waren reine literarische Konvention. Natürlich gab es geringfügige Veränderungen: Die königliche Familie wuchs, und immer neue Babys erfüllten die Kinderstube. Katharina von Medici wurde füllig, und ihre Taille verschwand, auch wenn sie nicht schwanger war. Diane de Poitiers, die Dame, der die Zeit nichts anhaben konnte, behielt ihr Aussehen, aber sogar sie fing an, ihre Grabstätte zu planen. Sie sollte – woraus sonst – aus weißem Marmor erbaut werden.

Eines Nachmittags, als Maria der Herzogin in ihren Gemächern Gesellschaft leistete, sah sie Diane zu, die an ihrer Kommode saß und ihre Parfümflaschen und die silbernen Haarbürsten ordnete und wieder neu ordnete. Dianes Rücken war gerade wie stets, ihr dichtes, silbriges Haar hochgesteckt und von einer Diamantnadel gehalten. Aber ihr Gesicht war in der Ruhe des Gemachs von Trauer durchzogen. Plötzlich drehte sie sich um und sagte zu Maria: »Du wirst schöner sein als ich.« Maria wollte abwehren, aber die Duchesse schnitt ihr das Wort ab. »Bitte. Ich sage nur die Wahrheit. Schrecke nicht davor zurück. Ich tue es auch nicht. Ich bin stolz, daß du meine Nachfolge antreten wirst; und ich bin froh, daß ich diese Pflicht weiterreichen kann.«

Maria lachte. Die Sache wurde ihr unbehaglich. Hatte Diane eine tödliche Krankheit? Machte sie ihr Testament?

»Ich bin jetzt fünfundfünfzig. Ist es nicht Zeit? Ich habe eine gute Weile im Reich der Schönheit regiert, aber es ist eine schwere Last. Sei willkommen dazu!« Sie deutete auf ein Gemälde, das sie selbst mit nacktem Busen zeigte. »Du bist schockiert? Du würdest dich niemals so zur Schau stellen?«

»Nein, Madame«, sagte Maria leise, aber dann konnte sie nicht umhin zu fragen: »Wann wurde das gemalt?«

»Erst vor wenigen Jahren. Jetzt *bist* du schockiert! Aber das brauchst du nicht zu sein. Maler sind gut; nicht nur Gott kann etwas aus dem Nichts erschaffen. Unsere Hofmaler sind dazu nicht minder begabt.«

Maria hatte die Herzogin immer gern beobachtet, wenn sie sich bewegte und sprach. »Ihr werdet immerdar in Schönheit regieren«, sagte sie. »Ich fürchte, es ist kein Amt, von dem Ihr zurücktreten könnt, als wäret Ihr der Großsiegelbewahrer oder der Königliche Schatzkanzler.«

»Leider ist es wohl so. Also beeile dich und werde erwachsen, damit du mich ablösen kannst. Die Zeit wird dich vorantreiben, und mich wird sie hinaustreiben.«

Die beiden ältesten Onkel Marias gewannen zusehens an Macht und Stellung. Der Einflußbereich des Onkel Kardinal wuchs, und Onkel Balafre wurde zum strahlenden Kriegsheld, als er dem Kaiser des Heiligen Römischen Reiches, Karl V., der gegen Frankreich Krieg führte, die Stadt Metz abnahm. In Schottland hatte Maria die formelle Ernennung ihrer Mutter zur Regentin erreicht, und sie versuchten weiter, die Engländer zu verjagen. In England war Edward VI. gestorben, und seine Nachfolgerin auf dem Thron war seine Halbschwester Maria Tudor, eine fromme Katholikin. Binnen weniger Monate hatte sie England katholisch gemacht und Philipp II. von Spanien zum Mann genommen. Das war eine Katastrophe für Frankreich, denn jetzt würden England und Spanien sich miteinander verbünden und versuchen, es zu besiegen. Das aber bedeutete, daß Schottland seiner Lage wegen plötzlich ein sehr wichtiger Bundesgenosse für Frankreich war.

Mit elf Jahren hatte Maria ihren eigenen Haushalt bekommen; und als die Zeit kam, war sie doch froh, aus der königlichen Kinderstube zu entkommen, denn dort war es sehr eng geworden. Inzwischen teilten sechs Valois-Kinder das Quartier mit ihr. Maria war zunehmend bewußt geworden, wie intensiv Katharina von Medici jedes einzelne Kind beobachtete, und sie war froh, dem allen zu entrinnen.

Die Königin geriet in immer großere Abhängigkeit von ihren Hellsehern und Astronomen, vor allem von einem Mann namens Nostradamus. Sie bestand darauf, ihn mitzubringen, damit er den Kindern Weissagungen verkündete, und bei Marias Anblick hatte er theatralisch gerufen: »Ich sehe Blut um diesen schönen Kopf!« Maria war ebenso verärgert wie beunruhigt gewesen – verärgert wegen seiner Unhöflichkeit, und beunruhigt, weil es vielleicht stimmte. Ihr Ärger über den Astrologen (der ja schließlich nur seine Pflicht tat) wandte sich gegen Katharina, die mehr Takt hätte zeigen müssen.

In ihrem Haushalt blieben die vier Marys, John Erskine, Pater Mamerot, Madame Rallay und ihr Arzt Bourgoing. Sie mochte Bourgoing; er war sehr jung und hatte eben erst sein Studium in Padua beendet. Auch ihre schottischen Musikanten hatte sie noch, denn sie hörte gern die Musik ihrer Heimat, auch wenn die Franzosen sie deshalb aufzogen. Untereinander sprachen die Schotten gelegentlich und zur eigenen Ergötzung noch ihre Muttersprache.

Wenn sie allein war, schaute Maria manchmal in den Spiegel und fragte sich, ob es stimmte, was Diane gesagt hatte. War sie schön? Wieviel größer würde sie noch werden? Wenn sie einen Frauenkörper bekäme, würde der anmutig und wohlgefällig aussehen? Mädchen veränderten sich, wenn sie zu Frauen wurden; soviel wußte sie. Unscheinbare fingen plötzlich an zu leuchten, und Hübsche wurden grob und langweilig. Sie hoffte – sofern darin nicht allzuviel Eitelkeit lag, vor der Pater Mamerot sie immer warnte –, daß sie nicht unscheinbar werden würde.

Als sie vierzehn war, hatten die Dichter sie entdeckt. Sie priesen sie in zahllosen Versen und nannten sie ebenbürtig jeder Schönheit seit Anbeginn der Zeiten. Maria versuchte sich an Dianes Warnung vor der Last der Schönheit zu erinnern, aber sie konnte nicht anders: Die Worte gefielen ihr, denn sie vertrieben ihre geheime Angst.

Der Hofhistoriker Brantôme schrieb: »In ihrem fünfzehnten Jahr begann ihre Schönheit zu erstrahlen wie die Sonne am Mittagshimmel.« Er pries ihre Hände, »so fein geformt, daß selbst Auroras Finger sie nicht übertreffen können«.

Pierre de Ronsard, der führende Poet jener Gruppe, die sich selbst nach dem Sternbild »die Plejaden« nannte, schwärmte:

«O belle et plus que belle et agréable Aurore.»

Sein Plejaden-Kollege, der Dichter Joaquim de Bellay, schrieb: *«Nature et art ont en votre beauté / Mis tout le beau dont la beauté s'assemble»*:

Natur und Kunst, sie formen Deine Schönheit,
Die Quintessenz all dessen, was ist schön …

Er verkündete auch:

Die Zung' des Herkules, so wird erzählt,
Hielt Menschen fest wie dreifach starker Stahl.
Ein Blick von ihr, wohin sein Zauber fällt,
Schlägt uns in Bann mit Ketten sonder Qual.

Der Maler François Clouet zeichnete und malte sie; sie sei wie ein Schmetterling oder ein wildes Tier, klagte er: Sie könne einfach nicht vor ihm stillsitzen, und so sei er außerstande, ihren Zauber einzufangen. Er fertigte gleichwohl eine juwelenhafte Miniatur, auf der sie vor einem saphirblauen Hintergrund in einem rosenfarbenen Kleid zu sehen war, aber darauf sah sie, wie er fand, steif und manieriert aus – was sie in Wirklichkeit nicht war. Das Bild spreche nicht mit ihrer *voix très doucer et très bonne*, wie ein wahres Kunstwerk es tun solle. Auch traf er ihre zarte Hautfarbe nicht; statt sie so durchscheinend aussehen zu lassen, wie sie war, geriet sie ihm nur blaß.

Nur die Bronzebüste, die Jacquio Ponzio schuf, fing Gestalt und Haltung ein, denn sie zeigte ihren exquisit geschwungenen Hals und die Art, wie sie den Kopf hielt. Sie hatte Tagträumen nachgehangen, als sie dafür posierte; ihr Blick war auf eine ferne, innere Landschaft gerichtet, und der Künstler hielt die unbekümmerte Großzügigkeit der Jugend darin fest, die immer glaubt, sie habe tausend neue Morgen vor sich, und sich deshalb nicht scheut, den heutigen Tag zu verträumen. Ihr Haar war lockig hochgesteckt, die mandelförmigen Augen heiter, der Mund fast melancholisch. Nur der zarteste Hauch eines Lächelns berührte die feinen Lippen; ansonsten schaute die Statue in olympischer Entrückung ins Weite.

Trotz all dem liebte es die junge Königin, die man als *une vrai Déesse* – eine wahre Göttin – pries, herumzutollen und zu laufen und zu reiten, und oft beklagte sie, daß sie nicht als Mann zu Welt gekommen sei und Schwert und Rüstung tragen könne. Ihr Onkel, der Duc de Guise und Heldengeneral Frankreichs, der den Engländern eben Calais entrungen hatte, verglich den Mut des Mädchens mit seinem eigenen.

»Ja, meine Nichte, du hast einen Zug an dir, in dem ich vor allem anderen mein Blut in dir erkenne: Du bist so tapfer wie meine tapfersten Soldaten. Wenn Frauen heute in die Schlacht ziehen könnten, wie sie es in alten Zeiten taten – ich glaube, du wüßtest wohl zu sterben. Und ich, meine Liebe, sollte das wissen«, sagte er, »denn ich habe beide Sorten zur Genüge gesehen – Feiglinge und tapfere Männer. Tapferkeit ist ein Charakterzug der Guise; schau nur, mit welchem Mut deine Mutter Schottland gegen die häretischen Rebellen für dich verteidigt. Ah, das ist wahrer Mut!«

»Sie ist wahrhaft in Bedrängnis«, sagte Maria, und der Gedanke tat weh. Ihr Onkel wurde im Kampf gegen die Engländer gebraucht, die in Frankreich eingedrungen waren, denn sonst hätte er geradewegs nach Schottland ziehen können, um ihrer Mutter zu Hilfe zu eilen. Er war so wunderbar; er konnte alles ...

»Ja, wie gesagt, sie hält sich tapfer.« Der Herzog sah sich beifällig im Zimmer um. Es war eine durch und durch zufriedenstellende Regelung gewesen, Maria nach ihrem elften Geburtstag einen eigenen Haushalt bei Hofe einzurichten. Natürlich hatten die knauserigen Schotten zunächst nicht für die zusätzlichen Kosten aufkommen wollen – als müßten die Franzosen sich dazu verpflichtet fühlen, nach allem, was sie bereits für den Unterhalt ihrer Truppen in Schottland ausgaben! Am Ende hatten die Schotten das Geld aber ausgespuckt, und die Einrichtung der königlichen Gemächer war noch ganz passabel. Ein paar Teppiche mehr würden nicht schaden, aber – er zuckte die Achseln – ein trockenes Euter konnte man nicht melken, ebensowenig wie man Geld aus einem schottischen Haferküchlein pressen konnte, aus diesem seltsamen, nach Pferdefutter schmeckenden Gebäck, das sie so liebten.

Er sah Maria an, die jetzt seit vier Jahren für sich lebte. Es war alles so gut gegangen, als habe das Schicksal selbst die Einzelheiten geordnet: daß das Mädchen schön, aber vertrauensvoll war, stets bereit zu glauben, daß die Menschen waren, was sie zu sein schienen.

Daß sie eine solche Liebe zu ihrer Mutter hegte – einer Mutter, die sie so selten gesehen hatte, daß es in Wahrheit die Liebe zu einer imaginären Person war, geformt von ihren eigenen Sehnsüchten. Und daß sie alles für sie tun würde, und damit auch für die Brüder ihrer Mutter. Alles das wirkte ineinander zu einem einzigen Ziel: der Herrschaft über Frankreich und Schottland. Maria, dieses hochgewachsene, muntere Mädchen, war der Mittelpunkt, die Achse jenes Rades, mit dem ihr aller Ehrgeiz kreiste.

Der erste Schritt war getan, als das französische Parlament sich hatte überreden lassen zu verkünden, daß es Marias Wunsch sei, das Recht zu erhalten, selbst ihren Regenten in Schottland zu ernennen. Die Schotten hatten zustimmen müssen, weil sie sonst die Unterstützung Frankreichs verloren hätten. Maria hatte prompt ihre Mutter zur Regentin gemacht. Also hinaus mit dem bisherigen Regenten, dem Earl von Arran und Oberhaupt des Hauses Hamilton, und all seinen Männern. Er wurde mit dem französischen Herzogtum Chatelherault besänftigt. Und dann hinein mit den französischen Administratoren.

Marie de Guise tat das Ihre und ernannte ihre beiden Brüder zu Marias Vormündern und Ministern in Frankreich: Duc François sollte sie in irdischen Dingen lenken, Kardinal Charles in geistlichen. Maria erwies sich als gewandte und treue Schülerin. Sie würde ganz und gar ihre Königin, ihre vollkommene Kreatur sein, wenn sie erst den Thron bestiege. Jetzt, da Calais gewonnen war, konnte das französische Volk dem Herzog nichts mehr abschlagen; deshalb war die Zeit gekommen, auf die Heirat zwischen Maria und dem Dauphin zu drängen und die Ehe ein für alle Mal sicherzustellen.

In Schottland war es nicht so glatt gegangen. Wie es schien, hegten die Schotten eine glühende Abneigung gegen »Ausländer«. Seit Jahrhunderten haßten sie die Engländer, ihren alten Feind – *»the Auld Enemy«*. Aber nun, da die Franzosen so nah herangerückt waren, hatten sie beschlossen, diese noch mehr zu hassen. Anscheinend hatten sie vergessen, weshalb die Franzosen eigentlich – unter großem Kostenaufwand noch dazu! – gekommen waren: um sie von den Engländern zu befreien. Jetzt fingen sie an, gegen die Franzosen zu rebellieren.

»Dem, was du mir erzählst, lieber Onkel, entnehme ich, daß bald weitere Truppen nötig sein werden.«

»Wir werden entsenden, was nötig ist«, antwortete er kalt. »Das

Land wird deinen Händen niemals entgleiten. Frankreich wird es nicht erlauben.«

»Oh! Wäre ich doch ein Mann! Ich würde selber kämpfen!«

Der Herzog lächelte. »Wie dein Vorfahr Karl der Große. Und wie dein anderer Ahnherr Saint Louis auf dem Kreuzzug gegen die Ungläubigen. Ja, ich glaube, du würdest es tun!« Er betrachtete ihre hochgewachsene, schlanke Gestalt und ihr strahlendes Gesicht – wie ein junger Ritter sah sie aus. »Wie groß du bist«, stellte er plötzlich fest, als er erkannte, daß sie seine Größe hatte – etwa sechs Fuß. »Auch hierin eine echte Guise!« Er legte ihr den Arm um die Schultern; ihre Knochen waren zierlich trotz ihrer Größe.

»Ist denn überhaupt nichts Schottisches in mir?« fragte sie, und er wußte nicht zu sagen, was für eine Antwort sie hören wollte. Seltsam, denn sonst konnte er meistens ihre Gedanken lesen. »Keine Spur von den Stewarts?«

»Wenn du dich *à la sauvage* kleidest, in Pelz und Karostoff«, antwortete er vorsichtig. Sie war ein hübscher Anblick in diesem Barbarenkostüm, das sie hin und wieder gern anzog.

»Aber das ist etwas, das ich äußerlich anlege. Ich meine das Innere«, sagte sie beharrlich.

»Nun, du liebst deine schottischen Musikanten – du hast bis heute deine eigene Kapelle behalten, die dir diese … ungewöhnliche Musik vorspielt.«

»Das gefällt mir«, sagte sie.

»Ja, nun, und es beweist, daß du Schottin bist«, sagte er. »Für jedes andere Ohr klingt es absonderlich.«

Die vergoldete Tischuhr begann elf zu schlagen; jeder Schlag kam von einer anderen Glocke.

»Gefällt sie dir?« fragte Maria.

»Sehr.« Der Herzog betrachtete das gemalte Zifferblatt, die schwarzen Zahlen auf Elfenbeingrund. Sie stand auf kleinen goldenen Füßen und hatte eine Mondphasenanzeige, die eine träumerisch blickende Scheibe zeigte.

»Ich habe sie mir selbst geschenkt«, gestand Maria. »Ich weiß nicht, warum ich so versessen auf große und kleine Uhren bin.«

»Ja. Ich erinnere mich an die bestürzende Taschenuhr mit dem Totenkopf, die du deiner – wie nennst du sie? – deiner Marie geschenkt hast.«

»Ach. Die.« Maria machte ein verlegenes Gesicht. »Sie hatte mir gefallen mit dem Glöckchen in dem kleinen Silberschädel und den eingravierten Zeitzeichen und Symbolen der Ewigkeit. Und Mary Seton ist – oft jedenfalls – so vertieft in religiöse Andacht. Die Uhr ist klein genug, um mit in die Kirche genommen zu werden. Ich dachte mir, ein Mönch könnte so etwas begehren.«

»Mönche sollen nichts begehren.« Er lächelte, und die große Kriegsnarbe an seiner Wange wölbte sich an den Rändern auf.

»Aber andere begehren die Sachen der Mönche«, sagte Maria. »Wie Heinrich von England – er hat die Mönche hinausgeworfen und sich ihre Habe genommen.«

»Er war zumindest aufrichtig dabei, wenn ich das sagen darf – im Gegensatz zu deinem Vater, der seine Adeligen und seine Bastarde zu ›Laienäbten‹ der reichen Klöster einsetzte, so daß sie sich nehmen konnten, was sie haben wollten. Sogar dein Bruder James Stewart bedient sich aus den Reichtümern – wie heißt sein Kloster? – von St. Andrews. Und er ist so gesetzt und scheinheilig!« Der Duc hatte wenig übrig für diesen prüden Heuchler. Er hatte ihn zweimal gesehen und beide Male nicht leiden können.

»Tatsächlich«, fuhr er fort, »hat dein Vater jeden seiner unehelichen Söhne zum ›Prior‹ ernannt, nicht wahr? Hat sie versorgt auf Kosten der Kirche. John Stewart ist Prior von Coldingham, Robert Stewart Kommendator von Holyrood, und noch ein James ist Kommendator von Melrose und Kelso. Ein anderer Robert ist Prior von Whithorn, und Adam Stewart ist Prior von Charterhouse zu Perth. Eine veritable Familie von heiligen Männern!«

Maria fühlte Zorn in sich aufsteigen, als sie hörte, wie ihr Vater angegriffen wurde. »Geht es in Frankreich so viel vornehmer zu? Wie kommt es dann, daß drei deiner Brüder Kirchenfürsten sind? Zwei Kardinäle und ein Großprior des kämpfenden Ordens vom heiligen Johannes zu Jerusalem? Ja, der gute Onkel Charles wurde schon mit dreiundzwanzig Jahren Kardinal! Und ernannt vom König. Vielleicht, weil er ein so aufrechtes, frommes Leben geführt hatte?«

Le Balafre war überrascht. Sie ist aufbrausend, dachte er. Das ist nicht gut. Sie wäre vollkommen, wenn sie nur friedfertiger wäre. In letzter Zeit stellt sie zu viele Fragen.

»Ich will ihn für sich selbst antworten lassen«, sagte der Duc geschmeidig, als er sah, daß der *valet de chambre* dem verspäteten Gast die Tür aufhielt. Er war um halb elf erwartet worden.

»Pardon, pardon!« rief der Kardinal. »Es tut mir leid, daß ich so spät komme.«

Ein Lächeln erhellte seine feinen Züge, als er auf Maria und den Duc zukam. Seine Augen waren hellblau wie der Märzhimmel, der sich über die Loire wölbte, und seine elfenbeinerne Haut hätte ihn pergamentartig hübsch aussehen lassen, aber er hatte ein schwaches Kinn, das noch kraftloser aussah, weil ein zweigeteilter, dünner Bart daran herunterhing, dessen schüttere Haare sich in seinem makellos geplätteten und gestärkten Kräuselkragen verfingen. Warum entstellte er sein Gesicht nur so? fragte Maria sich nicht zum ersten Mal. Immer hoffte sie, beim nächsten Mal werde er ohne den Bart kommen, und immer sah sie sich enttäuscht.

»Aber ich bringe viele Neuigkeiten, gute und schlechte.« Er klopfte auf seine samtene Depeschentasche.

»Wollen wir erst essen?« schlug der Herzog vor. »Nachrichten jeglicher Art verdauen sich besser mit vollem Magen.« Er hatte großen Hunger. Bei dem eben beendeten Calais-Feldzug hatte er nur die Rationen gegessen, die auch seine Soldaten bekamen, und die waren karg, da Winter war. Doch das hatte ihnen den Sieg gebracht: der unverhoffte Angriff im Januar ... Jetzt aber mußte er sehen, daß er wieder zu Kräften kam, bevor er wieder ins Feld mit seinen Entbehrungen zurückkehrte.

»Ganz recht«, sagte Maria und führte sie zu dem privaten Speisetisch, der am anderen Ende ihres Gemachs gedeckt war. Völlig natürlich nahm sie den Ehrenplatz unter ihrem Staatsbaldachin ein; sie war schließlich eine souveräne Herrscherin. Hätte sie woanders, nicht unter ihrem königlichen Dach, gegessen, hätte sie sich ebenso nackt gefühlt, wie wenn sie unbekleidet zu Tisch gesessen hätte.

Sie nickte den Dienern zu, und diese trugen die Schüsseln herein, etwa dreißig an der Zahl. Das meiste waren Alltagsspeisen – gefüllte Aale und Brassen, Huhn in Essigsauce, Gans und Ente –, aber sie hatte sich doch bemüht, auch die eine oder andere Delikatesse aufzutischen; was zu dieser tristen Jahreszeit schwierig war, denn frische Ware gab es nicht. Der Frühling schien noch weit entfernt zu sein.

Die Bediensteten trugen jetzt karamelisierte Apfeltörtchen auf, und der Kardinal war ehrlich beeindruckt. Maria war erfreut, denn der Kardinal war dafür bekannt, daß er einen wählerischen Gaumen hatte und bei Tisch ständig auf der Suche nach Neuheiten war. Er steckte sich mit goldener Gabel ein ordentliches Stück in den Mund, und sein Bart wippte auf und ab.

»Exquisit, meine Liebe. Wahrhaftig.« Er lächelte und nahm einen

Schluck von dem schweren, süßen Anjou-Wein aus einem venezianischen Kristallkelch. Sinnliches Behagen glänzte in seinen Augen.

Als die letzten Süßigkeiten abgeräumt wurden, konnte Maria nicht länger warten. »Was bringst du für Nachrichten?« drängte sie. »Bitte, halte sie nicht länger zurück.«

»Folgendes.« Lächelnd wischte er sich einen Krümel vom samtenen Ärmel. »Der Krieg läuft für uns so gut, daß es scheint, als stehe Gott selbst auf unserer Seite. Philipp und seine englischen Speichellecker haben die Schwänze eingekniffen.« Er schwieg für einen Moment. »Aber das sind Neuigkeiten für meinen Bruder. Für dich, *ma mignon*, habe ich andere: Ich höre soeben aus Schottland, daß die Bedingungen für die Heirat angenommen worden sind; neun Regierungsbevollmächtigte – darunter dein Bruder James sowie einige der höchsten Adeligen des Landes – stechen nächste Woche in See, um herzukommen, die juristischen Dokumente aufzusetzen und ... bei deiner Hochzeit mit dem Dauphin Franz zugegen zu sein!«

»Oh! Wann?«

»In etwa drei Monaten. Im April. Du wirst auf dem Höhepunkt des Frühlings vermählt werden. Kannst du noch so lange warten?«

»Ich habe zehn Jahre gewartet. Und ich brauche noch mindestens so lange, um ein Kleid machen zu lassen – es wird weiß sein, ich liebe Weiß – wie ein blühender Birnbaum ...«

»Weiß ist die Farbe des Ernstes und der Trauer«, wandte der stets modebewußte Kardinal rasch ein. »Das würde kein Glück bringen.«

»An so etwas glaube ich nicht. Weiß ist meine Farbe, meine auserwählte Farbe«, sagte sie halsstarrig. »Ich sehe in Weiß am besten aus; das hat Brantôme gesagt. Er hat gesagt: *›La blancheur de son visage contendoit avec la blancheur de son voile a qui l'emporteroit‹* – ›das Weiß ihres Antlitzes stand im Wettstreit mit dem Weiß ihres Schleiers‹.«

»Du hast gesagt, es gibt noch andere Nachrichten.« Der Duc verlor bei all diesem Gerede über Kleider die Geduld.

Der Kardinal wäre offensichtlich lieber im Reich der Schleier und des Satins geblieben. Er seufzte. »Ja. Etwa um die gleiche Zeit, da die neun Regierungsbeauftragten ihre Einwilligung zu der Heirat gaben, haben mehrere von ihnen einen Bund geschlossen.«

»Was soll das heißen – ein Bund?« Der Ton des Herzogs war scharf. »Bund«, das klang wie ein Genfer Wort, wie ein protestantisches Wort.

»Sie nennen sich ›die Erste Schar der Kongregation‹ und haben geschworen, für die ... für die Sache der reformierten Religion in Schottland zu arbeiten.«

»Protestanten!« Maria verschlug es den Atem; sie war so erschrocken, als sei eine Fledermaus über ihr hinweggeflattert.

»Protestanten!« grollte der Duc. »Ich wußte es! Ich wußte, daß dieser schmierige Prediger, dieser Knox, dort drüben weitere Bekehrungen vollbringen würde!«

»Oh, das hat er. Überall konvertieren sie.« Der Kardinal griff in seine Tasche und zog einen Traktat hervor. »Dies ist seine neueste Äußerung.«

Der Duc nahm die Schrift. »Dieser blökende Dummkopf muß zum Schweigen gebracht werden!«

Maria streckte die Hand aus und nahm ihm die Schrift ab. *»Der Erste Fanfarenstoß wider das Monströse Regiment der Weiber*. Was will er denn?« fragte sie. »›Ein Weib dazu zu befördern, daß es Herrschaft, Überlegenheit, Gebot oder Befehl über ein Reich, ein Volk oder eine Stadt ausübe, das ist widerlich und gegen die Natur und eine Schmach gegen Gott ...‹« Schweigend las sie weiter, aber dann platzte sie wieder heraus: »›Denn ihr Blick in der Staatsregierung ist Blindheit, ihr Rat ist Torheit, ihr Urteil Wahnsinn. Die Natur, sage ich, zeichnet sie schwach, gebrechlich, ungeduldig, kraftlos und töricht, und alle Erfahrung erklärt sie für unbeständig, wankelmütig und grausam, und es fehlt ihnen der Geist zu Vernunft und Herrschaft ...‹«

»Das geht viele Seiten lang so weiter, meine Liebe«, sagte der Kardinal. »Unmengen von Verweisen auf das Alte Testament, typisch protestantisch und höchst langweilig. Er schreibt gegen die ›drei Marien‹ – gegen dich und deine Mutter, aber vor allem gegen Maria Tudor, weil sie eine treue Katholikin ist. Hör dir das an; es ist ganz amüsant.« Der Kardinal blätterte in dem Manuskript.

»Die verfluchte Jezebel von England mitsamt der pestilenten und verachtungswürdigen Generation der Papisten in England ... Mann und Weib, gebildet und ungebildet, haben ihre Tyrannei zu schmecken bekommen. So daß nunmehr nicht nur das Blut Pater Latimers, des milden Gottesmannes, des Bischofs von Canterbury, des gebildeten und klugen Ridley, der unschuldigen Lady Jane Dudley ... nach Rache schreit in den Ohren des Herrn der Heerscharen; sondern auch das Schluchzen und die Tränen der Unterdrückten, das Stöhnen der Engel, der Wächter unseres

Herrn, jawohl, sowie jeglicher irdischen Kreatur, gepeinigt von ihrer Tyrannei, beständig rufen nach schleuniger Hinrichtung der Genannten.«

Der Kardinal lachte, und sein Lachen war dünn wie sein Bart.

»Aber seine Flüche sind furchtbar«, sagte Maria. Wünschte er ihrer Mutter soviel Schlimmes? Und ihr selbst – bloß weil sie katholisch war?

»Aber nicht originell. Sie sind unverändert aus dem Alten Testament entwendet. Die Propheten – Jeremias, Hesekiel, Nahum – verstanden sich *wahrhaft* darauf, im Namen Jahwes zu fluchen. Dieser Kerl ist nur ein blasser Schatten gegen sie.«

»Aber ein Schatten, der Schottland verdunkelt. Dieser Knox bezeichnet sich unaufhörlich selbst als Prophet«, sagte der Herzog. »Jemand sollte mit ihm tun, was Herodes mit Johannes dem Täufer tat. Wo ist er jetzt?«

»Er versteckt sich irgendwo in Genf. Im vergangenen Jahr war er sogar zwei Monate in Frankreich, von Oktober bis Dezember. Zu meiner Beschämung muß ich sagen, daß er den *Ersten Fanfarenstoß* auf unserem Boden geschrieben hat.«

»Ich stelle aber fest, daß er die Veröffentlichung hier nicht abgewartet hat«, sagte der Herzog. »Das war klug von ihm.«

»Oh, er ist gerissen. Er versteckt seine Feigheit hinter der Anweisung Christi an seine Jünger: ›Verfolgen sie euch aber in der einen Stadt, so flieht in eine andere.‹ Er überläßt es anderen, für ihn zu kämpfen und seine Flüche zu verwirklichen.«

»Worte, mit denen man kleine Kinder erschreckt«, höhnte der Duc.

»Irgendwo im Alten Testament wird jemand mit Hämorrhoiden verflucht«, sagte der Kardinal. »*Das* ist etwas, wovor man sich fürchten kann!« Er lachte abschätzig. »Vielleicht sollte ich sie Master Knox wünschen? Ich muß mein Fluchen aufpolieren. Ich kenne ja nur die Formel zur Exkommunikation.« Und wieder das klimpernde Lachen.

Maria griff nach der Schrift und las langsam weiter. Sie brauchte eine ganze Weile. Aber schließlich kam sie zum Ende:

Ich scheue mich nicht zu sagen, daß der Tag der Rache, der das furchtbare Ungeheuer Jezebel von England wie auch die, welche ihre monströse Grausamkeit befördern, ereilen wird, schon festgesetzt ist … wenn Gott Sich zu ihrem Feind erklärt, wenn Er Seine Verachtung wird ausgießen über sie gemäß ihrer Grausamkeit, und wenn Er in den Herzen derer, die zuweilen ihre Partei ergriffen, einen tödlichen Haß gegen sie wird entfachen, auf daß sie ausführen Sein Urteil.

Denn gewiß ist ihre Herrschaft und ihr Reich eine Mauer ohne Fundament; und das gleiche sage ich über die Herrschaft aller Weiber.

Aber das Feuer des Göttlichen Wortes ist schon an die verrotteten Säulen gelegt (und die Gesetze des Papstes schließe ich mit allem anderen ein), und sie brennen … Wenn sie aber verzehrt sind, so wird jene verrottete Mauer – die gestohlene Unrechtsherrschaft der Weiber – von selbst einstürzen, allen Menschen zum Trotz, und wird vernichten all jene, die sich mühen, sie aufrechtzuhalten. Und daher sei die Kunde allen Menschen, denn die Posaune ist einmal erklungen.

Lobet den Herrn ihr alle, die Ihn fürchtet.

»Er lehnt die Autorität des königlichen Blutes ab«, sagte sie schließlich.

»Nein, er lehnt Frauen als Herrscher ab«, berichtigte der Kardinal. »Das sieht man ja hier.« Er nahm das Manuskript und las: »›Denn gewiß ist ihre Herrschaft und ihr Reich eine Mauer ohne Fundament; und das gleiche sage ich über die Herrschaft aller Weiber.‹ Das hast du mißverstanden.«

»Nein, guter Onkel, *du* hast es mißverstanden«, sagte sie mit ruhiger, klarer Stimme. »Oder du versuchst mich zu beschützen. Wenn Master Knox dem Volk in den Ohren liegt und ihm sagt, es hätte sich Maria nicht zur Königin nehmen *sollen*, dann ist die verborgene Botschaft die, daß es sie nicht hätte nehmen *müssen*, wenn es ihm nicht gefällt. Daraus aber folgt, daß das Volk die Freiheit hat, sich seinen Herrscher auszusuchen – daß nicht das königliche Blut bestimmt, wer das Recht zu herrschen hat, sondern daß es der Wille des Volkes ist. Hat das Volk die Macht, das königliche Blut abzulehnen, welche Macht hat dann das königliche Blut? Keine, wenn es nach Knox geht. Er sagt hier« – sie raffte das Dokument an sich – »daß ›die unverschämte Fröhlichkeit, die Freudenfeuer und die Bankette in London und anderswo in England, da die verfluchte Jezebel zur Königin ausgerufen ward, in meinem Herzen nur bezeugten, daß die Menschen … frohlockten ob ihrer eigenen Verderbnis und ihres sicheren Untergangs … Und können sie dennoch nicht sehen, daß dort, wo ein Weib regiert und Papisten die Gewalt ausüben, auch der Satan den Vorsitz im Rate führen muß?‹«

»Satan im Weiberrock. Das gefällt mir«, sagte der Kardinal.

Maria lachte nicht. »›Ich sage: Erhebt man ein Weib zu dieser Ehre, so verkehrt man nicht nur die Ordnung, die Gott hat eingerichtet, sondern man verschmutzt, besudelt und entweiht auch den Thron und Sitz Gottes.‹ Dem Volk also obliegt die Pflicht, Gottes Wahl und Willen zu erkennen – das ist es, was er hier sagt.«

Der Kardinal seufzte bekümmert. »Ja, ich gebe zu, das ist eine Möglichkeit der Deutung; zumindest klingt es unausgesprochen mit. Du hast einen scharfen Verstand, mein Kind.«

»Dann ist Knox mein Feind«, stellte Maria fest.

»Das ist er in der Tat!« brauste der Herzog auf. »Vor allem anderen ist es dein königliches Geblüt, was dich auszeichnet und dich zum Herrschen berechtigt.«

»Wollen wir die Tafel aufheben?« Maria stand plötzlich auf, und die Bediensteten senkten sich wie ein Krähenschwarm auf die Reste herab. Sie führte die beiden Männer in ihr Privatgemach und schickte die *valets de chambre* und ihre Zofen hinaus.

»Es gibt viele Ohren da draußen«, sagte sie. »Jetzt können wir freier sprechen.«

Herzog und Kardinal zogen gleichzeitig die Brauen hoch – die des Herzogs waren dicht und dunkel, die des Kardinals hell und makellos gebogen.

»Du bist eine ziemlich gewandte Politikerin geworden«, bemerkte der Kardinal. »Offenbar hast du eine natürliche Begabung dazu. Jemand hätte uns warnen sollen.« Er warf seinem Bruder einen vielsagenden Blick zu.

»Ich habe manches von der Königin gelernt«, sagte Maria. »Zum Beispiel benutze ich für meine Korrespondenz stets eine Chiffre. Ich habe an die sechzig Codes, die ich in meinen Briefen verwende.« Sie lächelte strahlend.

»Wie mühselig«, sagte der Kardinal. »Aber bedenke: Ein Code ist immer nur so raffiniert wie sein Besitzer, wenn er den Schlüssel dazu versteckt. Und es gibt viele Agenten, die sich genial darauf verstehen, Codes zu entschlüsseln.« Er genoß den Ausdruck der Enttäuschung in ihrem Gesicht. Sie hatte sich klug, sicher und erwachsen gefühlt. Es war Zeit, ihre Erziehung fortzusetzen. Wieviel wußte sie über die Königin?

»Was hast du sonst noch von ihr gelernt?« fragte er. »Hast du einen kundigen Tischler unter deinen Bediensteten?« Er sah ihren verständnislosen Blick und beantwortete ihre unausgesprochene Frage.

»Nun, um die geheimen Schubladen für alle deine albernen Chiffren und Zaubertränke anzufertigen – wie in dem Zimmer in Blois, wo sie über zweihundert davon hat, manche davon Attrappen. Sie glaubt, niemand weiß, daß man sie öffnet, indem man auf eine bestimmte Stelle an der Fußleiste drückt. Aber natürlich weiß es jeder. Vielleicht kann er auch geheime Löcher in den Fußboden deines Schlafgemaches bohren, wie sie sie in St.-Germain-en-Laye hat, wo sie zuschauen kann, wenn der König ein Stockwerk unter ihr mit Diane schläft.«

Maria schnappte nach Luft und kicherte dann. »Das *tut* sie?«

»Allerdings.« Der Kardinal lachte, und der Herzog stimmte lauthals ein.

»Was würde Master Knox wohl dazu sagen?« Der Herzog brüllte vor Lachen.

»Er würde sagen, es sei ihr königliches Blut, was sie zwingt, so zu handeln!« Der Kardinal mußte sich setzen, so heftig lachte er. Die Tränen strömten ihm aus den Augen, und er tupfte sie mit einem Spitzentaschentuch ab. »Katharina ist krankhaft eifersüchtig«, japste er zwischendurch. »Aber statt Diane zu vergiften, wie es sich für eine gute Medici schickt, greift sie zu irgendwelchen Zaubersprüchen. Offensichtlich wirken sie aber nicht! Der König steigt noch immer in Dianes betagtes Bett, und Katharina schaut zu. Was für eine *ménage à trois*!«

»Ich glaube, ich würde sie umbringen.« Maria lachte nicht mit. »Ich könnte es nicht ertragen, meinen Gatten zu teilen. Das wäre ein Hohn. Vielleicht würde ich auch *ihn* umbringen. Es käme auf die Umstände an.«

Als wäre Franz, dieses hasenfüßige, schüchterne Geschöpf, jemals imstande, eine Frau in sein Bett zu holen – außer um zitternd seiner Pflicht zu genügen, dachte der Kardinal. Maria braucht keine Rivalinnen zu fürchten. Laut sagte er: »Nein, das würdest du nicht tun. Wenn du eifersüchtig wärest, würde es bedeuten, daß du ihn liebst. Liebst du ihn aber, hindert die Liebe deine Hand an der bösen Tat.«

»Manches Böse geschieht im Namen der Liebe«, wandte Maria ein.

»Womit wir wieder bei Master Knox wären«, sagte der Herzog. »Es stimmt wohl, er ist im sicheren Genf und verbirgt sich unter Calvins Rockschößen. Aber sobald er hervorkommt, werde ich dafür sorgen, daß ihm das Maul gestopft wird. Und zwar für immer. Merkwürdig, daß Calvin ihm Obdach gibt; Calvin und seine Leute treten sonst für den Gehorsam gegenüber Herrschern ein.«

»Das alles bedeutet nur, daß er durchtrieben genug ist, andere für sich kämpfen zu lassen. Diese elenden Calvinisten sind in Frankreich eingesickert; es gibt sie allerorten. Im Schutze der Nacht schleichen sie sich zu ihren ketzerischen Versammlungen. ›Nachtgespenster‹ nennen wir sie – *Huguenots*. Calvin schickt ihnen Bücher und Prediger; er will ihnen nur keine Musketen und Kanonen kaufen. *Noch* nicht.«

»Ich werde sie alle in ihr ewiges Königreich schießen«, sagte der Herzog. »Hier werden sie keine Wurzeln schlagen.«

»Sie haben es schon getan, aber ihre Wurzeln reichen nicht sehr tief«, sagte der Kardinal. »Wir müssen sie jäten, einfach herausziehen.«

»Sobald die Engländer vernichtet sind«, sagte der Herzog.

»Knox wird nicht in Genf bleiben«, sagte Maria unvermittelt. »Er wird nach Schottland zurückkehren und dort meine liebe Mutter plagen.«

»Es stimmt; er hat ihr einen haßerfüllten Brief geschrieben«, pflichtete der Kardinal ihr bei. »Ich habe zufällig eine Abschrift davon. Master Knox benutzt keine Chiffre; er *veröffentlicht* alles, was er schreibt.« Er reichte ihr ein gedrucktes Schriftstück; in fetten Lettern stand darauf der Titel *Brief an die Regentin von Schottland*.

Maria las, und ihre Miene wurde dabei immer zorniger.

»›Ich bin der Ansicht, daß Deine Macht nur geborgt sei, außerordentlich und wankend, denn Du hast sie ja nur mit Erlaubnis anderer.‹« Sie schüttelte erbost den Kopf. »Er meint *mich*. Er meint, sie hat sie von *mir*!«

Sie las weiter.

»Schreibe es nicht dem Schicksal zu, daß erst Deine beiden Söhne binnen sechs Stunden jäh von Dir genommen wurden und später Dein Gemahl dahingerafft ward wie durch Gewalt und aus dem Leben und der Ehre gerissen, so daß die Erinnerung an seinen Namen, die Thronfolge und die Königswürde mit ihm dahingegangen sind.

Denn haben auch unrechtmäßige oder gar tyrannische Regierungen mancher Reiche auch Weibern gestattet, die Ehren ihrer Väter in der Nachfolge anzutreten, mußte doch all ihr Glanz auf das Haus eines Fremden übergehen. Und so sage ich, daß mit ihm ward begraben sein Name, seine Thronfolge und die Königswürde; und siehst du darin nicht den Zorn Gottes und sein heißes Mißfallen, welches Dich bedroht und den Rest Deines Hauses mit derselben Plage, so bist Du noch verstockter, als ich wünschte, daß Du wärest.

Mag sein, Du fragst Dich zweifelnd, welche Missetaten denn von Deinem Gatten, Dir oder dem Reich möchten begangen worden sein, wofür Gott Dich so schmerzlich strafet. Ich antworte Dir: Es ist die Erhaltung und Verteidigung der furchtbarsten Götzendienerei.«

»Ja, er vergleicht uns mit Ahab und den Übeltätern Israels«, sagte der Kardinal. »Du brauchst nicht alles zu lesen; es ist immer wieder das gleiche. Er trägt kein Argument vor, von dem er nicht glaubt, daß er es gleich achtundzwanzigmal wiederholen sollte.«

Maria aber las weiter; sie war gefangen von all den giftigen Schmähungen. »›Die Furchtsamen aber und die Ungläubigen, die Frevler und Mörder, die Kuppler und Zauberer, die Götzendiener und alle Lügner –‹«

»Das sind wir, meine Liebe«, sagte der Kardinal leichthin in spöttischem Ton.

»›– werden ihren Platz finden in dem See, der brennt von Feuer und Schwefel und ist der zweite Tod.‹« Es schauderte sie.

»Ich sollte derjenige sein, der es dir sagt«, erklärte der Kardinal, und sein Gesicht wurde fast zum erstenmal an diesem Tag ernst. »Ich will nicht, daß du es von jemandem erfährst, der nicht zur Familie gehört. Zu deiner *französischen* Familie«, betonte er. Er schüttelte sein aschfarbenes Bärtchen und fuhr fort: »Dein Bruder James, der herkommt, um an deiner Vermählung teilzunehmen, hat sich ihnen angeschlossen. Er ist Protestant geworden. Er folgt jetzt diesem Knox.«

Er mahlte die Worte hervor wie ein Mann, der eine Kurbel dreht. »Er ist einer von *ihnen*.«

Maria lag wach und lauschte den leisen Geräuschen der Vögel, die sich draußen regten. Zum Singen war es ihnen noch ein bißchen zu früh; der Himmel war nachtschwarz. Aber Maria konnte nicht schlafen.

Dies ist die letzte Nacht, die ich unverheiratet verbringe, dachte sie. Dies ist meine letzte Nacht als Jungfrau.

Aber was mochte das bedeuten? Bedeutete es, daß sie und Franz morgen nacht als Mann und Weib beieinanderliegen würden? Sie würden zusammen im Bett liegen, das wußte sie. Das war Teil der Zeremonie. Aber wenn sie dann allein wären …?

Franz hat mich geküßt, dachte sie. Aber nur so, wie auch Onkel Balafre und der Onkel Kardinal es tun, oder wie die Marias und ich einander küssen, wenn wir *bonjour* oder *au revoir* sagen. Es ist ganz genauso. Und wie kann es morgen anders sein? Ich weiß, es gibt ein besonderes Wissen, das Männern zuteil wird, aber Franz ist noch kein Mann.

Seufzend drehte sie sich auf die andere Seite. Die leichten Decken waren behaglich in der kühlen Aprilluft vor dem Morgengrauen. Franz war klein geblieben; er reichte ihr kaum bis zur Schulter. Überdies war er nie ganz gesund; er litt ständig unter Husten, Erkältungen, Fieber, und er hatte das aufgedunsene, bleiche Gesicht eines Kranken. Und leider auch dessen weinerliche, nörgelnde Natur. Die einzige, die er als Freundin und nicht als Feindin zu betrachten schien, war Maria, die ihm zugedachte Partnerin und Beschützerin. Nur für sie brachte er ein Lächeln zuwege, nur bei ihr bemühte er sich, sein Spielzeug selbst zu holen; alle anderen kommandierte er träge herum.

Der arme Franz! dachte Maria. Wie sehr wünschte ich mir, daß er kräftiger würde.

Aber ihre Gedanken gingen nicht weiter in die Richtung, in die das unausweichlich führen würde. Wenn Franz ein normaler Vierzehnjähriger gewesen wäre, dessen Schultern breiter wurden, dessen Stimme tiefer wurde, dessen Blicke den Frauen folgten – dann hätten die Verheißungen ihrer Ehe ganz anders ausgesehen.

Jetzt erhob sich ein Chor von Vogelstimmen vor den Fenstern, deren Umrisse vor dem blaßvioletten Himmel allmählich sichtbar wurden. Das helle Gemäuer und die spitzen Bögen ließen sie aussehen wie Kirchenfenster, und tatsächlich war dies ein alter Kreuzgang, der heute zum Palast des Erzbischofs von Paris gehörte. Vor den Fenstern blühten Zweige, und die Bäume bekamen eben ihr

Aprillaub. Die Vögel saßen zwitschernd darin, und ihr Gesang wurde immer schriller.

Maria döste halb ein; der Vogelgesang betäubte ihre Sinne. Sie träumte – oder sah – einen Mann draußen im Gezweig, der dort auf einem Ast hockte und mühelos wie ein Affe das Gleichgewicht hielt. Sein Gesicht war schwarz – oder war es nur schmutzig? Er lächelte langsam, und in seinem schattendunklen Antlitz öffnete sich ein elfenbeinerner Spalt. Dann bewegte er sich, und zwar mit soviel Anmut und Kraft, daß es aussah, als sei er mehr als nur ein sterblicher Mann, oder vielleicht auch weniger – vielleicht ein Tier.

Er winkte ihr wortlos. Besser gesagt, sie fühlte den Drang, aufzustehen und ihm zu folgen, den sicheren Steinfußboden und die schützenden Fenster hinter sich zu lassen und zu ihm auf den schwankenden Ast zu steigen. Sie ging auf ihn zu und fühlte den kalten Wind, der durch das offene Fenster hereinwehte, sie sah den aufleuchtenden grünen Dunst draußen, einen Dunst, der von der aufgehenden Sonne kam, die durch hunderttausend junge Blätter schien, durchscheinend und zart. Die Sonne hinter ihm ließ einen Lichtkranz hinter seinem Kopf erstrahlen; und Maria konnte nicht erkennen, wer es war, zu dem sie da ging.

Blinzelnd wachte sie auf. Die Decke war heruntergeglitten, und der kühle Wind aus ihrem Traum kam nur daher. Die Sonne ging auf, aber sie schien durch kahle Äste. Maria stand auf und schaute zu dem schwarzen Ast unter ihrem Fenster hinaus; er war stark genug, um einen Menschen zu tragen, aber es war niemand da.

Sie fühlte sich unbehaglich und ratlos. Ich sollte wieder ins Bett gehen, noch einmal träumen und wieder aufwachen, dachte sie. Aber es ist schon spät. Nicht mehr lange, und sie werden kommen, um mich anzukleiden.

Ihr Brautkleid und der Mantel hingen auf einem Holzständer am anderen Ende des Gemachs, wo sie in dieser Nacht auf ihren besonderen Wunsch hin allein geschlafen hatte.

Sie ging hinüber zu ihrem Brautgewand, blieb davor stehen und schaute es an, wie es in fließenden Falten um das hölzerne Gestell fiel. Es war blendend weiß; sie hatte sich entschieden durchgesetzt. Als sie den Hofschneider Balthazzar herbeibefohlen und ihm geschildert hatte, was für ein Kleid sie wollte, hatte auch er Einwände erhoben. »Nein, nein, Eure Königliche Hoheit, hier in Frankreich ist Weiß die Farbe der Trauer. Für ein Hochzeitskleid eignet es sich nicht.« Balthazzar hielt sich etwas auf seine Kenntnisse über Stoffe zugute, wie man sie drapieren konnte, und auf welche Geschichte jedes Gewebe, jede Farbe zurückblickte. »Darf ich Blau vorschlagen, das Blau des Himmels über der Loire im Mai ...«

»*Vorschlagen* dürft Ihr«, hatte sie lächelnd gesagt. »Aber ich *bestehe* auf Weiß.« Und so hatten sie zusammen eine feine weiße Seide ausgewählt; es war das Weiß von Schnee- und Maiglöckchen, und das Mieder schimmerte von Perlen wie vom Morgentau.

Daneben waren der Mantel mit der ungeheuer langen Schleppe drapiert – blaugrauer Samt, bestickt mit weißer Seide und noch mehr Perlen. Er wog viele Pfund, weil er mit so vielen Juwelen geschmückt war, und zwei Leute würden ihn hinter ihr tragen müssen.

Auf einem Tisch mit Perlmuttintarsien lag die königliche Krone, die eigens für sie aus feinstem Gold angefertigt und mit Smaragden, Diamanten, Rubinen und Perlen besetzt worden war. Daneben in einem elfenbeinernen Kasten lag der ›Great Harry‹, das Erbstück von ihrer Großmutter Margaret Tudor. Erst jetzt hatte sie ihn in Besitz nehmen dürfen.

Sie nahm die Brosche aus dem Kasten und hielt sie ans Licht. Ein Sonnenstrahl durchdrang den Stein und das blutrote Mysterium seines inneren Feuers und ließ es an der steinernen Wand des Zimmers aufstrahlen. Der Rubin blinkte und pulsierte von farbigen Blitzen. Seine Schönheit war atemberaubend.

Meine Großmutter hat ihn als Hochzeitsgeschenk von ihrem Vater bekommen, dachte sie. Als sie noch ein Jahr jünger war als ich – vierzehn! Und sie ging zu einem Gemahl, den sie nie gesehen hatte, zu einem Mann, der viel älter war als sie. Ob dieser Stein sie irgendwie geschützt hat?

Was für ein Glück habe ich doch, dachte sie, daß ich nicht in irgendein fremdes Land geschickt werde, um einen Mann zu heiraten, den ich nie gesehen habe. Ich kann in Frankreich bleiben und meinen Freund heiraten.

Einen Freund heiraten.

Es gibt Leute, die heiraten aus Liebe, dachte sie. Meine Großmutter Margaret Tudor hat einmal aus politischen Gründen und einmal aus Liebe geheiratet. Und mein Ururgroßvater, Edward IV. von England, hat heimlich eine Gemeine geheiratet. Sie war älter als er und Witwe außerdem. Und dann mein Großonkel Heinrich VIII., der auch aus Liebe geheiratet hat – nicht einmal, sondern dreimal! Und der ein scheußliches Durcheinander hinterlassen hat, mit all seinen enterbten Töchtern.

Sie lächelte bei dem Gedanken an den englischen Liebhaber-König. Nein, ihr Weg war der normale Weg – eine arrangierte, politische Ehe, sobald die Braut alt genug war. So war es bei Katharina von Aragon gewesen, bei Katharina von Medici, bei Margaret Tudor, bei Margaret Beaufort, bei Madeleine von Frankreich, der ersten, zarten Frau ihres Vaters …

Aber all die Liebesehen, zu ihrer Zeit jedesmal ein Skandal, waren von ihren Blutsverwandten geschlossen worden, und sie fand die Vorstellung kurios. Sie konnte es sich nicht vorstellen.

Die Sonne schien hell, und der Himmel wölbte sich wolkenlos und grellblau über der riesigen Menge von Kaufleuten, Händlern, Lehrjungen und Arbeitern, die sich in den Straßen von Paris drängten. Das Schicksal hatte Maria Stuart im notorisch unbeständigen April einen makellos klaren Hochzeitstag geschenkt. Ein großer Teil der Zeremonien sollte draußen stattfinden, in einem eigens erbauten Pavillion vor Notre Dame, den man *ciel-royal* nannte, drapiert mit blauer Moiré-Seide, bestickt mit goldenen *fleurs de lys*, zwischen denen das Wappen Schottlands prangte. In einem Samtteppich zu ihren Füßen wiederholten sich diese Farben und Formen. Seit zweihundert Jahren hatten die Pariser die Hochzeit eines Dauphin nicht mehr erleben können, und die Stadt war von inbrünstiger Erwartung erfüllt – die Leute lechzten nach den Kostümen, der Musik, der Zeremonie und nach der traditionellen Großzügigkeit, mit der den Massen das Ihre zugeworfen werden würde. Sie lechzten danach, sich blenden zu lassen.

Seit dem Morgengrauen hörten sie die Fanfarenstöße von Trompeten, Flöten und Trommeln aus den Klosterhöfen des erzbischöflichen Palastes wie ein leises Versprechen: »Wartet nur … es ist bald soweit.« Und so wimmelten sie durcheinander, aßen das mitgebrachte Brot und den Käse und fühlten, wie die Sonne, die über der Stadt aufging, allmählich die hartnäckige Kühle vertrieb, die in der Luft lag.

Am Vormittag begann die Prozession: Die Schweizer Garde und ihre Musikkapelle erschienen und geleiteten die edlen Gäste in die Kirche von Notre Dame. Es folgten die schottischen Musikanten und Sänger in der rot-gelben Livree Schottlands; sie spielten ihre heimatlichen Lieder auf Dudelsäcken und Trommeln. Dann kamen hundert Herren des Königlichen Haushalts in feierlichem Gleichschritt, und nach ihnen die Prinzen königlichen Geblüts; luxuriös gekleidet, trugen sie das Familienvermögen in Form von Edelsteinen an sich, die funkelten, als sie sich langsam und wiegend voranbewegten.

Eine halbe Stunde dauerte es, bis all diese vorübergezogen waren; jetzt kamen die Kirchenfürsten, die Äbte und Bischöfe mit ihren großen Zeremonienkreuzen aus Edelmetall, den juwelenbesetzten Mitren und den golddurchwirkten Chorgewändern, und die vier Kardinäle Frankreichs – die Gebrüder Guise, ein Bourbon und du Bellay, der Päpstliche Stellvertreter.

Dann der Dauphin, flankiert von seinen beiden jüngeren Brüdern, dem achtjährigen Charles und dem siebenjährigen Henri. Franz bewegte sich wie mechanisch, und seine Augen blickten geradeaus, als erwarte ihn etwas Unangenehmes unter dem seidig sich blähenden Baldachin – eine bittere Medizin, oder eine Unterrichtsstunde.

Eine Pause. Der Dauphin und die kleinen Prinzen waren vorbeigezogen, und ihre Samtmäntel wehten hinter ihnen.

Und dann ein strahlend weißer Fleck. Die Menschen hielten den Atem an. Trauer? Auf einer Hochzeit? Die hochgewachsene, stolze Gestalt in ihrem taubenfarbenen Mantel, deren Hals schlank und elegant aus dem Kragen ragte, schritt in himmlischer Entrücktheit voran. Eine Krone ruhte auf ihrem Kopf, und das offene Haar fiel lang und fließend über ihre Schultern, ein Zeichen ihrer Jungfräulichkeit. Ihre Schleppe erstreckte sich endlos in einem anmutigen Bogen, fast vierzig Fuß lang, gehalten von zwei wunderschönen Dienerinnen. Noch aus einiger Entfernung war der rote Funke des berühmten Rubins namens ›Great Harry‹ auf ihrem Mieder zu erkennen.

Der Rest der Prozession, so farbenprächtig und opulent sie auch war, konnte niemanden mehr erregen. Es kamen nur noch die gedrungene Königin, die kleinen Prinzessinnen, andere Edelfrauen und -fräulein – allesamt zweitklassig im Vergleich zu dem Feenwesen, das schon vorübergeschritten war und jetzt seinen Platz neben dem Bräutigam einnahm, umgeben von Akolyten mit brennenden Fackeln. Die Menschen spitzten die Ohren, um die Gelübde zu vernehmen, die im Pavillion gewechselt wurden, aber das Flüstern verhallte ungehört. Man erhaschte einen kurzen Blick auf die Ringe, die getauscht wurden, als Kardinal de Bourbon den Ehebund besiegelte. Man sah auch, wie die neun schottischen Bevollmächtigten, rotgesichtig und streng, vortraten und Franz, ihrem neuen König, die Reverenz erwiesen.

Der Duc de Guise lächelte, als er hörte, wie Maria – sicher verheiratet, Gottlob, und nichts würde daran mehr etwas ändern können, denn *was Gott verbunden hat, soll der Mensch nicht* ... und so fort – wie Maria also ihren Gemahl als Franz von Schottland begrüßte, der er soeben rechtmäßig geworden war.

Sie hatte sich leicht überreden lassen, vor der Hochzeit die drei Geheimdokumente zu unterzeichnen, mit denen sie Schottland an Frankreich übereignete, sollte sie kinderlos sterben. Franz war somit nicht nur dem Titel nach, sondern *de facto* König von Schottland, auch wenn es den Schotten nicht klar war.

Die Ahnungslosigkeit ist doch ein Segen, dachte er, *für diejenigen, die nicht ahnungslos sind.* Sie war so erschrocken über die wachsende Macht der Lords der Kongregation gewesen, daß sie es für ihre Pflicht gehalten hatte, dafür zu sorgen, daß Schottland für alle Zeit ein französisches Protektorat wurde, statt in offener Ketzerei zu versinken. Die Konversion ihres Bruders James hatte sie entsetzt, und sie hatte ihn nur kühl begrüßt.

Der Herzog sah sie an, wie sie so stark und jung neben ihm stand. Sie sah aus wie die Antithese zum Tod, glitzernd vor lauter Schönheit und Gesundheit vor dem Traualtar. Das Dokument mit all seinen Vorkehrungen war ihr lächerlich vorgekommen, unnötig, ein makabrer Witz, und sie hatte gelacht, als sie alles unterschrieben hatte.

Die Schotten dagegen hatten nicht gelacht, als sie gewichtig darauf bestanden hatten, Vorkehrungen für den Fall der Witwenschaft zu treffen; sie sollte dann eine Rente aus dem Herzogtum Touraine beziehen, unabhängig davon, ob sie es weiterhin vorzöge, in Frankreich zu bleiben, oder nicht.

Die Vormünder beider Seiten gingen davon aus, daß das Kind der anderen sterben werde.

Und das, dachte der Herzog, ist nicht die schlechteste Definition für den Zynismus der Erwachsenen.

Jubel erhob sich; es war Zeit, die ersten Gaben unter die Menge zu streuen. Der Herzog fuhr aus seinen Gedanken auf und winkte seinen Leuten; sie sollten anfangen, Dukaten und Pistolets, halbe Kronen, Testons und Douzains unter die Zuschauer zu werfen – lauter Gold- und Silbermünzen. Die Masse brüllte auf und stürzte sich gierig auf die Münzen, die auf sie herabregneten wie ein Aprilschauer.

Es gab zwei Bankette, gefolgt von zwei Bällen – das erste im erzbischöflichen Palast, das zweite im alten Palais de la Cité, und dazwischen zog eine Prozession durch die Straßen von Paris. Der Dauphin ritt auf einem Schlachtroß, behangen mit Schabracken aus Gold- und Silberbrokat; Maria saß in einer offenen Sänfte, die mit dem gleichen Stoff bezogen war. Die Menge schob sich heran, und die Leute drängten sich hin und her, um ihr Gesicht und ihr Kleid zu betrachten; sie aber zeigte keinerlei Gefühl außer liebreizender Neugier angesichts ihrer Untertanen.

Nach dem Bankett, das auf derselben schwarzen Marmortafel serviert wurde, an der Heinrich IV. von England vor langer Zeit sein Krönungsmahl gehalten hatte, nach dem Tanz, nach Mummenschanz und Festumzügen – wo goldene und silberne Pferde edelsteinfunkelnde Kutschen zogen und Zauberschiffe mit geblähten Silbersegeln durch den Ballsaal schwebten – brannten die Fackeln schließlich herunter, und ihre Flammen blitzten nicht mehr in den Tausenden von Juwelen an Busen, Ohren, Hälsen und Haaren. Die Nacht war gekommen, und einer nach dem andern gingen die Gäste, stahlen sich in der Dunkelheit davon, überquerten die Brücke über die plätschernde Seine. Parfüm, Gelächter und Musik wehten hinter ihnen her, und sie sangen auf dem Weg. Der Mond beschien die weiß blühenden Zweige im Obstgarten des Palastes und die kleinen Seitenstraßen.

Maria und der Dauphin wurden ins königliche Schlafgemach geleitet, wo sie die Nacht verbringen sollten. Das Bett war hoch und weich; die Kissen waren mit neuen Gänsedaunen gefüllt und mit Satin bezogen.

Die Marys kleideten sie in ihr bräutliches Nachtgewand und halfen ihr die Stufen zum Bett hinauf. Hinter einem holzgeschnitzten Wandschirm taten Franz' Kammerdiener das gleiche mit ihm. Als er hervortrat, trug er ein königsblaues, pelzverbrämtes Nachtgewand, und sein Schritt war langsam und gemessen. Er schüttelte die helfenden Hände ab, kletterte allein ins Bett und glitt unter die Decke.

»Wir entlassen euch«, sagte er großartig und wedelte mit der Hand. »Dich auch, Onkel.« Er unterbrach den Kardinal von Lothringen, der eben das Bett segnen wollte. Dem Kardinal blieb nichts anderes übrig, als zu gehorchen.

Die Tür fiel klickend ins Schloß; sie wußten allerdings beide genau, daß draußen die ganze Nacht hindurch gelauscht werden würde.

Franz schlang die Arme um sie und küßte sie auf den Mund; seine kindlich runden Lippen waren süß und zart.

»Jetzt bist du mein, und niemand kann dich mir wegnehmen«, sagte er feierlich. »Wie sie mir meinen Schoßhund und meinen zahmen Bären weggenommen haben.«

»Der Bär hat so viel kaputtgemacht«, sagte Maria und lachte. »Weißt du noch, wie er in Blois einmal weggelaufen ist? Und sich in das Haus der Madame Pilonne flüchtete?«

»Der liebe Alte Julius. Ich war sehr böse, als sie ihn mir wegnahmen«, sagte Franz. Er legte den Kopf an ihre Schulter und schmiegte sich an sie. »Er war so lieb, und er hatte ein so weiches Maul ...« Und er schlief ein.

Maria lag noch eine Weile wach und betrachtete das Mondlicht auf dem Fußboden des Gemachs. Dann schlief auch sie.

Am nächsten Morgen verkündeten der Kardinal von Lothringen und der Duc de Guise, die Hochzeitsnacht sei »wie erwartet, in Anstand und Ordnung« verlaufen. Dann zogen sie sich frohlockend in ihre Privatgemächer zurück, wo sie die Gläser klingen ließen und sich geziemend betranken.

Wenn Maria im Lauf des folgenden Monats morgens erwachte, sagte sie sich jedesmal: *Ich bin verheiratet.* Und sie fragte sich, warum sie sich nicht anders fühlte als zuvor. Sie hatte es erwartet – sie hatte gedacht, es werde nun tief in ihrem Innern irgendeine Veränderung stattfinden. Aber nein – sie war so wie immer. Und Franz – er war auch derselbe geblieben. Wenn sie ihn »Gemahl« nannte, so war es wie eines der Spiele, die sie miteinander gespielt hatten, als sie kleiner gewesen waren und sich zu Piraten, Soldaten oder Drachen erklärt hatten. So kam es ihr vor, wenn sie jetzt sagte: »Franz, *mein Gemahl*.«

Ihr Unterricht ging weiter, aber jetzt hatten Franz und sie einen gemeinsamen Haushalt. Maria hatte einfach ihr ganzes Gefolge mitgebracht – Madame Rallay, die Marys, Pater Mamerot, Bourgoing –, und jetzt lebten und arbeiteten sie mit Franz' Gefolge zusammen, was bereits zu einigen Romanzen geführt hatte. Der größere Haushalt bedeutete mehr Privilegien und auch höhere Kosten, aber es war zum Glück ein Haushalt, der fast nur aus jungen Leuten bestand, was dazu führte, daß so etwas wie ein Spiel daraus wurde.

Die Tagesstunden gingen mit Picknicks, mit Jagen und Reiten dahin, und abends gab es Theateraufführungen, Tanz, Gedichtrezitationen, Musik und Kartenspiele. Die einzigen Erwachsenen, die in diese glanzvolle Welt der Muße und der Jugend eindrangen, waren die Guise. Marias Onkel kamen regelmäßig zu Besuch und bestanden jedesmal darauf, sie beiseitezunehmen, sie nach ihren Studien zu befragen und ihr zu berichten, was jenseits ihres goldenen Haushalts geschah.

Es waren meist düstere und unangenehme Nachrichten. Kriege, Morde, Verschwörungen, Krankheiten, Tod. Die einzige heitere Kunde, die sie ihr brachten, war die Bekanntmachung, daß Schotten und Franzosen dank der Heirat jetzt beiden Ländern angehörten.

»Was bedeutet, daß Franz sich jetzt auch als Schotte bezeichnen darf«, sagte Onkel Kardinal.

Maria lachte auf. Sie hatte Franz plötzlich vor sich gesehen, wie er im windigen Innenhof einer schottischen Burg stand. Es war eine überraschende Vorstellung; sie hatte nicht gewußt, daß sie sich an eine solche Burg erinnern konnte, und sie war gar nicht sicher, ob sie überhaupt existierte. Sie stand hoch oben auf einem Felsengrat ...

»Und es bedeutet, daß du auch eine Französin bist«, fuhr der Kardinal fort.

»Ich fühle mich schon vollständig wie eine Französin«, sagte sie.

»Nun können die Bürger beider Länder freizügig hin und her reisen; sie brauchen keine Genehmigung und keinen Paß. Das ist der erste Schritt zu einer dauerhaften Vereinigung.«

Maria seufzte. »Ich frage mich, ob es dazu je kommen wird. Die Rebellen in Schottland werden anscheinend immer wilder ...« Der Gedanke daran, wie sie ihrer lieben Mutter zusetzten, tat ihr in der Seele weh. Die Mutter hielt tapfer stand und bemühte sich, sie abzuwehren. Aber Schottland war weit weg und schien ihr Leben hier überhaupt nicht zu berühren, diesen fröhlichen Reigen von Tagen, in denen Sorgen unbekannt waren – oder allenfalls ein vorübergehendes Ärgernis, das sich leicht beseitigen ließ.

»Der Tag wird kommen, meine Liebe«, versicherte der Kardinal ihr. »Er wird kommen.«

Weihnachten nahte, und Maria war sehr stolz darauf, alle Festlichkeiten in ihrem eigenen Haushalt vorbereiten zu können. In diesem Jahr würden sie und Franz ihr eigenes Weihnachtsfest feiern und andere dazu einladen. Vielleicht war das die eigentliche Bedeutung der Ehe: ein eigenes Heim zu haben, ein eigenes Weihnachtsfest, nicht zu Gast bei anderen zu sein.

Ein französisches Weihnachtsfest! Eine Krippe aufstellen, in einem großen Kamin die *bûche de Noël* entzünden, und dann die Mitternachtsmette in der Königlichen Kapelle, die von tausend Kerzen erleuchtet war, der Vortrag heiliger Musik – kribbelnd vor Aufregung plante Maria das alles.

Und für Franz ein besonderes Geschenk: Sie hatte aus Spanien ein arabisches Pferd bestellt. So sehr hatte er sich eines gewünscht, und eifrig hatte er ihr die außerordentlichen Eigenschaften der Araber aufgezählt: ihre Intelligenz, ihr Feuer, ihre Schnelligkeit; ihr zierlicher Knochenbau und ihre großen Augen. Oh, es würde eine große Überraschung für ihn werden – er würde vor Entzücken außer sich sein! Wenn der Züchter ein geeignetes Tier hatte ... wenn das Pferd unversehrt nach Norden geschafft werden konnte ... Dennoch, schon das Planen war aufregend, und mit Entzücken sah sie selbst, wie umsichtig und kompetent sie zu Werke ging.

Kurz vor dem Advent wurde Maria unerwartet nach Paris befohlen; König Heinrich II. wünschte sie zu sehen.

Wieso konnte der König nicht herkommen, fragte sie sich. Aber sie gehorchte und reiste unverzüglich ab.

Als sie im Louvre eintraf, noch ganz durchfroren und müde von der Reise, wurde sie sogleich zum König bestellt. Sie hatte gerade Zeit, ihren dicken Reisemantel abzulegen und sich das Haar zu kämmen, bevor sie zu ihm geführt wurde.

»Maria Tudor ist tot«, sagte der König und bekreuzigte sich. »Ich stehe nunmehr vor dem Antlitz der neuen Königin von England.« Und er nickte Maria zum Zeichen der Anerkennung zu. »Jawohl, mein Kind, meine Tochter. Deine gute Cousine Maria Tudor ist abberufen, um ihren Lohn zu empfangen, und ihre Krone hinterläßt sie dir.«

Wie unerwartet! Wie eigenartig! Und für einen Augenblick hoffte Maria, es möge nicht stimmen. Wenn es stimmte, änderte sich damit alles, und sie wollte nicht, daß sich etwas änderte. Sie war glücklich so, wie alles war. »Hat sie mich benannt?« fragte Maria. Alle Welt wußte, daß Maria Tudor sich geweigert hatte, ihre Halbschwester Elisabeth zu benennen, weil sie ihr mißtraute, aber auch, weil Zweifel an ihrer Legitimität bestanden.

»Das brauchte sie nicht«, sagte König Heinrich. »Das Blut benennt dich. Durch deine Abkunft bist du die rechtmäßige Erbin.«

»Hat sie Elisabeth benannt?« Maria blieb hartnäckig.

»Die Ketzer behaupten es. Aber niemand hat es gehört – niemand, dessen Zeugnis wir vertrauen. Ihr einziger Vertrauter, der einzige, der ihr Herz kannte, Kardinal Pole, ist nur zwölf Stunden nach ihr gestorben. Nur Kardinal Pole kannte die Wahrheit – daß sie Elisabeth nicht benannt haben kann und nicht benannt hat. Nein, sie hoffen einen *fait accompli* zu schaffen, bevor jemand etwas unternehmen kann, um sie daran zu hindern.«

»Und Ihr gedenkt sie daran zu hindern?« Nicht Krieg! Nicht wieder Krieg!

Ihre Stimme klang kühl, ihre Fragen noch kühler. Seit ihrer Hochzeit war sie kühner und nicht mehr so ehrerbietig. Der König schrieb die Schuld daran ihren Onkeln zu.

»Ich gedenke zu protestieren und werde sehen, wie man das aufnimmt«, antwortete er.

»Ein Protest ohne Truppen bedeutet wenig. Und ich habe Gutes über Elisabeth gehört. Daß das Volk sie liebt.«

»Bah! Das Volk liebt jeden neuen Herrscher. Sie haben auch Maria zugejubelt und Freudenfeuer angezündet. Da hast du die Engländer. Binnen Jahresfrist wenden sie sich gegen ihren Souverän. ›Der Engländer Laster ist der Verrat‹ –«

»›Derweil der Franzose die Wollust hat‹«, beendete sie den alten Spruch.

Diese neue Selbstsicherheit war ganz und gar nicht erfreulich, fand der König. Das werde ich ihr austreiben.

»Du wirst für Königin Maria Trauer tragen, und du wirst das englische Wappen auf deinen königlichen Schild, auf deinen königlichen Baldachin und in deine Insignien einfügen. Morgen gibt es ein Bankett, und ich werde dich von Herolden formell zur neuen Königin von England ausrufen lassen.«

»Nein.«

»Ich befehle es dir!«

»Ich bin eine gesalbte Königin aus eigenem Recht, eine souveräne Herrscherin wie Ihr. Ich bin Euresgleichen, nicht Euer Untertan.«

Der König kochte vor Wut. Damit also verdrehten ihre Onkel ihr den Kopf. Als wäre Schottland ein richtiges Land, gerade so wie Frankreich! Diese Narren!

»Du wirst tun, was ich dir gebiete.« Seine ohnedies schmalen Augen wurden zu Schlitzen.

»Das einzige Gebot, das ich anerkenne, ist das vierte: Du sollst Vater und Mutter ehren. Ich gebe Euch Ehre und Gehorsam als meinem Vater, der Ihr nach dem Gesetz seid. Aber nicht als meinem Herrn.«

Unverschämtes Kind, dachte der König. Man muß sie von ihrem hohen Roß herunterholen. Aber wer wird es tun? Die Onkel werden es verhindern.

»Wenn du tust, was ich dir sage, dann wirst du bald eine richtige Königin sein, Königin eines richtigen Landes«, sagte er. Sie war ehrgeizig – gewiß war sie das –, und auf dieser Grundlage würde sie einwilligen. »Bedenke doch: Königin von England!«

Aber statt dessen machte sie ein verstocktes Gesicht. »Ich hasse Falschheit«, sagte sie. »Dies alles gründet auf Falschheit und leeren Gesten.«

»Aber um zu herrschen, muß man sich auf diese Gesten verstehen«, erwiderte er unnachgiebig. »Sie sind ebenso wichtig wie Etikette und Gesetze und sogar Schlachten. Und manchmal haben sie soviel Gewicht wie diese drei zusammen!«

Seine Heiligkeit Papst Paul IV. tappte schlurfend und schniefend zu seinem Schreibpult im Vatikan. Seine dürre Gestalt zitterte vor einer Kälte, die ihm bis ins Mark drang. Das lag daran, daß die Knochen des asketischen Kirchenfürsten im Alter von nunmehr zweiundachtzig Jahren dicht unter der Haut lagen. Dieser Winter war nicht besonders kalt; tatsächlich spazierten Leute ohne Mantel über den weiten Platz vor St. Peter. Aber in den päpstlichen Gemächern wurde ihm bei allem Gold auf den Gemälden, bei allen Abbildungen von Sandwüsten nicht mehr warm.

Elisabeth Tudor hatte sich den fünfzehnten Januar für ihre Krönung ausersehen; das hatte man ihn wissen lassen. Es war ein überaus nordländischer Einfall. Vermutlich waren sie an bitterkaltes Wetter gewöhnt – und sogar daran, ihre Feierlichkeiten trotzdem unter freiem Himmel zu inszenieren. Der Brief mußte sie vor der

Zeremonie erreichen; sie durfte sich nicht salben und krönen lassen, ohne seine Wünsche zu kennen. Nein!

Er setzte sich und winkte einer der Wachen, das Kohlenbecken näher heranzurücken. Er brauchte ihren Brief nicht noch einmal zu lesen; er kannte ihn schon auswendig. Sie ersuchte ihn um seine Anerkennung; das war einfach. Die *Antwort* aber hatte er bis jetzt nicht fassen können. Aber nun hatte er sie. Es konnte, durfte keinen Kompromiß geben. Es mochte eine Ketzerin auf dem Thron sitzen, aber der Thron von England war offiziell immer noch katholisch. So mußte es bleiben, und sie mußte sich seinem Urteil unterwerfen und ihm huldigen, ehe er in Erwägung ziehen würde, sie anzuerkennen.

Seine Spinnenfinger umfaßten die mit silbernen Einlegearbeiten verzierte Feder, und mit gleichermaßen spinnenhafter Kalligraphie begann er zu schreiben:

> Wir sind außerstande, das Erbrecht einer nicht aus ehelicher Verbindung Geborenen zu erkennen. Die Königin der Schotten beansprucht die Krone als die nächste rechtmäßige Nachfahrin Heinrichs VII. Indessen, meine Tochter, so Ihr Euch willens zeigt, die Kontroverse Unserem Urteil anheimzustellen, werden Wir Euch alle Nachsicht gewähren, die Uns die Gerechtigkeit gestattet.

Er streute Sand auf die feuchte Tinte und fühlte sich so mächtig wie St. Georg.

Wenig später sah er sich genötigt, eine Bulle zu erlassen, die sich unmittelbar gegen die Tochter der Finsternis in England richtete. Er saß am selben Schreibtisch und brütete ratlos über ihrer prompten Antwort – die nicht einmal an ihn gerichtet war, sondern an ihren Gesandten im Vatikan, den sie damit abberief –, und das ehemalige Oberhaupt der Italienischen Inquisition tat, was getan werden mußte.

> 12. Januar 1559
>
> Wir verfügen hiermit, daß ketzerische Souveräne außerstande sind, die Regierung auszuüben, und von keinem Mitglied der wahren Kirche als rechtmäßige Souveräne anerkannt werden dürfen. Es ist verboten, ihnen Bündnistreue oder Gehorsam zu gewähren, und zwar bei Strafe der ewigen Verdammnis.

So. Die Fronten waren geklärt. Es durfte keinerlei Entgegenkommen geben. Die Bulle, *Cum Ex Apostolatus*, würde in ganz Europa bekanntgemacht werden.

Elisabeth ließ sich am 15. Januar 1559 krönen; allen Berichten zufolge war es ein Wintertag wie ein glitzernder Diamant. Maria las eifrig alle Schilderungen der langen Prozession durch London und der feierlichen Zeremonie in der Westminster Abbey, gefolgt von dem dröhnenden »Gott schütze die Königin!« des Volkes.

Ich wünschte, ich könnte mich an meine eigene Krönung erinnern, dachte sie. Ich muß meine Mutter bitten, mir eine ausführliche Beschreibung zu verfassen, denn zu gern wüßte ich sämtliche Einzelheiten.

Wenn meine Mutter Zeit dazu hat, mußte sie hinzufügen.

Denn Marie de Guise verwandte immer mehr Zeit auf ihre Bemühungen, das zunehmend unbotmäßige Königreich Schottland zu regieren. Die Protestanten hatten einen »Bettler-Aufruf« erlassen und den Mönchen befohlen, bis zum 12. Mai ihr ganze Habe den Armen auszuhändigen. Marie wiederum hatte allen häretischen Predigern befohlen, bis Ostern zum Katholizismus zurückzukehren. Die Fronten formierten sich, in Schottland wie überall anderswo.

Unterdessen befolgte Maria pflichtschuldig die Anweisungen ihres Schwiegervaters; sie trug Trauerkleidung für Maria Tudor und begab sich zu einem Bankett, wo ihr Erscheinen von einem Herold angekündigt wurde, der ausrief: *«Place! Place! Pour la Reine d'Angleterre!»* Und als sie den Bankettsaal betrat, rief die ganze Gesellschaft im Chor: *«Vive la Reine d'Angleterre!»* Als sie Platz genommen hatte, trug man ihr die Speisen auf neu gravierten Tellern auf, die ein gevierteilter Schild zierte, welcher das Wappen von England im Verein mit dem französischen und dem schottischen zeigte.

Sie hoffte, daß ihre Cousine Elisabeth dies übersehen werde. Andererseits, so beruhigte sie sich selbst – wenn es stimmte, daß diese leeren Gesten das waren, was von ihr erwartet wurde, dann würde eine scharfsinnige Politikerin wie die neue Königin von England sicher Verständnis dafür haben.

Der Lärm war ohrenbetäubend, und das Glas schrie, als es auf den Steinboden der Kirche prasselte – fast als sei es lebendig, dachte John Knox. Ein lebendes Wesen, das den Geist nicht aufgeben wollte.

Aber der Geist war böse und mußte sterben. Es war der Geist der Götzendienerei, der Dämon, der das Volk Gottes plagte, seit Er zum erstenmal einen Bund mit ihm geschlossen hatte, zu Moses' Zeiten – nein, schon bei Abraham. Es stand geschrieben im Ersten und im Zweiten Gebot, ganz unmißverständlich:

> Du sollst keine anderen Götter neben Mir haben. Du sollst dir kein Bildnis noch irgend ein Gleichnis machen, weder des, das oben im Himmel, noch des, das unten auf Erden, noch des, das im Wasser unter der Erde ist. Bete sie nicht an und diene ihnen nicht.

Konnte man es noch klarer ausdrücken? Aber die Antwort der Israeliten war das Goldene Kalb gewesen – und unsere Antwort war *das*! Er trat gegen den zerbrochenen Kopf einer Statue der Jungfrau, der ein paar Schritt weit neben dem Torso lag. Wir haben uns Bilder gemacht und sie angebetet: Jungfrauen und Heilige und hübsche bunte Bilder aus Glas zur Unterhaltung der Leute, auf daß sie ins Tagträumen geraten und sich belustigen im Hause des Herrn, als wären sie auf einer Festtagsparade.

Der Mob hatte einem St. Petrus in einer Nische ein Seil um die steinernen Schultern geworfen und riß ihn jetzt herunter. Sie schrien und lachten, als die Figur auf den Boden fiel und in tausend Stücke zerschellte. Der heilige Andreas aus der Nachbarnische folgte, und wieder erhob sich Jubelgeschrei. Die Luft war voller Staub.

»Hütet euch vor den Glassplittern!« rief Knox, und sie sahen ihn an wie gehorsame Kinder. Überall lagen Scherben, und leicht konnte man sich den Fuß zerschneiden oder das Gesicht zerkratzen. Er würde sich verantwortlich fühlen, wenn jemand sich verletzte.

Aber der Mob schwoll immer mehr an und entwickelte einen eigenen Charakter; fast nährte er sich von den gestürzten Statuen und der zerstörten Kirche. Wie sehr hatten sie wörtlich genommen, was er vor zwei Tagen in Perth in seiner Predigt über die Götzenverehrung gesagt hatte! Wie hungrig sie waren – nach Reformen, nach Taten! Wäre Calvin wohl stolz auf ihn gewesen?

Bei dem Gedanken an Calvin und an Genf durchströmte ihn zärtliches Heimweh. Es wäre so leicht gewesen, dort zu bleiben, von Calvin zu lernen und die beglückende Erfahrung zu machen, tatsächlich in einer gottgeweihten Stadt zu leben, die, vollkommen geläutert von aller Götzendienerei, von lebenden Heiligen bevölkert war. Ich war der Geringste unter ihnen, dachte er. Ein Schüler Calvin und Farels, ein Jünger nur. Es war wie an jenem ersten Pfingsten zu Jerusalem, da die Feuerzungen des Heiligen Geistes herniederkamen und die Jünger umhüllten. Dort zu sein, daran teilzuhaben! *Das* war beinahe der Himmel.

Aber selbst das – es besteht die Gefahr, noch aus Genf einen Götzen zu machen, dachte er verzweifelt. Der Teufel wendet noch unser Bestes wider uns, nutzt es da, wo wir am verwundbarsten sind. Nutzt meinen Hunger nach Rechtschaffenheit und Ordnung und Freiheit, um mich in seine Falle zu locken. Denn wäre ich in Genf geblieben, hätte ich meiner Heimat den Rücken zugewandt, statt mitzuhelfen, sie aus den Fesseln der Fremden zu befreien.

»Master Knox! Master Knox!« Sie winkten ihm.

Er durchquerte das Kirchenschiff und suchte sich seinen Weg durch die Trümmer mit Umsicht.

Der Mob, mit Hämmern und Eisenstangen bewaffnet, stand vor dem zierlich geschnitzten Lettner bereit, jenem Gitter, das den Hochaltar von der Kirche trennt.

»Segne unseren ersten Streich!« verlangten sie.

Das hatte einen papistischen Klang, der ihm nicht gefiel.

»Bin ich ein Bischof?« gab er zurück. »Daß ich Dinge mit Weihwasser besprenkle oder sie mit Weihrauch beräuchere oder Zaubersprüche über sie hinmurmele? Nein, entweder ist etwas von Gott, oder es ist es nicht!«

Da schwiegen sie. Er hatte sie in der Gewalt und konnte ihre Taten lenken, wie es ihm gefiel.

»Und ich sage, dieser Altar ist nicht von Gott!« donnerte er. »Er ist ein Frevel, ein Zierrat zur Ausschmückung eines heidnischen Rituals … der Messe! Denn was ist die Messe anderes als ein abergläubischer, magischer Ritus, so geheim und blasphemisch, daß die Menschen nicht einmal zuschauen dürfen, wenn er vollzogen wird?«

Er breitete die Arme aus. »Herunter damit! Zerschlagt ihn. Laßt nicht einen Stein auf dem anderen stehen!«

Die Anführer begannen, Knüppel und Stangen zu schwingen; sie schlugen die ersten Löcher in das spitzenzarte Schnitzwerk und brachen die Streben nieder.

»Laßt das Tageslicht in diese finstere Höhle des Bösen und des Aberglaubens! Öffnet sie für das Volk!« schrie er, und seine Worte übertönten das Hämmern der Zerstörung.

An diesem Abend hatte er eine wunde Kehle vom Predigen und vom Steinstaub, den er eingeatmet hatte, und er mußte sich den Liebesdiensten seiner Frau Marjory unterwerfen. Sie braute ihm einen Trank aus Kamille und Honig und bestand darauf, daß er ihn in kleinen Schlucken zu sich nahm. Er schmeckte ihm gut, aber Calvin hatte ihn gelehrt, gegen diese Verlockung besonders auf der Hut zu sein; Essen und Trinken sollten über die natürliche Stillung des Hungers und des Durstes hinaus keinen weiteren Genuß bereiten. Um also sein Behagen an diesem süßen, warmen Gebräu – und an der Nähe seines jungen Weibes – zu bekämpfen, zwang er sich, einem Bericht zu lauschen, den Patrick Lord Ruthven, einer der Lords der Kongregation, ihm überbrachte. Der Mann selbst war unangenehm genug, um als Ausgleich gegen Marjory und den Trank zu wirken – er war rauh, wild und angeblich ein Hexenmeister –, selbst wenn seine Neuigkeiten besser genießbar gewesen wären.

»Die Königliche Regentin hat gelobt, französische Truppen hinzuzuziehen, um uns zu vernichten«, sagte er. »Diese Kunde kommt aus Edinburgh.« Er schüttelte den buschigen Schädel und strich über seinen Claymore, das fünf Fuß lange, zweihändige Schwert, das er überall hin mitnahm. »Wir werden ihr ein Frühstück servieren, ihr und ihren Froschfressern. Wir werden ihnen die Beine ausreißen und sie zum Abendbrot auftischen, wie sie das in ihrem geliebten Frankreich machen.«

»Bitte.« Knox zog den Kopf zwischen die Schultern. Der Gedanke, Fröschebeine zu essen, war ihm widerlich. »Wie viele Soldaten?« fragte er leise.

»Zweitausend ungefähr. Keine Sorge, wir halten stand. ›Ist Gott für uns, wer mag wider uns sein?‹ Römer acht, einunddreißig«, sagte er stolz.

Knox lächelte. Daß dieser ungehobelte kriegerische Lord, der kaum lesen konnte, die Heilige Schrift auswendig kannte! Ach, Calvin, könntest du diesen Augenblick nur miterleben, dachte er.

»Das ist richtig«, sagte er leise. »Aber selbst dem Herrn hilft eine gute Ausrüstung. Erinnert Ihr Euch an die Eroberung Kanaans?

›Und der Herr war mit Juda, daß er das Gebirge einnahm; denn er konnte die Einwohner im Grunde nicht vertreiben, darum daß sie eiserne Wagen hatten.‹ Richter eins, neunzehn.«

Sogleich bedauerte er, daß er es gesagt hatte, denn Ruthven machte ein langes Gesicht. Habe ich mein Wissen falsch benutzt, fragte er sich. Habe ich meinen Bruder eingeschüchtert, statt in Liebe zu handeln? Es ist alles so schwierig zu wissen! Jede Handlung kann zur Sünde führen. Der Stolz lauert überall.

»Das Alte Testament ist hierzulande noch nicht viel erörtert worden«, beruhigte Knox ihn. »In Genf haben wir es oft studiert. Und Ihr werdet sehen, bald wird es eine übersetzte Bibel in jeder Kirche geben, die allen zur Verfügung steht und –« seine Kehle brannte – »über die frei gepredigt wird.« Er unterbrach sich und hustete. »Aber zurück zu der Sache, die uns beschäftigt. Wir werden Waffen brauchen, um gegen die Königin und ihre ausländischen Truppen zu kämpfen.«

»Ich gebiete über viele und kann sie zur Verfügung stellen«, sagte Ruthven. Er lächelte schief und entblößte dabei mächtige Zähne, die gleich hinter dem dicken, pelzartigen Bart lauerten. »Ich wette, Hilfe kommt auch von südlich der Grenze, guter Master. Von der englischen Königin als guter Protestantin, die sie ist.«

»Habt Ihr Nachricht darüber?« In seiner Aufregung hob Knox die Stimme. Sofort bereute er es.

»Gerüchte – und etwas mehr als Gerüchte. Es ist geschehen: Das Parlament hat den Katholizismus der Blutigen Maria widerrufen. England ist wieder protestantisch. Offiziell, seit fünf Tagen. Ihr habt jetzt einen sicheren Verbündeten in England und keinen Feind mehr.«

»Die Reformierte Kirche hat einen Verbündeten«, korrigierte Knox.. »Die englische Königin hat mir nie verziehen, daß ich den *Ersten Posaunenstoß* geschrieben habe. Sie hat es so persönlich genommen –« er war ehrlich verblüfft darüber – »daß sie sich sogar weigerte, mir zu erlauben, auf dem Rückweg hierher einen Fuß auf englischen Boden zu setzen. Nun ja. Solange sie den Glauben unterstützt ...«

»Das tut sie. Hat abgewinkt, als die Mönche sie mit ihren Zeremonienfackeln in einer Prozession zum Parlament eskortieren wollten. ›Weg mit den Fackeln da; wir sehen gut genug.‹« Ruthven lachte.

»Gut.« Knox haßte die Mönche, die vorwitzigen Trottel mit ihren rasierten Schädeln, die sich überall einmischten.

Elisabeth stand also auf der Seite der Reformatoren. Dann mochte sie auch mit ihnen zusammen die Franzosen und die katholische Kirche aus Schottland vertreiben.

Die Königinmutter, die alte Marie de Guise – die französische Kuh, wie Knox sie bei sich nannte – hatte befohlen, daß alle reformatorischen Prediger bis Ostern zum Katholizismus zurückzukehren hätten; als sie sich geweigert hatten, war der Befehl ergangen, am zehnten Mai vor ihr zu erscheinen.

Die Antwort darauf, dachte Knox, war meine Predigt am nächsten Tag, die Predigt, die den Aufstand hier in Perth auslöste. Jetzt mag sie unserer Armee entgegentreten, wenn es ihr gelingt, durch den Schutt ihrer alten Papistenruinen zu waten. Er lachte laut auf, und es kümmerte ihn nicht, daß ihm dabei der Hals wehtat.

Und Gott hat uns die Aussicht erspart, daß ihre Tochter je nach Schottland zurückkehren und den Thron besteigen könnte, dachte er. Sie ist für den Rest ihres Lebens an Frankreich gekettet, an jenes Land von Satin und Geckentum, während wir ungehindert unseren Angelegenheiten nachgehen.

Ich danke Dir, o Herr, dachte er. Ich danke Dir. Jetzt führe uns weiter zum letzten Sieg.

Der Frühsommer in Paris, wenn die Stadt empfindsam das erste Erwachen der Reife spürte, hätte eine angenehme Zeit für den französischen Hof sein müssen. Tatsächlich standen große Festlichkeiten bevor. König Philipp von Spanien, der wohlerprobte Bräutigam, war von Elisabeth Valois als Ehegemahl akzeptiert worden, nachdem er sein hoffnungsloses Werben um die neue englische Königin abgebrochen hatte. Die Heirat würde Ende Juni stattfinden, zusammen mit der Verehelichung ihrer jüngferlichen Tante Marguerite Valois mit dem Herzog von Savoy – auch er ein glückloser Freier der Königin Elisabeth, die seinesgleichen nach links und rechts beiseite warf wie eine Hausfrau, die Lumpen aussortierte.

Aber den kostspieligen Vorbereitungen zum Trotz – in den Küchen herrschte Aufruhr, Rüstungen wurden angepaßt, Turnierübungen abgehalten – war das Hôtel des Tournelles von banger Unruhe erfüllt, daß die Luft vibrierte, auch wenn niemand es zugab. Katharina von Medici runzelte beständig finster die Stirn, und der Blick ihrer dunklen Augen war nach innen gerichtet. Elisabeth, erst vierzehn Jahre alt, fürchtete sich, Frankreich zu verlassen und die dritte Frau eines Mannes zu werden, dessen andere Frauen so kurzlebig gewesen waren. Und Maria war unglücklich: unglücklich, weil sie Elisabeth verlor, die fast ihre Schwester war; unglücklich auch, weil Franz schon wieder krank war; und vor allem unglücklich über die Nachrichten aus Schottland. Ihre Mutter war krank und wurde von John Knox' tollwütigen Reformatoren bedrängt. Es war zum offenen Krieg gekommen, und auf beiden Seiten wurde getötet. Angeführt von den Lords der Kongregation und aufgestachelt von den Predigten des John Knox, war das schottische Volk in eine zerstörerische Raserei verfallen, und seine Heerscharen hatten die Streitkräfte der Regierung angegriffen.

Und dahinter stand englische Unterstützung. Königin Elisabeth mußte heimlich Geld schicken, um den Rebellen zu helfen. Ohne englische Unterstützung hätten die Rebellen inzwischen besiegt sein müssen.

Ach, meine Mutter, dachte Maria, als sie sich für das Turnier ankleidete, das an diesem Nachmittag Teil der Feierlichkeiten sein sollte. Meine Mutter, meine Mutter – wenn ich dich nur sehen, wenn ich nur bei dir sein könnte. Es ist so lange her, daß ich dich gesehen habe, acht Jahre seit deinem wunderbaren Besuch hier in Frankreich, acht lange Jahre. Ich muß einen Weg für uns finden, einander wiederzusehen, es muß einen Weg geben. Vielleicht kann ich zu dir kommen ... Ihre Sehnsucht brannte wie ein körperlicher Schmerz; es war ein Verlangen, das sie insgeheim zerriß.

Als sie in ihrer Kutsche mit den vergoldeten Rädern zum benachbarten Turniergelände an der Rue St.-Antoine fuhr und Herolde vorausliefen, die verkündeten: »Macht Platz, macht Platz für Ihre Majestät die Königin von Schottland und England!«, da war es, als tue sie das um ihrer Mutter willen, als führe sie einen Schlag gegen die Feindin ihrer Mutter: Elisabeth. Ihre frühere Bewunderung für Elisabeths Gewitztheit war jetzt schal geworden, da sie sich gegen ihre eigene Mutter gerichtet hatte. Sie lächelte und winkte, als die Leute sie grüßten, und Nicholas Throckmorton, der englische Botschafter, registrierte alles und würde es nach London melden.

Sie nahm ihren Platz auf dem Zuschauerbalkon an der Rue St.-Antoine ein, gleich neben ihrem Onkel, dem Kardinal, der schon jetzt gelangweilt aussah.

»Ich wünschte, ich hätte eine Livre für jedes offizielle Turnier, bei dem ich habe zuschauen müssen«, sagte er und zupfte an seinen Gewändern. »Da hätte ich mehr aufgehäuft, als Luther der Kirche an kassierten Ablaßgeldern nachsagt. Ach ja. Man kann weder bei einer Hochzeit noch bei einer Geburt noch bei einer Krönung auf sie verzichten. Ein Spektakel ist eine Investition. Das heißt, wenn man es weise einsetzt. Das hier allerdings ...« Er wedelte abschätzig mit der Hand. »Verschwendung. Wer sieht es? Wer ist davon beeindruckt? Philipp nicht. Der ist nicht hier. Er hält es nicht für wichtig genug, um Spanien deshalb zu verlassen.«

Der Gedanke war Maria auch schon gekommen. Es war kränkend, daß Philipp an seiner neuen Braut nicht einmal so viel lag, daß er sie persönlich abgeholt hätte.

»Das ist sehr schade«, sagte sie. »Denn Elisabeths Herz gehört ihm noch nicht. Er wird sie gewinnen müssen, und dies ist nicht die Art, damit zu beginnen.«

Der Kardinal seufzte ausgedehnt. »Liebe und arrangierte Ehen – die findet man selten zusammen.« Es schien ihn nicht zu kümmern, ob Elisabeth glücklich war oder nicht; es war ihr Los als Prinzessin, so etwas zu ertragen. »Die englische Elisabeth, deine Cousine, lehnt die Hand des spanischen Bräutigams ab«, sagte er. »Freilich, mancher findet, daß sie vielleicht nicht die wahre Königin ist. Philipp ist jedenfalls aus der Sache heraus. Zumal da der Papst eine Erklärung abgegeben hat, in der er *dich* als die rechtmäßige Königin anerkennt.« Es war nicht ganz zutreffend, daß der Papst diese Erklärung »abgegeben« hatte, aber die Spitzel des Kardinals hatten trotzdem davon erfahren.

Maria schaute über den Turnierplatz, der zwischen der Bastille und dem Fluß lag, hinüber zu den Häusern von Paris, die schimmernd in der Junisonne lagen, und weiter zu den grün leuchtenden Feldern. Die gleiche Ansicht hatte sie in einem Stundenbuch gesehen: strahlend und juwelenhaft.

Sie seufzte. »Mein Herz ist zu schwer von den Sorgen meiner Mutter in Schottland, als daß ich mich um die Romanzen meiner Cousine in England bekümmern könnte, die sie verursacht.« Sie weigerte sich, den formellen Anspruch zu erörtern, den sie, von Heinrich II. genötigt, erhoben hatte.

»Man kann eigentlich nicht sagen, daß sie sie *verursacht*«, korrigierte der Kardinal sie. »Die englische Königin *verursacht* nichts; sie macht sich nur zunutze, was von allein geschieht.«

»Wie geschickt von ihr.« Maria betrachtete noch immer die makellose Junilandschaft, die so sehr wie eine Miniatur aussah. Wie gern wäre sie einfach hineingegangen, über die gewundene Landstraße spaziert, die von hier aus aussah wie ein brauner Faden …

Die Wettkämpfer wimmelten zu beiden Enden des Feldes, und ihre Banner flatterten.

Der Kardinal nahm plötzlich den Hut ab und fächelte sich damit. »Wann fangen sie denn an? Das ist ja Folter!«

»Bald«, beruhigte sie ihn.

Er tat einen tiefen Seufzer der Resignation und wandte sich der Königin zu, die neben ihm saß. Katharina von Medici in ihrem sattgrünen Seidenkleid machte ein saures Gesicht; ihre Stirn war in gerade Falten gelegt, und sie drehte unaufhörlich ein Taschentuch in ihren stumpfen Fingern. Maria hörte, wie der Kardinal sich bemühte, sie zu unterhalten. Aber sie wurde immer erregter.

Turniere waren so hübsch, dachte Maria. All die Farben, und das Ritual – ganz wie ein Hochamt. Vielleicht war es eine Messe, eine profane Messe der Kraft und der Weltlichkeit …

Die Trompeten erklangen. Die Tjoste zu Ehren der Vermählung der königlichen Schwester Marguerite und seiner Tochter, Prinzessin Elisabeth, mit dem Herzog von Savoyen und dem König von Spanien würden jetzt beginnen. Glitzernde Wettkämpfer – darunter auch der König in den schwarzweißen Farben Dianes – kamen auf das Feld, und der erste Wettstreit begann.

Etwa eine Stunde lang schauten alle gefesselt zu, aber dann wurde das allzu vertraute Schauspiel doch fade, die Gedanken begannen abzuschweifen, und die Zungen der Zuschauer fingen an zu schnattern.

Maria strich ihr blaues Kleid glatt und dachte an Franz. Er saß nah bei seiner Mutter; sein Gesicht war verkniffen vom Schmerz der stets gegenwärtigen Ohrentzündung. Wie ertrug er es nur, sich niemals wohlzufühlen? Aber er ließ sich beharrlich unterrichten und ging immer wieder auf die Jagd.

Weiter unten auf dem Balkon saß der Duc de Guise, der endgültig aus dem Krieg zurückgekehrt war. Ein Vertrag hatte den Kriegen ein Ende gemacht: der Vertrag von Cateau-Cambrésis, mit dem alles Kämpfen aufgehört hatte. Frankreich hatte alle seine Eroberungen der letzten achtzig Jahre an Italien zurückgeben müssen. Wie nutzlos Krieg doch war, dachte sie. All die Banner und Pferde und Geschütze – aber am Ende kam ebenso wenig Handfestes dabei heraus wie bei einem Turnier.

»Wie bekommt dir die Ehe, meine Liebe?« Die Stimme des Kardinals klang warm und nah an ihrem Ohr.

»Ich bin gern verheiratet«, antwortete sie.

»In welchem Sinne bist du es gern?« fragte er beharrlich.

»Wie eine Frau es gern sein sollte.« Sie würde ihm Franz' Fähigkeiten – oder deren Mangel – nicht verraten.

»Dann können wir bald einen Prinzen erwarten?« Er ließ sich nicht abweisen.

»Das liegt in Gottes Hand.«

»Gott hilft denen, die sich selbst helfen.«

Sollte sie sich das anhören? »Inwiefern?« Sie gab der Versuchung nach.

»Zum Wohle Frankreichs kann es nötig sein, persönliche Opfer zu bringen. Gewisse Gebote einmal außer acht zu lassen.«

»Etwa das Sechste?« Sie schwieg einen Augenblick lang. »Das die eheliche Treue gebietet?«

»Wie verständig du bist. Natürlich würde der Herr ein solches Opfer mit einem kleinen Ausgleich belohnen – etwa mit der Lust.« Gewiß wollte sie die Lust einmal kosten! Sie war dazu geschaffen.

»Meine Lust liegt in der Treue zu dem, den Gott mir bestimmt hat.«

Ach du meine Güte. Was für ein Problem für die Thronfolge, dachte er.

»Aber natürlich«, sagte er geschmeidig. »Ich wollte dich nur auf die Probe stellen, meine Liebe.«

»Ich weiß.« Sie tat, als ob sie ihm glaubte. »Das ist deine Aufgabe als Kardinal der Kirche und als mein –«

Ein Schrei erhob sich unter den Zuschauern auf dem Balkon. Maria schaute auf das Feld und sah, wie der König vornüberkippte. Eine gesplitterte Lanze ragte aus seinem offenen Visier. Blut spritzte zwischen dem goldenen Gitter des käfigartigen Visiers hervor und näßte den Hals des Pferdes.

Katharina kreischte. Diana saß da wie aus Stein.

»Herr Jesus Christus!« hauchte der Kardinal; er war aufgesprungen und umklammerte die Balustrade.

Der König wurde von seinem Pferd gehoben; er war starr wie eine Vogelscheuche und zuckte nur alle paar Augenblicke krampfhaft. Man legte ihn auf eine Trage und brachte ihn fort, bevor die Königin oder sonst jemand von der königlichen Familie die Tribüne verlassen und zu ihm eilen konnte.

»Nein!« schrie Katharina. »Ich habe ihn gewarnt! Ich habe es ihm gesagt! Ich habe ihn angefleht!« Sie stürzte hinunter auf den Platz und warf sich weinend an den blutigen Hals des Pferdes.

»Komm«, sagte der Kardinal. Er nahm Maria beim Ellbogen und zog sie hoch. »Zu deiner Kutsche. Sie werden ihn zurück in das Hôtel des Tournelles gebracht haben. Geh zu ihm.«

Maria gehorchte und bestieg ihre Prunkkutsche, auf der alle ihre Wappen prangten. Der Kutscher trieb die Pferde an, und die Herolde liefen voraus und riefen laut: »Macht Platz, macht Platz für Ihre Majestät die Königin von Schottland und England.« Ihr Rufen ging unter im Geschrei der Menge, die sich aufgeregt durcheinanderdrängte.

Im Hôtel des Tournelles – der Kardinal hatte richtig vermutet – lag der König auf einem schmalen Bett, umgeben von seinen Ärzten. Die Lanze hatte sich in das rechte Auge gebohrt und es geblendet. Holzsplitter, so fürchtete man, waren ins Gehirn gedrungen.

Zehn Tage siechte der König dahin; die Splitter der Lanze schwärten in seinem Gehirn, und die Entzündung breitete sich aus. Manchmal war er bei klarem Verstand, manchmal nicht. Aber das Verblüffende für Maria war der Eindruck, daß er mit seinen einundvierzig Jahren weder überrascht noch widerstrebend in den Tod ging. Es war, als komme der Tod weder unwillkommen noch unerwartet zu ihm.

Katharina war anscheinend von ihrem Astrologen Ruggieri und auch von Nostradamus, auf den sie große Stücke hielt, vor einer Katastrophe gewarnt worden. Außerdem hatte sie in der Nacht zuvor einen beunruhigenden Traum gehabt. Alles das hatte sie ihrem Mann erzählt, und er hatte es ignoriert. Oder doch nicht? Waren ihm die Warnungen tatsächlich willkommen gewesen, und hatte er sie mit offenen Armen aufgenommen? Sein Verhalten schien zu zeigen, daß er nicht mehr leben wollte. Er hatte darauf bestanden, auch die letzte Runde noch zu reiten, obwohl Katharina ihn angefleht und auch sein Gegner den Wunsch geäußert hatte, aufzuhören. Der König hatte dem Widerstrebenden befohlen, gegen ihn anzutreten oder eine Strafe auf sich zu nehmen.

Franz stand am Bett seines Vaters, blaß und zitternd. Er fühlte sich selbst nicht wohl; die Ohrenschmerzen hatten zwar nachgelassen, aber das Fieber war unvermindert.

»Vater!« rief er. »Verlasse mich nicht!«

Sein Vater seufzte und öffnete die Augen halb, als wäre es eine zu große Anstrengung, sie ganz zu öffnen. »Mein Sohn«, sagte er in beinahe normalem Ton, »du stehst im Begriff, deinen Vater zu verlieren, aber seinen Segen nicht. Möge Gott dir mehr Glück gewähren, als Er mir je gewährt hat.«

Franz warf sich schluchzend auf das Bett. Die Brust seines Vaters war fest und warm, und ihm war, als müsse er ihn nur fest genug an sich drücken, um ihn für immer zu behalten.

Maria umarmte Franz; sie schlang ihre Arme von hinten um ihn, und seine schmalen Schultern bebten.

Die Augen des Königs schlossen sich. Er schien zu schlafen. Aber dann tastete Ambroise Paré, der Arzt, nach seinem Puls. Einen Augenblick später schüttelte er den Kopf.

»Eure Majestät, der König ist tot.« Seine Worte galten Franz.

»Nein!« Franz klammerte sich an seinen Vater.

»Eure Majestät«, sagte der Kardinal und winkte Maria, und sie richtete ihren Gemahl auf, damit er zuhörte.

»Wir verpfänden Euch unser Leben und unsere Gefolgschaftstreue«, sagte der Kardinal. »Wir werden Euch dienen, solange wir noch Leben in uns haben.«

Franz rieb sich die Augen. Seine Mutter weinte. *»Maman!«* Er streckte ihr die Arme entgegen, ohne den Kardinal zu beachten. *»Maman!«*

Zusammen stolperten sie zur Tür hinaus. Vor dem Hôtel wartete eine besorgte Menge. Sollte der Kardinal die Bekanntmachung übernehmen; sie würden jetzt zum Louvre fahren. Eine königliche Kutsche war draußen vorgefahren und wartete unter einer Linde. Sie wollten einsteigen. Maria trat aus Respekt vor ihrer Schwiegermutter beiseite, um als letzte hineinzuklettern. Aber plötzlich wich Katharina von Medici zurück und schaute sie ruhig und wie an einem ganz gewöhnlichen Tag an.

»Du mußt vor mir einsteigen«, sagte sie leise. »Die Königin von Frankreich hat Vortritt vor einer Königinwitwe.«

Von der Mittagsstunde an konnte Maria nichts mehr essen, so nervös war sie wegen des bevorstehenden Abends – der erste Abend, an dem sie und Franz als König und Königin von Frankreich den Vorsitz führen würden. Es sollte eine einfache Veranstaltung sein, geplant von ihr selbst, was sie aber nur um so nervöser machte, weil dadurch jeglicher Erfolg oder Mißerfolg auf sie zurückfallen würde.

Seit etlichen Jahren hatte sie einen privaten Garten auf dem Gelände eines der kleineren Châteaux. Diane de Poitiers hatte ihre Liebe zu Blumen bemerkt, und sie hatte ihr geholfen, gleich unterhalb der Terrasse diesen völlig weißen Garten anzulegen, der bis zum stillen Wasser eines Zierteiches führte.

»Denn du scheinst eine besondere Neigung zu Weiß zu haben«, hatte sie zu dem Mädchen gesagt. »Und ein weißer Garten kann im Mondschein prachtvoll aussehen. Und wußtest du, daß es Blumen gibt, die sich nur im Dunkeln öffnen und dann einen überaus üppigen Duft verströmen? Sie kommen aus Persien.«

Diane. Verbannt vom Hofe jetzt. Fortgeschickt von Katharina von Medici, kaum daß Heinrich II. ordentlich unter der Erde gewesen war. Aber ihr Garten blühte, und im Laufe der Jahre hatte Maria ihn liebevoll gepflegt und weitere Blumen hinzugefügt, so daß er inzwischen eine große Fläche bedeckte und den Zierteich zart und duftend umrahmte.

Hier würde das Fest stattfinden. Die Gäste würden auf den mit Blättern bestreuten Wegen spazieren, und Laternen würden leuchten, bis der Vollmond aufginge und die weißen Blüten zum Strahlen brächte. Französische wie schottische Musikanten würden anwesend sein; sie würden umherwandern, sich unter die Gäste mischen und auf ihren Instrumenten spielen – Violas, Lauten und Flöten. Maria hoffte, die informelle Atmosphäre werde jedermann entspannen – sie selbst und Franz vor allem.

»Madame?« sagte eine vertraute Stimme hinter ihr. »Wird es immer noch ein Fest der Jugend sein?«

Maria drehte sich um und sah Flamina, die hinter ihr stand. Ihre Marys waren jetzt Hofdamen und gehörten zu ihrem innersten Zirkel von Vertrauten.

Sie hatte nicht damit gerechnet, daß sich zwischen ihnen etwas ändern würde, wenn sie Königin von Frankreich wäre, aber tatsächlich behandelten sie sie jetzt anders – zum Beispiel nannten sie sie ehrerbietig »Madame«. Vielleicht lag es aber auch daran, daß sie jetzt verheiratet war.

»Nein.« Sie lachte. »Man hat uns bewogen, auch ein paar ältere Höflinge erscheinen zu lassen. Aber es werden immer noch hauptsächlich junge Leute sein.«

Ursprünglich hatte Franz verlangt, daß niemand über fünfundzwanzig dabei sein dürfe. Aber als sie ihn darauf aufmerksam gemacht hatte, daß dann keiner der Plejaden – jener Gruppe der sieben klassisch inspirierten Dichter, die dem Hof seinen literarischen Glanz verliehen – kommen könne, hatte er sich im Blick auf diese Altersregelung erweichen lassen.

»Aber nur diese Poeten«, hatte er entschlossen erklärt. »Nicht deine Onkel!«

»Nicht einmal der kleine René?« hatte sie gefleht. »Außerdem ist er erst vierundzwanzig.«

»Ich habe deine Onkel satt«, hatte er sich beklagt. »Und sie werden bloß düstere Neuigkeiten bringen und uns das Fest verderben. Ihre Neuigkeiten sind immer düster.«

»Gut«, sagte Flamina jetzt und warf den Kopf in den Nacken. Ihr Überschwang und die Vitalität aus ihren Kindertagen hatten beim Übergang zur Frauenreife nichts verloren.

»Gibt es jemanden Bestimmten, den du gern sehen möchtest? Ich habe ihn hoffentlich eingeladen.«

»Nein.«

Männer fühlten sich ständig zu Flamina hingezogen, aber sie schienen die Neigungen ihrer Mutter nie zu vergessen und offenbar anzunehmen, die Tochter teile sie, und so hatte sie einen kräftigen rechten Arm entwickelt, um diese Liebhaber abzuwehren.

»Madame!« Beaton kam dazu – honigsüß schmelzend, tagträumerisch. »Wird heute abend alles gutgehen? Werden wir Vollmond haben?« Ihre großen braunen Augen blickten eifrig fragend.

»Allerdings – es sei denn, er ginge rückwärts und wäre heute weniger voll als gestern; dann würde der Vollmond diesen Monat ausfallen«, sagte Flamina etwas knapp.

Unter ihnen waren die Gärtner damit beschäftigt, die Wege zu harken, sie mit Blütenblättern zu bestreuen und die Blumen hochzubinden, deren schwere Blütenköpfe nickten. Lehrlinge folgten ihnen gießend und jätend.

Hinten im Garten war eine Eibenhecke, die Maria als Kind kniehoch angepflanzt hatte, inzwischen schulterhoch herangewachsen.

Der Zierteich war beinahe überwuchert von Wasserlilien, die ihre großen, wächsernen Blüten aufsperrten wie hungrige Münder.

»Und Ihr selbst werdet nicht Weiß tragen, oder?« fragte Beaton. »Wenn Weiß das Thema sein soll ...«

»Nein«, sagte Maria rasch. »Die Trauerzeit ist vorbei.«

Sie hatte den Trauerschleier nach Heinrichs Tod die erforderlichen vierzig Tage lang getragen. Franz war kurz darauf zu Reims gekrönt worden, und Maria war entschlossen gewesen, seine Trauer so bald wie möglich zu beenden, damit er neuen Mut fassen könnte. Offenbar wollte er sich so lange wie möglich in die Zurückgezogenheit der Trauer verkriechen, um so die Übernahme der Herrscherpflichten hinauszuschieben. Aber je länger er wartete, desto furchtbarer erschienen sie ihm. Also lockte Maria ihn sanft hinaus in den Sonnenschein und zurück zu seinem Lieblingspferd (der Araber war eingetroffen, wie versprochen), und nach und nach begann er sich für die Aufgabe zu erwärmen, die vor ihm lag.

Diese Abendunterhaltung war Bestandteil ihrer Bemühungen, ihn allmählich in seine neue Würde hinübergleiten zu lassen. Sie wußte, daß ein Fest in einem seiner kleineren Paläste, das noch dazu auf junge Leute und Freunde beschränkt war, ihn nicht bange machen würde. Franz hatte ihr erlaubt, es zu planen und auch seine Garderobe auszuwählen.

»Und *maman* darf nicht kommen?« hatte er voller Genugtuung gefragt.

»Nein, sie ist ja zu alt«, hatte Maria ihm versichert.

Es hatten sich eine Spannung zwischen Katharina von Medici und den Guise entwickelt, derweil Katharina danach trachtete, die Innenpolitik zu bestimmen, während die Guise sich auf die Außenpolitik konzentrierten.

»Hoffentlich bleibt der Himmel völlig klar«, sagte Beaton. »Es wäre nicht recht, wenn eine Wolke uns das Licht verdürbe!«

Die liebe, zartfühlende Beaton, die sich ständig den Kopf über die Umstände zerbrach.

»Wenn welche aufziehen, werden wir behaupten, sie gehören zur Dekoration«, sagte Flamina.

Flamina und Beaton gingen hinüber zum Lilienteich und wollten eine der Blüten pflücken. Sofort stürzten zwei der Gärtner – junge und hübsche Burschen, wie Maria feststellte – herbei, um ihnen zu helfen.

»Was für ein bezauberndes Bild!«

Der Kardinal! Er hatte sich hereingestohlen und stand jetzt nur wenige Schritt weit entfernt auf der Terrasse; der sanfte Wind spielte mit dem Saum seiner kirchlichen Robe. Er sah sie mit schräggelegtem Kopf an, wie er sie schon als Kind angesehen hatte; *sein* Verhalten ihr gegenüber hatte sich nicht geändert.

»Aber du weißt doch, daß du nicht kommen kannst!« schalt sie.

»Ah! Welche Grausamkeit!« Er preßte beide Fäuste an die Brust. »Und es gibt doch kein Fest in Frankreich, zu dem die Einladungen begehrter wären als zu diesem hier – das erste Fest Ihrer Glorreichen Majestäten Franz II. und Maria. Was habe ich mir zuschulden kommen lassen?«

»Was willst du?« In letzter Zeit gingen seine neugierigen Erkundigungen und seine Versuche, sie zu lenken und zu kontrollieren – subtil verhüllt, wie er glaubte –, ihr gegen den Strich.

»Nichts weiter, als dir ein paar Nachrichten aus Schottland mitzuteilen.« Er tat, als wäre er gekränkt – ein bißchen jedenfalls. »Oder kümmert dich dieses kleine, unruhige Reich nicht mehr?«

Nicht schon wieder Schottland! Doch, es kümmerte sie noch, zutiefst sogar. Aber konnten von dort niemals angenehme Neuigkeiten kommen? »Natürlich kümmert es mich. Was gibt es denn?«

Sie deutete auf eine Holzbank im Schatten eines zierlich gestutzten Strauches, und sie nahmen Seite an Seite Platz.

»Es ist mir zuwider, daß ich es sein muß, der es dir erzählt, aber die Schiffe, die du deiner Mutter zu Hilfe geschickt hast ...«

Acht an der Zahl, erinnerte sie sich, beladen mit dreitausend Soldaten. Der Stolz Frankreichs ...

»... sind in heftigen Stürmen gescheitert und allesamt verloren.«

»Stürme! Aber es ist zu früh für Stürme!«

Der Kardinal hüstelte. »Ich weiß. Ich weiß. Vielleicht beherrscht Master Knox die Winde und die Wellen. Sie scheinen ihm jedenfalls zu gehorchen.«

»Knox! Und sein Mob hat das Land überrannt und plündert und brennt schlimmer als die englischen Truppen!«

»Sie haben sich jetzt zusammengetan«, sagte der Kardinal leise.

»Wie meinst du das?« Der helle Tag wirkte plötzlich bedrohlich, als könne Knox plötzlich aus einer der Hecken hervortreten oder als könne eine der zierlich getrimmten Strauchskulpturen seine Gestalt annehmen.

»Ich meine damit, daß die Rebellen – die deine reizende Mutter als Regentin für abgesetzt erklärt haben – einen Bündnisvertrag mit

England unterschrieben haben, und daß Königin Elisabeth Schottland formell ›unter ihren Schutz‹ genommen hat. Das gestattet ihr, offen ihre Truppen zur Unterstützung der Rebellen zu entsenden, was sie jetzt tut.«

»Aber – mit welcher Begründung?«

»Mit der Begründung, sie müsse England gegen eine französische Armee verteidigen.«

»Die Armee meiner Mutter! Die Hilfe, die ich ihr geschickt habe!«

»Genau.«

Es war dem Kardinal gelungen, ihr das Fest zu verderben, ohne dabei anwesend zu sein. »Ich werde immer neue Streitkräfte schikken«, sagte sie. »Sie werden nicht obsiegen!«

Als der Kardinal gegangen war – widerstrebend, das wußte sie –, blieb Maria noch ein paar Augenblicke sitzen und starrte auf ihre Füße. Es war klar, daß sie und Franz eine königliche Visite in Schottland absolvieren mußten. Sicher würde das die Unruhen dort beenden. Verwundert sah sie, wie schnell Schottland sich, gesteuert von diesem feurigen Knox, gegen die Religion seiner Vorväter wendete. Kein anderes Land hatte einen so schnellen Aufstieg des Protestantismus erlebt, und eines so virulenten dazu. Diese Lords der Kongregation – wer waren sie? Waren sie wirklich fromm oder bloß machthungrig? Und dieser Knox – was war das für ein Kirchenmann, der ganz offen ein zweihändiges Schwert mit sich herumtrug und den Aufruhr predigte? So einen hatte sie noch nie gesehen.

Ja. Sie mußte Schottland besuchen. Sobald sie und Franz sich an die Anforderungen ihrer Stellung hier in Frankreich gewöhnt hätten.

Die Sonne war untergegangen und hatte nur ein paar rotviolette Streifen und eine kleine, zusammengedrängte Wolkeneskorte am Horizont zurückgelassen, bevor die Gesellschaft zusammenkam. König Franz, der im vergangenen Jahr überraschend groß geworden war, stand ungelenk auf der obersten Stufe der Terrasse und empfing seine Gäste. Seine neue scharlachrote Kniebundhose war an den Schenkeln modisch gerafft, und in seinem langärmeligen Wams klafften hundert kleine Schlitze, die das moosgrüne Satinfutter durchschimmern ließen. Strümpfe von gleicher Farbe umhüllten seine langen, spindeldürren Beine; er hatte es verschmäht, seine Waden auszustopfen, wie der Schneider es vorgeschlagen hatte. Seine ebenfalls langen, schmalen Füße steckten in geschlitzten Schuhen. Die ganze Erscheinung war die von zwei grünen Bohnen mit Schuhen. Franz aber war sich dieser Wirkung nicht bewußt; stolz stand er da mit seiner flachen Samtkappe und dem Schmuckschwert und begrüßte seine Freunde und seine kleinen Brüder Charles und Henri. Mit acht und neun Jahren waren sie die jüngsten Gäste, und sie rannten gleich davon, um sich in den Büschen zu verstecken und die Leute zu erschrecken.

»Willkommen, meine lieben Freunde«, sagte Franz, so laut er konnte, und hob die Arme. »Meine Königin und ich sind entzückt, Euch zu Gast zu haben. Ich bitte Euch, helft uns, den Vollmond zu genießen, wenn er aufgeht.« Er wandte sich an Pierre de Ronsard, mit fünfunddreißig der älteste Gast. »Und Ihr könnt Eure ›Hymne an den Mond‹ rezitieren – wenn Ihr die Freundlichkeit haben wollt.«

Ronsard verbeugte sich und küßte dem König die Hand. »Wenn er aufgeht, will ich ihn damit begrüßen.« Er wandte sich an Maria. »Aber diese glorreiche Sonne, dieser Mond, bescheint uns schon.«

Nicht jetzt, hätte sie am liebsten gesagt. Seine extravaganten Lobpreisungen konnten mitunter peinlich werden – um so mehr, als er sie selbstverständlich auch dann preisen müßte, wenn sie aussähe wie eine der Eselinnen, die den Damen die Milch für ihre Bäder lieferten.

Maria betrachtete versonnen die Gesellschaft, die sie um sich versammelt hatte. Über die große Marmorterrasse kam jetzt Mary Livingston – Lusty – herbeigeeilt. Sie war ebenso füllig wie groß geworden und würde einen strammen Gemahl brauchen, dachte Maria. Nicht nur stramm müßte er sein, sondern auch lebhaft und voller Tatkraft. Wen gäbe es für Lusty?

Nicht den Dichter Chastelard, Henri d'Amvilles Sekretär, der sehnsuchtsvoll neben einem der in Kübel gepflanzen Obstbäume stand. Seine großen, dunklen Augen, die immer aussahen, als ob er gleich weinen wollte, blickten umher und suchten etwas, das sie festhalten könnten. Er beobachtete mit einigem Interesse, wie Mary Seton herauskam, aber sein Interesse verging, als sie an ihm vorbeiging; er spürte sofort, daß sie nicht zu denen gehörte, die nach Liebe schmachteten. Sie war eine praktisch denkende, bodenständige Frau. Sein Blick wanderte weiter.

Da war der hübsche junge Marquis d'Elbœuf, Marie Guise' Cousin und ganz offensichtlich ein Raubtier. Er hatte Kurs auf Flamina genommen, wie er es immer tat. Sie würde ihn abweisen, wie sie es immer tat. Er würde lachen und sein Glück anderswo versuchen. Der komische kleine René. Bei ihm war Henri d'Amville, der Sohn des Constable de France, Montmorency. Maria sah, daß er ihr rosafarbenes Seidentaschentuch trug, das er einmal gefunden hatte und das ihm, wie er behauptet hatte, kostbarer sei als alles. Er hatte es an sein Wams geheftet, und als er sah, daß sie zu ihm herüberschaute, drückte er vielsagend einen Kuß auf die Fingerspitzen und berührte dann das Taschentuch.

Die Bediensteten reichten silberne Becher mit Weißwein herum, und alles stand auf der Terrasse, schaute nach Osten und wartete, daß der Mond am klaren Himmel aufging. Niemand sprach; sie warteten einfach still. Eine Baumreihe am Ende des Gartens verdeckte den Horizont, aber man sah doch einen blassen Schimmer, als der Mond heraufkam und seine nächtliche Reise über den Himmel begann.

»Ah!« sagte eine leise Stimme neben ihr, und Maria erkannte Ronsard. Als der Mond sich aus den Baumwipfeln gelöst hatte, begann er, sein Gedicht zu rezitieren, das er für diesen Anlaß verfaßt hatte.

»Das Silbernetz, das Du auswirfst, o Göttin,
liegt glänzend über dem Land,
verschleiert alles, was häßlich, rauh, laut ist –
ach, Herrin der Schönheit, bedecke mich zärtlich
mit deiner weißen Magie ...«

Die ganze Gesellschaft wanderte feierlich auf den Gartenwegen hinaus, um der weißen Schönheit, die ringsum erblühte, die Ehre zu geben.

Ihre Stimmen klangen sanft, leise und traulich, und ein milder Wind, erfüllt vom Duft der Nachtblüten, umhüllte sie mit einem zarten Mantel von Parfüm.

In diesem Augenblick fühlte Maria sich, als bade sie in Glück und Liebe, umgeben von aller Sicherheit, die sie auf Erden finden konnte.

«Vivez, si m'en croyez, n'attendez à demain; Cueillez dès aujourd'hui les roses de la vie», murmelte Ronsard hinter hier. »Nein, hört mich an, Geliebte! Wartet nicht auf morgen. Lebt – und pflückt des Lebens Rosen, oh, noch heut', noch heut'.«

Maria lag im Bett und bemühte sich angestrengt, sich nicht zu bewegen. Wenn sie ganz still lag, war der Schmerz nicht so stark. Die Ärzte wußten nicht, was dieses plötzliche scharfe Bohren in ihrem Bauch verursacht hatte; sie verordneten Ruhe und Altheenpaste zur Linderung. Also hatte sie sich an diesem prachtvollen Junitag ins Bett gelegt, im innersten Schlafzimmer der königlichen Gemächer zu Chambord, aber sie weigerte sich, die Vorhänge zuziehen oder die Fensterläden schließen zu lassen. Das Sonnenlicht tanzte herein, und Sommerluft, leicht wie Daunen und so rein wie weiße Spitze, erfüllte das Zimmer.

Wie langweilig es war, stillzuliegen, dachte sie, wenn alle Welt unter freiem Himmel ihren Vergnügungen nachging. Franz war ausgeritten, und Katharina von Medici begleitete ihn im Galopp und trug ihre berühmten, wohlgeformten Waden zur Schau, indem sie sie über dem Sattelhorn entblößte.

Maria lächelte. Ihre Schwiegermutter war eine sonderbare Frau mit ihrem eitlen Stolz auf ihre Beine – ihren schönsten Körperteil, aber sichtbar nur, wenn sie ritt –, mit ihrer wilden, alles erstickenden mütterlichen Besitzgier und ihrem unheimlichen Ruf als Giftmischerin. Da sie und Maria sich in ihrem Ziel und ihrer Hingabe an Franz einig waren, gab es keine Unstimmigkeit zwischen ihnen. Alles war harmonisch, und Franz hatte nach dem ersten Schock den Mantel des Königtums auf seine Schultern genommen und getragen, so gut er konnte.

Maria schloß die Augen. Der Schmerz schien ein wenig nachzulassen. Wenn sie jetzt nur schlafen könnte, wäre er wahrscheinlich weg, wenn sie aufwachte. Sie fing an, ein Gedicht von Ronsard rückwärts aufzusagen, einen »Epitaph an Seine Seele«:

«Dors je: repos mon trouble ne
Fortune ta suis: dit j'ai passant
Commune par enviés tant ...»

Bald war sie außerstande, noch ein Wort ans andere zu setzen.

Als sie aufwachte, erfüllte violettes Licht den Raum, und sie hörte Geflüster in der Nähe.

»Wir können nicht –«

»Wir wagen es nicht – noch nicht ...«

»Wir dürfen nicht länger warten!«

»Aber der Anfall ... ihre Krankheit ...«

»Ich sage Euch, wir dürfen nicht länger warten; es wäre ein Versäumnis und möglicherweise Verrat, die Königin nicht zu informieren ...«

Das Getuschel klang wie das träge Summen der Bienen an diesem Sommerabend mit seiner zarten Dämmerung.

»Ich werde die Schuld nicht auf mich nehmen!« Das war die Stimme des Kardinals.

Maria sah sein Antlitz vor dem dunstigen Licht.

»Onkel Kardinal«, sagte sie und setzte sich mühselig auf. Die Schmerzen waren zurückgegangen, aber sie spürte immer noch einen leichten Druck im Magen. Dann sah sie, daß sich noch andere um ihn drängten; es sah aus wie eine Weintraube, und jedes Gesicht war sauer.

»Aber was ist denn?« sagte sie.

»Nachricht, Majestät, aus Schottland«, sagte der Kardinal.

»Eine sehr traurige Nachricht«, ergänzte eine vertraute Stimme, und Maria erblickte ihren anderen Onkel, den Duc de Guise. Und plötzlich wußte sie es.

»Nein!« rief sie.

»Es ist wahr«, sagte der Kardinal.

»Unsere Schwester, deine über alles geliebte Mutter ist – ist verstorben«, sagte der Herzog.

»Nein.« Maria wiederholte das Wort immer wieder, leierte es herunter wie einen Zauberspruch. »Nein. Nein.«

»Sie ist an ihrer Wassersucht gestorben«, sagte der Kardinal. »Aber ihr Ende war höchst gottgefällig. Sie hat die kriegführenden Parteien zusammengerufen und sie alle aufgefordert, Frieden zu schließen und einander zu verzeihen. Und dir hat sie geschrieben ...« Er reichte ihr den Brief.

Wortlos nahm sie ihn und bat dann um ein Licht, damit sie lesen könne.

Die Worte, die Handschrift ... gerade so wie in ihren vielen anderen Briefen auch, und doch so entscheidend anders, daß es sie fröstelte ...

Sie ließ den Brief fallen. Dann hob sie ihn wieder auf. Das Datum, das daraufstand, war der 1. Juni 1560. Das war achtundzwanzig Tage her.

»Wann ist diese Nachricht gekommen?« fragte sie. »Seit wann wißt ihr es schon?«

»Seit zehn Tagen, Majestät.«

»Und ihr habt es mir verheimlicht?« Tagelang bist du mit mir im Garten spazierengegangen und hast gelächelt, während du es schon *wußtest?* Hast an meinem Tisch gesessen und gegessen, über Gedichte geredet und über das Aufkommen der Hugenotten, und du wußtest es, und ich wußte es nicht?

»Ich wollte es dir ersparen«, sagte er.

»Mir das Wissen ersparen? Oder den Schmerz?« fragte sie. »Denn wenn mir der Schmerz nur durch Ahnungslosigkeit erspart werden kann, nützt das nichts.«

»Wir dachten, wir machen – dachten, wir halten sie lebendig«, sagte der Herzog plötzlich. »Denn ein Mensch lebt, solange man von seinem Tod nichts weiß.«

»Onkel, du weißt es besser«, sagte sie müde. »Als Feldherr weißt du, daß ein Soldat nicht weniger tot ist, wenn sein Weib von seinem Tod nichts weiß.«

»Meine Liebe«, sagte der Kardinal, »glaube mir –«

Aber ihr Gesicht zerbrach plötzlich in einem Weinkrampf, und sie sank vornüber auf das Bett und vergrub sich in den Decken. Die Männer, die mit den Guise gekommen waren, schlichen sich hinaus und ließen die beiden Brüder mit ihrer Nichte allein. Dann zogen sich auch diese beiden taktvoll zurück und überließen sie ihrem privaten Schmerz.

Sie weinte stundenlang; bei allem Schmerz plagte sie zudem das Gewissen: Schottland für sie zu bewahren war eine Bürde gewesen, die ihre Mutter mit nur vierundvierzig Jahren in den Tod getrieben hatte. Während ich gespielt und meine Tage damit vertan habe, von Château zu Château zu ziehen, dachte Maria, während ich mich von Dichtern habe preisen, mich faul in flachen Booten auf der Loire habe treiben lassen, kämpfte meine Mutter in Schottland, und sie ahnte sogar, daß ich nie dorthin zurückkehren würde.

Aber ich wollte sie doch sehen! Und ich hatte es vor, ich hatte es vor, sobald …

Die Erinnerung an ihren letzten Abschied, der sich nun als der endgültig letzte erwies, war so schmerzlich, daß sie laut schrie.

Draußen vor der Tür wandte der Kardinal sich an den Herzog. »Ich habe dir gesagt, es wird sie hart ankommen.«

Maria blieb zehn Tage trauernd im Bett – sie konnte nicht essen, nicht sprechen, nicht schlafen. Sie schwankte zwischen elendem

Jammer, erfüllt von schwarzer Hoffnungslosigkeit, und betäubter Leere. Ihre vier Marys warteten im Nebenzimmer, aber sie schien sie nicht zu erkennen.

Dann, am elften Tag, schien sie sich aufzuraffen, Kräfte zu sammeln und in die Welt der anderen zurückzukehren, wie ein Betrunkener allmählich feststellt, daß sein verändertes Zeitgefühl sich wieder normalisiert.

Sie fühlte sich schmutzig und sehnte sich nach einem erfrischenden Bad, und Hunger hatte sie auch. Geradezu bußfertig bat sie Mary Livingston, ihr ein Bad aus Eselsmilch bereiten zu lassen und etwas Brotgrütze, mit Zimt und Zucker bestreut, für sie zu bestellen. Am späten Nachmittag war sie wieder sie selbst, wiewohl immer noch erschüttert und zittrig.

Der Kardinal kam zu ihr und klatschte beifällig und erfreut in die Hände. »Dank sei Gott! Du bist wieder bei uns!«

»Zu einem Teil; aber ein Teil meiner selbst ist mit meiner Mutter gestorben«, sagte sie leise. »Jetzt berichte mir den Rest. Denn mit dem Tode meiner Mutter hat sich vieles verändert, außerhalb meines Herzens wie auch darinnen.«

Der Kardinal schien zu zaudern. Er hob die Hand und rieb, um Zeit zum Nachdenken zu gewinnen, die Stelle, wo bis vor kurzem sein Bart gewesen war – er hatte ihn in einem hemmungslosen Augenblick abrasiert.

»Ich bin stark genug, um es zu hören, was immer dabei herauskommen mag.« Ihre Stimme klang ruhig und fest.

Er zauderte noch immer und lächelte matt.

»Ja, ich befehle dir, mir zu berichten.«

Sie war sein Souverän, und er mußte ihr gehorchen. »Also gut. Die Nachricht ist einfach: Es ist aus. Die Rebellen haben gesiegt, und just in diesem Augenblick ist Cecil als Vertreter Englands in Edinburgh, um namens der Rebellen mit Frankreich einen Vertrag auszuhandeln. Eine Rückzugsvereinbarung.« Er sah den Schrecken in ihrer Miene. »Die ›Auld Alliance‹ besteht nicht mehr. Es wird keine Franzosen in Schottland mehr geben. Wir sind dort fertig.«

»Wir?«

»Die Katholiken. Du bist immer noch Königin dort, aber nur dem Namen nach. In Wirklichkeit regiert dein unehelicher Bruder James Stewart im Namen der Protestanten – und hinter ihm hat die englische Königin die Fäden in der Hand und steuert ihr neues protestantisches Vasallenkönigreich.«

Marias Mund bildete ein perfektes Oval. Sie war sprachlos.

Nun, sie wollte es unbedingt wissen, dachte er und empfand ein wildes Gefühl der Genugtuung.

»Ein Parlamentsausschuß hat diese Änderungen ratifiziert. Und Master Knox wurde beauftragt, ein Glaubensbekenntnis für die neuerdings frommen Schotten zu verfassen. In vier Tagen hat er es zurechtgehämmert.«

Maria Stuart saß auf einer kleinen Bank im neugestalteten Garten zu Chenonceau und sah den Gärtern bei der Arbeit zu.

Der goldene Herbsttag überflutete alles mit seinem warmen Licht und erfüllt es mit einer Anmut, die ihr Herz wider Willen leichter werden ließ.

Den vergangenen Sommer hatte sie kaum bewußt wahrgenommen – die schweren Sträuße aus Levkojen, Kornblumen und Tausendschön, die tanzenden bunten Schmetterlinge, die schwülen, weißen Dämmerungen, die sich bis zehn Uhr abends hinzogen. Wer konnte sich von diesen Dingen erheben oder anrühren lassen, wenn sie nichts weiter taten, als die Steine des Daseins zu verschönern, ohne sie zu ändern? Ihre Mutter war tot, und ihr Königreich war in den Händen von Ketzern. Man erlaubte nicht einmal dem Leichnam ihrer Mutter, Schottland zu verlassen und zur Bestattung nach Frankreich heimzukehren; die Lords der Kongregation hielten sie als Geisel fest. Als Geisel wofür? Hatten sie denn kein Mitgefühl – nicht einmal für die Toten? Maria fröstelte es noch in der warmen, freundlichen Sonne Frankreichs.

Ich werde dich nach Hause bringen, Mutter, versprach sie. Du wirst in Frankreich ruhen.

»*Bonjour*, Allererhabenste Majestät«, sagte ein Gärtner, der sich zu seinen Kameraden gesellte.

Sie lächelte ihm zu und nickte. Es kam ihr erst jetzt allmählich natürlich vor, als Königin von Frankreich angeredet zu werden. Im ersten Jahr hatte sie sich bei diesem Titel unwohl gefühlt – als wartete sie nur auf das Eintreffen der Königin Katharina. Und wenn man Franz »Eure Majestät« und »König von Frankreich« nannte, war das noch sonderbarer. Sie wurde das Bild Heinrichs II. nicht los und erwartete immer, wenn der Titel ausgesprochen wurde, ihn hinter einer Säule hervortreten und über den Streich, den er ihnen allen gespielt hatte, lachen zu sehen.

Aber er wäre schockiert, wenn er heute nach Chenonceau geritten käme und feststellte, daß seine geliebte Diane nicht mehr hier, sondern in ein anderes Château verbannt war, und wenn er sähe, was Königin Katharina hier getan hatte: Sie hatte ihren eigenen Gegengarten auf der anderen Seite des Châteaus angelegt. Dort arbeiteten die Gärtner nun so hart. Zwar hatte Katharinas Garten nicht die hohen Bäume und Strauchskulpturen, die es im alten Garten gab – wie sollte er auch –, aber hier prangten die neuesten Moden aus Italien: Statuen und Springbrunnen und Kanäle. Mit der Zeit würde es auch Bäume geben; Katharina, die sich so gut auf das Warten verstand und deren Motto *Odiate et aspetate* lautete – »hasset und wartet« –, hatte nichts dagegen.

Unterdessen konnte man sich an diesen eleganten *parterres* erfreuen, an ausgeklügelten, flachen geometrischen Mustern, zu denen sich bunte Kieselsteine und Blumen vereinigten, an den Spiegelungen des Himmels und der Wolken im stillen Wasser der Kanäle – und das alles sah man vor dem ruhigen Weiß des anmutigen Châteaus, das sich über den Flußlauf des Cher spannte. Katharina brauchte es mit niemandem zu teilen, außer mit Franz. Sie hatte ein Fest gegeben, um ihn und seine Braut hier willkommen zu heißen; ein Feuerwerk hatte sein Netz über den Himmel gezogen und sich im Wasser des Cher widergespiegelt.

Maria sah ihre Schwiegermutter herankommen; ihre klobige Gestalt bewegte sich zielstrebig auf einem der Wege entlang der Kanäle. Sie stand auf und ging ihr entgegen, und zusammen spazierten sie weiter. Die Nachmittagssonne in ihrem Rücken malte ihre Schatten vor ihnen auf den Boden; Marias war lang und schmal, Katharinas kurz und kantig. Ihr Kopf reichte Maria kaum bis an die Schulter. Maria ging leicht vorgebeugt, um die leise, monotone Stimme ihrer Schwiegermutter besser zu hören. Allenthalben am Wege nickten die königlichen Gärtner und hielten in ihrer Arbeit inne, als die beiden Königinnen vorübergingen. Auf den geometrischen Rabatten bildeten Blumen in emailglänzenden Farben sorgsam geformte Muster: indigoblaue Iris, weißer Alyssum, karmesinrote Nelken, sattgelbe Ringelblumen.

Katharina machte ein paar harmlose Bemerkungen über die Blumenbeete und die Wappen, die sie formten, ehe sie dann murmelte: »Du und Seine Majestät« – sie benutzte den Titel zu gern –, »ihr werdet euch also weigern, den Vertrag von Edinburgh zu ratifizieren?«

»Wir werden uns nicht *weigern*, sondern wir werden einfach nicht unterschreiben«, antwortete Maria. Ihre Onkel hatten sie beraten, aber das war gar nicht nötig gewesen. Sie konnte und würde ihren Namen nicht unter ein Dokument setzen, mit dem sie ihrem Anrecht auf den Thron von England abschwor. Das war unmöglich. Wie konnte eine Unterschrift null und nichtig machen, was doch die Wahrheit war? Sie *war* eine Nachfahrin Heinrichs VII., und ihre Legitimität war unangefochten. Sie war bereit, Elisabeth als *de-facto*-Königin anzuerkennen, aber ihre Onkel hatten darauf hingewiesen, daß der Vertrag keinen Unterschied zwischen *de facto* und *de jure* machte. Und die Klausel »jetzt und in aller künftigen Zeit« bedeutete, daß sie die Thronfolge nicht einmal dann antreten könnte, wenn Elisabeth kinderlos sterben sollte.

Der Vertrag von Edinburgh war eine üble Niederlage für Schottland, und sie war davon buchstäblich krank geworden. John Knox und seine Rebellen hatten ihre Mutter zu Tode gehetzt, bis sie an gebrochenem Herzen gestorben war und ihnen die Herrschaft überlassen hatte. Der Vertrag von Edinburgh, mit dem Frankreich und der Katholizismus vertrieben wurden, war das Resultat. Nein, sie würde ihn nicht ratifizieren!

Sie näherten sich der *fontaine de roche*, einem Meisterwerk des großen Gartenarchitekten Palissy. Katharina lächelte, als sie in Hörweite des sprudelnden Wassers kamen.

»Die Engländer werden dich bedrängen«, sagte sie.

»Sollen sie!« erwiderte Maria und warf den Kopf zurück. »Schottland gehört ihnen nicht, so gern sie es auch glauben möchten.«

»Sie haben die Rebellen unterstützt«, sagte Katharina leise. »*Die* haben ihnen gehört.«

»Sie glauben vielleicht, daß sie ihnen gehören. Aber Rebellen sind *per definitionem* Verräter. Und wenn sie nicht einmal dem die Treue halten, dem sie gebührt – ihrem eigenen Regenten –, dann werden sie sie kaum denen halten, denen sie nicht gebührt. Für sie ist Elisabeth nichts als ein Geldsack, den sie benutzen, wie es ihnen paßt.«

»Vielleicht werden sie sie aber bald als Königin von Schottland anerkennen. Ich weiß, es hat den geheimen Plan gegeben, den Earl von Arran – den jungen Erben des Hauses Hamilton – mit Elisabeth zu verheiraten. Die Lords der Kongregation haben ihr in seinem Namen ein Angebot übersandt. Was könnte ihnen besser zupaß kommen? Ein protestantisches Herrscherpaar, das ihr frischgetünchtes Land regiert.« Ihre Stimme, die immer leise war, klang jetzt beinahe guttural.

Maria hatte davon auch gehört; ihre Onkel hatten es ihr berichtet. »Elisabeth wird ihn aber nicht heiraten«, hörte sie sich selbst sagen. Irgendwie wußte sie das. »Und dann werden sie zu uns zurückkehren, zu mir und Franz. Aber bis dahin ...« Bis dahin würde in Schottland das Chaos herrschen – das Chaos, das entstand, wenn kein Kapitän das Steuer befehligte.

»Ich bete nur zum Himmel, daß sie nicht bereit sind, eine – wie haben sie es in Genf genannt – eine ›Stadt Gottes‹ auszurufen«, sagte Katharina. »Vielleicht mußt du mit dem König nach Schottland reisen, um ihre Loyalität sicherzustellen.« Ich komme hier sehr gut allein zurecht, dachte sie.

»Du weißt, daß Franz nicht reisen kann«, sagte ihre Schwiegertochter vorwurfsvoll.

»Die Reise könnte ihn kräftigen.«

»Seine Tante Madeleine hat sie umgebracht. Nein, ich werde niemals erlauben, daß er sein Leben in Gefahr bringt!«

Das Rauschen des hydraulischen Brunnens, den Palissy entworfen hatte, zwang sie, die Stimmen zu heben. Ein großer künstlicher Berg erhob sich mitten in der Kreuzung zweier Wasserkanäle, und an seinen Flanken rauschten Wasserströme herab, die an seinem Fuße schäumend in ein Sammelbecken stürzten.

Katharina wurde nicht müde, die Anlage zu bewundern, und Maria liebte die Fayence-Reptilien, die auf dem Grund des Bassins umherkrochen – glänzende grüne Frösche, glitzernde Krokodile und gestreifte Vipern, die auf den Steinen zusammengerollt darauf warteten, zuzustoßen.

Das Rauschen des Wassers übertönte Franz' Stimme, als er sie rief. Erst die Bewegung seiner winkenden Arme erregte ihre Aufmerksamkeit. Mit unbeholfenen Schlenkerschritten kam er den manikürten Kiesweg heruntergerlaufen, und die Schnallen an seinen Schuhen blitzten in der Sonne. Er war das ausgebleichte Abbild seiner selbst, wie er ein Jahr zuvor bei der Thronbesteigung gewesen war, denn er war in die Höhe geschossen wie eine Pflanze, die nach der Sonne strebt; und wie eine solche Pflanze war er blaß und dünn.

»*Maman!*« rief er. »Marie!« Sie blieben stehen und warteten auf ihn.

»Die Hugenotten!« keuchte er. »Ich habe hier die Meldung, daß sie – sie –«

Katharina riß ihm das Papier aus der Hand. »Sie machen wieder Schwierigkeiten. Es gibt nur einen Weg, mit ihnen fertigzuwerden: Man muß sie zertreten wie giftige Schlangen, denn das sind sie. Man muß Freundlichkeit vorschützen, Versöhnlichkeit – und sie dann vernichten!«

Franz schaute verloren zwischen seiner Mutter und seiner Gemahlin hin und her. »Aber wenn ich mein königliches Wort gegeben habe, wie kann ich es dann brechen?«

»Ja«, sagte Maria. »Das wäre undenkbar.« Sie schaute Katharina kühn an. »Was hast du im Sinn?«

Die ältere Frau zuckte die Achseln. »Nichts Spezielles«, sagte sie schließlich. »Aber du darfst nicht so zimperlich und ehrpusselig sein, wenn du gut regieren möchtest.«

Aber ich habe immer geglaubt, ein gutes Herz ist die beste Eigenschaft eines Herrschers, dachte Maria. Barmherzigkeit und Ehrlichkeit – ein Kern, der nicht betrügen oder vor der Wahrheit zurückschrecken kann. Gegen alle seine Untertanen zu sein wie gegen sich selbst.

Sie befingerte ihre lange schwarze Perlenkette – ein Hochzeitsgeschenk von Katharina. Sie sah, daß Katharina sie kritisch betrachtete. Katharina wurde langsam immer kühner; auch sie trat allmählich aus dem Schatten des toten Königs hervor. Und es war kein Geheimnis, daß sie und die Familie Guise einander politisch diametral entgegengesetzt waren.

Sie alle wollen Frankreich regieren, dachte Maria, und die Erkenntnis durchfuhr sie wie ein kalter, unangenehmer Schock. Sie denken, Franz und ich sind noch Kinder, gehorsame kleine Kinder, die jede Anweisung befolgen – jede *ihrer* Anweisungen. Genau wie die Lords der Kongregation in Schottland glauben, sie könnten kindlichen Souveränen Anweisungen erteilen …

»Es hat zuviel Täuschung gegeben, und nur allzu blind ist man Machiavellis Ratschlägen gefolgt«, sagte Maria schließlich. »Ich werde diesen Weg nicht gehen; und nach und nach wird das Volk schon Vertrauen zu mir finden und wissen, daß das Wort eines Fürsten Geltung hat – für beide Seiten.«

»Träumerin!« sagte Katharina.

Maria sah den abfälligen Ausdruck in ihrem Gesicht, und plötzlich sehnte sie sich danach, woanders zu sein, wo die Augen ihrer

Schwiegermutter und ihrer Onkel nicht ständig auf sie gerichtet waren, sie musterten, sie beurteilten ... Sie wünschte, sie wäre schon auf der Herbstjagd mit Franz, Franz, der ganz und gar ihr Freund war und niemals, niemals wollte, daß sie etwas anderes sei, als sie war.

Im Spätherbst war der französische Hof nach Orleans gezogen; der Wald in der Umgebung, der Forêt des Loges – Eichen, Hainbuchen und Kiefern im Wechsel mit Heidemooren –, war ein gutes Revier für die Jagd auf Wild und Vögel. Franz war ein hingebungsvoller Jäger; es war eine Liebe, die er von seinem Vorfahren gleichen Namens geerbt hatte, von Franz I. Wie bei seinem Großvater grenzte die Jagdleidenschaft auch bei ihm zuweilen an Besessenheit. Die Jagd war ihm lieber als das Lernen, das Essen oder jegliche andere Leibesertüchtigung; aber unheilvoller war, daß er auch lieber auf die Jagd ging, als sich um die Staatsgeschäfte zu kümmern, selbst wenn die Geschäfte des Reiches dringlich waren.

Vielleicht gerade deshalb. Die Jünger Calvins waren in Frankreich inzwischen beträchtlich erstarkt; die Hugenotten mit ihren straff disziplinierten »Zellen« bildeten fast eine Gegenregierung zu der königlichen, die zum Zwecke der Jagd rastlos von einem Château zum anderen zog. Die Guise – der Herzog, der zum Kriegsminister ernannt worden war, und der Kardinal, der jetzt Finanzminister war – ermunterten den König dazu, zu jagen und die Regierung des Reiches ihnen zu überlassen. Sie wußten, wie man mit den Hugenotten verfahren mußte: Ausrotten. In die Luft sprengen. Massakrieren.

Der König war nicht dieser Meinung; aber obgleich Maria sich erregte und versuchte, die Pläne der Älteren zu durchkreuzen, brauchten sie nur zu warten, bis Franz wieder von einer seiner zahlreichen immer wieder auftretenden Krankheiten übermannt wurde, und schon war sie abgelenkt und spielte die Rolle, die allmählich zu ihrer wichtigsten wurde: die der Krankenpflegerin ihres Gemahls. Und während der König entweder zu Pferde saß oder im Krankenbett lag, taten die Guise, was sie wollten.

Nun hatte Franz die Jagd bei Orleans sattbekommen und entschieden, er wolle in die dichten Waldungen bei Chambord hinüberwechseln. Es war kalt für November, aber obwohl es Franz offensichtlich nicht gut ging – rote Flecken bedeckten seine Wangen, und seine Haut war weiß wie Bleipulver –, brannte er fieberhaft darauf, die Jagd fortzusetzen. Genauso war Franz I. gewesen, als er im letzten Stadium der Syphilis mit glitzernden Augen und sterbendem Körper dem Wild nachgestellt hatte.

Die Haushaltseinrichtung wurde von Orleans nach Chambord vorausgeschickt; aber an dem Morgen, an dem sie hatten aufbrechen wollen, bekam Franz unerträgliche Schmerzen im Ohr und konnte sich nicht mehr rühren. Hastig legte man ihn auf eine Matratze auf den Boden; denn die Möbel waren bereits ausgeräumt, und es gab kein Bett. Fieber setzte ein, und er verfiel ins Delirium und warf sich zähneklappernd auf seinem Lager hin und her.

Maria nahm ihren Platz an seiner Seite ein, wie sie es schon so oft getan hatte. Franz litt häufig unter diesen Ohrenschmerzen, und immer hatte ihm eine Mischung aus Eigelb, Rosenöl und Terpentin Linderung verschafft, die man erhitzte und in den Gehörgang träufelte. Das tat sie auch jetzt und legte ihm Kompressen auf die Stirn; seine Augenlider flatterten, und er lächelte sie an.

»Der Eber wird entkommen«, sagte er. Aber er sagte es zärtlich, als wollte er sie versichern, daß er immer noch Herr seiner selbst und seiner Sinne war.

»Er wartet nur auf dich«, sagte sie. »Der größte Eber im Wald von Chambord weiß, daß er dazu verurteilt ist, zu Weihnachten bei Hofe aufgetischt zu werden. Sein Schicksal ist nur aufgeschoben. Er hat Glück, der Eber!«

»Und Franz hat keins«, stöhnte er. »Oh, Marie, mir ist so … schwindlig. Und ich bin so matt.«

»Du wirst dich bald erholen«, sagte sie. »Das Öl tut deinem Ohr schon gut.«

»Aber es tut weh … hinter dem Ohr.«

Der König sprach danach nichts Verständliches mehr. Er schloß die Augen, das Fieber verwirrte ihn, und in den nächsten Tagen überzog ein schwärender Ausschlag sein Gesicht.

Maria wich nicht von seiner Seite; sie ruhte neben ihm auf einer Matratze, spielte die Laute für seine tauben, eiternden Ohren und hielt seine Hand.

Die Ärzte gaben ihm einen Brei aus Rhabarber, zu einer Paste verrührt, den sie ihm einflößten. Ein paar Stunden lang schien es, als komme er wieder zu sich, aber rasch folgte ein Rückfall.

Königin Katharina, die sofort herbeigeeilt war, rief den königlichen Chirurgen, Ambroise Paré, zu sich. »Rettet ihn!« befahl sie.

»Die Ärzte –«

»Es steht nicht mehr in der Macht der Ärzte!«

Der Chirurg kniete nieder und untersuchte den König sorgfältig, drehte seinen Kopf hin und her und blies ihm sanft in beide Ohren. Hinter dem infizierten Ohr war eine dicke Schwellung.

»Das muß punktiert werden«, sagte er, und die beiden Königinnen stimmten zu.

Aber obwohl er die Schwellung aufschnitt und eine große Menge Flüssigkeit abfließen ließ, ging es dem König nicht besser. Im Gegenteil, in den nächsten Tagen wurde es immer schlimmer.

»Ich fürchte, die einzige Rettung liegt in einer Operation; man muß einen Teil des Schädels entfernen«, sagte Paré. »Er hat einen Abszeß im Gehirn, der sich ausbreiten wird und –«

»Ihm den Kopf aufschneiden?« rief Katharina.

Paré sah Maria an, die Gemahlin des Königs.

»Tut, was nötig ist, aber rettet ihn«, sagte das Mädchen leise.

»Bist du so grausam?« fragte Katharina. »Würdest du zulassen, daß sein Gehirn entblößt wird? Wie könnte er dann leben? Niemand kann mit offenem Schädel leben! Oder habt Ihr etwa eine Wundersubstanz, mit der Ihr ihn verschließen könnt?« Sie starrte Paré an.

»Nein, leider nicht«, gestand er. »Aber vielleicht läßt sich etwas finden. Elfenbein, oder ein Schafsdarm ... und den Schmerz kann ich mit einer Mixtur aus Opium und Bilsenkraut betäuben, die wir bei den Soldaten auf dem Schlachtfeld verwenden; dann wird er den Schnitt nicht spüren.«

»Ein König, dessen Gehirn mit einem Schafsdarm bedeckt ist!« kreischte Katharina. »Ihr wollt Frankreich also einen solchen König anbieten, eine solche Scheußlichkeit? Und er –« sie schaute ihren erstgeborenen Sohn an, der *in extremis* lag – »er könnte nie wieder auf die Jagd gehen, sondern müßte leben wie ein alter Mann, umherschlurfen in peinlich sauberen Zimmern, mit einem nassen Turban um den Kopf ... nein, das würde er nicht wollen.«

»Woher weißt du, was er wollen würde?« fragte Maria.

»Ich habe ihn zur Welt gebracht, ich kenne ihn, und ich weiß, was sich mit der Würde eines Königs verträgt.« Sie wandte sich an Paré. »Keine Operation. Aber nehmt ihm die Schmerzen, ich bitte Euch. Benutzt Eure Schlachtfeld-Mixtur.«

Paré sah sie an, und er sah den Schmerz in ihren Augen. Auf

seinen Schlachtfeldern waren keine Mütter zugegen, die eine Wahl hatten wie sie.

»Ich werde sie unverzüglich anfertigen, Majestät. Und ich kenne noch ein Mittel, mit dem man Schlaf und Ruhe herbeiführen kann. Das Geräusch von fallendem Regen ist beruhigend. Wenn Ihr einen großen Kessel am anderen Ende des Gemaches aufstellen und einen Diener veranlassen wolltet, aus einiger Höhe Wasser hineinzugießen ...«

»Es soll geschehen«, sagte Katharina.

Franz bekam das Gemisch aus Opium und Bilsenkraut und schlief ein, während in dem kalten, kahlen Gemach künstlicher Regen rauschte. Maria hielt seine Hand und ließ sie nicht los, als sie allmählich erkaltete. Sie hielt sie noch lange, nachdem er vom Leben in den Tod hinübergegangen war.

»Unser Franz ist von uns gegangen, meine Mutter«, sagte sie schließlich zu Katharina, die dösend auf einem Stuhl saß. Sanft ließ sie die Hand fahren und faltete ihm beide Hände auf der Brust. Dann küßte sie ihn auf die Stirn. Die roten Flecken in seinem Gesicht verblaßten, und seine Lippen öffneten sich, als wollte er sprechen.

»*Adieu*, Franz, mein Geliebter, mein Gemahl, mein Freund.«

Katharina brach in Tränen aus, aber Maria hatte keine mehr. Sie war jenseits aller Tränen; sie hatte das Gefühl, daß mit Franz ihr Leben dahingegangen war.

»*Adieu*, Franz«, wisperte sie. »*Adieu*, Marie.«

Als John Knox in Edinburgh erfuhr, daß Franz II. gestorben war, schrieb er: »Denn da besagter König in der Messe saß, verstarb er jäh an einem verfaulten Ohr – an jenem tauben Ohr, das nie wollt hören die Wahrheit Gottes.«

Es war Marias achtzehnter Geburtstag, und sie war Witwe geworden und trauerte in einer künstlich verdunkelten Kammer in Orleans. Wieder trug sie Weiß, und es erschien ihr wie ein grausamer Spott. Sie hatten recht; ich hätte es nie an meinem Hochzeitstag tragen dürfen, dachte sie. Ich werde es nie wieder anziehen. Hätte ich es damals nicht getragen, dann wäre Franz vielleicht ...

Nein, das ist töricht. Er ist nicht an der Farbe meines Kleides gestorben, sagte sie sich. Er ist gestorben, weil er immer schwach war. Weil er kränklich zur Welt gekommen ist. Weil seine Mutter diese Myrrhe-Pillen nahm, um sich zur Empfängnis zu verhelfen. Weil er während einer Sonnenfinsternis geboren war. Vielleicht hätte er nicht einmal so lange gelebt, wenn ich ihm nicht geholfen hätte, wenn ich ihn nicht gepflegt, mit ihm gespielt, ihn geliebt hätte.

Ein dumpfer Schmerz durchfuhr sie. Sie hatte ihn geliebt, ihren Gefährten, ihren Vertrauten, ihren besten Freund. Sie konnte sich kaum erinnern, daß sie ihn einmal nicht gekannt hatte, und er hatte sie schrankenlos geliebt.

Jetzt war sie ganz allein. Ihre Mutter und Franz, tot binnen eines halben Jahres. Es gab plötzlich auf der Erde keinen Platz mehr für sie. Frankreich war kein sicherer Hafen mehr. Franz' kleiner Bruder, der zehnjährige Charles, war jetzt König Karl IX., aber seine Mutter führte die Regierungsgeschäfte. Die penible Katharina, die jede Regel beachtete ... ebenso schnell, wie sie zehn Minuten nach dem Tode Heinrichs II. beiseitegetreten war, um Maria den Vortritt zu lassen, hatte sie nun verlangt, daß Maria die Kronjuwelen Frankreichs herausgebe, nachdem Franz II. gestorben war. Da war kein Rest von Artigkeiten, keine Höflichkeit. Maria, deren Mutter Französin gewesen, deren Muttersprache das Französische und die in Frankreich aufgewachsen war, mußte sich plötzlich – verblümt und auch ganz unverblümt – sagen lassen, sie solle Frankreich vergessen und nach Schottland zurückkehren.

Aber dort war sie auch nicht willkommen. Ihre Untertanen hatten rebelliert und ihre Mutter, die Regentin, formell abgesetzt. Ein Rat von Lords regierte jetzt das Land und erließ Gesetze, die den Katholizismus verboten und die Teilnahme an der Messe zum Verbrechen erklärten.

Sie hatte kein Land, war nirgendwo willkommen. Wenn die vierzig Tage Trauer vorüber wären, was dann? Wohin würde sie gehen, was würde sie tun?

Zugleich erfaßte sie eine alles durchdringende Lethargie. Sie war bekümmert, doch es kümmerte sie nicht. Der Verlust Franz' war so drückend, daß sie nur noch ihrem Schmerz zu entrinnen suchte: schlafend, weinend, sich erinnernd. Seine Anwesenheit war überall zu spüren, halb tröstend, halb quälend. Sie, die sich so oft von der Lyrik des Hofes hatte unterhalten lassen, suchte ihren Schmerz jetzt zu lindern, indem sie über ihren Verlust schrieb:

«Sans cesse mon cœur sent
Le regret d'un absent
Si parfois vers les cieux
Viens à dresser ma vue
Le doux traict de ses yeux
Je vois dans une nue;
Soudain je vois dans l'eau
Comme dans un tombeau
Si je suis en repos
Sommeillant sur ma couche,
Je le sens qu'il me touche:
En labeur, en recoy
Toujours est près de moy.»

Aber wer konnte ihr Gedicht lesen, wer hätte es verstanden? Nur Franz, und der war nicht mehr da ... außer als sanftes, geisterhaftes Empfinden.

Man riet ihr, zu heiraten. In den ersten zwei Wochen ihrer Witwenschaft, als ihre Trauer am tiefsten war und das einzige Licht in ihrer weiß verhangenen Kammer von flackernden, rauchenden Kerzen kam, ließ man die Guise zu ihr vor, wie es ihren nächsten Verwandten zukam, und sie schlugen ihr ohne Umschweife vor, sich wieder zu verehelichen. Da war Don Carlos, der Erbe Philipps von Spanien. Da war Karl IX., ihr Schwager, der in ganz unnormaler, kindischer Leidenschaft zu ihr entbrannt war. Sie mußte ihre Macht behalten. Diese Bräutigame – unreife, unausgeglichene Kinder – würden sie dazu befähigen.

Sie saß da und hörte sie an.

Und in der Tat, was hätte sie sonst tun können? Sie war gefangen in ihrem Trauergemach. Aber obgleich sie Franz geliebt hatte, lockte sie die Aussicht auf einen zweiten Kindsgemahl nicht. Was sie statt dessen zunehmend lockte, war die Flucht. Die Flucht nach Schottland, weit weg von den erstickenden Guise und der wachsamen Regentin.

Wäre ich lieber Königswitwe in Frankreich, pensioniert zu einem Leben in stiller Obskurität auf meinen Ländereien, bedeutungslos für jedermann – aber behaglich und sicher behaust –, oder möchte ich Königin in einem kleinen, fernen Land sein?

Ich bin zu jung, um in der Verborgenheit zu leben, antwortete sie bei sich. Von meinen Onkeln, meiner Großmutter und Königin Katharina habe ich die Staatskunst erlernt – und zu welchem Zweck, wenn ich mich schon in meiner Jugend auf ein Landgut zurückziehe? Gott hat mir kraft meiner Geburt das Anrecht auf den Thron Schottlands verliehen. Ist es mir bestimmt, daß ich dieses Zepter nun ergreife? Es ist ja um so dringlicher, als dieses Land so weit vom Wege abgekommen ist, so tief versunken ist im Sumpf der Irrungen und Wirrungen. Ich weiß, ich bin sehr jung und verstehe nichts von den tiefgreifenden Fragen der Theologie, aber meine Aufgabe wäre es nur, durch meinen eigenen Glauben ein gutes, lebendiges Beispiel zu geben, nicht etwa, mit dem heiligen Augustinus oder einem anderen Kirchengelehrten zu rivalisieren. Vielleicht ist es das, was Gott von mir verlangt, um meinem Land zu helfen.

Vorsichtig trug sie ihrem geistlichen Berater, Pater Mamerot, ihre Gedanken vor.

»Glaubt Ihr, dies wird von mir verlangt?« fragte sie ihn eines Spätnachmittags, als die nächtlichen Schatten heranrückten.

Der Priester – von kleiner, aber drahtiger Gestalt unter seinem Gewand – wartete lange, ehe er antwortete. »Man kann mit Gewißheit sagen, daß die Gelegenheit da ist«, sagte er schließlich. »Euer Land hat vor kurzem den Schoß der Kirche verlassen, aber Ihr seid als seine Monarchin erhalten geblieben, und ihr habt den ursprünglichen Glauben bewahrt. Es stimmt, die Menschen neigen dazu, in einem Monarchen die Verkörperung eines Glaubens zu sehen. Ein König, der lügt, sich Ausschweifungen hingibt, stiehlt und feige ist, wird die Menschen von dem Glauben vertreiben, dem er anzuhängen vorgibt. Ich bin indessen nicht sicher, daß auch das Gegenteil gilt. Ihr werdet es einfach versuchen müssen, im Vertrauen auf die Vorsehung Gottes. Ihr könnt es Euch nicht von vornherein zum Ziel setzen. Letztlich ist es Gottes Sache, die Herzen der Menschen zu bewegen.«

»Ach, Ihr ermahnt mich immer zur Bedächtigkeit«, sagte Maria.

»Es ist die Pflicht des Beichtvaters, seinem Beichtkind zu helfen, Schwächen im Geiste zu überwinden, und die Eure war es immer, daß Ihr zu schnell handelt oder zuviel erwartet.«

Die langen Tage schleppten sich dahin, und Maria erkannte, daß sie auf Madame Rallays sanfte Weisheit der weltlichen Art nicht minder angewiesen war. Sie fragte sie, wie es ihr gefallen würde, nach Schottland zu gehen. »Ich würde die guten Leute aus meinem Haushalt gern mitnehmen, Bourgoing etwa und Balthazzar. Ich kann mir das Leben ohne sie nicht vorstellen. Aber vor allem könnte ich mir das Leben ohne Euch nicht vorstellen«, sagte Maria.

Madame Rallay lächelte. »Ich könnte mir ein Leben ohne Euch ebensowenig vorstellen. Ich werde mit Euch gehen, wohin hier auch geht. Habt Ihr denn wirklich den Wunsch, in Eure alte Heimat zurückzukehren?«

»Ich ... ich bin nicht sicher«, antwortete Maria. »An manchen Tagen ja. An anderen weiß ich es nicht. Aber wenn ich wüßte, daß Ihr mitkommen würdet ...«

»Ich werde mitkommen.«

In die alte Heimat zurückkehren: Der Gedanke war verlockend wie eine einsame Melodie, die aus den Tiefen eines Waldes ertönte.

Und dann plötzlich überwältigte sie die Trauer um Franz, und sie fragte sich, ob ihre Sehnsucht nach jenem fernen Thron nicht nur der verhüllte Wunsch danach war, vor ihrem Schmerz zu fliehen.

Jeder Tag erschien ewig und ohne jeden Zusammenhang mit irgend etwas, das davor oder danach gewesen war, denn Tag für Tag verstrich in einer Kammer, die weder Tag noch Nacht kannte, sondern nur künstlich bemessene Stunden. Nach dem Aufwachen kam die Messe, die auf der einen Seite des Gemachs gelesen wurde. Dann kamen die Kondolenzbesuche – die in Wirklichkeit politische Konferenzen waren –, dann weitere Gebete, und dann das Essen, das schweigend serviert wurde. Niemand durfte das Gemach betreten, ohne zuvor Königin Katharinas Genehmigung einzuholen und sich von den Wachen gründlich durchsuchen zu lassen. »Frivole« Bewerber wurden abgewiesen; in den ersten zwei Wochen fanden nur akkreditierte Gesandte und die beiden Onkel Guise Zutritt zu Maria.

Sie wappnete sich für diese Besuche und hüllte sich in weiße Pelzmäntel, um in der eisigen Kammer nicht zu frieren. Das trübe Dezemberwetter und die kurzen Tage draußen schienen die ganze Kammer in kalte, tote Einsamkeit zu tauchen.

Am zwölften Tag stand ein großer Mann auf der Schwelle. Er hielt eine lederne Mappe in der Hand. In den Falten seines dunklen Mantels klebte Schnee.

»Ich grüße Euch, meine Königin«, sagte er in perfektem Französisch. Aber sie hatte ihn noch nie bei Hofe gesehen. Wie hatte er die Wachen überreden können, ihn vorzulassen?

Sie winkte ihm, einzutreten. Er tat es, kniete vor ihr nieder und schlug die Kapuze seines Mantels zurück. Sein borstig kurzes, rötliches Haar war zerzaust, und seine rauchig grünen Augen blickten ihr ins Gesicht.

»Ich bringe Nachrichten von der verstorbenen Königinmutter, und ich spreche Euch überdies mein Beileid zum Verlust Eures verstorbenen Herrn und Gemahls, des Königs, aus.« Er hielt ihr die Ledermappe entgegen, und sie nahm sie in Empfang.

»Von meiner Mutter, sagt Ihr? Weshalb erst jetzt?«

Er zuckte die Achseln. »Es ist nichts Amtliches, Majestät. Dies wurde gefunden, als Diener ihre Papiere ausräumten. Persönliche Dinge. Sie hat sie verwahrt. Man wollte sie vernichten. Aber ich dachte, Ihr wollt sie vielleicht haben.«

Maria blätterte durch das dicke Paket. »Ja, aber – hier ist ein Brief, den ich *ihr* geschrieben habe!« sagte sie.

»Als Ihr elf Jahre alt wart«, sagte er.

Er hatte ihn also gelesen? Natürliche Neugier selbstverständlich. Und man hatte diese Papiere vernichten wollen – als öffentliches Eigentum. Er hatte es auf sich genommen, sie zu retten.

Er verlagerte sein Gewicht auf den Knien, und dann erhob er sich ohne ihre Erlaubnis.

»Ihr hättet sie mir schicken können«, sagte sie. »Ihr hättet den weiten Weg wohl kaum persönlich machen müssen.«

»Es gibt nicht viele, denen man vertrauen kann. Außerdem, meine Königin, wollte ich Euch mit eigenen Augen sehen. Nur wenige in Schottland haben dieses Privileg genossen.«

»Wer seid Ihr denn?«

»James Hepburn, meine Königin.«

Es gefiel ihr nicht, daß er dieses »meine Königin« wie einen Refrain wiederholte, während echter Respekt die Anrede »Eure Majestät« verlangte.

»James Hepburn von *was*? Woher?«

»James Hepburn, der Sohn Patricks, des ›schönen Earls‹. Sicher habt Ihr doch von ihm gehört?« Er legte – wiederum ohne ihre Erlaubnis – den Mantel ab und warf ihn über einen Schemel.

Er war nicht so groß wie sie, aber schön und sehr kräftig.

»Das habe ich durchaus nicht«, antwortete sie.

Er lachte. »Mein Vater, der schöne Earl – und so nannte man ihn wegen seines Äußeren, nicht wegen seines Charakters –, ließ sich von meiner Mutter scheiden, um die Eure zu heiraten. Sie gab ihm ihr Versprechen, hielt es aber am Ende nicht ein und stürzte ihn so in Unehre. Offenbar das Vorrecht einer Königin.«

»Ihr seid also Schotte?« Diese seltsame Behauptung – konnte es wahr sein?

»Schotte oder gar nichts«, antwortete er in jener Sprache.

»Ich weigere mich zu glauben, was Ihr über meine Mutter sagt«, erklärte sie, immer noch auf Französisch.

»Glaubt, was Ihr wollt; es kommt nicht mehr darauf an. Mein Vater ist dahingegangen, und sie ebenfalls. Sie haben einander aus Ehrgeiz benutzt, und es ist vorbei. Ich glaube« – er grinste –, »sie hat gewonnen. Natürlich hatte sie auch mehr Karten in der Hand.«

»Ihr redet wie ein Spieler.«

»Ich bin einer.« Er bat nicht errötend um Verzeihung.

»Ich auch.« Sie war selbst verblüfft über dieses Eingeständnis.

»Alle Königinnen – alle guten – müssen es sein. Eure Cousine Elisabeth ist jedenfalls eine Spielerin erster Ordnung. Die Wetten auf sie sind immer noch im Gange. Sie hat noch nicht geheiratet, allen Angeboten zum Trotz. Es ist ein Vorrecht der Königinnen, wie ich schon sagte, ihre Freier im Ungewissen schweben zu lassen.«

Wider Willen mußte sie lachen. »Aber wer *seid* Ihr?« fragte sie in stockendem Schottisch. Sie hatte es so lange nicht mehr gesprochen, daß es aus ihrem Munde eigentümlich klang.

»Ah, das ist gut. Eure Feinde sagen, Ihr sprecht die Sprache nicht. Ihr werdet es ihnen zeigen.«

»Kommt, Sir, beantwortet meine Frage.«

»Ich bin der Earl von Bothwell. Ich habe auch noch andere Titel vom Schönen Earl geerbt: Großadmiral von Schottland, Verwalter der Schlösser von Hermitage und Edinburgh, Sheriff von East Lothian, Lieutenant der südlichen Grenzen. Das heißt, falls Ihr die Güte haben wollt, sie zu bestätigen.«

»Das wird man sehen.« Sie rückte den hauchdünnen weißen Schleier unter ihrem Kinn zurecht, der zu ihrer Trauertracht gehörte.

»Kehrt Ihr zurück nach Schottland oder nicht?« wollte er wissen. »Man behauptet, Ihr werdet es nicht tun. Man werde Euch in Frankreich auf die Weide bringen wie eine von diesen prächtigen Kühen der Normandie, wo Ihr im weichen grünen Gras liegen und das Gnadenbrot verzehren sollt. Eurem Bruder James würde es gefallen, wenn Ihr hierbliebet. Als Sohn des Königs und Lord der Kongregation würde er mit Knox' Segen in Schottland regieren; denn so, glaubt er, ist es ihm bestimmt. Die Vorsehung ruft ihn, denkt er. Ha! Die Vorsehung brüllt allenthalben ziemlich laut heutzutage, angefangen bei Master Knox.«

«Oui. Je reviendrai à l'Ecosse.»

»Dann dürft Ihr nicht Französisch sprechen. Sie hassen dort den Klang dieser Sprache.«

Kein Wort der Freude darüber, daß sie sich zur Rückkehr entschieden hatte – und er war die einzige Menschenseele, der sie es bis jetzt offenbart hatte. Sie war enttäuscht. »Wo habt *Ihr* denn dann Französisch gelernt?«

Ihre Frage schien ihn zu amüsieren.

»Alle gebildeten Leute sprechen Französisch«, sagte er. »Ihr werdet feststellen, daß viele Eurer Untertanen Französisch sprechen, Französisch schreiben und eine Zeitlang in Frankreich gelebt haben. Aber das hindert sie nicht daran, den Klang der Sprache zu hassen, wie ich schon sagte.«

»Dann müssen sie *mich* hassen.«

»Wieso? Seid Ihr Französin?« Er sah ihr ins Gesicht, und stellte ihr diese Frage in einem schulmeisterhaften Ton – als wäre er ihr Lehrer und sie seine Schülerin. So redeten ihre Onkel mit ihr, und bei ihnen tolerierte sie es. Aber sie hatte es satt, und erst jetzt wurde ihr klar, wie sehr.

»Im Grunde ja«, sagte sie.

»Da irrt Ihr Euch.« Seine Stimme klang plötzlich rauh und einschüchternd. »Sie haben es Euch eingeredet, aber sie haben gelogen, zu ihrem eigenen Vorteil. Hört auf den, der redet, und fragt Euch stets: ›Was hat er zu gewinnen, wenn er mich von seiner Sache überzeugt?‹ Den Guise kam es zupaß, Euch von Eurer französischen Natur zu überzeugen. Aber Ihr seid nur zur Hälfte Französin; der Rest ist schottisch, und königlich-schottisch überdies: Die Stewarts haben Schottland fast zweihundert Jahre lang regiert. Betrachtet Euer rötliches Haar, Eure Sportlichkeit, Eure Liebe zur Wildnis ... und Ihr werdet sehen, daß Euch ›schottisch‹ auf der Stirn geschrieben steht.«

»Woher wißt Ihr von meiner Liebe zur Wildnis oder von all dem andern? Ich liebe auch höfisches Gepränge und kultivierte Manieren. Was habt *Ihr* denn zu gewinnen, wenn Ihr mich überzeugt, Lord Bothwell?«

»Ich gewinne eine Königin in ihrem rechtmäßigen Land. Um die Wahrheit zu sagen, ich finde, Schottland verdient seinen eigenen Monarchen auf seinem eigenen Thron. Bei allem schuldigen Respekt: Eure Mutter war nicht unsere eigene Königin, und aus einem Bastard macht man keinen König. In den letzten sechs Generationen hatten wir herzlich wenige ausgewachsene Monarchen. Minderjährige und Regenten … ein kläglicher Ersatz.«

»Was Ihr dabei natürlich auch gewinnt, ist die Bestätigung Eurer Titel.«

»Ja. Als Lord Admiral werde ich selbstverständlich die Flotte bereitstellen, die Euch unversehrt nach Hause führt.«

»Was ist mit Euerm linken Auge?« fragte sie plötzlich und hoffte, ihn damit in die Defensive zu treiben. Dicht über dem Auge war eine große Narbe.

»Eine Verletzung aus einem Handgemenge mit Cockburn o' Ormiston.« Er schwieg einen Moment lang und entschied dann, sie nicht zu der Frage zu reizen, wer dieser Mann sei. »Ein schottischer Verräter, der mit viertausend Pfund Schmiergeld von den Engländern nach Norden kam. Ihr werdet überall in Schottland englisches Gold finden, mit dem man versucht, den Adel zu kaufen. Natürlich ist es nicht *englisches* Gold; man wechselt es sorgfältig in französisches Geld, um seine Herkunft zu verschleiern. Jedenfalls habe ich Ormiston eine Tracht Prügel verpaßt.«

»Sind denn alle käuflich?« rief sie.

»Nein, aber alle nehmen Geld. Die Engländer können nicht erkennen, wer käuflich ist und wer nicht; also müssen sie alle bezahlen.« Er lachte. »Ich kann Euch sagen, Mylady, meine Königin: Ich bin loyal gegen die Krone und nehme kein englisches Bestechungsgeld an. Aber ich bin der *einzige*, der es nicht tut. Bei meinem Leben.«

»Warum seid Ihr denn so loyal?« Sie hatte sich vergessen und sprach wieder Französisch.

»Das ist eine Familientradition, die mein Vater verriet und die ich wiederhergestellt habe. Ich muß Euch jetzt geradeheraus sagen, daß ich Protestant bin. George Wishart hat in meiner Gegend gepredigt; mein Vater hat ihn verhaftet und an Kardinal Beaton ausgeliefert, worauf er verbrannt wurde. Aber seine Worte und seine Lehre haben mich überzeugt. Ja, ich bin Protestant, aber ich bin Euer Vasall, und meine Treue gehört unverrückbar der Krone. Man kann an viele Dinge glauben und ihnen allen die Treue halten, so wie man vieles sein kann, ohne sich zu widersprechen. Wie lautet das Motto der englischen Königin? *Semper eadem* – ›Sei immer dieselbe‹. Und doch ist sie ein Mosaik aus tausend Steinchen.«

»Gott sei gedankt für Euch, James Hepburn«, sagte sie langsam.

»Wann darf ich Euch holen, meine Königin?«

»Im Sommer«, sagte sie.

»Die Flotte wird bereit sein.« Er lächelte und verbeugte sich. »Ich werde mich jetzt verabschieden, wenn Ihr gestattet«, sagte er. »Das Land wird frohlocken.«

»Ihr habt die weite Reise nur für dieses Gespräch gemacht? Habt Ihr keine anderen Geschäfte hier in Frankreich?«

»Längst erledigt«, antwortete er. »Ich bin, wie ich sagte, ein Spieler. Und eine Königin ist eine Seereise wert.«

»Wie alt seid Ihr?« fragte sie plötzlich.

»Fünfundzwanzig.«

»Das ist zu jung, um sich für unbestechlich zu erklären. Hütet Euch, James Hepburn, auf daß beizeiten nicht ein Fleck auf Euer Wams gerät.«

Er seufzte und machte eine resignierte Handbewegung. »Nur unter außergewöhnlichen Bedingungen erweist sich unsere Festigkeit. Und welcher Mann würde danach willentlich trachten? Unser Herr erlaubt uns sogar die Bitte, davor verschont zu bleiben: ›Und führe uns nicht in Versuchung …‹«

»Wenn ich nach Schottland zurückkehre, muß ich dann ertrinken in einem Meer von Bibelsprüchen?« Daß selbst dieser junge Abenteurer schon damit um sich warf!

»Sie treiben nur an der Oberfläche herum, meine Königin. Wie Strandgut. Das Wasser darunter werdet Ihr sauber und kalt finden.«

Lange nachdem er gegangen war, saß sie noch da und las in den Papieren ihrer Mutter. Seltsam, wie wenig sie sie verstanden hatte in der offiziellen Korrespondenz, die von ihrem Privatsekretär William Maitland wachsam geführt worden war.

Maitland. Bin ich ihm nicht begegnet, als er hier in Frankreich gewesen ist? Das war so lange her. Aber meine Onkel haben mir doch erzählt … was denn? Daß er der klügste Mann in Schottland war – »für Schottland das, was Cecil für England«, hatten sie gesagt. Und das hieß wirklich klug.

Zärtlich betrachtete sie den Stapel der Papiere ihrer Mutter. Es waren Notizen und Kritzeleien und alle Briefe, die sie verwahrt hatte, und irgendwie verriet es sehr viel mehr über ihre Person.

Als sie fertig war, fühlte sie sich ausgelaugt und traurig und doch zugleich seltsam getröstet, und da fiel es ihr wieder ein: Sie, Maria, hatte soeben jemandem versprochen, nach Schottland zurückzukehren! Aber es war nur ein mündliches Versprechen an diesen

James Hepburn gewesen; es war ohne Gewicht. Sie konnte es sich immer noch anders überlegen.

Die vierzig Tage der formellen Trauer endeten am 15. Januar 1561 mit einem Gedenkgottesdienst in der Dominikanerkirche. Es war ein häßlicher Tag mit vielen Graupelschauern, und in der Kirche war es kalt und trostlos, als die Mönche sangen: *»Exsultabunt Domino ossa humiliata …«* Maria zog sich die Kapuze ihres schwarzen Trauermantels fester um den Kopf, um diese grausamen Klänge zu dämpfen.

Franz war inzwischen einbalsamiert; das wußte sie. Man hatte ihm das Herz herausgenommen und würde es in Paris in St.-Denis bestatten, damit es bei seinen Vorfahren wäre. Bildhauer hatten ein prachtvolles Grabmal geschaffen, neben dem Heinrichs II., und sein Herz würde in einem Reliquiarium ruhen, das von steinernen Flammen umgeben war. Sein Herz … es war ihr ein Greuel, sich vorzustellen, wie es aus seinem Körper genommen wurde, auch wenn sie wußte, daß es so Sitte war.

Danach stand es ihr frei, Orleans, dieses Gefängnis des Unglücks, zu verlassen, und sie gelobte im stillen, niemals mehr dorthin zurückzukehren.

Paris, das sie immer geliebt hatte, bot ihr jetzt wenig Trost. Sie war gezwungen, eine Bestandsaufnahme all ihrer Juwelen und sonstigen Habe vorzunehmen, sich von vielem zu trennen und es als Eigentum der Krone zurückzugeben. Nicholas Throckmorton, der englische Botschafter, überbrachte die offiziellen Beileidsgrüße der Königin Elisabeth, aber sobald er es mit Anstand tun konnte, wechselte er das Thema und kam auf den Vertrag von Edinburgh zu sprechen; er deutete an, daß seine Herrin höchst ungehalten sei, weil Maria ihn noch nicht ratifiziert habe. Die schottische Regierung habe es getan, und jetzt fehle nur noch ihre Unterschrift. Sie wehrte ab und erklärte, Franz' Tod habe alles geändert.

Inwiefern, wollte der Botschafter wissen.

»Der Vertrag wurde abgefaßt auf der Grundlage dessen, daß mein Gemahl und ich König und Königin von Frankreich und Schottland waren. Jetzt gibt es nur noch die Königin von Schottland.« Sie hatte das alles satt und fühlte sich versucht, zu unterschreiben, nur um nicht länger belästigt zu werden. Aber Franz – sie würde damit seine

Wünsche verraten. Sie durfte nichts aus Schwäche oder Trägheit unterschreiben.

»Das ändert nichts, wie Ihr wohl wißt«, sagte der Botschafter rasch. »Es geht in dieser Frage um Euern Anspruch auf den englischen Thron – oder auf die Thronfolge.« Er war ein durchaus freundlicher Mann, jung, liebenswürdig – ganz attraktiv, trotz seiner flammend roten Haare und seines Protestantismus. Eigentlich mochte Maria ihn gern. »König Franz hatte mit dieser Sache nichts zu tun.«

Sie lächelte ungekünstelt. »Das ist zu hoch für mich. Ich muß meinen schottischen Rat befragen, da ich keinen Gemahl mehr habe, der mir raten kann.«

Throckmorton hätte beinahe aufgelacht. Als ob Franz je dazu fähig gewesen wäre, ihr politische Ratschläge zu erteilen! Aber sollte das etwa heißen, daß sie *nicht* den Wunsch hatte, ihre französischen Onkel zu fragen? War sie dabei, sich von ihnen zu befreien?

»Eure Majestät, die Frage ist in der Tat eine gewichtige, und bis sie geklärt ist, stört sie Eure Beziehung zu Eurer hochedlen Cousine Königin Elisabeth.«

»Es schmerzt mich, daß dem so ist. Aber ich weiß, die Königin würde nicht wollen, daß ich tatenlos zusehe, wie mein Erbrecht außer Kraft gesetzt wird. Die Königin selbst hat es in einer ähnlichen Situation auch nicht getan.«

Throckmorton nickte. Aber die Sache mußte geregelt werden. Da war Marias vom Papst unterstützter Anspruch, tatsächlich in diesem Augenblick die wahre Königin von England zu sein. Und dann war da ihr legaler Anspruch auf das Recht, in die Thronfolge eingeschlossen zu sein. Das war nicht das gleiche. Dem ersten Anspruch mußte abgeschworen werden; der zweite indessen konnte womöglich durchaus bestehen bleiben – *wenn* auf den ersten verzichtet würde. Je länger auf dem ersten beharrt wurde, desto weniger wäre Elisabeth geneigt, zum Ausgleich dem zweiten stattzugeben.

Königin Elisabeths Geduld ging zu Ende; das wußte Throckmorton. Marias Verhalten bestätigte ihren schlimmsten Verdacht, und sie war zunehmend beunruhigt ob der Motive ihrer Cousine.

»So kann es nicht weitergehen«, sagte Throckmorton grimmig, und es ärgerte ihn, als Maria zur Antwort unbekümmert lachte.

Aber ihr Lachen war unecht. Im Herzen trauerte sie noch immer, und sie unternahm lange Spaziergänge auf den Terrassen der Paläste; eingehüllt in weite weiße Mäntel, schritt sie allein dahin. Der Wind zerrte an ihren Kleidern, daß es sie fröstelte. Vergebens versuchten Brantôme und die anderen Hofpoeten, sie zu begleiten oder sie zu überreden, ins Warme zu kommen. Ihre einsam wandelnde Gestalt berührte ihre dichterische Phantasie, und Ronsard beschrieb ihren Anblick so:

> Deinen Körper umhüllend vom Kopf bis zu den Hüften, bläht sich dein langer, zarter Trauerschleier Falte um Falte wie ein Segel in der Brise, da der Wind das Boot vorantreibt. Angetan mit den gleichen traurigen Gewändern schickst du dich an, das schöne Land zu verlassen, dessen Krone du getragen. Der ganze Garten ist erfüllt vom Weiß deiner Schleier, den Segeln gleich, die sich blähen am Mast über Meereswellen …

Daß Maria daran dachte, Frankreich zu verlassen, war inzwischen zum Gegenstand ausgedehnter Spekulationen geworden. Sie aber wartete auf ein Omen, auf irgendein Zeichen, das sie leiten würde.

Warum mußte es so scheußliches Wetter sein, ausgerechnet heute abend? William Maitland von Lethington spähte in banger Sorge zum Fenster hinaus in die Regenschleier, die draußen auf das Pflaster der High Street von Edinburgh niedergingen. Nicht, daß der Regen einen Schotten an irgend etwas hindern konnte – aber er verlieh dem Vorgang einen so düsteren Anstrich.

Nun, wo möchtest du die Sache denn veranstalten? In einem Pavillion auf einer Blumenwiese in Südfrankreich? fragte er sich. Was hier zu erledigen war, würde unter allen Umständen strapaziös und anstrengend sein, ganz gleich, wo man es vollzog.

Seufzend zwang er sich, das Fenster zu verlassen. War er nervös? Konnte das sein? Er, der so stolz war auf seine Fähigkeit, einen kühlen Kopf zu behalten – ein ungewöhnlicher Charakterzug in Schottland! – und der sich bei harten Entscheidungen nicht von Sentimentalitäten beeinflussen ließ … konnte es sein, daß er nervös war?

Er schaute sich in dem Raum in seinem geräumigen Stadthaus um; alles war bereit für die erwarteten Gäste. Es war alles in Ordnung, und er gestattete sich stillen Stolz, als er sich jetzt in seiner Bibliothek umsah, die eine hübsche Sammlung von Gedichten aus der Feder seines Vaters enthielt. Da waren Sessel aus dem allerweichsten spanischen Leder, und dort sein kostbarster Besitz: die Marmorbüste eines römischen Jünglings, die er eigenhändig aus Italien heraufgebracht hatte. Er war in Frankreich erzogen worden und hatte frei in ganz Europa umherreisen können; vor allem die Kunst und die Politik Italiens hatten ihm zugesagt.

Ah, Italien! Wie immer erinnerte ihn die Marmorbüste an seine Zeit in Florenz – allzu kurz! –, wo er sich ganz und gar vom Ferment entstehender Kunst umgeben gesehen hatte und wo das politische Glaubensbekenntnis Machiavellis seinen letzten Schliff erhalten hatte. Er hatte sich dort so *heimisch* gefühlt. Aber freilich, diejenigen, die ihn hier den »Machia-Willy« nannten, hatten keine Ahnung, worum es eigentlich ging.

Dort würde man mich wegen meiner Durchschaubarkeit als unfähig betrachten, dachte er amüsiert. Es ist also am besten, wenn ich meine Talente hier in Schottland einsetze, wo man die Subtilität noch nicht entdeckt hat.

Eines ist für einen Politiker unerläßlich: Er muß in *seinem* Herzen immer genau wissen, welches sein Ziel ist. Er darf sich niemals selbst in Verwirrung bringen. Also – was ist hier mein Ziel, und weshalb bereitet es mir solches Unbehagen?

Er setzte sich auf einen der Stühle, ließ sich sich in die bequemen Konturen sinken und schaute zu, wie der Regen gegen die Fensterscheiben rauschte.

Dafür sorgen, daß die Veränderungen hier in Schottland reibungslos vonstattengehen. War es das? Ja, der Umschwung war schwindelerregend gewesen, und im vergangenen Jahr hatte der ehemalige Staatssekretär das Gefühl gehabt, er – und das Land – würden von einem Strudel in die Tiefe gesaugt. Die religiöse Revolte, vollendet, kaum daß sie begonnen hatte. Der Tod der Regentin. Die Beendigung der »Auld Alliance« …

Aber er war entzückt gewesen über den Zusammenbruch der alten schottisch-französischen Allianz. Nachdem Schottland einmal protestantisch geworden war, hatte sich seine Zukunft unvermeidlich mit England, seinem nächsten Nachbarn, verknüpft. Jeder, der klar denken konnte, mußte das sehen. Es war so offensichtlich!

Das war es. Ich fürchte, daß andere es nicht sehen, nicht verstehen, daß sie versuchen werden, das Unausweichliche zu verhindern. Und ich – *mein* trauriges Los wird es sein, daß ich versuchen muß, sie zu überreden.

Und Maria, die junge Königin, die Witwe Frankreichs ... auch sie wird überredet werden müssen. Aber wozu überredet?

Sollte sie herkommen?

Er sprang auf; er war so nervös, daß er nicht stillsitzen konnte. Er haßte das Warten. Warten, warten, bis alle ankamen ...

Ja, sie soll nach Hause kommen. Wir brauchen eine erwachsene Herrscherin auf unserem eigenen Boden, und sie braucht eine nützliche Aufgabe. Sie ist zu jung, um unter der Witwenhaube zu verschimmeln. Wir werden sie überreden –

Da war es wieder, dieses Wort: *Überreden*. Überreden war so schwierig! Hatte nicht jeder schon einmal erlebt, wie es war, wenn man versuchte, ein störrisches Maultier zu überreden, sich von der Stelle zu rühren? Und Menschen waren um soviel ...

Er hörte, wie es klopfte. Endlich war jemand gekommen! Er stürzte zur Tür, und dabei spürte er, wie er zur Ruhe kam; er fühlte, daß er sich in der Gewalt hatte, nachdem er seine Gedanken geklärt hatte. Der Schlamm hatte sich gesetzt, das Wasser war klar, und er konnte bis auf den Grund schauen.

Es war John Erskine, ein schmaler Mann mit einem noch schmaleren Gesicht, der seltsamerweise großen Genuß an den Freuden der Tafel fand, obgleich man ihm davon nichts ansah.

»Ah! Der Kommendator!« sagte Maitland mit kaum wahrnehmbarem Sarkasmus. Erskines Familie hatte die Kommendatur über das Kloster Inchmahome inne, auch wenn ihnen kaum etwas an den religiösen Schätzen der Vergangenheit lag. James V. hatte ihnen dieses Prachtstück in die Hände gelegt, wie er viele andere solcher Klöster unter seinen Lieblingen und seinen unehelichen Kindern verteilt hatte.

»Ah, ja!« Erskine schlug die Kapuze zurück; Regen tropfte auf den Boden. »Weg mit der Kutte!«

Hinter ihm kam noch jemand herein. Maitland sah die dunklen Umrisse von James Douglas, dem Earl von Morton, der triefend im Eingang stand.

»Herein mit Euch, herein!« rief er.

Morton schüttelte seinen Mantel draußen aus und reichte ihn einem Diener. Sorgfältig strich er sein wildes rotes Haar hoch, so daß es ihm wie ein Heiligenschein um den Kopf starrte. Dann kam er schlurfend herein.

Die drei Männer blieben stehen und warteten ein wenig befangen. Es ginge nicht an, die Konferenz zu eröffnen, ehe alle zugegen waren – auf keinen Fall. Maitland war immer noch ruhig. Alles würde gutgehen, das wußte er.

Wieder klopfte es laut und präzise. Maitland öffnete die Tür, und draußen stand Lord James Stewart.

»Ich bedaure die Verspätung«, murmelte er und gab dem Diener seinen tropfnassen Mantel. Dann kam er in den Raum, als sei es sein eigener.

»Erskine hat Euch schon bezichtigt, Ihr würdet heute abend am Hexensabbat teilnehmen«, sagte William Maitland zur Begrüßung. Als Stewart ihn mit steinerner Miene anschaute, fügte er hinzu: »Ihr wißt ja, es ist die Nacht zum ersten Mai, da sie ihre Feste feiern.«

»Er muß es ja wissen«, knurrte Stewart. »Es heißt, seine eigene Schwester sei eine Hexe.«

»Meine Schwester ist auch Eure Mutter«, sagte John Erskine. »Es liegt also bei uns im Blut. Alle echten Schotten sind halbe Hexenmeister.« Er lachte gelassen und winkte Stewart zu seinem Platz am Tisch, der genau in der Mitte des Raumes aufgestellt war.

»Sind wir jetzt alle da?« fragte William Maitland lächelnd. »Die guten Lords der Kongregation?« Es war eine sehr kleine Schar, diese vier, die es auf sich genommen hatten, die schottische Regierung zu führen.

»Ja.« Morton mit dem mächtigen roten Haarschopf, der Kopf und Gesicht bedeckte, hob bestätigend die fette Hand. Er war Mitte Vierzig und damit der Älteste unter den Anwesenden.

Maitland nickte seinem Diener zu und nahm seinen Platz am Tisch ein. Einen Augenblick später kehrte der Diener mit einer Silberplatte zurück, auf der Haferküchlein und Zuckerbrot angeordnet waren. Morton langte sofort zu und nahm sich zwei Stücke von dem Gebäck. Er verschlang sie wie ein hungriger Bär, und die Krümel rieselten ihm in den Bart.

»Wir müssen den Brief aufsetzen«, begann Maitland. »Wir können nicht länger warten. Wir haben keine Wahl. Wir müssen entscheiden, unter welchen Bedingungen die Königin der Schotten heimkehren soll und welche Konzessionen wir ihr anbieten können.«

Zu seinem Ärger ergriff Erskine das Wort; seine dünne Stimme kam aus einem dünnen Bart. »Schade, das mit Elisabeth.« Kritisch betrachtete er eines der Haferküchlein.

»Sie hatte kein Interesse an Arran, und auch nicht an unserem Thron«, sagte James Stewart. »Dennoch war es klug, sie zu fragen.«

Maitland gestattete sich in Gedanken gegen seine Gewohnheit ein »Hätte doch …«. Er hatte nie damit gerechnet, daß die englische Königin das Angebot, den Earl von Arran zu heiraten und damit Maria Stuart vom Thron zu stoßen, akzeptieren werde. Aber es hätte für Schottland eine Menge Probleme gelöst. Hätte …

»Sie hat kein Interesse an der Ehe«, sagte er schließlich.

»Kein Interesse an einer *respektablen* Ehe«, verbesserte Morton und biß in ein neues Stück Kuchen. Er verdrehte die Augen, um anzudeuten, daß er einen Schluck Ale gebrauchen könne, um ihn herunterzuspülen.

Alle lachten – außer James Stewart, der an der Wollust nichts Erheiterndes finden konnte. »Also müssen wir eine Einigung mit meiner Schwester, der Königin, finden«, sagte er und beendete damit das Gelächter.

»Mit Eurer *Halb*schwester, der Königin«, korrigierte Maitland.

»Ja. Mit meiner Halbschwester.« Lord James nickte. »Wir müssen unsere Position darlegen: Sie wird sich nicht in unsere Religion einmischen und sich von uns, den Lords der Kongregation, in allen Dingen leiten lassen.«

»Erwartet Ihr, daß sie Protestantin wird?« fragte Morton. »Oder daß sie keine eigene Meinung hat?« Morton sprach mit geschliffener englischer Diktion, die er sich in jahrelangem politischen Exil in England angeeignet hatte – und die in auffälligem Gegensatz zu seinem wilden Aussehen stand.

»Oder planen wir vielleicht, die Stelle ihrer Onkel aus dem Hause Guise als Berater zu übernehmen? Und was ist mit John Knox? Wieso ist er nicht hier?« Erskine klang verzweifelt, als hätte man ihn alleingelassen. Zierlich knabberte er an seinem Haferküchlein.

»Ach ja, Master Knox.« Maitland seufzte. »Ihr und ich, wir wissen, Gentlemen, daß er hier *ist*. Ja, er ist *überall*. Er will hier König sein. Und deshalb brauchen wir eine Königin.«

»Eine katholische?« fragte Erskine. Sein Vater war einst Marias Vormund gewesen, und er selbst hatte in Kindertagen mit ihr gespielt, aber das hinderte ihn nicht daran, jetzt kaltblütig über ihr Schicksal zu diskutieren.

»Ja, eine hübsche Katholikin, die nicht zulassen wird, daß ihr Land stumpf und grau ist wie der Forth an einem Novembertag. Sie wird tanzen und sich in Seide kleiden, und sie wird Musik und Bankette haben …«

»… und Knox wird explodieren.«

»Oh, ich glaube nicht«, sagte Maitland. »Denn im Grunde seines Herzens ist er ein dickschädeliger Schotte, und er wird wissen, daß ein glitzernder Hof nur Schottlands Ansehen im Ausland erhöhen wird. Eine Regierung aus lauter nüchternen Männern, die in Ausschüssen arbeiten, spricht das Herz nicht an; man denkt nicht an ein *richtiges* Land. Auch wenn sie in Wirklichkeit seine Geschicke lenkt.«

»Wenn wir die Geschicke des Landes lenken könnten ...« begann Lord James.

»... während sie tanzt und singt«, vollendete Maitland. »Begreift Ihr es nicht?«

»Kein Wunder, daß man Euch den ›Machia-Willy‹ nennt«, sagte Morton voller Bewunderung. »Machiavelli könnte noch von Euch lernen. Der Schüler übertrifft seinen Meister. Aber was ist, wenn sie ... äh ...?«

»Sich nicht unterwerfen will? Das ist unmöglich. Sie wird niemanden haben, der sie unterstützt. Sie ist ganz allein hier. Keine Verwandten, keine ...«

Lord James lachte. »Aber wir sind alle mit ihr verwandt«, sagte er. »Ich bin ihr Bruder, Ihr seid ihr Vetter ersten Grades, Morton ...«

»Aber durch uneheliche Verbindungen. Alle Stewart-Könige haben Scharen von Bastarden hinterlassen«, erinnerte Morton ihn.

»Was ist mit Bothwell?« fragte Erskine. »Er ist zwar Protestant, aber einer von *uns* ist er nicht. Und er hat sich gegen uns auf die Seite der Königinmutter gestellt.«

»Wenn die junge Maria Stuart sich in unsere Hand begibt, ist er kein Gegner«, sagte Morton. »Wir können dafür sorgen, daß er unablässig im Sattel sitzt und in der Grenzregion Räuberbanden jagt – oder Piraten auf See. Ohnehin liegt ihm das Hofleben nicht.«

»Die Wahrheit ist, daß sie keine legitimen Verwandten in Schottland hat.« Maitland lenkte das Gespräch wieder auf das ursprüngliche Thema. »Ihre nächsten legitimen Verwandten sind die Guise in Frankreich, Königin Elisabeth in England sowie Lady Margaret Douglas und ihr Sohn Darnley, ebenfalls in England. Hier hat sie niemanden.« Er mußte innerlich immer noch lächeln über die Bemerkung über Machiavelli.

»Wie ich sehe, habt Ihr über die Sache bereits gründlich nachgedacht«, sagte Lord James leise. Es ärgerte ihn, daß man ihn zu den »Scharen von Bastarden« zählte.

»Aber natürlich. Und ich habe sogar schon den ersten Absatz unseres Briefes an sie entworfen. Darf ich ihn Euch zeigen?« Er klappte eine Mappe auf, nahm einen Bogen Papier heraus und reichte ihn Lord James.

Während James las, schüttelte Erskine den Kopf. »Ich kenne sie seit unserer Kindheit, und meine Familie gilt als ihr Beschützer.«

»Aber das soll auch so bleiben«, sagte Maitland. »Es ist schließlich Euer ererbtes Amt, nicht wahr? Hüter der königlichen Kinder?« Auch wenn Maria kein Kind mehr war, würde sie einen Vormund brauchen. Man durfte sie nicht herbringen und sie dann sich selbst überlassen.

»Vor Knox kann ich sie nicht beschützen«, sagte Erskine. »Er benimmt sich wie ein rasender Wolf, der gleich über sie herfallen will.«

»Ich werde ihr erlauben, die Messe beizubehalten, wenn sie darauf besteht«, sagte Lord James plötzlich.

»Dann werden wir *Euch* vor Knox beschützen müssen«, sagte Maitland. »Vergeßt nicht, die Messe ist jetzt illegal und bei Todesstrafe verboten.« Das Parlament hatte die entsprechenden Gesetze kürzlich im Überschwang der protestantischen Revolution verabschiedet.

»Königinnen und Könige haben sich nie um Gesetze geschert und werden es auch nie tun«, sagte Morton. »Ehebruch war noch nie erlaubt, aber James V. stand ihm sehr offen gegenüber.«

»Die Messe ist für Master Knox aber schlimmer als Ehebruch.«

»Dann ist Master Knox ein Idiot.« Es war Erskine, der diese schockierenden Worte aussprach. Niemand lachte. »Ich denke, letzten Endes will er gar nicht, daß es Könige oder Königinnen in diesem Lande gibt.«

»Ein Land ohne König kann nicht existieren«, sagte Lord James. »So etwas gibt es nicht.«

»Außer in dem Fall, daß ein kleines Kind König ist. Dann muß jemand in seinem Namen regieren.«

»Regent, König – das ist doch alles das gleiche.«

»Seit sechs Generationen hat in Schottland kein erwachsener Monarch den Thron bestiegen. Wir Schotten haben inzwischen viel Übung darin, uns selbst zu regieren. Für uns wäre heutzutage eine Königin etwas Neues.«

»Aber es könnte schwierig sein, sich daran zu gewöhnen. Die Freiheit ist eine Angewohnheit, die man nur schwer loswird«, sagte Maitland. Er räusperte sich. »Laßt uns also übereinkommen: Die

Königin der Schotten soll zurückkommen und das Zepter ergreifen. Aber sie muß sich unserem Rat unterwerfen und unsere Religion achten. Sie darf nicht daran denken, den Katholizismus wieder einzuführen, wie ihre Cousine Maria Tudor es in England getan hat.«

»Vielleicht wird sie den anderen Weg einschlagen«, meinte Erskine plötzlich. »Sie ist jung, und sie hat nie etwas anderes gesehen als den Katholizismus. Wenn sie herkommt und ihre Augen sich der Wahrheit öffnen …«

»Vielleicht kann Master Knox sie ja bekehren!« Morton lachte schallend auf.

Die Sache drohte zu einem Witz zu werden, erkannte Maitland erschrocken. »Gentlemen!« Er erhob sich und schlug mit der flachen Hand auf den Tisch. »Ihr redet über Eure Königin! Bedenkt, daß wir sie brauchen – wir brauchen sie, seit der König starb und uns vor so langer Zeit führerlos zurückließ. Wir sollten dankbar sein, daß uns das Schicksal jetzt einen schenkt.«

»Das Schicksal?« Wieder verdrehte Morton die Augen; er sah dabei aus wie ein Mastiff. »Es war *Gott*.«

O ja. Diese Lords der Kongregation – sie legten alles dem Herrn zu Füßen. »Natürlich«, sagte Maitland geschmeidig.

»Wir schicken ihr den Brief«, sagte Lord James. »Und ich werde persönlich hinterherreisen, wenn wir nicht sofort von ihr hören. Die Zeit wird knapp.«

Der Mai kam wie eine heidnische Göttin nach Frankreich; Blumen erblühten in ihren Fußspuren auf den Wiesen und an den Uferböschungen der Flüsse. Sie öffnete ihr Füllhorn und ließ Blütenduft im warmen Wind verwehen. Ihre weißen, wirbelnden Gewänder waren der Schaum auf den schwellenden Frühlingsbächen und die sauberen Wolken, die eilig über den hellblauen Himmel zogen.

Durch diese Landschaft, belebt vom Hauch der Flora, ritt Maria, ebenfalls in Weiß gekleidet. Als sie Paris verließ, spürte sie mit ganzer Wucht, wie das Leben an Franz' Tod vorbei weitergestürmt war. In einem Palast, in geschlossenen Räumen, konnte man die Zeit stillstehen lassen. Aber draußen war es anders. Der Boden war vereist gewesen, als Franz gestorben war; jetzt war er bedeckt von frischem neuem Gras, von Veilchen und Maiglöckchen.

Sie fühlte sich ganz losgelöst von all den Frühlingsbildern, als habe ihr weißes Trauergewand mit dem Schleier sie mit einer Barriere umhüllt, die nichts durchdringen konnte – keine Sehnsucht, keine Aufmunterung des Geistes. Dennoch tat sie, was getan werden mußte; sie war unterwegs nach Reims, wo Franz' jüngerer Bruder Charles in der wunderschönen Kathedrale gekrönt werden sollte, in der auch Franz keine zwei Jahre zuvor gekrönt worden war.

Einundzwanzig Monate zwischen zwei Krönungen, dachte sie. Nur einundzwanzig Monate war er König und ich Königin von Frankreich. Zwei Sommer, ein Winter.

Ein Schmerz erwachte in ihrem Herzen und verebbte in vertrauter Dumpfheit.

Aber da war ich glücklich, dachte sie. So glücklich, daß ich keinen Gedanken darauf verwendet habe; daß ich es nicht gehütet habe wie einen Schatz; daß ich nicht versucht habe, den Augenblick zu bewahren. Es ist alles an mir vorübergezogen wie ein Nebel.

Warum habe ich nicht besser achtgegeben? Warum war ich so sorglos mit meinem Glück? Selbst meine Erinnerungen gelten nur *Dingen:* Marmorsäulen und goldene Salzfässer und prächtige Banner mit *fleur-de-lys;* silberne Trompeten und Rosenessenz; schlanke Hunde mit weißen Zähnen und flammende Fackeln und seidenverhangene Sänften; Botschafter in samtenen Hosen, mit Proklamationen auf Pergament, besiegelt mit orangerotem Wachs …

Sie saß da und sah zu, wie Charles zu Karl IX. gekrönt wurde in der tiefen, kühlen Schönheit der Kathedrale zu Reims, und sie hörte das Echo der zeremoniellen Worte. Als Franz gekrönt worden war, hatte der Hof um den Tod Heinrichs II. getrauert; Katharina hatte während der ganzen Zeremonie nicht aufhören können zu weinen. Jetzt bin ich es, die durch ihre Tränen kaum sehen kann, dachte sie, und Katharina …

Sie warf einen Blick zu Katharina von Medici hinüber und sah, wie lebhaft erregt sie war. Sie reckte sich, um jede Einzelheit der Krönung mitzubekommen, und ihre Augen glitzerten.

Das ist so, weil sie in Frankreich regieren wird, dachte Maria. Endlich kommt sie zu ihrem Recht. Heinrich ist nicht mehr da, Diane ist fort, Franz ist fort, ich bin fort, und meine Verwandten, die Guise, mit mir. Sie braucht die Macht mit niemandem zu teilen, bis Charles heiratet.

Meine Onkel haben versucht, mich zur Heirat mit Charles zu

überreden. Katharina hätte es nie zugelassen; es wäre das letzte, was sie jemals wollte – die Macht weiter mit jemandem teilen. Aber was niemandem klar war: Es wäre auch das letzte, was *ich* wollte. Ich mag Charles nicht; es stimmt etwas nicht mit ihm. Er schwankt zwischen Melancholie und Wutanfällen hin und her; er tritt seine Hunde und seine Diener. Er saugt an einer Flasche *eau sucre* und starrt mich an wie ein Schwachsinniger. Nein, ich will nichts mit ihm zu schaffen haben! Ich bedaure die Frau, die er eines Tages heiraten *wird!*

Trompetenschall verkündete, daß Frankreich einen neuen König hatte, *Christianissimus*, Seine Allerchristlichste Majestät, Karl IX.

Nicht sehr weit von hier, auch in Reims, lag die Abtei von St. Pierre, und dort nahm Maria für die Nacht ihr Quartier. Ihre Tante Renée war Äbtissin dort, und der Leichnam ihrer Mutter würde in einer Woche dort bestattet werden. Die protestantischen Lords hatten Marie de Guise schließlich doch noch gehen lassen, damit sie in der Erde ihrer Heimat die letzte Ruhe fände.

Der Eingang zur Abtei befand sich auf dem Gipfel einer Anhöhe, und eine gerade Straße führte hinauf, von Platanenreihen gesäumt. Die Blätter an den Bäumen begannen eben zu sprießen und überzogen die dunklen Äste wie ein feiner grüner Dunst.

Die große Pforte schien Maria anzuziehen, sie zu locken, wie es verbotene Dinge im Traum zuweilen tun; aber als sie sie erreichte, empfand sie Erleichterung und Trost, nicht Bedrohung.

»Willkommen, Eure Majestät«, sagte eine Schwester; sie öffnete das Tor und verneigte sich tief. Dicht hinter ihr stand eine rundliche Gestalt: Renée de Guise.

»Komm, mein Kind«, sagte sie und umarmte Maria. »Komm und ruhe dich aus.«

Es war das erste Mal seit dem Tode Franz', daß jemand ihr irgend etwas anbot, ohne etwas dafür haben zu wollen.

Renée führte sie in den Kreuzgang; auch hier kündete schon vieles den Frühling. Sie setzten sich zusammen auf eine Steinbank, dem Brunnen zugewandt, der von blühenden Quittenbäumen umstanden war. Zu ihren Füßen, neben dem ziegelgepflasterten Pfad, keimte ein Kräuterbeet auf: Eisenhut und Wermut und Koriander.

»Es ist also vorüber?« fragte Renée.

Maria nickte.

»Und?«

»Der restliche Hof ist zum Krönungsbankett ins Bischofspalais gegangen. Und ich ... ich bin hier.« Sie hob die Schultern. Hoffentlich waren Charles und seine Mutter nicht beleidigt, aber es war unwichtig. Sie hätte es nicht ertragen – den glitzernden Frohsinn, den Lärm, die goldenen Teller, das erstickende Essen. Und das Tanzen. »Ich werde nie wieder tanzen!«

»Unsinn!«

Hatte sie den Gedanken wirklich laut ausgesprochen? Sie hatte es nicht vorgehabt.

»Du bist jung, und du bist viel zu lebhaft, um nie wieder zu tanzen«, meinte Renée entschieden. »Gott wird dich beizeiten wieder zu dir selbst zurückführen.« Unaufgefordert nahm sie Marias Hand und drückte sie.

Merkwürdigerweise nahm Maria keinen Anstoß an der Berührung. Für gewöhnlich darf niemand mich anrühren, dachte sie überrascht. Und ich darf auch niemanden berühren. Meine Hunde, ja, aber keine Menschen. Wie merkwürdig das alles ist ... Sie fühlte überwältigende Müdigkeit.

Die Zeit verging; sie wußte nicht, wie lange sie schweigend dagesessen hatten, aber das Licht begann zu schwinden, und die Quittenblüten gewannen an Leuchtkraft. Eine Glocke läutete.

»Die Vesper«, sagte Renée leise, und sie nahm Maria bei der Hand und half ihr auf.

Als sie aufstand, fühlte sie sich so leicht und ausgeruht wie seit Monaten nicht mehr. Sie folgte der Äbtissin in die Kapelle und ließ sich wie eine Schlafwandlerin von den Worten der frommen Andacht liebkosen.

Deus in adjutorium intende ...
Domine ad adjuvandum me festina ...

Und:

O Herr, mein Herz ist ohne Hochmut, und nicht
erkühnet sich mein Blick ...

Worte wie Milch, sanft und von nährender Kraft.

Ich bin entwöhnt, denn meine Mutter ist nicht mehr, dachte sie. Und all das hier – sie schaute sich in der kahlen Kapelle mit den hallenden Wänden um – wärmt mich mehr als der Hof. Hier am Altar wird meine Mutter ruhen. Sie wird diese Stimmen allezeit hören, wird umgeben sein von dieser Liebe. Und ich werde hinausgestoßen in die Welt, um ihren Platz einzunehmen.

Die Töne des gesungenen Psalms schwebten bebend empor.

Es war so vertraut. Sie hatte schon einmal hier gestanden, hatte Stimmen wie diese gehört, war erzittert von der Schönheit des Ganzen …

In Inchmahome. Die Mönche …

Ringsum schickten die Nonnen sich zum Gehen an, zum Abendessen im Refektorium.

An langen Tischen saßen sie, mit geradem Rücken auf niedrigen Bänken; an jedem Ende brannte eine einzelne Kerze, und sie aßen schweigend. Es gab braune Brote und zwei Gemüsegerichte: gedämpfte Äpfel und gebackene Pastinaken.

Eine junge Nonne – vielleicht noch jünger als ich, dachte Maria – las die Tageslosung aus der Regel des Heiligen Benedikt in klarem, präzisem Ton. »Was für ein Mann der Abt sein sollte« war die Lesung für den 15. Mai überschrieben.

»Der Abt soll stets bedenken, was er ist und wie er genannt wird, und er soll wissen, daß einem, dem mehr anvertraut ist, auch mehr abgefordert wird.«

Das gilt auch für einen König, dachte Maria. Aber wenn Gott mich dazu berufen hat, Königin zu sein, warum fühle ich mich dann im Kloster so viel heimischer?

Nach dem Abendessen kehrten die Nonnen zur Komplet noch einmal in die Kapelle zurück, ehe sie mit brennenden Kienspänen in ihr Dormitorium hinaufstiegen. Dort würden sie zusammen in einem Raum schlafen, bis sie mitten in der Nacht geweckt werden würden, um sich zum Gebet in die Kapelle zu begeben.

Renée nahm Maria beim Arm und geleitete sie in ihre Privatkammer, wo sie schlafen sollte. Sie lag im Erdgeschoß, und man konnte in den Garten hinausschauen, in dem sie gesessen hatten.

Der Raum war recht gut eingerichtet: ein großes Bett, ein Schreibtisch, Stühle, eine Truhe, eine Vase mit Blumen. An der Wand hing ein elfenbeinernes Kruzifix, und darunter stand ein mit Samt bezogener Betstuhl. Ein Raum für eine Königin.

»Für unsere Gäste«, sagte Renée, als habe sie ihre Gedanken gelesen. »Alle unsere Gäste werden so geehrt, und alle Pilger sind gleich.« Sie zündete die drei Kerzen auf dem silbernen Leuchter an.

»Ich habe gestern Nachricht bekommen, was die … Ankunft der Überreste deiner Mutter betrifft. Die Reise geht nur langsam vonstatten … die Beerdigung wird erst in ein paar Wochen möglich sein.«

Die unausgesprochene Frage.

»Leider kann ich nicht zugegen sein.« Obwohl ich es gern möchte, obwohl ich mich danach sehne, hierzubleiben, eine von euch zu werden … »Ich muß fort – hinaus in die Welt. Vielleicht auf mein Witwengut in Touraine. Vielleicht gar nach … Schottland.« Da – sie hatte es angenommen.

»Die Lords haben einen Brief an dich beigefügt«, sagte Renée und reichte ihr die Botschaft, aber sie wollte nicht bleiben, während Maria las. »Ruhe wohl, mein liebes Kind.« Sie war schon an der Tür, aber dann nickte sie zu dem Kruzifix hinüber. »Ich möchte, daß du es behältst«, sagte sie. »Es ist ein sehr altes, und es scheint eine eigene Seele zu besitzen. Ich spüre, daß es mit dir gehen will.«

Maria wollte abwehren, aber etwas im Gesicht ihrer Tante ließ sie schweigen. Renée kehrte noch einmal zu ihr zurück. Sie erhob sich auf die Zehenspitzen, um Maria einen Kuß auf den Scheitel zu geben, und dann ging sie hinaus und machte die Tür leise hinter sich zu.

Maria setzte sich auf einen Stuhl am Tisch und erbrach die Siegel auf dem Brief. Es verdroß sie, daß sie sogar hier noch zu ihr eindrangen, diese hochmütigen Verräter. *Mein Herz ist ohne Hochmut, und nicht erkühnet sich mein Blick* – das galt nicht für sie, dachte sie erbost.

Es war ein langer Brief, vollgestopft mit sorgsam ausgewogenen Phrasen und Doppelsinnigkeiten. Sie waren ängstlich auf ihre Rechtfertigung bedacht. Ausführlich wurde aus der Heiligen Schrift zitiert. Aber der Kern ihrer Botschaft war dies: Sie wollten sie zurückholen. Sie luden sie ein, heimzukehren, und ihr Ton war nicht nur respektvoll, sondern warm und herzlich. Wenn sie nach Schottland kommen und dort bei ihrem Volk residieren wolle, dann würden sie, die Lords der Kongregation, sie willkommen heißen, sie unterstützen und als ihren Souverän anerkennen, und sie würden ihr treue Gefolgsleute sein.

Nicht ein Wort über ihre Religion oder darüber, wer in Wirklichkeit regieren würde – die Lords der Kongregation oder sie?

Unterzeichnet war der Brief von ihrem Bruder, Lord James Stewart, in seinem eigenen Namen als Kommendator von St. Andrews sowie namens der anderen Lords.

Überraschend, dachte sie, dieser veränderte Tonfall. Vielleicht schreit ja das Volk nach seiner Königin, und die Lords haben allmählich das Gefühl, auf unsicherem Boden zu stehen. Aus welchem Grund auch immer: Sie merken, daß sie mich brauchen.

Sie spürte, daß ihr Herz unwillkürlich schneller schlug. Sie brauchten sie. Schottland rief sie heim.

Sie schaute zum Fenster hinaus, durch den steinernen Rahmen in den kleinen Garten, der matt im Mondschein schimmerte. Aber hierher gehöre ich doch ... Ins Kloster zu kommen, das war wie eine Heimkehr gewesen, und sie hatte erkannt, wie tief ihre Liebe zu ihrem Glauben wurzelte und wie herrlich es war, von anderen umgeben zu sein, die im geistlichen Leben schon weiter fortgeschritten waren und sie unterweisen konnten.

Draußen in der Welt, dachte sie, ist es leicht, sich für einen geistlich bewegten Menschen zu halten, wenn man auch nur das leiseste Gespür dafür hat. Aber hier – hier offenbart sich die Wahrheit. In der Tat, ich bin eine Novizin im Leben der Seele.

Aber eine Woge der Tatkraft erwachte in ihr: Eine weltliche Herausforderung wartete auf sie. Schottland rief, und der Brief auf dem Tisch lag da wie ein Handschuh, den man ihr vor die Füße geschleudert hatte. *Nimm mich auf, wenn du kein Feigling bist. Wenn du kannst.*

Das gelbe Papier, das im Kerzenschein leuchtete, war stärker als das zarte Licht im Garten draußen, und es zog sie wieder an. Sie wandte sich vom Fenster ab und nahm den Brief in die Hand, um ihn noch einmal zu lesen. Und dann noch einmal.

Schließlich kniete sie vor dem Kruzifix nieder und hob den Brief empor wie ein Kinderopfer.

»Ich weiß nicht, was ich tun soll«, flüsterte sie. »Führe mich.«

Lautlose Stille erfüllte die Kammer. Sie hörte sogar das Brennen der Kerzen, das tropfende Wachs. Wenn Gott nur laut sprechen wollte ...

Aber Er tut es nicht, dachte sie. Ich höre nichts als meine eigenen Gedanken.

Ist es meine Pflicht, nach Schottland zu gehen, meine Aufgabe, für die ich erschaffen bin? Aus welchem Grunde bin ich geboren als die, die ich bin, wenn nicht dazu, dieses Amt auf mich zu nehmen?

Ist es möglich – möglich nur –, daß ich als Werkzeug dienen soll, dieses Land zu retten, das jetzt so sehr im Irrtum verstrickt ist? Welchen Grund könnte es sonst dafür geben, daß ich in den Familien der Tudors und der Stewarts als letzte Katholikin übriggeblieben bin? Aber meine Cousine Maria Tudor bietet mir ein grausiges Beispiel für das mögliche Ausmaß des Scheiterns. Ich darf nicht in ihren Irrtum verfallen.

Aber wenn ich sanftmütig bin, barmherzig, wenn ich mich in allem von der Liebe leiten lasse, könnten sie dann nicht zur Wahrheit zurückgeführt werden?

Es kam keine Antwort von Gott, nichts als eine zunehmende Taubheit in ihren Knien, die der kalte Steinboden drückte. Die Stille umgab sie wie angehaltener Atem.

Endlich stand sie auf, taumelnd, weil in ihren Beinen kein Gefühl mehr war. Sie stolperte zum Bett, schlug die Decken zurück und legte sich steif hinein. Und als der Schlaf sich heranschlich, waren ihre Gedanken von einer Gewißheit durchweht: Wenn ich nicht gehe, waren alle Opfer meiner Mutter vergebens.

Sie erwachte am nächsten Morgen und richtete sich kerzengerade auf, von Überzeugung erfüllt. Sie mußte nach Schottland.

Die Entscheidung war weniger ein Entschluß als ein Befehl, der tief aus ihrem Innern kam; in der Nacht hatte er an Kraft gewonnen und übernahm jetzt die Herrschaft. Sie wagte nicht, ihn in Frage zu stellen, denn er schien eine eigene Autorität zu besitzen.

Als sie dem Kloster Lebewohl sagte, sah sie sich noch einmal um und flüsterte: »Mutter, du und ich, wir wechseln jetzt die Plätze.«

Den Weg nach Paris legte sie langsam zurück. Die kleinen Straßen auf dem Höhepunkt des Frühlings erschienen ihr jetzt ganz anders. Die Hütten waren mit Girlanden geschmückt, und die Kinder schaukelten an Seilen, die an die Äste der Bäume geknotet waren, und jauchzten dabei vor Überschwang. Die Obstgärten standen in voller Blüte; die Bauern pflügten ihre Äcker, und der Duft der frisch aufgeworfenen Erde durchwehte die Luft. Die Menschen riefen ihr zu, als sie vorüberkam, und unwillkürlich fühlte sie, wie ihr Mut erwachte und auf die warme Luft und die leuchtenden Farben des Frühlings reagierte. Sie war schließlich erst achtzehn Jahre alt.

Während sie sich auf gewundenen Straßen voranbewegte, gebot sie der kleinen Schar ihrer Bediensteten zu schweigen; sie wollte ihr Geplauder nicht hören. Die Vogelstimmen, das Geschrei der spielenden Kinder beruhigten sie, wie es keine Unterhaltung vermocht hätte. Sie ritten hintereinander auf dem ausgetretenen Pfad und atmeten den schweren Duft der blühenden Obstbäume.

Eine zweite Gesellschaft näherte sich aus der entgegengesetzten Richtung. Ausflügler, ohne Zweifel, auf der Suche nach einem Plätzchen für ein Picknick, vielleicht auch Pilger, die irgendeinen obskuren Heiligenbrunnen oder ein Grab besuchen wollten. Dergleichen gehörte ebenso zum Frühling wie die Vögel, die jetzt Hochzeit feierten, und es zwitscherte ebenso lärmend.

Aber als sie näher kamen, erkannte Maria den Reiter an der Spitze. Es war ihr Bruder, Lord James Stewart. Er erschien vor ihr wie eine Vision, ein Wesen, das in diese blühende, heitere, heidnische Landschaft überhaupt nicht passen wollte.

»James!« rief sie und winkte ihm zu.

Er kam heran und grüßte sie. »Eure Majestät.« Er stieg vom Pferd und zog zum Zeichen seiner Hochachtung den Hut.

Auch wenn es sie enttäuscht hatte, daß er sich den Lords der Kongregation angeschlossen hatte, so war sie doch erfreut, ihn zu sehen. Schließlich gehörte er zur Familie, war dem Blute nach – oder doch zur Hälfte – ihr Bruder.

»James! Wie kommst du hierher?« rief sie.

»Ich habe Euch gesucht«, sagte er. »Ihr wart nicht in Paris.« Sein Tonfall schwebte zwischen Enttäuschung und Anklage.

»Allerdings nicht. Ich habe es vorgezogen, Verwandte zu besuchen.«

»Habt Ihr den Brief bekommen?« fragte er unverblümt.

Maria schaute zu ihrer Gruppe zurück – Madame Rallay, Maria Seton und Pater Mamerot – und gab das Zeichen zum Halten. »Laßt uns eine Lichtung suchen, wo wir rasten können, damit ich mit meinem teuren Bruder, dem Lord James Stewart, sprechen kann, dem wir so unverhofft begegnet sind.«

»Eine Meile weiter gibt es eine«, sagte er. »Ich bin daran vorbeigekommen, und sie sah überaus einladend aus.« Er stieg wieder auf, ergriff die Zügel und drehte sein Pferd herum, und seine Begleiter taten desgleichen.

Auf der Lichtung angekommen, stiegen die beiden Gruppen ab und ließen sich nieder. Maria zog ihren Bruder beiseite.

»Du bist hartnäckig und einfallsreich«, stellte sie fest. »Das Land hier ist voller Straßen.« Das Wissen darüber, daß er ein Führer der Knoxschen Bewegung war, ließ ihn weit entfernt von jenem Bruder erscheinen, mit dem sie in Stirling gespielt hatte, und sie war vor ihm auf der Hut.

»Ich hatte Glück.« Er lächelte, und das ließ seine Züge recht angenehm erscheinen. Er war eine schwerfällige Erscheinung mit breiter Nase und ausgeprägten Wangenknochen. »Oder der Herr hat mir geholfen, denn meine Mission steht im Einklang mit Seinem Willen.«

Sie erstarrte. Es begann also schon, das reformierte Predigen. »Deine Mission?« fragte sie.

»Mit Euch persönlich zu sprechen, nachdem wir den Brief abgesandt hatten. Euch nach Schottland heimzubringen. Jawohl, wir wollen Euch haben. Wir wollen, daß Ihr heimkommt. Zu uns, zu Eurem Volk.«

»Mein ›Volk‹, wie du es nennst, scheint mir vom Weg des Gehorsams gegen seinen Souverän weit abgekommen zu sein.« Sie wählte ihre Worte mit Sorgfalt. »Sie haben meine Mutter abgesetzt –«

»Sie war nicht der Souverän«, unterbrach er sofort.

»Sie war die von mir ernannte Regentin. Dann haben sie Gesetze zur Religion des Landes verfaßt und sie für bindend erklärt; sie haben definiert, was Hochverrat sei und was nicht. Kurz, sie haben alle Vorrechte des Herrschers an sich gerissen, angeleitet von Master John Knox.«

Er wollte etwas sagen, aber sie schnitt ihm das Wort ab. »Nein, widersprich nicht!« sagte sie. »Knox hat gebrüllt, und ihr seid gefolgt! Er war es, der diese ›Revolution‹ gesteuert hat, und ihm gilt eure Gefolgschaftstreue. Zu welchem Zweck also ersucht ihr mich um die Rückkehr?«

James wirkte erschrocken und überrascht ob dieser Attacke. »Weil Ihr ein Land braucht, und wir brauchen eine Königin. Und wenn Ihr Euch dazu durchringen könntet, einmal die Vorzüge des reformierten Glaubens in Erwägung zu ziehen ...«

»Nein, niemals! Gebt euch keinen trügerischen Hoffnungen hin! Ich wechsele meinen Glauben nicht wie einen Hut, nicht aus politischen Erwägungen! Es ist mein Glaube, und er ist mir so teuer wie dem Knox der seine. Außerdem –« sie schaute ihn forschend an –, »was sagt es über eine Königin, wenn sie ihren Glauben wechselt, wie es gerade ratsam ist? Wie könnte sich ihr Volk auf ihre Beständigkeit verlassen? Sie wäre ein Nichts, eine Welle, die hierhin und dorthin rollt, je nach dem, woher der Wind weht.« Sie sah ihn aufmerksam an. Es hatte eine Zeit gegeben, da man ihn auf das Dasein eines Kirchenmannes vorbereitet und geglaubt hatte, dies werde ihn zufriedenstellen. Er hatte sein Amt als Kommendator von St. Andrews anscheinend ernst genommen. »Wenn du dir vorstellen könntest, zum Glauben deiner Väter zurückzukehren, dann könnte ich mir einen Kardinalshut auf deinem Kopf vorstellen.«

»Wie bei Eurem frommen Onkel?« versetzte er. Das Vergnügen, mit dem er diesen Vorschlag zurückwies, war offensichtlich.

Sie lachten beide.

»Zwei staatsmännische Politiker, die einander Angebote machen und sich in staatsmännischer Weise gegenseitig zurückweisen«, sagte James. »Jetzt können wir zur Sache kommen.«

»Du scheinst dich in einem Irrtum zu befinden«, antwortete Maria mit klarer Stimme. »Wir sind nicht zwei gleichrangige Politiker. Ich bin die Königin, und du bist mein Untertan.«

Statt zu antworten, neigte er nur leicht den Kopf. »Was Eure Rückkehr angeht, so sind wir – die Lords der Kongregation – bereit, Euch in jeder Hinsicht Gefolgschaft zu leisten, wenn Ihr unsere Religion respektiert.«

»Ich werde sie respektieren, wenn ihr die meine respektiert.« Er wollte etwas sagen, aber sie fuhr fort. »Wie ich höre, habt ihr unter dem Einfluß von Master Knox verfügt, daß die Messe illegal und bei Todesstrafe verboten sei. Dies ist eine schwere Sünde, für die euer Gewissen zu späterer Zeit wird Rechenschaft ablegen müssen. Aber ich bestehe auf meinem Recht, ungestört meinen eigenen Glauben auszuüben. Es muß möglich sein, daß ich zur Messe gehe und die Sakramente empfange, die ich zum Leben brauche. Habe ich in dieser Angelegenheit dein Versprechen, dein feierliches Ehrenwort?«

»Master Knox –«

»Master Knox ist nicht der König! Es kann nur einen gesalbten Herrscher im Lande geben. Wenn es Knox sein soll, werde ich nicht kommen. Triff deine Wahl. Ich verlange nur wenig; es ist das, was du auch verlangen würdest, wärest du an meiner Stelle und ich an der deinen.«

»Das stimmt.« Er schloß die Augen, und es schien, als fechte er innerlich einen Kampf aus. »Aber das Volk darf Eure Priester nicht sehen, und auch nicht die papistische Staffage, denn sonst könnte es zur Gewalttätigkeit aufgestachelt werden. Es muß alles verborgen bleiben. Die Messe bleibt allein auf Euch und Euren Haushalt beschränkt; nirgendwo sonst in Schottland darf sie gelesen werden.«

»Jawohl, Bruder«, sagte sie. Gab es denn keine Katholiken mehr in Schottland? Aber wie konnten die Gläubigen überleben, ganz ohne geistliche Nahrung?

»Wann dürfen wir Euch in Schottland erwarten?« fragte er.

»Im Sommer«, sagte sie. »Ich werde euch später das genaue Datum wissen lassen.«

»Mein Herz frohlockt, da ich mit solcher Kunde zu meinen Brüdern zurückkehren kann«, sagte er. Aber er sah nicht besonders entzückt aus. Und welche Brüder meinte er?

Der Augenblick des Abschieds war gekommen. Der Hof hatte sie zum Hafen von Calais begleitet. Für die Höflinge war es eine Festlichkeit, eine Prunkfeier, wie man sie bei Hochzeiten oder Taufen veranstaltete. Lord Bothwell hatte für die Schiffe gesorgt: eine weiße Galeere für Maria und eine zweite für ihre Habe einschließlich der Pferde; auf beiden wehte eine blaue Fahne mit dem französischen Königswappen. Es gab künstliche Aufregung, weil Elisabeth sich geweigert hatte, Maria für den unwahrscheinlichen Fall, daß ihr Schiff auf Grund laufen und sie genötigt sein könnte, in England an Land zu gehen, einen Paß zu gewähren. Elisabeth versuchte, damit ihren Ärger darüber zu demonstrieren, daß Maria es abgelehnt hatte, den Vertrag von Edinburgh zu ratifizieren; Maria hingegen nutzte die Weigerung für einen dramatischen Auftritt vor Throckmorton, bei dem sie erklärte, Elisabeth könne sie nun nach Belieben erschlagen, sollte sie ihr in die Hände fallen.

Der Kardinal von Lothringen stand am Kai und umarmte sie. »Du weißt, daß meine Liebe dich begleitet«, sagte er. »Verliere nicht den Mut unter all den Ketzern.«

»Wenn mir meine eigene Religion gestattet bleibt, wie kann ich da den Mut verlieren?« erwiderte sie.

Er beäugte die Galeeren. »Es wäre besser, du würdest deine Juwelen bei mir in Verwahrung lassen, statt sie auf diesen Schiffen der hohen See zu überlassen.«

»Die meisten habe ich bereits in Frankreich gelassen, denn ich mußte sie ja in Königin Katharinas Obhut übereignen«, sagte sie. »Ich habe nur noch das, was ich aus Schottland mitgebracht habe, dann den ›Great Harry‹ und die langen Ketten aus schwarzen Perlen, die Königin Katharina mir persönlich zur Hochzeit geschenkt hat.«

»Es wundert mich, daß sie sie nicht zurückhaben will.«

»Angedeutet hat sie es. Aber ich habe getan, als hörte ich es nicht. Außerdem, mein guter Onkel, wenn du diesen Schiffen meine Person – die doch unendlich viel verletzlicher und sterblich ist – anvertrauen willst, dann sollten die Juwelen sicher genug sein.«

Er lachte. »Allerdings, das sollten sie wohl.« Er sah ihr lange in die Augen, und sein Lächeln verging. »Gott sei mit dir«, sagte er.

Es war ein trüber, dunstiger Tag, anders als sonst im August. Während die Ruderer sich anschickten, sie auf das offene Meer hinauszufahren, wo die Segel gesetzt werden könnten, kenterte im Hafen ein Fischerboot und sank. Alle an Bord ertranken.

Die königliche Galeere wartete respektvoll mit der Ausfahrt; die Passagiere standen schweigend an der Reling, und Maria war plötzlich von bestürzender Angst erfüllt.

»Was für ein trauriges Vorzeichen für eine Reise«, sagte sie. Als sie zum Ufer hinüberschaute, erkannte sie, daß sie schon außerhalb seines hilfreichen, tröstlichen Zugriffs war.

Als sie in See stachen und den Hafen hinter sich ließen, als Frankreich in der Ferne zurückblieb, klammerte sie sich an die Reling und starrte auf die schwindende Küste. Tränen rannen ihr übers Gesicht, und sie sagte immer wieder: »*Adieu*, Frankreich. *Adieu*, Frankreich. Ich fürchte, ich werde dich vielleicht nie wiedersehen.« Ihre Worte verhallten im Knarren der Ruder und im Rauschen des Windes, ein melancholischer, verlorener Schrei.

Bevor sie sich an diesem Abend zum Schlafen zurückzog, bat sie den Kapitän, sie zu wecken, ehe Frankreich vollends am Horizont verschwände. Er tat es in der Kälte des frühen Morgens, und sie stand an Deck und sah zu, wie die matten Umrisse Frankreichs sich auflösten im Perlendunst des Sonnenaufgangs.

BUCH

II

Königin von Schottland

1561-1568

Die große weiße Galeere pflügte sich durch die See und bahnte sich ihren Weg auf der traditionellen, aber gefahrvollen Strecke entlang der englischen Küste durch die Nordsee hinauf zur schottischen Ostküste. Sofern nicht sicheres Geleit gewährt wurde – was nicht der Fall war –, waren Schiffe jenseits der Straße von Dover, vor Yarmouth und Holy Island bis hinauf nach Schottland, allen möglichen Angriffen ausgesetzt und fanden nirgends Schutz, wenn sie auf der sechshundert Meilen weiten Reise irgendwo in ein Unwetter gerieten.

Auf und ab, von einem Wellental ins andere gleitend, ließ die Galeere Frankreich hinter sich zurück und näherte sich Schottland nach nur fünf Tagen auf See. Der Dunst hatte sich auf der ganzen Reise nicht einmal gelichtet, und als Maria jetzt an der Reling stand und sich bemühte, das Ufer zu erkennen, sah sie nichts als weißen Nebel.

»Schottland!« sagte Bothwell und trat zu der Schar der französischen Begleiter, die mit Maria an der Reling standen und ins Nichts hinausspähten.

»*Où?* Wo ist es denn?« fragte Brantôme, der darauf bestanden hatte, Schottland einmal mit eigenen Augen zu sehen.

»Hinter dem weißen Vorhang wartet es auf Euch.« Bothwell trat zu Maria und flüsterte: »Dort liegt es.«

Sie nickte.

»Wir werden in Leith an Land gehen, so Gott will.«

War es denn so schwierig, den Weg dorthin zu finden? fragte sie sich.

Er sah die Verwunderung in ihrem Blick und sagte: »Die Schiffe Eurer Mutter sind so weit vom Kurs abgekommen, daß sie statt in Leith in Fife gelandet sind. Aber fürchtet nichts. Die Franzosen haben inzwischen gelernt, sich besser zurechtzufinden.« Sein grimmiger Tonfall stand im Widerspruch zu seinem lächelnden Gesicht.

So dicht war der Nebel, daß Maria allem Geschrei und Lärm zum Trotz, mit dem die Galeere sich der Landungsbrücke näherte, nicht einmal den Kai sehen konnte. Es gab keine Trompeten, keine frohen Willkommensrufe, nichts als den Geruch von Teer, das dumpfe Klatschen der Taue und die rauhen Stimmen der Matrosen: »Dock ahoi! Macht fest!«

Jahrelang hatte Maria sich vorgestellt, wie sie in Schottland landete, als erwachsene Königin, die in die Heimat ihrer Kindheit zurückkehrte. Natürlich standen sie dann, sie und Franz, zusammen an der Reling und sahen eine große Schar von berittenen Ratsherren, die auf sie warteten, und dazu flatternde Seidenbanner, Pferde mit schimmernden Schabracken, Herolde, die ihre Trompeten erschallen ließen, und eine jubelnde Menge. Und an der Spitze all dessen ihre Mutter ... ihre Mutter, die jetzt in einem Bleisarg unterwegs nach Frankreich war.

Mit lautem Knall wurde der rohgezimmerte Laufsteg heruntergelassen.

»Kommt«, sagte Bothwell und deutete hinüber.

Maria raffte ihre Röcke zusammen, winkte den Marys und verkündete mit entschlossener Fröhlichkeit: »Gehen wir an Land.«

Sie stiegen die Planke hinunter, fünf schlanke, schwarzweiß gekleidete Gestalten auf schrägem Steg. Der undurchdringliche Nebel gab ihr das Gefühl, als trete sie hinaus in einen Traum und nicht in ein wirkliches Land. Sie stand auf dem kalten Kai und zog den Mantel fester um die Schultern. Wie trübe, wie frostig – und dabei war es erst August! War das der schottische Sommer?

Wie kann ich hier überleben, war ihr erster, flüchtiger Gedanke.

»Eure Majestät!«

Der Nebel wallte, und hervor trat James Stewart in einem Mantel, dessen graue Farbe fast die gleiche war wie die des Nebels. »Maria, Ihr seid also gekommen!«

»Ja, Bruder. Endlich bin ich hier.«

Sie trat vor, um ihn zu umarmen, aber er wich zurück, verbeugte sich und erwies ihr seine Reverenz.

Jetzt lösten sich noch zwei andere Gestalten aus dem Nebel: ein vertraut aussehender Mann mit einem Gesicht so lang und schmal, daß es aussah wie das auf einer Ikone, und ein Mann, der angenehm unauffällige Züge hatte.

»John Erskine, Majestät«, sagte der Mann mit dem langen Gesicht.

»Aus Inchmahome ... wir haben damals miteinander gespielt«, entsann sie sich. »Und eine kurze Zeitlang in Frankreich ... Ihr kamt, als Euer Vater dort war ...« Sie dachte laut. »Es ist in der Tat wie eine Heimkehr, Euch hier zu treffen.«

Er lächelte; es war ein Lächeln, das bis zu den äußeren Grenzen seines schmalen Gesichtes reichte. »Ich gehe nicht mehr nach Inchmahome«, sagte er, und es klang bedauernd. »Aber Ihr seid dort willkommen, wie immer.«

»Er hat die Insel verlassen, zusammen mit all dem anderen papistischen Aberglauben«, sagte James mit knappen Worten.

»Aha«, sagte Maria.

»William Maitland, Laird von Lethington, Eure Majestät«, sagte der dritte Mann. Er verbeugte sich ausführlich, als wolle er einen peinlichen Augenblick überbrücken.

»Wir sind erfreut, Euch zu begegnen«, sagte sie und nickte ihm zu. Das also war der Staatssekretär ihrer Mutter – angeblich der intelligenteste Mann in ganz Schottland.

Aber jetzt kniete der intelligenteste Mann einfach vor ihr nieder und sagte: »Willkommen, Eure Majestät.«

»Wir haben mit Eurer Ankunft heute noch nicht gerechnet«, sagte Lord James. »Aber anscheinend hattet Ihr günstige Winde für Eure Reise. Leider gibt es ein Problem mit den Pferden« – er ließ eine Pause eintreten – »und auch mit Holyrood Palace.« Achselzukkend fuhr er fort: »Wie es scheint, haben die Engländer die Galeere abgefangen, die Eure Pferde transportierte, und ... äh ... sie beschlagnahmt und nach England gebracht. Wir bemühen uns, sie unverzüglich zurückzuerhalten. Und Holyrood ist noch nicht vollständig bereit, Euch aufzunehmen.«

Nicht bereit? Sie wußten seit Wochen, daß sie kommen würde!

»Wenn Ihr Euch jedoch hier mit einem Quartier begnügen wollt, während die nötigen Vorbereitungen getroffen werden, so hat sich ein Kaufmann, Mr. Andrew Lamb, freundlicherweise bereit gefunden, Euch in seinem Hause hier in Leith etwas zu essen ... äh, ein *Festessen* zu geben. Einstweilen beschaffe ich schon Pferde für Eure Gefolgschaft ... sind es sechzig Personen?« Sein Blick verharrte auf einem kleinen Mann in einem pelzverbrämten Mantel, der zu ihrer Gesellschaft gehörte. »Wer ist das?« fragte er mit leiser Stimme. »Euer Beichtvater? Ein Priester?«

Maria nickte, und Lord James machte ein Gesicht, als sei er geprellt worden.

Am späten Nachmittag kam Lord James zurück und brachte genug Pferde für alle; die meisten allerding waren jämmerliche Mähren – mit stumpfem Fell und vorstehenden Knochen, viele auch unbeschlagen.

So also sollte ihr erster Auftritt in ihrer Heimat aussehen – ganz anders als in ihren Phantasien, in denen sie auf einem Schimmel geritten war. Wenigstens brauchte sie die zwei Meilen nicht zu Fuß durch den Schlamm zu gehen oder auf einem Esel zu reiten. So machten sie sich auf der breiten, holprigen, schlammigen Straße auf den Weg von Leith nach Edinburgh. Der Nebel hatte sich nicht gelichtet, und zu Marias Enttäuschung war rechts und links des Weges nichts zu sehen – sie hatte sich danach gesehnt, ihr Land wiederzusehen, das sie nur halb in Erinnerung hatte und das sich ihr offenbar jetzt nicht zeigen wollte. Der Wasserdunst, dicht wie Rauch, verhüllte auch den Schaden, den die kürzlich beendete Belagerung Leiths durch die Engländer angerichtet hatte.

»Ich habe Nachricht nach Edinburgh geschickt«, sagte Lord James. »Die Leute dürften also bald zusammenströmen.« Er klang geplagt und resigniert; sein Ton war unpersönlich, und es war nur wenig übrig von dem Bruder, mit dem sie in Stirling Schlitten gefahren war.

»Ich danke dir, lieber Bruder.« Sie sah sich unter ihren Begleitern um, die jetzt alle zu Pferde saßen. »Kommt, meine Freunde!« sagte sie fröhlich. »Es wird Zeit, daß wir uns in unser neues Heim begeben!« Und resolut wandte sie den Kopf in die Richtung, in der sie Edinburgh vermutete. In Wahrheit war sie natürlich darauf angewiesen, daß James sie führte.

Sie zogen in einer quälend langsamen Kavalkade durch die öden Straßen der Stadt – um so öder angesichts der zerstörten Gebäude zu beiden Seiten der Straße, die die Engländer kurz vor Beendigung der neuerlichen Kämpfe noch niedergebrannt hatten. Es schien überhaupt keine Farben zu geben – nur den zinnfarbenen Himmel, bläulich grauen Nebel und das Schwarz von verkohltem Holz. Und die Kälte! Nach kurzer Zeit drang sie bis auf die Haut. Maria spürte, daß sie bald anfangen würde zu zittern, und nur mit großer Willensanstrengung konnte sie es vermeiden.

Hier und da lugten Gesichter aus den Türen; auch sie waren farblos und hatten jenen resignierten, dumpfen Ausdruck hungriger Menschen, die des Kämpfens müde waren. Maria sah, wie sehr sie sich von den Bewohnern der französischen Städte unterschieden. Ihre Kleider waren rauher und anscheinend ausnahmslos in der graubraunen Farbe ungefärbter Wolle. Auch ihre Gesichter waren anders – der Blick der hellen Augen, die blassere Haut. Da und dort sah sie ein Kind mit feuerrotem Haar.

»Die Königin«, hörte sie jemanden mit schriller Stimme sagen. »Sie muß es sein, sie muß es sein, guck doch bloß den feinen Mantel …!«

Sie drehte sich um und wollte lächeln und winken, aber im Nebel war niemand zu sehen.

Die Straße begann jetzt anzusteigen; sie spürte es. Allmählich versammelten sich immer mehr Menschen am Straßenrand; es hatte sich herumgesprochen, daß die Königin gekommen war.

»Willkommen! Oh, willkommen!« riefen sie.

»Gesegnet sei dies süße Gesicht!«

»Eine rechte Stewart ist zu uns gekommen!«

Sie liefen neben ihrem Pferd her, riefen ihr zu, boten ihr Blütenzweige, kleine Kuchen, bunte Bänder dar.

»Dank Euch, daß Ihr kommt«, sagte ein alter Mann, der so nah herankam, daß er das Zaumzeug ihres Pferdes hätte ergreifen können. »Wir brauchen Euch – brauchen Euch hier.«

Sie sah massige Frauen im mittleren Alter, deren Körper von vielen Schwangerschaften gezeichnet waren, mit geröteten, runzligen Wangen; magere Jungen mit fettigem Haar und wirrem Lächeln und vierschrötige Männer mit den buschigsten Bärten, die sie je gesehen hatte, oft von diesen rötlich getönten Strähnen durchzogen. Die Gesichter hießen sie freundlich willkommen.

Sie zügelte ihr Pferd, das anscheinend nur zu gern stehenblieb. »Ich danke euch, meine guten Leute. Mit großer Freude bin ich hierher zurückgekehrt, nach Schottland, in mein eigenes Land.«

Lord James und Maitland waren vor ihr achtlos weitergeritten. In diesem Augenblick erschien ein ganzer Schwarm von Männern aus dem Nebel, und sie riefen: »Gerechtigkeit, Gerechtigkeit!« Sie stürzten geradewegs auf Marias Pferd zu, und Bothwell kam rasch herangeritten und hatte sein Schwert so behende aus der Scheide gezogen, daß Maria die Bewegung gar nicht gesehen hatte; die Klinge blitzte plötzlich wie durch Zauberei in seiner Hand.

»Zurück!« befahl er in barschem Ton. »Naht euch nicht so unehrerbietig!«

Die Männer blieben stehen, schwiegen aber nicht. »Jetzt ist die Königin hier, und da kann sie unsere Klagen auch hören!«

»Nicht jetzt!« sagte Bothwell. »Ihr mögt eure Petitionen zur gehörigen Zeit einreichen. Ihre Majestät ist noch nicht einmal formell empfangen worden. Nach dieser Zeremonie –«

»Nein«, unterbrach Maria ihn schnell. »Ich will sie jetzt anhören, da sie einmal zu mir gekommen sind.«

Bothwell sah sie an, als sei sie entweder dumm oder ahnungslos.

Das gezückte Schwert hielt er wie einen mächtigen Knüppel in der Hand.

»Wir sind arme Schreiber und haben eben eine Handvoll Gefährten errettet, die zu Unrecht im Gefängnis waren! Hier sind sie, Eure Majestät!« Und zum Beweis schoben sie ein paar junge Männer nach vorn.

Sie sahen aus wie ganz gewöhnliche junge Leute, wie man sie in jedem Dorf hätte finden können. Wie Verbrecher erschienen sie jedenfalls nicht. »Warum – was hattet ihr denn getan?« fragte Maria.

»Wir haben an einem Sonntag ›Robin Hood‹ gespielt«, sagte einer. »Ein Theaterstück, für das Dorf. Und dafür wurden wir verhaftet und ins Gefängnis geworfen – von den Reformatoren!« Sie deuteten auf einen der Ihren. »Und er, als unser Anführer, wurde zum Tode verurteilt.«

»Mit welchem Recht –« begann Maria.

»Mit jeglichem Recht«, sagte Bothwell dicht neben ihr. »Die Reformierte Kirche regiert jetzt das Land. Habt Ihr das nicht verstanden? Haben die Lords es in ihrem Brief nicht unmißverständlich klargemacht? Die Kirche macht jetzt die Gesetze, und es ist gegen das Gesetz, sich am Sonntag zu vergnügen. Der Tag des Herrn darf nicht profan entweiht werden.«

Wie er das sagte – war es sein Ernst? Er hatte gesagt, er sei Protestant. Sollte das heißen, daß er an solche Verbote glaubte? Außerdem – nein, die Lords hatten es in ihrem Brief *nicht* unmißverständlich klargemacht. Es wäre zu häßlich gewesen, um es schriftlich niederzulegen.

»Ich begnadige euch«, sagte sie. »Ich verbiete, daß dieses Urteil in Kraft tritt. Ihr seid alle frei.«

Die Männer jauchzten wild vor lauter Erleichterung und fingen an, auf der Straße herumzutanzen.

»Kommt, laßt uns weiterreiten«, sagte Bothwell. Aber Lord James war bereits zurückgekommen und hatte den Wortwechsel noch mitangehört. Er machte ein finsteres Gesicht.

»Eure Majestät«, sagte er säuerlich, »selbst die Königin muß sich an die Gesetze des Landes halten.«

»Was für Gesetze?« sagte sie. »Wie können ohne meine Zustimmung verbindliche Gesetze ergangen sein?«

»Durch das Parlament«, entgegnete Lord James.

»Alle Gesetze des Parlamentes benötigen die königliche Unterschrift, wenn sie Rechtsgültigkeit bekommen sollen«, entgegnete sie. »Ihr habt mir nichts zur Unterschrift nach Frankreich gesandt, obgleich Ihr, wie ich höre, in letzter Zeit eine ganze Menge Gesetze erlassen habt.«

»Sie harren in Holyrood Eurer Unterschrift«, sagte Lord James. »Natürlich haben wir sie nicht nach Frankreich geschickt, da wir ja wußten, daß Ihr bald hier sein würdet.«

Die Männer hatten inzwischen angefangen, sie unter Gebrüll mit Blumen zu bewerfen.

»Oh, die gute Königin!« schrien sie. »Wollt Ihr unsere Jungfer Marian sein?«

»Ja!« antwortete sie.

»Schwester!« zischte Lord James atemlos. »Die königliche Würde!« Er trieb sein Pferd voran, und die Gruppe setzte sich in Bewegung. Hinter ihnen tanzten die befreiten Jünglinge.

Es wurde immer steiler, je näher sie Edinburgh kamen. Die Stadt lag auf einem langgestreckten, knochigen Landrücken; zuoberst ragte eine dunkle, uralte Burg auf, und zuunterst stand Holyrood Palace. Ein Teil der Stadt war von einer soliden Mauer umgeben, um die Engländer abzuhalten, aber Holyrood lag im unbefestigten Teil.

Immer mehr Menschen säumten die Straße, und Maria sah Lichtpunkte, wo man zu ihrer Begrüßung kleine Freudenfeuer entfacht hatte, die jetzt wie Laternen im Nebel glommen.

Die Straße verbreiterte sich, als sie sich einem Hügelkamm näherte, und plötzlich erhob sich eine Mauer vor der königlichen Gesellschaft. Sie ritten durch das befestigte Tor und gelangten auf eine breite, mit viereckigen Blocksteinen gepflasterte Straße, die zu beiden Seiten von schmalen, vielstöckigen Häusern begrenzt war. Lord James zügelte sein Pferd und wies zum Fuße des Hügels hinunter. Maria sah nichts als Nebel.

»Dort unten ist Holyrood, Eure Majestät«, sagte er.

Maria strengte ihre Augen an, aber sie sah nichts als Nebel, so dicht wie Rauch. Manchmal schien eine Gestalt darin aufzuschimmern, aber sicher konnte sie nicht sein.

»Ihr seid auf der High Street, der Hauptstraße, die geradewegs den Berg hinunter zum Palast führt«, sagte er. Dann drehte er sich im Sattel um und wies mit ausgreifender Armbewegung in die entgegengesetzte Richtung. »Dort oben – es geht langsam und stetig bergan – führt die Straße bis ganz hinauf nach Edinburgh Castle hoch oben auf seinem mächtigen Felsen.«

Zu gern hätte sie die Burg gesehen; es war so verdrießlich, daß man in jede Richtung nur zehn Fuß weit blicken konnte. »Ich sehne mich danach, das alles zu sehen«, sagte sie.

»Ich werdet es früh genug sehen«, versicherte er ihr.

Die Menschenmenge nahm zu, und als nächstes ritten sie durch das Netherbow-Tor in der Stadtmauer und weiter dieselbe Straße hinunter, die nun Canongate genannt wurde; die Häuser standen jetzt weniger dicht zusammen und sahen eleganter aus.

»Die Edelleute haben ihre Häuser hier, in der Nähe von Holyrood und außerhalb der Stadtmauer. Hier ist mehr Platz, so daß sie Gärten und Obstbäume anpflanzen können«, sagte Maitland, der an ihre Seite geritten war.

Der Anblick so vieler Menschen, die sie willkommen hießen, und der Umstand, daß sie endlich in der Nähe von Holyrood war, ließ ihr Herz höher schlagen. Verschwunden waren Müdigkeit und Entkräftung, die ihr seit Monaten in den Gliedern saßen, und verschwunden war auch das bohrende Gefühl, eine falsche Entscheidung getroffen und etwas Wichtiges vergessen zu haben.

»Ich habe Holyrood nie gesehen«, sagte sie. »Als ich klein war, war es nie sicher dort.«

»Frieden hat endlich Einzug gehalten in Schottland«, antwortete Maitland. Sein Blick wanderte die Straße hinauf und hinunter, aber im dichten Nebel erkannte er keinen von Knox' großmäuligen Anhängern. Er dankte dem Himmel dafür, daß sie offenbar zu Hause geblieben waren. Die Königin tat ihm leid, und zu gern hätte er ihr erspart, was ihr, wie er wußte, bevorstand. Frieden? Solange man zu Mr. Knox und der Kongregation gehörte, ja.

John Knox zog seine Kniebundhose hoch und ließ sich an seinem Arbeitspult nieder. Es war zwar erst Dienstag, aber er fühlte sich dazu inspiriert, seine Sonntagspredigt zu verfassen. Er war jetzt Pastor von St. Giles, der Hochkirche von Edinburgh, und seine zwei Stunden langen Predigten wurden jetzt von Hunderten gehört und binnen weniger Stunden vor Aberhunderten wiederholt. Er sah darin nicht die Wirkung seiner eigenen Rede, sondern die Macht des Heiligen Geistes, der ihm die Worte eingab. Er sagte ja nur, was ihm zu sagen aufgegeben war.

Die Königin der Schotten war jetzt in See gestochen oder würde es doch jeden Tag tun; er wußte nicht, ob sie Frankreich nun schon verlassen hatte oder nicht. Aber alle seine Gebete um ihr Fernbleiben hatte Gott anscheinend nicht erhört. Es war Sein Wille, daß sie kam und den Thron Schottlands bestieg. Knox mußte sich Seinen Wünschen beugen.

Das Thema der Predigt, welches der Heilige Geist ihm für diese Woche gezeigt hatte, sollten die Auserkorenen Gottes sein, Seine Auserwählten, und als Text diente ihm der Brief an die Epheser, Kapitel 1, Vers 4–5:

> Wie Er uns denn erwählt hat durch denselben, ehe der Welt Grund gelegt war, daß wir sollen sein heilig und unsträflich vor Ihm in der Liebe; und Er hat uns vorherbestimmt zur Kindschaft gegen sich selbst durch Jesum Christum, nach dem Wohlgefallen Seines Willens.

Wie es mitunter geschah, hatte Knox nicht gleich auf den Anstoß des Heiligen Geistes reagiert, als dieser ihn das erste Mal auf den Text verwiesen hatte, sondern statt dessen abgewartet, ob der Ruf wohl echt sei. Doch leider war er es gewesen, und Knox war genötigt, sich mit diesem schwierigen Text und seiner Aussage abzuplagen, an der Calvin immer noch arbeitete.

Seufzend schaute er aus dem Fenster in der überhängenden Hausfassade, das einen Blick über die High Street von Edinburgh bot. Sein Tisch stand so, daß er bei der Arbeit den kronenähnlichen Turm von St. Giles weiter oben auf dem Hügel sehen konnte. Heute war der Turm unsichtbar, obwohl er nicht sehr weit entfernt stand, denn ein seltsamer, dicker Nebel hatte sich herabgesenkt, der alle Häuser umwirbelte und sie in eine Decke aus kalten, winzig kleinen Wassertropfen hüllte.

Ungewöhnlich für diese Jahreszeit, dachte er, solch ein Nebel im August! Er griff nach einer Wolldecke und legte sie sich um die Schultern, dankbar für die behagliche Wärme.

Erwählt. Vorherbestimmt. Das war eine so dornenreiche Vorstellung. Hätte Gott schon, »ehe der Welt Grund gelegt war«, einige vorherbestimmt, errettet zu werden, welchen Sinn hatte dann das Predigen? Gottes Kinder würden vermutlich von sich aus vortreten. Und was, wenn einer, der *nicht* auserwählt war, durch die Predigten bewogen wurde, vorzutreten? Was für ein grausamer Spott, der da mit ihm getrieben wurde! Und war denn Gott so grausam? Würde Er den Menschen zum Spaß Hoffnung auf etwas geben, das sie nicht haben konnten? So etwas taten nur kleine Jungen mit ihren jüngeren Geschwistern.

Aber ich bin aufgerufen, es zu erklären, dachte er. Und was ist mit der noch schwierigeren Anspielung im siebenten Kapitel der Offenbarung, Vers vier, wo es hieß, daß nur 144000 Menschen gerettet werden würden? War der Himmel derart begrenzt?

Er verlagerte sein Gewicht auf den Kissen. Es scheint immer schwieriger zu werden, dachte er. Ich bin siebenundvierzig Jahre alt, und der Herr verschleiert die Dinge fortwährend vor meinen Augen. Ich versuche, den Schleier zu zerteilen, aber hinter jedem Schleier finden sich neue ... Werde ich denn nie zu Seinem Herzen vordringen?

Vielleicht sollte ich über »die Schleier« predigen. Eines der Dinge hinter den Schleiern, verborgen vor meinem Verständnis, ist dieses Faktum des Auserwähltseins, der Vorherbestimmung ... ja, aber ich muß gleichwohl vertrauen und glauben, bis mir mehr offenbart wird ...

Erregt nahm er seine Feder, tauchte sie in die Tinte. Ich muß predigen von meiner eigenen Unwissenheit und sie doch mit Vertrauen umgeben. Ich vertraue darauf, daß ich einer der Auserwählten bin, aber ich kann es nicht wissen – es kommt alles nur auf die Gnade an ...

Begeistert begann er zu schreiben, so schnell er konnte, während es draußen immer noch nicht Tag werden wollte. Der Nebel hatte die Sonne erstickt.

Drei Stunden später verließ ihn der Geist. Er saß zusammengesunken an seinem Schreibtisch und fühlte, wie die Inspiration verebbte. Aber auf dem Papier habe ich sie eingefangen, dachte er frohlockend, als er die sich kräuselnden beschriebenen Blätter auf seinem Tisch betrachtete. Er hatte den Geist eingefangen wie ein Fischer die Fische in seinem Netz. Beide mühen wir uns hart in unserem Beruf, dachte er.

Als er die losen Bögen zusammenschob – lesen würde er sie erst am nächsten Tag, denn er bearbeitete sein Werk niemals unter dem Einfluß des Geistes, sondern verfaßte es nur –, klopfte es mehrmals rasch an der Tür.

»Bitte kommt herein«, rief er. Er war bereit für Gesellschaft, bereit auch, in die untere Stube hinunterzusteigen, einen Teller Suppe zu essen und mit anderen Menschenwesen zu verkehren. Genug vom Heiligen Geist; dessen menschliches Werkzeug war jetzt müde und sehnte sich danach, mit seinesgleichen zusammenzusein.

Sein Sekretär kam herein; auf seinem Mantel glitzerten Nebeltröpfchen. »Sie ist hier, Sir«, meldete er. »Die Königin ist in Leith gelandet.«

»Was – jetzt schon?« rief Knox. »Ich habe ja nicht einmal gehört, daß sie Frankreich verlassen hätte!«

»Der Wind war günstig. Sie hat nur fünf Tage gebraucht«, antwortete der Sekretär. »Heute in aller Frühe sind sie angekommen; die Begrüßung ist ziemlich mager ausgefallen, da man sie so bald nicht erwartet hatte. Die Königin und ihre Begleiter mußten sich Pferde leihen, da ihre eigenen in England beschlagnahmt wurden. Aber jetzt sind sie schon unterwegs nach Edinburgh.«

Knox erhob sich. Es war also geschehen: das, was er gefürchtet hatte, so oft er auch darum gebetet hatte, davor verschont zu werden.

»Sie … sie ist schön, Sir«, berichtete der Sekretär. »Ich habe sie gesehen, als sie unterwegs anhielt und mit den Leuten sprach. Auf Schottisch. Sie ist sehr groß und hat eine makellose Haut, und sie bewegt sich mit soviel Anmut wie eine … wie eine Katze, so geschmeidig und vollkommen –«

»Genug! Bist du denn verhext von ihr?« rief Knox. »Deine Rede ist sonderbar und ungeordnet.«

»Ich bitte um Vergebung, Sir«, sagte der Sekretär leise. »Ich habe nur versucht, sie zu beschreiben, bevor Ihr sie seht. Sie wird in weniger als einer Stunde hier sein. Ich dachte mir, Ihr wollt davon Kenntnis haben.«

Knox trat ans Fenster. Die Scheiben waren von feinen Wassertröpfchen bedeckt und undurchsichtig. »Wie stark ist ihre Begleitung?«

»Sie bringt eine Anzahl Franzosen mit –«

»Natürlich!«

»Ich glaube, es sind drei Onkel aus dem Hause Guise –«

»Natürlich!«

»Ein Dichter, der sich entschlossen hat, nach Schottland zu kommen, ein gewisser Chastelard, glaube ich –«

»Genau das, was wir brauchen! Ist er der Vorbote eines ganzen Schwarms? Lieber eine Heuschreckenplage als eine Plage von Poeten!« Er fuhr herum und funkelte den Mann an.

»Sir, ich berichte nur über ihr Gefolge; ich habe es nicht selbst ausgesucht. Soll ich nun weitersprechen, oder wollt Ihr fortfahren, zu streiten und mich zu drangsalieren?«

Knox seufzte. »Sprich weiter. Verzeih mir.«

»Ihr Bruder, Lord James, ist ihr entgegengeritten, zusammen mit Maitland von Lethington und Lord Erskine.«

Gute Protestanten allesamt, dachte Knox. Wenn sie nur nicht behext oder sonstwie von ihrer Absicht abgelenkt werden – nämlich, sie zu beherrschen, statt ihr zu erlauben, uns zu beherrschen.

»Hmmmm.« Aus dem Augenwinkel sah er ein buntes Flackern. Etwas schien durch den Nebel. Das erste Feuer. Freudenfeuer sollten das sein. »Die Narretei beginnt«, knurrte er.

O guter Gott, laß Du nicht zu, daß diese Nation in Götzendienerei und Irrtum zurückfällt, betete er. Führe uns nicht so weit auf dem Weg der Wahrheit, um uns jetzt zu verlassen!

»Dieser Nebel«, sagte er plötzlich. »Ich weiß jetzt, woher er kommt. Das Angesicht des Himmels selbst sagt uns, welche Art Trost sie diesem Lande bringt: nämlich Schmerz, Trauer, Finsternis und Unfrömmigkeit mancherlei Art.« Er merkte, wie seine Stimme sich hob, als spreche er zu Hunderten, und das nicht nur in seiner Zeit, sondern durch alle Zeiten hindurch. »Denn niemals seit Menschengedenken sah man um diese Jahreszeit das Antlitz des Himmels so verhüllt! Der Boden naß, die Luft verdorben, der Dunst so dicht und dunkel, daß man kaum einen Bogenschuß weit sehen kann … Diese Warnung, die Gott uns gibt … achtet ihrer!«

»Sir?«

»Aber sie tun es nicht.« Er schaute hinaus zu dem bunten Lichtfunken des Freudenfeuers. »Sie tun es nicht. Sie sind blind.«

Lord James lehnte sich herüber und sagte zu Maria: »Holyrood war einer der Lieblingspaläste unseres Vaters. Er hat den vorderen Turm gebaut und versucht, dem Palast ein französisches Aussehen zu geben, um Eurer Mutter eine Freude zu machen.«

War da eine Pause gewesen, vor »Eurer Mutter«?

Erst als sie wirklich in den Vorhof eingeritten waren, sah Maria den Palast, der vor ihr aufragte wie der dunkle Abglanz eines französischen Châteaus. Da war der runde Turm mit der spitzen Haube wie bei den Schlössern an der Loire; aber die Mauersteine waren fleckig, nicht weiß, und die Fenster waren klein. Vor dem wattigen Nebel sah das Ganze kalt und gefängnisartig aus; es klebte wie ein Wurmfortsatz an den ursprünglichen Klostergebäuden.

»Oh.« Mehr brachte sie nicht hervor. Sie wollte nicht hinein; es sah bedrohlich aus. Und es war so klein! War dies der großartigste Palast, den ihr Land zu bieten hatte?

»Willkommen in Holyrood«, sagte James, und seine Stimme hallte hohl durch die fast leere Wachstube.

Als sie sich fragend umschaute, sagte James hastig: »Ich habe ja gesagt, daß noch nicht alles vollständig bereit ist. Wir waren davon ausgegangen, daß Ihr Möbel und Einrichtungsgegenstände aus Frankreich mitbringt.«

Er führte die Gruppe eine breite Treppe hinauf zum ersten Komplex der königlichen Gemächer. »Dies sind des Königs Gemächer«, verkündete er. »Vorzimmer, Audienzsaal, Schlafgemach.« Die Räume waren leer; Maria versuchte sie sich vorzustellen, erfüllt von Menschen, von Leben und Farbe – doch es gelang ihr nicht. Im Mittelpunkt des Bildes mußte ihr Vater stehen, und sie hatte keine bewegliche, lebendige Erinnerung an ihn.

»Die Gemächer der Königin liegen unmittelbar darüber«, sagte er und ging durch den Vorraum zurück zu der breiten Treppe. »Es gibt auch eine kleine Verbindungstreppe zwischen den beiden Schlafgemächern, aber mit einer so großen Gruppe bevorzuge ich die Haupttreppe.«

Wäre er Franzose, dachte Maria, hätte er irgendeine Anspielung auf die Treppe zwischen den beiden Schlafgemächern gemacht. Aber so erwähnte er sie als architektonische Tatsache, und damit Schluß.

Er schien stolz auf die Gemächer der Königin zu sein, als er jetzt an der Schwelle des Audienzsaales stehenblieb und winkte.

Maria betrat den Raum. Er war hübsch, mit einem Betstuhl und einem Kamin und mehreren Fenstern, die einen Ausblick in den Hof boten. Gobelins hingen an den Wänden, und die Holzdecke war frisch gestrichen.

Sie durchquerte den Raum und trat über die Schwelle in das Nachbargemach. Einen Augenblick stand sie allein darin. Es war kleiner als der Audienzraum und seltsam geformt – nicht ganz viereckig, aber auch nicht rund. Zwei Kammern, von Türen umrahmt, wölbten sich nach außen.

Sie hob den Vorhang an der einen Tür und erkannte sofort, was es war: ein mit Samt verhangener »Nachtstuhl». In der gegenüberliegenden, ebenso winzigen Kammer gab es einen Kamin und ein Fenster, obgleich die Bodenfläche nicht mehr als acht mal zehn Fuß betrug.

»Was um alles in der Welt ist das?« fragte sie James, der hereingekommen war. »Es ist so winzig!«

»Ihr könnt es als Eßzimmer benutzen«, sagte er.

»Für Puppen?«

»Im Winter, besonders im Januar, werdet Ihr feststellen, daß ein kleines Kämmerchen mit einem Kamin höchst willkommen ist. Es paßt ein Tisch hinein, und Eure Mutter, die Regentin, hatte schon an die sechs Gäste, die hier mit ihr speisten.« Er schwieg einen Moment. »So habe ich es wenigstens gehört. Mich hat sie nie eingeladen.«

Bevor Maria etwas erwidern konnte, fuhr er fort: »Dieses Zimmer liegt im Turm. Ihr erinnert Euch an den runden Turm, den Ihr vom Hof aus sehen konntet? Die anderen Gemächer, die öffentlichen und die zeremoniellen, befinden sich alle vorn. Dort ist auch die königliche Kapelle« – er sah sie streng an – »die vor kurzem von allen Götzenbildern befreit und in den Zustand der Reinheit gebracht wurde.«

»Und dort soll ich meine privaten Messen feiern?« fragte sie. Als sie sah, wie er die Stirn runzelte, setzte sie hinzu: »Wie du es versprochen hast.« Die Bemerkung sollte leichthin klingen, aber er zog es vor, gewichtig zu antworten.

»Ja. Ich habe es versprochen. Und ich stehe zu meinem Versprechen. Trotz ...«

»Trotz wem?«

»Trotz Master Knox.« Ein Wunder, daß er noch nicht hier war.

»Master Knox!« rief sie und ließ ihrem Zorn die Zügel fahren. »Dieser Mann, der meinen Bruder dem Glauben der Ahnen entwendet und meine Mutter ins Grab getrieben hat! Ich *schenke* dir Master Knox, denn *ich* will nichts von ihm!«

Nicht Ihr seid diejenige, die ihn nicht will, wollte James sagen, sondern Knox wird bestimmen, wer *Euch* will. Statt dessen aber sagte er: »Master Knox hat viel Gutes in Schottland gewirkt. Ihr werdet feststellen, daß er ein braver Bürger ist, der sich dem Fortschritt seines Landes verschrieben hat.«

»Er ist ein Aufständischer, der Rebellion und Zerstörung predigt!«

»Ihr werdet feststellen, Majestät, daß viele der Adeligen hier der Korruption anheimgefallen sind. Jahre der Unordnung fordern ihren Tribut. Sie sind käuflich, und sie werden gekauft. Master Knox hingegen ist nicht zu kaufen, und sein einziges Ziel ist es, dafür zu sorgen, daß es seinem Volk besser geht, im materiellen ebenso wie im geistlichen Sinne.«

Stimmen näherten sich von hinten, und Maria wandte sich ihren Begleitern zu und begann, ihnen ihre Gemächer zu zeigen.

In der Nacht, als sie in ihrem Bett lag, war es gespenstisch still.

Was für ein seltsamer Ort dies ist, dachte sie. Ich scheine mich an gar nichts zu erinnern; nichts kommt mir vertraut vor. Mein Vater ist hier begraben, in der Abteikirche, und meine anderen Vorfahren liegen nicht weit von ihm. Vor diesem Fenster, gleich da unten ...

Das Weiß des Nebels versank allmählich in schwarzer Dunkelheit, und Maria schlief ein, ohne es zu merken, glitt hinab in den Schlummer, wie ein Kind eine Grasböschung hinunter in kühles Wasser gleitet.

Sie hörte seltsame Laute; erst erklangen sie in ihrem Traum, als gehörten sie dorthin, aber dann wurden sie allzu durchdringend und forderten ihre Aufmerksamkeit. Blinzelnd erwachte sie und schüttelte den Kopf; sie hatte Mühe, sich zu erinnern, wo sie war. Musik wehte in das Gemach, lauter und immer lauter.

Sie trat an eines der Fenster und schaute hinaus. Unten im Hof standen Leute aus der Stadt und spielten wilde Melodien auf Instrumenten, die sie noch nie gehört hatte – auf primitiven Fiedeln, hohlen Rohrflöten und kleinen Trommeln. Als sie sie erblickten, begannen sie laut zu rufen und ihre Fackeln zu schwenken.

»Willkommen, liebreizende Königin! Willkommen!« riefen sie und stimmten ein neues Lied an. Es gelang Maria, das Fenster zu öffnen und ihnen zuzuwinken.

»Ich danke euch!« rief sie. Hier und dort im Nebel sah sie rötliches Flackern; sie hatten weitere Freudenfeuer angezündet, um sie willkommenzuheißen.

Die Musikanten spielten weiter, und die Menschen, die sich im Hof drängten, jubelten und jauchzten vor Freude. »Liebe Königin, schöne Königin, willkommen in Schottland!«

»Eure Musik ist hübsch«, rief sie ihnen zu. »Bitte spielt weiter, und kommt auch morgen abend wieder, um für mich zu spielen.«

Als sie schließlich aufhörten zu spielen und die Menge sich langsam verzog, als ihre lodernden Fackeln kleiner und kleiner wurden und wie Glühwürmchen funkelten, bis sie vom Nebel verschluckt wurden, legte Maria sich wieder ins Bett und schloß die Augen. Wie still es plötzlich war ... Das Gemach schien zu warten, im Dunkeln zu lauschen.

Das ist nur meine Phantasie, dachte sie. Aber ich mag diese mit Vorhängen verdeckten Kammern nicht; sie erinnern mich an die Winkel, von denen die Amme Sinclair mir immer sagte, daß dort der Schwarze Mann versteckt sei ...

Halbvergessene Geschichten kamen ihr in den Sinn, und es fröstelte sie: Geschichten von Wesen, die in Schottland unter den Brükken hausen, sich in Brunnen verstecken und immer andere Gestalten annehmen, von den Ungeheuern im tiefen, kalten Wasser der Lochs, von Hexen, die umhergehen und aussehen wie gewöhnliche Menschen. Es hieß, daß Lord Ruthven, ein Mitglied im Rat der Lords, ein Hexenmeister sei ...

Das ist Unsinn, alles Unsinn, wiederholte sie bei sich immer wieder. Aber sie hielt das Gesicht sorgsam abgewandt von der kleinen Kammer nebenan.

Am nächsten Morgen spotteten nicht etwa tanzende Sonnenstrahlen über ihre nächtliche Furcht: Es war noch immer nichts zu sehen außer einem grauen Schmier vor den Fenstern. Der Nebel hatte sich nicht gelichtet. Unermeßliche Enttäuschung erfaßte sie. Sie brannte darauf, Edinburgh zu sehen, Schottland ins Auge zu fassen. Warum verhüllte es sein Gesicht vor ihr?

Ohne erst eine Dienerin zu rufen, zog sie sich so warm wie möglich an. Im Kamin brannte kein Feuer; offensichtlich hielten die Schotten es um diese Jahreszeit nicht für nötig, zu heizen.

Schluß mit französischen Nachtgewändern, dachte sie. Zumindest, wenn ich behaglich schlafen möchte.

Es klopfte scharf an der Tür, und sie rief: »Herein.«

Ehe sie eingetreten waren, wußte sie schon, daß es Lord James und William Maitland waren. Und sie hatte recht.

»Wie ich sehe, seid Ihr früh aufgestanden«, stellte Lord James fest, und leise Billigung lag in seinem Tonfall. »Das ist gut. Wir haben gehört, am französischen Hofe steht niemand vor Mittag auf.«

Sein Hemd war am Halse offen, und er schien kein leinenes Unterzeug zu tragen. Fror er denn nicht? Offenbar nicht. »Guten Morgen, Bruder«, sagte sie. »Guten Morgen, Maitland. Ich kann mir nicht vorstellen, wer Euch eine so krasse Unwahrheit erzählt haben könnte, aber ich versichere Euch, die Leute in Frankreich stehen morgens auf wie alle anderen auch.« Sie lächelte. »Ich habe gut geschlafen.«

»Nicht so gut, daß die Musikanten Euch letzte Nacht nicht aufgeweckt hätten«, sagte Maitland. »Dafür bitte ich um Entschuldigung.«

»Ich fand die Musik hübsch und ihre Begrüßung anrührend«, sagte Maria.

»Ich werde Euch mit Vergnügen auf dem Schloßgelände umherführen«, sagte James, »wenn Ihr gefrühstückt habt. Ich habe Anweisung gegeben, daß man das Essen heraufschickt.« Er verneigte sich zackig und wollte gehen.

»Ich hätte gern meine Marys bei mir«, sagte Maria. »Wo sind sie? In Zukunft müssen sie in meiner Nähe schlafen.«

»Selbstverständlich«, sagte Maitland. »Alles, was Ihr Euch wünscht, werden wir zu erfüllen versuchen.«

Flamina, Lusty, Beaton und Seton waren eine Viertelstunde später bei ihr und schnatterten wie die Äffchen. »Dieser Nebel …« »Ein seltsames Quartier, so weit weg von *Euch*.« »Es ist so kalt hier; wie halten die das nur aus?« »Was wollen wir heute machen?«

Das Frühstück wurde hereingebracht, und sie musterten es kritisch. Ein Berg von einer weißlichen, körnigen Masse türmte sich auf einem gedeckten Teller, und zarte Dampfwölkchen stiegen davon auf; der Geruch war streng und nußartig. Auf einer zweiten gedeckten Platte lagen Reihen von bräunlichen geräucherten Fischen. Wieder eine andere enthielt harte, geriefte Brötchen, schichtweise übereinander gestapelt. Zum Glück erschien einen Augenblick später noch ein Diener mit weiteren Tellern, Löffeln und Zucker.

»Das ist Hafergrütze«, erklärte er und löffelte ihnen den Brei auf die Teller. »Man ißt sie mit Milch und Zucker.«

Die fünf Frauen betrachteten die Grütze zweifelnd. Sie sah höchst unappetitlich aus, roch aber gut. Maria nahm die erste Schüssel und kostete den ersten Löffel, und pflichtschuldigst verkündete sie, es sei gut.

Kichernd taten die andern es ihr nach.

Der Diener erläuterte, die Räucherfische kämen aus dieser Gegend und gälten als große Delikatesse; die Brötchen aber müsse man mit Butter bestreichen.

Alle hatten sie Mühe, ihn zu verstehen. Maria schwor sich, so bald wie möglich größere Gewandtheit im Schottischen zu erreichen. Ihr Wortschatz war immer noch der eines Kindes. Jetzt fiel ihr ein, daß Lord James, Maitland und sogar Bothwell Französisch mit ihr gesprochen hatten, und es war ihr so natürlich vorgekommen, daß sie es da nicht einmal gemerkt hatte.

»Die Schotten hassen den Klang dieser Sprache«, hatte Bothwell gesagt.

Nach dem Frühstück erschienen Lord James und Maitland wieder, um die Frauen auf dem Gelände von Holyrood herumzuführen. Als sie ins Freie traten, sah Maria, daß der Nebel so dicht wie eh und je war; man hätte nicht einmal sagen können, wo die Sonne stand.

»Ist es ... üblich, daß es hier so nebelig ist?« fragte sie sehr langsam auf Schottisch.

James schien über ihren Versuch erfreut zu sein. »Nein«, sagte er. »Nein, ganz und gar nicht.«

»Knox wird natürlich sagen, der Nebel wurde durch Eure Ankunft verursacht«, meinte Maitland plötzlich. »Er wird ihn für seine Zwecke nutzen.«

»Knox!« sagte Flamina. »Erzählt uns von dieser Kreatur!« Sie warf den Kopf in den Nacken.

Maitland lachte und zog sie beiseite. »John Knox«, sagte er, »ist der Führer unserer Kirche ...«

Den Rest des Gespräches hörte Maria nicht. Lusty, Seton und Beaton gesellten sich zu Flamina und Maitland und überließen sie James.

Der Nebel wallte und kräuselte sich beim Gehen um ihre Füße. Maria versuchte ihn beiseitezutreten, die Luft ein, zwei Schritt weit zu klären, aber er wollte nicht verwehen. Sie lachte. »Ich bin so erpicht darauf, Schottland zu sehen, und es verbirgt sich vor mir. Bisher habe ich nur gesehen, daß es sehr grün sein muß, denn das Grün leuchtet sogar durch diesen Nebel.«

»Ja. Grün ist es. Wenn man es jetzt sehen könnte, würdet Ihr die schöne Vorderfront des Palastes sehen, und zur linken die Abteikirche, in der unser königlicher Vater in seinem Grabe ruht.«

Unser königlicher Vater. Wie er diese Worte liebte, dachte sie.

Einen Augenblick lang standen sie schweigend da. Dann sagte James: »Weiter nach links – wenn Ihr es nur sehen könntet – erstrekken sich die Ziergärten und der Obstgarten. Ziergärten sind auch auf der anderen Seite, und hinter dem Palast liegt ein großer Park für die Jagd, von einem Friedhof nicht zu reden. Die Abtei war alt.«

Aber die Art, wie er diesen letzten Satz sprach, ließ weder Trauer noch einen Rest von Zuneigung für die alten Zeiten erkennen.

»Ich hoffe, niemand hat gestern Euern Priester gesehen«, sagte er leise.

»Mir ist klar, daß meine Situation einzigartig ist«, antwortete sie. »Noch nie hat es einen Herrscher gegeben, dessen persönlicher Glaube sich von dem seiner Untertanen unterschieden hätte.«

»Ah.« Bevor er antwortete, drehte er sich um und schaute nach den anderen. »Das ist eine schwierige Angelegenheit. Am besten bringt Ihr die Leute nicht gegen Euch auf. Es besteht schon genug Mißtrauen, weil man glaubt, Ihr schätztet Eure Heimat nicht besonders hoch. Es heißt, Ihr seht Euch als Französin; Ihr hättet Euch bei der Abreise an die Reling geklammert und laut geklagt.«

»Du warst nicht dabei!« Wie konnte er es wagen, ihre privaten Augenblicke zu stehlen und daraus etwas Albernes und Klägliches zu machen? »Und mir liegt sehr viel an meinem Volk und meinem Land!«

»Nicht wie Master Knox –«

»Master Knox! Master Knox! Was weiß er denn vom Regieren? Und was weiß er, das ihn für das Amt geeignet machte, zu dem er sich berufen fühlt? Er liebt Schottland, ja, aber man braucht schon ein bißchen mehr als das! Mich ruft das Blut auf meinen Thron.«

»Und ihn, das fühlt er, ruft Gott.«

»Auf den Thron?« Ihr Ton wurde scharf. »Auch mich hat Gott berufen. Wie können wir denn beide von demselben Gott auf denselben Platz berufen werden?«

»Er trachtet nicht nach Eurem Thron«, sagte James sanft.

»Nein. Er maßt sich nur an, mir vorzuschreiben, wie ich darauf zu sitzen habe! ›Ich bitt' Euch, schaut in diese Richtung! Und haltet den Kopf etwa so!‹«

Zu ihrer Überraschung brach Lord James in Gelächter aus. »Ihr habt einen scharfen Witz«, sagte er.

In diesem Augenblick kam eine große Schar von Marias französischen Verwandten und Gästen herbeigesprungen. Die jungen Guise brannten anscheinend darauf, Reiten zu gehen, auf die Jagd oder auf die Beiz. Mutlos entsann Maria sich, wie schlecht sie das Nichtstun vertrugen. Aber sie wußte nicht, was man ihnen in diesem Augenblick hätte anbieten können.

»Wie unterhält man sich denn hier?« fragte René, der Marquis d'Elbœuf, und seine flinken dunklen Augen tanzten.

»Ja, wahrhaftig – wenn man nicht Blindekuh spielen will, was tut man dann in diesem Nebel?« rief sein Bruder Claud, der Duc d'Aumale.

Der junge Mareschal d'Amville und sein Sekretär, der Dichter Chastelard, traten herzu; auch sie machten bekümmerte Gesichter, weil keinerlei Zerstreuung angeboten wurde. »Was ist mit unseren Pferden?« fragte d'Amville. »Wann werden die Engländer sie zurückgeben?«

»Ich habe einen Boten zu Cecil geschickt«, sagte Lord James, »und wir werden bald eine Antwort haben.«

Brantôme, der Hofhistoriker, kam herbeigeschlendert. »Was ist mit der Abtei? Gibt es dort etwas Interessantes?«

»Nicht für uns!« riefen die jungen Möchtegern-Krieger. »Vielleicht können wir lernen – wie heißt es gleich –, ›Golf‹ zu spielen. Jawohl. Können wir es hier spielen, im Nebel?«

»Nein«, sagte James und lächelte schmal ob ihrer heiteren Ignoranz. »Golf ist ein Spiel, das man an der See spielen muß, in den Niederungen dort, wo das Gras süß und wild wuchert. Bei St. Andrews etwa, unweit der sandigen Klippenküste.«

»Ah!« sagte Maria. »Golf! Ich sehne mich danach, es zu lernen. Und ich will bald nach St. Andrews reisen, wenn ich aufbreche, um den Rest meines Königreichs zu besichtigen. Ich werde … wie nennt Königin Elisabeth es? Eine Rundreise werde ich unternehmen.« Sie lachte glücklich bei diesem Gedanken.

»Oh, das habt Ihr vor?« sagte Lord James. »So bald schon?«

»Ja, so bald wie möglich.«

»Aber es gibt andere Dinge, um die Ihr Euch vorher kümmern müßt; Ihr müßt Euren zeremoniellen Einzug nach Edinburgh halten, und dann müßt Ihr Euren Staatsrat wählen …«

»Ja, ich weiß, ich weiß! Aber bald! Ich sehne mich danach, alles zu sehen!«

»Ich sehe schon, daß wir an einem Tag wie heute nicht mal schießen können«, murrte d'Aumale. »Da können wir uns auch gleich betrinken.« Sie machten auf dem Absatz kehrt und gingen hinein.

Maria war verlegen, aber sie wollte sich nicht vor James für sie entschuldigen. Er sah sie sonderbar an. Sie straffte sich und sagte zu Brantôme und Chastelard: »Maitland und die Marys sind vorausgegangen, um sich den Garten anzusehen. Unterwegs können wir einen Blick auf die Abtei werfen. Bitte, laßt uns ihnen nachgehen.«

Der Garten bot einen traurigen Anblick. Er war nicht gut angelegt, und gepflegt war er auch nicht. Zwei breite Wege, dünn mit Kies bestreut, kreuzten sich, und an ihrer Kreuzung erhob sich ein Springbrunnen. Aber er war trocken und sah aus, als sei den ganzen Sommer noch kein Wasser darin gewesen. Es gab ein paar zerzauste Blumenbeete, aber sie waren anscheinend von Anfang an nicht besonders gesund gewesen, und man hatte sie weiter vernachlässigt. Die ganze Anlage, einem klösterlichen Gartenplan entliehen, war in Frankreich seit gut achtzig Jahren aus der Mode.

»Oh. Ist der Garten der Liebe etwa verwelkt?« spottete Chastelard. Alle kicherten – alle außer James.

»Wir haben ein Dutzend Jahre lang in höchster Unruhe leben müssen«, sagte Maitland. »Gleichwohl haben unsere Gärtner sich bemüht, die Pflanzenstöcke zu bewahren, damit, wenn unsere Königin erst zurückkehrte und Frieden und Wohlstand in unserem Land wiederhergestellt wären, auch sie wiederhergestellt werden könnten. Seht her!« Er trat über den Beetrand und pflückte eine kümmerliche Blume. »Sie ist nicht tot. Sie wartet nur. Wie wir alle. Auf unsere Königin, die uns Frieden und Wohlstand wiedergeben wird.« Er überreichte Maria die Blume; es war eine dunkelrote Nelke.

Sie nahm sie so feierlich, als wäre es ein Versprechen. Sie sehnte sich danach, dieses arme, zerschlagene Land zu nähren und zu neuem Leben zu erwecken. »Ich danke Euch«, sagte sie.

Sie setzten ihren Rundgang um den Palast fort und fanden an der Rückseite eine Rasenfläche, die sich zum Bogenschießen eignete.

»Wir können vielleicht auch eine Bahn zum Mailspielen anlegen«, sagte Maria zu ihren Marys, die treu und brav hinter ihr hertrotteten. Wie ihrer Herrin, kam auch ihnen die Heimat exotisch und halb vergessen vor.

»Ich wette, in ganz Schottland gibt es keine Turniere«, meinte Flamina.

»Wahrscheinlich nicht«, sagte Maria. »Aber die werde ich auch nicht vermissen.« Bei dem Gedanken an ein Turnier würde sie nie mehr etwas anderes sehen als Heinrich II., wie er mit beiden Händen seinen Helm umklammerte und krampfhaft zuckend vom Pferd fiel. »Hier wird es andere Dinge geben, uns zu unterhalten.«

Nach dem Mittagessen – das aus undefinierbaren Fleischstücken in einer Gerstenbrühe bestand – saßen die Dichter verloren im Zimmer herum. Maria beschloß, sich mit Mary Setons Bruder, den sie zu ihrem Haushofmeister zu ernennen gedachte, über die Auswahl von Hofmusikern und Poeten zu beraten.

Lord George Seton, dessen Familie standhaft katholisch geblieben war, konnte sein Entzücken darüber, daß er seine Schwester und seine Königin wieder in Schottland sah, nicht verbergen. Er war ein paar Jahre älter als sie, sah aber mit seinem goldenen Haar und den forschenden grauen Augen immer noch aus wie ein Junge. Die Ländereien seiner Familie lagen in der Nähe von Edinburgh, und so machte es ihm keine Mühe, auch kurzfristig herzukommen. Maria kannte ihn gut, denn er war im Laufe der Jahre mehrmals in Frankreich gewesen.

»Ach, es ist so wunderbar, Euch wieder hier zu sehen!« sagte er, als er hereinkam. »Ich habe immer versucht, mir vorzustellen, wie Ihr hier aussehen würdet, und ich muß gestehen, meine Vorstellungskraft hat mich stets im Stich gelassen.«

Maria lachte und drehte sich mit ausgebreiteten Armen einmal um sich selbst. »Und – sehe ich aus, als ob ich hierhergehöre?«

George Seton nickte ernst. »So wie die Heide und die Falken.«

»Ich muß meinen Hofstaat einrichten«, sagte sie. »Ich habe meinen eigenen Arzt mitgebracht, und meinen Beichtvater –«

»Dank sei Gott!« sagte er laut.

»– ein paar französische Bedienstete, die sich besonders gut auf Stickereien und auf zeremonielle Angelegenheiten verstehen. Aber gern würde ich schottische Dichter und Musiker an den Hof holen.«

George Seton machte ein verblüfftes Gesicht. »Es gibt keine.«

»Niemanden?«

»Niemand Nennenswerten, Majestät.«

»Aber das ist ... das ist unmöglich! Keinen Dichter?«

»Ein paar möchten sich vielleicht auftreiben lassen.« Er trat von einem Fuß auf den anderen. »Vielleicht an der Universität von St. Andrews. Aber die Wahrheit ist, daß unsere einzige Dichtung heute aus den Grenzlandliedern kommt, und die handeln nur vom Töten und vom Klagen und so weiter.« Er schwieg und dachte angestrengt nach. »Da wäre Alexander Scott«, fiel ihm schließlich ein.

»Aber der ist so alt!« Er war schon am Hofe James' V. gewesen.

»Und dann gibt es noch andere sogenannte Dichter, die nicht wagen, ihren Namen zu veröffentlichen, denn sie schreiben nur lasterhafte Verse, die darauf abzielen, den bestialischen Übermut heftig betrunkener Männer anzusprechen.«

Wider Willen mußte Maria erkennen, daß sie die kultivierten Poeten, die in Frankreich den Hof bevölkerten, immer für selbstverständlich erachtet hatte. »Und wie steht es mit Malern und Bildhauern?« Sie wollte sich den Mut nicht nehmen lassen.

»Gibt es nicht, Majestät.« Als sie ihn nur anschaute, sagte er: »Ihr dürft nicht vergessen, daß wir uns im Krieg befanden. Nichtigkeiten dieser Art mußten da über Bord gehen. Und das wenige, was uns blieb, haben die Reformatoren abgeschafft. Musik und Tanz betrachtet die schottische Kirche mit Mißfallen.«

Chastelard sah noch verlorener aus. »Was tut Ihr denn dann abends?« fragte er klagend.

»Na, wir gehen schlafen.«

Die Marys brachen in Lachen aus, und Mary Seton erklärte: »Wir lachen nicht über dich, sondern über deine Antwort.«

»Das alles muß geändert werden«, beschloß Maria. »Sicher gibt es junge Leute, denen die Gelegenheit willkommen wäre, Verse zu schreiben und Musik zu komponieren, zu malen und zu zeichnen. Wir müssen sie hier versammeln.«

»Jawohl, Eure Majestät«, sagte George. »Vielleicht solltet Ihr mit James Melville darüber sprechen. Melville ist ein Höfling der alten Schule – obwohl er noch nicht sehr alt ist.«

»Dann werde ich es tun. Und wenn sich hier wirklich niemand findet, werde ich sie am Ende doch noch aus Frankreich holen müssen.«

Den ganzen Nachmittag beschäftigte Maria sich damit, ihre Gemächer einzurichten. Sie ließ alle ihre Miniaturen auswickeln und auf einem Bord aufstellen, und sie ließ ihre bestickten Bettdecken auflegen und die Bettgardinen anbringen. Sie stellte ihre Uhr mit dem Läutewerk auf den Kaminsims, und zuletzt nahm sie das Elfenbeinkreuz aus dem Kloster aus seiner schützenden Umhüllung und hängte es in einen kleinen, schreinartigen Kasten an der Wand neben ihrem Bett. So würde die Morgensonne es beleuchten und die glatten Flächen liebkosen.

Am Abend saß sie da und schaute es an. Sie war erschöpft; die Aufregung über Ankunft und Erkundungsgang wich jetzt einer niederdrückenden Müdigkeit. Das Kreuz erinnerte sie daran, daß die Religion hier vielleicht das größte Problem für sie werden könnte. Die Müdigkeit ließ die Gedanken in ihrem Kopf durcheinanderwirbeln, daß sie hierhin und dorthin wehten.

Vielleicht, wenn ich ihnen von Anfang an zusichere, daß ich keine bösen Absichten habe, daß ich nicht gekommen bin – Christus, verzeih mir –, das Schwert zu bringen, wie Er gesagt hat, sondern den Frieden.

Wie der Entschluß, überhaupt nach Schottland zu gehen, erhob sich auch dieser nun und ergriff von ihr Besitz. Es war weniger ein Gedanke als vielmehr ein Gefühl.

Sie griff nach ihrer Glocke und läutete nach ihrem Sekretär.

»Ich gedenke, eine Proklamation herauszugeben«, sagte sie.

»Was denn? Jetzt?« Er schaute durch das Fenster in die Dunkelheit hinaus.

»Ja. Jetzt. Sie kann sofort verfaßt werden. Sie ist nicht sehr lang. Schreibt sie auf.«

Der kleine Mann holte sein Schreibzeug und wartete gehorsam darauf, daß sie diktierte.

»Schreibt: ›Meine guten Untertanen, es ist der Befehl der Königin, daß in der Religion des Landes, wie sie sie bei ihrer Ankunft in diesem Lande vorfand, keinerlei Änderung oder Erneuerung vorgenommen werde; noch soll bei Androhung der Todesstrafe kein Anschlag unternommen werden gegen die Form öffentlicher Anbetung, wie sie gebräuchlich ist.

Zugleich befielt Ihre Majestät, daß den französischen Personen in ihren Diensten, die unter sich ihren eigenen Glauben auszuüben wünschen, dies gestattet sei, ohne daß man sie behellige. Gezeichnet, Maria R.‹«

Brantôme, der das alles gehört hatte, kam herein und blieb neben ihr stehen. »Vielleicht solltet Ihr nichts übereilen«, sagte er. »Es ist edel, aber es kann dazu führen, daß Eure katholischen Untertanen die Hoffnung verlieren. Sie könnten es mißverstehen. Und die Protestanten werdet Ihr damit nicht gewinnen. Das könnt Ihr nur, wenn Ihr selbst konvertiert.«

»Nein, ich wünsche, daß es bekanntgemacht wird«, antwortete sie störrisch.

»Ich bitte Euch, wartet bis morgen früh«, sagte Brantôme. »Tut niemals etwas so Impulsives.«

Maria gähnte. »Ich komme Euch entgegen und warte eine Stunde. Aber nur eine Stunde!« Sie sah ihn liebevoll an. »Mein alter Freund, es stimmt, Ihr habt schon viele Höfe und Jahre gesehen, und Ihr seid voller Weisheit.«

Sie bemühte sich, wachzubleiben; sie griff nach ihrer Handarbeit und fing an zu sticken. Aber das schien sie nur weiter einzulullen.

Gerade wollten sich ihre Augen schließen, da klopfte es an der Tür. Mary Seton öffnete und erblickte zu ihrer Überraschung einen der Ratsherren. Sein Auge suchte das Gemach nach der Königin ab. Als er sie erblickte, lächelte er. »Soeben erhalte ich dies aus England«, sagte er.

Wer war er gleich? Er war bei der Landung dabeigewesen, und heute … diese Knopfaugen … Maitland. Ja, Maitland. Es bereitete ihr Genugtuung, daß sie sich erinnerte. Aber wie hieß er mit Vornamen?

Er hielt einen schweren Umschlag in der Hand, den er ihr jetzt reichte. Das Siegel daran war so wuchtig, daß es das Papier ein kleines Stück eingerissen hatte; es zeigte eine Frau auf einem Thron: Elisabeth von England.

Maria riß den Umschlag auf.

> Hiermit gewähren und versprechen Wir unserer teuersten und allerliebsten Cousine, Maria Königin von Schottland, Unseren Schutz für den Fall, daß der Allmächtige Herr sie auf unsere Gestade möchte werfen oder es erforderlich machen, daß sie durch Unser Reich reise.

»Das ist der Paß, um den ich sie ersucht hatte, bevor ich Frankreich verließ«, sagte Maria. »Der Paß, den sie mir verweigert hat. Jetzt gewährt sie ihn, im nachhinein. Zu welchem Zweck?« Sie dachte laut, aber Maitland antwortete trotzdem.

»Es scheint« – er warf einen Blick auf das Datum –, »daß sie ihn unmittelbar vor Eurer eigentlichen Abreise ausgegeben hat.«

»Als sie wußte, daß ich ihn unmöglich noch rechtzeitig erhalten würde«, sagte Maria verwundert. »Aber vielleicht wollte sie mir eine Geste der Freundschaft zukommen lassen, und das ist es, was dieser Paß bedeutet. Mein guter« – wie hieß er gleich? – »William, ich möchte Euch auf eine Mission entsenden. Ihr sollt geradewegs zu meiner königlichen Schwester reisen.«

»Was? Noch heute nacht?«

»Nein, ich tue niemals etwas so Impulsives. Aber nach dem zeremoniellen Einzug nach Edinburgh möchte ich Euch zur englischen Königin senden, in einer Angelegenheit von äußerster Wichtigkeit.« Sie sah ihn an. Ihre Mutter hatte ihn zu ihrem Vertrauten erwählt; er mußte dessen würdig sein.

»Darf ich fragen, worin diese dringende Angelegenheit besteht?«

»Gewiß. Ich wünsche alle Mißverständnisse zwischen ihr und mir zu beseitigen, damit wir fortan ehrlich miteinander umgehen können. Schließlich sind wir auf das engste miteinander verwandt, sind beide Königin, beide auf derselben Insel – sollten wir da nicht in liebevoller Nähe zueinander stehen?«

Er verbeugte sich und unterdrückte ein Lächeln der Freude über diese unübertreffliche Mission und auch darüber, daß er dazu ausersehen war, sie auszuführen.

»Ihr werdet es arrangieren«, sagte sie zuversichtlich. Sie fragte sich, ob sie ihm ihre Proklamation zeigen sollte, beschloß aber dann, es bleiben zu lassen. Sie ging ihn nichts an.

Noch in dieser Nacht gab sie den Befehl, sie am Mercat Cross an der High Street in Edinburgh auszuhängen, wo alle königlichen Proklamationen bekanntgegeben wurden. Am nächsten Morgen redete alle Welt darüber.

Der Nebel deckte die Stadt immer noch zu, während die Menschen geschäftig dabei waren, die Straßen für die Zeremonie zu säubern, die am nächsten Tag stattfinden sollte. Der Springbrunnen mußte umgerüstet werden, damit er Wein sprudeln ließ, und man mußte Gläser bereitstellen, damit die Leute auf der Königin Wohl trinken könnten. Bühnen und geschmückte Bögen für Prunkprozessionen und Allegorien waren aufzustellen. Aber die ganze Zeit murmelten die Menschen erstaunt über die Proklamation.

Endlich verzog sich der Nebel, just an dem Tag, da Maria ihren feierlichen Einzug in die Hauptstadt halten sollte, als wolle er die natürliche Neugier der Königin wie auch ihrer Untertanen befriedigen. Fetzenweise flog er davon, und zurück blieb ein gleißend blauer Himmel und eine Sonne, die scharfe Schatten warf.

Maria, immer noch in grauschwarzer Trauerkleidung, aber mit dem ›Great Harry‹ auf der Brust und einem Diadem aus Gold und Perlen auf dem Kopf, machte sich mit prachtvollem Gefolge auf den meilenweiten Weg nach Edinburgh Castle hinauf, wo es ein Staatsbankett geben würde; abends würde sie dann nach Holyrood zurückkehren.

Je näher sie der Festung kam, desto mächtiger ragte sie vor ihr auf, bis ihre düstere Silhouette schließlich den ganzen Himmel erfüllte. Sie vermittelte einen überwältigenden Eindruck von Dunkelheit und dumpfer Melancholie. Der grünliche Hauch des Mooses in den Spalten und Ritzen erinnerte sie an die Flechten auf Grabsteinen.

Drinnen wurde sie sogleich in die Große Halle geleitet, wo die Tafel ebenso prächtig bereitet war wie nur irgendwo in Frankreich – sehr zu ihrer Überraschung. Es war für mindestens sechzig Leute gedeckt: für die führenden Männer ihres Reiches. Bevor er seinen Platz einnahm, kniete jeder vor ihr nieder und sprach murmelnd seinen Namen, seinen Titel und sein Treuegelöbnis. Manche erkannte sie, andere versuchte sie sich einzuprägen; aufmerksam studierte sie jedes Gesicht und bemühte sich, etwas zu finden, womit sich Name und Gesicht verbinden ließen.

Da war James Douglas, der Earl von Morton, mit seinem leuchtend roten Haar – die gleiche Haarfarbe sollte ja auch Judas gehabt haben – und seinen winzigen schwarzen Äuglein. Er hatte das Schwert seines Vorfahren Archibald »Bell-the-Cat« Douglas geerbt und trug es heute. Es war reich verziert und schwer und kündete von seiner Geschichte.

Da war George Gordon, der Earl von Huntly, ein Mann mit kantigem Kinn und roter Gesichtsfarbe. Maria wußte, daß er der führende katholische Edelmann in Schottland war und riesige Ländereien im Norden besaß. Er kam ihr irgendwie bekannt vor, und dann fiel es ihr ein: Als er vor Jahren nach Frankreich gekommen war, da hatten sie und die Marys gefunden, er sehe aus wie ein Gockel. Es sah immer noch so aus.

Sie hatte Mühe, ein Lachen zu unterdrücken, als der Gockel sagte: »Diese Proklamation! Wie konntet Ihr das tun?« Seine Stimme war rauh.

Bevor sie antworten konnte, kniete der nächste vor ihr und sagte: »Archibald Douglas, Eure Majestät.«

Es gibt so viele Douglas, dachte Maria. Die Roten Douglas und die Schwarzen Douglas, und sie heiraten in andere Familien ein, so daß die Gattin des Earl von Morton eine Schwägerin der Hamiltons ist. Ich werde mir das nie, nie alles merken können. Und doch, sie wissen über all das so genau Bescheid, daß sie ihr Leben exakt dem Grad ihrer jeweiligen Verwandtschaft entsprechend einrichten können. Ich fürchte, ich werde immer eine Außenseiterin bleiben, wenn es darum geht, das Netz dieser Loyalitäten zu begreifen – obgleich ich selbst mit der Hälfte von ihnen verwandt bin!

»James Hepburn, der Earl von Bothwell, Eure Majestät.« Er schaute zu ihr auf, und sie ergriff seine Hand und bat ihn, sich zu erheben. »Ich weiß, diese Festung muß Euch verhaßt sein«, sagte er. »Habt Ihr es schon gesehen?«

Sie verstand ihn nicht, und er machte ein verlegenes Gesicht. »Ich meinte das Zimmer, in dem Eure Mutter ihre letzten Tage verbracht hat«, sagte er. »Wenn Ihr wollt, kann ich es Euch zeigen.« Er schwieg kurz. »Ein andermal.«

Ja. Sie hatte gewußt, daß ihre Mutter hier gestorben war. Und sie würde sich zwingen müssen, auch das Zimmer zu betreten und ihr Lebewohl zu sagen.

»Dafür wäre ich dankbar.«

Nach ihm kam Erskine, dann Archibald Campbell, der Earl von Argyll, dann noch ein Stewart, der Earl von Atholl …

Nach dem Bankett warteten sie zu Pferde in dem großen Burghof, der wie ein Schneckenhaus die Burg umgab und in einer Spirale zum Tor hinunterführte.

Vom Rücken ihres weißen Zelters aus, den die Engländer endlich zurückgegeben hatten, konnte Maria in alle Richtungen über das Land sehen; in der Ferne glitzerte sogar das Wasser des Firth of Forth. Dicht unterhalb der Burg, an der Nordseite glänzte ein Loch, oval geformt und unbewegt in der Windstille.

»Es ist eine schöne Stadt, nicht wahr?« sagte jemand hinter ihr. Sie drehte sich um und sah Lord Bothwell auf einem mächtigen Schlachtroß. »Und wie ich sehe, haben die Engländer sich bequemt, zurückzugeben, was rechtmäßig Euch gehört.« Mit einer Kopfbewegung deutete er auf das schneeweiße Pferd, auf dem sie saß. Beifällig betrachtete er die feine Rasse und den makellosen Körperbau des Schimmels. Erstaunlich, daß die Engländer ihn herausgerückt hatten. Vermutlich hatte Robert Dudley, Elisabeths Stallmeister, dafür gesorgt, daß seine Herrin zuvor ein paarmal darauf reiten konnte.

»Ja. Sie breitet sich vor mir aus wie ein perfektes Modell. So schön gelegen, so ordentlich.«

»Man sagt, sie sei wie ein Elfenbeinkamm, die königliche Meile der High Street – sauber in der Mitte, aber die Zähne zu beiden Seiten stinkend und schmutzig. Die Wynds – die Nebenstraßen – spotten jeder Beschreibung, so fürchte ich. Zumindest in den Augen einer Königin. Aber die High Street – das ist die schönste Straße der Welt!« Er konnte den stolzen Ton in seiner Stimme nicht ganz unterdrücken.

Heute wäre sie nirgends lieber gewesen als hier; selbst Paris erschien ihr wuchernd und phantasielos, verglichen mit dieser dramatischen Vermählung von hartem, dunklem Naturfels mit glatt poliertem Baustein, von steilen Klippen mit ebenso steilen Dächern und Giebeln auf hohen, schmalen Stadthäusern, und alles umrahmt von diesem strahlend blauen Himmel, über den die Wolken jagten.

Hinter ihr kam ihr Haushalt: die Marys, begleitet von ihren vornehmen Vätern und Brüdern, ihren französischen und schottischen Bediensteten und die königliche Garde. Die französischen Diener trugen schwarze Livree, die schottischen rotgelbe.

Dann kamen die führenden Adeligen und Beamten des Reiches sowie die königlichen Bogenschützen.

»Seid Ihr bereit, Majestät?« fragte Lord James und zügelte sein Pferd neben ihr.

»Mit ganzem Herzen!«

Mit dröhnendem Knall feuerten die Kanonen der Burg ihren Salut, daß es klang wie ein Donnerschlag.

Sie setzten sich in Bewegung und ritten langsam zum Burgtor hinaus und in die Stadt hinunter, wo anscheinend alle dreißigtausend Einwohner auf sie warteten; denn ein großer Jubel brandete auf, als Maria am oberen Ende der Royal Mile erschien.

Sechzehn Angehörige des Stadtrates, in schwarzen Samt gekleidet, traten vor, um sie offiziell willkommen zu heißen, und dann zog die Kavalkade langsam an der jubelnden Menge vorbei und unter dem Triumphbogen hindurch. Unterwegs sangen kostümierte Kinder auf eigens errichteten Bühnen, und verschiedene allegorische Szenen gelangten zur Aufführung, einige von krassem Protestantismus geprägt, andere aber weniger. In einer wurde die Götzenanbetung verdammt, indem alttestamentarische Übeltäter wie die wenig bekannten Korah, Dathan und Abiram verbrannt wurden.

»Ursprünglich sollte es ein Priester am Altare sein; wußtet Ihr das?« sagte eine rauhe Stimme.

Sie drehte sich um und schaute in die funkelnden Augen des Earl von Huntly.

»Aber das habe ich verhindert!« rief er triumphierend. »Könnt Ihr Euch vorstellen, welche Beleidigung damit beabsichtigt war?« Sein Gesicht wurde vor Wut noch röter.

»Ich danke Euch«, sagte sie nur und hoffte, seinen Zorn damit ein wenig dämpfen zu können.

Sie erreichten Tolbooth, das Stadtgefängnis, wo die Verbrecher, wiewohl wegen Unzucht, Gotteslästerung oder Landstreicherei noch an den Block gekettet, der Königin zujubelten wie alle anderen. Die Bankrotten mit ihren gelben Hüten schrien scherzhaft: »Spenden! Spenden!«, bis die Garde sie zum Schweigen brachte.

Hinter der St.-Giles-Kathedrale gelangten sie zum Mercat Cross; hier, bei dem Weinspringbrunnen, wurde Maria von drei Jungfrauen begrüßt, die Gerechtigkeit, Staatsklugheit und Glück darzustellen hatten.

Eine große Zahl von Leuten stand bereits mit gefüllten Gläsern da, und als die Königin ihres ergriff und trank, hoben alle gleichzeitig ihre Gläser, leerten sie auf ihr Wohl und zerbrachen sie zum Zeichen der Treue.

»Auf daß diese Gläser nie zu einem geringeren Trunke verwendet werden«, flüsterte eine der Jungfrauen.

Maria war verblüfft über diesen spontanen Akt der Großzügigkeit in einem so armen Land.

Langsam ging es auf der sanft abschüssigen Straße weiter; Häuser aus verkleideten Feldsteinen säumten die Royal Mile wie ein hoher Zaun. Viele der Häuser hatten Außentreppen, und bei den meisten waren die oberen Stockwerke aus Holz und ragten, von den Nachbarn begrenzt, über die Straße hinaus. Eines, ein besonders hübsches Haus zur Linken mit einem großen Obergeschoß, stieß tatsächlich in die Straße hinein wie eine Faust.

»Hier wohnt John Knox, Eure Majestät«, sagte Bothwell, der dicht hinter ihr ritt.

Sie schaute das Haus an, welches ganz aus der Flucht der Nachbarhäuser hervortrat, so daß es zu einer lästigen Behinderung wurde. Es zog die Aufmerksamkeit auf sich wie ein Stein in fließendem Wasser.

Das Haus war also genau wie sein Herr. Ob er wohl drin war? Sie war sicher, daß er nicht draußen stehen würde, um sie zu begrüßen. War da ein Gesicht in einem der Fenster?

Man konnte es nicht erkennen. Spiegelbilder tanzten in den Scheiben und schienen sich zu bewegen, wenn sie sich bewegte. Sie wagte nicht, sich dabei sehen zu lassen, wie sie zum Fenster des Reformators hinaufstarrte wie eine Jüngerin, während ringsumher die Menschen sich mit lautem Geschrei um einen Blick oder ein

Lächeln von ihr bemühten. So ließ sie das Haus hinter sich und ritt weiter die High Street hinunter nach Holyrood, winkend und lächelnd.

Knox, der an seinem Schreibtisch saß, wie er es an jedem gewöhnlichen Werktag getan hätte, war sehr wohl in der Lage, zu sehen, was unten auf der Straße vorging. Ohne auch nur seinen Stuhl zu verrükken, hatte er das Herannahen der Kavalkade verfolgen können, als sie sich langsam die High Street herunter bewegte. Überall entlang der Strecke waren Tableaux inszeniert worden, so einfach, daß jeder sie verstehen konnte – jeder, der sie verstehen *wollte* –, in denen die Wahrheit der protestantischen Religion vorgeführt worden war. Bildnisse der Söhne Israels, die falsche Opfer dargebracht hatten, waren verbrannt worden. Man hatte der Königin sogar Bibel und Psalter in schottischer Sprache überreicht, und ein kostümiertes Kind hatte eine Rede gehalten, in der ihr ganz unverhohlen nahegelegt wurde, die Messe aufzugeben. Aber hatte sie darauf gehört? Nein, sie hatte nur auf ihre idiotische Art gelächelt, sich die Heilige Schrift unter den Arm geklemmt und sich, weiter winkend, abgewandt.

Der Springbrunnen am Mercat Cross hatte Wein enthalten, um das Volk betrunken zu machen und es zu beschwichtigen. Alles war sorgfältig vorbereitet worden; für Mummenschanz und Farcen hatte man keine Kosten gescheut, um die Menschen einzulullen und ihre unbeständige Gefolgschaft zu erkaufen.

Knox starrte Maria an, als sie vorüberritt, den grauen Mantel offen über die Flanken ihres Schimmels gebreitet. Der Rubin an ihrer Brust lenkte das Sonnenlicht auf ihr graues Mieder; in ihrem Antlitz verkörperte sich alle Kunstfertigkeit das Satans, mit der er das Laster verlockend machte.

Er tauchte die Feder in die Tinte und schrieb: »Mit ihren Possen, ihrem Mummenschanz und anderer Verschwendung möchten diese Toren gern Frankreich nachahmen.«

Unten auf der Straße sangen die Menschen unterdessen: »Willkommen, o Herrscherin! Willkommen, Königin der Heimat!«

Drei Tage später, am Sonntag, nahm Knox seinen gewohnten Platz auf der Kanzel von St. Giles ein und schaute über die dicht gedrängte Gemeinde hinweg. Die Wahl eines Themas für seine Predigt an diesem Tag des Herrn hatte ihm nun wirklich keine Mühe gemacht; es war ihm aufgedrängt worden.

»Eine einzige Meßfeier auf diesem Boden ist mehr zu fürchten als die Landung von zehntausend fremden Soldaten!« rief er aus. »Sollen wir sie zulassen?«

Als Marias Priester und seine Gehilfen sich später am selben Sonntag auf die Meßfeier in der königlichen Kapelle vorbereiteten, versammelte sich draußen im Vorhof von Holyrood Palace eine Menschenmenge. Die Kapelle, die der calvinistischen Lehre gemäß völlig kahl gewesen war, hatte mit Kerzen und einem Altar ausgestattet werden müssen, damit man überhaupt die Messe feiern konnte. Der Gehilfe, der jetzt mit Kerzenhaltern und Kerzen von der Seite des Hofes zum Haupteingang gehen wollte, kam der Menge in die Quere.

»Sollen wir leiden, daß der Götze Messe in diesem Königreich wieder seinen Platz bekommt? Wir wurden davon befreit! Kehrt der Hund zurück zu dem, was er erbrochen hat? Ich werde es nicht tun!« schrie Patrick, Lord Lindsay von den Byres, einer der kürzlich konvertierten Aristokraten.

Der Diakon blieb stehen. Die Menge war groß. Aber würde der Herr ihn nicht beschützen? Er umschlang Kerzen und Kerzenhalter mit beiden Armen und wollte außen um die Versammelten herumgehen, und dabei betete er leise: »O Herr, mein Gott, in Dich setze ich mein Vertrauen: Errette mich vor all denen, die mich verfolgen, und erlöse mich; auf daß er nicht zerreiße meine Seele wie ein Löwe und sie zerfetze in tausend Stücke ...«

Ein vierschrötiger Metzger, der immer noch nach seinem Handwerk stank, obgleich er seine Schürze nicht trug, packte den Diakon bei der Schulter.

»Der Götzenpriester soll des Todes sein, gemäß dem Gesetz des Herrn!« brüllte er.

»Ich bin kein Priester!« rief der Diakon, entwand sich seinem Griff und rannte zur Tür.

Die Menge setzte ihm nach, drängte die ihnen gleichgesinnten Wachen beiseite und stürmte die Haupttreppe hinauf bis zu dem Absatz, der zur Kapelle führte. Der Diakon in seiner Todesangst rannte vor ihnen her und verriegelte die Tür der Kapelle, in der Maria, ihre französischen Verwandten und Angehörige ihres Haushalts betend knieten, die Rosenkränze zwischen den Fingern.

»Tod! Tod! Die Götzendiener müssen sterben!«

Maria hörte diese Worte, die draußen vor der Kapelle gebrüllt wurden, und dann sah sie, wie die soliden Holztüren erzitterten, als die Menge sich dagegen warf.

Sie erhob sich mit klopfendem Herzen. Was war das? War man in ihren eigenen Palast eingedrungen? Obwohl sich sich gegen ihre Religion versöhnlich gezeigt hatte?

»Zurück!« hörte sie Lord James rufen. »Rührt diese Tür nicht an!« Nach dem Klang seiner Stimme zu urteilen, stand ihr Bruder mit dem Rücken vor der Tür. »Ich sage, schreitet nicht über diese Schwelle. Denn dort drinnen ist Verderbtheit und das Böse: die Messe! Kein guter Schotte sollte sich dem aussetzen, auf daß er dem Teufel nicht noch einmal in die Falle gehe!«

Gemurmel, dann Gehorsam.

James, dachte sie, das ist nicht das, was du mir versprochen hast! Du hast nicht mein Recht auf die ungestörte Ausübung meiner Religion verteidigt, sondern du hast sie beleidigt und die Menschen überlistet ... Warum bekennst du dich nicht zu unserer Übereinkunft?

Der Priester zitterte unter seinen Gewändern so sehr, daß er das uralte, notwendige Ritual kaum vollziehen konnte.

Aber James hat sein Ziel erreicht, dachte Maria, als die Messe zu Ende war. Die Menge ist gegangen. Mein Bruder ist sehr geschickt.

Maria schaute an der langen Tafel entlang in die Gesichter, die ihr zugewandt waren. Alle lächelten, als wären sie die liebenswürdigsten Menschen der Welt, bereit, den Vormittag mit angenehmen Plaudereien über Belangloses zu verbringen.

Aber es wird nicht belanglos sein, nahm Maria sich vor, so sehr sie sich auch bemühen mögen, es dabei zu belassen.

»Meine guten Lords und Gentlemen, seid mir willkommen hier bei Hofe.« Sollten sie gleich wissen, wer hier jetzt wen willkommenhieß! »Ich bin erfreut, diese erste Sitzung meines Geheimen Staatsrates und derjenigen Beamten zu eröffnen, die ich erwählt habe gemäß dem, was jeden dieser Herren, wie ich glaube, für diese Ernennung geeignet sein läßt. Unter Euch sind sowohl Katholiken als auch Protestanten, wie Ihr seht.«

Sie lächelten immer noch und warteten darauf, daß sie weiter in diese Angelegenheit vordränge.

»Ich wünsche George Gordon, den Earl von Huntly, zu meinem Reichskanzler zu ernennen.«

Der Gockel verlagerte das Gewicht seines nicht unbeträchtlichen Leibes auf seinem Stuhl und bemühte sich, nicht zu grinsen. »Ich danke Euch, Eure Majestät«, sagte er.

»Zu meinem obersten Minister ernenne ich Lord James Stewart.« Sie nickte ihm knapp zu; sie zürnte ihm noch immer wegen seines Verhaltens bei den Unruhen wegen der Messe.

»Im Amt des Staatssekretärs wünsche ich weiter William Maitland von Lethington zu sehen; er hat es in der Vergangenheit so gut ausgefüllt.« Maria sah, daß er sich über diese Ernennung ehrlich freute. »Siegelbewahrer soll Sir William Kirkcaldy von Grange sein, ein ganz ausgezeichneter junger Soldat, wie ich höre.« Er war ein gutaussehender, schlanker Mann, dessen Armmuskeln sich unter dem feinen Samtwams wölbten.

»Was Euch übrige angeht, so obliegt Euch die Verantwortung, mir zu helfen. Ich habe Euch auserwählt, weil ich weiß, daß Ihr Begabung und Stärke besitzt. Ich wünsche, daß Ihr diese in meinen Diensten verwendet, nicht gegen mich.«

Die Mienen der Männer zeigten plötzlich größere Wachsamkeit.

»Ich danke Euch für den feierlichen Einzug nach Edinburgh«, sagte sie. »Er war sorgfältig und liebevoll vorbereitet. Indessen« – sie blickte aufmerksam von einem zum anderen – »der Angriff gegen meinen Haushalt wegen der Feier der Heiligen Messe ist nicht zu tolerieren.«

»Majestät, ich habe ihn verhindert!« protestierte Lord James.

»Erst, als der Mob bereits in den Palast eingedrungen war. Die Wachen waren entweder entwaffnet worden, oder sie haben nie versucht, die Eindringlinge aufzuhalten. Warum nicht?«

»Vielleicht haben sie sich auf die Seite des Mobs gestellt«, meinte Morton. »Höchstwahrscheinlich sind sie ja alle gute Protestanten.«

»›Gut‹ ist wohl kein Wort, das man auf einen Mob anwenden kann«, widersprach Maria. »Ihr habt mir zugesichert, ich dürfe meine Religion privat ausüben. Und in meiner Proklamation –«

»Die Ihr ohne unser Wissen herausgegeben habt!« unterbrach Lord James empört.

»Warum – hat der Inhalt Euch etwa mißfallen?« fragte Maria.

»Nein. Aber es ist nicht richtig –«

»Daß ich eine Proklamation herausgebe, ohne Euch vorher in Kenntnis zu setzen? Das könnt Ihr doch nicht meinen.« Sie funkelte in die Runde. »Aber ich tat es in dem Wissen, daß ich bestätigte, was das Parlament bereits beschlossen hatte.« Sie lächelte, und ihre Stimme wurde sanft. »Wir dürfen nicht gegeneinander arbeiten. Seht Ihr, ich habe Eure Entscheidung, ein protestantisches Land zu werden, respektiert. Könnt Ihr mir nicht vertrauen?«

»Habt Ihr es denn deshalb getan?« fragte Erskine. »Damit wir Euch vertrauen?«

Sie schaute ihn überrascht an. »Aber Ihr kennt mich doch Euer Leben lang. Vertraut *Ihr* mir denn *nicht*, John Erskine?«

»Ich meine, in politischer Hinsicht«, erklärte er hastig.

»Da bringt er einen wichtigen Punkt zur Sprache«, sagte Maria. »Wir alle müssen einander vertrauen. Denn wir haben eine wichtige Aufgabe vor uns: Wir müssen Schottlands verlorene Größe wiederherstellen. Das wird unsere ganze Anstrengung erfordern, und wir müssen gemeinsam dafür arbeiten.«

»Und wie gedenkt Ihr das zu bewerkstelligen? Schottland verlor seine Größe auf dem Schlachtfeld zu Flodden, vor mehr als fünfzig Jahren«, sagte Maitland.

»Zunächst muß es mit allem Krieg ein Ende haben –«

»Der Vertrag von Edinburgh hat die Kriege mit dem Ausland beendet«, sagte Morton. »Und daß wir uns der Reformierten Kirche zuwandten, hat den Streitigkeiten unter uns ein Ende gemacht.«

»Wollt Ihr Euch bitte enthalten, mich zu unterbrechen?« fragte Maria spitz. »Wenn in unserem Land Frieden herrscht, können wir wieder über unsere Gestade hinausblicken. Ausländische Botschafter werden hierher entsandt werden, man wird uns an Räten des Auslands beteiligen, Künstler werden herkommen, Schotten werden reisen ...« Sie sprach nicht weiter. Die Gesichter der Männer waren wie versteinert.

»Soll das heißen, Ihr seht Größe nur in Kategorien von diplomatischen Posten und künstlerischen Zerstreuungen?« fragte Bothwell leise.

»Schottland hat solchen Tand abgeschafft!« meinte Lord James verächtlich.

»Ja, denn er schmeckt wie etwas, das Heinrich VIII. wohl gefallen hätte – Bankette, Minnesänger, liebesschmachtende Poeten!« sagte Morton. »Oder *Franzosen*.«

»Das habe ich nicht gemeint«, sagte Maria. »Es ist klar, daß wir zunächst unser Haus in Ordnung bringen müssen. Deshalb wünsche ich, daß Ihr, Lord Bothwell, Euren Dienst als Lieutenant des Grenzlandes antretet und unverzüglich dorthin aufbrecht. Überall in Schottland muß Frieden sein; es geht nicht an, daß in einer Gegend die Diebe und Räuber ihr wüstes Unwesen treiben.«

Bothwell machte ein überraschtes, aber erfreutes Gesicht. »Jawohl, Majestät. Unverzüglich.«

»Und Maitland entsende ich nach London, damit er mit Königin Elisabeth zusammentrifft«, sagte sie. »Es wird Zeit, daß unsere Zwistigkeiten beigelegt werden.«

Lord James sah verblüfft und verwirrt aus.

»Und dann möchte ich eine kleine Rundreise durch mein Reich unternehmen«, fuhr sie fort. »Es wird Zeit, daß ich mehr als Edinburgh sehe und mehr als John Knox höre. Es drängt mich, das Land zu sehen. Nicht alle brauchen mich zu begleiten – nur Ihr, Lord James, und Ihr, Huntly. Und – Morton, Ihr könnt John Knox wissen lassen, daß ich ihm befehle, in Holyrood zu erscheinen, sobald ich zurück bin.«

Mortons Bart klappte nach unten, als er den Mund aufsperrte.

»Meine teuerste Herrscherin und Schwester«, sagte Lord James, »jetzt haben wir das Vergnügen, Euch zu einem besonderen Bankett einzuladen. Dann mögt Ihr uns sagen, ob es das ist, was Ihr im Sinn habt, wenn Ihr sagt, Ihr wollt Schottlands verlorene Größe und seine Gebräuche wiederherstellen.«

Jetzt war es an Maria, überrascht zu sein. Ihr Bruder steckte voller Überraschungen.

Das Bankett sollte im anderen Flügel des Palastes stattfinden, wo die hochrangigen Höflinge ihr Quartier hatten. Lord James als kommissarischer Regent hatte eine Suite mit Beschlag belegt, und nun geruhte er, das Bankett in einem großen, zweiachsigen Saal unmittelbar unter seinen Gemächern zu veranstalten.

Während sie sich umzog, bemerkte Maria: »Noch nie zuvor war ich Gast in meinem eigenen Palast.«

Aber Lord George Seton beruhigte sie, das alles sei ganz in Ordnung. »Es ist hier so Brauch«, sagte er.

Die Königin und ihre Damen nahmen an der Ehrentafel Platz, und mit ihnen Lord James, Maitland und Huntly; Maria schaute sich neugierig im Saal um. Es war nichts besonders Ungewöhnliches zu sehen; Gläser und Teller waren denen, die in Frankreich gebräuchlich waren, ganz ähnlich.

Lord James stand auf und hob die Hände.

»Lasset uns danken dem Herrn dafür, daß er unsere Königin unversehrt an die Gestade ihres Heimatlandes geführt hat«, sagte er. Alle Anwesenden – mit Ausnahme von Marias Gefolge – senkten die Köpfe. Und James fuhr grummelnd fort: »Und gewähre uns, o allmächtiger Herr, daß sie in Weisheit regiere und zärtliche Fürsorge für ihr Volk walten lasse …«

»Amen«, murmelten alle. Aber niemand bekreuzigte sich.

Das also war es, was sie anstelle einer Begrüßungsrede sagten! Maria fühlte, wie ihre Wangen sich röteten. Alle schauten sie an. Erwartete man, daß sie jetzt das Amt einer Vorbeterin übernahm?

»Ich danke Euch«, sagte sie nur.

Lord James nickte, und die Bediensteten begannen das Essen aufzutragen. Zugleich erschien eine kleine Gruppe von Musikanten am anderen Ende der Halle.

An Marias Seite stand ein Bursche mit einer silbernen Karaffe und hielt sich bereit, ihr Wein einzuschenken. Sie nickte und sah überrascht, von welch hellrosa Färbung der Wein war. Er schimmerte wie ein Blütenblatt in ihrem Glas.

Der erste Gang, eine dampfende Schüssel Suppe mit einem eigenartigen Geruch, wurde hereingetragen und auf ihren Teller gelöffelt. Darin waren grüne Fasern und weiße, knotige Klumpen. Als sie versuchte, auf einen der Klumpen zu beißen, erwies er sich als schwammig und ließ sich nicht zerteilen. Die grünen Fasern waren schleimig. Was *war* das nur? Sie wollte einen der runden Brocken unzerkaut herunterschlucken, aber er wäre ihr fast im Halse steckengeblieben.

Lord James, der neben ihr saß, sah sie an. »Ist das nicht erfrischend?« fragte er. »Es ist Muschelsuppe mit Seetang.« Ein weiterer Diener nahte sich. »Ah, da kommen die Dunfermline-Klöße.«

Ein bleicher, aufgedunsener, kugelförmiger Klops lag mit einigen Artgenossen auf einer Platte; alle zusammen waren zu einem Rad geordnet. Entschlossen ließ Maria zu, daß einer davon für sie aufgespießt und auf ihren Teller gelegt wurde.

»Dazu gehört diese Sauce«, sagte James, und ein Junge mit einer Schüssel, in der sich eine klumpige Masse befand, trat herzu.

Maria versuchte ihren Kloß zu zerschneiden, aber er glitschte auf ihrem Teller herum und hinterließ eine wäßrige Spur, die aus seinen Innereien quoll. Sie lächelte matt. Im nächsten Augenblick wurde ein Gericht von gebackenen Neunaugen präsentiert, gefolgt von einem grießigen grauen Brei. Beides wurde ihr auf den Teller gehäuft, so daß der Kloß darunter verschwand. Maria nahm die körnige Bastion in Angriff.

»Was ist das?« fragte sie James.

»Man macht es aus Leber und Schweinenetz«, sagte er lächelnd. »Und hier kommt der Powsowdie – eine Grütze mit einem Schafskopf darin.«

Maria rechnete halb damit, daß ein augenloser Schädel sie über den Rand der Schüssel anstarren werde, und sie unterdrückte einen Schauder.

In diesem Augenblick riß ein Schwall von schriller Musik sie fast vom Stuhl. Der Klang erhob sich in einem Crescendo und verhallte dann in einem klagenden Winseln. Es klang wie ein übernatürlicher Schrei.

»Der Dudelsack«, sagte James. »Man spielt ihn, indem man auf einen Sack drückt und die Luft durch die Pfeifen hinausfahren läßt. Das klingt anders als Eure delikate französische *cornemuse*, die wohl ähnlich aussieht, aber ganz ohne Kraft ist!«

Ein paar der anderen Musikanten stimmten nun ein; sie spielten auf Instrumenten, die ihr vertrauter waren: Schalmei, Laute, große und kleine Flöte. Aber dann gellte der Dudelsack wieder los und übertönte alles andere.

Maria nahm einen Schluck Wein und stellte zu ihrem Entsetzen fest, daß er muffig schmeckte. Sie hob ihr Glas und schaute hindurch.

»Rote-Bete-Wein, Majestät«, sagte Lord James. »Wie Ihr wißt, wachsen hier keine Trauben. Wir müssen uns behelfen.«

Plötzlich brach der Dudelsack in panisches Kreischen aus. Eine Kohorte von Männern war am Eingang der Halle erschienen, und sie trugen ehrfürchtig eine große Silberplatte. Alle an der Tafel erhoben sich. Maria tat es ihnen nach. Die geheimnisvolle Platte wurde durch den Raum getragen. Dampf stieg davon auf.

»Der Haggis«, sagte Lord James. »Etwas, das nur ein wahrer Schotte zu schätzen weiß.« Er schwieg einen Augenblick lang, ehe er erklärte: »Er enthält das Herz, die Lunge und die Leber eines Hammels und wird in seinem Magen gekocht. Mit Nierenfett und Hafergrütze natürlich.«

Natürlich.

Alle starrten den Haggis mit tiefer Bewunderung an, bevor sie wieder Platz nahmen und sich bedienten. Ein dampfender Löffelvoll wurde auf Marias Teller gehäuft, und sie nahm einen kräftigen Happen davon. Es war auch nicht schlimmer als die Muscheln. Eigentlich war es sogar besser, denn zumindest gab es unter den Zähnen nach.

»Ah, jetzt weiß ich, daß Ihr eine wahre Schottin seid!« sagte James.

Maria schaute sich um und bemerkte erst jetzt, daß alle Männer ihren eigenen Dolch zum Essen benutzten. Offenbar trugen sie ihn ständig bei sich und benutzten ihn ganz nach Belieben sogar auf einem formellen Bankett. Sie sah auch, wie wenige der Männer von ihren Gemahlinnen begleitet waren. War dies eine Nation von Junggesellen? Lord James selbst war natürlich nicht verheiratet. Aber Maitland anscheinend auch nicht, und auch nicht der Earl von Argyll oder Bothwell. Oder der junge Hamilton, der Earl von Arran. Wie merkwürdig. Und es waren lauter Männer von Ende zwanzig oder Anfang dreißig. Alt genug jedenfalls.

Als dann auch noch die Blutwurst serviert worden war, wurde es Zeit für den letzten Gang, die Süßigkeiten.

Maria erwartete, daß sie sich zumindest hier auf vertrautem Boden bewegen würde. Doch nein: Was da kam, versicherte James ihr beruhigend, waren ein Talgkuchen – ein bezaubernder Name – und ein Whiskykuchen.

Schließlich wurden die Krümel zusammengefegt, der Dudelsack schrillte wieder los, und jetzt wurden Karaffen und Flaschen hereingetragen und auf jeden Tisch gestellt.

»Wir verdanken es dem Earl von Atholl und seinen Ländereien in den Highlands sowie dem Earl von Huntly, der ebenfalls Land im Norden hat, daß wir heute abend das Privileg genießen, von diesem himmlischen Gebräu zu kosten. Whisky!« Lord James hielt eine Flasche mit tiefbrauner Flüssigkeit hoch.

Maria hatte von diesem starken Getränk schon gehört. »Braut man es aus Heidekraut?«

»Nein«, sagte Huntly. »Man braut es aus den sprudelnden Bächen unseres Hochlandwassers und aus gutem Korn, und es hat den Geschmack von Torf in sich. So etwas gibt es nicht noch einmal auf Erden.«

»Damit will er nur sagen, daß er es im Himmel fässerweise zu trinken gedenkt!« rief Morton.

»Sein Zeug ist gerade gut für die Hölle«, widersprach Argyll. »*Meinen* Whisky trinkt man im Himmel!«

»Dann vergleicht doch, vergleicht!«

Winzige Gläser wurden mit einer Kostprobe aus jeder Flasche gefüllt. Maria sah überrascht, wie klein diese Gläser waren – sie enthielten sehr viel weniger als ein Weinbecher. Sie hob eines davon zum Mund und nippte daran. Ihr Mund war sofort von einer brennenden Süße erfüllt, tief und packend, aber zugleich durchdringend scharf. Es brannte bis in ihren Magen hinunter. Aber der Geschmack, der im Mund zurückblieb, war wohltuend und rief nach einem zweiten Schluck. Es war ein Geschmack, wie sie ihn noch nie gekostet hatte, so viel stärker als Wein, daß es von ganz anderer Natur zu sein schien.

Sie kostete von dem Glas mit dem Gebräu des Earl von Argyll und entdeckte sofort, daß sich unter dem feurigen Geschmack ein etwas anderes Aroma verbarg – dunkler, rauchiger.

Schon nach diesen beiden kleinen Kostproben hatte sie ein verändertes Gefühl im Kopf. Entschlossen – zum Teil aus Angst – weigerte sie sich, noch mehr davon zu trinken. Aber sie sah, daß die Männer ihre Gläser, ohne zu zögern, nachfüllten.

Das Trinken dauerte, wie es schien, geraume Zeit, und der Lärm der Unterhaltung schwoll an, bis eine schmale Frau mit rötlichen Zöpfen am Ende des Saales Platz nahm. Sie hatte eine Harfe von ungewöhnlicher Größe und Form: Sie war weich geschwungen und ließ sich mühelos im Arm halten. Die Frau zupfte die Saiten, wie eine Mutter den Kopf ihres Kindes liebkost, und begann, mit einer klaren, makellosen Stimme zu singen, wie man sie nur von einem Engel erwartet hätte. Sofort wurde es still im Saal.

»›So steig' ich denn in ein Schiff ohne Grund,
Frau Mutter mein, Frau Mutter mein,
So steig' ich denn in ein Schiff ohne Grund
Und kehre wohl nimmer zurück.‹

›Was bleibt deinem armen Weib, so bang,
Sohn Davie mein, Sohn Davie mein?‹
›Schmerz und Trauer ein Leben lang,
Denn ich kehre wohl nimmer zurück.‹«

Einigen der Lords liefen die Tränen über die Wangen! Kam das vom Whisky? Oder von dem klagenden Lied? Es war bestürzend, diese kriegserprobten Recken zu sehen, wie sie ihre Dolche umklammerten und sich von einem Lied zu Tränen rühren ließen.

Die Franzosen sahen derweil eher verlegen aus. Der Duc d'Aumale hatte spöttisch eine Braue hochgezogen, und sie verspürte eine seltsame Enttäuschung seinetwegen.

»Ich danke Euch, Mistress Jean«, sagte Lord James und wandte sich der Gesellschaft zu. »Obgleich die Kirche frivole Musik wie auch Tanzerei und Mummenschanz mißbilligt, sind doch die guten, ehrlichen Lieder unseres Volkes wie ein kostbarer Schatz zu hüten.«

»Ja! Ja!« dröhnte es ringsumher.

Maria betrachtete die Schar dieser wilden Männer – wild in ihrer Freude wie auch im Essen und im Trinken. Sie selbst war nüchtern, aber obwohl kein Whisky durch ihre Adern strömte, fühlte sie in ihrem Innern etwas, das ihnen antwortete.

Es war ein schöner, grüner Tag, als Maria, von rund fünfzig Personen begleitet, aufbrach, um die Schauplätze ihrer Kindheit in Schottland zu besuchen. Sie verließen Edinburgh und ritten westwärts am Firth of Forth entlang, welcher immer schmaler wurde. Es herrschte jenes schalkhafte Septemberwetter, wo ein blitzblanker Himmel sich mit rasch dahinziehenden grauen Wolken abwechselt; ehe sie Linlithgow, nur achtzehn Meilen von Edinburgh gelegen, erreichten, waren sie dreimal in einen Regenschauer geraten und jedesmal wieder getrocknet.

Die Sonne schien, als sie durch den alten Marktflecken in der Nähe des Schlosses zogen, und dann gelangten sie unversehens zu dem gewölbten Außentor mit den Medaillons, auf denen die vier Orden der Ritterschaft abgebildet waren. Sie ritten einen sanft ansteigenden Hang hinauf, und dann offenbarte sich vor ihnen das ganze Schloß – golden und hoch und elegant vor dem juwelenblauen Himmel.

»Oh«, sagte Maria und zügelte ihr Pferd. Es war schön – so schön wie nur irgend etwas in Frankreich.

Das Schloß war fünfgeschossig und um einen offenen Innenhof erbaut. Sie stiegen ab und betraten ihn. Der geräumige, offene Platz war umgeben von Mauern, die von anmutigen Zinnen gekrönt waren, und in jeder Ecke erhob sich ein sechsstöckiger Turm. In der Mitte des Hofes stand ein prachtvoller, mächtiger Springbrunnen mit zahlreichen Ebenen.

»Unser königlicher Vater hat französische Arbeiter herkommen lassen, die ihn errichtet haben«, sagte Lord James, der neben ihr stand.

»Ich bin hier geboren«, sagte sie. »Wo ist das Zimmer?«

»Nun, selbstverständlich in den Gemächern der Königin. Von dort aus blickt man auf den See hinaus. Kommt.«

Er führte sie über die große Treppe in einen der Türme und dann durch die leeren, stillen Gemächer, bis sie schließlich in dem bewußten Zimmer standen; es war ein Eckzimmer.

Sie sah sich um in dem kleinen Zimmer mit den hohen Fenstern. Ein Andachtswinkel war auch da, und die Fenster boten einen Ausblick über den strahlend blauen See.

»So ... hier also bin ich geboren«, sagte sie schließlich.

»Ja. Und getauft in der St.-Michaels-Kirche gegenüber«, sagte er.

Sie wollte die Kirche sehen und auch den Taufbrunnen, an dem sie das Sakrament empfangen hatte – aber nicht vor den Augen dieses Ketzers. Sie würde später zurückkehren.

»Es ist ein luxuriöser Palast«, sagte er. »Kacheln, aus Flandern importiert ... eine Große Halle, in der das Parlament zusammentrat, eichengetäfelte Räume ... es ist das modernste Schloß, das Schottland Euch zu bieten hat.«

»Das sehe ich.« Hoffentlich würden die Franzosen auch zufrieden sein.

Am nächsten Tag brach man nach Stirling auf, das siebenunddreißig Meilen westlich von Edinburgh lag; der Weg folgte dem Firth of Forth, der immer schmaler wurde und schließlich keine Bucht mehr war, sondern ein Fluß. Sie wandelten hier auf historischem Boden, wo Robert Bruce, ihr Vorfahr, vor neun Generationen die Engländer in der Schlacht von Bannockburn geschlagen und zu Füßen der Festung von Stirling die schottische Unabhängigkeit gerettet hatte. Hier befand sich die einzige Brücke über den Forth. Unterhalb von Stirling gab es nur noch Fähren und oberhalb Furten in gefahrvollem Bergland. Stirling sicherte die Brücke und damit das ganze Tal und die Glens, die ins Hochland hineinreichten. Den Schlüssel von Schottland, so nannte man es deshalb.

Meilenweit schon konnte man den mächtigen Felsen sehen, auf dem Stirling Castle thronte, zweihundertfünfzig Fuß hoch über der Ebene. Mary erkannte es aus der Ferne zunächst nicht wieder, aber als sie den langen, steilen Burgweg hinaufstiegen und schließlich den Hof erreichten, verfestigten sich allmählich einzelne Erinnerungen und erwachten zu neuem Leben.

Staunend ging sie über den oberen Burghof und betrachtete das Schloß, erbaut aus einem Stein so grau wie die Felsenklippen, auf denen es stand, und sah sich all die Statuen in den zierlichen Nischen längs der Mauern an.

Sie erinnerte sich an die Statuen! Jawohl! Und da war eine, auf der anderen Seite des Schlosses, von der Lady Fleming ihr gesagt hatte, sie stelle ihren Vater dar. Als Kind hatte sie sie lange angestarrt und versucht, sie dazu zu bringen, daß sie etwas sagte oder sich bewegte. Und jetzt stand sie wieder davor und betrachtete den dunklen behauenen Stein. Aber es war kein lebensähnliches Porträt und sagte ihr nichts über ihren Vater. Die Augen waren groß und vorwurfsvoll, das Gesicht finster; Verdammung sprach aus dieser düsteren Miene – wie bei John Knox.

Sie schaute zu den Gärten tief unten hinunter und fragte Lusty: »Erinnerst du dich an unsere Ponyrennen dort unten, immer rundherum um den King's Knot?« Sie erinnerte sich daran, und sie erinnerte sich auch, wie sie an den Winternachmittagen auf einem Kuhschädel den steilen Hang hinuntergerodelt waren.

Aber als man sie dann durch den Palast führte und sie sich mit ihren Marys und Madame Rallay schließlich in das Schlafgemach der Königin zurückzog, um auszuruhen – das Gemach des Königs stand leer, obwohl es prunkvoller war –, da erkannte sie doch mit Bestürzung, daß nur wenig von all dem ihr vertraut vorkam. Ihre Erinnerungen waren spärlich und vereinzelt.

Am nächsten Morgen wollte sie die königliche Kapelle und die prachtvolle Große Halle sehen, die das Schloß auf der anderen Seite des Hofes flankierte.

Die königliche Kapelle war erschreckend kahl – wiederum die Reformatoren! –, aber die Große Halle war prachtvoll. Sie hatte eine hohe Stichbalkendecke und längs der Wände mehrere Kamine sowie etliche Zuschauerbalkone hoch über dem Boden. Der ganze Saal war mehrere hundert Fuß lang.

Hier könnte ich meine Hochzeit feiern, dachte sie. Ich könnte in der königlichen Kapelle getraut werden und dann hier Bankett und Maskenball abhalten … Und in ihren Gedanken füllte sich die leere Halle mit flammenden Fackeln und Scharen von Menschen; Musik klang süß über dem Stimmengewirr, und sie sah sich tanzen …

Hochzeit, dachte sie. Hochzeit mit wem? Gewiß nicht mit einem meiner Untertanen. Und sollte ich einen Prinzen aus Europa heiraten, dann niemals hier!

Im letzten Jahr um diese Zeit waren Franz und ich auf Eberjagd in den Wäldern bei Orleans ... Oh, Franz! Sie weinte innerlich, und ihr Gewissen plagte sie, weil sie sich – und sei es nur für einen Augenblick – eine zweite Hochzeit vorgestellt hatte.

Sie blieben nur zwei Tage in Stirling; dann überquerten sie die alte Steinbrücke über den Forth und zogen durch das Tal, das in nordöstlicher Richtung zu der Stadt Perth führte; sie lag am Ende des Firth of Tay, wo dieser zu einem Flüßchen zusammenschrumpfte, unmittelbar oberhalb des Firth of Forth bei Edinburgh.

Der Tay war kleiner als der Forth, und Perth selbst war eine Kleinstadt, obgleich es ganz in der Nähe des alten Scone lag, wo einst der heilige Krönungsstein Schottlands gewesen war. Der Legende zufolge war er vor langer Zeit aus Irland herübergebracht worden; aber darauf kam es nicht mehr an, denn der Stein war von Edward I. von England weggeschleppt worden und befand sich jetzt in Westminster Abbey. Die Stadt Perth, einst Hauptstadt Schottlands, hatte gleichfalls ein paar grundlegende Änderungen erfahren. Hier, in der St.-Johns-Kirche, hatte John Knox vor zwei Jahren seine flammende Predigt gehalten, mit der die Plünderei und Zerstörung ihren Anfang genommen hatte.

John Knox! Er würde sie in Edinburgh erwarten, vermutlich mit der Bibel in der einen und dem Schwert in der anderen Hand. Ihr graute vor dem Augenblick, da sie sich ihm stellen müßte, aber sie gestattete sich nicht, sich darauf geistig einzuüben.

Mit schwerem Herzen ritt sie an den beschädigten Gebäuden vorbei, und obgleich die Stadtbewohner sie freundlich empfingen, fragte sie sich unwillkürlich, ob sie ihnen wirklich willkommen war. Ein kalter Hauch hatte sich über den Tag gelegt.

Und sie hörte, daß Lord James und Huntly sich über etwas stritten, aber sie konnte nicht verstehen, was sie sagten. James' Lippen schienen zusammenzuschrumpfen, als mühten sie sich, seinen Zorn im Zaum zu halten, und Huntlys Gesicht wurde röter und immer röter.

Am Abend, nach dem Essen, bestand sie darauf, zu erfahren, worum es sich gehandelt habe.

»Huntly murmelt unaufhörlich davon, daß man das Lesen der

Messe wieder erlauben sollte, in bestimmten Bezirken wenigstens«, erklärte Lord James.

»Ich sage nur, es ist nicht recht, daß es nicht erlaubt ist! Es gibt immer noch Katholiken im Lande; das Parlament konnte uns nicht zwingen zu konvertieren!« schrie Huntly.

»Bitte!« sagte Maria. »In Zukunft erregt nicht wieder Anstoß durch offenes Streiten vor dem Stadtvolk. Wartet, bis Ihr in den sicheren vier Wänden seid.«

»Ihr selbst erregt ja Anstoß!« entfuhr es James.

Sie war ehrlich schockiert. »Inwiefern?«

»Es schickt sich nicht hier in Schottland, daß Ihr auf einem sogenannten Damensattel Eure Beine zeigt! Es ist unziemlich und wirkt liederlich!«

Erleichtert lachte Maria. War das alles? Aber später dachte sie noch einmal an seine Worte, und sie fragte sich, ob sie vielleicht auch mit anderen Handlungen unabsichtlich Anstoß erregen mochte. Obwohl es schon spät war, ließ sie James Melville kommen; sie hatte ein besonderes Ansinnen.

Als der Höfling ihr Gemach betrat, streckte sie ihm die Hände entgegen. Es schien ihm zu widerstreben, sie zu ergreifen; er trat nur zurück und verbeugte sich tief.

»Ach, Melville! Wir kennen uns zu lange, um so befangen miteinander umzugehen«, sagte sie. »Ist es nicht so?« James Melville, der etwa so alt war wie Lord James, war mit ihr nach Frankreich gegangen und dort geschult worden, aber er war auch an deutschen Höfen und als Soldat in Schottland gewesen. Infolgedessen war er einer der kultivierteren Leute am schottischen Hofe, und sie nahm an, er werde sich als ihr Verbündeter erweisen.

»Was wünscht Ihr, Eure Majestät?«

»Ganz einfach«, sagte sie. »Ich bin ganz unvertraut mit den Sitten hier, und so kann es sein, daß ich meinen besten Absichten zum Trotz durch schlichte Unwissenheit von Zeit zu Zeit Anstoß errege. Beispielsweise wolltet Ihr offensichtlich meine Hand nicht nehmen. Nicht, daß ich glaube, ich hätte Euch gekränkt«, versicherte sie ihm hastig. »Aber andere Handlungen, ebenso unschuldig gemeint, möchten vielleicht nicht so unschuldig aufgenommen werden.«

Er sah sie neugierig an, und sein gewinnendes Gesicht wirkte offen und freundlich. Ja, hätte man sich für ein Wort entscheiden müssen, um ihn zu beschreiben, dachte sie, würde man wohl »angenehm« sagen.

»Ich verstehe nicht … Ihr habt mich nicht gekränkt.«

»Ich glaube, ich habe heute in Perth Anstoß erregt, aber ich bin nicht sicher. Lord James hat da eine Bemerkung gemacht … Wie dem auch sei: Ich möchte Euch bitten, bei mir das Amt des Ermahners zu übernehmen. Guter Melville, ich bitte Euch, nehmt es auf Euch, mir zu sagen, wenn ich irgendwann Anstoß errege, durch meine Worte, meine Kleidung oder meine Gewohnheiten. Lord James sagte, die Art, wie ich im Damensattel säße, sei unziemlich.«

Melville machte ein verlegenes Gesicht. »Es wirkte in der Tat ein wenig … provokant. Für die Leute hier, meine ich. Ihr und ich, wir wissen, daß Katharina von Medici ihre Beine seit Jahren so zeigt«, ergänzte er wissend.

»Das ist genau das, was ich meine, Melville. Die Sitten unterscheiden sich, und ich möchte gern alles richtig machen, was immer ich tue. In unwichtigeren Fragen der Etikette, meine ich – nicht in Gewissensdingen. Also, wollt Ihr mir versprechen, es mir immer zu sagen?« Es klang spielerisch, aber es war ihr ernst damit.

»Ich … ich will es versuchen.«

»Ohne Euch zu genieren? Denkt daran, Ihr werdet mir einen großen Dienst erweisen.«

»Ich … ja. Nun, aber dann könnte ich gleich damit beginnen. In Schottland schüttelt der Monarch seinen Untergebenen nicht die Hände; er stützt sich nicht auf sie und berührt sie nicht unnötig.« Er schwieg einen Augenblick lang. »Es könnte mißverstanden werden. Freilich, Ihr und ich, wir wissen es besser …«

Von Perth reiste die Gesellschaft kurz nach Dundee, einer Stadt, die ebenfalls am Tay lag, aber näher an seiner Mündung, und dann ging es über den Tay in die Region von Fife, der Gegend zwischen dem Firth of Tay und dem Firth of Forth, die in alten Zeiten ein eigenes Königreich gewesen war.

Auf der ganzen Reise fiel Maria immer wieder auf, wie grün und sauber Schottland war, mit seinen unbewohnten, baumlosen Landstrichen und den Hunderten der kleinen, »Loch« genannten Seen. Wälder, die hier gerodet wurden, brauchten lange Zeit, um wieder nachzuwachsen. Alle Farben waren weich und oft von Nebel verschleiert, bis auf das kräftige Grün, das in allem durchzuschimmern schien.

Nur wenige Menschen schienen diese Weiten zu durchstreifen, und wenige Bauern beackerten das Land rings um die grauen Felsen, die überall verstreut lagen. Ein grenzenloser Himmel überwölbte alles, und das Wetter wechselte von einem Augenblick zum anderen. Wolken jagten von Westen her über den Himmel, regneten sich aus und waren kaum eine Stunde später wieder abgezogen.

Hier und dort sah Maria gedrungene Türme, die aus der Wildnis aufragten. Völlig isoliert wiesen sie empor wie dicke Finger.

»Turmhäuser«, erklärte Huntly. »Reine Verteidigungsbauten.«

In Frankreich hatte es so etwas nie gegeben, Bastionen ohne eine Burg. Aber in diesem Land lag der Kampf ums Überleben auch viel näher.

Es war von fremdartiger Schönheit mit seinem seltsam diffusen Licht und der gedämpften Farbenvielfalt, mit den stillen Seen, in denen sich das Silber und Grau des Himmels spiegelte. »Was für ein schönes Land!« sagte sie zu Lord James, als sie auf einem Fahrweg dahinritten. Das Meer war selten außer Sicht; zur Linken sah sie es immer wieder, glitzernd und flach.

Wenn Weiß, so kam es ihr in den Sinn, die Farbe Frankreichs war, dann waren Grün, Grau, Silber und Braun die Farben Schottlands. Die Steine, das eigentliche Fundament des Landes, waren grau in allen Schattierungen, von hellen, gefleckten Kieseln bis zu beinahe schwarzen, zerklüfteten Klippen, die im Meer sangen. Diese Steine waren das einzige Baumaterial, und so waren die Burgen grau, und die kleinen Cottages waren grau, und die Pflasterstraßen waren grau. Aber es waren so viele Arten von Grau! Das Grau selbst wirkte plötzlich reich und geheimnisvoll.

Und das Braun! Braune Schafe gab es, und von ihnen kam eine dunkle, aschfarbene Wolle, die zu Kleidungsstücken für die Menschen verwoben wurde. Die Berge waren dunkelbraun mit kahlen Flecken, und die wütenden kleinen Terrier waren graubraun. Die Cottages waren mit hellbraunem Stroh gedeckt. Das Moor war grünlich braun, Farnkraut und Schilf rostig braun. Sogar der Whisky war von lebendigem Braun!

Und über dem Braun und dem Grau lag wie eine Patina das Silber, denn beide Farbtöne gab es auch in dunstig durchscheinenden Nuancen, so daß das Schilf einen Perlenschimmer annehmen und die Mauern einer Burg sich mit silbrigem Glanz umhüllen konnten. Die Lochs, in denen sich ein ruhiger Himmel spiegelte, sahen aus wie seltsam geformte Spiegel, die in der Landschaft lagen, als ob eine achtlose Lady sie vergessen hätte.

Rund um diese schlichten, ehrlichen Farben wirbelte das allgegenwärtige, alles übersteigende Grün, das noch an unerwarteten Orten erschien, etwa in den Ritzen zwischen den Steinen jeden Gebäudes, und das wie ein Nebel über dem ganzen Land lag.

Im Herbst regierte für kurze Zeit noch eine andere Farbe und bedeckte die Hügel: das zarte Violett der blühenden Heide. Und winzige Tupfen in Orangegelb lenkten den Blick auf sich – wilde Blumen, herbstliches Laub, frischgekochter Lachs, das flammendrote Haar eines Menschen in einer Menge.

Die Menschen lebten größtenteils in kläglichen kleinen Hütten, die nicht einmal umzäunt waren. Sie kamen aus den Türen und begafften Maria und ihre Reisegesellschaft und winkten ihnen wohl auch schüchtern zu. Sie waren ein bodenständiges Volk, und Maria bemerkte, wie oft sie hier rotes Haar und sommersprossige Gesichter sah.

»Zumeist gehört ihnen das Land oder die Hütte nicht«, erläuterte Lord James, »und daher haben sie keinen Grund, Zäune zu errichten oder Verbesserungen vorzunehmen. Ein Jammer!«

Ja, das war es. Ein armes Land – war das damit gemeint? Maria fragte sich, was man tun könnte, um diese Zustände zu verbessern. Aber wie sollte ein Land, ein so kleines Land, denn aufhören, arm zu sein? Die Bevölkerung in Schottland betrug nur etwa ein Zwanzigstel der französischen, und es lag so hoch im Norden. Wenn man hier kein Gold entdeckte, wie sollte Schottland sein Los jemals verbessern?

Als sie nach Fife kamen, wurde die Landschaft allmählich milder und üppiger.

»Dies ist die sanfte, die freundliche Seite Schottlands«, sagte Lord James. »Drüben im Westen, wo die Inseln sind, da ist es kalt und trostlos. Weiter im Norden ebenfalls, hinter den Glens und im Hochland; da sind die Leute anders. Da leben sie in Bergfestungen und bleiben bei ihren Clans, wo niemand sie stört. Sie sind großenteils immer noch katholisch. So nennen sie sich jedenfalls. In Wahrheit sind sie Heiden.«

»Hat je ein König sie besucht?« fragte Maria.

»Unser Vater hat eine Seereise hinauf zu den Orkneys und an der Westküste wieder herunter unternommen. Doch nein, kein Herrscher ist je in ihren Bergen gewesen. Sie sprechen eine andere Sprache, und wahrscheinlich wüßten sie gar nicht, wer er ist. Sie kennen nur ihre eigenen Clanhäuptlinge.«

Der Anblick von St. Andrews machte Maria traurig, denn hier in der Kathedrale – die von den Reformatoren völlig zerstört worden war – hatten ihre Eltern sich trauen lassen. Gegenüber erhob sich die Festung, wo der ermordete Kardinal Beaton zur Schau gestellt worden war. St. Andrews war jetzt ein Tempel der protestantischen Revolution.

Die Stadt wäre ansonsten angenehm gewesen mit ihrer dramatischen Lage auf den Klippen, die über die rastlos rauschende See hinausblickten, und mit dem Rauschen der Wellen und den Schreien der Möwen in der scharfen Luft. Aber Maria war froh, es hinter sich zu lassen und nach Falkland Palace aufbrechen zu können.

Sie ritten durch stille Wälder – hier in Fife lagen die königlichen Jagdreviere –, bis sie endlich die Mauern und Türme des Schlosses erblickten. Golden umflutet von der Nachmittagssonne lag es vor ihnen, hingestreckt in der Senke wie ein dösender Löwe. Dahinter begann ein dichter Wald.

»Schau doch! Schau!« rief Maria, und die goldblonde Mary Beaton kam zu ihrer Herrin herangeritten und spähte eifrig in die Richtung, die ihre Königin ihr wies.

»Das war vor langer Zeit einmal dein Heim«, sagte Maria.

Mary Beaton betrachtete den Palast und versuchte sich zu erinnern, ob sie ihn je zuvor gesehen hatte. Ihr Vater hatte Falkland Palace als Erblehen, und sie war dort geboren. Aber seit sie vier Jahre alt war, lebte sie mit ihrer Namensvetterin und Königin zusammen.

»Ein seltsames Gefühl, zu einem Ort heimzukehren, an den man sich nicht erinnert«, sagte sie schließlich.

William Maitland stand da und wartete. Aber nicht bangen Herzens, versicherte er sich. Nein, nicht bange. Es wird eine Freude sein, Cecil wiederzusehen, sagte er sich im ruhigsten Ton. Ich habe auch unsere früheren Begegnungen genossen, und seine Frau war äußerst freundlich. Es ist ja schließlich nicht so, als sei dies meine erste diplomatische Mission nach London.

Aber es war das erste Mal, daß er der englischen Königin von Angesicht zu Angesicht gegenübertreten sollte. Und er war neugierig auf sie, die so viele Mäuler erregt und so viele Debatten entfacht hatte, deren geringste es nicht war, die sich um die Frage drehte, ob sie überhaupt das Recht habe, auf dem Thron von England zu sitzen. Immerhin gab es ja noch immer den Vorwurf der Unehelichkeit …

Maitland war in einen nüchternen, schwärzlich braunen Samtanzug gekleidet, den er sich beim besten Schneider von Edinburgh hatte machen lassen. Er nannte ihn seinen »diplomatischen Anzug«, denn er war gedeckt genug, um die Anhänger einer freudlosen religiösen Überzeugung zufriedenzustellen, und doch auch so elegant, daß er die Billigung eines Parisers gefunden hätte. Nähte und Stoff waren von feinster Art und reichten hin, jedem kritischen Blick standzuhalten, der Schottlands finanzielle Nöte womöglich am Gewand seines höchsten Sekretärs zu erkennen trachtete.

Man hatte ihm klargemacht, was sein Auftrag war: Er sollte sich mit Elisabeth verständigen und ein Treffen der beiden Königinnen arrangieren. Es klang einfach, aber das war es nicht.

Er merkte plötzlich, daß er auf und ab wanderte. So ging es nicht. Er zwang sich, die kunstreich wie ein gefaltetes Leintuch geschnitzte Holztäfelung an den Wänden zu betrachten, die Fensterriegel zu untersuchen, mit eingehendem Interesse auf die Themse hinauszuschauen, die draußen vorüberrollte, von kleinen Booten übersät, die Ufer von Fischern gesäumt. Es war ein herrlicher Septembertag, einer jener Tage, die dem Sommer ähnlicher sind als der Sommer selbst, und hier in Richmond war der Rhythmus des ländlichen Lebens deutlicher spürbar als in London. Er sah sogar Felder, die sich in der Ferne erstreckten, und auch den königlichen Jagdforst auf der anderen Seite, immer noch dunkelgrün, als habe er nicht die Absicht, sein Laub für den Winter abzuwerfen.

»Ihre Majestät wird Euch jetzt empfangen.«

Maitland drehte sich erschrocken um. Die Tür hatte sich geöffnet, und ein Wächter hielt sie auf; ein Sekretär spähte zu ihm heraus. Er trat in das Empfangsgemach und dachte an all das, was er hier erreichen mußte.

Da stand Elisabeth, die Hände vor sich gefaltet. Sein erster Gedanke war, wie klein sie war; er hatte sich an Marias Größe gewöhnt.

»Eure Majestät.« Er verneigte sich tief. »Durchlauchtigste Königin, ich überbringe Euch schwesterliche Grüße von meiner Herrscherin, der Königin von Schottland.«

»Ich bin erfreut.«

Er sah, wie ihre langen weißen Finger – denen Marias ganz ähnlich – ihm winkten, sich zu erheben. Er tat es schnell und sah, daß sie ihn anlächelte.

Er bemühte sich, nicht erkennen zu lassen, daß er sie musterte, aber er bemerkte alles an ihr.

»Dies sind meine vertrautesten Ratsherren, William Cecil« – Cecil nickte – »und Robert Dudley.« Auch Dudley neigte den Kopf.

»Ich hatte schon einmal das Privileg, mit Sekretär Cecil zusammenzuarbeiten«, sagte Maitland.

»In der Tat, ja. Während der Amtszeit des Regenten. Es ist mir ein Vergnügen.« Cecil benahm sich, als sei es die Wahrheit. Vielleicht stimmte es auch. Mit Cecil zu arbeiten war angenehm; er war immer gut vorbereitet und kam rasch zur Sache, und er war ein gewiefter Menschenkenner. Was Dudley anging, so war Maitland begierig darauf, diesen Liebhaber zu sehen, der den Frauen anscheinend etwas zu bieten hatte, das ihm selber abging.

»Ich bin neugierig auf meine berühmte Cousine, die Königin von Schottland«, sagte Elisabeth geradeheraus. »Um offen zu sein, seit ihrer Geburt ist sie ein Gegenstand meines Interesses.«

Maitland sah sie bewundernd an. Die magere, rothaarige Frau verstand es, andere in die Defensive zu drängen und unverzüglich zur Sache zu kommen.

»Ich glaube, sie ist ebenso neugierig auf Euch«, sagte er. »Sie würde ein Zusammentreffen begrüßen, damit Ihr einander einmal von Angesicht zu Angesicht sehen könntet. Einstweilen indessen möchte sie Porträts mit Euch tauschen.«

Er hatte vorgehabt, das Geschenk seiner Herrin zu einem günstigeren Zeitpunkt zu überreichen, nicht gleich zu Anfang der Unterredung. Aber jetzt schien es doch angebracht zu sein, und so sah er sich gezwungen, Elisabeth die Miniatur zu präsentieren, die er bei sich trug.

Sie wickelte sie aus, schlug die leuchtend blaue französische Seide zurück, die sie umhüllte. Die Miniatur zeigte ein ovales Antlitz mit wachsamen Augen; auf den Lippen lag die bloße Andeutung eines Lächelns, und ein wenig rötlich-braunes Haar lugte unter einer weißen Haube hervor. Sie sah aus wie eine sehr junge Nonne, ein Mädchen, das in den Wallungen einer verheißenen religiösen Ekstase den Schleier genommen hatte.

»Ist dies ein lebensechtes Bildnis?« fragte die Königin.

Er nahm es zurück und betrachtete es aufmerksam; seine intelligenten braunen Augen wurden schmal.

»Ja und nein«, bekannte er schließlich. »Es wurde gemalt, als meine Königin um ihre Mutter und ihren Schwiegervater trauerte.

Der weiße Schleier ist der französische *deuil*. Sie trug schwer an ihrem Schmerz, und das zeigt sich in ihrer Haltung. Sie ist aber viel schöner, denn zu ihrer Schönheit gesellen sich Bewegung und Geist.«

»Aber diese beiden Todesfälle machten sie zweifach zur Königin, nicht wahr?« fragte Elisabeth. »Das muß ihr den Schmerz doch ein wenig versüßt haben.«

»Ihre Trauer war groß«, antwortete Maitland. »Und wenige Monate später hatte sie auch noch den Tod ihres Gemahls zu beklagen. Drei Schicksalsschläge binnen achtzehn Monaten –«

»Diese Schicksalsschläge haben sie nach Schottland zurückgebracht.« Elisabeth winkte ihm, Platz zu nehmen. Er gehorchte dankbar. Langes Stehen tat seinen Knien weh. Cecil und Dudley setzten sich ebenfalls. »Darüber muß das Volk doch sicher frohlocken.«

War das eine Frage? Nur, wenn er sich entschied, es als solche zu behandeln. »Das tut es in der Tat. Es ist lange her, daß wir unseren Souverän bei uns hatten. Eine Regentin«, fügte er hinzu, »ist nicht das gleiche.«

»So möchte es scheinen.« Elisabeth lehnte sich zurück und faltete die Hände. Sie starrte ihn mit ihren schwarzen Vogelaugen an.

Cecil beugte sich vor.

»Teurer Sekretär«, begann er, »als ich Euch das letzte Mal schrieb, nach Schottland, da versichertet Ihr mir, Eure Königin würde dem Vertrag beistimmen, den wir so mühsam ausgearbeitet hatten – bezüglich der Franzosen, der Engländer und der Schotten. Wir haben unser Wort gehalten; wir haben uns aus Schottland zurückgezogen. Die Franzosen desgleichen. Aber Eure Königin hat ihn niemals ratifiziert, und sie hat, um es ganz offen zu sagen, recht vage und durchsichtige Gründe vorgeschützt. Wie Ihr wißt, sollte sie ihrem Anspruch auf den Thron unserer hier gegenwärtigen glorreichen Königin entsagen.«

Maitland war diese Eröffnung willkommen. Er strich sich den glänzenden Bart glatt, der so gleichmäßig getrimmt war; er war sehr stolz darauf. »Nun, wie der Vertrag abgefaßt wurde, sollte meine teure Königin verpflichtet werden, sich nicht nur jedes gegenwärtigen Anspruchs auf den Thron Englands zu begeben, sondern auch ihres Rechtes auf die Thronfolge, solltet Ihr – Gott behüte! – ohne Erben sterben. Das aber kann sie guten Gewissens nicht tun. Denn das würde bedeuten, daß sie auf die Rechte ihrer Nachkommen verzichtete – die ihr mit Gottes Willen geschenkt werden möchten –, ungeachtet dessen, daß sie vielleicht gebraucht werden, sollte sich die Gelegenheit ergeben.«

»Welche Gelegenheit?« fragte Dudley plötzlich. Seine Stimme war laut, beinahe aufbrausend. So etwas fanden Frauen attraktiv?

»Keine der beiden schönen Königinnen ist vermählt«, antwortete Maitland so geschmeidig und versöhnlich, wie er konnte. »Wer wird in der nächsten Generation regieren, wenn es auf beiden Seiten keinen Erben gibt? Da ist es nur umsichtig, daß die eine im Notfall einschreiten und den Thron der anderen bewahren kann.«

»Umsichtig!« schnaubte Elisabeth. »Es ist eine gefährliche Versuchung. Nicht, daß Schottland *mich* in Versuchung führen könnte, wohlgemerkt.«

»Aber Euren Sohn vielleicht«, sagte Dudley. »Und sollte Maria kinderlos sterben ...«

»Genau. Oder umgekehrt«, ergänzte Maitland. »Ihr solltet Euch vor allen anderen für Eure Verwandtschaft entscheiden. Ihr wollt doch nicht auf Fremde zurückgreifen.«

»Maria Stuart ist eine Fremde«, versetzte Elisabeth störrisch.

»Nicht dem Blute nach«, beharrte Maitland. »Und wenn Ihr Euch zu einem Treffen bereitfändet, wären solche Sorgen zu Ende.«

»Oh, ich bin zu einem Treffen bereit«, sagte Elisabeth obenhin.

»Wann?« drängte Maitland.

»Nicht vor dem nächsten Parlament«, warnte Cecil. »Vorher dürft Ihr nicht gehen.«

»Im nächsten Sommer also«, sagte Elisabeth. »Wir können uns irgendwo im Norden treffen. Vielleicht in Nottingham?«

»Sie wird sich überall mit Euch treffen, und zwar mit Freuden«, antwortete Maitland. Hoffentlich stimmte das auch. »Im Juli also?«

»Im August. Ich könnte es mit einer Staatsreise verbinden.«

Der raffinierte Cecil wie auch der hübsche Dudley machten ein überraschtes Gesicht.

»Dann wird der junge Herzog von Norfolk für Gastlichkeit und Bewirtung sorgen müssen«, sagte Dudley. »Wen gäbe es denn sonst noch da oben? Den Earl von Northumberland, den Earl von Westmoreland ... aber die sind darin so ungeübt.«

»Aber dafür um so erfindungsreicher«, meinte Cecil.

Alles lachte leise und liebenswürdig. Elisabeth winkte einer ihrer Damen, und gleich darauf erschien ein Diener mit einer Kristallschale, einem Teller mit flachem Brot und Gläsern mit frischem Apfelwein.

»Der Herbst war großzügig«, sagte Elisabeth; sie nahm ein Glas und nippte daran.

Maitland erkannte mit Entsetzen, daß die Unterredung zu Ende war, und dabei hatte er noch keine Antwort in seinem Hauptanliegen.

»Dies ist Brombeerkonfitüre aus Beeren, die mein lieber Robert mir brachte«, sagte Elisabeth und deutete auf die Kristallschüssel. Sie lächelte Maitland an.

Maitland nahm sich Brot und Konfitüre erst, nachdem Cecil und Dudley sich bedient hatten. Er achtete darauf, langsam zu essen und keine Hast zu zeigen. Endlich wischte er sich den Mund mit seinem leinenen Taschentuch ab.

»Allergnädigste Königin, um dieses für uns alle so interessante Thema noch einmal fortzusetzen: Meine Herrin wird den Vertrag von Edinburgh mit Freuden unterzeichnen, wenn er dergestalt erweitert wird, daß sie als Eure Nachfolgerin auf dem Thron anerkannt würde – sollten Euch die Nachkommen versagt sein, meine ich.«

Elisabeth drehte sich um und starrte ihn an. Nichts Sanftes oder Zierliches war mehr in ihrem Gesicht; ihr Mund wurde so hart und klein, daß er aussah wie eine alte Narbe.

»Was! Denkt Ihr, ich könnte mein eigenes Leichentuch lieben?« zischte sie schließlich leise. »Von dem Tag an, da ich Maria Stuart als meine Erbin benenne, wäre ich gezwungen, sie zu hassen, denn jedesmal, wenn ich sie ansähe« – sie warf einen funkelnden Blick auf die Miniatur –, »wäre es, als schaute ich tief in mein eigenes Grab.«

»So muß ja jeder denken, der ein Testament verfaßt«, meinte Dudley leichthin. »Dennoch sagen die Anwälte, daß wir es müssen. Gewiß, es ist unerfreulich, solche allzu klaren Worte zu lesen: ›Im Augenblick meines Todes‹, ›binnen Zehn-Tages-Frist nach meinem Tode‹, ›mein Leichnam soll gesalbt werden mit …‹ – doch gleichwohl unterschreiben wir schaudernd, denn es nicht zu tun, wäre … verantwortungslos.«

»Robert!« fauchte sie. »Wollt Ihr sagen – wollt Ihr *andeuten* –, daß ich verantwortungslos handele gegen meinen Thron und gegen mein Volk?«

»Wenn Ihr Euch weigert, zu heiraten, und Euch weigert, einen Erben zu benennen – ja, das ist verantwortungslos.«

»Ah!« schrie Elisabeth empört auf.

Sie muß ihn wirklich lieben, dachte Maitland. Niemand sonst

könnte es wagen, mit ihr in dieser Weise zu sprechen. Aber nötig ist es. Vielleicht ... Dank sei Gott für Dudley?

»Robert!« Sie lachte plötzlich und strich ihm übers Haar.

Maitland war schockiert.

»Ihr wißt, es kann nicht sein«, sagte sie zärtlich. Dann war sie unversehens wieder so herrisch wie zuvor. »In dem Augenblick, da ich einen Erben benenne«, sagte sie ernst zu Maitland, »gebe ich die Zügel aus der Hand. *Plures adorant solem orientem quam occidentem*. Die aufgehende Sonne beten mehr Leute an als die untergehende. Der Erbe wird zum Mittelpunkt aller unerfüllten Träume der Menschen. Ich habe es während der Herrschaft meiner Schwester gesehen, als *ich* die Erbin war. Ich will Euch etwas erklären.«

Sie zog Maitland in einen Alkoven des Gemachs, wo es eine Fensterbank gab, mit Kissen gut gepolstert. Sie setzte sich und bedeutete ihm, daß er es ihr nachtun solle.

»Ein zukünftiger Herrscher ist ein Traum«, sagte sie. »Ein gegenwärtiger ist die wachende Welt. Kinder träumen im Dezember von Äpfeln, und sie weinen, wenn sie aufwachen und merken, daß sie keine haben. So werden auch die Untertanen davon träumen, was ein Prinz ihnen geben wird, wenn er sein Erbe antritt, und sie werden weinen, wenn sie sehen, daß alles nur ein verlorener Traum war. Denn ich sage Euch: Es gibt keinen Fürsten – noch hat es, Salomo eingeschlossen, je einen gegeben –, der reich genug wäre, die Begehrlichkeit des Volkes zu befriedigen. Also sehnen sich die Untertanen stets nach dem zukünftigen Fürsten und lieben nie den gegenwärtigen, seinem Verdienst entsprechend. Es sei denn, der gegenwärtige wäre ihre einzige Hoffnung.«

Wie gut sie die Häßlichkeit der menschlichen Natur begriffen hat, dachte Maitland. Dennoch, wenn sie sich weigert zu heiraten, wird sie letzten Endes ihr Volk ins Unglück stürzen. Denn niemand lebt ewig, um irgend jemandem die einzige Hoffnung zu sein.

»Ich verstehe«, sagte er.

»Indes, wäre ich in diesem Augenblick *gezwungen*, einen Erben zu benennen, ich würde Maria Stuart vor allen anderen erwählen«, fuhr sie unerwartet fort. »Ich ziehe es vor, überhaupt nicht zu wählen, aber wäre ich *gezwungen* ...« Sie zog die dünnen, blassen Augenbrauen hoch.

»Wäret Ihr bereit, das zu Papier zu bringen? Ich fürchte, meine Herrin wird mich so oft ersuchen, es zu wiederholen, daß mein Gehirn dabei verschleißt.«

»Euer Gehirn scheint mir gesund genug, um ein paar Wiederholungen zu ertragen«, sagte Elisabeth lächelnd. Das Lächeln veränderte ihr Gesicht; sie sah geheimnisvoll und verlockend aus. Selbst ihre scharfen dunklen Augen wirkten plötzlich eher mitfühlend als inquisitorisch. »Nein, ich werde es nicht zu Papier bringen. Eure Königin muß Vertrauen zu Eurem Gedächtnis und meinen Absichten haben. Außerdem wird sie bald genug selbst Gelegenheit haben, mich von Angesicht zu Angesicht danach zu fragen. Nur ein paar Monate noch! Einstweilen sagt ihr, ich werde ihr auch bald ein Porträt senden, und ich schenke ihr diesen diamantnen Freundschaftsring.«

Sie zog einen Ring vom Finger. Es war ein doppelter Ring aus zwei ineinander verflochtenen Teilen: Zwei Hände umfaßten in der Mitte zwei Diamanten, die zusammen ein Herz formten. Sie löste die beiden Teile voneinander und gab Maitland den einen.

»Es ist eine englische Sitte«, erklärte sie. »Wenn die Königin der Schotten meine Erbin sein will, muß sie damit beginnen, daß sie die englischen Sitten versteht. Wir verschenken einen Brillantring, der zu einem zweiten paßt. In Notzeiten kann man ihn dem Schenkenden zurücksenden, um sich auf die Freundschaft zu berufen. Wenn die beiden Hälften wieder zusammengefügt werden, bin ich verpflichtet, ihr zu Hilfe zu kommen.«

»Sie wird zutiefst geehrt sein«, sagte Maitland und betrachtete den Ring.

»Sagt ihr aber, sie soll sich nicht um einer Kleinigkeit willen darauf berufen oder ihn zurücksenden, wie Master Knox.« Elisabeth lachte und erhob sich. Das Gespräch war zu Ende.

Maria merkte, wie ihr Hut davonflog, als sie an diesem letzten Oktobertag durch den Forst von Falkland galoppierte. Er hob sich von ihrem Kopf und wirbelte davon wie eines der Blätter, die dann träge heruntersegelten und landeten – wer wußte, wo? Zugleich löste sich ihr Haar und wehte hinter ihr her wie bei einem unordentlichen Kind. Keuchend und lachend ritt sie weiter, ohne ihr Pferd zu zügeln, damit die übrige Gesellschaft sie einholen könnte.

Die Franzosen, das wußte sie, verglichen diesen Forst mit den Wäldern von Chambord und Fontainebleau, und sie wollte nicht anhalten und ihnen Gelegenheit zu hämischen Bemerkungen über Falkland geben. Dies war *ihr* Wald, ein Wald, den ihr Vater geliebt hatte, und mittlerweile erschienen ihr die Franzosen – der Marquis d'Elbœuf, der Duc d'Aumale und der Großprior François wie auch die Schriftsteller Brantôme und Chastelard, die sie so lange begleitet hatten – wie Eindringlinge oder, besser gesagt, wie Leute, vor denen sie sich verstellen mußte. Und es mißfiel ihr, daß sie Schottland ständig vor ihnen in Schutz nehmen mußte. Unfreundliche Gedanken, die sie selbst hegte, behielt sie für sich, denn die Höflinge würden sie nur aufblähen und dann schadenfroh an Katharina von Medici weiterberichten.

Sie ertappte sich dabei, daß sie das Wort »schadenfroh« benutzte, und war beschämt. Das ist meine eigene Deutung, dachte sie. Ich kann nicht wissen, wie sie wirklich empfinden. Aber ich weiß, ich werde erleichtert sein, wenn sie nach Frankreich zurückkehren.

Jetzt zügelte sie ihr Pferd auf einer offenen Anhöhe und ließ die andern herankommen. Der große Wald von Falkland am Fuße der Lomond Hills erstreckte sich golden nach allen Seiten. Unten in der Mulde bellten die Hunde – hatten sie etwas in die Enge getrieben? Sie und ihre Jagdgesellschaft hatten bereits ein Reh und mehrere Hasen erlegt und brauchten heute nichts mehr. Außerdem hatte die Sonne seit dem Mittag ihren Weg zum Horizont schon zur Hälfte zurückgelegt, und man hatte sie warnend ersucht, in dieser Nacht aller Nächte zeitig vor der Dunkelheit wieder im Schloß zu sein.

»Hallowe'en«, hatte Mary Beatons Vater ominös intoniert.

Als Maria nicht erkennen ließ, daß sie wußte, was das Wort bedeutete, hatte er den Kopf geschüttelt. »Die schlimmste Nacht des Jahres für alle gottesfürchtigen Menschen ... der Beginn der dunklen Jahreszeit, wo der Teufel und die Hexen tanzen. Bleibt im Hause.«

Die Franzosen hatten achselzuckend gelacht.

Aber Mary Beaton hatte ihrer Herrin zugeflüstert: »Meine Tante ist eine Hexe. Lady Janet Beaton – sie hat Bothwell behext und sich ihn zum Geliebten genommen, und da war sie eine verheiratete Frau, zwanzig Jahre älter als er und mit sieben Kindern! Jetzt ist sie alt, aber sie sieht nicht so aus. Sie hat das Gesicht einer jungen Frau.«

»Ist er denn immer noch – sind sie ...?« Bothwell! Ein Hexenliebhaber ... Das machte ihn unversehens zu einem Gegenstand ihrer Neugier.

»Das weiß ich nicht. Ich denke mir, sie müssen sich zumindest gelegentlich treffen, um der alten Zeiten willen. Ein Hexenbann kann nicht immer gebrochen werden.«

Mary Fleming, die das Gespräch mitangehört hatte, warf den Kopf in den Nacken und machte ein verächtliches Gesicht. »Mr. Maitland sagt, das ist alles Unfug, und man benutzt es nur, um das abergläubische, einfache Volk zu ängstigen und es nach eigenem Belieben zu formen.

»Oh – *Mr.* Maitland?« wiederholte Beaton. »Sprichst du nicht etwas förmlich über ihn?«

Flamina sah verlegen aus – was nur selten vorkam. Sie hatte sich zu ihm hingezogen gefühlt und wollte gern glauben, daß er sie ebenfalls anziehend fand, wie die meisten Männer.

»Ich habe gehört, er sei Atheist«, fuhr Beaton beharrlich fort. »Er behaupte, Gott sei ein Butzemann für die Kinderstube.«

»Niemand ist Atheist!« erwiderte Flamina. »Wie kannst du etwas so Scheußliches über irgend jemanden sagen!«

Maitland. Atheist oder nicht, er war ein tüchtiger Diplomat. Maria brannte auf seine Rückkehr, wahrscheinlich noch mehr als Flamina, denn die Politik konnte ebenso aufregend sein wie die Liebe.

Jetzt kam der junge René heran, der Marquis d'Elbœuf, und sein Pferd war schaumbedeckt.

»Bei der Heiligen Jungfrau!« rief er »Was tut Ihr denn? Müßt Ihr reiten wie eine Moorhexe ... wie nennt man sie hier? Wie eine Banshee?«

Chastelard kam herangaloppiert und hielt ihren Hut umklammert. »Hier, Madame. Ich mußte in eine Schlucht hinunterklettern, um ihn zu retten.« Er reichte ihr den Hut mit vorwurfsvollem Blick.

»Macht ein Gedicht darüber, Chastelard«, sagte René. »Berichtet von Eurer unsterblichen Liebe zu der *cruelle princesse*.«

Chastelard lächelte nicht.

»Laßt uns zurückreiten«, sagte Maria. »Es wird spät.« Sie setzte den Hut wieder auf und nickte Chastelard dankend zu. Er starrte sie weiter an. Was erwartete er – eine Belohnung?

Die Sonne umflutete die üppig gerundeten Torhaustürme des Schlosses mit ihrem ersterbenden roten Licht, als die Jagdgesellschaft in den Hof getrabt kam.

»Haben wir noch Zeit für eine Partie Tennis?« fragte der Duc d'Aumale und sprang vom Pferd.

»Es wird in weniger als einer Stunde dunkel sein«, sagte Lord James. »Habt Ihr nicht genug Spiel und Leibesertüchtigung für einen Tag?« Er selbst konnte es nicht erwarten, an seinen Schreibtisch zu kommen, auf dem die Papiere sich türmten; er hatte seine geheime Korrespondenz mit Cecil zu erledigen.

»*Mais oui*, aber es ist ein so schöner Platz!«

Wie eine Horde Kinder stürmten die Guise und die Dichter über den Rasen zu dem ummauerten *jeu quarré*, ihrem Tennisplatz; er glich einem großen schwarzen, hoch überdachten Kasten, durch dessen Mitte ein Netz gespannt war.

»Es scheint, unser Vater ließ sich von seinem Onkel nicht übertreffen«, bemerkte James zu Maria. »Ich habe den berühmten Tennisplatz Heinrichs VIII. in Hampton Court gesehen, und dieser hier ist besser.«

»Ah.« Maria sah zu, wie die vier Franzosen ihre Reitmäntel abwarfen und ihre Hüte auf den Boden schleuderten, um mit dem Spiel zu beginnen. Der junge René sammelte das Laub ein, das auf dem blanken schwarzen Boden lag.

»Vielleicht lerne ich auch, es zu spielen!« rief sie ihnen zu.

»Frauen spielen nicht Tennis!« rief Brantôme.

»Meine Marys und ich werden hier unbeobachtet üben, hinter den hohen Mauern«, erwiderte Maria lachend.

»Dann werdet Ihr Euch so skandalös benehmen, wie Master Knox Euch immer beschreibt«, sagte Mary Seton, die still neben ihr stand.

»Gut!« sagte Maria.

»Seht Euch vor, teure Schwester«, sagte Lord James. »Ihr dürft Knox nicht provozieren. Denkt an die Schrift: ›Enthalte dich von allem Anschein des Bösen.‹«

»Tennis ist also böse? Pah!«

»Eine Frau kann nicht Tennis spielen, wenn sie nicht Männerkleidung anlegt, und das ist ein Greuel vor den Augen des Herrn.«

Maria fing an zu lachen.

»Deuteronomium, zweiundzwanzig fünf«, deklamierte Lord James. »Und ich bete darum, daß der Klang Eures Gelächters über die Heilige Schrift nicht über diese Mauern hinausdringt.«

»Warum – wie könnte er denn? Es sei denn, jemand berichtete darüber? Seht Ihr? Das Lachen ist schon fort, weggeflogen im Wind.«

Lord James seufzte. »Ich überlasse Euch Eurer Belustigung. Ich habe zu arbeiten.« Er blickte zum Himmel mit seinen purpurnen Wolken, die sich zu lauernden Formen ballten. »Ihr solltet auch nicht mehr viel länger hierbleiben.«

Ein plötzlich aufkommender Wind machte dem Spiel ein Ende, indem er Massen von Laub wie einen Strudel durch die Fenster des Tennisplatzes wirbelte. Lachend und erschöpft, verfügten sich die jungen Leute in den Palast, froh, im Warmen zu sein und zum Abendessen eine schwere weiße Suppe und »Mönchsfisch« zu bekommen: Rotforelle mit Zitronen, Anchovis und Rheinwein. Sie räkelten sich vor dem großen Kamin im Staatsgemach der Königin und aßen, und das Essen spülten sie mit französischem Wein hinunter.

Wenig später beschlossen die Männer, in die Gemächer des Duc d'Aumale zu gehen und dort Karten und Backgammon zu spielen; die Frauen blieben allein zurück und träumten vor dem Feuer.

Maria schaute ihre Marys an, und ein großes, zärtliches Beschützergefühl durchflutete sie. Sie saßen mit gesenkten Köpfen auf ihren Schemeln um das Feuer, und jede träumte ihren eigenen Traum für sich allein. Mary Seaton, groß, selbstbewußt, die älteste der vier – wovon mochte sie träumen? Seton besaß die sichere, ernste Zielstrebigkeit, die die anderen veranlaßte, sie »die Duenna« zu nennen, und die verhinderte, daß Männer sich zu ihr hingezogen fühlten.

Mary Fleming bewegte rastlos den Kopf hin und her. La Flamina mit ihrem feurigen Temperament und dem prachtvollen Aussehen. Rotbraunes Haar fiel ihr über die Schultern, und ihre Lebhaftigkeit war so ausgeprägt, daß sie selbst farblosen Leuten, mit denen sie zu tun hatte, noch Leben einhauchte.

Mary Beaton, die Goldene – wie eine Midas-Tochter ... Sie erinnerte Maria an eine Butterblume, unscheinbar, aber sehr schön.

Mary Livingston begann einen Apfel zu schälen; sie schnitt die Schale in einem langen, gewundenen Streifen herunter. Ein bißchen rundlich und von weniger spektakulärer Erscheinung als Fleming und Beaton – aber Lusty war von einer gelassenen Wärme, die betörend und entwaffnend wirkte. Jetzt nahm sie die Apfelschale und warf sie über ihre linke Schulter; dann sprang sie auf, um sie anzuschauen, und ging dazu rings um sie herum. Schließlich zuckte sie die Achseln und machte ein enttäuschtes Gesicht.

»Was machst du denn da?« fragte Maria, und ihre Stimme war der erste Laut, der das Knacken der Scheite im Kamin und das Rauschen des Windes draußen übertönte.

»Ich will meine Zukunft weissagen. Das ist eine alte Hallowe'en-Sitte in Falkirk, wo meine Familie zu Hause ist. Wirft man eine Apfelschale über die linke Schulter, so offenbart sie den Anfangsbuchstaben des Namens Eures zukünftigen Ehemannes.«

»Nun, und welcher ist es?« Maria stand auf.

»Man erkennt nichts. Die Schale liegt da wie ein Korkenzieher.«

»Hier! Ich will es auch versuchen!« Fleming nahm sich einen Apfel aus der Schale neben dem Kamin und begann, ihn zu schälen.

»Ihr auch«, sagte Seton und reichte Maria einen Apfel und ein Messer.

Maria starrte den Apfel an, als sei es der, den Eva von der Schlange angeboten bekommen hatte. Dann nahm sie das Messer und schälte langsam einen Streifen Schale herunter. Als er lang genug war, warf sie ihn mit spitzen Fingern über die Schulter und zwang sich dann, ihn anzuschauen.

Zu ihrer Erleichterung war es auch diesmal kein Buchstabe, kein erkennbarer jedenfalls. Die Schale lag in wirren Windungen.

»Nichts.« Sie wollte sie aufheben.

»Halt!« Fleming ließ sich auf die Knie sinken, um die Sache genauer zu betrachten. »Es könnte ein H sein.«

»Nein, niemals.« Es gab keine H's bei den Kandidaten, die ihr – schriftlich – vorgeführt worden waren und um ihre Hand angehalten hatten: Don Carlos, Prinz Erik von Schweden. Erzherzog Karl von Österreich, König Karl IX. von Frankreich ...

»Ganz offenbar gibt es da niemanden«, sagte sie erleichtert.

»Aber es wird einen geben«, sagte Flamina.

»Es ist noch kein Jahr her, daß Franz ...« Marias Stimme versagte.

»Ihr seid erst achtzehn«, sagte Beaton. »Ihr dürft Euer Leben nicht allein verbringen.«

»Alle Männer, die ich heiraten könnte – oder, besser gesagt, die Kinder«, erwiderte Maria, »finde ich nicht anziehend.«

»Wir werden nicht heiraten, bis Ihr es tut!« rief Lusty. »Das schwören wir hiermit. Nicht wahr?« Sie stand auf und schaute in die Runde. Eine nach der andern standen sie auf und faßten sich bei den Händen.

»Ich gelobe, nicht zu heiraten, bis meine Herrin vermählt ist«, sagte Beaton.

»Ich gelobe, unvermählt zu bleiben, bis meine Königin sich einen Gemahl genommen hat«, sagte Flamina.

»Und ich gelobe, bis zu diesem Tag nur ihr zu gehören«, endete Seton.

»Ah, das ist ein rührendes, aber vielleicht auch ein törichtes Gelübde«, sagte Maria. »Ich würde euch nicht an eurem Glücke hindern.«

»Aber wir sind nicht glücklich, bis Ihr es seid.« Und sie umarmten sie alle.

Maria mußte lächeln über das tapfere Opfer, das sie ihr alle gebracht hatten – im voraus.

»Es ist leicht, etwas aufzugeben, das man nicht besitzt«, sagte sie. »Wenn es um einen wirklichen Menschen geht, werdet ihr, so fürchte ich, dieses Gelübde bedauern. Was mich betrifft, so habe ich zur Zeit nicht den Wunsch zu heiraten.«

Eine große Woge von Einsamkeit flutete über sie hinweg, als sie begriff, was sie da sagte. Ich wünschte, es gäbe *jemanden* ... aber keinen Fremden wie die Männer auf der Liste ... einen Gefährten, jemanden wie mich, nicht einen, der nichts mit meiner Seele gemein hat, mit meiner Herkunft, meiner Sprache ... Die Marys können von Glück sagen – gerad' so jemand wartet auf sie, irgendwo; aber für mich ist es immer nur Politik.

»Vielleicht erscheint noch jemand, der Euch anderen Sinnes werden läßt. Über Nacht!« rief die impulsive Flamina. »So etwas kommt vor.«

»Ja, im Märchen«, sagte Maria. »Aber nicht bei Königinnen, deren Ehen stets abgesprochen sind.«

»Aber dieser Mann würde Euch vielleicht einfach mit sich fort nehmen ...«

Ein Mann, der nicht mit ihren Ratgebern abgesprochen war, ein Mann, den *sie* sich ausgesucht hatte, weil *sie* ihn wollte, weil er ihr gefiel ...! »Weiche von mir, Satan«, sagte sie.

»Was?« fragte Beaton.

»Ich habe laut gedacht.« Maria lächelte.

»An den Satan? Es heißt ja, er schweife diese Nacht umher, aber ...«

Maria lachte. »Dann ist es vielleicht Zeit, daß wir einander gute Nacht sagen.«

Sie rafften ihre Handarbeiten zusammen und standen auf.

Maria war noch auf und las; es war kurz vor Mitternacht, als sie im Hof den Lärm eines Ankömmlings hörte, und dann ertönte die Stimme Maitlands unten in der Wachstube.

Rasch warf sie einen Mantel über, verließ ihre Gemächer und ging die Treppe hinunter.

Maitland sah sie überrascht an. »Eure Majestät.« Er warf die Kapuze seines schlammbespritzten Mantels zurück, und ein Wächter schloß die Tür hinter ihm vor dem Wind. Eine Blätterwolke wehte noch herein und wirbelte über den Fußboden.

»Bitte kommt und berichtet mir, was sich zugetragen hat«, sagte sie. »Wenn Ihr nicht zu müde seid. Aber ich will Euch etwas zu essen bestellen – wie lange seid Ihr geritten?«

»Von London herauf sind es vier Tagereisen, wenn man nicht rastet«, sagte er. Er stieg die Treppe hinauf, und sie sah, welche Anstrengung es ihn kostete, die Beine von einer Stufe zur nächsten zu heben.

»Kommt, setzt Euch.« Sie deutete auf den breitesten Sessel, der mit Kissen überhäuft war. Dann ließ sie von den Dienern Holz aufs Feuer legen und für ihn eine Schale von der übriggebliebenen Suppe bringen.

»Die Lieblingssuppe meiner Mutter«, erzählte sie. »Sie ist aus Kalbfleisch, gemischt mit zartem Geflügel und Rosmarin ... wahrhaft belebend.«

Maitland war viel zu höflich, um die Suppe hinunterzustürzen, wie er es gern getan hätte; sie wartete, bis er fertig war, ehe sie anfing, ihn auszufragen.

»Habt Ihr mit ihr gesprochen?« fragte sie dann.

»Ja. Ich habe die Königin gesehen und alle unsere Anliegen vorgetragen.« Er schwieg einen Augenblick lang. »Die Antwort ist nein. Sie will Euch nicht als Ihre Nachfolgerin benennen.«

»Aber ...« Maria war so enttäuscht, daß sie keinen Satz zustande brachte. Schließlich sagte sie: »Welche Gründe hat sie angegeben, nachdem ich doch nun bereit war, dafür den modifizierten Vertrag zu unterzeichnen?«

»Irgendwelchen Unfug darüber, daß sie gezwungen sei, in ihren eigenen Sarg zu schauen, wenn sie einen Nachfolger für sich benenne. Dann ein paar dickschädelige politische Bemerkungen des Inhalts, daß ein Thronfolger stets die Hoffnungen der unzufriedenen Untertanen eines Reiches auf sich sammelt. Was immer ihre Gründe sein mögen – eine persönliche Grille, politische Vorsicht –, sie lehnt es jedenfalls ab, die Nachfolgefrage zu klären.«

»Oh.« Sie fühlte sich hilflos und gelähmt. Wie konnte Elisabeth den Anspruch des Blutes und der Tradition leugnen?

»Immerhin sagte sie: Wäre sie *gezwungen*, einen Nachfolger zu benennen, dann gebe es niemanden, dessen Anspruch vor dem Euren käme.«

»Was soll das bedeuten?«

»Nichts. Es ist Elisabeth-Gerede; sie wird allmählich berühmt dafür. Sie selbst nennt es ihre ›antwortlose Antwort‹.«

»Oh!« Marias Frustration verwandelte sich zusehens in Ärger.

»Sie hat ein Zusammentreffen mit Euch vorgeschlagen, und sie sendet Euch dies.« Maitland öffnete seine Börse und nahm eine Schatulle heraus, die er ihr reichte.

Sie nahm sie und bog sie auf, wobei sie einen der Verschlüsse zerbrach.

Darin lag ein samtener Beutel, und sie fühlte, daß er etwas Hartes enthielt. Sie schüttelte ihn, und ein Ring fiel heraus – mit einer Hand, die einen Brillanten umfaßte.

»Es ist ein Freundschaftsring, Majestät«, sagte Maitland. »Man kann ihn teilen; Elisabeth hat die andere Hälfte behalten. Er soll zu ihr zurückgesandt werden, wenn Ihr jemals in Not geratet. Sie ist dann verpflichtet, Euch zu Hilfe zu kommen.«

»Wie nett.« Da sie so etwas niemals brauchen würde, war es ein bedeutungsloser kleiner diplomatischer Firlefanz. Sie legte den Ring hin. Dann aber überlegte sie es sich anders und schob ihn auf den Finger, wo sie ihn betrachten und darüber brüten könnte.

Maitland stierte benommen vor sich hin.

»Ihr dürft zu Bett gehen«, sagte Maria. »Ich bitte um Vergebung dafür, daß ich Euch bisher daran gehindert habe. Das alles hätte auch bis morgen Zeit gehabt.«

Als Maitland gegangen war und sie im Bett lag, hörte sie das Heulen des Windes und das Rascheln der Äste in dieser Spuknacht.

Es heißt, die Geister gehen jetzt um, dachte sie. Und ganz in der Nähe ist das Zimmer, wo mein Vater starb, wo er in seiner Verzweiflung das Gesicht zur Wand kehrte.

Bist du hier, Vater? Wenn du hier bist, dann hilf mir mit diesem schwierigen Land, das du mir hinterlassen hast! Wenn es stimmt, daß die Toten Weisheit besitzen, dann laß mich daran teilhaben!

Aber ihre Träume waren belanglos und ohne Sinn, und am Morgen war sie kein bißchen weiser.

Der Ruf war endlich ergangen. John Knox hatte den Triumph genossen, Edinburgh für sich zu haben, nachdem seine Anhänger sich dazu hatten bewegen lassen, sich gegen die moralische Verunreinigung durch die Messe zur Wehr zu setzen, aber er hatte die ganze Zeit gewußt, daß der Tag kommen mußte, da die Königin zurückkehren würde. Man hatte ihn wissen lassen, daß sie dann mit ihm zu reden wünsche. Einstweilen aber war das feige, furchtsame Kind fortgelaufen und reiste im Reich umher, als müsse es erst seinen ganzen Mut zusammennehmen, um mit ihm zu sprechen.

Jetzt war sie zurückgekommen, und eine besondere Aufforderung war ihm zugestellt worden, zur Audienz zu erscheinen. Mehrmals hatte er die Aufforderung gelesen, und er fühlte sich geehrt, als Werkzeug des Herrn dazu ausersehen zu sein, ihr entgegenzutreten und sie auf ihre Irrtümer hinzuweisen.

Er konnte es kaum erwarten, daß die vorgeschriebene Stunde endlich kam, da er im Palast erscheinen sollte. Eine Viertelstunde vor der Zeit – er besaß eine genaue Uhr, gefertigt in seinem geliebten Genf, die in jener glücklichen Stadt auf seinem Schreibtisch gestanden hatte – machte er sich auf den Weg und ging mit forschem Schritt die glatte, abwärtsführende Straße von Canongate hinunter und nickte den Edelleuten zu, denen er bei ihren Stadthäusern zur Rechten und zur Linken begegnete. Er schritt durch das große Tor bei Abbey Strand und gelangte in den Bezirk, der immer noch Asyl für Schuldner und Gesetzesbrecher bot – auch so eine papistische Torheit! –, und dann sah er die französisierten Rundtürme und den Palasteingang vor sich.

Dort drinnen also würde der Wettstreit stattfinden. Er betete um Kraft und um die rechten Worte.

Aus ihrem Audienzgemach – dem größten Raum in der Suite ihrer königlichen Gemächer – sah Maria ihn unten im Hof stehen. Er war groß und dürr, und die Morgensonne ließ ihn einen langen Schatten werfen. Er sah aus wie der Gnomon an einer Sonnenuhr, fand sie. Dann bewegte sich der Gnomon und kam auf den Palasteingang zu.

Jetzt war der Augenblick gekommen. Sie würde diesem Mann wirklich ins Gesicht sehen, dem Mann, der ihrer Mutter größter Gegner gewesen und der jetzt der ihre war. So lange war er ihr vorgekommen wie ein Dämon, ein beinahe mythologisches Wesen wie die

Gorgo oder die Mantichore – es schien unmöglich, daß er in diesem Augenblick die Treppe zu ihr heraufsteigen sollte.

Sie nahm auf einem Stuhl unter ihrem Staatsbaldachin Platz – nicht auf einem Thron –, rückte ihre Röcke zurecht und wartete. Ihr Bruder, Lord James, würde als Zeuge des Geschehens zugegen sein, und zwei Wachen standen auf beiden Seiten des Raumes. In der Nacht zuvor hatte sie wenig geschlafen, aber das beschleunigte ihre Sinne eher, als daß es sie stumpf machte; es war, als bebten sie vor Bereitschaft, da sie jetzt auf sein Erscheinen wartete. Aber seine Schritte auf der großen Treppe vor dem Gemach waren leise, und sie hörte ihn nicht, bis die Tür aufschwang und er auf der Schwelle stand.

»Master John Knox, Pastor der High Kirk von St. Giles, Verfasser des Ersten Buches der Disziplin der Kongregation«, meldete die Wache in so warmem Ton, daß die Verehrung für den Mann offenkundig war.

Knox trat ein, und mit einer einzigen Bewegung zog er sich die flache Mütze vom Kopf und kam bis zu ihrem Stuhl heran. »Eure Majestät«, sagte er und starrte ihr gerade in die Augen. »Lord James, Bruder in Christo.« Er nickte James zu und wandte seinen harten Blick dann wieder Maria zu.

Seine Augen waren dunkelbraun, und er verstand es, jemanden lange Zeit anzuschauen, ohne mit der Wimper zu zucken. Er hatte kein unfreundliches Gesicht, fand Maria. Seine Augenbrauen waren gerade, seine Nase gut proportioniert, die Lippen wohlgeformt. Eigentlich war an seinem Gesicht überhaupt nichts Bemerkenswertes außer der Tatsache, daß es so durchschnittlich war; nur der übermäßig lange, fließende Bart ließ ihn anders aussehen als einen beliebigen Höfling mittleren Alters. Dies und seine strenge, dunkle Kleidung: die Uniform der Reformatoren.

Er seinerseits sah sich widerstrebend gezwungen, ihre Schönheit anzuerkennen. Die Betrachtung ergab, daß die Porträts, die er gesehen hatte, ihre Züge zutreffend wiedergegeben hatten – große, verschleiert blickende, bernsteinfarbene Augen, eine lange, gerade Nase, ein kleiner, gebogener Mund –, ohne ihren Reiz wirklich einzufangen. Vielleicht war es die Haarfarbe, der Ton der Haut, vielleicht die Haltung, ihre schlanke Gestalt, vielleicht auch …

»Master Knox, wir haben nach Euch gesandt, weil wir durch Euer Treiben in letzter Zeit beunruhigt sind.«

Die Stimme. Ihre Stimme war verführerisch wie die einer Sirene:

süß und voll und liebkosend. Sie erweckte die Sehnsucht danach, weitere Worte zu hören.

»Ihr habt rebelliert gegen unsere verstorbene Mutter, die Regentin, und habt ihr viel Trauer und Leid zugefügt, und Ihr habt Worte geschrieben, die besagen, daß eine Frau nicht Königin sein sollte. Das ist Hochverrat: Ich *bin* Eure Königin und souveräne Herrscherin, durch Gottes Gnade!« Sollte er darauf antworten! Sie hatte keine Angst mehr vor ihm. Er war nur ein Mensch.

»So habt Ihr Euer Schottisch also nicht vergessen«, sagte er, wider Willen überrascht. »Ich fürchtete schon, Lord James würde meine Worte ins Französische übersetzen müssen.«

»Ich habe stets weiterhin Schottisch gehört, auch wenn ich in Frankreich war. Ihr vergeßt, Sir, daß meine Damen bei mir waren, und auch bestimmte schottische Herren meines Hofes.« Wenn er gedacht hatte, er könne hier Nebenbemerkungen zu James machen, die sie nicht verstehen könnte, so hatte er sich gründlich geirrt.

»Aber was nun den *Ersten Fanfarenstoß* angeht« – sein Tonfall wechselte, und an die Stelle des Gesprächstons trat seine Kanzelstimme – »denn darauf, nehme ich an, wollt Ihr Euch beziehen – so wird dort in der Tat gesagt, daß ein weiblicher Herrscher ein Greuel und eine Verirrung ist, aber Gott erlaubt, daß derlei existiert zu Seinem Nutzen. Wenn das Volk es zufrieden ist, unter einem Weibe zu leben, so will ich nicht dagegen rebellieren. In der Tat, Madam, lebe ich unter Euch ebenso zufrieden wie der heilige Paulus unter Nero.«

Sie wäre also ein Nero? Wie konnte er so etwas äußern? »Ich bin kein Tyrann, Sir, wie Ihr wohl wißt. Ich habe eine Proklamation herausgegeben und Eurem Glauben meinen Respekt gezollt; ich habe gesagt, daß die Religion des Landes, wie ich sie vorgefunden habe, als ich nach Schottland zurückkehrte, nicht geändert werden soll. Habt Ihr es nicht gelesen?«

Knox schnaubte. »Eure Base, die Königin von England, hat genau die gleiche Proklamation erlassen, als sie den Thron bestieg. Aber binnen eines halben Jahres änderten sie und das Parlament alles, und sie führte die Religion ein, die sie selbst praktiziert … in diesem Fall ein Mittelding zwischen Katholizismus und der Reformierten Kirche. Solche Proklamationen bedeuten also gar nichts; sie verdecken nur die wahren Absichten des Herrschers, welche dann bald genug zum Vorschein kommen.«

Maria richtete sich auf ihrem Stuhl auf. »Guter Sir, Ihr wißt, es ist Gottes Befehl, daß die Untertanen ihrem Herrscher in allen Dingen gehorchen; wie kann es daher sein, daß Gott es billigt, wenn sie sich zu einer anderen Religion bekennen als ihr Souverän?« Tatsächlich bereitete ihr diese Frage Kopfzerbrechen, denn sie hatte nicht die Absicht, ihren Glauben zu ändern, und fand, daß andere das gleiche Vorrecht genießen sollten.

Knox lächelte. Jetzt war sie aus ihrer Deckung hervorgekommen und hatte ihre eigentlichen Pläne enthüllt. »Werte Madam, Ihr irrt! Wie Christus zu den Pharisäern sagte: Ihr kennt nicht die Schrift! Was, wenn Moses sich unterworfen hätte und der Religion des Pharao gefolgt wäre? Was, wenn Daniel sich zum Glauben des Nebuchadnezar bekehrt hätte? Was, wenn – Gott behüte! – die Christen den römischen Kaisern gehorcht hätten und zu Jupiter und Apollo zurückgekehrt wären? Nein, Madam! Sie waren zum Gehorsam verpflichtet, aber nicht in Fragen des Gewissens.«

Er geriet in Erregung, und sein dunkles Gesicht begann zu glühen. Aber einen wichtigen Punkt ließ er aus, dachte sie. »Keiner von diesen – nicht Moses, nicht Daniel und nicht die christlichen Märtyrer – erhob das Schwert gegen seinen Herrn«, sagte sie langsam. »Und das ist der wahre Streitpunkt.«

Er sah ihr weiterhin gerade in die Augen und sagte langsam: »Gott hatte ihnen dazu weder die Kraft noch die Mittel verliehen.«

James schrak leise auf, und Maria fühlte, daß sie Herzklopfen bekam.

Du wußtest doch, daß er so empfindet, dachte sie. Warum bist du also jetzt überrascht, daß er es offen bekennt?

»Ihr glaubt also«, sagte sie, »wenn die Untertanen die Kraft dazu haben, ist es ihnen erlaubt, sich wider ihren König zu erheben?«

»In der Tat – wenn der König seine Grenzen überschreitet, dann muß ihm unter allen Umständen widerstanden werden, auch mit Gewalt, wenn es nötig ist.« Sein Bart wippte mit den Bewegungen seines Mundes auf und ab.

Sie starrte ihn an.

»Es ist schließlich ein Gottesgebot«, fuhr er fort, »Vater und Mutter zu ehren; und die Pflicht gegen den König folgt daraus. Der Fall ist der gleiche. Aber wenn ein Vater in Raserei verfällt oder wahnsinnig wird und versucht, einem seiner Kinder Gewalt anzutun, sind die Kinder dann nicht gehalten, sich zu erheben, den Vater zurückzuhalten und ihm die Waffen abzunehmen – um zu *verhindern*, daß er sich selbst entehrt, indem er seine Kinder tötet? Glaubt Ihr, Gott wird ihnen zürnen, weil sie ihren Vater daran hindern, eine große Freveltat zu begehen? Und ebenso ist es, Madam, mit Königen, die ihre Untertanen hinmorden, welche doch Kinder Gottes sind. Ihr blinder Eifer ist nur ein rasender Irrsinn. Daher ist es, nimmt man ihnen das Schwert, bindet man ihnen die Hände, wirft man sie in den Kerker, bis sie wieder zu nüchterner Besinnung kommen, nicht Ungehorsam gegen den König, sondern im Gegenteil wahrer Gehorsam, denn es ist in Übereinstimmung mit dem Willen Gottes.«

... Nimmt ihnen das Schwert ... bindet ihnen die Hände ... wirft sie in den Kerker ... War es das, was er mit ihr vorhatte? Was immer sie täte, waren Absetzung und Einkerkerung letztendlich ihr Schicksal, falls Knox sich durchsetzen könnte?

Sie merkte nicht, daß mancher Augenblick verstrich, bis James sie fragte: »Was erregt Euren Anstoß, Madam?«

Sie rief ihre Gedanken zum Thema zurück. »Nun denn – wenn ich recht verstehe, sollen meine Untertanen also Euch gehorchen und nicht mir, und sie sollen tun, was ihnen gefällt, und nicht, was ich ihnen befehle. Also muß ich ihnen untertan sein und nicht sie mir.« Sie wandte sich an Knox, der vor ihr stand. »Antwortet auf diesen Vorwurf.«

»Gott behüte«, sagte er, »sollte ich es je auf mich nehmen, den Untertanen nach ihrem Belieben freizustellen, was sie tun. Aber mein Wunsch ist es, daß König wie Untertanen gehorsam gegen Gott seien. Und Eure Pflicht ist es, Pflegemutter Seiner Kirche zu sein und eine Amme für Sein Volk.«

Also sollte sie Patin seiner Reformierten Kirche sein?

»Aber das ist nicht die Kirche, die ich nähren will«, entgegnete sie. »Ich will die Römische Kirche verteidigen, denn sie ist, denke ich, die wahre Kirche Gottes.«

»Euer Wille, Madam, ist nicht Vernunft«, erklärte er mit einer dröhnenden Stimme, deren Klang von allen Lauschern in den angrenzenden Gemächern und sogar im Hof gehört werden konnte, denn die Fenster standen offen. »Und was Ihr denkt, macht die römische Hure noch lange nicht zur wahren und unbefleckten Braut Jesu Christi. Ja, nicht einmal zur Zeit der Kreuzigung Jesu Christi hatten die Juden das Gesetz Moses' so sehr verdreht, wie es die Römische Kirche mit dem Gesetz der Apostel getan hat!«

Das alles konnte sie weder erschrecken noch überzeugen. Seine dröhnende Stimme, seine schmalen Augen waren einfach ein Hilfsmittel, das er benutzte, wie sich andere eines Pferdes bedienten; das erkannte sie durchaus. »Mein Gewissen sieht es anders«, sagte sie ruhig. Sie wußte, was sie wußte, und sie wußte es tief im Herzen.

»Gewissen, Madam, erfordert Wissen. Und ich fürchte, am rechten Wissen fehlt es Euch.« Er hob das Haupt wie ein mächtiger Hirsch.

»Aber ich habe in dieser Frage vieles gehört und auch gelesen.« Und gebetet, fügte sie in Gedanken hinzu.

»Das haben die Menschen, die Jesum kreuzigten, auch, Madam. Sie hatten das Gesetz gelesen und die Propheten, aber sie hatten es auf eigene Weise gedeutet. Habt Ihr jemals jemanden lehren hören, der nicht beamteter Kirchenmann gewesen wäre und die Erlaubnis des Papstes und seiner Kardinäle gehabt hätte?«

Ohne ihre Antwort abzuwarten – denn die kannte er schon –, fuhr er fort: »Der unwissende Papist kann nicht geduldig argumentieren, und der schlaue wird niemals zu einer Debatte einwilligen, wo über ihn geurteilt werden soll. Denn sie wissen wohl, daß sie keinen Streit gewinnen können, es sei denn durch Feuer und Schwert der Unterdrückung, und indem sie ihre eigenen Gesetze aufstellen.«

Sie hatte ihn jetzt satt. Er verstand sie überhaupt nicht: weder ihre Gefühle noch ihre Situation, noch ihre Berufung. Er wollte nichts weiter als ein Duell der Bibelzitate, um sie mit seinem Gedächtnis zu verblüffen, das zweifellos erstaunlich war. Es gab ein höheres Wissen als dieses, ein mystisches Wissen, ein Wissen des Herzens. Aber das lag, seiner Natur entsprechend, jenseits aller Worte.

Er schwatzte unverdrossen weiter und war inzwischen bei einer neuen, weitschweifigen Bibelanalogie.

»Euer Wissen ist zuviel für mich«, sagte sie. »Aber wären meine Lehrer hier, wüßten sie wohl mit Euch zu disputieren.« Pedantische Exhibitionisten haben wir nämlich auch, dachte sie.

»Madam! Wollte Gott, daß der gelehrteste Papist in Europa hier wäre – einer, dem Ihr unbedingt glauben würdet! Wäre er von der Wahrheit überzeugt, würdet Ihr wohl auch folgen!«

Das war Unfug. Was für eine Vorstellung – die Äbtissin Renée, bekehrt von Master Knox! Oder ihr Onkel Kardinal!

Sie lächelte Knox an und stand auf. Die Audienz war zu Ende.

Und wenn du das nächste Mal meine Untertanen zu Ungehorsam und Aufruhr anstiftest, werde ich dich vielleicht in die Verbannung schicken, dachte sie. Ich habe keine Angst vor dir; du bist nur ein Mensch – diesen Gedanken wiederholte sie bei sich unablässig. Ein Gefühl großer Erleichterung durchströmte sie. Es war vorüber.

Spät in der Nacht – obgleich seine Kräfte fast erschöpft waren, denn eine solche Konfrontation, eine solche Gelegenheit, Zeugnis abzulegen, erforderten eine machtvolle Anstrengung – fühlte er sich verpflichtet, seinen Eindruck von der Königin der Schotten zu Papier zu bringen.

> Ist in ihr nicht ein stolzer Sinn, ein kraftvoller Geist und ein verhärtetes Herz wider Gott und Seine Wahrheit, so läßt mein Urteil mich im Stich. Im Gespräch mit ihr entdeckte ich solche Gewandtheit, wie ich sie in diesem Alter noch nirgends gesehen.

Dieser Bericht mußte unverzüglich allen seinen geistlichen und politischen Gefährten zugestellt werden, vor allem seinen Brüdern am englischen Hofe.

Maria sah zu, wie das Licht vor den Fenstern der königlichen Kapelle sich zu jenem düsteren Saphirton vertiefte, der die frühe winterliche Dämmerung kennzeichnete. Hier in Schottland wurde es im Dezember schon gegen drei Uhr nachmittags dunkel, und im Hof zu Holyrood mußten Fackeln angezündet werden. Sie funkelten in der blauen Dämmerung wie die Glühwürmchen im Sommer.

Die Totenmesse zum Gedenken an Franz sollte um vier Uhr beginnen. Seit seinem Tod war genau ein Jahr vergangen, ein unglaubliches Jahr. Wäre Franz wohl erstaunt über die Veränderungen in ihr, könnte er sie jetzt sehen? *Hatte* sie sich überhaupt verändert?

Sie trug immer noch ihre Trauerkleidung aus schwarzem florentinischem Tuch, aber ihre Marys und den französischen Hofstaat hatte sie für die zweite Trauerperiode mit schwarzem Samt ausgestattet. Als sie jetzt durch die Reihen ihrer Umgebung blickte, sah sie, daß sie sich bereits daraus Gewänder hatten nähen lassen und sie heute zum erstenmal trugen. Ihre Kammerherren und Hausdiener trugen schwarzes Tuch und das Grau der Trauer.

Sie schaute sich in der Kirche um und sah, wie noch andere zur Messe hereinkamen. Keiner der Lords würde zugegen sein außer dem Earl von Huntly; ihr zartes Gewissen würde es ihnen nicht erlauben. Aber die beiden neuen Botschafter aus Savoyen und aus Frankreich würden teilnehmen, ihr gesamter Hofstaat und ihr letzter verbliebener Verwandter aus dem Hause Guise, der Marquis d'Elbœuf.

Bischof Leslie von Ross, einer der wenigen katholischen Kleriker, die es in Schottland noch gab, kam schwarz gewandet herein; zwei hochgeschossene Knaben mit mächtigen Kerzen in silbernen Haltern gingen ihm voraus. Langsam schritt er zum Altar, während die Klänge der Totenklage sanft und zart in der Kapelle aufstiegen.

Klänge des Leidens! Klänge, die irgendwie ihre Gefühle einfingen: ein verlorenes Gestern, ein leeres Heute, ein einsames Morgen, das sich vor ihr erstreckte wie ein endloser Korridor, an der Wand ein Kerzenhalter für jedes Jahr, und sie allein in diesem Korridor, der sie immer weiter wegführte von Franz. Klänge, die ihre eigenen Worte aus ihrem Gedicht verkörperten: *Le regret d'un absent*. Zerbrechlich, schmerzlich, berührte diese Musik sie, wie kein Trompetenschall es je vermocht hätte.

Dagegen bin ich unempfindlich, dachte sie. Schriller Lärm, öffentliche Lobgesänge ... das alles rührt mich nicht. Aber dies ...

Und in diesem Augenblick erhob sich eine unvergleichliche Stimme, atemberaubend in ihrer Reinheit, aus der wispernden Schwerelosigkeit der anderen, erhob sich in tiefer, voller, dunkler Pracht, und verkörperte ihren Schmerz und milderte ihn zugleich.

Er weiß es. Er versteht es. Er fühlt es auch.

Das ekstatische Wissen, daß jemand anders diese Tiefen ebenfalls gefühlt hatte, empfand sie wie ein phantastisches Geschenk.

Danke, Gott! rief sie in ihrer Seele. Ich danke Dir, daß Du ihn gesandt hast, wer immer er sein mag. Vielleicht ist er nicht einmal Wirklichkeit, sondern ein Engel.

Vorsichtig spähte sie durch ihre Tränen umher, ob etwa auch andere ihn hörten. Sie wußte nicht, ob sie enttäuscht oder erleichtert war, als sie die Verzückung auf allen Gesichtern sah, während sie der geheimnisvollen Stimme lauschten.

Hernach hatte Maria einen formellen Empfang geplant, um das Ende des einjährigen Totengedenkens zu begehen. Zwar war ihr Vorzimmer schwarz verhangen, aber das Feuer brannte hell, und die Tafel war von den raffiniertesten »Totenspeisen« geziert, die ihre französischen Köche sich hatten ausdenken können. Es gab Rouladen von geröstetem Schwan, mit Goldstaub überhaucht, Fische, die in einem See von Aspik schwammen, und – ein Zugeständnis an die Einfachheit – Franz' Leibgericht: geräucherter Eber aus Chambord.

Der Botschafter von Savoyen, der Conte di Moretta, stand an einem Ende des Raumes und sprach mit dem Earl von Huntly. Die Gewänder des Conte waren von jenem herrlichen Blau, das man anscheinend nur in den warmen Ländern finden konnte. Sie war sehr froh darüber, daß endlich wieder Botschafter in ihr Reich einkehrten. Auch ein englischer Botschafter, Thomas Randolph, hatte seine Residenz bezogen – wenngleich er als Protestant heute natürlich nicht anwesend war. Aber der französische Gesandte, de Foix, kaute auf einem Leckerbissen und hörte dem Gespräch zu.

Zwischen den beiden stand – ein Zwerg? Erschrocken sah Maria einen außergewöhnlich häßlichen Mann, dunkel wie ein Affe, der sich mit schräggelegtem Kopf an der Unterredung der beiden Männer beteiligte. Er reichte ihnen kaum bis an die Schultern.

Sie ging zu ihnen hinüber und vernahm überaus seltsame Töne: zwei Sprachen, die gleichzeitig gesprochen und dann nacheinander wiederholt wurden. Das Italienische kam von Moretta, das Französische von de Foix; der kleine Affenmann schloß die Augen, verzog das Gesicht und wiederholte das, was jeder der beiden sagte. Man sah ihm die Anstrengung an; Schweißtropfen rollten ihm übers Gesicht, obwohl es kühl im Raum war. Moretta und de Foix verdoppelten ihre Bemühungen und sprachen immer schneller und in längeren Sätzen. Der kleine Mann sah aus, als wolle er gleich platzen.

»Hört auf, ihn zu quälen!« sagte Maria lachend. Aber natürlich war es ein Befehl, und die beiden Männer verstummten sogleich.

»Oh, aber er genießt das«, versicherte Moretta ihr. »Er ist mein Sekretär und heißt David Rizzio di Pancaliere. Er spricht mehrere Sprachen, und er *behauptet*, alle perfekt. Er sagt, er kann sie sogar voneinander trennen, wenn er mit jedem Ohr eine hört. Da haben wir ihn auf die Probe gestellt. Er ist so gut, wie er sagt.« Moretta nahm einen großen Schluck von seinem gewürzten Wein.

»Meine allerhöchste Herrin!« Rizzio fiel auf die Knie, nahm ihre Hand und küßte sie ehrfürchtig. Seine großen Augen glänzten.

Maria bat ihn, sich zu erheben. Als er vor ihr stand, sah sie, daß er kein Zwerg war und daß auch mit seinen Gliedmaßen alles seine Ordnung hatte; er war nur sehr klein. »Eure Fähigkeiten sind beeindruckend«, sagte sie. »Wo habt Ihr gelernt?«

»Ich war eine Zeitlang Sekretär beim Erzbischof von Turin, bis *er*« – augenzwinkernd deutete er auf Moretta – »mich stahl.«

»Er war es zufrieden, sich stehlen zu lassen«, vermeldete Moretta. »Die Stellung in Nizza hat Euch gefallen, oder?«

»Ah, ja! Das Meer, die Wärme ...«

Bei dem Wort »Wärme« lachten alle. Das bloße Wort rief Sehnsüchte hervor.

»Ihr wart aus Pancalieri in Piemont?« fragte Maria. »Wie kamt Ihr dann an den Hof des Erzbischofs von Turin?«

»Mein Vater war Musiker, und eigentlich kam auch ich als Musiker an den Hof; ich hatte die Laute zu spielen und in seinem Chor zu singen. Aber wegen meiner Beherrschung des Italienischen und Französischen, und weil ich in elegantem Toskanisch zu schreiben wußte –«

»Und wegen Eurer Bescheidenheit!« warf Moretta ein.

Maria mußte unwillkürlich lachen, aber Rizzio wurde rot.

»Er hat seine Musik nicht völlig aufgegeben; es gefällt ihm immer noch, sich davonzuschleichen und in der Messe zu singen, und zwar im Baß – erstaunlich, nicht? Bei einem so winzigen Kerlchen möchte man meinen, daß seine Tonlage der Sopran sei!«

Ha ha ha!

Er war es. Er hat gesungen.

Maria bekam Herzklopfen.

Diese Schönheit des Tons, das tiefe Wissen um Leben und Schmerz, das er haben mußte – denn sonst wäre sein Gesang nur eine Stimme gewesen, aber es war ja soviel mehr als das, es war die schmerzliche Erfahrung selbst –, da er mit einem solchen irdischen Leib vermählt war! War Gott absurd? Oder war er nur gerecht, indem er sagte: »Diese Gaben – und nur diese – soll einer haben; niemand aber soll alle haben!«

»Ich bin ... sehr dankbar, daß Ihr heute gesungen habt«, sagte Maria; sie sah ihm in die dunklen, glänzenden Augen, und alles Gelächter verstummte. »Und ich wäre dankbar, wenn Ihr von jetzt an in meiner Messe singen könntet.« Sie bemühte sich, das Beben der Erregung in ihrer Stimme zu unterdrücken. »Ich habe die ständigen Angriffe auf meine Priester und meine Messe satt. »Vielleicht, wenn ich einen Chorsänger habe, der unter diplomatischem Schutz steht ...«

Moretta versuchte, sich nicht anmerken zu lassen, wie ungelegen ihm der Verlust der wertvollen Sekretärsdienste Rizzios kam. »Selbstverständlich, Majestät. Ich überlasse ihn Euch mit größtem Vergnügen.«

Fort waren die schwarzen Behänge, und sogar Maria hatte – wie sie es sich jetzt bei feierlichen Anlässen gestattete – ihre Trauerkleidung zum Anlaß der Weihnachtsfeierlichkeiten in ihren Gemächern abgelegt. Fichtenzweige zierten nun die Wände, und seidene Bänder waren darin verflochten. Über die ganze Länge des Gemachs erstreckte sich die Tafel, gedeckt für das hohe Fest. Im hinteren Teil übten die Musiker, und die Sänger probten. Rizzio, in lachsrote Atlasseide gekleidet, hatte mühelos seinen Platz unter ihnen gefunden; Maria hörte seine ausgeprägte Stimme selbst dann, wenn diese sich mit den anderen mischte.

Es würde ein merkwürdiges, eingeengtes Weihnachtsfest werden, ausschließlich beschränkt auf die königlichen Gemächer. Die Reformierte Kirche feierte nicht Weihnachten und erlaubte auch nicht, daß gefeiert wurde, und so würde das Fest an der Schwelle des äußersten der königlichen Gemächer enden.

Aber, oh, drinnen würden Lichter brennen und die bedrückende Nacht vertreiben, die zwanzig Stunden zu währen schien, und Wärme würde die kriechende Kälte besiegen, die überall hereinsikkerte. Klare, schwebende Musik würde das Alltägliche in Schönheit verwandeln. Und noch skandalöser: Man würde tanzen zu dieser Musik; durch Morettas Vermittlung würde ein Puppentheater aus Italien auftreten, es würde Spiele geben und ... überhaupt alles, was den Anstoß der Reformatoren erregte. Nun, aber sie waren auch nicht eingeladen.

Rizzio versuchte ihr zu sagen, das sei vielleicht nicht klug, aber sie hatte abgewinkt. Schließlich war er ein Ausländer und verstand die wunderlichen Eigenarten des Landes nicht.

»Wenn Ihr sie nicht einladet, wird es so scheinen, als wolltet Ihr etwas Unanständiges vor ihnen verbergen«, meinte er.

»Da sie alles, was Trost, Freude oder Schönheit spendet, als ›unanständig‹ betrachten, ist es das, was ich tue, vermutlich auch«, erwiderte sie.

»Vielleicht wäre es besser, sie einzuladen und sie ablehnen zu lassen«, meinte Rizzio. »Auf diese Weise werden sie sich nicht zurückgesetzt fühlen, sondern glauben, sie setzten Euch zurück.«

»Mir liegt nichts daran, ihnen das Gefühl zu geben, sie setzten mich zurück! Was für ein erstaunliches Ansinnen!«

»Sehr wohl.« Er seufzte. »Verzeiht, Madam.«

Nein, heute abend würden keine Lords zugegen sein; allerdings hatte der englische Botschafter, Thomas Randolph, der offiziell kein

Mitglied der High Kirk war, eine Einladung erhalten. In seiner Heimat wurde Weihnachten immer noch prachtvoll gefeiert, und er sehnte sich danach, den Feiertag auch hier zu ehren. Das war es, was er gesagt hatte, aber die Wahrheit war (wenn Maria Augen im Kopf hatte), daß er sich zu Mary Beaton hingezogen fühlte und eine Gelegenheit suchte, mit ihr zu flirten.

Das Bankett war schwelgerisch. Der Wein – der feinste aus Bordeaux – floß in Strömen, und allein die Zahl der Gänse hätte gereicht, ganz Rom vor nahenden Feinden zu warnen.

Maria selbst trank wenig, aber sie erlaubte sich leisen Stolz angesichts der Tatsache, daß sie schon vier Monate nach ihrer Ankunft so gut eingerichtet war. Ihre Möbel und anderen Besitztümer waren endlich aus Frankreich eingetroffen, und der Anblick alter Freunde aus Schlafkammern und Privatgemächern war tröstlich gewesen. Mehrere Betten mit Schabracken aus roter Seide und karmesinfarbenem und weißem Samt standen jetzt in Holyrood. Kleine Sofas, Schemel, Sessel und Klappstühle dienten den Gästen als Sitzgelegenheiten, und ihre persönlichen Dinge gaben ihr das Gefühl, daß dieses fremde Schloß nun endlich ihr Heim war. Ihre Harfe und ihre Laute, ihre Bilder und Stickereien, ihre Himmels- und Erdgloben, Karten und Zeichnungen und ihre umfangreiche Bibliothek waren nun da, um ihr Gesellschaft zu leisten.

Tischauf, tischab saßen Menschen, die sie liebte: die Marys, jetzt (mit ihrer königlichen Erlaubnis) in Festtagsfarben gekleidet, Pater Mamerot (warum sollte er nicht in aller Öffentlichkeit an der Gesellschaft teilhaben?), Madame Rallay, der Arzt Bourgoing, Bastian Pages, der Bankettmeister und Vorgesetzte ihrer französischen Bediensteten. Andere Ehrengäste zauberten ein Lächeln auf ihr Gesicht: Moretta mit seiner guten Laune, de Foix, Thomas Randolph, der ernste englische Botschafter, der immer wieder zu Beaton hinüberblickte. Noch andere Mitglieder des Haushalts waren anwesend, oft mit den Marys verwandt – George Seton etwa und John Beaton, der als Kammerherr in ihren Privatgemächern diente. Ein paar der jüngeren Höflinge hatten ebenfalls Einladungen ergattern können – solche, die nicht erpicht auf die Entsagungen der Reformierten Kirche waren. Es gab immer noch junge Leute in Schottland, die singen und tanzen wollten, wie John Sempill etwa, der Sohn eines der Reformatoren, der seit einigen Wochen hinter Lusty herpirschte.

Als die Tafel aufgehoben worden war, bat Moretta um ein wenig Geduld, derweil die Bühne für sein Puppentheater aufgebaut wurde.

Jeder suchte sich einen Sitzplatz dort, wo er diese Neuheit am besten sehen konnte: kleine Puppen, die man laufen und tanzen lassen konnte.

In dem Stück gab es viel Geschrei und Geprügel und verlorene Gegenstände. Der Puppenspieler hielt sich geschickt verborgen und leistete Bewundernswertes, indem er all seinen Figuren eine eigene Stimme gab. Politisches wurde sorgsam gemieden.

Danach sagte eine tiefe Stimme: »Ich will auch etwas aufführen! Löscht die Kerzen und laßt nur drei große brennen, etwa zwölf Fuß entfernt vom Vorhang.«

Maria sah, wie Rizzio sich aus der Schar der Musiker löste und sich vor den kleinen Bühnenvorhang stellte. Was hatte er vor? Wußte Moretta Bescheid?

Die Diener gehorchten, und die Kerzen wurden eine nach der anderen ausgelöscht. Das einzige Licht kam jetzt von den Kerzen vor dem Vorhang. Die Gesichter, die sich Rizzio zuwandten, sahen aus, als trügen sie Halbmasken.

Er streckte die Finger von sich, verflocht sie ineinander und löste sie wieder. »Nun sollt Ihr geradeaus schauen. Schaut nicht mich an.«

Auf dem Vorhang vor den Augen der Gesellschaft waren Schatten zu sehen, die in erstaunlicher Weise aussahen wie Lord James und Maitland. Maria hörte, wie Flamina nach Luft schnappte.

»Mein guter Lord James«, sagte eine Stimme, die genau wie die Maitlands klang. »Habt Ihr eine Einladung zu dem Festschmaus bei John Knox?« Das Profil wippte auf und ab.

»Ich wußte gar nicht, daß er jemals schmaust.« Lord James' Stimme war perfekt nachgeahmt – das näselnde »Ich *wußte* gar nicht« war haargenau getroffen.

»Er hat einen köstlichen Bibelpudding bereitet. Er hat Blätter aus Deuteronomium genommen und sie mit Genfer Käse belegt, und dann hat er das ganze gebacken, bis es so trocken war wie der Schoß einer alten Nonne.«

»Klingt wundervoll«, sagte Lord James.

Schallendes Gelächter brach los.

Als nächstes kam der Papst auf die Bühne – man erkannte seine päpstliche Tiara. Der Papst wetterte gegen Elisabeth von England, die dann ebenfalls erschien und eine Salve obszöner Flüche losließ.

Rizzios meisterlicher Umgang mit den Schatten und seine gespenstischen Stimmenimitationen waren es, was Maria beeindruckte, nicht die groben politischen Witze.

Als Maria bei dem anschließenden Tanz ebenso wie ihre Marys – wie früher in Frankreich – in atlasseidenen Reithosen erschien, rief das nur wenige Bemerkungen hervor. Rizzio hatte den Abend für sich gewonnen.

Am nächsten Tag brachte er ihr ein Geschenk. Er sah ein bißchen verlegen aus, und in der Tat wußte Maria auch nicht, was sie zu ihm sagen sollte. Er hatte nichts Unrechtes getan, aber sein Auftritt war so unerwartet gekommen.

Sie öffnete die Schachtel und erblickte eine Rubinbrosche in Gestalt einer Schildkröte.

»Bitte, nehmt sie zusammen mit meinen demütigsten Bitten um Vergebung für das, was ich gestern abend getan habe. Ich habe meine Grenzen vielleicht überschritten. Schließlich bin ich noch neu in Euren Diensten, und nur dank Eurer großmütigen Freundlichkeit …«

Er meinte kein Wort von dieser auswendig vorgetragenen Entschuldigung ernst.

»Ich vergebe Euch«, sagte Maria. »Aber ich würde es vorziehen, daß Ihr nachdenkt, bevor Ihr in aller Öffentlichkeit so freimütig redet. Obgleich Euer Talent ja manches für sich hat.« Sie nahm die Schildkröte aus der Schachtel, um zu zeigen, daß sie seine Gabe annahm.

»Die Schildkröte ist ein Symbol für ein langes Leben, das ich Euch wünsche. Aber da sie ihr Haus auf dem Rücken mit sich herumträgt, bedeutet sie auch Sicherheit. Welches bessere Geschenk gäbe es für eine Königin?«

Maria saß am Feuer, und mühsam stach sie die Nadel in den Stoff und zog sie wieder heraus. Ihre Finger waren so kalt, daß sie die Handarbeit kaum halten konnte. Madame Rallay kauerte vor ihr auf den Knien und zupfte das Flanelltuch über den silbernen *chaufferettes* zurecht, den Fußwärmern aus Frankreich, die sie Maria unter die Füße geschoben hatte.

Der Schnee war nach Edinburgh gekommen; sanft fiel er herab und ließ alles unter einer kalten Decke verschwinden. Der Januar war wie ein langer Tunnel aus blauer Trostlosigkeit, auch wenn der Schnee alles hübscher aussehen ließ. Ringsum waren auch die Marys mit Handarbeiten beschäftigt; sie nähten Bettbezüge, und sie hatten einander damit geneckt, wer wohl mit ihnen unter diesen Bettbezügen liegen werde.

Flamina arbeitete an einem karmesinroten Stoff, den sie mit einem Muster aus Rittern und Einhörnern bestickte.

»Oh, wird es Mr. Maitland sein, der darunter zu liegen kommt?« kicherte Lusty. »Oder zu schnarchen. Er ist ja so *alt*; wahrscheinlich keucht er nachts und ächzt und schnauft.«

»Er ist nicht alt; er ist erst dreiunddreißig.«

»Mehr als zehn Jahre älter als du«, sagte Seton. Ihr eigener Bezug war aus violetter und grauer Seide und mit Blättern und Blüten aus Silberbrokat verziert. »Aber John Sempill wäre im richtigen Alter; er ist jung und dumm genug, um sich hingebungsvoll zu verlieben ...«

Madame Rallay rückte zierlich Marias Röcke über den *chaufferettes* zurecht, so daß die Wärme ihre Beine umstreichen konnte. Maria nähte weiter und hoffte, daß die Wärme an ihren Beinen irgendwie auch ihren Fingern zugute kommen würde. Ihr Bezug war aus lohfarbener Atlasseide, und sie stickte ihre Initialen hinein.

Zehn Jahre älter ... Werde ich jemanden heiraten müssen, der zehn Jahre älter oder jünger ist, dachte Maria. Ich denke lieber nicht darüber nach. Aber die Lords fangen an, darüber zu reden und Kandidaten vorzuschlagen. Weshalb sind sie so erpicht darauf?

Beaton maß sorgfältig goldene und violette Seidenfäden für ihren weißen Samt ab

»Randolph ist noch älter«, stellte Flamina plötzlich fest. »Wenn du ihn heiraten wolltest, würden die Leute denken, er sei der Großvater seiner Kinder.«

»Nein, das stimmt gar nicht«, widersprach Beaton so hitzig, wie ihre träge Natur es erlaubte. »Ich bin sicher, er ist nicht einmal vierzig.«

»Ach, ihr Mädchen, sucht nach der Liebe, in welcher Gestalt sie auch kommen mag, und verschmäht sie nicht, wenn sie unscheinbar ist«, riet Madame Rallay.

In diesem Augenblick erhielt Maria eine Mitteilung. Melville bat um Audienz.

»Was ist mit *ihm*?« kicherte Beaton. »Könnte *er* nicht einer von euch gefallen?«

Alle schüttelten die Köpfe und brachen in lautes Lachen aus, just als der unglückliche Melville eintrat.

»Eure Majestät ...« Er machte ein bestürztes Gesicht. »Ihr hattet gesagt, ich könnte Euch aufsuchen, wann immer ...«

»Oh, Ihr könnt hier frei sprechen. Dies sind meine Schwestern, und Madame Rallay hier ist meine Mutter.« Maria war froh, ihre Handarbeit beiseitelegen zu können – sie hatte keine Lust mehr –, und wartete auf die Standpauke.

»Die Weihnachtsfeierlichkeiten ...« begann er.

»Ja, ich weiß schon, was Ihr sagen wollt«, sagte sie zerknirscht. »Ich danke Euch, daß Ihr mich darauf aufmerksam gemacht habt.«

»Wir haben Verständnis dafür, daß Ihr das Fest gern feiern möchtet. Aber es war etwas anderes ... das Tanzen in Reithosen, das Küssen und Tändeln, und das beleidigende Schattentheater, daß der unverschämte Papisten-Agent zur Aufführung brachte ...«

»Was meint Ihr?« fragte Maria. »Papisten-Agent?«

»Nun, er war Bediensteter des Erzbischofs von Turin, oder nicht?«

»Und? Erzbischöfe haben überall ein großes Heer von Bediensteten.«

»Man sagt, er kann nur ein päpstlicher Agent sein.«

»Wer ist ›man‹?« wollte Maria wissen.

»Die Lords ... Ruthven und Lindsay und Morton.«

»Aber nicht Lord James und Maitland. Freilich, sie sind zu intelligent, auch wenn er sich mit seinen Possen über sie lustig gemacht hat. Nun gut, Melville. Ich habe Eure Kritik verstanden.« Sie seufzte. *Enthalte dich von allem Anschein des Bösen*, das ist mein Los. »Aber Spaß gemacht hat es doch.«

Er nickte. »Ich wünschte, ich hätte dabeisein können«, bekannte er wehmütig.

Maria hatte eine ihrer großen Schottland-Karten ausgebreitet, damit Rizzio sie studieren konnte.

»Ihr seid so beharrlich darauf aus, zu wissen, wo alles liegt, welches Land welchem anderen benachbart ist, wem was gehört – hier, Ihr mögt selbst sehen!«

Draußen schneite es immer noch sanft; Schneeflocken rieselten durch den schimmernden Dunst eines Februarnachmittags. Es war ein fauler, umhegter, winterlicher Sonntag gewesen. Die Messe war wie gewöhnlich gefeiert worden, Rizzio hatte gesungen, und dann hatte es ein großes Mittagsmahl gegeben, nach welchem alle wieder in die Gemächer der Königin spaziert waren, um dort zu lesen, Karten zu spielen oder am Feuer ihren Tagträumen nachzuhängen. Ihre Lauten- und Gambenspieler hatten eine Stunde lang aufgespielt, und Maria dachte, dies sei wahrlich der Sabbath, den der Schöpfer im Sinn gehabt habe, als Er geboten hatte, am siebten Tage zu ruhen.

Aber dann hatte Rizzio mit seinem nimmermüden Verstand, der niemals einen Sabbath einlegte, angefangen mit seinen Fragen: »Lord Bothwell – wo liegen seine Ländereien?« »Wie weit im Norden ist der Besitz des Earl von Huntly?« Schließlich hatte sie eine ihrer Rollen heruntergenommen – denn ihre Bibliothek war inzwischen ausgepackt – und ihn aufgefordert, die Geographie Schottlands allein zu studieren.

Jetzt war sein dunkler Kopf über den Teil der Karte gebeugt, der die Region Lothian zeigte. »Crichton. Hat dort die Hochzeit stattgefunden? Liegt es in der Mitte des Bothwellschen Territoriums?«

Im Monat zuvor hatte Bothwells Schwester Janet einen von Marias Halbbrüdern geheiratet, Lord John Stewart. Maria selbst war bei der Zeremonie dabei gewesen und hatte sogar dort im Schloß übernachtet. Sie war über diese Verbindung erfreut gewesen, denn Lord John, der als Kind fröhlich und freimütig gewesen war, hatte sich zu einem wilden jungen Mann gemausert; sie hoffte, daß die Ehe ihn ruhiger machen werde.

»Ja. Das Land seiner Ahnen liegt in dieser Region.«

»Warum ist er ein solcher Draufgänger?« fragte Rizzio unverblümt. Er hatte Bothwell noch nie gesehen, denn dieser war im Grenzland beschäftigt und kam nicht an den Hof. Maria hatte ihn eingeladen, als das Totengedächtnis für Franz begangen worden war, aber er hatte das Trauergewand, das sie ihm geschickt hatte, zurückgesandt und mitteilen lassen, er könne nicht dabei sein, ohne indessen einen Grund dafür anzugeben.

»Sprecht Ihr von der Eskapade mit Alison Craig?« fragte sie.

»Wovon sonst?«

»Ah, sie waren jung ...«

»Der Marquis d'Elbœuf vielleicht, aber Lord John und Bothwell waren es nicht.«

Maria lachte. »Männer sind Männer.«

»Nach allem, was ich weiß, ging es nicht um Männer, die Männer sind, sondern um eine absichtliche Beleidigung gegen die Familie Hamilton. Der Versuch, Hamiltons Mätresse aufzusuchen ...«

Die Hamiltons. Die nächsten in der Thronfolge. Obwohl sie nur laue Protestanten waren, hatten sie noch mehrere Monate nach ihrer

Rückkehr gezögert, Maria ihrer Gefolgschaftstreue zu versichern, und sich erst gegen Weihnachten widerstrebend nach Edinburgh bequemt. Eigentlich gab es zwei Hamiltons, mit denen man rechnen mußte: den Vater, den Herzog von Châtelherault, der zurückhaltend, aber kaum übelgesinnt war, und seinen Sohn, den »jungen Arran«, der dem Vernehmen nach nicht immer bei Verstand war. Kein Wunder, daß Königin Elisabeth seine Werbung zurückgewiesen hatte.

Bothwell hatte einen alten Familienstreit mit den Hamiltons, wie Maria gehört hatte, eine jener typischen schottischen Fehden, die von einer Generation auf die nächste vererbt wurden.

»Es war von beidem ein wenig: Männer, die Männer sind, und der Versuch, den jungen Arran in Verlegenheit zu bringen«, erklärte Maria. »Arran gibt sich so heiligmäßig wie John Knox, aber er hat sich eine verheiratete Frau zur Geliebten genommen. Also nahmen Bothwell und mein Bruder und mein Onkel sich vor, der Welt zu zeigen, wie er wirklich ist.«

»Und haben sich dabei prächtig amüsiert«, sagte Rizzio.

»Nun, aber das ist alles Vergangenheit«, sagte Maria. »Die Hamiltons zogen aus, um Rache zu nehmen, aber John Knox hat die Streithähne versöhnt.« Der arme Bothwell – er mußte sich einen Vortrag von John Knox anhören! Eine schlimmere Strafe als ein ehrlicher Schwertstreich.

Bothwell war danach bei der Hochzeit seiner Schwester anscheinend in bester Stimmung gewesen, stolz darauf, ein Fest veranstalten zu können und seine köstlichen Grenzlandschätze zum Schmaus beizusteuern – achtzehnhundert Rehe und Böcke, Kaninchen, Wachteln, Kiebitze, Moorhühner, Wildgänse, Enten und Erpel und sogar Igel –, und hernach hatte es festliche Wettkämpfe in den Farnwiesen unten am Ufer des River Tyne gegeben.

Rizzio stieß mit dem Finger auf einen großen Bereich der Karte, eine weiträumige Region Schottlands, die aussah wie eine Auswölbung an der oberen rechten Seite. »Diese Gegend – ist hier das Land des Earl von Huntly?« fragte er.

»Ja. Die Gordons beherrschen dieses Land«, sagte Maria. Gern würde sie es auch einmal sehen und mehr besuchen als nur die umliegenden Gegenden, die sie schon bereist hatte.

In diesem Augenblick meldete Madame Rallay, daß Lord James sie zu sehen begehre.

Am Sabbath? Hastig rollte Maria die Landkarte zusammen und befahl Rizzio, sich in die äußeren Gemächer zurückzuziehen; aber bevor er verschwinden konnte, trat James herein. Rizzio wieselte hinaus und wäre fast zwischen seinen Beinen hindurchgehuscht. James starrte ihm angewidert nach. Dann wandte er sich Maria zu, und sie sah, daß er wirklich beunruhigt war.

»Verzeiht mir«, sagte er, »daß ich Euch heute behellige. Aber es gibt üble Nachrichten …« Er schüttelte den Kopf und schloß dann die Augen, wie um sich zu fassen. Schließlich, nachdem er mehrmals tief durchgeatmet hatte, sagte er: »Eine Verschwörung ist aufgedeckt worden! Bothwell hat den jungen Arran bedrängt, Euch zu entführen und als Gefangene nach Dumbarton Castle zu bringen, wo – wo …« Er schien fast zu ersticken.

Maria lachte auf, aber es war ein erschrockenes Lachen. »Woher weißt du das?« fragte sie dann.

»Arran hat es John Knox gestanden! Und dann hat er es Randolph geschrieben, dem englischen Botschafter.«

»Aber … wo ist er denn jetzt?«

»Er und Bothwell sind in Gewahrsam genommen worden«, sagte Lord James. »Arran wird im Schloß seines Vaters festgehalten, und Bothwell steht in Crichton unter Hausarrest.«

»Dann besteht also keine Gefahr?« Maria merkte, wie sie sich entspannte.

»Vorläufig nicht. Aber sie müssen zur Vernehmung vor dem Staatsrat erscheinen.«

Weshalb war er so erregt, wenn die Gefahr vorüber war? »Natürlich«, sagte sie. Der arme James biß noch immer die Zähne zusammen. »Lieber Bruder, bitte setze dich doch und nimm eine Erfrischung zu dir. Dann können wir uns unterhalten. Wir haben in letzter Zeit vor lauter Staatsgeschäften so wenig Gelegenheit dazu.« Sie läutete ihre kleine Handglocke, und Madame Rallay erschien. »Laßt Kuchen und Getränke hereinbringen«, befahl sie. »Und bittet auch meine Musiker –«

»Nein! Keine Musik!« unterbrach James sie hastig.

Wie töricht von ihr! Natürlich, er wollte am Sabbath keine Musik. »Keine Musik«, sagte sie zustimmend.

James nahm auf einem der kleinen Ebenholzstühle Platz und streckte die Hände zum Feuer. »Ihr habt recht, liebe Schwester. Wir brauchen ein wenig Zeit miteinander, außerhalb des Rates und anderer Verpflichtungen.« Er seufzte. »Wie gut es zu Euch paßt, daß Ihr daran denkt.«

»Bald wirst du ein verheirateter Mann sein, und dann kann deine

Frau daran denken«, sagte sie. »Du brauchst jemanden, der sich um dich kümmert, James.«

Lord James sollte nämlich in zwei Wochen mit Lady Agnes Keith getraut werden. »Ja, es wird Zeit«, sagte er schließlich. »Ich bin bald dreißig.«

»Einer nach dem anderen gehen die Junggesellen dahin«, stellte Maria fest. »Erst Lord John, jetzt du. Dann Bothwell oder Argyll oder Arran?«

»Als nächstes solltet Ihr an die Reihe kommen.« James sah sie fürsorglich an. Jetzt sah sie, daß er eine Miniatur an seinem Wams trug; sie zeigte einen Mann, dessen Mund Ähnlichkeit mit dem seinen hatte.

»Wer ist das?« fragte sie und deutete darauf.

Er erschrak und wollte die Miniatur verdecken, als habe er vergessen, daß er sie trug. »Nun, es ist ... der König, unser Vater!« Er tat verlegen.

»Eine hübsche Studie«, sagte sie. Irgend etwas daran kam ihr vertraut vor. Sie verglich die beiden Gesichter und sah, wieviel fleischiger und breiter James aussah. Ihr eigenes Antlitz hatte mehr Ähnlichkeit mit dem des Königs.

»Wollt Ihr nicht einmal an eine Ehe denken, liebe Schwester?«

»Du solltest warten, bis du selbst davon gekostet hast, ehe du andere dazu drängst«, antwortete sie. Weshalb war er so hartnäckig?

»Im Ernst – habt Ihr noch nie daran gedacht? Ich weiß, daß Ihr einmal König Karl von Spanien in Erwähnung gezogen habt –«

»Es gelüstet mich aber nicht nach kleinen Jungen«, sagte sie.

In diesem Augenblick trat Madame Rallay ein; sie stellte ein Tablett mit heißer, schaumiger Milchsuppe und ein paar mit Orangenschale gebackene Kuchen auf den Tisch. Das Gespräch war unterbrochen.

»Aber sein Reich –«

»Ich habe keine Lust, nach Spanien zu gehen«, sagte sie.

»Und was ist mit Erzherzog Karl von Österreich?«

Sie fing an zu kichern. »Es heißt, er hat einen ungeheuren Kopf.«

»Nun, sonst scheint Ihr Euch an merkwürdig aussehenden Leuten nicht zu stören. Rizzio ist oft genug in Euren Gemächern und erfreut sich Eurer Gesellschaft«, meinte Lord James.

»Er ist in meinen äußeren Gemächern, nicht in meinen inneren.« Maria konnte nicht aufhören zu lachen, obwohl sie wußte, daß es Lord James ärgerte.

»Da wäre noch König Erik von Schweden«, fuhr er fort.

»Der schreibt in diesem Augenblick Liebesbriefe an Königin Elisabeth. Wenn sie ihn zurückgewiesen hat, werde ich ihn in Betracht ziehen.«

»Liebe Schwester, wer *kann* Euch denn zufriedenstellen? ›Es ist nicht gut, daß der Mensch allein sei ...‹«

»Immer die Schrift! Kannst du nicht ohne ihre Hilfe sagen, was du denkst?« Sie lachte. »Willst du mir denn einen ›Gefährten‹ schaffen? Laß ihn in vollendeter Gestalt aus meiner Stirn entspringen wie Minerva aus dem Haupte des Zeus ...«

»Ihr seid so töricht, Schwester.« Aber er sagte es liebevoll. »Wie stellt Ihr Euch diesen wunderbaren Gefährten denn vor?«

»Groß, wie ich. Ich habe noch selten einen Mann in meiner Größe gesehen; es wäre eine entzückende Neuheit. Dann muß er Gedichte schreiben. Singen. Reiten. Und mich lieben.« Es machte ihr Spaß, sich diesen Mann auszudenken.

»Welche Hautfarbe?«

»Ist mir gleich.«

»Muß er stark sein?«

»O ja!«

»Gebildet?«

»O ja!«

»Von königlichem Geblüt?«

»Aber natürlich!«

»Hübsch?«

»Das versteht sich von selbst.«

»Meine liebe Schwester, ich fürchte, Ihr werdet ihn niemals finden.«

»Vielleicht werden Nonnen deshalb Bräute Christi. Es gibt keinen auf Erden, der so ist.«

»Aber dieser Weg steht Euch nicht offen.«

»Ja.« Das hatte sie schon in St. Pierre gewußt. »Mein Gefährte, fürchte ich, wird ganz und gar von dieser Welt sein.« Sie sah zu, wie James von seiner Suppe trank. Ein bißchen Milch färbte seine Lippen. »Was nun diese Sache mit Bothwell und Arran angeht ...«

Maria nahm ihren Platz am Kopfende des Ratstisches ein. Die sechs des inneren Kreises warteten schon, und sie sahen aus, als müßten sie an einem Begräbnis teilnehmen: Lord James, Maitland, Morton,

Huntly, Kirkcaldy, Erskine. Der siebente, Lord Bothwell, sollte nun vorgeführt werden, um auf die Vorwürfe zu antworten, die das vornehmste Geblüt des Landes, der junge Arran, ihm entgegenschleuderte.

»Führt die beiden herein«, sagte Maria zu der Wache, und einen Augenblick später traten Bothwell und Arran aus verschiedenen Türen in den Raum. Sie blieben stehen und funkelten einander an.

»Tretet näher und laßt uns hören, was Ihr zu sagen habt«, sagte Maria mit lauter Stimme.

Arran näherte sich dem Staatssessel zögernd; Mißtrauen glomm in seinen Augen.

Er wäre ein hübscher Mann gewesen, aber sein Gesicht hatte das aufgeschwemmte, kraftlose Aussehen eines Mannes, der krank gewesen ist. Seine Farbe war schlecht; es war gerötet, wo es blaß, und bleich, wo es rot hätte sein müssen.

Bothwell trat vor wie einer, der so angewidert war, daß er es kaum ertrug, mit den anderen in einem Raum zu sein – die Königin eingeschlossen. Sie sah, daß er seine Reitkleidung trug; er hatte es nicht für nötig gehalten, die stolze Gewandung anzulegen, in der sie ihn auf der Hochzeit gesehen hatte.

»James Hamilton, Earl von Arran, erklärt Euch uns und dem Rat, der hier zugegen ist«, befahl Maria.

Arran deutete mit einem zitternden Finger auf Bothwell. »Er ist ein Verräter! Er hat versucht, mich zum Verrat zu verführen! Er wollte, daß ich Euch auflauere, Lord James und Maitland töte und Euch gefangennehme ...«

»Er ist völlig wahnsinnig«, sagte Bothwell ruhig. »Das alles sind Ausgeburten seiner kranken Phantasie. Ihr wißt, daß er nach seiner Mutter schlägt; sie ist schon seit Jahren verrückt.«

Maria sah, daß Morton auffuhr, als sei er gebissen worden. Er fuhr sich mit einer dicklichen Hand durch das drahtige rote Haar. Dann fiel es ihr ein: Mortons Frau war die Schwester von Arrans Mutter, und es hieß, auch *sie* sei wahnsinnig, und Morton halte sie unter Verschluß, während er anderen Frauen nachstelle ...

»Wahnsinnig? Wahnsinnig?« rief Arran. »Nein, ich bin nicht wahnsinnig! Er hat es mir eingeflüstert und dachte, niemand wird es je erfahren!«

»Ich sage Euch, er ist irre«, beharrte Bothwell. Er schien keine Angst um sein Leben zu haben, um seine Stellung oder seinen Ruf. Er stand nur ruhig da wie ein Opfer, das seit langem leiden muß.

»Leider muß ich es bestätigen«, sagte Kirkcaldy. Der junge Soldat erhob sich; offenbar war ihm zuwider, was er jetzt zu tun hatte. »Er war aus seiner Haft im Hause seines Vaters entsprungen und kam zu mir, halb nackt und mitten in der Nacht. Und dann überkam ihn der Bann: Er schrie von Hexen und Teufeln, die ihn angriffen. Und dann …« Kirkcaldy stockte beschämt. »Dann bildete er sich ein, er sei der Gemahl der Königin und liege mit ihr im Bett.«

Alle sogen geräuschvoll die Luft ein; nur Bothwell wollte sich ausschütten vor Lachen.

»Ist sie's nicht? Ist sie's nicht?« rief Arran klagend und wollte auf Maria zulaufen, aber die Wache sprang herzu und packte ihn.

»Bringt ihn nach Edinburgh Castle«, entschied Lord James, ehe Maria etwas sagen konnte.

»Jawohl«, befand sie. »*Ich* befehle, daß er dorthin geschafft werde.«

Als die Wache Arran hinausgeführt hatte, fragte Bothwell: »Ich kann jetzt gehen?« Jeder Muskel seines Körpers zeigte, daß er sich im Geiste schon bewegte.

»Nein«, sagte Lord James. »Es sind noch ein paar Fragen offen, die wir Euch stellen müssen. Arran mag wahnsinnig sein, aber wer kann sagen, daß dem nicht etwas, was Ihr gesagt habt, zugrundeliegt? Auch einem Wahnsinnigen muß ein Saatkorn ins Hirn gepflanzt werden. Was also war es, das Ihr befürwortet?«

Bothwell war verblüfft. »Nichts! Ich habe gar nichts befürwortet!«

»Warum hattet Ihr Verbindung zu Randolph?« fragte Maitland plötzlich.

Maria beobachtete Maitland, als er Bothwell eindringlich anschaute. Seine Leutseligkeit war verschwunden; statt dessen wirkte er wie einer von der Inquisition.

»Vielleicht wart Ihr im Bunde mit den Engländern«, schlug Erskine vor.

Bothwell machte ein ungläubiges Gesicht. »Ihr müßt doch wissen, daß ich stolz darauf bin, niemals mit irgendeiner fremden Macht im Bunde gestanden zu haben.«

»Stolz? Aber ›Stolz kommt vor dem Untergang, und Hochmut geht vor dem Fall‹«, intonierte Lord James. »Vielleicht hat gerade Euer Stolz Euch zur Sünde verführt.«

»Gewiß bin ich, da ich ein Mensch bin, auch ein Sünder – aber im allgemeinen und nicht in einem besonderen Sinne«, widersprach

Bothwell. Seine Haltung hatte sich ein wenig geändert, sah Maria. Er wirkte kampfbereit. »Stellt mich doch vor ein Gericht. Und wenn ich nicht für schuldig befunden werde, sprecht mich frei und laßt mich ziehen.«

»Aber wir können Euch nicht freisprechen«, sagte Maitland.

»Wie meint Ihr das?« wollte Maria wissen. »Natürlich hat er ein Recht auf ein Verfahren!«

»Aber nicht auf einen Freispruch«, erwiderte Maitland geschmeidig. »Versteht Ihr denn nicht? Würde Bothwell freigesprochen, wäre Arran damit einer falschen Anschuldigung überführt, und dann wäre er ein Verräter, der die Hinrichtung verdient. Arran ist aber der nächste Blutsverwandte der Krone, und daher wäre es unziemlich. Wir würden uns zum Gespött unter den Nationen machen.«

»Laßt mich gehen!« brüllte Bothwell. Maria wußte, wenn er ein Schwert gehabt hätte, dann hätte er es jetzt gezogen. Sofort packten die Wachen ihn bei den Armen und drehten sie ihm auf den Rücken.

»Dann werden wir ihn nicht vor Gericht stellen«, sagte Maria langsam. »Denn jetzt erinnere ich mich an die Maxime des Livius: *Hominem improbum non accusari tutius est quam absolvi.* Einen Unredlichen nicht anzuklagen ist sicherer, als ihn freizusprechen.«

»Soeben ist ein Brief von Königin Elisabeth gekommen, die für ihn bittet«, berichtete Lord James. »Woher weiß sie das alles, wenn er nicht mit Randolph im Bunde gestanden hat?«

Hatte Bothwell all die Betrügereien begangen, von denen er so unerschütterlich behauptete nichts zu wissen? Maria empfand die Enttäuschung wie eine mächtige Woge.

»Ich war gut zu Euch«, sagte sie schließlich zu Bothwell. »Und so vergeltet Ihr es mir?«

»*Wie* vergelte ich es Euch? Lord James verdreht die Tatsachen und vergiftet Euer Herz, um mich in Mißkredit zu bringen!«

»Ich bitte Euch, verfügt Euch ins Edinburgher Schloß. Ihr seid allmählich von ebenso verstörtem Gemüt wie Arran«, sagte Maria. Sie würde ihn später befragen, unter vier Augen, abseits dieses Tribunals.

»Treulos seid Ihr, wie alle Monarchen!« rief Bothwell. »Wenn ich denke, daß ich mich so von Euch habe täuschen lassen ...!«

»Gehorcht der Königin!« Lord James hatte sich erhoben und donnerte ihn an. Die Garde drängte Bothwell hinaus.

»Ich sehe wohl, daß hier keine Gerechtigkeit ist«, sagte Huntly; er raffte seine Papiere zusammen und folgte Bothwell auf dem Fuße.

Maitland zog sich die Mütze tiefer über die Ohren und wickelte sich den Rand seines Mantels um den Kopf. Hier in St. Andrews wehte ein schneidender Märzwind vom Meer herein. Und wenn er bedachte, daß sie stundenlang hier draußen würden bleiben müssen! Und das nur für eine demonstrative religiöse Feierlichkeit. Nicht zum erstenmal fragte Maitland sich, weshalb der Herr von Seinen Gläubigen verlangte, daß sie es sich unbehaglich machten und sich in Seinem Namen selbst quälten. Das heißt, immer vorausgesetzt, *daß* er es verlangte …

»Knox wird bald hier sein«, sagte Lord James. In der Kälte hatte er ein verkniffenes Gesicht.

»Gut«, murmelte Maitland, und er dachte: *Schlecht*. Knox würde die Dinge nur komplizieren. Andererseits war er nötig, um den Grund für ihre Anwesenheit zu illustrieren: das Jahrgedächtnis an das Martyrium des George Wishart zu begehen.

»Ist es nicht so ähnlich, wie wenn man die Namenstage der Heiligen feiert?« hatte Maitland unschuldig gefragt und sich bemüht, nicht in einen sarkastischen Ton zu verfallen.

Morton hatte die Achseln gezuckt; er hatte keine Lust, sich den Sinn mit solchen technischen Problemen zu verwirren. »Seid einfach nur da«, hatte er gesagt.

Und so war Maitland nun eben da, zusammen mit Erskine, Lindsay, Ruthven und Kirkcaldy von Grange, schritt vor den Mauern der Burg auf und ab, half mit, das Holz für das Feuer aufzustapeln, das sie – nicht allzu bald – anzünden würden, und hielt Ausschau, um zu sehen, ob Erzbischof Hamilton in der Burg war. Hamilton, ein uneheliches Mitglied des Clans, war Katholik geblieben, obgleich man von ihm sagte, er sei »abwechselnd alles, und nichts besonders lange«. Er hatte Kardinal Beatons Stellung übernommen, und vielleicht beobachtete er sie gerade in diesem Augenblick.

Kirkcaldy deutete an den Burgmauern hinauf. Der pfeifende Wind übertönte seine Worte fast völlig, denn die Festung ragte über das Meer hinaus. »Wenn man bedenkt, daß wir dort ein Jahr ausgehalten haben!« Sein Stolz war offenkundig.

»War die Gefangenschaft nicht eine harte Strafe?« fragte Maitland. Kirkcaldy hatte zu denen gehört, die von den Franzosen verschleppt worden waren, wenn er auch seiner hohen Herkunft wegen nur eingekerkert und nicht, wie Knox, auf die Galeeren geschickt worden war.

»Gefangenschaft ist bitter«, sagte Kirkcaldy. »Ja, das ist sie.«

Erskin kam heran, so eingemummt, daß er aussah wie ein aufrecht gehender Bär. »Knox ist hier«, sagte er.

Maitland sah den Reformator, noch zu Pferde, wie er Lord James zuwinkte. Aber dann stieg Knox ab und kam auf sie zu; sein Mantel, so schwer er war, hob sich hinter ihm im Meereswind. Er rieb sich die unbehandschuhten Hände, und unter seinem Arm klemmte eine Bibel.

»Gepriesen sei der Herr, daß es nicht regnet oder schneit!« rief er.

Maitland fand es anrührend, wie der Mann noch bei diesem Wetter etwas zu preisen wußte. Und recht hatte er: Es regnete und schneite nicht, so sehr es auch stürmte.

»Hier an dieser Stelle war es, daß der selige George Wishart den Kräften des Bösen die Stirn bot«, verkündete Knox. »Hier war es, daß unser Glaube den Segen empfing.«

»Erzählt uns davon«, bat Lord James wie ein Kind. »Wir waren nicht dabei.«

»Ah! Das war ein Tag!«

Knox geriet in solche Erregung, daß sein Mantel ihn in seinen Bewegungen behinderte, und so warf er ihn überschwenglich ab.

Maitland war es, als habe sich in einem der Schloßfenster etwas bewegt. Forderte der Erzbischof schon seine Armbrustschützen auf, sie anzugreifen? Knox hatte der Burg trotzig den Rücken zugewandt.

»Und laßt uns niemals den Unterschied zwischen englischen und schottischen Märtyrern vergessen. Wenn die Engländer auf den Scheiterhaufen gehen, flüstern sie Gebete. Aber als unser Patrick Hamilton, schon zwanzig Jahre vor Wishart, stundenlang in den Flammen leiden mußte und der Prior an ihn herantrat und ihn fragte, ob er bereue, da drehte er sich um und rief dem Prior durch Rauch und Flammen zu, jener sei ein Abgesandter des Satans, und warnte ihn, daß er, Hamilton, ihn vor Gott anklagen werde. Und als Bischof Gardiner in England die Gläubigen verbrannte, lag er unbehelligt in seinem Bett. Kardinal Beaton hingegen – *ihm* haben wir Schotten diese Ruhe nicht gewährt!«

Jetzt würde pflichtgemäß die entsprechende Attacke gegen Maria erfolgen, dachte Maitland müde und machte sich schon darauf gefaßt. Aber zu seiner Überraschung wurde Knox' Stimme plötzlich brüchig, und unter Tränen sagte er schlicht: »Lasset uns gedenken unseres Bruders Wishart.«

Er gab das Zeichen zum Anzünden des Feuers. Morton trat mit

einer Fackel in der Hand vor und hielt sie an die bereitgelegten Scheite. Sie waren kalt und naß, und zunächst stiegen nur Rauchwolken auf. Maitland hustete, als der Wind ihm den Qualm ins Gesicht wehte, und mit Schaudern dachte er daran, wie es sein müßte, dort oben festgebunden zu sein, eingehüllt vom Rauch …

Er blickte hinaus aufs Meer, das dunkel und bleiern wie die Jahreszeit war. Wenige Schiffe waren um diese Zeit draußen, aber bald würde der Handelsverkehr wieder zunehmen, Botschaften würden hin und her fliegen, und seine Amtspflichten würden wieder wachsen.

Der Scheiterhaufen hatte jetzt Feuer gefangen; knisternd mühten sich die Flammen, aus ihrem hölzernen Gefängnis freizukommen. Sie leuchteten durch das Astwerk wie durch die Gitterstäbe einer Zelle, und dann brachen sie unvermittelt hervor und brandeten donnernd in die Höhe, und bei ihrer Flucht versprühten sie einen Regen von Funken.

»Ein jeder bete nun nach seinem eigenen Gewissen«, sagte Knox kaum vernehmlich durch das Tosen des Feuers und das Rauschen der Wellen. »Seht ihr, wie Er unsere Gabe annimmt?«

Meine Gabe, dachte Maitland. Was ist es? Ein forschender Verstand, der sich nicht benebeln lassen will? Eine andere Gabe habe ich nicht, mit der ich Schottland dienen könnte.

Als das Feuer erstarb, standen die Männer immer noch mit gesenkten Köpfen da. Die Hitze des Feuers hatte die den Flammen zugewandten Seiten überflutet, und für eine Weile war die Kälte zurückgewichen. Doch dann spürte Maitland, wie sie erneut seine Zehen ergriff, gerade als Lord James sagte: »Ihr seid willkommen, mich in mein hiesiges Quartier zu begleiten.«

Mit Freuden legten alle den kurzen Weg vom Schloß zur Abtei von St. Andrews zurück; dankbar ließen sie den Salzwind und die beobachtenden Blicke des Erzbischofs Hamilton hinter sich.

Daß Lord James die Abtei von St. Andrews gehörte, war etwas Ungewöhnliches; er hatte sie unter dem alten System verliehen bekommen, jenem System des Mißbrauchs, das die Reformatoren so heftig kritisierten. Er hätte das Kloster abgeben sollen, dachte Maitland, aber natürlich hat er nicht die Absicht, *diesen* speziellen Exzeß der alten Kirche zu berichtigen. Unter den Sieben Todsünden, glaube ich, ist die Habgier diejenige, mit denen Bruder James am meisten zu kämpfen hat …

Lord James' Behausung, die Wohnung des Priors, war geräumig und gut ausgestattet, wenn auch die wirklich luxuriöse Einrichtung des Priors zweifellos in aller Stille entfernt worden war. Lord James hieß sie alle willkommen, bot ihnen Speise und Trank an und wartete dann, daß die meisten wieder gingen, damit die verbliebenen Vier sich um die Geschäfte kümmern konnten: um die Geschäfte der Königin.

Jetzt saßen sie am Kamin, auf dessen Rost ein munteres Feuer brannte: Lord James, Maitland, Erskine und Morton.

»Wir haben sie heimgerufen, und sie ist gekommen«, sagte Lord James. »Ihr wart alle dabei, habt das Papier unterschrieben, mit dem sie gebeten wurde zu kommen. Und ich darf sagen, wir sind ... zufrieden mit dem Ergebnis?«

»Durchaus«, sagte Erskine, und seine dünne Stimme war voller Enthusiasmus. »Sie hat sich besser erwiesen, als wir zu hoffen gewagt hätten.«

»Ihr meint, im religiösen Sinne?« fragte Lord James.

»Ja, freilich. Obgleich sie selbst nicht konvertiert ist – und es wahrscheinlich auch nicht tun wird –, war sie es zufrieden, unseren Glauben unbehelligt zu lassen.«

»Und sie und Knox haben einen Waffenstillstand erreicht«, fügte Morton langsam hinzu. Er leckte sich die Lippen; sie waren stark aufgesprungen.

»Bothwell ist fort«, sagte Lord James. »Er wird uns keinen Ärger mehr machen. Er bringt stets Ärger, weil er so unberechenbar ist. Und die Hamiltons sind jetzt diskreditiert; der arme alte Mann mußte Dumbarton Castle an die Krone zurückgeben.«

»Damit sind alle aus dem Rennen, die uns in die Quere kommen könnten«, folgerte Maitland. »Der nächste in der Thronfolge – entmachtet. Der treue Gefolgsmann der Königin, der Grenzländer mit dem starken Schwertarm – eingesperrt.«

»Aber einer ist noch da«, sagte Morton. »Ein Großer, der nicht unserem Glauben angehört.«

»George Gordon, der vierte Earl von Huntly«, sagte Lord James. »Der Kanzler des Reiches. Ein Katholik.«

»Und ein militanter dazu«, sagte Erskine. »Er bedrängt die Königin ständig, sie solle die Messe wieder einführen.«

»Wenn wir Glück haben, wird der Hahn des Nordens, wie er sich gern nennt, einmal zu oft krähen und bei der Königin Anstoß erregen. Ihr habt gesehen, wie er beim Urteil gegen Bothwell aus dem Staatsrat hinausgestapft ist?«

»Bitte! Es war kein Prozeß, also kann es auch kein Urteil gegeben haben!« wandte Maitland ein.

»Oh ... Ja, natürlich. Aber wenn er sich weigert, an den Ratssitzungen teilzunehmen – wer weiß, wohin das noch führen mag?«

»Wenn er vernichtet werden könnte, würde aller Widerstand gegen die Kongregation verschwinden.«

»Dazu müßte er zuerst rebellieren«, sagte Maitland.

»Vielleicht tut er es«, meinte Lord James. »Vielleicht tut er es.«

Der Frühling kam, doch erst nach einem schier endlosen Winter, der sich schleppenden Schritts in einer Spur von Schnee und Eis, Dunkelheit und Kälte dahinzog, während der Wind die Nordsee gegen die Klippen an der Küste peitschte. Als die ersten gespenstisch klaren, hellen Tage kamen, stürzten die Menschen aus ihren Häusern ins Freie. Es war, als dehne das Licht sich aus und erfülle die ganzen vierundzwanzig Stunden des Tages, und eine Energie wie aus einer anderen Welt durchströmte jedermann.

Maria war der Frühling willkommen gewesen; sie hatte das Gefühl, nun für die schwierigen ersten Monate in Schottland belohnt zu werden. Nicht ihre Entscheidung zur Rückkehr hatte sie in Frage gestellt, wohl aber ihre Fähigkeit, zu tun, was sie als notwendig empfand. Die Dinge waren nicht so gegangen, wie sie es gehofft und geplant hatte.

Vor ihrer Ankunft wäre es ihr schwergefallen zu verstehen, wie sehr die Kirk noch die persönlichsten Handlungen durchdrang; jetzt aber verstand sie es nur allzu gut, nachdem sie ihren Würgegriff allenthalben ringsumher gespürt hatte.

Religion! Sie sollte Trost und Ordnung in das Leben der Menschen bringen. Jetzt hörte man, daß sie sogar in Frankreich eine zerstörerische Wendung genommen hatte. Ihr eigener Onkel, der Duc de Guise, hatte zu Vassy das Feuer auf eine Versammlung von Hugenotten eröffnet, und zwölfhundert waren massakriert worden. Daraufhin hatten Katholiken wie Protestanten zu den Waffen gegriffen, und jetzt war Krieg.

Die letzten ihrer hochrangigen französischen Gefolgsleute waren nach Frankreich zurückgekehrt, und geblieben waren nur die Bediensteten, die sie zum Sticken und Kochen und für ihre Garderobe benötigte. Sie vermißte Brantôme, aber was den Rest anging, so war es eine Erleichterung gewesen, sie abreisen zu sehen.

Die Beseitigung Bothwells hatte sie doch sehr bestürzt; sie hatte sich stärker auf ihn verlassen, als ihr klar gewesen war. Und der Fall des Hauses Hamilton, wiewohl er sie um eine prächtige Festung reicher gemacht hatte, war auch nicht zu begrüßen.

Und nun war der Earl von Huntly an der Reihe, sich verdrießlich zu zeigen. Sie verstand, wie ihm zumute war angesichts der großen Überzahl der Protestanten, aber um so mehr Grund hätte er gehabt, seine Stellung zu halten. Statt dessen schien er sich mehr und mehr zurückzuziehen. Und jetzt war einer seiner Söhne in eine unschickliche Rauferei geraten und eingesperrt worden.

Diese Prügeleien! Warum gab es so viele? Bothwells und Hamiltons Leute, die sich über dem Spektakel mit diesem Craig-Weib fast in die Haare geraten wären ... der Lärm um Lord John ... und jetzt diese Sache mit John Gordon: eine Straßenschlägerei zwischen Gordon und Ogilvie, bei der Ogilvie schwer verletzt worden war.

Somit hatten die drei Männer, auf die Maria als Ausgleich gegen die offenkundige Macht der Lords der Kongregation gerechnet hatte, sie im Stich gelassen oder – schlimmer noch – sich gegen sie gewandt. Und das, nachdem sie sich so sehr bemüht hatte, versöhnlich zu sein!

Königin Elisabeth behandelte niemand so! Bei ihr tanzte keiner der Männer aus der Reihe, und niemand wagte es, sich Freiheiten herauszunehmen. Wie schaffte sie es nur, ihren großen, von Männern beherrschten Hof im Zaum zu halten?

Maria war müde. Sie wußte auf diese Frage keine Antwort – sie wußte nur, daß sie offensichtlich etwas falsch machte. Vielleicht würde sie doch heiraten müssen; vielleicht gab es keine andere Möglichkeit, sich gegenüber den männlichen Hofschranzen zu behaupten.

Maria brannte darauf, der sagenumwobenen Königin Elisabeth zu begegnen und festzustellen, ob sie den Grund erkennen könnte, weshalb ihr alle zu Willen waren, die ihr dienten.

Der einzige, der mir immer gehorcht, ist Rizzio, dachte sie betrübt.

Das Treffen der beiden Königinnen würde in nur sechs Wochen in Nottingham stattfinden. Schon waren Paß und sicheres Geleit für

Marias Reise nach England eingetroffen, und Bastian Pages, der Haushofmeister, hatte einen Mummenschanz geschrieben und einstudiert, der dann aufgeführt werden sollte: *Die Bestrafung von Falschem Zeugnis und Zwietracht durch Jupiter auf Bitten von Weisheit und Mäßigung*. Maria hatte beizeiten ein neues Portrait von sich abgeschickt und auch von Elisabeth eines bekommen.

Jetzt drehte sie den »Freundschaftsring« in den Fingern und sah, wie das Sonnenlicht im Diamanten in verschiedene Farben zersplitterte. Sie stand in den grünen Niederungen bei St. Andrews und spielte Golf mit Flamina, Beaton, Maitland, Randolph und Rizzio. Normalerweise machte es ihr Spaß; sie war gern in der Nähe der Meeresklippen, wo das Gras buschig und süß war. Die See war gleißend blau und die Luft erfrischend, und das genoß sie mit allen Sinnen.

»Zielen! Zielen!« schrie Rizzio, als Mary Fleming sich anschickte, mit dem speziellen gekrümmten Stock, den man zum Golfspielen benützte, den Ball wegzuschlagen.

»Still, Ausländer!« sagte Maitland. Er tat, als scherze er, aber seine Verachtung für diesen Fremden, der anscheinend außerstande war, die Regeln dieses Spiels zu verstehen, war offenkundig. Man hatte still zu sein, während geschlagen wurde, aber dieser schwachsinnige Affe schnatterte bedenkenlos immer weiter.

Zack! Flaminas hornverstärkter Schläger trieb den Ball nicht sehr weit; er kullerte auf das Loch zu, blieb aber weit davor liegen.

Da trat Rizzio zu seinem eigenen Ball und schlug ihn, obgleich er noch gar nicht an der Reihe war. Die Tatsache, daß er ihn dabei ins Loch brachte, machte den Affront nur noch schlimmer.

»Könnt Ihr ihn nicht zurückhalten, Eure Majestät?« fragte Randolph mit seidenweicher Stimme.

»Rizzio, ich bitte Euch, wahrt doch die Höflichkeit«, rief sie daraufhin in scharfem Ton.

Der Italiener drehte sich auf dem Absatz um, daß sein Wams aus blauem Atlas in der Sonne schillerte. Er verbeugte sich tief.

Maria war an der Reihe; schnell schwang sie ihren Schläger. Der Ball flog über einen Hügel und verschwand. Rizzio hastete davon, um ihn zu suchen. Fleming und Beaton fingen an zu kichern, aber Randolph und Maitland waren nicht erheitert.

Sie schaute hinüber zu Maitland, der sich über den adretten braunen Bart strich. In letzter Zeit hatten er und James in hartnäckiger Weise die Vorteile einer Ehe mit Don Carlos von Spanien ins Gespräch gebracht. Vielleicht würde sie dergleichen in Erwägung ziehen müssen, wenn …

In diesem Augenblick gewahrte sie einen Reiter, der über die sandigen Hügel herangaloppiert kam und sein Pferd zügelte, als er sie beim Spielen sah. Er stieg ab, führte sein Tier heran und ließ es am dichten, feuchten Gras knabbern.

»Melville!« Sie war entzückt; zweifellos brachte Melville, einer ihrer kultiviertesten Höflinge und zuständig für ihr Zusammentreffen mit Elisabeth, Neuigkeiten darüber.

»Verzeiht die Störung«, sagte er. »Aber …«

Er hielt ihr einen Brief entgegen, und Maria sah, daß sein sonst so aufgeräumtes Gesicht jetzt ernst blickte. Sie öffnete den Brief und wußte bald, warum.

»Es ist – sie – sie sagt das Treffen ab«, sagte sie schließlich. Ihr war, als sei ihr ein mächtiger Bulle in den Magen gerannt; es hatte ihr tatsächlich den Atem verschlagen.

»Dann ist es also so, wie es der Sonderbote schon andeutete«, sagte Melville kopfschüttelnd.

Maitland und Randolph ließen ihre Schläger fallen und kamen herbeigelaufen; ihre Beunruhigung stand ihnen ins Gesicht geschrieben.

»Sie sagt, sie … kann sich nicht mit mir treffen, während in Frankreich die Hugenotten ermordet werden – von einer Armee unter der Führung der Guise«, erklärte Maria langsam.

»Ja, das verstehe ich. Als Vorkämpferin der Protestanten kann sie sich zu diesem Zeitpunkt nicht mit einer katholischen Königin sehen lassen«, meinte Randolph.

»Aber Elisabeth ist doch gar nicht religiös!« fuhr Maria auf.

»Nein. Sie macht den *Anschein* der Religion zu ihrem Grund«, erklärte Maitland geduldig.

»Der Schein ist das Wichtige, nicht die Wirklichkeit«, schaltete Melville sich ein, als belehre er ein zurückgebliebenes Kind.

»Nein, das ist er nicht!« rief Maria. »Das sollte er nicht sein!«

Die drei Höflinge und Diplomaten zuckten verlegen die Achseln.

»Das ist Politik«, stellte Maitland fest.

Mit einem Aufschrei lief Maria davon.

Melville seufzte. »Es ist schade«, sagte er schließlich. »Ein höchst unpassender Zeitpunkt. Großes Pech für uns. Und … ach ja, Huntlys Sohn ist aus dem Gefängnis in Edinburgh entkommen und in den Norden geflohen. Sagt es ihr, sobald Ihr könnt«, bat er Maitland. »Ich werde zu Lord James nach St. Andrews reiten und ihn in Kenntnis setzen. Die Kongregation wird ihre Kräfte zusammenziehen und dem Hahn des Nordens entgegenwerfen müssen.« Er schaute Maria nach, die sich immer weiter entfernte. »Die Königin hat einen Krieg zu gewärtigen.«

Maria weigerte sich, es einen Krieg zu nennen, und bemühte sich, gute Miene zu der Absage von Elisabeth zu machen; sie gab ihrem Volk lediglich bekannt, sie habe seit langem den Wunsch gehegt, in die nördlichen Regionen ihres Reiches zu reisen, und nur das geplante Treffen in England habe ihr dabei im Weg gestanden. Da es erst August war, habe man noch reichlich Zeit, die südliche Staatsreise in eine nördliche umzuwandeln; sie würde daher unverzüglich nach Aberdeen und Inverness aufbrechen. Sie bestand darauf, dem Unternehmen in jeder Hinsicht den Anschein einer Jagd- und Beizreise durch die Wildnis zu verleihen; sie nahm ihre Marys mit und auch den Botschafter Randolph. Wenn Lord James es für angebracht hielt, ein paar zusätzliche Soldaten dabei zu haben – nun, die sollten nur helfen, den Weg freizumachen und den Troß voranzubringen. Sie gab sogar bekannt, daß sie die Absicht habe, den Earl von Huntly in seinem Schloß in Strathbogie zu besuchen und ihm Gelegenheit zu geben, von seinen Verirrungen abzulassen, bevor es zu spät wäre. Was seinen Sohn, Sir John Gordon, betreffe, so solle dieser sich unverzüglich den Behörden in Aberdeen ausliefern.

Die Reise hatte denn auch einen guten Anfang genommen; sie gelangten bald nach Perth und blieben, um die Berge zu umgehen, auf ihrem Weg nach Aberdeen in der hügeligen Gegend, in der die Gordons herrschten. Tatsächlich war die Gegend von Glamis an den goldenen Herbstnachmittagen gut zur Falkenjagd geeignet, und Maria entspannte sich unwillkürlich – ja, sie fand sogar Gefallen an dem Techtelmechtel zwischen Randolph und Beaton und an dem eher gesitteten Werben, das zwischen Maitland und Flamina vonstatten ging. Flamina hatte das Interesse an ihm immer noch nicht verloren, wenngleich Maria ihn allzu gesetzt und beherrscht für eine Frau wie sie fand.

Zu ihrer Genugtuung sah sie immer noch eine große Zahl von katholischen Andachtsbildern am Weg; je weiter sie sich von Edinburgh entfernten, desto lockerer wurde der Griff der Kirk. Die kleinen, handgemalten Betstätten, geschmückt mit Girlanden aus Wildblumen und Heidekraut, schienen zu ihrer Beruhigung an jedem Kreuzweg zu stehen.

In Aberdeen angelangt, einer recht großen Stadt an der Ostküste, ließ Maria es sich nicht nehmen, Schottlands neueste Universität zu besuchen, die erst vor sechzig Jahren gegründet worden war. »England hat nur zwei Universitäten, wir dagegen drei«, erklärte der Kanzler stolz. Maria besichtigte die Bibliothek und nahm sich vor, ein paar ihrer eigenen Bücher zu stiften, um die Sammlung dieser jungen Universität zu vergrößern.

Nachdem sie ihre Anwesenheit in der Gegend bekanntgemacht und den Huntlys Zeit gegeben hatte, zu ihr zu kommen, erließ Maria schließlich den Befehl, daß Sir John Gordon sich den Behörden auszuliefern habe, wenn nicht in Aberdeen, dann in Stirling. Aber noch immer kam niemand, mit Ausnahme von Lady Huntly, die mit einem großen Gefolge von Bediensteten erschien und um Gnade für ihren Gemahl und ihren Sohn flehte.

Aber die Ehefrau genügte nicht als Ersatz. Wo war Huntly?

»Teure Königin«, sagte Lady Huntly, »er fühlt sich bestraft für seinen Eifer zugunsten der katholischen Kirche. Denn Ihr seid auf keinen seiner Vorschläge eingegangen –«

»Ja, denn seine Vorschläge waren übereilt und unvernünftig«, sagte Maria. »Ebenso wie seine Weigerung, jetzt herzukommen und mir seine Aufwartung zu machen. Damit erscheint er nur wie ein zänkischer, unzuverlässiger Rebell.«

»Er wartet darauf, daß Ihr auf unser Schloß in Strathbogie kommt«, sagte Lady Huntly.

»Da wartet er vergebens, solange er nicht zuerst zu mir kommt«, antwortete Maria. »Und Ihr könnt ihm sagen ...« Sie zögerte. Sollte sie es jetzt tun? Ja, warum nicht? Sie warf einen Blick zu Lord James, der neben ihr stand und in seinem waldgrünen Samtkleid, wie sie fand, überaus vornehm aussah.

»Lord James«, verkündete sie, »Ihr seid Nutznießer der Rechte und Einkünfte der Grafschaft Mar.«

Er nickte, und seine von ausgeprägten Lidern überschatteten Augen – so ähnlich denen König James' V. auf den Porträts – blickten wachsam.

»Diese aber gebühren nach Tradition und altem Recht der Familie Erskine. Und natürlich habt Ihr bereits die Abtei von St. Andrews. Es ist nicht nötig, daß Ihr auch den Titel des Earl von Mar innehabt.«

Sein Gesicht verriet keinerlei Gefühl; es war unbewegt wie eines dieser holzgeschnitzten Bilder in Stirling – die, vor denen sie sich als Kind so gefürchtet hatte.

»Aber da Ihr ein Mann von großer Autorität und Integrität seid, und da Schottland stets danach strebt, seine treuen Söhne zu belohnen, ernenne ich Euch hiermit zum Earl von Moray, nachdem der Earl von Huntly diesen Titel durch seinen Verrat verwirkt hat.«

Ein Lächeln erstrahlte auf James' breitem Gesicht. »Ich danke Euch«, sagte er.

Lady Huntly sah aus, als habe sie eine Ohrfeige bekommen. »Madam«, sagte sie leise, »wir haben diese Ländereien viele Jahre lang treu verwaltet.«

»Ja. Ihr habt die Einkünfte eingestrichen, ohne Titel und Recht zu besitzen«, entgegnete Maria. »Wolltet Ihr das immer so weiter treiben? Oder habt Ihr Euch der Täuschung hingegeben, daß ich es vielleicht nicht weiß?«

»Madam, bitte –«

»Es ist geschehen«, sagte Maria. »Und wenn Ihr nicht noch mehr verlieren wollt, sagt Eurem Gemahl, er solle sein Verhalten ändern.«

In dieser Nacht begann es zu regnen, und das Wetter wurde schlecht. Von Maitland erfuhr sie, daß diese Ecke Schottlands, die weit in die Nordsee hinausragte, eine der kältesten Gegenden des Reiches sein konnte, wenn der Wind von Rußland herüberwehte; und jetzt merkte sie es selbst. Beschwerlich ging die Reise weiter durch trostloses Moor- und Heideland, und Beiz und Jagd waren vergessen. Maria bekam Nachricht, daß Sir John Gordon beschlossen habe, sich nicht in Aberdeen zu stellen, und sie nunmehr verfolge; er begleite jede ihrer Bewegungen mit tausend Reitern und beobachte sie aus dem Schutz der Wälder, die von dem beständigen Regen trieften.

Als sie in die Nähe von Strathbogie kamen, erreichte Maria die Kunde, daß Sir John und sein Vater den Plan hätten, sie zu überfallen, wenn sie in seiner Burg übernachteten; sie wollten dann Maitland und Lord James ermorden und sie selbst entführen. Und dann wolle der Vater sie zwingen, seinen Sohn zu heiraten, der als einer der hübschesten Männer Schottlands bekannt war. Die Tatsache, daß Sir John bereits eine Ehefrau hatte, schien sie in ihren wilden Plänen nicht weiter zu stören.

»Sir John behauptet, in Euch verliebt zu sein«, berichtete der junge Bote.

»Sir John ist verliebt in sich selbst und in seine Macht«, sagte

Maria. »Aber er ist nicht so mächtig, wie er sich einbildet.« Sie wandte sich an Lord James. »Wir werden heute nacht nicht dort schlafen!«

James warf einen Blick in die triste Regenlandschaft. Es wurde schon dunkel.

»Vor uns liegt noch die Burg Balquhain«, sagte er. »Dann wollen wir versuchen, sie zu erreichen.«

Es war fast finster, als sie bei der Burg am Fuße des dunklen Berges Bennachie ankamen. Sie spürten, daß Sir John und seine Männer sie mit scharfen Augen beobachteten, sich Zeit ließen, abwarteten. Als Maria sich in ihr hartes Bett legte, hörte sie Schreie von den Bergen, die klangen, als seien dort Wölfe unterwegs.

Am nächsten Morgen suchten sie sich, immer noch wachsam, ihren Weg zwischen moosbewachsenen Baumgruppen, knorrigen Kiefern und Dornengestrüpp. Am Himmel sah Maria, wenn es für kurze Zeit einmal nicht regnete, Bussarde über ihnen kreisen. Am Nachmittag hielt die königliche Gesellschaft vor den angeschwollenen Wassern des Spey, der schäumend über seine Ufer getreten war.

»Ist hier eine Furt?« fragte Maitland. Es sah aus, als werde das Wasser ihnen bis über den Sattel reichen.

»Ja!« Maria gab ihrem Pferd die Sporen und trieb es in das kalte, tosende Wasser, und tatsächlich reichte es ihr fast bis an den Sattel. Aber die wirbelnde Strömung zog sie nicht hinunter, und ihr Pferd verlor nicht den Halt auf den algenbewachsenen Steinen. Spritzend gelangte sie ans andere Ufer, und gleich folgten ihr die anderen, durchnäßten ihre Kleidung und froren bald.

Endlich kamen sie nach Inverness, einer Stadt im Schatten des Hochlandes am Firth of Moray, jenem nördlichen Gewässer, das Schottland fast in zwei Hälften zerschnitt. Müde näherten sich Maria und ihr Gefolge dem königlichen Schloß dort – verwaltet von Huntly als Sheriff von Inverness. Zu ihrem Schrecken verwehrte man ihnen den Zutritt.

»Verrat!« rief Maitland ehrlich überrascht. »Der Königin den Zutritt zu ihrem eigenen Schloß zu verweigern ...!«

So standen sie im Regen und schauten an den grauen Bastionen hinauf, an denen das Wasser herunterlief. Der Himmel hatte die gleiche Farbe und sah so hart aus wie ein Soldatenmantel.

Maria befahl ihren Trompetern, zu blasen, und die Klänge lockten die Neugierigen vom Land und aus den Bergen herbei. Ihnen allen rief sie zu, sie sei in verräterischer Weise ausgesperrt worden.

Sie strömten herbei mit Schwertern, Stangen, Sensen und Knüppeln, und Huntly schickte seinem Stellvertreter den Befehl, die Königin und ihr Gefolge einzulassen, da die Hochländer ihr zu Hilfe kämen. Aber solche Beschwichtigungen kamen zu spät: Als die Truppen der Königin in die Burg eingedrungen waren, bestraften sie den Festungshauptmann: Er wurde gehängt. Huntly war jetzt gebührend gewarnt.

Während sie darauf warteten, daß Huntly sich unterwarf, trafen Maria und ihre Gesellschaft endlich mit einer Gruppe von Highlandern zusammen, denn diese übernahmen es, draußen in den Feldern Wache zu halten, wo sie auch völlig ungeschützt übernachteten. Es waren sonderbare Gestalten, diese pelzvermummten Männer mit ihren kurzen Breitschwertern, Dolchen und lederbespannten Schilden. Und obgleich sie wußte, daß sie nichts verstehen würden, rief Maria aus: »Ich bedaure, daß ich kein Mann bin! Wie gern wüßte ich, was für ein Leben das ist, die ganze Nacht im Freien zu liegen oder über die Landstraße zu wandern mit Lederkoller und Helm, mit Buckelschild und Breitschwert!«

Ja, die ganze Nacht dort draußen zu lagern und wachsam nach dem Feind Ausschau zu halten ... das würde sie genießen!

Fünf Tage vergingen, aber kein Huntly kam. Maria gab bekannt, daß sie nach Aberdeen zurückreisen würden, um ihn vielleicht dort zu treffen. Unterwegs würden sie beim Bischof von Moray übernachten, bei Patrick Hepburn, der Bothwells Großonkel war – und ein berüchtigter Verschwender.

»Bei *ihm?*« Lord James hatte ein verachtungsvolles Gesicht gemacht. »Lieber schlafe ich draußen auf dem Feld!«

Maria sah die Regenschleier vor den Burgfenstern. »Lieber nicht«, sagte sie. »Ich denke, du wirst in der Lage sein, deine Ehre hinreichend vor der Besudelung durch den Bischof zu schützen.«

Sie verließen Inverness; zweitausend Krieger des Fraser-Clans, der ihr Treue geschworen hatte, gaben ihnen bis zum Ufer des Spey das Geleit; es hatte geheißen, daß man sie dort angegreifen wolle, aber nichts geschah, und so ging die Reise weiter nach Spynie.

Dort, im Palast des Bischofs mit seinen gewaltigen Verteidigungsanlagen, begrüßte sie der alte Patrick Hepburn. *Aussehen* tat er nicht wie der laszive Gourmet, der er angeblich war; er wirkte beinahe väterlich. Aber Maria hatte bereits die Geschichten über seine Techtelmechtel mit verheirateten Frauen und seine zahlreichen unehelichen Sprößlinge gehört.

»Willkommen, oh, seid mir von ganzem Herzen willkommen!« sagte er. Sein sandfarbenes Haar – mit weißen Strähnen – war in Unordnung. Von seinen Bettvergnügungen? »Mit großer Bestürzung hörte ich von der Rebellion des Earl von Huntly. Seid Ihr ihm schon begegnet?«

»Nein. Er versteckt sich vor uns«, sagte Maria. »Wie es scheint, wagt er nicht, uns ins Gesicht zu schauen.«

»Ah! Dann muß er der eine unter zehntausend Männern sein, der nicht diesen Wunsch hat!« rief der Bischof. Seine Augen hatten immer noch diesen gütigen Ausdruck, aber ihr Blick war jetzt intensiver.

Jetzt sehe ich, was er an sich hat, dachte Maria. Unglückliche Ehefrauen finden Verständnis beim guten Bischof, und sie hören Komplimente, die sie seit Jahren nicht mehr bekommen haben ...

Ich selbst hatte ein rundes Dutzend Weiber, und sieben davon waren mit anderen Männern verheiratet, sollte der Onkel sich in einem Wettstreit, wer die meisten Ehefrauen als Geliebte gehabt hatte, gebrüstet haben. Aber wie schade war es auch, daß so viele Ehefrauen von ihren Männern vernachlässigt wurden und die Liebe eines Priesters suchen mußten! Die Schmach gebührte den Männern, fand Maria.

»Es ist weniger mein Gesicht, was ich ihm zeigen möchte, als vielmehr mein Fuß«, antwortete sie jetzt. »Er sollte vor mir knien.«

»Wie ich es tue!« sagte der Bischof und sank mit schwungvoller Gebärde auf die Knie.

Sie mußte unwillkürlich lächeln. Der alte Lottervogel war wirklich charmant.

Was bedeutete es wohl für Bothwell, daß er einen Teil seiner Kindheit bei einem solchen Mann verbracht hatte? Stand er deshalb in dem Ruf, so viele Frauen zu haben? Hatte er das von seinem Großonkel gelernt, wie andere Jungen ein Handwerk wie die Tischlerei erlernen?

Da war Arrans Geliebte gewesen, dann zahlreiche mindergeborene Frauen aus den Küchen und Haushalten Edinburghs und schließlich eine norwegische Mätresse, von der er sich Geld geliehen hatte, um sie dann auf dem Kontinent sitzenzulassen – das hatte Lord James ihr erzählt. Aber Lord James konnte ihn auch nicht leiden. Andererseits hatte Mary Beaton selbst berichtet, daß Bothwell und ihre Tante Janet ein Paar gewesen seien, als Bothwell kaum mehr als ein Junge gewesen war, und Janet war zwanzig Jahre älter als er.

Was hatte der Onkel getan – sich Frauen genommen und sie dann an seinen Protegé weitergegeben? Oder hatte Bothwell einfach dagestanden und zugeschaut und so alles gelernt ...?

Der Bischof gab Geräusche des Unbehagens von sich. Sie hatte ihn vergessen, und er kauerte immer noch auf seinen betagten Knien!

»Oh, bitte erhebt Euch doch!« sagte sie.

Grunzend stand er auf. In seinem Rücken knackte es. Er bemühte sich, zu lächeln. »Kommt, betrachtet dies als Euer Heim ...«

Er präsentierte ihnen ein Bankett, das in jeder Hinsicht eines Tiberius würdig gewesen wäre. Es war gegen Ende des Abends, als alles schläfrig wurde, daß der Bischof zu ihr kam. Niemand hörte zu; Maitland und Sir James waren ausnahmsweise alles andere als wachsam.

»Ihr wißt, daß der junge Arran verrückt ist«, sagte er. »Seine Aussage dürfte nicht dazu dienen, meinen Neffen noch länger in Haft zu behalten. Er ist loyal gegen Euch gewesen. Daß einer von Eurer Majestät treuesten Rittern derart in Unehre fallen kann! Warum sollte Huntly Euch Gehorsam erweisen, wenn das der Lohn ist?«

Maria hatte sich das selbst schon gefragt. Die Episode hatte sie sehr verstört, und sie hatte noch keine Gelegenheit gehabt, Bothwell zu vernehmen. »Bothwell«, sagte sie schließlich, »sollte tun, wozu er imstande ist.«

»Das hat er bereits getan«, sagte der Onkel. »Er war es müde, auf Eure königliche Gerechtigkeit zu warten, und hat gehandelt wie ein wahrer Hepburn. Bothwell ist aus Edinburgh Castle geflohen.« Das sagte der Bischof stolz wie ein Vater, dessen Sohn an der Universität geehrt worden ist.

Geflohen? Aus Edinburgh Castle? »Das ist unmöglich!«

»Ganz und gar nicht, ganz und gar nicht.« Wieder dieser stolze Ton. »Er hat einen der Gitterstäbe in seinem Fenster zerbrochen, hat sich hinausgezwängt und ist an der Steilwand des Burgfelsens hinuntergeklettert.«

»Wo ist er jetzt?«

»Auf Hermitage Castle im Grenzland. Eine alte Freundin, Janet Beaton, hat ihm Proviant gebracht.«

Janet Beaton! Die Hexe!

»Und – das könnte Eure Majestät interessieren – Lord Gordon, Huntlys ältester Sohn, hat ihn aufgesucht, um seine Hilfe für die

Rebellion seines Vaters zu erbitten. Er nimmt an, Bothwell werde nun Grund genug haben, sich gegen Euch zu wenden.«

O Gott! Maria fühlte, wie ihr das Herz im Halse schlug. »Und?«

Der Bischof schwieg, und seine heiteren Augen schauten ihr forschend ins Gesicht. Er wußte, wie er sie auf die Folter spannte – der Quälgeist! »Bothwell hat nein gesagt. Er will Schottland überhaupt verlassen. Er kann nichts anfangen mit dem, was er hier sieht.«

»Und wo will er hin?«

Der Bischof zuckte die Achseln. »Das weiß ich nicht. Wohin das erstbeste Schiff ihn bringt, nehme ich an.«

»Der Großadmiral von Schottland stiehlt sich davon auf einem fremden Schiff?«

»Ihr müßt Euch einen Neuen für diesen Posten suchen, denn er ist jetzt frei.«

Von Spynie aus machte Marias Gesellschaft sich auf den Rückweg nach Aberdeen. Als sie Findlater Castle an der Küste hinter sich gelassen hatten, kam Sir Gordon endlich aus dem Hinterhalt hervor und überfiel ein paar von Marias Leuten, als der Hauptteil des Zuges vorüber war. Deshalb meinte Lord James nach der Ankunft in Aberdeen: »Wir brauchen Verstärkung. Laßt uns nach Edinburgh senden: Man soll uns hundert Arkebusiere schicken und zwei weitere Befehlshaber mit jeweils tausend Mann.«

So weit war es also gekommen! Maria unterzeichnete widerstrebend die Befehle und ließ dann die Aufforderung an Huntly ergehen, nunmehr vor ihr zu erscheinen. Er sandte Boten zurück und ließ ihr ausrichten, er wage nicht, ohne seine Soldaten zu kommen. Darauf antwortete sie, er wage es hoffentlich nicht, *mit* ihnen zu kommen. Daraufhin lehnte er es ab, überhaupt zu kommen.

»Er verbirgt sich bei Tag in seinem Haus in Strathbogie, und nachts schläft er anderswo«, berichteten ihr die Kundschafter. »Auf diese Weise, glaubt er, kann er der Festnahme entgehen.«

»Dann müssen wir ihn bei Tag überraschen. Eine kleine Truppe unter dem Befehl von Kirkcaldy sollte in der Lage sein, sich an ihn heranzupirschen.«

Kirkcaldy brach im Morgengrauen mit einem Dutzend Männer auf, um gegen Mittag Strathbogie zu erreichen, aber die Wachtposten sahen ihn und schlugen Alarm. Huntly hastete zur Hintertür hinaus, barfuß und ohne sein Schwert; er sprang über eine Mauer, bemächtigte sich eines Pferdes und ritt davon, immer noch frei.

»Also schließt er sich jetzt seinem Sohn an«, stellte Lord James fest. »Endlich erklärt er sich.«

»Aber wir wissen doch nicht, ob er zu Sir John will«, wandte Maria ein.

»Seine Flucht ist der Beweis für seine Schuld«, beharrte Sir James. »Die Zeit der Zurückhaltung ist zu Ende.«

Am Marktkreuz wurden Huntly und sein Sohn durch drei Jagdhornfanfaren zu Verrätern erklärt. »Man soll sie jagen wie Wölfe und Diebe und Ausländer, und jeglicher Bürger mag sie fangen oder vertreiben«, rief der Herold.

Huntly flüchtete sich in die wilden Berge von Badenoch und verbarg sich vor den königlichen Truppen. Niemand hätte ihm dorthin folgen können, wo alte Bäume mit hängenden Ästen und glitschige, moosbedeckte Steine ihm geheime, sichere Zuflucht boten. Aber seine Frau – die sich mit »zahmen« Hexen beraten hatte – überredete ihn, die Sicherheit der Berge zu verlassen und den Truppen der Königin in offener Schlacht entgegenzutreten. Die Hexen, so berichtete sie ihm, hätten ihr versichert, bei Einbruch der Nacht werde er in Tolbooth zu Aberdeen sein, ohne eine Wunde an seinem Leibe. Also marschierte er kühn gegen Aberdeen und verkündete, er werde Maria gefangennehmen und sie mit einem Bräutigam seiner Wahl verheiraten.

Dann bezog er Stellung auf einem Berg oberhalb der Ebene von Corrichie, etwa fünfzehn Meilen weit westlich der Stadt. Die Truppen der Königin standen ihm gegenüber auf der anderen Seite der Ebene, auf der jetzt das Heidekraut in voller Purpurblüte stand.

Lord James, Lord Lindsay und Kirkcaldy von Grange führten die Streitmacht der Königin. Streng und völlig furchtlos sahen sie aus, als sie dasaßen und zuhörten, wie Maitland die Soldaten ermahnte. »Denkt an eure Pflicht gegen eure königliche Herrscherin, und fürchtet nicht die Scharen, die euch entgegenstürmen!«

Maria würde selbst nicht mitreiten, aber sie fühlte, wie ihr Herz klopfte. Oh, könnte sie heute ein Mann sein! Ihre Kommandanten waren nicht zum erstenmal im Felde, und Kirkcaldy war ein erfahrener Soldat, aber wie würde es Lord James ergehen?

Jenseits der Ebene sah Maria den Glanz von Huntlys bunter, rosarot und golden verzierter Rüstung. Ganz und gar siegesgewiß, gab er seine Anwesenheit in unverschämter Weise bekannt. Der Hahn des Nordens, stattlicher Gockel, der er war, stolzierte bereits wie ein Sieger umher.

Das Horn ertönte, und Maria sah den Männern nach, als sie davongaloppierten. Fast zweieinhalbtausend hatte sie in ihren Diensten – wie viele hatte wohl Huntly?

Maitland beobachtete alles mit grimmiger Miene, und Maria sah den Ausdruck auf Flaminas Gesicht, als diese ihn betrachtete. Erst jetzt erkannte sie, wie tief ihre Gefühle für ihn sein mußten. Und Lord James, eben erst vermählt … was war mit seiner Frau?

Gottlob habe ich keinen Mann und keinen Geliebten dort auf dem Feld, dachte Maria. Aber dann wiederum … ich habe auch niemanden, den ich willkommen heißen und mit dem ich mich freuen kann. Eine seltsame Einsamkeit überkam sie, als die Streitmächte aufeinander zustürmten. Sie fühlte sich ganz und gar und absolut allein.

Man hörte Gewehre knallen. Kirkcaldys Arkebusiere beschossen die Männer des Earl auf dem Berg; sie töteten viele und zwangen die übrigen, sich vom Hang herunter in einen Sumpf am Fuße des Berges zu flüchten.

Maria konnte kaum noch atmen. Der Lärm der Schüsse und das Heulen und Schreien der Sterbenden waren gräßlich und Übelkeit erregend.

Der Kampfeslärm schwoll an, und Staubwolken hingen über den feindlichen Armeen. Maria sah, daß Huntlys Leute im Sumpf gefangen waren; so konnten sie Lord James und Lindsay, die jetzt heranrückten, nicht entrinnen.

Wie ein Racheengel stürzte James sich auf die Gordons und bahnte sich mit dem Schwert einen Weg durch die Reihen zu dem Earl und zweien seiner Söhne, dem siebzehnjährigen Adam und Sir John.

Wo hatte James so zu kämpfen gelernt? Maria war erstaunt.

»Lord James ist ein prächtiger Kommandant«, sagte sie zu Maitland. »Und Kirkcaldy – er ist ein genialer Soldat.«

Huntly war gezwungen, sich zu ergeben. Er wurde gefesselt und auf ein Pferd gesetzt, um der Königin vorgeführt zu werden. Dann kippte er plötzlich vom Pferd und fiel zu Boden: Ein Schlaganfall hatte ihn getötet.

Sein schwerer Leichnam wurde auf einer behelfsmäßigen Trage aus Fischkörben vom Schlachtfeld nach Aberdeen gebracht. Und am Abend lag sein Körper tatsächlich auf den kalten Stufen von Tolbooth, bekleidet mit einem wildledernen Wams und grauer Highland-Hose und ohne die geringste Verwundung.

Sir John wurde wie ein Verbrecher durch die Straßen von Aberdeen geführt und sollte dann auf dem Marktplatz hingerichtet werden. Man hielt es für nötig, daß Maria dabei sei und alles mit ansehe.

»Sonst wird man sagen, Ihr hättet ihn in seinen Neigungen ermutigt«, erklärte Lord James streng.

Von dem Schaffott, das vor Marias Quartier errichtet worden war, schaute Sir John zu ihr herauf, als sie in einem Staatssessel am offenen Fenster Platz genommen hatte.

»Eure Anwesenheit, schöne Königin, tröstet mich, denn ich werde nun leiden aus Liebe zu Euch!« rief er.

Maria umklammerte die Armlehnen und hielt die Augen gewaltsam offen, aber sie sah nichts, als der hübsche Jüngling gezwungen wurde, seinen Kragen zu öffnen und den Kopf auf den Block zu legen. Bevor er es tat, kniete er nieder und hob den Blick in stummem Flehen zu ihr auf.

Der Henkersknecht drückte ihm grob den Kopf herunter, und der Henker hob die Axt. Er schlug zu, traf jedoch den Hals nicht richtig. Ein Stöhnen ging durch die empörten Zuschauer, und Maria schrie entsetzt auf. Draußen beendete der Scharfrichter sein grausiges Geschäft; Sir Johns Kopf kullerte über die Planken des Schaffotts.

Vor ihrer Rückkehr nach Edinburgh begnadigte Maria Lord Gordon, der im Süden gewesen war, und den siebzehnjährigen Adam Gordon, der mit Vater und Bruder gefangengenommen worden war. Es sollte keine Toten mehr geben.

Der Kasten, der vor ihr stand, war mit einer Rüsche aus feinster Spitze verziert, die mit einem spanischen Kamm befestigt war. Maria nahm ihn und schüttelte ihn sanft. Flamina hatte ihn ihr gegeben, und sie hatte Mühe, jetzt nicht zu lachen.

»Soll ich ihn jetzt aufmachen?« fragte Maria.

»Nein! Wir haben noch mehr.« Lusty überreichte ihr einen Korb mit violetten Bändern, und Rizzio gab ihr ein in Papier gewickeltes Paket, das geformt war wie eine Krone.

»Und das noch.« Seton hatte einen Kasten, der mit einem Schloß gesichert und mit Messingbeschlägen verstärkt war.

»Genug!« sagte Maria, als einer der Gegenstände ihr vom Schoß rutschte und zu Boden fiel. »Das genügt für einen Geburtstag.«

»Aber der zwanzigste Geburtstag ist etwas Besonderes«, sagte Madame Rallay. »Und Ihr könnt Euch nicht weigern, es anzunehmen.« Sie legte ihrer Herrin ein kleines, seidenumhülltes Bündel in die Hände.

Schon türmten sich auf einem kleinen Tisch die Geschenke von den Bediensteten ihres Haushalts: Lord Seton, Bastian Pages, Bourgoing und Balthazzar.

»Und jetzt, Rizzio, singt, während sie alles aufmacht«, sagte Beaton. »Singt etwas *Passendes*.«

Alle lachten.

»Ja, was ist denn das? Solche Heiterkeit, und ich weiß den Grund nicht? Oder bin ich etwa der Grund?« fragte Maria.

»Gewissermaßen«, antwortete Rizzio. »Besser gesagt, Eure Situation ist der Grund.«

»Welche Situation denn?« Maria war verwirrt.

»Aufmachen! Aufmachen, und Ihr braucht nicht mehr zu fragen!«

Maria nahm den ersten Kasten, den mit Rüsche und Kamm, und fing an, ihn aufzumachen. Währenddessen schlug Rizzio seine mit Ebenholz und Elfenbein eingelegte Laute und spielte eine spanische Melodie. Dann fiel er auf die Knie und sang: »Oh, vornehmste Königin, erhört mein Werben! Ich, der einsame Don Carlos, brauche nur Euch, um der finsteren Stirn meines Vaters König Philipp zu entrinnen – und den schnaubenden Stieren dazu!«

Maria nahm einen Riegel Ölseife heraus; ein Schild hing daran, auf dem stand: »Nehmt Ihr mich mit Euch in Euer Bad, so mögen Gedanken an mich Euch duftend in die Nase steigen.« Maria hob die Seife an die Nase und schnupperte daran; der schwere Geruch von Jasmin und Gardenien sprang sie an, als sei er zu lange im Kasten gefangen gewesen.

»Es ist wirklich aus Spanien«, sagte Flamina.

Rizzios Musik gelangte zu einem Crescendo.

»Spanische Musik ist so … beharrlich«, sagte Maria. »Ganz anders als die Spanier in ihrer Brautwerbung. Leider scheint mir Don Carlos nicht so erpicht zu sein, wie Ihr ihn darstellt.« Sie lachte; sie war auch nicht gerade erpicht auf Don Carlos. Jetzt schnürte sie das Seidenbündel von Madame Rallay auf; darin war eine schlanke Flasche mit einem geschliffenen Glasstopfen. Sie nahm ihn ab, roch daran und fühlte sich nach Frankreich zurückversetzt. Es war die Blütenmischung aus der Provence, wie sie die Parfümiers der Katharina von Medici hergestellt hatten; Maria hatte sie das erste Mal tragen dürfen, als sie zwölf geworden war.

Sie schloß die Augen und atmete tief ein. Fast hörte sie den Klang der Stimmen in Fontainebleau, die kleinen Kinderstimmen von Charles, Claude, Elisabeth …

Rizzio spielte jetzt ein französisches Chanson mit einer süßen, fein ausgewogenen Melodie. Seine Finger zupften wie eine zarte Brise an den Saiten.

»Ich habe Euch immer geliebt«, stand auf dem beigefügten Brief. »Karl IX.«

»Es tut immer gut, zu glücklichen Erinnerungen zurückzukehren«, meinte Maria. »Aber ich fürchte, der kleine Charles wirbt vergebens.«

Während sie das kronenförmige Päckchen öffnete, wechselte Rizzio zu einem traurig klingenden Volkslied. Die Geschenkschachtel war so gefertigt, daß man einen Deckel abnehmen konnte. Darin waren Edelsteinimitationen rings um eine runde Flasche, die ebenfalls mit einer kleinen Krone verschlossen war. Im Brief stand: »Ich mache Euch zur Königin von Eis und Schnee und schenke Euch Liebesnächte, die vierundzwanzig Stunden dauern. Ewig der Eure, Erik XIV., König von Schweden.« Maria nahm den Verschluß ab und roch vorsichtig an der Flasche – würde es nach Wölfen und Wildnis riechen? Aber das Salböl verströmte einen sauberen Birkenduft.

»König Erik ist tatsächlich überzeugend«, sagte sie, und alle im Kreis lachten jetzt.

»Das nächste, das nächste!« rief Lusty und reicht ihr den messingbeschlagenen Kasten. Unterdessen lief Rizzio zum Spinett und spielte ein lebhaftes Tanzlied. Maria öffnete den Kasten und nahm einen goldplattierten Flakon heraus, der noch im matten Licht des Gemachs blinkte. »Wiewohl mein Kopf übermäßig groß ist, ist größer doch mein Herz und noch größer meine katholische Kapelle«, stand auf der Karte. »Seid meine Braut und bedient Euch aller drei. Euch zu Befehl – Seine Hoheit Erzherzog Karl von Österreich.«

Maria öffnete den Flakon und war schier überwältigt von einem machtvollen Rosen- und Nelkenduft, der die Luft erfüllte und sie einzuhüllen schien.

»Oh! Seine Werbung ist kraftvoll!«

Als letztes kam der Korb; Maria löste die Bänder und fand eine verzierte Schachtel darin. Sie enthielt einen Puder, der zart nach Lavendel duftete. Lavendel hatte sie immer geliebt, aber sie hatte nur die französische Sorte gekannt. Dieser hier roch anders, süßer und leichter. Sie las, was auf der Karte stand. »Überseht nicht Euren demütigen englischen Cousin, der schüchtern ist wie diese Blume des Feldes, doch mehr als einen Sommer übersteht; mögt Ihr nach Belieben Euer Bett damit parfümieren oder ihn unter Euren Füßen zertreten.«

»Wer um alles in der Welt ist das?« fragte Maria. »Es fehlt die Unterschrift.«

Rizzio spielte »Greensleeves« auf seiner Laute, und niemand bekannte sich zu diesem Geschenk.

»Mein demütiger englischer Cousin?« fragte Maria. »Dieser Lavendel kommt aus der Gegend von Norfolk; das weiß ich schon. Aber der Herzog von Norfolk ist verheiratet, nicht wahr? Und er ist auch nicht mein Cousin, sondern der der Königin Elisabeth ... obgleich ihn das vermutlich zu einem Schwiegercousin macht.« Sie schaute in die Runde der Gesichter; wollte denn niemand gestehen?

Demütiger englischer Cousin ... englischer Cousin ... der Sohn des Earl von Lennox, Henry Stuart? Er war ungefähr drei Jahre jünger als sie; das wußte sie. Früher war er damit ein Kind gewesen, aber jetzt, da sie selbst zwanzig war, stimmte das nicht mehr. Mit siebzehn zogen die Männer als Soldaten in den Krieg, und sie regierten als Könige ohne Regenten. Ob Henry Stuart auch dazugehörte?

»Henry Lord Darnley?« fragte sie.

»Jaaa!« Rizzio sprang auf und lief ins Nachbargemach, und dann kam er auf Stelzen schwankend zurück. Alles lachte. »Ich bin so groß, daß mir selbst schwindlig wird«, krähte er.

»Ist mein Cousin denn wirklich so groß?« Maria wußte sehr wenig über ihn. Sein Vater, Matthew Stuart, ein Verwandter der französischen Stuarts, war aus Schottland verbannt worden, als sie gerade zwei Jahre alt gewesen war, und seitdem lebte er in England.

»Sehr groß. Wie Goliath«, versicherte Rizzio ihr.

In diesem Augenblick kamen Lord James und Maitland herein; auch sie brachten Geschenke. Beide starrten Rizzio an, der hoch in der Luft hing und auf sie herabblickte.

»Gehört Ihr jetzt auch zu ihren Hofdamen?« fragte Lord James, und sein Ton war von Ungläubigkeit erfüllt. »Ihr wohnt bei den Damen?«

Maitland macht ein Gesicht wie einer, der soeben einen peinlichen Gegenstand an einem Ort gesehen hat, an den er nicht gehört – ein teures Geschenk in einem Mülleimer oder Hundekot an der Schuhsohle eines Pfarrers.

»Aber nein, mitnichten!« sagte Rizzio und hüpfte von den Stelzen.

»Ihr seid so *oft* hier«, sagte Maitland.

An diesem Abend ließ Maria sich ein heißes Bad bereiten, damit sie all die Düfte genießen könne, die sie bekommen hatte.

»Ich will in Wasser liegen, das von der spanischen Seife duftet, will mir die Zehen mit dem Birkenöl salben, mich mit Lavendel überstäuben, den Hals mit Rosenhauch betupfen und mein Taschentuch mit den Blüten der Provence benetzen«, erzählte sie Lusty.

»Und Holyrood wird riechen wie ein Harem«, bemerkte Lusty.

Als Maria im duftenden Wasser lag – das man mühsam heraufgeschleppt hatte, um ihre Wanne zu füllen –, entspannte sie sich. Der Duft war zart und beruhigend, und sie streckte die Beine aus und ließ den Kopf zurücksinken.

Es war ein sehr unterhaltsamer Tag gewesen. Sehr witzig von ihren Lieben, sich diese Geschenke auszudenken und dieses Spiel zu spielen. Aber …

Sie spritzte sich Wasser ins Gesicht und fühlte, wie warme Rinnsale über ihre Wangen liefen.

Eigentlich war es kein Spiel.

Mir ist jetzt klar, daß ich heiraten muß, dachte sie. Ein Teil meiner selbst will es ja auch; ich bin des Alleinseins müde, und ich sehne mich nach einem Gefährten. Und mit Huntlys Rebellion habe ich meinen letzten Verbündeten gegen all die überzeugten Protestanten verloren. Ich habe niemanden, der mich unterstützt, sollte ich etwas tun wollen, was ihren Wünschen widerspricht. Vielleicht wäre ein ausländischer Prinz nicht das schlechteste. Die Macht Spaniens wäre eine Warnung an jeden übereifrigen Lord hierzulande. Aber ich wäre dann nicht minder einsam, denn Don Carlos würde, von kurzen Besuchen abgesehen, in Spanien bleiben.

Karl IX. ist ein hoffnungsloser Fall. Der Erzherzog wäre eine handfeste Möglichkeit. König Erik von Schweden? Das gleiche Problem wie bei Don Carlos. Wenn ich einen Mann habe, will ich auch, daß er bei mir ist. Man heiratet nicht, um der Einsamkeit zu entrinnen, und lebt dann weiter allein.

Henry Lord Darnley? Wenn er schon ein Mann ist, vielleicht. Er ist kein englischer Untertan, aber er hat königliches Blut. Er ist der letzte Mann der Tudor-Linie, Elisabeths Cousin und meiner. Vielleicht würde diese Ehe ihr gefallen und sie in der Frage der Thronfolge milder stimmen. Es wäre schön, wenn meine Heirat ihr ebenso wohlgefällig wäre wie mir selbst – falls das möglich ist.

»Madam.« Madame Rallay stand mit einem Brief neben ihr. »Der ist für Euch.«

Maria öffnete den Brief und fand darin ein Gedicht in schwärmerischem, aufgeregtem Französisch, das ihre Schönheit, Weisheit und Majestät pries.

»Was *ist* das?« fragte sie.

»Der Dichter Chastelard«, sagte Madame Rallay. »Er ist unerwartet an den Hof zurückgekehrt und möchte Euch seine Aufwartung machen.«

Leiser Ärger erwachte in ihr. Sie war froh gewesen, diesen lästigen Mann gehen zu sehen – und jetzt war er wieder da?

»Ein andermal«, sagte sie.

Das glatte Öl von der fetten Seife überzog ihre Haut, so daß sie sich glitschig fühlte wie ein Fisch. Sie stieg aus der Wanne und ließ sich von Madame Rallay mit einem weichen Tuch trockentupfen und mit dem Lavendelpuder überstäuben. Eine Schachtel wartete auf dem Schemel neben dem Wandschirm vor der Wanne. Sie nahm den Deckel ab und fand eine bestickte Seidenstola darin, ein Geschenk von Lord James. Sie legte sie um, drapierte sie über ihren Hausmantel und genoß das Gefühl des köstlich glatten Stoffs an ihrem Hals.

Als sie in ihr Schlafgemach kam, traf sie dort zu ihrer Überraschung Rizzio an. Er starrte auf die Stola.

»Sie ist schön!« sagte er. »Gelbe Seide von so lebendigem Ton … Ich wußt nicht, daß es Farben gibt, die das Leuchten der Butterblume nachahmen können. Und die Stickerei – sind das Goldfäden?«

Sie nickte und löste ihr Haar, daß es ihr über die Schultern fiel. »Ein Geschenk von Lord James«, sagte sie.

Rizzios vorquellende Augen traten noch weiter aus den Höhlen. »O je. Nun, es ist nur schicklich, daß er Euch mit einem so teuren Geschenk seinen Tribut entrichtet. Schließlich habt Ihr ihn sehr reich gemacht. Die Grafschaft Moray … so ausgedehnte Ländereien …«

»Ja.«

»Es gibt fast nichts Größeres in Schottland.«

»Für einen Neuling habt Ihr anscheinend schnell gelernt, wem hier was gehört.«

»Ein Steckenpferd, allergnädigste Majestät.«

»Ich vermag nicht einzusehen, wie man die Beschäftigung mit dem Besitz anderer als Steckenpferd bezeichnen kann.«

»Dann ein Studium, wenn Ihr wollt. Das Studium der Macht. Macht interessiert mich. Ich möchte mein Wissen, wie es nun einmal beschaffen ist, stets in Eure Dienste stellen.«

»Ich danke Euch.«

»Ich würde Lord James nicht noch mehr Land oder Ehren verleihen, Eure Majestät. Zuviel Land kann zuviel Macht bedeuten.«

»Das habe ich zu entscheiden.«

Gerade als sie diesen Satz zu Ende sprach, ging leise die Tür auf, und Lord James schob mit respektvoller Verneigung den Kopf herein.

»Es freut mich, daß Euch mein Geschenk gefällt, teuerste Schwester«, sagte er. Aber er sah nicht sie an, sondern Rizzio.

Die warme Maisonne schien auf Käfige und Kisten, so daß die Tiere darin unruhig zu winseln begannen. Der halbe Hof war herausgekommen, um zu sehen, wie man öffnete, was die Königin sich hatte senden lassen, und jetzt wartete alles nur noch darauf, daß die Gärtner und Wärter mit Brechstangen und Sägen kamen. Die Königin und ihre Hofdamen standen da, lachten und ließen sich's wohlsein an diesem schönen Tag. Maria bemerkte, daß John Sempill – einer jener jungen Höflinge, deren Tanzerei John Knox veranlaßt hatte, seinem Vater einen Vortrag über das dem Tanze innewohnende Böse zu halten – sich dicht an Lustys Seite hielt, ebenso wie Botschafter Randolph immer in Beatons Nähe zu sehen war. Ach, der Frühling!

Zwar trug Maria immer noch Trauerkleidung – wenn auch in gemilderter Form –, aber es war doch schwer, an einem solchen Tag traurig zu sein, wenn alles frohlockte. Die Bäume hatten erst wenige Tage zuvor ihr Laub entfaltet, und die Blätter schienen nun vor den Augen der Königin zu wachsen; am Morgen hatten sie noch die Größe eines Dukaten, und am Abend würden sie schon so groß wie Teller sein. Blumen sprossen empor; sie ließen sich nicht davon abschrecken, daß sie die Überreste des vergangenen Jahres durchstoßen mußten. Blumen hatten keine Erinnerungen, wenngleich sie beim Menschen welche weckten.

»Ah!« Erfreut sah Maria, daß Arbeiter und Gärtner herankamen. Sie marschierten den Weg herunter, trugen ihre Schaufeln und schoben ihre Karren vor sich her, und sie pfiffen beim Gehen.

»Meine Herren!« rief sie. »Vor Euch in diesen Kisten sind Pflanzen, die ich aus den Gärten Frankreichs habe schicken lassen. Es sind persische Lilien –«

»Die wachsen hier nicht«, sagte einer der Gärtner rasch.

»Zu kalt«, bekräftigte ein anderer.

»Wir können versuchen, sie an einem Südhang zu pflanzen und sie ein bißchen zu schützen«, sagte Maria. »Und hier ist Rosa Gallica, die rote Rose, die so üppig blüht, und die Mondchrysantheme, die ihre Blüten nur in der Nacht öffnet ...«

Die Gärtner meinten: »Da braucht man Mist!«

»Daran wird es in den königlichen Marställen gewiß nicht mangeln«, sagte Maria. »Und hier – Ahornbäume habe ich senden lassen.« Sie deutete auf die höchsten Kisten. »Ich hoffe nur, daß sie hier wachsen! Wenn der Wind in ihnen rauscht, ist das einer der lieblichsten Klänge auf Erden.«

Die Männer grunzten.

Da erschienen mehrere kräftige junge Burschen, in nietenbeschlagenes Leder gekleidet, mit Handschuhen und ledernen Kappen. Sie hatten Peitschen und Knüppel bei sich. Ihr Anführer war ein älterer Mann mit einer Pistole: der Menageriemeister, den Maria ernannt hatte.

»Wo sind die Tiere?« fragte der Mann.

Maria deutete auf die mit Gittern und Luftlöchern versehenen Käfige. »Dort.«

»Welche Arten habt Ihr?«

»Zwei Löwinnen, ein Bärenjunges, einen Wolf und ein Stachelschwein.«

»Löwinnen?« Der Mann machte ein interessiertes Gesicht. »Erwachsene?«

»Nein, aber auch keine Jungen mehr«, sagte Maria. »So sagte man mir wenigstens.«

Die Männer näherten sich vorsichtig den Käfigen. »Wo wollt Ihr diese Tiere unterbringen?«

»In einer Menagerie hier in Holyrood«, sagte sie. »Später will ich auch noch Tiere für die in Stirling kommen lassen.«

Eins nach dem andern, dachte sie. Schritt für Schritt. Langsam werden Jahre der Vernachlässigung aufgehoben. Auf den Blumenbeeten, die wir im vergangenen Jahr angelegt haben, sind heimische Pflanzen gediehen. Und die Menagerie mußte erst wiederaufgebaut werden, bevor man Tiere herbringen konnte: Eine Löwin kann nicht allzu lange im Käfig warten!

Die Marys lachten und untersuchten die Pflanzstöcke, die die Gärtner jetzt auspackten; einige davon schienen in ihrer Strohumhüllung verwelkt zu sein, aber das konnte auch täuschen. Die französischen Rosen zum Beispiel ...

Bei dem Gedanken an Frankreich schien ein dunkler Schatten über den klaren, fröhlichen Tag hinwegzuziehen. In Frankreich ging es nicht mehr hell und heiter zu. Die Religionskriege hatten viel Leid gebracht. Der Duc de Guise, ihr geliebter Onkel, war von einem Hugenotten ermordet worden: hinterrücks erschossen. Die Führer beider Seiten waren entweder tot oder in Gefangenschaft: Antoine von Navarra war gefallen, der Conde von Navarra und der Constable Montmorency gefangen, ehe schließlich eine Art Vertrag unterzeichnet worden war.

Chastelard, der Dichter, der mit Montmorencys Sohn in Verbindung stand, war wieder nach Schottland gekommen – auf irgendeiner politischen Mission, wie manche jetzt glaubten. Aber dieser Tor – diese dumme Schachfigur! Maria war elend zumute, wenn sie sich an sein seltsames Benehmen erinnerte: Unter ihrem Bett hatte er sich versteckt und behauptet, von Liebe übermannt zu sein! Geendet hatte es mit seiner Hinrichtung. Lord James hatte ihr allerdings versichert, es habe mit ihrer Ermordung enden sollen. Als der Dichter in den Tod gegangen war, hatte er Ronsard zitiert und seine Liebe zu ihr angesprochen, zu der »grausamsten Fürstin der Welt«.

Ein Frühling des Tötens. Maria betete, daß es jetzt vorüber, daß der Dämon der Gewalt ausgetrieben sein möge. Aber zu Ehren ihres Onkels würde sie jetzt noch länger Trauer tragen müssen.

Hinter ihr auf den Wegen des jetzt noch kahlen Gartens standen Lord James und Maitland und betrachteten die Versammlung mit kritischen Blicken.

»Noch mehr französischer Unfug«, knurrte Lord James. »Kisten voll mit solchem Zeug. Ich hoffe nur, sie bezahlt es von ihrer französischen Witwenrente und nicht mit dem Geld der Krone.«

»Mich freut es, daß sie sich solche Mühe gibt, ihr Heim zu verschönern – um so mehr, da sie es auf eigene Kosten tut«, widersprach Maitland. »Bald bringt sie vielleicht noch einen Ehegemahl her, der das alles mit ihr teilt.« Als er sah, wie Lord James die Stirn runzelte, fuhr Maitland geschmeidig fort: »Es ist doch klar, daß unsere Königin heiraten muß. Es entspricht der natürlichen Ordnung der Dinge. Aber wen? Er sollte von königlichem Geblüt sein. Idealerweise müßte er Katholik sein, um ihr zu gefallen, aber in der Ausübung des Glaubens lauwarm, um ihre Untertanen zufriedenzustellen. Das ist schwierig.«

»Der ideale Kandidat«, meinte Morton, der dabeigestanden und zugehört hatte, »wäre somit ein nicht praktizierender Katholik, der damit einverstanden wäre, seinen Sohn protestantisch erziehen zu lassen. Er müßte aus königlicher oder doch adeliger Familie sein. Er müßte körperlich und geistig gesund sein. Und vorzugsweise sollte er Ausländer sein ...«

»Ganz recht«, sagte Maitland.

»Und warum?« wollte Morton wissen.

»Weil Schottland damit in die höchsten Räte Europas aufsteigen und an Ansehen gewinnen würde«, begann Lord James, aber Morton unterbrach ihn.

»Niemand außer uns hört zu«, sagte er. »Hebt Euch diesen Bullenseich für die Einfältigen auf. Sinn der Sache ist, daß sie ihren Prinzen heiratet und nach Europa an seinen Hof geht, um nie mehr nach Schottland zurückzukehren. Dann können wir, die Lords der Kongregation, regieren, wie es uns zukommt. Und das alles im Namen des kleinen James oder Robert oder Malcolm, oder wie immer sie ihn zu nennen beliebt.«

»Ignacio oder Pierre oder Ludwig wohl eher«, bemerkte Maitland.

»Also sind Verhandlungen mit Don Carlos, Karl IX. und Erzherzog Karl im Gange?« fragte Morton.

Lord James lächelte und zuckte die Achseln. »Die Post braucht ihre Zeit nach dem langen Winter. Und die Königin verzehrt sich anscheinend nicht gerade vor Interesse an der ganzen Sache.«

»Das wundert mich. Sie scheint Leidenschaft bei den Männern zu entfachen, selbst aber keine zu empfinden«, sagte Morton. »Diese Episode mit John Gordon. Und dann der Skandal mit dem französischen Dichter letzten Monat.« Er schüttelte den Kopf. »Beide sind gestorben, weil sie von ihr besessen waren.«

Auch Maitland schüttelte den Kopf. »Seltsame Geschichte.«

»Der arme kleine Dichter. Jemand anders hat ihn hereingelegt – jemand, der die Königin der Schotten entehren wollte. Irgendein Agent«, meinte Morton. »Aus Frankreich hergeschickt.«

»Wer immer ihn hergeschickt hat, kannte die Königin gut. Sie ist nicht umsichtig; sie ist allzu freizügig und vertraulich mit jedermann. Sie hat ihn ermuntert, vielleicht ohne es zu wissen – hat mit ihm getanzt und an seinem Hals gehangen«, erinnerte sich Lord James. Es war von widerlicher Koketterie gewesen.

»Wie sie es mit diesem Rizzio tut.« Morton runzelte die Stirn ob der Unschicklichkeit des Ganzen.

»In der Tat. Genau.« Lord James nickte. »Es schickt sich nicht. Und in letzter Zeit, glaube ich, vertraut sie ihm auch Dinge von politischer Natur an und sucht seinen Rat.«

Morton zog eine Braue hoch. »Dann solltet Ihr Euch darum kümmern, Männer. Sonst werdet Ihr unversehens Eure Stellung verlieren.« Er sah Lord James und Maitland an. »Ich bin jetzt Kanzler an Huntlys statt. Aber der kleine Italiener ist vielleicht bald unser aller Herr.«

»Unsinn!« rief Maitland.

»Ach ja? Wie oft habt Ihr seit der Affäre mit Chastelard eine Privataudienz bei der Königin gehabt?«

Lord James zuckte die Achseln. »Ich sehe keine Veränderung. Sie war aufgebracht, natürlich, und –«

»Und suchte Trost bei ihrem treuen Lautenspieler. Ja. Verständlich.« Morton schnaubte. *Er* verstand es nur zu gut. Die Sünden des Fleisches ...

»Sie ist unglücklich über die fortdauernden Religionskriege in Frankreich«, sagte Lord James. »Der Tod ihres Onkels, des Herzogs von Guise. Orleans, wo Franz starb, durch Mord und Zerstörung entweiht. Der Wald, in dem sie jagte, erfüllt von Soldaten und Artillerie ... das schmerzt sie.«

»Frankreich ist Vergangenheit«, fauchte Morton.

Die Löwenkäfige wurden geöffnet, und Rufe des Staunens und der Aufregung lenkten ihre Aufmerksamkeit ab.

»Ihr müßt zugeben, daß sie eine anmutige Lebensart nach Schottland gebracht hat«, bemerkte Maitland.

»Schottische Löwen«, sagte Lord James. »Sie sind unser Emblem. »Sie bedeuten Macht ebenso wie Anmut.«

»Wenn sie Macht will«, meint Maitland nachdenklich, »dann sollte sie versuchen, Elisabeth gefällig zu sein, indem sie heiratet, wie es ihr genehm ist.«

Ein Jahr später – noch immer unverheiratet – lag Maria hingestreckt im Bett, allein. Ein böses Fieber hatte sie ergriffen, wilder Schmerz im Kreuz und in den Beinen sowie ein Schüttelfrost, der sie derart heftig durcheinanderrüttelte, daß man sie unter Bergen von Decken vergraben hatte, obwohl es Mai war und schon wieder recht warm. Sie verlangte nach einem Feuer im Kamin, und Madame Rallay und Bourgoing gehorchten, obgleich die beiden in ihrer Fürsorge Unermüdlichen nunmehr schrecklich schwitzen mußten. Maria klapperte mit den Zähnen; ihre Lunge brannte, und sie hustete krampfhaft, ohne dabei etwas zutage zu fördern.

Es hatte sie ganz plötzlich erfaßt, während sie mit Rizzio Depeschen durchgearbeitet hatte, der inzwischen zum Sekretär für den französischen und folglich überwiegenden Teil ihrer Korrespondenz befördert war. Ein plötzlicher, stechender Kopfschmerz, Hitzewallungen, Schwindelgefühle ...

»Ich muß für einen Augenblick aufhören«, hatte sie gesagt und sich auf unsicheren Beinen zu ihrem Schlafgemach begeben. »Ich will mich hier ausruhen, nur ein Weilchen ...«

Als Rizzio eine Stunde später hineinspähte, fand er sie schlafend, aber sie stöhnte. Er legte ihr die Hand auf die Stirn und stellte fest, daß sie glühte; da rief er Bourgoing.

In den nächsten paar Stunden hatte sich ihr Zustand verschlimmert, und Bourgoing war ratlos gewesen, bis er plötzlich ausgerufen hatte: »Ich hab's! Es ist die ›Neue Bekanntschaft‹! Man nennt sie so, weil sie dermaßen ansteckend ist, daß sie ständig neue Bekanntschaften schließt. Ich habe davon gehört, aber es selbst noch nie gesehen.«

»Meint Ihr *la influenza?*« fragte Rizzio. »Die Krankheit, die vom Einfluß der Sterne kommt?«

»Ist das die Ursache? Ich hatte schon gehört, daß sie in Italien grassiert, und es heißt, sie sei auf dem Weg nach Norden –«

»Aber, ich bitte Euch, gebt nicht Italien die Schuld!« sagte Rizzio lachend. »Und auch nicht mir – ich habe sie nicht mitgebracht.«

»Natürlich gebe ich nicht Euch die Schuld«, sagte Bourgoing. »Was für eine absurde Bemerkung. Glaubt Ihr denn, alles dreht sich nur um Euch?«

»Nicht ich denke das, aber andere sehr wohl. Rizzio bekommt heutzutage die Schuld an allem – an den hohen Getreidepreisen, an der Trockenheit, am Desinteresse der Königin für Robert Dudley ...«

»Ihr übertreibt«, sagte Dudley.

»Nein, *sie*, die Lords, sind diejenigen, die übertreiben. Sie übertreiben beträchtlich meinen Einfluß – meine *influenza*, ha ha – bei der Königin.«

Maria stöhnte, und beide Männer waren augenblicklich bei ihr. »Rizzio, es tut mir leid ... kann die Briefe jetzt nicht zu Ende ... macht Ihr's ... Routine ...« Ihre Augen schlossen sich wieder.

Rizzio seufzte. »Routine ist es, das stimmt«, sagte er zu Bourgoing. »Ein Beileidsbrief an Katharina von Medici zum fünften Jahrestag ihrer Witwenschaft, und eine Anfrage an den Botschafter Ihrer Majestät in Paris, den Erzbischof Beaton. Nur um solche Dinge habe ich mich zu kümmern.«

Maria hörte sie reden, aber es war, als seien sie sehr weit weg, und ihre Stimmen hallten in ihrem Kopf wie in einem Brunnenschacht. Der Pulsschlag in ihren Schläfen war ein wütendes Pochen; sie war so schwach, daß sie kaum die Hand heben konnte, um die Decke zurechtzuziehen, und jede Faser ihres Leibes war ein riesiger dumpfer Schmerz. Wenn sie schlief, war es ein wirbelnder Strudel und kein normaler Schlaf. Träume von ungeheuren Ausmaßen überkamen sie, und die Gedanken donnerten wie eine aufgeschreckte Rinderherde durch ihren Kopf.

Dudley. Robert Dudley, Elisabeths Günstling ... soll ich ihn nehmen, wie sie es will? Sie möchte, daß ich ihn heirate, ihren Untertan, und sie deutet an, wenn ich es tue, wird sie mich als ihre Thronfolgerin anerkennen.

Aber wird sie es auch tun? Was ist, wenn ich ihn heirate und sie dann trotzdem ablehnt, mich zu benennen?

Nun, dann liege ich im Ehebett mit Master Robert. Stallmeister der Königin. Robin von Cumnor Place, Robin der Reiter, wenn er fällt, dann schreit er, fällt er in den Graben ...

»Trinkt etwas!« Ein Becher wurde ihr an die Lippen gedrückt, und Flüssigkeit rann ihr übers Kinn. Sie brachte nichts herunter.

Im Ehebett mit Robert, Robert ... soll ich?

Fünf Tage lang sie krank, schwitzend, hustend und immer wieder bewußtlos. Dann ging es ihr plötzlich besser. Sie spürte, wie die Krankheit verebbte, ihren Griff lockerte. Sie wollte sich aufsetzen, merkte aber gleich, daß diese Anstrengung über ihre Kräfte ging. Sofort war Madame Rallay an ihrer Seite.

»Oh, mein Lämmchen, meine Liebste, müht Euch nicht! Geht es Euch besser? Seid Ihr hungrig?«

»Halt«, sagte Bourgoing und hielt ihre Hand fest. »Erst Flüssigkeit, dann Speise.« Er zog ihre Lider hoch und untersuchte ihre Innenseite; dann mußte sie den Mund aufsperren, und er spähte ihr in den Hals. »Feste Speise wird zu rauh für diese Kehle sein; sie wird noch tagelang empfindlich bleiben.«

»Ahhh –« Zum erstenmal, seit sie sich dem Klauengriff der Krankheit überlassen hatte, versuchte Maria etwas zu sagen. Ihre Kehle fühlte sich rostig an, und die Stimme, die daraus hervorkam, klang nicht wie sonst.

»Nicht sprechen!« schalt Madame Rallay. »Hier, mein Täubchen, eßt diese Suppe ...«

Am nächsten Tag saß sie schon im Bett. Seton war gekommen, um ihr das Haar zu bürsten und zu frisieren; sie kämmte durch verfilzte Strähnen, die sich durch tagelanges Wälzen auf schweißnassen Kissen ineinander verflochten hatten. Als Maria dann einen Bettumhang angelegt hatte, fühlte sie sich wieder ansehbar.

Ihr erster Besucher war Maitland. Adrett gekleidet wie stets, kam er herein, das schüttere Haar so gekämmt, daß es nicht ganz so dünn aussah. Sie erwartete, daß er sich verstohlen nach Flamina umschauen werde (weshalb sonst hatte er sich so gekämmt?), aber das tat er nicht; seine aufrichtige Sorge galt nur ihr selbst. »Gott sei Dank!« rief er. »Wir wußten ja, daß Ihr gesund wart und daß die Neue Bekanntschaft gebrechliche Opfer bevorzugt, aber wenn eine Königin krank wird, ist es doch immer eine gefährliche Sache.« Lächelnd streckte er die Hand aus. Darin lag eine eben aufgegangene dunkelrote Rosenknospe. Ihr Duft war schwer wie Weihrauch. »Die erste Blüte Eurer importierten Rosen, die Ihr im letzten Jahr gepflanzt habt. Ist das nicht ein Zeichen?«

Sie nahm die Rose, hielt sie behutsam zwischen den Fingern. Es schien wirklich ein Zeichen zu sein. Die Rosen blühten, die Verpflanzten gediehen. »Ich danke Euch, lieber Maitland.«

Am nächsten Tag bestand sie darauf, aufzustehen, und rief nach ihren Marys, damit sie ihr beim Ankleiden halfen, obwohl sie noch zittrig auf den Beinen war. Aber als Beaton ihr liebstes, perlgraues Frühlingskleid brachte, stellte sie fest, daß es ihr zu weit war. Sie war in der kurzen Krankheit stark abgemagert.

»Dann lassen wir neue machen«, sagte sie. Die Aussicht auf neue Kleider war nicht unerfreulich.

Balthazzar zog sein Maßband hervor, schlang es ihr um Taille,

Brust und sogar um die Oberarme und schüttelte dann den Kopf. »Ja, Ihr seid viel dünner geworden. Ich könnte die anderen Kleider enger machen. Aber da Ihr doch mit fortschreitender Genesung auch an Kraft und Gewicht wieder zunehmen werdet, denke ich, wäre es besser, wenn wir einstweilen nur zwei oder drei neue nähen. Ist es denn Zeit – ist Eure Majestät bereit, wieder Farben zu tragen?«

»Nein, ich bleibe bei Grau, Schwarz, Weiß und Violett.«

»Teuerste Madam, wenn Ihr aber die Bewerber um Eure Hand bewirten wollt«, wandte Seton ein, »wäre es da nicht eher passend, Euch etwas fröhlicher zu kleiden?«

»Ich werde es wissen, wenn die Zeit dafür gekommen ist, Seton«, sagte Maria leise.

Am Spätnachmittag kam Lord James mit einem Brief, der geradewegs von Königin Elisabeth kam. Er konnte seine Neugier kaum bezähmen, als Maria die Siegel erbrach und den Brief mühsam entzifferte. Sie hatte die wunderschöne Unterschrift immer geliebt:

»Sie bittet mich, dem Earl von Lennox zu gestatten, nach Schottland zurückzukehren und seine verwirkten Lehen zu besichtigen«, sagte sie schließlich.

»Dieser Verräter!« sagte James. »Wie ein Söldner hat er sich an Heinrich VIII. verhökert und Dumbarton Castle den Engländern ausgeliefert! Verdientermaßen hat er Land und Titel verloren!« James hob voller Abscheu die Stimme. »Und das alles nur aus Trotz, weil unser königlicher Vater ihn nicht als seinen Erben adoptierte. Das brauchte er ja nicht, nachdem Ihr geboren wart. Ihr seht also, Lennox ist Euer Feind von Kindheit an und wünscht Euch zweifellos noch immer nur Böses!«

»Aber das ist lange her«, sagte sie. »Wenn er jetzt Buße tun will, um Verzeihung bittet …«

»Einmal Verräter, immer Verräter. Ihr seid zu weichherzig, Schwester!«

»Eine gute Königin muß gnädig sein.«

»Eine gute Königin muß auf ihre eigene Sicherheit bedacht sein, ehe sie Gnade zeigt.«

Ihr Blick kehrte zu dem Brief zurück; sie ging auf seine Worte nicht weiter ein. »Und so will ich Gnade ergehen lassen«, erklärte sie, »wenngleich manche es mir als Schwäche auslegen werden. Ich werde dem Earl von Lennox verzeihen und ihm sein Lehen zurückgeben, wie Elisabeth es von mir erbittet. Es ist zwanzig Jahre her, daß er sich gegen seinen König gewendet hat. Zwanzig Jahre ... Darf eine Sünde nach zwanzig Jahren nicht vergeben sein? Wie lange muß einer bezahlen für eine Jugendsünde, für eine Torheit, die er beging?«

»*Das hier* ist Torheit«, entgegnete Lord James schlankweg. »Eine Torheit wischt die andere nicht weg, sondern verdoppelt sie nur. Vermählt sich eine Torheit mit der anderen, gebären sie Unglück.«

»Sie erwähnt Robert Dudley in diesem Brief gar nicht.« Maria versuchte, das Thema zu wechseln.

»Und wenn sie es getan hätte?« fragte er. »Was würdet Ihr sagen?«

»Nun, ich würde sagen ... daß ich ihn mir gern einmal anschauen würde, um zu sehen, worum man soviel Aufhebens macht.«

Wider Willen mußte Lord James lachen. »Ich habe ihn gesehen.«

»Und?«

»Er ist ... gewinnend, wenn man seine mindere Herkunft bedenkt. Besser gesagt, gerade wegen seiner minderen Herkunft ist er gewinnend. Manche Frauen mögen diese Sorte. Königin Elisabeth selbst, zum Beispiel, scheint mir.«

Als er die Gemächer der Königin verlassen hatte, begab sich Lord James eilig auf die Suche nach Maitland. Beinahe gewaltsam schob er ihn in eine kleine Kammer, drängte sich zu ihm hinein und verriegelte die Tür hinter sich. »Königin Elisabeth wünscht, daß der Earl von Lennox die Erlaubnis zur Rückkehr erhält. Und *unsere* Königin will sie ihm geben! Ihre Krankheit hat sie leichtsinnig gemacht. Haltet sie auf! Auf Euch hört sie eher als auf mich; sie glaubt, Euer eigenes Interesse an den Dingen sei geringer.«

»Ich kann sie nicht aufhalten. Wenn sie sich einmal etwas in den Kopf gesetzt hat, ist sie genauso störrisch wie Elisabeth. Je mehr ich versuchen wollte, dagegen zu argumentieren, desto heftiger würde sie danach streben, es dennoch zu tun.«

»Dann tut doch so, als wäret Ihr dafür! Oh, Maitland! Wenn dieser Mann zurückkommt, ändert sich alles. Er wird seinen Anspruch auf die Thronfolge von neuem erheben, er wird diesen Sohn im Kielwasser mitschleppen –«

»Den hübschen Lord Darnley?« fragte Maitland nachdenklich. »Und mit seiner Hilfe die Königin verblenden? O Jesus!«

»Die beiden zusammen, Vater und Sohn, wären schrecklich! Sie würden all unsere gute Arbeit zunichte machen. An Schottland liegt ihnen nichts, das ist klar; sie haben nur ihren eigenen Vorteil im Sinn. Das verrät doch schon ihr Familienmotto: *Avant Darnley! Jamais d'arrière!* Vorwärts, Darnley. Niemals zurück. Haltet sie auf, Maitland. Haltet sie auf.«

»Ich sage Euch, ich bin da machtlos.« Und allmählich machte sich diese Machtlosigkeit spürbar. Seine Beine waren schwach, und er hatte dröhnende Kopfschmerzen. »Bitte, laßt mich einen Augenblick hier sitzen …«

Noch am Abend mußte Maitland sich ins Bett legen. Die »Neue Bekanntschaft«, berüchtigt für ihre Ansteckungskraft, hatte wieder einen Freund gefunden. Die Freundlichkeit des Sekretärs, die ihn bewogen hatte, seine Königin als erster zu besuchen und ihr eine Rose zu bringen, hatte ihm diesen Lohn eingetragen. Infolgedessen war er außerstande, mit ihr über Lennox zu sprechen, und als er genas, war bereits die Nachricht nach London ergangen, daß Königin Elisabeths Wunsch erfüllt worden sei.

Madame Rallay hatte Maria überrascht, als sie nebenbei bemerkt hatte: »Ich habe die Sterne studiert, und mächtige Veränderungen – einige gut, andere nicht, aber alle sehr groß – stehen bevor.«

»Die Sterne studiert? Wie kommt Ihr denn dazu?« fragte Maria in scharfem Ton. Sie musterte ihre lebenslange Dienerin und dachte: Steckt denn jeder Mensch voll Überraschungen?

»Am französischen Hofe, wißt Ihr, hatte Katharina von Medici ihre Astrologen und Wahrsager. Erinnert Ihr Euch nicht mehr? Sie hielt große Stücke auf sie.« Madame Rallay machte eine kurze Pause. »Nun, es gab manche Stunde, da die Zeit uns lang wurde. Ich habe mich dann immer mit Ruggieri unterhalten – Ihr erinnert Euch an ihn und an seine Gemächer oben im Turm?«

Ja, Maria erinnerte sich. Sie war auch dort hinaufgestiegen, obwohl man es ihr verboten hatte. Da war ein Spiegel gewesen, mit dem er in die Zukunft geblickt hatte. »Ja, ein bißchen«, sagte sie.

»Er hat mich die Anfangsgründe dieser Wissenschaft gelehrt.«

»Aber das ist verboten!« sagte Maria. Sie betrachtete Madame Rallay aufmerksam; sie war jetzt fast sechzig. »Ihr wißt, daß Christen sich nicht mit der Wahrsagerei befassen dürfen. Und Ihr seid in einem Alter, in dem die Leute Euch verdächtigen könnten, eine Hexe zu sein! Schämt Euch, Madame!«

»Aber Astrologie ist keine Hexerei«, antwortete Madame Rallay. »Astrologen haben eine angesehene Stellung in der Gesellschaft. Ja, Königin Elisabeth hat ihren Krönungstag nach dem Rat der Astrologen festgesetzt. Und wäre es keine Wissenschaft und würde es nicht die Zukunft enthüllen, warum wäre es dann verboten, die Astrologen nach der Gesundheit eines Königs zu befragen?« Die alte Dame klang über die Maßen vernünftig. »Es war gut, diese Fähigkeit zu erlernen, genauso gut wie das Strümpfestopfen oder das Trocknen von Kräutern für Arzneien.« Sie schwieg einen Moment lang. »Es wäre allerdings besser, wenn Ihr Pater Mamerot nichts davon erzählen wolltet.«

Maria seufzte. »Also schön. Was habt Ihr denn gesehen?«

»Ich bin keine Expertin. Ich konnte nur sehen, daß am Firmament größere Veränderungen bevorstehen.«

»Um das zu wissen, brauche ich nicht die Sterne.« Maria lachte. »Zunächst einmal stehen irgendwo *immer* größere Veränderungen bevor. Und zweitens gibt es für mein eigenes Leben zwei: Ich habe Melville beauftragt, mit Königin Elisabeth über den Ehemann zu sprechen, den sie für mich vorgesehen hat, über Robert Dudley. Und ich habe ihr mitteilen lassen, daß der Earl von Lennox die Erlaubnis hat, nach Schottland zurückzukommen.«

Beides hatte ihr großes Kopfzerbrechen bereitet. Es verwirrte sie, daß Königin Elisabeth ihren eigenen Liebling Dudley als Gemahl für sie angeboten hatte. Meinte sie das wirklich ernst? Und wenn ja, warum? Maria hatte fast darüber gelacht, so albern war es ihr vorgekommen. Robert Dudleys Vater und sein Großvater waren wegen Verrats hingerichtet worden, und davor verlor sich die Herkunft der Familie im dunkeln. Dudley, so hieß es, kam aus einem »Stamm von Verrätern«. Alles an diesem Angebot also schmeckte nach Beleidigung, bis auf eines: Zwar kicherte die ganze Welt über Robert Dudley und schaute auf ihn herab, aber Elisabeth selbst liebte ihn anscheinend mehr als alle anderen. Was immer der Rest der Welt denken mochte: Indem sie ihn Maria anbot, brachte Elisabeth ein Opfer.

Eine Ehe mit Don Carlos war nicht zustande gekommen; Philipp selbst hatte das Angebot zurückgezogen; anscheinend war Don Carlos verrückt, und man hatte ihn eingesperrt. Erik von Schweden hatte Liebesbriefe, aber wenig sonst geschickt, und der Erzherzog Karl war plötzlich von Elisabeth wiederentdeckt worden. So ging es ringsherum im Kreis.

Maria wandte sich um und sagte zu Madame Rallay: »Kommt, bürstet meine neuen Kleider aus. Sie sind beinahe fertig für die Zeremonie, und sie müssen Euch gefallen, denn sie sind farbig. Ihr wißt, ich werde mir gestatten, zu Staatsanlässen Farbe zu tragen.«

Sie rief nach Balthazzar und bat ihn, ihr neues Kleid zu bringen. »In der Tat, es ist fast fertig, Eure Majestät. Und der Mantel aus Silberbrokat …!« Er rollte mit den Augen.

Maria war jetzt gekleidet für die aufwendige Zeremonie zum Empfang des Earl von Lennox bei seiner Rückkehr in die schottische Gesellschaft. Sie saß im Staatsgewand in ihrem Audienzgemach zu Holyrood und wartete darauf, daß er den letzten Teil seiner Reise, den Weg durch Canongate herunter, vollendete. In diesem Augenblick wurde ihm am Mercat Cross durch den Wappenherold der Krone offiziell Pardon gewährt und die Verbannung aufgehoben. Der Stab des Friedens würde an seinen Vertreter übergeben werden, und dann würde er herkommen …

Matthew Stewart – oder Stuart. Was weiß ich eigentlich von ihm, dachte sie, während sie wartete. Ich weiß, daß er ein Cousin zweiten Grades ist, ein Nachkomme James' II. Ich weiß, daß es einen französischen Zweig seiner Familie gibt, der seinen Namen »Stuart« schreibt, so wie auch ich meinen Namen dort geschrieben habe. Er geht zurück auf den Hundertjährigen Krieg, als Sir John Stewart von Darnley einer der Kommandanten einer schottischen Streitmacht war, die den Franzosen im Kampf gegen die Engländer beistand. John Stewart wurde zu John Stuart, Sieur d'Aubigny, und seine Familie ist immer noch dort.

Ich weiß, daß Matthew selbst in seiner Jugend viele Jahre in Frankreich verbracht und sogar mit Franz I. in seinen italienischen Kriegen gekämpft hat. Er kam dann für kurze Zeit nach Schottland zurück, schloß sich der pro-englischen Gruppe an und wurde deshalb zum Verräter erklärt und ausgewiesen. Er ging nach England und heiratete dort Lady Margaret Douglas, die Halbschwester meines Vaters, und seitdem lebt er am englischen Hof.

Sie hörte den Lärm der Menge draußen. Offenbar nahte Lennox jetzt. Rasch fuhr sie fort, sich genau zu überlegen, was sie eigentlich von ihm wußte. Die Lennox-Stuarts waren Erbfeinde der Hamiltons, denn beide behaupteten, in direkter Linie von James II. abzustammen und daher in der natürlichen Thronfolge nach den Kindern des Monarchen die nächsten zu sein.

Mein Vater bevorzugte den Lennoxschen Anspruch, erinnerte sie sich. Er versprach, sollte er kein eigenes Kind haben, Lennox als Thronerben anzuerkennen. Aber dann kam ich zur Welt, Lennox wurde zum Verräter und geriet in Verbannung …

Fanfaren verkündeten die Ankunft. Maria hörte die Schritte, als das große Gefolge die Treppe heraufkam, und dann schwangen die Türflügel langsam auf, und die Garde verkündete: »Matthew Stuart, Earl von Lennox, bittet um Einlaß.«

Er stand inmitten seines Gefolges von etwa vierzig Herren, ein Mann mittleren Alters, der mit festem Blick zu ihr hereinschaute.

»Ihr mögt eintreten.«

Als er kam, dachte sie an seinen seltsamen Hintergrund, und sie stellte sich vor, wie fremdartig er den meisten ihrer Edelleute erscheinen würde. Aber aus eben diesem Grund erwartete sie, daß er zum Hofe etwas beitragen werde, denn er verfügte über eine Vielfalt von Ansichten und Erfahrungen wie nur wenige andere einheimische Lords.

»Willkommen«, sagte Maria; sie erhob sich von ihrem Thron und erlaubte ihm, sie zu umarmen und ihr einen Ehrenkuß zu geben. »Als meinem Cousin und dem Gemahl der Schwester meines lieben Vaters entbiete ich Euch all meine Zuneigung und Achtung.«

Wieder verbeugte er sich tief, und sein juwelenbestickter Rücken sah aus wie der gemusterte Panzer einer Schildkröte. Dann richtete er sich wieder auf und lächelte.

Er war einmal hübsch gewesen, das war offenkundig. Sein rundes Gesicht zeigte immer noch Spuren von jungenhafter Anziehungskraft, und seine Augen blickten freundlich.

Maria lächelte ihn an. »Es freut uns, daß Ihr zu uns zurückkehrt, und wir hoffen, daß Ihr Eure Güter wohlgeordnet vorfindet«, sagte sie. Seine Erbgüter lagen im mittleren Westen Schottlands, in der Nähe von Glasgow, und bevor er sie aufsuchen und in Augenschein nehmen konnte, mußte er formell begnadigt und von der Königin und dem Adel empfangen werden.

»Eure Majestät ist zu gnädig«, sagte er.

»Noch ein Ale!« rief die Bedienerin dem Schankburschen zu, und Melville schenkte ihr ein verschwörerisches Lächeln. Sie lächelte zurück, lange und ausgiebig, und er fragte sich, was das wohl bedeuten mochte – falls es etwas bedeutete.

Sie brachte ihm den frischgefüllten Lederkrug, und er zahlte. Wahrscheinlich gar nichts, dachte er. Es bedeutet nichts, und das ist auch gut so. Ich muß die Hosen an- und meine Börse im Auge behalten. Aber es ist doch reizvoll, sich all die unbekannten Dinge vorzustellen, die mit einer unbekannten Frau zustande kommen könnten.

»Wo kommt Ihr her?« fragte der Mann, der neben ihm auf der Bank saß, unvermittelt.

»Edinburgh«, antwortete Melville. Er mußte laut sprechen, um sich in dem Geklapper, das die Speisestube des Gasthauses erfüllte, Gehör zu verschaffen. »Ich bin unterwegs nach London.«

»Um die Königin zu sehen?« brüllte der Mann und fing dann an zu singen: *»Pussycat, Pussycat, wohin willst du gehn? Nach London will ich, die Königin sehn!«* Die anderen Esser am Tisch schauten angewidert zu ihm herüber.

»Nein«, log Melville. Wie würden sie staunen, wenn er ihnen die Wahrheit sagte.

»Wie lange seid Ihr schon unterwegs?« fragte der Mann.

»Seit fünf Tagen. Ich bin erst in Berwick, dann in Newcastle abgestiegen.«

Der Mann stieß einen Pfiff aus, und ein Tropfen Schweinefett von der Fleischpastete, die er aß, flog von seinen Lippen. »Ihr reist aber schnell. Einen Tag noch, und Ihr dürftet Euch in London wiederfinden. Zumindest in St. Albans.«

»Das hoffe ich. In welchem Zustand ist die Straße?«

»Wie ich höre, ist die Straße nach London jetzt trocken und gut befahren«, sagte die Kellnerin, die auf mysteriöse Weise an Melvilles linker Seite aufgetaucht war. »Eine Gruppe aus London hat gestern hier übernachtet. Sie haben früh haltgemacht, weil ihnen unser Schild gefiel.«

Tatsächlich war es das schön gemalte Schild gewesen, das auch Melvilles Aufmerksamkeit erregt hatte: Zur Lustigen Schildkröte. Eine hübsch wiedergegebene Schildkröte mit schwarz-gelber Zeichnung, die auf einem Erdbeerfeld tanzte. Es verhieß eine Herberge mit sauberem Linnen und einer guten Tafel.

»Mir ging es ebenso«, sagte er. »Aber dann muß ich morgen sehr früh weiter.«

Er war ganz froh, daß er vor der letzten Etappe seiner Reise noch einmal ausruhen, essen und trinken konnte. Wenn er erst in London wäre, würde er kaum noch Ruhe finden; im Gegenteil, er würde auf jedes Wort achten müssen, das er sprach, da seine Mission so zweischneidig war.

Seine oberste Herrin, Königin Maria, hatte ihn beauftragt, offiziell das Dudley-Angebot zu erörtern und dabei Elisabeths Aufrichtigkeit zu bewerten, und gleichzeitig sollte er insgeheim Lady Lennox aufsuchen und genau ermitteln, zu was für einem Mann Lord Darnley herangewachsen war. Dem Earl von Lennox war sehr daran gelegen, daß sein Sohn ihm nach Schottland folge und seine Ländereien inspiziere, aber dazu brauchte Darnley die Erlaubnis von Elisabeth und einen Paß.

Normalerweise hätte Melville sich auf einen ausgedehnten Besuch am englischen Hofe gefreut – auf einen Besuch, der lang genug wäre, um sich bei seinem bevorzugten Schuster noch ein Paar Stiefel machen zu lassen, um mit Cecil und dem Herzog von Norfolk zivilisierte Abende mit Gespräch und Zerstreuung zu verbringen und um mit den kaiserlichen und französischen Botschaftern zusammenzukommen. Er hatte sich geehrt gefühlt, dazu auserwählt und in den Rang eines vertrauten Gesandten erhoben zu werden. (Oder war es nur geschehen, weil Maitland krank war? fragte er sich.) Aber eine Mission, die zum Inhalt hatte, Elisabeth zu täuschen, war keine angenehme Sache. Sie, die große Täuscherin, nahm es nicht freundlich auf, wenn andere ihr Spiel ebenfalls spielten, und schlimmer noch: Sie merkte es bei anderen rasch.

»Ich esse meist nur wenig Fleisch
Mein Magen ist nicht gut …«

Die Gesellschaft fing an zu singen, und laute Stimmen und gerötete Gesichter verströmten eine fröhliche Wärme ganz eigener Art. Melville genoß sie, und er genoß seine eigene Anonymität.

Königin Elisabeth sah ihn scharf an, als er im Garten von Westminster, wo sie ihren Morgenspaziergang machte, auf sie zukam.

»Mr. Melville«, sagte sie. »Kommt Ihr wegen der Thronfolge zu mir, oder geht es um meinen Lord Robert Dudley?« Keine Andeutung von Überraschung ob seines Erscheinens, keine freundlichen Präliminarien.

»Beides, Eure Majestät«, antwortete er unumwunden.

Sie lachte. »Dann seid mir willkommen.« Mit einer weiten Gebärde deutete sie auf den Garten hinter seinen Mauern. Die Feuchtigkeit des nahen Flusses ließ alles grünen. Sie berührte den Ast eines dicken, knorrigen Birnbaumes und pflückte dann eine Frucht für ihn.

»Das sind Butterbirnen. Mein Vater hat mir erzählt, sein Obstgärtner habe den Baum aus Deutschland herübergebracht. Auf jeden Fall ist er sehr alt. Seine Birnen sind süß wie Honig.«

Melville nickte würdevoll. Was sollte er jetzt mit der Birne anfangen? Sie war weich und saftig, und wenn er jetzt versuchte, sie aus Höflichkeit zu essen, würde er sich die Hände klebrig beschmieren. Ja, sie war so weich, daß der Saft bereits anfing, über seine Finger zu quellen.

Elisabeth lachte. »Heinrich VII. pflegte seinen zahmen Affen mit überreifem Obst zu füttern. Ihr mögt Eure Birne den Vögeln und Eichhörnchen hinwerfen.«

Melville kam sich töricht vor, als er sich die Hände mit einem gestärkten Spitzentaschentuch abwischte. »Ich bringe herzliche Grüße von meiner Herrin, der Königin, Eurer guten Schwester und Cousine.«

Elisabeth zog die Brauen hoch. »Und was ist ihre Antwort auf den Ehevorschlag, den Mr. Randolph unterbreitet hat? Die Ehe mit Lord Robert Dudley?«

Sie wollte ihm also keine Gnadenfrist einräumen, sondern kam geradewegs zur Sache. »Sie wartet eine Konferenz zwischen ihren Ministern und den Euren ab, Majestät«, sagte er. »Ich meine, höchstwahrscheinlich zwischen Lord James und Maitland auf ihrer Seite und dem Lord von Bedford und Lord Dudley auf der Euren.«

»Oh.« Elisabeth blieb stehen und stellte die Füße fest auf den Boden. Ihre Nasenflügel bebten. »Ihr schätzt meinen Lord Dudley also gering – Ihr nennt ihn zuletzt! Nun, Sir, bevor Ihr nach Schottland zurückkehrt, werdet Ihr sehen, daß er ein weit größerer Earl als der von Bedford geworden ist! Jawohl!«

Melville nickte nur. »Eine glückliche Fügung.«

Das Morgenlicht, sanft und golden noch, erhellte Elisabeths Gesicht. Für einen kurzen Augenblick sah Melville sie als das Mädchen in der Schenke, als Dame aus bescheidenem Hause, als Kaufmannstochter. Ihr golden rotes Haar, ihre feine weiße Haut und vor allem die Intelligenz und Persönlichkeit in den dunklen Augen machten sie zu einer Frau, zu der ein Mann sich hingezogen fühlen würde, wäre sie ins gewöhnliche Leben gestellt.

»Ich schätze Lord Robert wie einen Bruder«, sagte sie mit ihrer angenehmen Stimme, »und als meinen liebsten Freund. Ein Band ist zwischen uns, das stärker ist als zwischen Ehemann und Weib ... und ich wäre mit Freuden seine Gemahlin, stände mir der Sinn nach Heirat. Doch ich bin entschlossen, mein Leben in Jungfräulichkeit zu beschließen.«

Fast hätte er ihr geglaubt, was sie da sagte.

»Aber ich biete ihn meiner königlichen Schwester in aller Aufrichtigkeit an, denn er ist derjenige neben mir, dem ich die Thronfolge anvertrauen könnte – und würde.«

»Bedeutet das also, daß Ihr, sollte meine Herrin, die Königin der Schotten, ihn heiraten, sie – oder, besser gesagt, sie beide – zu Eurer Nachfolge bestimmen würdet?«

»Habe ich das nicht gesagt?« Sie ruckte mit dem Kopf und ging weiter; sie ließ die Reihen der Obstbäume hinter sich und schritt auf dem ziegelgepflasterten, von Bartnelken und Immergrün gesäumten Pfad in den offenen Garten.

»Haben wir Euer Wort in dieser Sache? Das feierliche Wort einer Königin?«

»Habe ich es nicht gesagt?« wiederholte sie. »Und jetzt bitte ich Euch – denn befehlen kann ich es Euch nicht, da ich nicht Eure Herrin bin –, gesellt Euch Sir Robert zu. Ihm *werde* ich es befehlen.« Sie lächelte boshaft. »Ihr sollt ihn kennenlernen, und dann könnt Ihr Eure Herrin, die Königin, von seinen Tugenden überzeugen.«

Später kam die Nachricht, Königin Elisabeth wünsche Mr. Melville zum Abendessen im Whitehall Palace zu empfangen und ihn danach zu einer Abendunterhaltung im Bankettsaal zu sehen; sie werde ihn in der königlichen Barke mit zwanzig Ruderern herüberbringen lassen.

Er hatte sich kaum in der Kajüte auf dem Goldbrokatpolster niedergelassen und sich auf eine angenehme Flußüberquerung eingerichtet – etwas, das man in Schottland nicht erleben konnte, weil es dort weder schiffbare Flüsse noch eine königliche Barke gab –, als jemand in der Tür erschien und dann mit eingezogenem Kopf die Treppe in die Kajüte herunterstieg.

Dudley.

Mit seinen fülligen, steifen Ärmeln und den Flügelschultern aus gelbem Brokat war er so modisch gekleidet, daß er aussah wie eine Erscheinung, ein Geist aus den Gewölben eines Pariser Schneiders.

»Guten Tag«, sagte er zu Melville und sah sich in der leeren Kabine um. »Ich sehe, sie will, daß wir allein sind.« Er lachte. »Manchmal ist meine Königin kompliziert, und manchmal ist sie sehr einfach.« Er drehte sich um sich selbst, damit Melville sein Kostüm betrachten konnte. »Hält das Eurer Begutachtung stand? Wie ich höre, ist die Königin der Schotten sehr modebewußt und schickt regelmäßig nach Paris um Muster und Stoffe.«

Auch Melville mußte lachen. Dann betrachtete er Dudley aufmerksam und kam zu dem Schluß, daß eine Frau lange würde suchen müssen, ohne Besseres zu finden. Und offenbar war er humorvoll und bescheiden.

»Sehr kleidsam, Mylord.«

»Und was werdet Ihr Eurer Herrin erzählen?« Dudley setzte sich zu ihm auf eine gepolsterte Bank. Er sah Melville geradeheraus an, aber lächelte dabei.

»Daß Ihr hübsch anzusehen seid«, antwortete dieser.

Dudley grunzte abwehrend. »Guter Sir, wir sind unter uns. Meine Königin hat dafür gesorgt, und ich bin ihr dankbar dafür, denn eine solche Gelegenheit ist rar. Ich will sie nutzen, um Euch zu versichern, daß ich nicht die Absicht habe, so hoch über meinem Stand zu heiraten. Es wäre eine Beleidigung gegen die Königin der Schotten, wie ich sehr wohl weiß. Ich bin nicht wert, ihr die Schuhe zu putzen.«

Melville fühlte, daß das Boot sich in Bewegung setzte, als die Ruderer es jetzt in die Strommitte hinaustrieben. Aber das schwankende Gefühl war in ihm selbst und kam nicht von dem Boot. Was sollte das alles? War denn hier nichts sicher oder aufrichtig?

»Das ist eine seltsame Äußerung aus Eurem Munde«, stellte er schließlich fest.

»Es ist doch alles Cecils Werk! Er ist mein heimlicher Feind. Er will, daß ich beide Königinnen beleidige und gänzlich in Ungnade falle, damit er alle Macht bei Hofe für sich hat. Denn wenn ich den Anschein erwecke, diese Ehe zu wünschen, beleidige ich meine Königin durch meine Untreue und die Eure durch meine Anmaßung; wenn ich aber ungehorsam erscheine, beleidige ich die meine durch Ungehorsam und die Eure durch Kränkung. Wie ich's also anstelle, ich gerate in Mißkredit und verliere die Gunst meiner Königin.« Er sank kläglich in sich zusammen.

Melville empfand beinahe Mitleid für diesen stolzen Mann, den die Umstände zum Bauern auf dem Schachbrett einer Frau gemacht hatten. Er war ein Opferstier auf dem Altar des Ehrgeizes.

»Ich denke, keine der beiden Königinnen verlangt etwas von Euch« – mehr wußte er nicht zu sagen.

»Ich flehe Euch an, bittet Eure Königin um Vergebung für meine Anmaßung«, beharrte Dudley.

Ein paar Tage später wurde der Opferstier nach Westminster geführt, wo er vor seiner Königin und den Peers in ihren Parlamentsroben niederknien und sich zum Earl von Leicester ernennen lassen mußte, ein Titel, den zuletzt Heinrich V. getragen hatte und der seitdem Mitgliedern der königlichen Familie vorbehalten war. Es ging alles sehr feierlich zu, bis Elisabeth sich vorbeugte und, während sie ihm das Ehrengewand anlegte, mit der Hand seinen Nacken streichelte und liebkoste.

De Seurre, der französische Botschafter, sah mit zynischer Miene zu Melville herüber.

Als die Versammelten sich zum Auszug umwandten, blieb Elisabeth stehen, um mit Melville und dem Botschafter zu sprechen.

»Wie gefällt Euch der neue Earl von Leicester?« fragte sie eifrig und strahlend.

Vor ihr schritt Lord Robert aufrecht und stolz in seinem neuen bestickten Umhang mit dem Pelzbesatz, und Henry Lord Darnley vor ihm trug das Ehrenschwert.

»Er ist ein glücklicher Diener mit einer Herrin, die erkennen kann, wenn einer gute Dienste leistet und ehrenwert ist, und die es ihm lohnt.«

Der Sprung vom einfachen »Sir Dudley« zur königlichen Grafenkrone war eine schwindelerregende Erhöhung.

»Und doch ist Euch der lange Kerl da drüben lieber«, stellte Elisabeth fest und deutete auf Darnley.

Sie wußte es! Sie hatte seine geheime Mission entdeckt! Welcher Spion ... wie ...? Oder war sie einfach selbst so verschlagen, daß man ihr nichts vormachen konnte?

»Keine Frau mit Geist würde sich für einen solchen Mann entscheiden, der aussieht wie ein Weib und nicht wie ein Mann! Er hat das Gesicht einer Lady und keinen Bart«, erklärte Melville entschlossen.

»Das stimmt«, sagte Elisabeth honigsüß lächelnd. »Aber er trägt sein Schwert wohl und ist geschmeidig und stark wie seine Klinge.«

Und dann, was hat sie dann getan?« fragte Maria. Sie und Melville hatten sich in das kleine Kämmerchen neben ihrem Schlafgemach in Holyrood zurückgezogen.

»Sie hat den ›langen Kerl da‹ dann nicht weiter erwähnt – und lang ist er allerdings, Eure Majestät. Daher kann ich nicht wissen, was sie weiß oder vermutet. Ich glaube, niemand hat mich beobachtet, als ich die Gräfin von Lennox besuchte, aber zuverlässig sagen kann ich es nicht. Ich bin ziemlich sicher, daß mein Gespräch dort nicht belauscht werden konnte.« Er seufzte. Der Aufenthalt in England war eine unablässige Anspannung gewesen, und nicht einmal die Stiefel waren zu seiner Zufriedenheit gefertigt worden.

Maria nahm ein Brombeertörtchen von einem Teller und bot Melville auch eines an. Er lehnte ab. Sie kaute langsam, bevor sie fragte: »Ist er größer als ich?«

Sie stand auf; ihr weites Kleid fiel in dicken Falten über ihre Hüften herab.

»Ich glaube schon. Und ich muß sagen, er ist hübsch. Natürlich habe ich das verdreht, als sie mich fragte, was ich von ihm hielt, so daß es klang, als hielte ich es für einen Makel. Als erster Prinz des königlichen Geblüts bei Hofe führte er die Feierlichkeiten an, und das auf sehr ansehnliche Weise.«

»Hmmm.« Sie lächelte. »Und er weiß gut zu reden, sagt Ihr?« Sie nahm wieder Platz und lehnte sich auf dem Sessel zurück. War es denn möglich … möglich nur … daß dieser Cousin, der auf dem Papier so geeignet erschien, auch persönlich anziehend war?

»Mehr als gut. Ausgezeichnet. Ich hatte Gelegenheit, mich ausführlich mit ihm zu unterhalten, und zwar mehrmals.«

»Und worüber habt Ihr Euch unterhalten?« Sie fing an, eine dicke Haarlocke um den Finger zu zwirbeln.

»Im Grunde über gar nichts.« Er wußte es nicht mehr. Es war unwesentlich gewesen – das Wetter, Volkslieder, Hofklatsch. »Auch Lord Dudley ist wortgewandt«, fügte er nachträglich hinzu. »Er ist ein interessanter Mann.«

»Konntet Ihr erkennen, was Elisabeth an ihm reizt?«

Ja. Ja, das konnte er. »Es ist schwer, zu verstehen, was Frauen reizvoll finden, von einer Königin ganz zu schweigen. Das Herz einer Königin ist unergründlich«, antwortete der Diplomat. »Vor allem, was *diese* Königin angeht. Ich will Euch sagen, was sie getan hat: Sie hat versucht, mich von meiner Loyalität gegen Euch abzubringen.«

»Nein! Wie denn?« Marias Augen funkelten vor Aufregung. Sie hörte auf, mit ihrem Haar zu spielen, und starrte Melville an.

In diesem Augenblick analysierte er kühl ihr Aussehen, nach dem Elisabeth ihn befragt hatte. Ihr Haar war zweifellos einer ihrer besten Züge: glänzend, dicht, lockig und von sattem Rotbraun. Aber ihre rosig-weiße Hautfarbe und die schrägen, leuchtenden, bernsteinfarbenen Augen waren so auffallend, daß sie den Eindruck von zerbrechlicher Vitalität hervorriefen – falls ein solches Paradoxon sinnvoll war, dachte er. Das Leben war da, der mutige Sinn, die *joie de vivre*, aber der physische Körper war zart. Sie ließ an flüchtige Freuden und elegische Genüsse denken; ein Mann, der sie sah, wollte sie jetzt in den Arm nehmen, heute, in diesem Augenblick.

Er bemühte sich, solche respektlosen Gedanken über die Frau, die seine irdische Herrin war, aus seinem Herzen zu verbannen.

»Sie hat mit mir geflirtet«, sagte er.

»Wie das?«

»Sie hat verschiedene Kleider angezogen, und ich mußte beurteilen, welches für sie das schmeichelhafteste sei.«

Maria lachte laut. »Und für welches habt Ihr Euch entschieden?«

»Für ein italienisches. Sie hat eine ganze Garderobe von Kleidern aus allen möglichen Ländern, und an einem Tag trug sie englische, am nächsten Tag französische Gewänder und so fort. Aber das italienische schmeichelte ihr am meisten, da es ihr erlaubte, ihr Haar mit Netz und Haube zu zeigen.«

»Und wie ist ihr Haar?«

»Ah, jetzt klingt Ihr ganz wie sie! Ihr Haar ist eher rötlich als blond, und sie hat natürliche Locken. Aber sie hat auch nach Eurem Haar gefragt und wollte wissen, welche Haarfarbe vorzuziehen und wessen Haar schöner sei.«

»Nein!« rief Maria. »Gewiß hat sie ein Spiel mit Euch getrieben?«

»Nein, es war ihr völlig ernst damit. Sie verlangte, daß ich erklärte, welche schöner sei.«

»Und?«

»Ich sagte, die minder Schöne von zweien zu sein sei nicht der schlimmste aller Fehler. Und da«, klagte er, »verlangte sie, daß ich geradeheraus erkläre, welche von Euch beiden die Schönere sei. Das war noch einfach. Ich sagte, Ihr wäret die schönste Königin in Schottland, und sie sei die schönste Königin in England. Aber damit war sie nicht zufrieden. Sie drang weiter in mich, und schließlich sagte ich, jede von Euch beiden sei die schönste Lady in ihrem Lande, aber ihre Haut sei heller, obgleich auch Eure Farbe voller Liebreiz sei.«

»Und war sie damit zufrieden?«

»Mitnichten. Denn jetzt wollte sie wissen, wer größer sei, und als ich erklärte, daß Ihr sie überragt, da antwortete sie: ›Dann ist sie zu groß, denn meine Größe ist ja gerade richtig.‹«

Maria lachte wieder.

»Und so ging es immer weiter. Sie begann sich zu erkundigen, wie Ihr Eure Zeit verbringt und was Eure Interessen seien. Ich berichtete, Ihr wäret soeben von der Jagd im Hochland zurückgekehrt; Ihr läset oft geschichtliche Werke und spieltet zu Eurem Vergnügen mitunter die Laute und das Spinett. Da wandte sie sich mir zu – Madam, sie hat einen bohrenden Blick, ein scharfes Auge wie ein Raubvogel – und wollte wissen, ob Ihr gut spielt. ›Recht gut, für eine Königin‹, sagte ich.«

Maria zog eine Grimasse. »Verräter!«

»Ich dachte mir, es würde sie von der Idee abbringen, sie müsse Euch in allem, was sie tut, übertreffen. Weit gefehlt! Denn als nächstes sorgte sie dafür, daß ich sie ›zufällig‹ spielen hörte. Sie tat dann, als sei sie ganz verlegen deshalb, aber das war sie natürlich nicht; sie wollte wiederum wissen, wer besser spiele, sie oder Ihr? Und ich muß gestehen, Eure Majestät, ich gab ihr den Siegeslorbeer, schon weil ich dieses Spiels müde war.«

»Ah! Zweifacher Verräter!«

»Aber damit war es nicht zu Ende, nein. Es ging immer weiter: Zwei zusätzliche Tage hielt sie mich fest, damit ich sie tanzen sehen und Eure Fertigkeiten vergleichen könnte. Sie fragte mich, wer besser tanze, sie oder meine Königin? Ich antwortete, daß Eure Majestät nicht so ausgelassen und hingebungsvoll tanze wie sie – und das stimmte, denn sie vergißt beim Tanzen alle Sittsamkeit und springt herum wie ein Mann. Aber gottlob nahm sie es als Kompliment und ließ mich endlich, endlich ziehen.«

»Wie eigenartig! Sie scheint, was mich betrifft, genauso neugierig zu sein, wie ich es in Bezug auf Lord Darnley oder Lord Robert bin«, sagte Maria.

»Sie hat noch anderes Wunderliche gesagt und getan. Sie nahm mich mit in ihre Privatgemächer und zeigte mir Porträts von Euch und Lord Robert. Sie küßte Euer Bildnis und sagte dann, sie werde Euch entweder Lord Robert oder einen großen Rubin als Treuezeichen schicken.«

»Aber was Darnley angeht – glaubt Ihr, sie wird ihm den nötigen Paß ausstellen?« Plötzlich wußte sie, daß sie ungeheuer enttäuscht sein würde, wenn sie Darnley nicht persönlich sehen könnte.

»Die Chance besteht. Zumal wenn Ihr Euch für die Verbindung mit dem neuen Earl von Leicester zu erwärmen scheint.«

»Dann, guter Melville, schreibt meiner lieben Cousine, der Königin, ich sei zutiefst enttäuscht darüber, daß Ihr ohne ein Porträt von Lord Robert zurückgekommen seid, und auch darüber, daß Leicester selbst mir nichts gesandt hat. Sagt ihr, ich warte darauf. Und dann sagt ihr, wie entzückt ich war, ihren Fürbitten für den Earl von Lennox zu willfahren, und erwähnt nebenbei, daß der Vater seinem Sohn die Besitzungen gern zeigen würde – damit er sie einmal *sehen* könne, was ja noch nie möglich war. Einstweilen will ich ein hübsches Geschenk schicken.«

Melville seufzte. Das Ganze war wie ein Tennisspiel, das in alle Ewigkeit weiterging. Aufschlag, Volley, Aufschlag … »Jawohl, Eure Majestät.«

Als Melville gegangen war, saß Maria noch lange am Fenster und schaute hinaus. Auf dem Papier, hatte sie gesagt, sah dieser Cousin so vielversprechend aus. Er war kein Ausländer, er war von königlichem Blut, hatte einen Anspruch auf den englischen Thron, und er war in Frankreich gewesen. Und sogar groß war er! Das klang zu schön, um wahr zu sein.

Wenn ich ihn erfinden müßte, ich hätte alles das hinzugetan, dachte Maria. Sogar, daß er katholisch ist …

In den kalten Dezembertagen vor ihrem zweiundzwanzigsten Geburtstag eröffnete Maria das Parlament im Tolbooth. Sie hatte es ausdrücklich zu dem Zweck einberufen, den Earl von Lennox in Ehren wiederaufzunehmen und ihm seine Güter zurückzugeben. Langsam marschierte sie in einer Prozession von Holyrood das Canongate hinauf; Lord James trug ihr die Krone, da die Hamiltons – die es hätten tun müssen – die Teilnahme an dem Restaurationsritual für ihren politischen Feind abgelehnt hatten. Der Earl von Atholl trug ihr Zepter, der Earl von Crawford das Staatsschwert.

Im Inneren des dunklen Gebäudes erhob sich Maria und sprach zu den Drei Ständen des Reiches, und sie gab ihre Absicht bekannt, dem Earl von Lennox zu vergeben. Dann stand Maitland auf und hielt ebenfalls eine Ansprache.

»Meine Landsleute«, sagte er, »Ihr kennt sehr wohl die edle Abkunft des Matthew Stuart und seine weitere Verwandtschaft mit der Königin durch seine Vermählung mit ihrer Tante. Unsere Königin mit ihrem zarten Herzen will nicht sehen, wie ein edles Haus dem Untergang anheimfällt; sie will, daß altes Blut auch weiterhin geehrt wird. In den drei Jahren, die Ihre Majestät uns nun regiert, hat sich ihr freimütiges und großherziges Handeln für uns erwiesen, und wir haben manch nennenswertes Beispiel für ihre Milde erhalten. Wir können uns überaus glücklich preisen ...«

Nachher, beim Festbankett zu Lennox' Ehren in Holyrood, hatte Maitland Gelegenheit, mit Lord James zu sprechen, der ihn schon den ganzen Tag wütend anfunkelte.

»Nicht nur, daß Ihr es nicht verhindert habt, Ihr müßt es auch noch loben!« zischte Lord James.

»Es stand nicht in meiner Macht, es zu verhindern«, sagte Maitland. »Das wißt Ihr.«

Rizzio und seine Musiker hatten zu spielen aufgehört, und die beiden Männer mußten sich der allgemeinen Unterhaltung zuwenden, bis die Instrumente im Hintergrund ihre Stimmen erneut übertönten.

Als die Klänge von *»Adieu, o Sehnsucht des Entzückens«* sich erhoben, sagte Lord James: »Jetzt können wir mit dem Schlimmsten rechnen. Ich habe gehört, daß sie große Neugier auf diesen Darnley, ihren Cousin, erkennen läßt. Demnächst wird er also auch hier auftauchen, wie ein Hündchen auf der Spur seines Vaters.«

»Es könnte schlimmer kommen. Zumindest ist Darnley Elisabeths Untertan und kein Ausländer.«

»Nein, es könnte nicht schlimmer kommen, falls sie Gefallen an ihm findet! Eine ganze Partei entsteht damit: Die Lennox-Stuarts werden die Oberherrschaft gewinnen. Und dann wird für niemand anders mehr Platz sein.« Lord James machte ein grimmiges Gesicht. »Zumindest nicht für diese Generation.«

»Darnley ist ein Knabe. Vielleicht erweist er sich als leicht zu lenken. Wenn er erst einmal hier ist, eignet er sich vielleicht vorzüglich für unsere Zwecke.« Maitland seufzte. »Man muß immer nach Gelegenheiten suchen«, sagte er.

Die Musik war lauter geworden; Maria und Melville tanzten allein eine Galliarde. Bald hatten Lusty und John Sempill sich zu ihnen gesellt, und ihr Tanz wurde lebhafter und ausgelassener. Nun bahnten sich sogar Randolph und Beaton ihren Weg zu den anderen.

»Ich habe Berichte über diesen ›Knaben‹«, sagte Lord James. »Als er in Frankreich war, fern von seiner Mutter – die ihn in allem bestimmt –, da benahm er sich, hörte ich, nicht so gut. Er hat eine Vorliebe für Wein – im Übermaß –und Possen.«

»Er ist also töricht und rebelliert gegen seine Mutter. Welcher Junge wäre anders?« meinte Maitland. »Wolltet *Ihr* nie etwas tun, was Eure Mutter nicht wissen durfte? Ich wette, das wollte sogar John Knox.«

Henry Lord Darnley saß so aufrecht im Sattel, wie er nur konnte, und reckte den Hals. Sie näherten sich der schottischen Grenze; bald würde er sein Heimatland zum erstenmal zu Gesicht bekommen. Die Überreste des römischen Walls hatten sie in Newcastle hinter sich gelassen. Er hatte sich darauf gefreut, ihn zu sehen – hatte sogar im voraus ein Gedicht darüber geschrieben –, aber der Wall hatte sich als Enttäuschung erwiesen: ein moosbedeckter Bukkel im Nebel. Vielleicht war er einmal mächtig gewesen, eine wirkliche Barriere, aber heute konnte er nicht einmal eine grasende Schafherde daran hindern, hin und her zu ziehen. Gleichwohl flüsterte er den Refrain seines Gedichtes, als er und seine fünf Begleiter durch die Bresche zogen:

Halt wachsam fest an deinem Auftrag,
Bestürmt das Schicksal dich auch immerhin;
Denn dir obliegt, was ich wohl auch mag:
Zu steh'n und standzuhalten, nicht zu flieh'n.

Von Kindheit an hatte er Geschichten über diesen sagenhaften Wall gehört, der erbaut worden war, um die Barbaren im Zaum zu halten.

Jetzt hatte die Zivilisation ihn verschluckt, und die Barbaren waren nach Norden zurückgedrängt worden – nach Schottland, wohin er nun reiste, aber noch weiter nach Norden, über Edinburgh und Glasgow und Stirling hinaus.

Es war munter zugegangen auf der Straße, seit er den Hof verlassen hatte – sie hatten in Gasthäusern haltgemacht und sich vergnügt und auch zuviel getrunken. Mit jeder Flasche hatte er einmal auf seine Mutter getrunken, die jeden Bissen überwachte, den er aß, jedes Gewand, das er trug, jeden Brief, den er schrieb.

»Auf dich, liebe Mutter, wachsamste Mutter, würdigste Mutter«, hatte er an seinem ersten Tag in der Freiheit geschrien und dabei seinen Krug gehoben. Dann hatte er kichernd heruntergerasselt: »Reinste Mutter, keuscheste Mutter, makellose Mutter, unbefleckte Mutter, höchst liebenswürdige Mutter. Höchst bewundernswerte Mutter, du Mutter des Guten Rates, du Spiegel der Weisheit, Quell unserer Freude – ja, das stimmt, denn sie hat dies alles in die Wege geleitet. Und jetzt bin ich ein junger Mann, der auszieht, sein Glück zu suchen. O Gefäß des Geistes, unvergleichliches Gefäß der Hingabe, geheimnisvolle Rose« – er lachte brüllend, als er sich seine stämmige Mutter als geheimnisvolle Rose vorstellte –, »o Tor des Himmels, o Morgenstern –«

»Hüte deine Zunge, du besoffener Welpe!« rief ein vierschrötiger Mann in der Nähe. »Beleidigst du die Heilige Jungfrau noch einmal –«

»Die Jungfrau beleidigen?« fragte Darnley. »Ich rede von meiner Mutter, von *meiner* gesegneten Mutter, nicht von *der* seligen Mutter.«

»Du mißbrauchst die Litanei an die Heilige Jungfrau, und das hören wir nicht gern. Sei also gewarnt.« Er hob eine buschige, struppige Braue, und das Auge, das darunter hervorblickte, war hart wie Marmor.

»Schon gut.« Darnley wandte sich wieder seinem Bier zu. Die Freiheit, die Freiheit von *ihr* war ihm zu Kopf gestiegen. Das war es, und weniger das Trinken.

Endlich frei von ihr! Von ihren Einmischungen und Vorhaltungen, von ihrem Einverständnis und ihrem Rat. Unsere Liebe Frau vom Beständigen Rate. Er kicherte, und der Mann neben ihm warf ihm wiederum einen vorwurfsvollen Blick zu.

Noch als er in seinem Schlafgemach gestanden und sich überlegt hatte, ob er alles Nötige eingepackt habe, war sie hereingekommen und hatte ihm das Haar gebürstet.

»Wie eine glänzende Krone aus Gold«, hatte sie verträumt gesagt. »Wenn du es wäschst, sieh zu, daß du es mit Kamillenwasser spülst, um die Farbe zu erhalten.«

»Mutter!« Er hatte sich empört den Hut aufgestülpt.

»Es heißt, *sie* habe eine Vorliebe für goldenes Haar«, sagte sie.

»Ich habe aber gehört, sie zieht schwarzes Haar vor«, erwiderte er, nur um zu widersprechen.

»Nein, ich weiß aus bester Quelle –«

»Bah!« Er schloß die Mantelspange früher, als er vorgehabt hatte, und schickte sich zum Gehen an. Die Straße lockte, die Landstraße in die Freiheit. Was kümmerte es ihn, was ihn in Schottland erwartete? Der bestechendste Zauber dieses Landes lag darin, daß seine Mutter es nicht betreten durfte. Er war frei zu gehen, wohin sie ihm nicht folgen konnte.

Infolgedessen hatte er nicht genug über Schottland selbst nachgedacht; es war eher ein Zufluchtsort gewesen als ein wirklich existierendes Land. Und jetzt lauerte diese Wirklichkeit nur wenige Meilen weit vor ihm, und er fühlte sich plötzlich unwissend und unvorbereitet. Warum habe ich nicht mehr darüber gelesen, mehr studiert, klagte er bei sich, als sie sich Berwick und der Grenze näherten.

Weil *sie* mich so unablässig attackiert hat, daß ich weder Muße noch Ungestörtheit dazu hatte, antwortete er. Aber das brachte ihm keinen Trost.

Sie kamen durch Berwick, die Grenzstadt, die einmal schottisch gewesen, 1482 aber von den Engländern erobert worden und in ihren Händen geblieben war. Der Earl von Bedford, Wachhund in dieser Gegend, begrüßte sie feierlich und eskortierte sie dann zur eigentlichen Grenze, wo Lord James, Maitland und ein Trupp Reiter sie in Empfang nahmen.

»Im Namen Ihrer Majestät, der Königin Maria, heißen wir Euch in Schottland willkommen«, verkündete Lord James.

Er sprach tadelloses Londoner Englisch, und Darnley war enttäuscht.

»Ihr klingt ja wie ein Engländer«, sagte er.

Lord James wiederholte seine Begrüßung in schottischer Mundart. »Versteht Ihr das besser?«

Darnley lachte. »Also sind es beinahe zwei verschiedene Sprachen.«

»So ist es«, bestätigte James.

Und ich habe es nicht gelernt, dachte Darnley, und ein graues Gefühl stieg in ihm auf. Sie werden reden können, ohne daß ich es verstehe.

»Ich will es lernen«, versprach er. »Denn es ist die Sprache meiner Familie.«

»Ihr sollt für eine Weile in Holyrood bleiben«, sagte James, immer noch auf Schottisch. »Erholt Euch in Edinburgh. Euer Vater ist in Dunkeld, aber er wird bald zu Euch stoßen. Die Königin ist in Wemyss Castle.«

In Darnleys Ohren klang es wie Holländisch, und sein Unbehagen wuchs.

»Langsam, Sir, langsam. Noch habe ich nur wenig Schottisch gelernt«, sagte er.

»Dann lernt es lieber schnell«, riet James, und sein Ton war kalt.

Maria fröstelte trotz der wollenen Unterkleider, die ihr die Kälte vom Leib halten sollten; sie waren aus feiner, leichter Wolle gewebt und lagen eng am Körper, so daß man sie unter der Oberbekleidung nicht sehen konnte. Sie hatte sie in Frankreich machen lassen, und wenn sie sich als zufriedenstellend erweisen sollten, würde sie eine ganze Truhe voll davon für sich und ihre Marys in Auftrag geben. Aber sie boten nur kläglichen Schutz gegen die eigentümliche, alles durchsickernde nasse Kälte in diesem Februar, die nicht etwa ehrliches Eis und Schnee hervorbrachte, sondern weißen Nebel und eine kriechende Feuchtigkeit, die ihr die Finger steif werden und sie beständig zittern ließ.

Sie warf ihren dicksten Mantel über, setzte die Biberpelzmütze auf und zog ihre Handschuhe an; sie wollte einen Spaziergang im Garten machen. Feuer soll man mit Feuer bekämpfen, und Kälte mit Kälte, dachte sie. Wenn ich entsprechend bekleidet hinausgehe, ist mir vielleicht wärmer, als wenn ich in den kalten Steinkammern von Wemyss Castle bleibe. Und ein Spaziergang wird mein träges Blut in Bewegung bringen.

Sie stieg die steinerne Wendeltreppe in einem Eckturm der alten Burg hinunter und stieß die dicke, aus Eisen und Eichenholz gezimmerte Pforte zum Garten auf. Der Garten lag zu dieser toten Jahreszeit verlassen da; die Hecken waren kahl, die Blumenbeete mit Stroh und Sackleinen bedeckt. Reif lag auf den Mulchbergen und überzog die Statuen. Amor mit seinem Bogen stand auf Zehenspitzen auf einem rundlichen Fuß und hatte Eis auf den rundlichen Hinterbakken.

Und morgen ist Valentinstag, dachte Maria. Armes, kaltes Bürschchen, du solltest dich lieber bedecken.

Seltsam, wir vergessen immer, daß Amor zu einem stattlichen Gott heranwuchs. Er war schön wie eine männliche Venus, und Psyche verliebte sich auf den ersten Blick in ihn. Wir aber klammern uns an das Kind mit den Grübchen und nicht an den Mann. Wieso, frage ich mich.

Sie lächelte, als sie an die kleine Feier dachte, die sie für ihre Gesellschaft geplant hatte – eine Valentinswahl in der traditionellen Weise, Spiele, Liebesgaben. Den Marys würde es Spaß machen, vor allem Mary Livingston, deren Freier John Sempill ganz in der Nähe war. Bald würden sie heiraten, sie alle. Und Zeit wurde es. Sie waren alle über zwanzig und hatten nun lange genug gewartet – nur aus Ehrerbietung vor ihrer Herrin.

Es ist gut, daß Knox uns hier nicht sehen kann – und seine Spitzel auch nicht –, dachte sie. Wemyss Castle ist ein Ort, bis zu dem sein Arm nicht reicht, denn es liegt Edinburgh gleich gegenüber auf der anderen Seite des Firth. Er ist in letzter Zeit stimmgewaltiger geworden, fordernder.

Sie bog in die Allee aus Zypressen ein, die in einer Doppelreihe mitten im Garten standen. Die hohen, spindelförmigen Bäume ragten wie eine Wache über dem Garten auf, fast wie eine Aufforderung zum Schweigen. Und still war es hier: Kein Vogel sang, kein Laut war zu hören außer dem Rauschen des Wassers tief unten an den Felsen. Das Branden und Fließen der kalten See sandte ein kalt trauriges, saugendes Geräusch herauf, als die Wogen heranstürmten und zurückrollten und heranstürmten und zurückrollten.

Maria wanderte bis zum Ende des Gartens, wo man vom Klippenrand auf den Firth of Forth hinunterschauen konnte. Man hatte hier eine kleine Mauer errichtet, um Unfälle zu verhüten. Aber sie war nur hüfthoch, und man hätte leicht hinüber springen können. Oder gestoßen werden.

Sie zog den Mantel fester zusammen und schlug die Kapuze über ihre Mütze, denn es wehte ein heftiger Wind. Er kam von der Nordsee, peitschte sich durch den Trichter, den der Firth mit seinen steilen Klippen formte, und raste weiter, vorbei an Linlithgow und vielleicht bis nach Stirling, wo er dann sterben würde, gefangen zwischen den immer höheren Bergen des Binnenlandes.

Ein grauer Himmel deckte die Sonne zu. Jenseits des Forth stieg das Hügelland nach Edinburgh zu sanft an, aber Maria konnte die Stadt nicht sehen, denn Dunst und Nebel verhüllten sie. Während sie noch hinausschaute, rollte der Nebel von der Nordsee herein, fast als koche das Meer; er stieg an den Klippen herauf und wölkte in den Garten herein, folgte gehorsam den offenen Kieswegen, verharrte an den braunen, laublosen Hecken, umschlang die Statue des Amor, umhüllte sie mit einem Wolkenmantel. Der Garten füllte sich mit Rauch, aus dem nur wenige Landmarken noch hervorragten und Orientierung boten: die Zypressen, die Spitze der Sonnenuhr, die höchsten der Strauchskulpturen.

Gleich wird es mich verschlucken, dachte Maria, als sie merkte, daß sie jetzt auch die Turmpforte nicht mehr sehen konnte. Sie wandte sich um und wollte sich zurücktasten, doch da sah sie eine Bewegung, die einzige, die sie die ganze Zeit über im Garten gesehen hatte. Da bewegte sich etwas im weißen Dunst – bewegte sich und hielt wieder inne. Metall blinkte. Aber zu hören war nichts, kein einziger Laut.

Sie ging darauf zu und folgte einem breiteren Weg, der bis zum Rande des Gartens bei der Klippe führte – dort nämlich hatte sie die flatternde Bewegung gesehen.

Wieder blinkte Metall, und dann hörte sie ein dumpfes Klirren – Metall an Metall.

Auf dem Weg, dem Wasser zugewandt, stand ein hochgewachsener Mann in einem dunklen Umhang. Er hatte den Kopf bedeckt, und ein langes Schwert hing an seinem Gürtel. Er umklammerte seinen Griff, und es stieß gegen etwas Metallenes an seiner Kleidung, daher der Klang.

Er wirkte größer als ein Sterblicher, und sein schwarzer Mantel schien sich im Wind nicht zu bewegen; er hing herab wie aus Stein gemeißelt. Auch der Mann regte sich nicht, abgesehen von der Hand auf dem Schwertgriff, und der Mantelkragen verhüllte seine Züge.

Sie kam näher, und er rührte sich noch immer nicht und gab keinen Laut von sich. Hinter ihm aber regte sich jetzt etwas, und aus dem Dunst erschien ein heller Pferdekopf, dessen Augen die Farbe von gefallenem Laub hatten.

Maria trat an ihn heran und berührte seinen Arm. Da drehte er sich um und sah sie an.

Er war blaß, und seine Augen waren kalt wie der Nebel und blau getönt. Seine Lippen waren voll, aber sie sahen blutleer aus, und seine Wangen hatten keine Farbe. Er war alterslos; sein Gesicht war ohne Falten wie bei einem Jüngling, aber doch irgendwie gezeichnet von allem Wissen um die Sterblichkeit.

Sie schrie leise auf; er blinzelte und sah plötzlich unbehaglich drein.

»Ich bitte um Vergebung, wenn ich Euch erschreckt habe«, sagte er. Ein Lächeln lockerte seine Lippen, und sein Gesicht veränderte sich. »Ich hatte selbst Angst und wartete hier nur, um meinen Mut zusammenzunehmen.«

Sein Pferd wölbte die Lippe zurück und bewegte sich; der Nebel verwehte für einen Moment wie eine Rauchfahne, und man sah ein helles Tier mit einem schmuckvollen Sattel.

»Was war die Tat, die so viel Mut erfordert?« fragte Maria. Dieser junge Ritter sah aus wie eine Erscheinung aus der Vergangenheit, vielleicht gar aus König Arthurs Zeiten.

Er betastete sein mächtiges, edelsteinbesetztes Schwert mit langen, weißen Fingern.

»Ich will mich einer schönen Königin vorstellen«, sagte er.

»Und weshalb macht Euch das solche Angst?«

»Sie hat nicht nach mir geschickt; ich bin auf meines Vaters Geheiß hier. Er sagte mir, er könne Dunkeld noch mindestens eine Woche lang nicht verlassen, und daher müsse ich allein herkommen, um ihr meine Aufwartung zu machen. Aber mir anzumaßen … einfach herzukommen … nein, das klang doch besser in der Ferne.«

»Aber – dann seid Ihr Henry Lord Darnley«, sagte sie schließlich

Er wurde noch bleicher, als sie ihre Kapuze zurückschlug.

»Oh, heilige Mutter! Ihr seid es! Ihr seid *sie!* Ihr seid – oh, verzeiht mir, dreifacher Trottel, der ich bin.« Er packte ihre behandschuhte Hand mit seiner weißen, unbehandschuhten und fing an, sie mit Küssen zu bedecken.

»Lieber Cousin«, sagte sie, verlegen über seine Verlegenheit, »ich habe lange auf Euer Kommen gewartet.« Sie zog ihre Hand aus seiner kalten, knochigen. »Seid unverzagt! Ist das nicht besser als ein öffentliches Zusammentreffen? Als ein Austausch von Höflichkeiten unter den Augen unseres versammelten Gefolges? Uns beide hat es in diesen toten, verlassenen Garten gezogen, aus einem besonderen Grund … vielleicht aus demselben Grund.«

»Ja. Der Wunsch nach Einsamkeit, nach ungestörtem Nachdenken.« Ein glücklicher Ausdruck brachte Farbe in sein Gesicht, und Rosen erblühten in einem ehemals winterlichen Antlitz.

»Wovon es für uns beide nur wenig gibt«, sagte sie. »Man muß die Gelegenheit nutzen, wann immer sie sich bietet.« Sie winkte ihm. »Wollt Ihr jetzt hereinkommen?«

»Gleich. Müssen wir uns denn so rasch in Gesellschaft begeben? Von anderen verschlungen werden?«

Sie verstand genau, was er meinte, obgleich sie alle, die hier bei ihr in Wemyss waren, selbst ausgesucht hatte; diejenigen, unter deren Augen sie sich am meisten beobachtet fühlte, waren alle nicht hier: Lord James und Maitland, nicht einmal der gute Erskine und Melville.

»Wie Ihr wollt.« Sie lächelte ihn an, scheinbar leichthin, aber in Wahrheit schätzte sie seine Größe ab und stellte erfreut fest, daß er auf sie herabschaute – etwas, das noch wenige je getan hatten. Sie war daran gewöhnt, daß sie größer war als fast alle anderen, und dachte nicht mehr bewußt darüber nach; es war ihr in Fleisch und Blut übergegangen, wie ein Mensch auf festem Land sich nicht überlegt, wie er das Gleichgewicht hält – bis er zur See fährt.

»Können wir Edinburgh von hier aus sehen?« fragte er.

»An klaren Tagen.« Sie führte ihn zum Aussichtspunkt am Ende des Gartens. »Aber heute ist es von Nebel verhüllt.«

Dicke Wolken wehten über das Wasser, brodelnd und wirbelnd. Alle paar Augenblicke war das Land jenseits des Wassers kurz zu erkennen.

»Beinahe unmittelbar gegenüber liegt Leith«, sagte sie.

»Der Hafen von Edinburgh«, sagte er, strahlend wie ein Schuljunge. Er hatte es offensichtlich auswendiggelernt. »Und ganz weit links, auf der Spitze der Landmasse, ist Tantallon Castle. Wo mein Onkel, der Earl von Morton, meinen Vater willkommen hieß.«

»Er schien froh zu sein, daß er wieder nach Schottland kommen durfte.«

»Oh, die Heimkehr ist eine Freude jenseits aller Worte. Ist nicht das der Himmel? Es heißt doch, wir seien auf Erden nicht daheim, sondern nur Fremde und Ausgestoßene, aber irgendwann kehrten wir in die Heimat zurück – wenn es uns vergönnt sei. So ist es die zweitgrößte Freude, in die Heimat zurückzukehren, wenn man verstoßen war. Wahrscheinlich ist es das größte Glück, das uns in diesem Leben gewährt wird.« Sein Gesicht leuchtete.

»Aber Ihr wart doch nicht verstoßen«, antwortete sie. »Ihr wart doch überhaupt noch nie in Schottland. Ihr seid in England geboren; Ihr seid englischer Untertan und sogar ein Prinz der königlichen Familie.«

»Aber Schottland ist die Heimat meiner Ahnen.«

»Aber was genau kann das bedeuten? Eure Erinnerungen kann es nicht erfüllen oder Eure Empfindungen. Solches muß man an Ort und Stelle begreifen; man kann es nicht weiterreichen als einen geheimnisvollen Dunst.«

»Ah! Ihr könnt das nicht verstehen«, sagte er verzweifelt. »Ich weiß nur, daß ich schottisch *fühle*, daß in mir etwas ist, das bei dem Wort ›schottisch‹ immer in die Höhe sprang, das freudig erbebte, wenn ich erfuhr, daß ein Gedicht von einem Schotten stammte oder daß eine wackere Tat von einem Schotten im Ausland begangen wurde oder daß ein bis dahin scheinbar gewöhnlicher Mensch schottisches Blut in den Adern hatte: Sofort kam er mir anders vor, erhöht, gewissermaßen. Nein, ich kann es nicht erklären.«

»Aber ich verstehe es.« Und sie verstand es wirklich. »Ich habe das gleiche empfunden, als ich nach Schottland zurückkehrte. Aber ach, ich stellte fest, daß die Franzosen mich zwar für eine Schottin hielten, die Schotten indessen für eine Französin. Ich empfinde all das, was Ihr da beschreibt, aber niemand traut es mir zu. Noch heute betrachten sie mich als ›Ausländerin‹, und sie bedienen sich der Religion, um es mich spüren zu lassen. Schottland war tausend Jahre lang katholisch. Protestantisch ist es seit knapp fünf. Wer also ist der bessere Schotte, der traditionellere Schotte, der wahrere Schotte?«

»Ja! Ja!« antwortete er. »In England ist es ebenso. Die Religion unserer Ahnen ist plötzlich zum Verrat erklärt worden. Aber Edward der Bekenner und Heinrich V. haben ihr doch angehangen und sie verteidigt. Wie kann man sie dann immer noch als Helden preisen?«

»Indem man zwei einander widersprechende Überzeugungen in seinem Kopf vereint. Das ist heute die große Mode.«

Beide lachten.

»Unser gemeinsamer Urgroßvater, Heinrich VII. – wie einfach war doch seine Welt«, meinte sie. »Ein Glaube. Nur Europa zu bedenken. Keine Protestanten. Keine Neue Welt. Weder Rußland noch die Türken. Er hatte nur die Häuser York und Lancaster zur Ruhe zu bringen. Wir aber haben Protestanten, Prediger, Heiden, Häretiker, das gemeine Volk und seine Vertreter, John Knox ...«

»Wir?«

»Ja«, sagte sie ruhig. »Wir.«

Henry Lord Darnley wurde freundlich willkommen geheißen in der Burg, in die sich die Königin gleichsam zur Erholung zurückgezogen hatte. Urlaubsatmosphäre erfüllte das Gebäude; Schuhe wurden durch weiche Pantoffeln ersetzt, steife, juwelenbesetzte Mieder durch bequeme Jacken. Maria zog sich oft in dieser Weise zurück, stieg in Kaufmannshäusern ab und entledigte sich ihrer Dienerschaft und sogar ihrer königlichen Staffage, so wie einer seine Kleider ablegt, um in einem Gesundbrunnen ein heilendes Bad zu nehmen.

Auch die Marys waren in Ferienstimmung, denn sie liebten diese Zeiten, da sie ihre Herrin abseits aller protokollarischen Beschränkungen für sich hatten. Sie konnten dann so tun, als wären sie eine Schar einfacher Mädchen – ja, sie konnten es für eine kostbare, kurze Zeit sogar sein. Der neunzehnjährige Darnley fügte sich mühelos in ihre Mitte, denn er war ja selbst auf der Flucht vor Pflichten und Zukunft, verspielt und entspannt.

Am Valentinstag sollte eine private Feier stattfinden: eine altmodische Namensauslosung mit Gesang und Tanz. Die Große Halle von Wemyss Castle – die allerdings nicht groß, sondern eher klein war –, wurde für dieses Ereignis vorbereitet. Rote Bänder wurden um die Fackelhalter an den Wänden geflochten, und der Saal wurde ausgeräumt. Man ließ Musikanten aus Dunfermline kommen, denn in der Burg gab es keine Zither- und Gambenspieler, und wählte Musikstücke aus.

Alter Legende zufolge erwählten sich die Vögel an diesem Tag ihre Gefährten, und die Menschen mußten es ebenso tun. Dementsprechend wurden zwei Valentinskörbe mit Girlanden behängt, und in den einen kamen die Namen aller Männer, in den anderen die Namen der Frauen. Alle würden einen Namen ziehen und sich so zu Paaren finden. Zufall und Natur würden sicherstellen, daß die Paare zusammenpaßten.

Aber menschliche Bedürfnisse griffen ebenfalls ein. Maria zog wundersamerweise Darnleys Namen, und Mary Livingston bekam John Sempill. Mary Beaton und Mary Fleming, deren Liebste allzusehr Teil der Regierung waren, um in diesem Urlaub zugegen zu sein, mußten sich mit dem Posaunenspieler und dem Burgverwalter zufriedengeben.

Langsam entrollte Darnley den Namen, den er aus dem verzierten Korb gezogen hatte. »Maria Stuart«, lautete er. Nicht: »Die Königin«.

»Wage ich's?« fragte er.

»Soll ich denn an diesem Tag allein bleiben?« Maria lachte. »Das wäre eine Beleidigung.« Sie sah ihn an. »Es trifft sich gut, mein Valentin.« Sie betrachtete sein hübsches Gesicht. Er war wie ein Ritter aus einem Traum – so groß, so aufrecht, so klug, so golden.

Sie tanzten. Er tanzte vorzüglich. Dann wollte er die Laute spielen, und zum Erstaunen aller war er ein Virtuose. Selbst Riccio, der sich in eine Ecke drückte und das Valentinsfest an sich vorbeiziehen ließ, nickte beifällig. Als alles vorbei war, setzte Darnley sich an den Kamin und sang. Seine Stimme, ein seidiger Tenor, fand jeden Ton mit Sicherheit und Leidenschaft.

Maria, die es sich zu seinen Füßen bequemgemacht hatte, war in dem goldenen Netz, das er auswarf, gefangen. In diesem Netz gab es nur Jugend, Schönheit, Verstehen – es war die Heimkehr in ihr fremdes Land.

Am Ende der Feier, als die müde Gesellschaft sich in ihre Gemächer zurückzog, winkte Darnley Maria, der die Augen vom Glühwein und vom warmen Feuer allmählich zufielen, noch einmal zu. »Ich habe ein Geschenk für Euch«, sagte er. »Kommt und seht.«

Der Wandteppich wölbte sich an einer Stelle vor; Darnley verschwand dahinter, um etwas zu holen. Es war ein zierlicher Vogelkäfig, ganz aus Peddigrohr und mit zartem Goldmuster bemalt.

»Ein Paar Singvögel«, sagte er. »Buchfinken, die man gefangen hat, bevor es kalt wurde. Ein Hähnchen und sein Weib.«

Als er ihr verblüfftes Gesicht sah, fuhr er fort: »Am Valentinstag erwählen sich die Vögel doch ihre Gefährten, nicht wahr? Daher erschien es mir als passendes Geschenk für Euch, meine Valentine.« Er kniete nieder und überreichte ihr den Käfig.

Sie spähte zu den Vögeln hinein. »Werden sie singen?«

»Nur das Männchen singt«, sagte Darnley. »Wie ich es tue, wenn ich bei Euch bin.« Er griff nach ihrer Hand.

»Ihr singt außergewöhnlich gut«, sagte sie und zog ihre Hand weg.

»Wollt Ihr meine Valentine sein?« fragte er.

»Das bin ich schon«, sagte sie. »Wir haben die Namen gezogen.«

»Ich meine – über diese Nacht hinaus.«

Er war die Ausgeburt eines geheimen Mädchentraumes, und er war genau in dem Augenblick erschienen, als ihr Verlangen seinen Höhepunkt erreicht hatte.

»Ich – ich weiß es nicht«, antwortete sie.

»Oh, sagt mir, daß ich hoffen darf!« rief er, und wieder faßte er ihre Hand und bedeckte sie mit Küssen. Sein Kopf schimmerte golden, als er sich über ihre Finger beugte.

»So, wie ich es darf«, sagte sie. »Wie ich hoffe auf ...« Ja, worauf hoffte sie? Auf so vieles. Aber in diesem Augenblick darauf, daß sie eines Tages sein Haar küssen dürfte, seine Lippen ... »... auf das Glück.«

»Ich will Euch glücklich machen!« murmelte er. Sie entzog ihm ihre Finger und umfaßte sein Kinn mit beiden Händen. Dann beugte sie sich nieder, um ihn zu küssen, und als sie sich küßten, erhob er sich und wurde größer und größer, bis sie selbst den Kopf weit in den Nacken legen mußte. Seine Lippen waren süß und weich, und sie wollte auf ihnen kreisen, sie zerdrücken, zerbeißen und schmekken.

»Ach, Maria«, hauchte er und drückte sie an sich. Sein Körper war schlank, aber hart, und er zitterte leise unter dem dicken Samt. »Ich möchte so gern etwas sagen, an das wir uns immer erinnern können, aber nur ›Maria‹ kommt mir über die Lippen«, sagte er. Er küßte sie auf vielerlei Art: leicht wie ein Schuljunge, hungrig wie ein verschmachtender Soldat, langsam wie ein Satter, der die letzten Bissen einer Honigwabe genießt.

»Soviel zur Dichtkunst«, sagte sie schließlich und löste sich atemlos von ihm. »Nie ist sie zur Hand, wenn wir sie brauchen.« Sie wollte lachen, aber er legte ihr seine Finger auf die Lippen.

»Pssst«, sagte er. »Wir brauchen sie nicht. Wir brauchen keine Dichtkunst.« Er küßte sie noch einmal. »Du hast mir nicht geantwortet. Willst du meine Valentine sein?«

»Ja«, sagte sie. »Ja, ja.«

Maria kehrte eine Woche später nach Edinburgh zurück, und Darnley folgte ihr; er wurde mit seinem Vater vereint und von Lord James und allen Lords der Kongregation formell willkommen geheißen. James veranstaltete in Holyrood ein großes Bankett für Darnley, und Lennox traf sich mit Randolph und mit allen schottischen Adeligen, die in der Stadt waren. Maria ließ ihnen scherzhaft ausrichten, sie fühle sich ausgeschlossen, worauf ihr Bruder ihr mitteilen ließ, daß es ihr Palast sei und daß es ihr daher freistehe, zu tun, was sie wolle. Daraufhin lud sie die ganze Gesellschaft ein, am Ende zu ihr in die königlichen Gemächer zu kommen, um den Abend zu beschließen. Das taten sie; in ihrem Audienzgemach herrschte ein großes Gedränge, das bis in ihre Schlafkammer überquoll, wo sie noch mehr Wein tranken und alle Kirschbaumholzscheite aus dem Korb am Kamin verbrannten, die Maria dort für einen besonderen Abend verwahrt hatte, weil sie ihren Duft besonders liebte. Rizzio und Darnley führten den Gesang an, und ihre beiden Stimmen, Baß und Tenor, umrankten einander.

Ich wollt', ich wär' bei Helen mein,
Daß sie nicht länger um mich wein',
Ach, wär' ich doch bei Helen mein,
Zu Kirconnel am Fluß.

O Helen schön, so wunderbar,
Flecht einen Zopf aus deinem Haar,
Daran ich bind mein Herz fürwahr,
Bis daß ich sterben muß.

Maria hing den Träumen nach, die diese Stimmen in ihr weckten, als sie sah, daß Mary Livingston und John Sempill einander bei den Händen hielten. Sogar die Arme hatten sie ineinander verschlungen, und zum erstenmal seit Jahren fühlte sie sich beim Anblick eines händehaltenden Liebespaars nicht einsam und ausgeschlossen.

Darnley sang nur für sie; er hob den Blick und schaute ihr in die Augen. Beinahe unmerklich strafften sich seine Lippen, und sogleich durchflutete sie eine Woge der Erinnerungen und des Verlangens.

Seine Küsse. Von den ersten Küssen am Valentinstag bis zu all den Küssen, die er ihr zu Wemyss gegeben hatte, wenn sie miteinander allein gewesen waren, erschien ihr keiner wie der andere. Ein jeder schien sie an einer anderen Stelle zu berühren, als seien seine Lippen und die verborgenen Orte ihres Körpers durch unsichtbare Fäden verbunden, und jeder Fleck erbebte auf eigene Art. Und jeder Fleck, der einmal von ihm berührt worden war, hungerte nach neuen Berührungen.

Warum hat niemand mir von diesem Hunger erzählt, dachte sie.

»Eure Majestät«, sagte Livingston. »Ich … wir …« Sie beugte sich vor und flüsterte: »John hat mich gebeten, seine Frau zu werden. Und ich habe ihm gesagt, daß ich es werden will.«

»Oh!« sagte Maria. »Nun – dann bist du die erste … die erste meiner Marys, die sich vermählt. Ja, natürlich – ich befreie dich von deinem Gelübde. Von ganzem Herzen gern.«

Livingston gab ihrer Herrin einen sanften Kuß auf die Wange. »Ich danke Euch, gütige Königin.«

»Und ich bestehe darauf, daß ihr hier bei Hofe heiratet. Das wird das erste Hochzeitsfest in Holyrood sein. Oh. Lusty! Das ist der Beginn – der Beginn glücklicher Zeiten: Heiraten, Liebe, Kinder … für uns alle.«

Sie heirateten am Fastnachtsdienstag nach protestantischem Ritus; danach fand in Holyrood ein Bankett statt, und es wurde getanzt. Maria hatte die eleganten Masken eines französischen Fastnachtsballes mit der großartigen Pracht eines Hochzeitsschmauses vereint. Im Licht von Tausenden Kerzen bewegten sich silbern maskierte Tänzer in majestätischer Gemessenheit zu den süßen Klängen von Psalter, Laute und Flöte.

Maria trug ein Kleid aus silbernem Stoff mit Rüschen aus spitzengesäumtem Batist und eine Maske aus weißen und schwarzen Federn mit brillantenbesetzten Bändern, und sie tanzte mit manch fantastischer Gestalt: mit einem Ritter von Hofe König Arthurs in einer antiken Rüstung, die seine tänzerischen Fähigkeiten begrenzte (seine Stimme verriet ihn als Melville); mit einem grün-gelben Kakadu, dessen Kopfschmuck drei Fuß hoch ragte (Randolph); mit der St.-Giles-Kathedrale einschließlich ihres kronenförmigen Turmes (der füllige Earl von Morton); mit Julius Caesar (Lord James), unter dessen Toga eine wollene Unterhose und ein Paar robuste Stiefel hervorlugten; und mit einem Hochland-Häuptling, dessen Schwert scheppernd über den Fußboden schleifte (der französische Botschafter). Dann nahm Darnley – der Größe wegen, nicht der Breite, als Goliath verkleidet – sie in seine Arme.

»Königin der Geheimnisse«, sagte er. »Quer durch die Halle konnte ich Euch sehen, funkelnd in Schwarz und Weiß.«

»Farben, die keine Farben sind«, murmelte sie.

»Weil Ihr keine Farben habt?«

»Weil es Trauerfarben sind.«

»Ihr seid nicht in Trauer.«

»Formell nicht. Aber mein verstorbener Herr –«

»Euer ›verstorbener Herr‹, wie Ihr ihn nennt, ist seit vier Jahren nicht mehr bei Euch. Keine Konvention verlangt eine derart lange Trauerzeit.«

»Keine Konvention weiß etwas von meinem Herzen«, beharrte sie.

»Das Herz ist etwas Lebendiges, und das Eure ist gewiß vor allem zum Leben und zur Liebe bestimmt.«

Er hielt sie dicht an sich gedrückt, und sein spärliches Kostüm schmiegte seine bloße Haut an ihr silbernes Gewand.

»Wollt Ihr wieder lieben, Madam? Nein – ich weiß es schon. Ihr habt es getan, Ihr tut es, und Ihr werdet es tun. Doch in der Öffentlichkeit – wollt Ihr die Trauer da nicht auch ablegen? Ich weiß wohl, daß die Trauer ihre eigenen lustvollen Verlockungen birgt – man kapselt sich ein, hängt Tagträumen nach, läßt köstliche Erinnerungen und auch Schuldgefühle noch einmal aufleben. Und auch das Gefühl der Erfüllung: Ich habe geliebt; ich habe gut geliebt; es ist vollbracht.«

»Wie könnt Ihr es wagen!« Sie stieß ihn zurück.

»Weil ich Euch liebe.« Er packte sie wieder und wehrte die hoffnungsvolle Fürsorglichkeit des Earl von Argyll ab, der in seinem Delphinskostüm neben ihnen auf seine Chance wartete. »Ich liebe Euch, ich spüre, daß ich ohne Euch nicht leben kann. Und mit anzusehen, daß Ihr Eure Liebe, Eure Gegenwart, Eure Zukunft einfach ausgießt und sie einem opfert, der nicht mehr ist und nicht mehr daran teilhaben kann – nein, das bricht mir das Herz! Mag ich auch unwürdig sein – gut, so schenkt sie jemandem, der würdiger ist; dem kann ich Beifall spenden. Aber nehmt doch nicht die schönste Blume, die auf Erden blüht, und legt sie in eine Gruft!«

Tränen rannen ihm über die Wangen, und sanft wischte sie sie mit ihrem Taschentuch fort. »Aber Henry«, sagte sie, so überrascht, daß ihr die Worte fehlten.

»Wir fahren doch nur zu bald selbst in die Gruft«, klagte er. »Seht Ihr das denn nicht? Sich vor der Zeit in eine zu verfügen, das ist Frevel!« Er hörte auf zu tanzen und ergriff Marias Hand. »Heiratet mich, Maria. Ich würde Euch darum bitten, wäret Ihr Maria, die Kammerzofe, und ich Henry, der Stallknecht. Wir wollen dem Grab eine Nase drehen, solange wir können, denn lange können wir es nicht. Aber vorläufig noch gibt es duftende Feuer und Verse von Ronsard, es gibt Bordeaux-Wein in venezianischen Gläsern und Masken mit Pfauenfedern. Es gibt sogar Diamanten auf den Bändern und einen Rizzio, der für uns singt. Werdet meine Frau, Maria, und ich verspreche Euch, wir werden schwelgen in all diesen schönen Dingen, den kurzen Dingen, die die Erde uns zu bieten hat. Zusammen werden wir beide umhertollen wie in den elysischen Gefilden, zusammen mit Helena und Paris, mit Antonius und Kleopatra … oh, sie werden uns beneiden, die glücklichsten Sterblichen auf Erden!«

»›Glücklich‹ und ›sterblich‹, das sind zwei Worte, die sich nicht vereinen lassen«, sagte Maria. Sie begann wieder zu tanzen, damit die anderen nicht aufmerksam wurden.

»Nicht auf die Dauer, nein, aber – ah! Wie hell können sie lodern auf Erden, solange sie brennen!«

»Um dann kurz darauf zu verlöschen.«

»Ach, Ihr habt ja Angst! Ihr seid feige – Ihr, die große Tochter der Stewarts, so tapfer in der Schlacht, so furchtlos gegen Schiffsuntergang und Kugelpfiff – und hier habt Ihr Angst! Ihr wagt es nicht, das Glück – und wäre es nur für einen Augenblick – den Göttern zu entreißen –«

»›Den Göttern‹? Seid Ihr kein Christ? Kein Katholik? Wer sind diese Heidengötter, die Ihr da anruft?«

»Das Schicksal, Madam. Denn wir alle haben ein Geschick, Christen oder nicht, und der Glaube hat wenig damit zu tun, solange wir leben. Erst hernach … doch warum vom ›hernach‹ reden? Seid die Meine jetzt, auf dieser Erde, im Palast, in meinem Bett …« Er küßte sie beim Tanzen, bog ihren Kopf zurück, bis ihre Maske herunterfiel.

»Ja, das will ich«, murmelte sie und raffte ihre Maske auf. »Aber ich bitte Euch« – sie tanzte weiter –, »es muß vorläufig ein Geheimnis bleiben. Mächtige Leute werden versuchen, es zu verhindern. Nicht das Schicksal, sondern Menschen.«

»Ich werde sie erschlagen«, sagte er.

»An diesem Hof gibt's viele kleine Davids mit zielsicheren Schleudern«, sagte sie. »Lieber Goliath – laßt uns dieses Geheimnis vorläufig um unserer eigenen Sicherheit willen vor ihnen bewahren.«

»Dann wollt Ihr meine Frau werden?« flüsterte er.

»Und Ihr werdet mein König sein«, antwortete sie sanft, und er lächelte ungläubig.

Ein massiger schwarzer Bär bahnte sich seinen Weg auf sie zu, durch das Kostüm hindurch erkennbar als Lord Ruthven.

»Hier nun kommt der Kieferknochen eines Esels«, sagte Darnley und lachte wild. »Um bei der Bibel zu bleiben.«

Der schwarze Bär kam schwankend und grollend auf sie zu. Er hob eine pelzige Pranke – bis in die Einzelheiten akkurat gefertigt: Selbst die einzelnen Krallen waren säuberlich an die Fußballen angenäht – und harkte damit durch die Luft.

Maria wich zurück. Was hatte er vor?

Der Bär schlug nach Darnley, und aus dem Maul ertönte es guttural: »Geh zurück zu deiner Mutter, du Schakal.« Darnley machte ein erschrockenes Gesicht; die Bestie sah unangenehm echt aus.

»Ja, aber was denn – ist das nicht Lord Ruthven?« sagte er, und seine Stimme klang unnatürlich hoch.

»Es kommt nicht darauf an, wer ich bin; es kommt nur darauf an, daß du dahin zurückkehrst, wo du hergekommen bist, und zwar schleunigst.« Wieder ließ der Bär die Pranke niedersausen, und diesmal streiften die Klauen Darnleys Kostüm.

»Ich befehle Euch, von diesen Provokationen abzulassen, wer immer Ihr seid!« sagte Maria, aber sie wußte, daß es Lord Ruthven war; die topasgelben Augen glänzten durch die Löcher im Kostüm. Diese Augen … sie entsann sich, daß sie gehört hatte, er sei ein Hexenmeister mit übernatürlichen Kräften, und daß sie gedacht hatte, ja, er hat diese Augen, gelb wie die Augen des Teufels …

Jäh wandte der Bär sich ab und trottete davon.

John Knox schüttelte den Kopf, als er sich den Maskenball bei der Hochzeit in Holyrood mit all seinen an die Hure Babylon gemahnenden Assoziationen beschreiben ließ: Fastnacht, dieser alljährliche Vorwand für katholische Ausschweifungen, Männer und Weiber in unsittlichen Kostümen, lasterhafte Tanzerei.

Was immer James Stewart ihm da versicherte: Der Katholizismus gewann wieder an Boden im Königreich. Nicht nur, daß die protestantischen Lords in ihrer Wachsamkeit gegen die Papisterei nachlässig geworden waren – wie sich in letzter Zeit an einer gewissen Abneigung gegen die Teilnahme an Knox' Predigten in St. Giles erkennen ließ –, jetzt hatten sich auch noch die Lennox-Stewarts wieder ins Land geschlichen, ja, sogar in die Gunst der Königin. Und ein Ausländer, ein aalglatter, verwachsener italienischer Papistenspitzel, Rizzio, hatte sich als Sekretär für französische Angelegenheiten in den Dienst der Königin geschmuggelt und trottete wie ein Schoßhund hinter ihr her, hechelte und wedelte mit seinem teuflischen Schwanz.

Knox war müde. Ich bin einundfünfzig Jahre alt, dachte er, und kein Ende dieses Kampfes ist in Sicht, dachte er. Eine Zeitlang ging es so gut, und Du warst stets an meiner Rechten, o Herr. Aber jetzt werden meine Arme müde, und sie hängen herab, und die Schlacht beginnt sich zu wenden. Ich bitte Dich, sende einen, der sie hochhält, wenn ich versage. Sende einen Aaron und einen Hur.

Er schlurfte zu seinem Arbeitstisch. Er hatte keine Lust zum Schreiben; lieber hätte er sich hingelegt. Aber er schüttelte diese Trägheit ab und zog sein dickes Tagebuch zu sich heran.

5. März 1565: Es ist wohlbekannt, daß die von Scham vorangetriebene Heirat zwischen John Sempill, genannt der Tänzer, und Mary Livingston, die Lustige geheißen …

Er seufzte.

Was für ein Getöse die Marys und die übrigen Tänzer bei Hofe machten, davon legen die Balladen unserer Zeit Zeugnis ab, während wir um der Schicklichkeit willen davon schweigen wollen.

Weshalb fühlten sich die Menschen von übermütigem Treiben nur immer so angezogen? Warum so viele Balladen über Wollust und Gewalt und so wenige über Gottes Liebe?

Unterdessen gibt's bei Hofe nichts als Bankette, Bälle und Tanzereien sowie andere solche Vergnügungen, die geeignet sind, den zügellosen Appetit anzusprechen; und das alles nur zur Unterhaltung des englischen Vetters der Königin, des Lord Darnley, dem sie jeglichen nur denkbaren Ausdruck von Güte und Liebe zuteil werden läßt.

Darnley. Knox ließ sich auf seinem Stuhl zurücksinken und dachte an den ausdruckslos blickenden Burschen, der erst ein einziges Mal nach St. Giles gekommen war, im Schlepptau des Lord James. Er hatte auf einem Platz gesessen, welcher der Königsfamilie und dem Adel vorbehalten war, war in erlesene Gewänder und Pelze gekleidet gewesen und war gegangen, ehe die Predigt – die von der Zehntabgabe gehandelt hatte – vorüber gewesen war.

Weshalb war er überhaupt gekommen? Er war katholisch – zumindest seine Mutter war es, und in herausragender Weise. Fühlte er ehrliches Verlangen nach dem Evangelium? Zuerst hatte Knox es geglaubt, gehofft. Der Heilige Geist rief aus seltsamen Gegenden. Aber als er Darnleys ganz und gar unschuldiges, leeres Gesicht gesehen hatte, die dämmrigen Augen, die weder Tiefe noch forschenden

Intellekt erkennen ließen, da war ihm klar gewesen, daß er entweder spontan und ohne etwas dabei zu denken Lord James begleitet hatte oder daß es eine kalkulierte politische Geste gewesen war, die seine protestantischen Kritiker entwaffnen sollte. Der Lord Darnley war kein Wahrheitssucher.

Aber wer war das schon? Und wer unter ihnen würde auf dem rechten Wege bleiben?

Knox schob das gebundene Journal beiseite und ließ den Kopf auf die Arme sinken. Er war so müde.

James Melville kam mit einem gewissen Maß an Zuversicht, wenn auch nicht unbefangen, in das Audienzgemach der Königin. Schließlich hatte sie ihn ja gleich in den allerersten Tagen gebeten, ihr privater Mahner zu sein. Zunächst hatte er gezögert, diese Position zu übernehmen, die ja, wie sie ihm unmißverständlich gesagt hatte, bedeutete, daß er sie auf Fehler hinwies, die auf der Unkenntnis einheimischer Gebräuche und Manieren beruhten. Er hatte ihr versichert, daß ihre natürliche Urteilskraft und ihre Erfahrung vom französischen Hofe ausreichten, aber sie hatte abgewehrt.

»Ich habe schon viele Fehler begangen, ohne böse Absicht, nur weil es mir an der Ermahnung durch liebende Freunde ermangelte«, hatte sie gesagt. »Ich weiß, daß Höflinge den Fürsten schmeicheln und ihnen niemals die Wahrheit sagen, weil sie fürchten, ihre Gunst zu verlieren. Aber Ihr – Ihr werdet so nicht sein. Und Ihr werdet niemals meine Gunst verlieren. Es sei denn, Ihr ginget hin und küßtet Master Knox bei einer seiner Predigten! Also, ich bitt' Euch, haltet Euch zurück!«

Und jetzt mußte Melville dieser schweren Aufgabe nachkommen. Denn in letzter Zeit hatte die Königin ...

»James Melville, bitte tretet ein.«

Eine Wache winkte ihn in das Audienzgemach. Drinnen blieb er stehen und wartete.

»Lieber Melville!« Maria kam aus ihrem Privatgemach und streckte die Arme aus.

»Eure Majestät.«

Sie lächelte und nahm auf ihrem Staatssessel unter dem königlichen Baldachin Platz, aber dort lehnte sie sich bequem zurück wie eine Frau, die nur einen Freund empfängt.

»Guter Melville, danke, daß Ihr gekommen seid.« Sie lächelte weiter, und er sah, daß es ein anderes Lächeln war, das aus einem tiefen inneren Glück kam und aus sich selbst lebte.

»Meine überaus geliebte Königin, Ihr habt mich gebeten, zu Euch zu kommen, wenn ich etwas bemerke, was Euer Ansehen beim Volke mindern könnte. In letzter Zeit ... in letzter Zeit –«

»Ihr seid so aufgeregt, lieber James.« Sie trat von ihrer Estrade herunter und setzte sich neben ihn. Ein schweres Parfüm, das sie angelegt hatte, nahm ihm den Atem. »Nun, was gibt es?«

Er hätte gern mit der Hand gewedelt, um das Parfüm zu vertreiben. Es roch nach faulenden Veilchen.

»Euer Diener Rizzio«, sagte er.

»Was ist mit ihm?«

»Er tritt in letzter Zeit – so zumindest nehmen die Leute es wahr – stärker hervor denn je. Man sieht und hört ihn allenthalben. Um Eurer selbst wie auch um seinetwillen muß ich Euch raten, ihn mehr im Hintergrund zu halten.«

»Ich weiß nicht, was Ihr meint.« Ihre Haltung wurde starr.

»Das gemeine Volk sieht ihn als Spitzel, als Papistenspion. Es bezeichnet ihn mit jenem tödlichen Wort, das einem Stewart stets nur Übles verheißt: ›*Günstling*‹.«

Er brachte es fertig, das Wort wie einen Fluch klingen zu lassen. Als er durchgeatmet hatte, fuhr er fort: »Die königlichen Stewarts sind eine große Dynastie. Ihr Mut, ihre Schönheit und die Hingabe an ihr Volk sind ohne Beispiel. Aber sie haben einen fatalen Fehler: Sie erwählen sich als Günstlinge gern Leute niederer Herkunft. James III. mit seinem Günstling Robert Cochrane, dem Architekten der Großen Halle zu Stirling, zog den Haß seines Adels auf sich. Und, mit Verlaub zu sagen, Majestät, die Treue Eures eigenen Vaters zu seinem Günstling Oliver Sinclair war zu einem großen Teil schuld an seiner Niederlage im Solway-Moor. Der Adel wollte ihm nicht folgen.«

»Und sie denken, Rizzio ist mein Oliver Sinclair?« sagte sie leise.

»Ich fürchte ja, Madam.«

»Aber er kümmert sich lediglich um meine französische Korrespondenz.«

»So sieht man es aber nicht,«

»Wenn ich mich mit ihm zurückziehe, dann nur, um ihm Anweisungen zu geben!«

»Auch das sieht man nicht so.«

»Ohhh!« Sie stand auf und ballte die Fäuste. »Soll ich nun über jede Stunde Rechenschaft ablegen müsen? Wen kümmert es, wann ich mich mit ihm berate?« Sie fing an, auf und ab zu gehen.

»Es ist nicht nur das gemeine Volk. Je mehr Zeit Ihr zurückgezogen mit Rizzio verbringt, um Euch mit ihm zu beraten, desto öfter werden diejenigen, die als Eure hauptsächlichen Ratgeber gedient haben, beiseite geschoben. Das sehen sie mit Beunruhigung, Madam, und das ist kein Geheimnis. Ihr wißt seit langem, daß Eure eigenen Ratgeber ihm übel gesonnen sind.«

»Oh. Ihr meint natürlich Lord James und Maitland.«

»Es gibt noch andere«, sagte er leise.

»Oh! Ich habe es so satt, mißverstanden zu werden!« Sie blieb für einen Augenblick stehen, als habe sie ein wogendes Meer in ihrem Herzen zu beruhigen. Dann sprach sie weiter. »Es schmerzt mich, daß manche Leute falsche Vorstellungen haben. In Wirklichkeit ist Rizzio nur –«

»Ihr braucht mich nicht zu überzeugen, Eure Majestät. Die anderen müßt Ihr überzeugen, die große, namenlose Schar derer, die das Land bevölkern und alle Herrscher plagen, die ihnen nicht passen. Und Eure königliche Schwester in England schickt immer schärfere Botschaften über Euer mangelndes Interesse an ihrem ›teuren Robin‹.«

»Nicht an mich. Niemals direkt an mich.«

»Berichten zufolge hat sie sich endlich klar über ihre Absichten in Bezug auf den ›teuren Robin‹ und ihre Thronfolge geäußert.« Erfreut sah er die Neugier in ihrem Blick, aber es war eine unpersönliche Neugier, als betreffe das Ergebnis sie nicht. Unversehens fiel ihm auf, wie ungewöhnlich viel Schmuck sie trug und daß ihr Kleid scharlachrot war. Sie trug keine Trauer mehr. »Spione übermitteln die Neuigkeiten mindestens eine Woche vor den offiziellen Kurieren, aber dafür nicht immer zutreffend. Immerhin, als erste Lektüre sind ihre Berichte oft aufschlußreich.«

»Und?«

»Nun, sie hat gesagt, obgleich es ihr große Freude bereiten würde, wenn Ihr ihren geliebten und hoch geschätzten Earl von Leicester zum Prinzgemahl nehmen wolltet, so sehe sie sich doch außerstande, einen Erben zu benennen, ehe sie selbst entweder heirate oder aber den festen Entschluß gefaßt habe, niemals zu heiraten.«

»Ohhh!« Maria tat einen langen, leisen Seufzer. »Also erklärt sie sich letzten Endes überhaupt nicht. Gott sei Dank, daß ich ihn nicht geheiratet habe.« Sie trat ans Fenster und schaute in den Schloßhof hinaus, als sei dort etwas Hochinteressantes im Gange. »Es steht mir also frei, zu tun, was ich will! Ich brauche überhaupt keine Rücksicht auf sie zu nehmen. Nein, das werde ich auch nicht! Nein, ich will es nicht! Wie töricht von mir, diesen Gedanken auch nur erwogen zu haben!«

»Nein, nein, es war politisch ratsam, sie zu konsultieren. Aber wie ich Euch schon sagte, als ich von ihrem Hof zurückgekehrt war: Ich habe bei ihr weder Verständnis noch aufrechte Absichten wahrgenommen, sondern nur große Heuchelei, eifersüchtige Rivalität und Furcht.«

»Hmmmm.« Sie lächelte, als seien das lauter willkommene Nachrichten. »Eifersüchtige Rivalität, sagt Ihr? Nun, das kümmert mich nicht.«

Tatsächlich schien ihr gleichgültig zu sein, was sie bisher und so lange mit solchem Eifer gesucht hatte: Anerkennung und Einverständnis von Elisabeth.

»Man spielt so besser«, räumte Melville ein. »Es kann eine siegreiche Taktik sein.«

»Hmmmm.« Sie schaute weiter aus dem Fenster, und er erkannte, daß sie auf etwas wartete – oder auf jemanden.

»Es scheint Hochzeitsluft zu herrschen, obwohl wir kaum Frühling haben.« Schnee lag überall in Klumpen und Haufen; er türmte sich in den Toren und verstopfte den Abwasserkanal in der High Street. »Die erste der Marys ist vermählt, und nur ein Stück weit die Straße hinauf genießt John Knox seine Flitterwochen«, sagte Melville.

»John Knox!« Sie lachte. »Und noch dazu mit einer entfernten Verwandten von mir!« Sie lachte so heftig, daß ihr die Tränen über das Gesicht liefen. »Doch seine kleine Stewart ist erst siebzehn! Eine Frau in meinem Alter ist zu alt für den fünfzigjährigen Witwer, wie ich sehe! Seine erste Frau muß an zuviel Bibelpudding gestorben sein, und seine neue muß nun die Pflichten Abisags erfüllen und sich auf seine Füße legen, um sie zu wärmen – und die Engel wissen, was sonst noch!«

»Majestät!«

Sie lachte wild auf. Dann wandte sie sich wieder dem Fenster zu und schaute weiter aufmerksam hinaus.

Melville verabschiedete sich und ging rückwärts hinaus. Die hohen Türen wurden hinter ihm geschlossen, und er drehte sich um und ging die breite Treppe ins Erdgeschoß hinunter. Dann trat er in den Schloßhof hinaus, wo jeder Pflasterstein wie eine kleine Insel aus dem Märzmatsch ragte, und überquerte ihn behutsamen Schritts. Was war nur über die Königin gekommen? Sie wirkte wie eine Besessene und war nicht sie selbst.

Durch das Tor kam Lord Darnley auf seinem großen fahlen Pferd hereingeritten. Er drehte ein Stundenglas in den Händen.

»Jetzt wird Master Knox seine Predigten beschneiden müssen!« rief er. »Das hier ist von der Kanzel in St. Giles; ich habe es ausgetauscht gegen eines mit weniger Sand!« Er grinste und breitete seinen schwarzen Mantel aus wie ein Zauberer.

Melville sah, wie die Königin von ihrem Fenster aus Darnley zuwinkte.

Maria und Darnley sonderten sich von allen anderen ab, als sie auf der Straße von Edinburgh nach Stirling dahintrabten. Es war ein erfrischender Märztag, klar und eindringlich, und der Wind schien des Winters Speisekammer durchstöbert und sie leer gefunden zu haben und verkündete deshalb triumphierend einen zeitigen Frühling. Schon würde man in Stirling Beiz und Jagd eröffnen können, aber auch wenn nicht, so hatte Maria doch das Bedürfnis, den engen Grenzen Edinburghs zu entfliehen.

Edinburgh – wo Knox praktisch regierte, wo die Häuser düster die Köpfe zusammensteckten wie tratschende Weiber, wo ihr Geist erstickte. Die Lords der Kongregation waren die wahren Herren von Edinburgh, und ihre Hände lagen schwer auf der Stadt.

Aber draußen auf dem Land – ah, dieser Raum, diese Farben, dieser saubere, wilde Wind. Stirling lag etwa siebenunddreißig Meilen nordwestlich von Edinburgh, wenn man dem Firth of Forth folgte, bis er sich zum Fluß Forth verjüngte. Der Fluß wurde flacher und färbte sich silbern, und in ihm spiegelte sich der Märzhimmel mit all seinen graublauen Schattierungen und jagenden Wolken. Das Land ringsum warf eben erst seinen maulwurfsgrauen Wintermantel ab, und in einem gewissen Licht war schon ein irisierendes Grün zu sehen.

»Werden die Falken bereit sein?« fragte Darnley. »Ich hatte einen wunderbaren Vogel in England, aber ich mußte ihn leider zurücklassen.«

»Die hier sind von den Orkneys. Du wirst deine Freude an ihnen haben.« Sie drehte sich im Sattel um und sah den Rest der Gesellschaft hundert Schritt weit hinter sich, zu einer bunten Kette aneinandergereiht: die drei Marys, Rizzio, Melville und Lord James. Dienerschaft, Musiker, Kirchenmänner und Kammerherren waren bereits vorausgeritten, um das königliche Quartier zu bereiten.

»Werden sie mir denn gehorchen?« fragte er.

»Natürlich. Werden sie einen echten Prinzen nicht erkennen?« Sie lehnte sich im Sattel hinüber und küßte ihn.

Ah ... seine Küsse ... Wir müssen bald heiraten, dachte sie, sonst werde ich noch der Sünde anheimfallen. Noch im Schlaf denke ich an ihn und seinen Körper, wo ich doch ruhen soll.

»Wie weit noch?« fragte Darnley.

»Es ist nicht mehr weit bis zur Stirling Bridge. Wo –«

»Wo Wallace 1297 die Engländer besiegte. Bitte erteile mir nicht noch eine Geschichtslektion. Nur weil du dich verpflichtet gefühlt hast, dir jede Einzelheit der schottischen Geschichte einzuprägen, langweile bitte nicht auch mich damit.«

Seine schnippischen Worte ärgerten sie. Was war denn mit seinen Reden von den schottischen Gefühlen, die er empfand? »Es ist auch *deine* Geschichte – das hast du wenigstens behauptet. Und wenn du König werden sollst –«

»König der Gegenwart, nicht der Vergangenheit.«

»Dann solltest du trotzdem die Grundlagen der schottischen Geschichte kennenlernen.«

»Ach, du klingst wie eine Lehrerin.« Er runzelte die Stirn und machte dann eine flehentliche Miene. »Es stimmt ja, du bist drei Jahre älter und Königin; aber es ist mir zuwider, dein Schüler zu sein.«

»Was möchtest du dann sein?«

»Dein Gemahl, dein Geliebter, dein Herr und dein Freund.«

»Das alles ... kann ein Mensch das alles sein?«

»In einer idealen Welt. Die wir erschaffen werden.«

Sie näherten sich Stirling Castle, das sich wie ein gigantischer Pilz zweihundertfünfzig Fuß hoch aus der Ebene erhob. Die Flanken des Felsens schwangen sich wie anbetend zu der Festung auf, die mit ihren Zinnen, Bastionen, Zugbrücken und Kanonen massig und grau wie eine Erscheinung von Camelot wirkte; königliche Gemächer gab es dort, eine festliche Große Halle, eine Aussichtslaube für die Damen, verschlungen angelegte geometrische Gärten, einen königlichen Park für die Hirschzucht und einen Turnierplatz: eine geschlossene Traumwelt der Ritterschaft.

»Ich habe meine Kindheit hier verbracht, ehe ich Schottland verließ«, erzählte sie Darnley. »Sonst war ich nirgends sicher. Die Soldaten König Heinrichs VIII. fielen in unser Land ein und versuchten mich zu entführen.«

»Du mußtest hier Zuflucht suchen? Du konntest nirgendwo anders leben?« fragte er ungläubig.

»Ja, geboren bin ich auf Linlithgow, dem Schloß, an dem wir unterwegs vorbeigekommen sind. Aber schon mit wenigen Monaten wurde ich hierher nach Stirling gebracht. Hier in der königlichen Kapelle wurde ich zur Königin gekrönt, als ich erst neun Monate alt war.«

»Woran du dich vermutlich nicht erinnern kannst.«

»Nein. Natürlich nicht.«

»Wie schade. Zur Königin gekrönt zu werden und sich nicht daran zu erinnern.« Er runzelte die Stirn.

»Wir waren immer hier, meine Mutter und ich und die Marys, und auch einige meiner Halbbrüder und Schwestern ... James war hier, und Robert und John Stewart und Jean Stewart. Und während wir hier spielten und unsere Ponys ritten und unterrichtet wurden, zerstörte Heinrich VIII. unser Land. Einmal kamen die Engländer bis auf sechs Meilen an Stirling heran, und da mußten meine Mutter und ich auf eine kleine Insel im See Menteith fliehen.«

»Wie langweilig.«

»Nein, es war hübsch dort. Es gab ein Kloster, und ...« Und es war eine besondere Zeit, eine ganz persönliche Zeit, die ich nicht beschreiben kann, nicht einmal dir. Ich bin gar nicht sicher, daß es alles wirklich so geschehen ist, wie ich es in Erinnerung habe.

»Mönche!« Er verzog das Gesicht. »Und was ist dann passiert?«

Konnte es wirklich sein, daß er es nicht wußte? »Heinrich VIII. starb, aber das war keine Erlösung für uns. Sein Erbe, Edward VI., ließ uns weiter plagen. Sein oberster General, Edward Seymour, führte seine Truppen bis nach Edinburgh herauf. Es kam zu einer großen Schlacht, zur Schlacht bei Pinkie Clough, und die Schotten verloren. Und da wußten meine Mutter und alle anderen, daß die Schotten nicht in der Lage waren, England allein zu widerstehen. Wir mußten uns an Frankreich verkaufen.« Wie häßlich das klang. Sie hatte all das noch nie laut hergesagt, hatte es in seiner bedrohlichen, bleiernen Unausweichlichkeit nie gehört. »Also versprach man mich dem Dauphin als Braut, und dafür gewährte uns Frankreich seinen Schutz. Der französische König schickte ein königliches Schiff für mich, und ich kam nach Frankreich. Dort wuchs ich auf und heiratete den Dauphin –«

»– und kamst dann wieder nach Schottland, dreizehn Jahre später«, vollendete er.

»Aber in diesen dreizehn Jahren hatte sich die ganze Welt verändert. Zwei neue Herrscher in England –«

»– und einen neuen für Schottland: die Reformierte Kirche«, sagte Darnley. »Sie regiert mit harter Hand.«

»Ja.« Manchmal härter, als sie glaubte ertragen zu sollen. »Aber ihre Hand liegt vor allem auf Edinburgh. Hier sind wir frei von ihr.«

»Ja. Abgesehen von ...« Er deutete mit einer Kopfbewegung auf Lord James, der weit hinten ritt. »Weshalb hast du ihn nur mitgenommen?«

»Er wollte gern mitkommen. Und er arbeitet schwer. ›Jeder Arbeiter ist seines Lohnes wert.‹«

Darnley verzog das Gesicht. »Ich mag keine Bibelzitate, nicht einmal scherzeshalber.«

Sie kamen durch die äußeren Verteidigungsanlagen und ritten eine Rampe hinauf zum Torhaus mit seinen mächtigen, tonnenförmigen Türmen, die den Eingang zur Burg sicherten. Dann waren sie auf dem Gipfel des Felsens angelangt. Der Wind zerrte an ihnen. Maria Fleming wehte der Hut vom Kopf und kullerte über die Pflastersteine, bis er vom Wind über die Mauer gehoben wurde und verschwand.

»Oh!« rief sie, verblüfft über die Geschwindigkeit, mit der es geschah.

»Nun wird er die Gemahlin eines Stadtbürgers zieren«, sagte Lord James. »Ein Akt der Wohltätigkeit.«

Maria wies Darnley die Gemächer des Königs zu, was unter der ganzen Gesellschaft ein großes Getuschel hervorrief, wie sie es vorhergesehen hatte. Aber sie konnte nicht anders. Warum sollte sie ihn im überfüllten Westflügel der königlichen Gemächer unterbringen, wenn die hübschen und gut eingerichteten Räume des alten Königs leerstanden?

Stirling konnte sich prächtiger Suiten für König und Königin rühmen, einschließlich angrenzender Schlafgemächer. James V. hatte sie nur zwei Jahre vor seinem Tod erbauen lassen, und er war stolz auf all die modischen Einzelheiten gewesen: drei aneinandergrenzende, zunehmend private Räume, die zu den benachbarten Schlafgemächern im Ostflügel führten, ein eigener Abtritt in jedem Schlafgemach, Arbeitsräume, Badestuben, die hohen, mit geschnitzten Medaillons geschmückten Decken im Audienzsaal des Königs. Von den Gemächern der Königin aus blickte man über das Land hinter der Burg, und morgens schien die Sonne hinein.

Marie de Guise hatte die Suite des Königs verschlossen gehalten und niemanden hineingehen lassen. So hatte sie getrauert. Maria erinnerte sich, daß sie sich einmal hineingewagt hatte und dafür über die Maßen gescholten worden war. Die Räume waren dunkel und voller Staub gewesen, und die großen geschnitzten Köpfe an der Decke hatten wie Ungeheuer ausgesehen. Sie hatte nie wieder hineingehen wollen, aber insgeheim hatte sie befürchtet, der Geist oder das Skelett ihres Vaters sei dort. Nach ihrer Rückkehr nach Schottland indessen hatte sie befohlen, die Räume zu öffnen, zu lüften und zu renovieren, und heute waren sie prachtvoll und einladend.

Alle richteten sich in den ihnen zugewiesenen Quartieren ein. Maria inspizierte das ihre und fand alles in Ordnung; dann klopfte sie zögernd an Darnleys Verbindungstür. Er riß sie auf.

»Keine Spitzel«, flüsterte er und nahm sie in die Arme. »Ist es nicht ein Wunder?«

Als die königliche Gesellschaft sich nach dem Abendessen gegenseitig gute Nacht gewünscht hatte und Darnley allein war, verschloß er die Tür, und endlich fühlte er sich sicher und unbeobachtet. Er schaute sich im Raum um und betrachtete die vergoldeten Möbel und das hohe Bett mit den zierlich bestickten Schabracken und den Goldfransen an den Vorhängen. Dies war das Gemach des Königs, und er, Henry Lord Darnley, würde bald König *sein*. König von Schottland. Soviel zu Königin Elisabeth und ihrem verschimmelten alten Hof!

Ein paar Augenblicke saß er still da und lauschte nach irgendwelchen Geräuschen. Hatten sich wirklich alle zur Nacht zurückgezogen? Maria würde ihn wahrscheinlich nicht mehr aufsuchen; sie hatte ihn fast entschuldigend angeschaut, als sie ihm gesagt hatte, wie müde sie sei. Trotzdem wartete er noch. Schließlich aber stand er auf und durchquerte das Gemach, um seine Reisetasche zu öffnen. Darin war etwas, wonach er ein heftiges Verlangen hatte.

Er wühlte zwischen seinen übrigen Habseligkeiten herum – sein

Journal, sein Schreibzeug, die Medizin gegen Schnupfen und Husten, die seine Mutter ihm eingepackt hatte (»Du mußt sie immer mitnehmen!« hatte sie ihn streng ermahnt), seine Augenmaske, mit der er die Schlaflosigkeit bekämpfte –, bis er gefunden hatte, was er suchte, lieblich glucksend wie ein Baby in seinen Windeln. Er zog es heraus: Es war eine Flasche mit Whisky, dem sagenumwobenen Getränk dieser Gegend. Oh, wie hatte er sich danach gesehnt, ihn zu versuchen! Und jetzt war es ihm gelungen, von dem entgegenkommenden Earl von Atholl eine Flasche zu ergattern.

Begierig drehte er den Deckel ab und nahm einen großen Schluck. Es war so viel stärker als der Wein, den er gewohnt war, daß es sich anfühlte, als habe ihn ein Faustschlag gegen die Brust getroffen, und er mußte husten. Er konnte nicht glauben, daß eine Flüssigkeit solche Kraft haben sollte; selbst Gift dürfte sanfter sein, dachte er.

Genauso wenig war er darauf vorbereitet, daß der Whisky ihm aus dem Magen geradewegs ins Gehirn schoß. Es war, als habe er ihn in den Kopf gegossen.

Ebensogut hätte ich ihn mir ins Ohr schütten können, dachte er. Die Vorstellung kam ihm über die Maßen komisch vor, und er nahm noch einen großen Schluck. Dieser brannte nicht mehr so sehr.

Dein Vorgänger hat bereits einen Weg gebahnt, dachte er. Sein Kopf fühlte sich allmählich an, als wolle er sich von den Schultern heben, und er verspürte das wunderschöne Gefühl, das er von nichts anderem bekam. Es war ein Gefühl, auf das er sich freute: ein Gefühl des Friedens, als sei er an einem Ort, wo niemand ihn anrühren konnte, wo er sich vor niemandem verantworten mußte. Seine Mutter verblaßte, als habe er sie weit hinter sich gelassen, was ja auch stimmte. Dieser Raum gehörte nur ihm, dieser kreisende Raum in seinem Kopf, den er aufsuchte, so oft er konnte.

Er wußte nicht, wie lange er dagesessen oder wieviel er getrunken hatte. Er wußte nur, daß er es klopfen hörte. Jemand wollte eindringen! Er schüttelte den Kopf, um wieder klar zu werden; zu seiner Enttäuschung wurde das dicke, dämpfende Gefühl fadenscheinig, und ihm war nicht länger, als schwebe er.

»Einen Augenblick.« Er stand auf und schloß sein Wams. »Einen Augenblick.« Er taumelte durch das Zimmer und riß die Tür auf.

Wer war das? In dem trüben Licht konnte er kaum etwas erkennen.

»Ich bitte um Vergebung, wenn ich Euch störe«, sagte jemand. »Und augenscheinlich *habe* ich Euch gestört.«

Lord James! Darnleys Hand krallte sich in sein Wams. Er hatte es falsch zugeknöpft. »Ganz und gar nicht«, sagte er und fragte sich, ob er normal klang. Er lauschte dem Ton seiner eigenen Stimme. »Ich bitte Euch, tretet ein.«

Er wandte sich um und erwartete, daß James ihm folgte. Aber dieser blieb in der Tür stehen und sagte nur: »Ich sehe, Ihr seid nicht in der Lage zu einem Gespräch.« Und die Tür wurde zugeschlagen.

Der nächste Tag war ein Sonntag, und in der Freiheit ihrer eigenen Burg befahl Maria, in der königlichen Kapelle die Messe zu lesen. Da dies der vierte Fastensonntag war und die strengen Fastenpflichten für kurze Zeit gemildert werden durften, wurden rosenrote Meßgewänder statt der purpurnen getragen, und der Gottesdienst hatte etwas Festliches. Die Katholiken nahmen daran teil, während die Protestanten in ihren Gemächern blieben und entweder schliefen oder in der Schrift lasen – Maria wußte es nicht und hätte sich niemals angemaßt, danach zu fragen.

Wie es der Brauch war, sollte sich ein Mahl in der Großen Halle anschließen, und danach würde man auf die Beiz gehen. Es war ein schöner, klarer Tag, und man würde sicher gut reiten könne, sofern der Boden nach den letzten Regenfällen nicht zu schlammig wäre. Aber bevor Maria und ihre Schar den Eingang der Großen Halle erreicht hatten, stießen sie auf Lord James und die Seinen, die bereits ihre Pferde gesattelt hatten.

»Wir sind noch nicht bereit zur Beiz«, sagte Maria. »Die Falkner sind sicher noch nicht so weit. Bitte wartet doch noch ein wenig.«

»Wir haben keine Lust zur Falkenjagd«, entgegnete James. »Und diese papistischen Festlichkeiten in der königlichen Kapelle sind uns unerträglich. Wir können hier nicht bleiben.«

»Ihr wart doch nicht einmal zugegen; wie könnt Ihr sie da ›unerträglich‹ finden, Bruder? Vielleicht hättet Ihr teilnehmen sollen. Es wurden Worte gesprochen, die Euch womöglich Trost gespendet hätten. Und wenn Ihr sagt ›wir‹, meint Ihr dann Euch im königlichen Sinne? Und wenn nicht, wen dann?«

James richtete sich im Sattel auf. »Ich meine mich und mein Gefolge. Selbstverständlich meine ich das ›wir‹ nicht im königlichen Sinn.«

»Aha.« Sie schwieg lange. »Es betrübt mich, zu sehen, daß Ihr nicht bleiben könnt«, sagte sie schließlich. »In diesen Mauern haben wir als Kinder gespielt und einander kennengelernt. In diesem Sinne sind es geheiligte Mauern. Müßt Ihr Euch jetzt von mir trennen?«

Sie ging zu ihm, legte die Hände auf seinen Sattel und schaute zu ihm auf. Aus diesem Blickwinkel war sein Kinn massig und unbeweglich wie die äußeren Bollwerke der Festung.

»Ihr vertreibt mich«, antwortete er, und er riß an den Zügeln seines Pferdes, so daß ihre Hände vom Sattel abrutschten und sie beinahe hingefallen wäre. »Ihr und Eure Torheiten. Die Messe ist noch die geringste davon.«

Seine Worte waren ohne Sinn.

»Die Leute, die Ihr zu lieben erwählt«, sagte er schließlich und trieb sein Pferd voran. Das Tier trabte davon, auf die Wachttürme zu.

Da jetzt nur noch so wenige zum Essen da waren, befahl Maria unvermittelt, das Mahl im Audienzsaal der Königin aufzutischen und nicht in der Großen Halle. Geschmortes Kaninchen wurde für die geschrumpfte Gesellschaft aufgetragen, Kapaun in Zitronensauce, gekochte Zwiebeln und süße Würfel aus geronnener Milch. Die Sonne strahlte durch die Fenster und füllte den Raum mit Licht.

»Lord James und einige andere sind abgereist«, gab Maria bekannt. »Leider konnten sie nicht bleiben. Ich denke, es ist ein Aprilscherz; denn wir haben ja den ersten April, und sie haben keinen Grund, mißvergnügt zu sein. Gleichwohl wollen wir essen und jagen, wie wir es uns vorgenommen haben. Ohne Zweifel werden sie morgen wieder zu uns stoßen.

Ein breites Grinsen erschien auf Rizzios Gesicht. »Dann wollen wir trinken auf ihre sichere Reise nach … wo immer sie hin wollen.« Er hob seinen Becher; die dünne Aprilsonne fing sich in den Rubinen und Saphiren an seinem Rand.

Hernach, als sie über den oberen Hof zum Palast gingen, wandte Maria sich an Darnley und sagte: »Jetzt können wir mit den Falken jagen, bis es dunkel wird. Es ist alles bereit.« Sie wollte sich umdrehen und zu den anderen sprechen, aber Darnleys Stirnrunzeln ließ sie innehalten.

»Mir ist nicht wohl«, sagte er. »Ich habe Kopfschmerzen.«

Auf dem Weg über den Hof tat ihm der Kopf bei jedem harten Schritt weh, und als er die kurze Strecke bis zum Schloß hinter sich gebracht hatte, war der Schmerz dermaßen stechend geworden, daß er sich den Kopf mit beiden Händen hielt. So eilte er nun in sein

Schlafgemach und ließ sich stöhnend auf das riesige Bett fallen. Taylor, sein Kammerdiener, zog ihm die Stiefel aus und entkleidete ihn. Als der Abend kam, lag er im Delirium.

»Es ist ein Fieber«, sagte Bourgoing, Marias Arzt aus Kindertagen und ihr Freund. »Bei jemandem in seinem Alter besteht kein Grund zur Sorge. Er wird schwitzen und träumen und sich umherwälzen und schlafen. Wenn er aufwacht, wird er sich an nichts erinnern. Wir, die wir ihn bewachen, werden dann müde sein.«

Darnley lag ein paar Tage lang darnieder; dann wich das Fieber unvermittelt. Er setzte sich auf und verlangte nach seiner Lieblingssuppe, Sauerampfer mit Feigen, und die Köche mußten sich nach einem Rezept dafür umtun. Die Musikanten kamen und spielten in seiner Kammer, und Maria besuchte ihn, erfreut, ihn wohlauf zu finden. Aber bevor es Morgen wurde, verschlechterte sich sein Befinden wieder, und er konnte die Speisen nicht bei sich behalten.

Maria schickte auf der Stelle Bourgoing zu ihm, und erst nach geraumer Zeit kam der Arzt kopfschüttelnd wieder heraus.

»Die Masern«, sagte er. »Lord Darnley hat die Masern bekommen, im Gefolge seines Fiebers.«

Darnley lag in dem großen Königsbett wie in einem Bottich voll Schweiß. Er ertrank schier in dem Wasser, das ihn von innen wie von außen zu überfluten schien. Er troff selbst und war eingetaucht in einen Tümpel, und er merkte nicht, daß die *valets de chambre* ihn hochhoben und das Linnen wechselten und die Matratze aufschüttelten und ihn auf ein trockenes Lager legten. Sein Fieber stieg immer höher, und er spürte nur ein heißes Summen in seinem Kopf und sah grell umrissene Bilder hinter den geschlossenen Lidern. Dann kam manchmal sanfter Trost, dessen Anwesenheit er spürte. Es war ein vertrautes Gefühl, aber er wußte nichts. Wer war es?

»Monsieur Bourgoing, er kennt mich nicht«, sagte Maria, müde nach durchwachter Nacht an Darnleys Bett.

»Er kennt Euch in seinen Träumen«, sagte der Arzt. »Aber Ihr müßt ruhen. Warum wacht Ihr so beharrlich?«

»Ich weiß es nicht. Vielleicht weil es die erste Krankenwache ist, die zu halten ich die Ehre habe … seit dem König. König Franz.«

»Ein Krankenbett ist keine Ehre, sondern ein Kreuz.«

»Ich liebe Darnley!« platzte sie plötzlich heraus. »Bitte sagt mir, daß er nicht sterben wird!«

Bourgoing machte ein überraschtes Gesicht. »Ein junger Mann stirbt nicht an den Masern. Es sei denn, er hätte noch ein anderes Leiden in sich, die Syphilis etwa, oder er wäre ungewöhnlich schwach.«

Darnley keuchte und hustete, und jeder Hustenanfall schüttelte seinen mageren Körper und peinigte seine rauhe Kehle. In seinem Mund war weißer Ausschlag, und das Gewebe ringsherum war rot und geschwollen, so daß er nichts essen konnte, obgleich ihn der geschrumpfte, leere Magen ständig zwang, sich zu übergeben. Jedesmal wenn seine Muskeln sich zusammenzogen, war es, als werde blutiges Papier zerrissen. Seine Augen waren derweil so lichtempfindlich, daß alle Vorhänge zugezogen werden mußten, und keine Kerze konnte in der Nähe seines Bettes brennen, weil es ihm stechende Schmerzen verursachte.

So saß Maria im Dunkeln bei ihm und wachte über ihn wie eine zarte ägyptische Göttin vor dem Grab eines Pharao. Wann immer sie ihn berührte, war seine Haut trocken und so heiß wie eine der *chauffrettes*, der silbernen Fußwärmer, die sie hier im Winter benutzte. Franz war so heiß nie gewesen. Konnte man so heiß glühen und trotzdem überleben?

Maria betrachtete den eingefallenen Körper – er hatte so sehr abgenommen – und fühlte, wie er ihr entglitt, und sie saß neben ihm auf einem Schemel und betete stundenlang. Im Dämmerlicht war es schon, als liege er im Grab, als gehöre sein bleiches Gesicht und sein mit Tüchern verhangener Körper einem in Alabaster gehauenen Grabbild.

Sie durfte ihn nicht verlieren; sie konnte nicht ein zweites Mal gegen den Tod verlieren.

Darnley stöhnte und drehte sich um.

Nein, er soll dich nicht bekommen! Der Tod wird sich mir stellen und mich überwältigen, wird deine Torwächterin entwaffnen müssen! Und mir ist er nicht gewachsen, versprach sie und wischte seine Stirn mit kühlem, veilchenduftendem Wasser ab.

Am sechsten Tag bekam Darnley rote Flecken im Gesicht und am Hals. Die Flecken breiteten sich rasch auf andere Körperstellen aus, und seine Temperatur sank. Seine Augen öffneten sich flatternd, und zum erstenmal sah er Maria.

»Wie ... lange bist du hier?« Seine Stimme war ein Krächzen.

»Seit du krank bist«, sagte sie.

Er lächelte schief. »Wie lange bin ich krank?«

»Seit der Sonntagsmesse am Sonntag Laetare. Morgen ist Passionssonntag.«

Er zuckte die Achseln. »Diese Ausdrücke kenne ich nicht.«

Ein guter Katholik sollte sie aber kennen. »Es waren fast zwei Wochen.«

Er verdrehte die Augen; sie waren immer noch blutunterlaufen. »So lange?«

»Eine kurze Zeit für zwei so schwere Krankheiten. Ein schwächerer Mann wäre nicht wieder genesen.«

»Ich werde nie wieder genesen«, wisperte er. Er hob die Hand; sie war so dünn, daß sie aussah wie durchscheinende Haut. »Ich kann mich kaum bewegen.«

Maria nahm seine Hand in die ihre, und ihre war voller und kräftiger. Sie verschränkte ihre Finger ineinander. »Zusammen sind wir stark«, sagte sie. »Nichts kann uns trennen.«

»Ist sie noch immer bei ihm in der Kammer?« fragte Knox, als er Lord James nach dem Sonntagsgottesdienst in St. Giles beiseite genommen hatte. Er hatte vom Leben inmitten des Todes und vom Tode inmitten des Lebens gepredigt, ein dornenreiches Konzept der Freude und der Resignation. Aber es war verwirrend gut gegangen.

»So heißt es wenigstens.« James nickte und lächelte den anderen Gottesdienstbesuchern zu, vor allem den Lords der Kongregation, die an diesem windigen Apriltag alle pflichtschuldig erschienen waren. Jetzt würden sie durch Canongate hinuntergehen, die frische Luft genießen und ihre Mäntel wirbeln lassen, um sich dann daheim zum Sonntagsmahl zu setzen. »Der junge Darnley hat erst das Fieber und dann die Masern bekommen und hätte fast die Welt verlassen. Ein ungutes Ende für einen unguten Jungen.« James lächelte und hob die Hand. »Guten Tag, Mylady.« Jean Gräfin von Argyll nickte ihm zu. »Er ist ganz und gar unerträglich.«

»Inwiefern?« Knox hob die Hand zum Gruße. »Mylord von Byres ...« Er verbeugte sich vor Lord Lindsay.

»Er ist eitel, hohlköpfig, arrogant und empfindlich. Oh, und er hat etwas gegen die Bibel.«

»Wahrhaftig?«

»Ja. Ich hörte, daß er auf dem Weg nach Stirling so etwas sagte.«

Die Kirche leerte sich, und Knox kehrte zur Kanzel zurück, um seine Aufzeichnungen zu holen und die Bibel dort zuzuklappen. Dann deutete er auf die Sanduhr auf ihrem Ständer vor der Kanzel.

»Er hat das Stundenglas gestohlen und es durch dieses Halbstundenglas hier ersetzt«, sagte er. »Das ist das Niveau seines Einfallsreichtums. Als ob ich es nicht zweimal umdrehen könnte.«

James schüttelte den Kopf. »Genau.«

»Aber das Stundenglas, das er genommen hat, war eines, das Calvin mir geschenkt hatte«, sagte Knox. »Es war niederträchtig, es zu stehlen. Es ist unersetzlich für mich.« Calvin war ein paar Monate zuvor gestorben.

»Er spielt eben solche kindischen Streiche«, sagte James. »Er ist ein verwöhntes Kind, ein Muttersöhnchen. Und seine Mutter wird außer sich geraten vor Aufregung, wenn sie erfährt, daß die Königin sich in ihn verliebt hat. Ja, Darnleys Mutter schmiedet ihre Ränke für ihn, seit er auf der Welt ist. Ihr wißt, daß man sie einmal sogar in den Tower geschickt hat, weil sie ein bißchen zu eifrig für seine ›königlichen Ansprüche‹ eingetreten ist. Jetzt werden ihre Träume erfüllt.« Lord James machte eine Pause. »Und ich denke, er hat vielleicht eine Neigung zum Laster.«

»Dazu ist er nicht alt genug. Gedankenlosigkeit und Selbstsucht sind die ersten Schritte auf dem Weg dorthin. Aber es ist ein langer Weg bis zur Verderbtheit.« Knox strich mit der Hand über die Bibel und drapierte dann ehrfürchtig das seidene Decktuch darüber.

»Aber er ist schon weiter fortgeschritten, als man sich vorstellen möchte«, sagte James.

»Kommt mit mir nach Hause«, sagte Knox und legte ihm eine Hand auf die Schulter. »Speist mit mir an diesem Sabbath.«

»Und so seit Ihr nach der ersten Messe fortgeritten, die sie in rosaroten Gewändern feiern ließ?« fragte Knox, als sie nach dem Essen in seiner Stube saßen; es hatte gefüllten Kabeljau mit Pastinaken und Kohl gegeben. Knox' junge Frau, Margaret Stewart, eine entfernte Verwandte von Maria und Lord James, hatte sich zurückgezogen, nachdem sie ihnen einen Teller Feigen und einen Krug Rotwein gebracht hatte. Sie war hübsch und liebenswürdig, neigte aber kaum zu Plaudereien.

»Ja. Nachdem sie Edinburgh sicher hinter sich gelassen hatte, ließ sie den papistischen Zeremonien die Zügel schießen. Es gab Weihrauch, Gesänge« – er sah, wie Knox die Brauen hob –, »und ich habe es über den ganzen Hof hinweg gehört! Da trug ich ihr meine Einwände vor und reiste ab. Was die anderen angeht, so sind sie noch da.«

»Rizzio auch?«

»Ist das eine Frage?«

»Sie hat Maitland zu Elisabeth geschickt, damit er deren Segen zu dieser Ehe einholt. Oh – das wußtet Ihr nicht?« Knox rührte langsam Zucker in seinen Rotwein.

»Nein, das wußte ich nicht.«

»Er ist vor einer Woche abgereist. Was werdet Ihr tun, wenn diese Ehe zustande kommt? Was wird Schottland tun, mit solch einem König?« Er nippte an seinem Wein und stellte seinen Becher unversehens mit lautem Knall auf den Tisch. »Wir verdienen das nicht! Nein, wir haben uns das Recht auf einen anständigen König erworben! Es ist nicht zu ertragen! Und wir werden es nicht ertragen!«

»Ihr habt soeben Eure eigene Frage beantwortet. Ich fürchte, Henry Lord Darnley kann kein langes Leben unter uns führen. Und was die Vermutung angeht, er sei nicht verderbt – was kann man sonst von einem sagen, der sich in seinem Zimmer einschließt und dort trinkt? Ich habe ihn gesehen!«

»Wie er allein getrunken hat? Da seid Ihr sicher?« Knox sah ihn mit bohrendem Blick an.

»Allerdings. Er stank nach Whisky, sein Wams war halb offen und zerknüllt, und er konnte kaum sprechen. Und die ganze Zeit über träumte die Königin in ihrer Kammer süß von ihm, ganz ohne Zweifel!«

Knox war die bloße Vorstellung ein Greuel. »Ein Jammer.«

James nickte. »Die meiste Zeit verbringt sie mit ihm. Während er krank war, hat sie bei ihm gewohnt, wie ich höre. Ihre ständige Anwesenheit in seinem Schlafgemach bei Tag und bei Nacht ist ein Skandal.«

»Sie ist noch bei ihm geblieben, als er schon genesen war?« Knox schüttelte den Kopf. »Welche Schande! Ein Skandal wie bei David und Bathseba!« Er schwieg kurz. »Da wir von David sprechen, der mich an Schwerter denken läßt – habt Ihr gehört, daß Bothwell Frankreich verlassen hat, wo er sich seit seiner Flucht aus Edinburgh Castle aufgehalten hat, und auf dem Heimweg nach Schottland ist?« Wieder ließen Knox' Neuigkeiten Lord James aufschrecken.

»Das hat uns gerade noch gefehlt!« rief er. »Ich dachte, wir wären ihn für alle Zeit los?«

»Er ist durchaus ein guter Protestant«, bemerkte Knox und beobachtete James' Gesicht.

»Zu nichts ist er gut. Er kann nur prügeln, huren und andere hintergehen.«

»Und Ordnung im Grenzland halten«, erinnerte Knox ihn.

»Ja, gut, das gebe ich zu.« James lehnte sich auf seinem Stuhl zurück und hakte einen Arm über die Lehne. »Dann wollen wir ihn dort behalten. Da mag er die verhaften und aufhängen, die Schafe stehlen und bei Vollmond auf Raubzug gehen.«

Sie begrüßten den Mai im Morgengrauen, Maria und ihre Marys, Rizzio und Darnley. Sie verließen Stirling Castle, kaum daß der Himmel die Fenster in Darnleys Schlafgemach erhellte, welches im östlichen Teil des Schlosses lag. Die Luft war kalt und still wie ein gefrorener See, und es erschien unmöglich, daß es je wieder warm sein sollte. Aber in den Dörfern schmückten die Leute die Maibäume und schickten sich an, den Frühling zu ehren, um seine Ankunft zu beschleunigen. Robin Hood und Maid Marian, in Edinburgh verboten durch die Kirk, stolzierten in aller Öffentlichkeit den ganzen Tag über durch das Land und führten allerlei Geschicklichkeitsspiele auf. Ein abnehmender Halbmond verblaßte im zunehmenden Tageslicht, und bald würde er untergehen, alt und verschlissen.

»Auf in den Wald, um Zweige zu schneiden«, sagte Maria und gab ihrem Pferd die Sporen. Hoffentlich würden sich schon ein paar frühe Knospen finden, denn sonst müßten sie mit blankem Holz zurückkehren. Sie zog ihren grauen Mantel fester um sich.

Aber es gab viele Birken und Ebereschen, Heckenrosen und Weißdornbüsche, deren Sprossen sich bereits geöffnet hatten und winzige, klebrige, durchscheinende Blätter zeigten, die an den Zweigen glänzten wie Tau, und auf den Wiesen blühten Veilchen und Schneeglöckchen. Maria hielt an und ließ ihr Pferd an dem zarten, frischen Gras knabbern, während sie die kleinen Blumen pflückte und einen Kranz daraus flocht.

»Hier, laß mich«, sagte Darnley und nahm ihr den Kranz ab. Er setzte ihn ihr auf den Kopf und sah bewundernd, wie gut die kleinen sternförmigen Blüten ihr zu Gesicht standen. »Amethyste und Diamanten könnten nicht schöner sein«, sagte er. »Keine Maikönigin könnte herrlicher sein als du, wenn du die Blumen der Wiese trägst.« Er neigte sich zu ihr und küßte sie. »Dies ist ein seltener Augenblick«, flüsterte er. »Ich bin glücklicher als je zuvor.« Er schaute über die Wiese, betrachtete das Licht auf dem Tau und sah ein kleines braunes Kaninchen, das darauf wartete, daß er sich bewegte. »Verweile, Augenblick. Ändere dich nicht und geh nicht fort.« Er schaute ihr in die Augen.

»Wie ernst du bist«, sagte sie lächelnd. Sie hob die linke Hand und strich sich eine Locke hinter das Ohr. Das Kaninchen erschrak und hoppelte davon.

»Jetzt hast du es verdorben«, sagte er. »Der vollkommene Augenblick. Er ist dahin.«

»Nur Statuen können unbeweglich verharren«, sagte sie. »Und alles um sie herum bewegt sich: Das Moos wächst auf ihnen, Eis bedeckt sie. Und am Ende bewegen auch sie sich, sie fallen um und zerbröckeln. Das läßt sich nicht ändern, fürchte ich.« Sie nahm eine kleine Myrtenranke, die sie abgeschnitten hatte; die hellen Immergrünblüten leuchteten zwischen dunkel glänzenden, ovalen Blättern. »Hier ist eine Krone für dich«, sagte sie und wand sie ihm um den Kopf. »Jetzt bist du der Maikönig, König des vollkommenen Augenblicks.«

»An die Königin:
Sei Herrscherin voll Gnade und voll Güte,
Sei huldvoll Deinem Lehensvolk und treu,
Sei frei und ohne jeden Wunsch nach Tand,
Sei stets gerecht den Reinen, was auch sei,
Sei festen Glaubens, sei beständ'ge Wand …«,

rezitierte er. »Das habe ich für dich geschrieben. Und es geht noch weiter.«

»Ich bin gerührt«, sagte sie. »Ich bitte dich, geh mit mir spazieren und sag mir auch den Rest. Aber nicht, wenn es trübselig ist. Ich will heute nur glückliche Dinge hören.«

Als die Gesellschaft von ihrem Maiausflug zurückkam, girlandengeschmückt und auf Horn und Tamburin spielend, schmückten sie die Große Halle mit den blühenden Zweigen und hielten den Festtagsschmaus. Danach zogen sich alle in ihre Gemächer zurück und legten sich zur Ruhe; sie waren viele Stunden auf den Beinen gewesen.

Maria freute sich darauf, nach einem kurzen Schlummer vielleicht einen verstohlenen Besuch bei Darnley zu machen. Sie würden im königlichen Bett neckische Spiele treiben, während Rizzio vor der Tür Wache hielt. Sie sehnte sich danach, in seinen Armen zu liegen und den Vögeln zuzusehen, die draußen am Himmel ihre Kreise zogen, und dann den Kopf zu wenden, um sein makelloses Profil zu bewundern.

Es war deutlich wärmer geworden, und sie hatte ihren Mantel am Hals gelockert. Im Gehen sang sie bei sich:

»Als Robin Hood einst stand im Wald
Wohl unterm Baum so grün,
sah einen jungen Mann alsbald
er prächtig vorüberziehn.

Und als er trat vor Robin kühn,
fragt Robin ritterlich:
»Oh, habt Ihr Geld –«

»Eure Majestät!« Die Stimme hallte über das Pflaster des Hofes. Ein großer, rothaariger Mann in Reisekleidung kam auf sie zu.

»Nicholas Throckmorton!« rief sie. Der junge englische Botschafter hatte in Frankreich Dienst getan, als sie dort Königin gewesen war. »Wie entzückend, Euch wiederzusehen!«

Er lächelte und küßte ihr die Hand. »Noch schöner, als Ihr selbst in Frankreich wart«, stellte er fest. »Die Heimat bekommt Euch gut. Die Luft, das Essen, das Wasser – alles scheint Euch zum Blühen zu bringen.«

»Aber es waren zauberhafte Tage in Frankreich«, sagte sie. Sein bloßer Anblick brachte die Erinnerungen zurück. Genauso hatten sie ja in Paris zusammengestanden und sich unterhalten, in Chenonceau, in Chambord.

»Ja. Vor den Unruhen, die dort jetzt herrschen. Das alles scheint so weit weg zu sein.«

»Aber … warum seid Ihr hergekommen?« Plötzlich kam es ihr sehr merkwürdig vor, ihn dort zu sehen.

»Königin Elisabeth schickt mich. Mit persönlichen Anweisungen und Botschaften.«

»So sprecht!«

Er sah sich um. »Was – hier?« Er hatte sich eine Audienz vorgestellt, ein Essen, angenehme Konversation, mit der die Staatsgeschäfte sich hinauszögern ließen.

»Ja!« Bevor er antworten konnte, packte sie seine Hände und drückte sie mit unvermuteter Kraft. Sie sah so erwartungsvoll aus wie ein Kind am Abend vor einem Feiertag. »Was sagt sie denn? Ist sie erfreut? Ich weiß, die Ehe mit Lord Darnley ist genau das, was sie sich vorgestellt hat, als sie mir vorschlug, einen englischen Untertan zu heiraten. Sie hat ihn heraufgeschickt, aber sie konnte nicht ahnen, wie sehr ich ihn lieben würde! Oh, ich weiß, sie frohlockt mit mir. Wird sie bei der Hochzeit dabei sein? Wird sie nach Schottland kommen?«

Throckmorton räusperte sich und suchte sich in diesem Meer von Worten zu orientieren. »Gute Madam … Eure Majestät … die Königin verbietet diese Hochzeit. Sie befiehlt, daß Lord Darnley und sein Vater, der Earl, nach England zurückkehren; tun sie es nicht, gelten sie als Verräter. Sie hat die Gräfin von Lennox in den Tower gesperrt, weil sie diese Verbindung gefördert hat. Sie verbietet sie absolut.«

»W-was?«

»Die Königin ist außer sich vor Wut.«

Maria schüttelte den Kopf; sie war wie vom Donner gerührt. »Sie sagt, ich brauche ihr Einverständnis zu einer Hochzeit, aber es wird niemals einen Mann geben, der ihr Einverständnis finden wird. Kein Ausländer, kein Katholik, kein englischer Untertan, kein Mindergeborener, kein König … nun gut. Ich sehe, daß ich sie niemals zufriedenstellen kann, und daher muß ich mich selbst zufriedenstellen. Und das werde ich tun: Ich werde Lord Darnley heiraten.«

»Er kann nie wieder nach England zurück, wenn Ihr das tut.«

»Der arme Darnley! Erst wird ihm die Rückkehr nach Schottland verboten, und nun verbietet man ihm, nach England zu kommen. Seltsam, wo er selbst doch keinem der beiden Länder je etwas angetan hat.« Sie schaute ihn an, und ihre Augen waren hell und hart. Hinter ihr erstreckte sich das Tal des Forth, und weil es ein klarer Tag war, konnte man Edinburgh am Rauch seiner Kamine fern im Osten erkennen.

»Leider ist er mehr als nur ein Mensch, der Recht oder Unrecht tun kann. Er ist ein Symbol für vieles«, erwiderte Throckmorton.

»Ich liebe aber nicht das Symbol, sondern den Mann!« rief Maria.

»Ja. Aber Ihr selbst seid ein Symbol, genau wie meine Königin. Seid vernünftig. Es ist eine der Tatsachen des Lebens, mit der alle Monarchen sich abfinden müssen – wie das Netz beim Tennis oder die Konventionen des Reims in der Lyrik.«

»Ich weiß wohl um mein Königtum; ich vergesse niemals mein königliches Blut.«

»Dann zeigt Euch königlich in Euerm Denken ebenso wie in Euerm Blut. Denkt doch, denkt, was die Ehe bedeutet – für eine Königin! Ihr erwählt nicht nur einen Gatten für Euch selbst, sondern einen König für Euer Volk. Das läßt sich nicht ungeschehen machen, wenn es einmal geschehen ist.«

»Das weiß ich; *ich* halte meine Versprechen. Ihr mögt Eurer Königin sagen, daß sie mich lange genug mit schönen Reden betört hat; am Ende hat sie mich doch über ihre Absichten getäuscht. Daher kann ich ihr jetzt nicht mehr vertrauen. Was ist der Grund für ihren Einwand? Sie hat selbst vorgeschlagen, daß ich jemanden aus ihrem Reich heirate. Lord Darnley ist der einzige von geeignetem Stande, der unverheiratet ist. Der Earl von Leicester, den sie mir angeboten hat ... nun, ich möchte sie daran nicht erinnern, so peinlich war es für alle Beteiligten.«

»Ich glaube aber, es war ihr ernst damit, Majestät.«

»Um so peinlicher das Ganze. Ich will es gnädig vergessen.«

Sie wandte sich ab und ging schnellen Schritts auf die königlichen Gemächer zu. Dort angekommen, marschierte sie die Galerie mit den Büsten und Statuen hinunter und durch ihre eigenen Gemächer – durch den Gardesaal, wo die behelmte Wache ehrerbietig strammstand, durch den Audienzsaal mit dem Thron und dem Staatsbaldachin und schließlich durch ihr Schlafgemach. Zwei der Marys lagen dösend auf ihren Lagerstätten; sie öffneten kaum die Augen, als sie durch das Zimmer ging. Behutsam drückte sie die Klinke an der Tür nieder, die ihr Schlafgemach mit Darnleys verband, und öffnete sie.

Er lag ruhend in dem großen Bett, teilweise entkleidet und mit einem Pelz zugedeckt. Sie trat ans Bett, so leise sie konnte, und schaute eine Weile auf ihn hinunter. In einer Ecke rührte sich Rizzio; auch er hatte sich nach dem langen Vormittag und dem schweren Mahl zur Ruhe gelegt.

Auf Zehenspitzen ging sie zu ihm hinüber und berührte seine Schulter. Rizzio setzte sich kerzengerade auf.

»Guter Rizzio«, flüsterte sie, »Ihr habt doch eine geweihte Kapelle in Eurem Quartier, nicht wahr?«

Er zog die Stirn kraus. »Allerdings. Ich habe sie selbst eingerichtet. Sie ist klein – nur ein Altar und Kerzen und natürlich das Sakrament –, und sie ist nur für –«

»Wohnt noch jemand dort? In Euren Gemächern?«

»Nein. Nur ich allein.« Er schüttelte den Kopf, um seine Gedanken zu klären.

»Und Euer Beichtvater? Ist er in der Nähe?«

»Wenn er nicht nach Stirling in die Stadt hinuntergegangen ist, wie er es manchmal tut, wenn er keine Verpflichtungen hat.«

»Geht in Eure Gemächer. Bereitet die Kapelle vor. Sucht Euren Beichtvater – und findet Ihr ihn nicht, bringe ich meinen mit. Lord Darnley und ich werden in einer knappen halben Stunde dort sein, um ein geheimes Treuegelöbnis abzulegen, das uns vor Gott miteinander verbinden wird. Dann kann uns nichts mehr trennen, und ich werde mich durch ihre Argumente nicht mehr wankelmütig machen oder in Versuchung führen lassen. Geht!«

Sie wandte sich Darnley zu, der immer noch schlief. Seine hell bewimperten Augen waren geschlossen, und liebevoll umarmte er das Kissen.

Bald kann er mich statt eines Kissens in der Nacht umarmen, dachte sie liebevoll. Und niemand kann uns einen Vorwurf machen oder uns mit Schmähungen überziehen.

»Henry«, sagte sie und streichelte seine Stirn.

Er erwachte, und wie immer nahmen seine großen, graublauen Augen ihr den Atem.

»Lieber Henry, steh jetzt auf. Ich weiß ein Abenteuer für dich, ein Spiel. Wir werden sie überlisten, werden sie alle überlisten.«

»Wen überlisten?« Er rang mit seiner Decke und kämpfte sich schließlich heraus.

»Sie alle!« Ihre Stimme hatte einen wilden Klang. »Die Lords der Kongregation und Knox und Elisabeth und –«

»Na, das sind wirklich alle, wie?« Er stöhnte. »Ist eigentlich irgend jemand *für* unsere Heirat? Außer dir und mir?«

»Der Earl von Morton –«

»Weil meine Mutter ihm bestimmte Ländereien überlassen hat. Wer noch?«

»Rizzio.«

»Ein Diener.«

»Ich nehme an, der König von Frankreich –«

»Ein Kind.«

»Und Philipp von Spanien –«

»Auf den es hier kaum ankommt.«

»Und der Papst –«

»Noch weniger.«

»Andere werden dich mit der Zeit liebgewinnen. Wie ich es schon getan habe!«

»Es scheint, ich bin eine Bedrohung oder eine Beleidigung für jedermanns Stolz. Wie sonderbar – wo ich doch das richtige Blut in den Adern habe, die geziemende Erziehung, die Manieren ... einen *objektiven* Grund kann es gar nicht geben. Also richtet sich ihre Abneigung gegen meine *Person.*« Er preßte die Lippen zusammen und machte ein zorniges Gesicht. »Es ist irgend etwas an mir selbst – wie ich rede, wie ich mich bewege ...«

»Narren sind sie! Komm, mein guter Lord – steh auf und komm mit mir. Wir werden sie alle in Verwirrung stürzen!«

Sie standen vor dem italienischen Priester, den Rizzio von den Gütern seines Vaters in der Gegend von Turin mitgebracht hatte. Er hatte das runde, olivfarbene Gesicht und die glänzenden Augen, die nach Marias Vorstellung jedermann in Italien hatte. In ihrer Phantasie war dieses Land ein Ort, wo alle sich für Kunst interessierten und katholisch waren; es gab viele Blumen dort, und die Nächte waren warm und luden die Menschen ein, ins Freie zu kommen. Irgendwie war es passend, daß sie nun, da sie selbst sich die Freiheit nahm, einen Italiener heranzog, der das Ganze vollziehen sollte.

Auf Rizzios kleinem Altar, geschmückt mit toskanischer Malerei und silbernen Kerzenleuchtern, lag eine spitzengesäumte Leinendecke. Rizzio trat feierlich beiseite, und Maria und Darnley absolvierten die Verlobungszeremonie nach der Vorschrift der Heiligen Mutter Kirche. Es war eine verbindliche Zeremonie, mit der anerkannt war, daß sie einander vor Gott gelobt hatten, sich miteinander zu vermählen – ein Gelübde, von dem sie sich nur in einem formellen juristischen Verfahren wieder befreien könnten.

»Ich, Maria, Königin der Schotten, Königin von Frankreich, souveräne Herrscherin über die Inseln, gelobe feierlich, daß ich dich, Henry Lord Darnley, gemäß dem Ritus und Diktat der Allerheiligsten Katholischen Kirche zum Ehegemahl nehmen werde.« Sie schaute den hochgewachsenen jungen Mann neben ihr an, und ihr Gesicht war blaß.

»Ich, Henry Lord Darnley, gelobe feierlich, daß ich dich, Maria, Königin der Schotten, Königin von Frankreich, souveräne Herrscherin über die Inseln, gemäß dem Ritus und Diktat der Allerheiligsten Katholischen Kirche zur Ehegemahlin nehmen werde. Und dazu gelobe ich dir meine Treue.« Er zog einen Ring von seinem kleinen Finger und steckte ihn auf Marias Ringfinger.

»Küßt sie nun«, sagte der Priester, und Darnley gehorchte.

»Ah, jetzt ein Festschmaus!« sagte Rizzio. »Wäre alles, wie es sein sollte –«

»Wir haben eben ein großes Essen hinter uns gebracht«, sagte Maria. »Alles schläft. Wir werden uns davonstehlen, uns zurückziehen, und das ist besser als jeder Festschmaus.« Sie nahm Darnley bei der Hand. »Hoffen wir, daß niemand uns sieht, wenn wir den oberen Hof überqueren. Und Rizzio – wir entlassen Euch für heute nacht aus Euren Pflichten.« Sie lachte und nahm ihm die Mütze vom Kopf.

Zusammen eilten sie und Darnley über den Hof. Es wurde dunkel, und in den Fenstern waren Lichter zu sehen.

»Aber, aber!« rief Robert Stewart, als er sie erblickte.

Für gewöhnlich hatte Maria ihren Bruder gern, aber heute abend war ihr der verspielte, hohlköpfige Mann nicht willkommen.

»Ich grüße Euch, Bruder«, sagte sie hastig. »Ich hoffe, Ihr hattet einen guten ersten Mai?«

»Ja, ja!« Er drehte sich taumelnd um sich selbst, so schnell eilten Maria und Darnley vorüber. Ganz offensichtlich hatte er einen Schwips.

»Rasch, hinein!« Maria zog Darnley in den Gardesaal, durch das Audienzgemach und schließlich in ihre Schlafkammer. Dann schob sie den Riegel vor und ließ sich gegen die Tür fallen.

Darnley blieb mitten in der Kammer stehen, wo sie ihn mehr oder weniger hingestoßen hatte.

Wie dünn seine Beine sind, dachte sie plötzlich, ganz seltsam berührt. Er war wirklich sehr krank.

»Lieber Gemahl«, sagte sie und sprach das Wort genußvoll aus. »Denn so darf ich dich jetzt wirklich nennen.« Sie ging zu ihm, blaß und unsicher.

»Gemahlin.« Er nahm sie in die Arme, aber er war starr wie ein Stück Holz.

»Was – hast du Angst? Du solltest lieber frohlocken. Wir haben unser Leben und unsere Liebe selbst in die Hand genommen. Jetzt kann uns nichts mehr trennen.« Sie umarmte ihn.

»Wir sind für immer miteinander verbunden?«

»Ja. Das hat diese Zeremonie bewirkt.« Maria führte ihn zum Bett. »Sie hat uns eins werden lassen.«

Sie drückte ihn nieder, und er streckte sich auf dem großen Bett aus. »Wir haben heute nacht keine Diener«, sagte sie. »Niemanden, der uns auskleidet. Und nichts von diesen albernen Zeremonien, bei denen man uns im Bett beobachtet und auf unser Wohl trinkt.« Sie beugte sich nieder und küßte ihn. »Wir sind allein. Es gibt nur uns. Wir haben das kostbarste Geschenk von allen bekommen: Ungestörtheit. Niemand wird uns behelligen.«

Sie zog ihm das Wams aus, Ärmel für Ärmel. »Laß mich dein Kammerdiener sein«, flüsterte sie.

Bald lag Darnley nackt auf dem Bett. Maria konnte nicht anders, sie mußte ihn anstarren. Noch nie hatte sie einen nackten Mann gesehen, wenigstens keinen erwachsenen. Wie konnte es sein, daß ihre Körper wirklich so verschieden waren?

Langsam zog sie sich selbst aus. Erst die Haube, dann das Kleid, dann das starre Gerüst, mit dem der Rock in einem verlockenden Winkel abgespreizt wurde. Endlich stand sie im Unterrock und in einem atlasseidenen Hemd mit Spitzenbesatz.

Darnley nahm sie in die Arme. »Ist das alles wirklich mein?« flüsterte er.

»Ja, mein Lord, mein Geliebter ...«

»Dein Gemahl und dein Freund«, murmelte er und nahm ihr Gesicht in beide Hände. »Hoffentlich bin ich dessen würdig.«

Er küßte sie und zog sie in das warme Nest der Decken hinunter. Sie spürte, wie die stets gegenwärtige Wachsamkeit vor aller Gefahr dahinschmolz.

Das Bett war eine kleine Welt für sie: die Decken ein Zelt, die Matratze eine sichere Lagerstatt. Darnley nahm sie in die Arme, und langsam kleidete er sie vollends aus. Seine Finger nestelten an den ungewohnten Verschlüssen, aber gerade sein mühsames, hilfloses Hantieren ließ ihr Verlangen um so heftiger entbrennen. Als die letzte Bedeckung von ihr abgefallen war, hatte sie das Gefühl, sie könne nicht länger getrennt von ihm existieren.

»Oh, Henry«, murmelte sie und spürte seinen Körper in voller Länge an ihrem. »Du machst aus mir mehr, als ich bin.«

»Das ist unmöglich. Du kannst niemals mehr sein als ... oh, oh!« rief er aus.

Sie fühlte, daß nichts sie eng genug mit ihm verbinden könnte, daß sie vollständig mit ihm verschmelzen und doch für sich bleiben wollte, damit sie sich ihm immer weiter geben und ihm zu Gefallen sein könnte.

Sie kamen zueinander in der einzigen Weise, die dieses Gefühl lindern konnte, die es zugleich bezähmen und befreien konnte. Sie waren beide noch jungfräulich, und doch war der Akt etwas ganz Natürliches für sie.

»Oh, Henry!« rief sie und drückte ihren schweißnassen Kopf an seine Brust. »Oh, mein Gemahl.«

Sie war endlich eine Frau.

Mitten in der Nacht, bevor es hell wurde, wachte sie auf. Darnley schlief neben ihr und atmete leise. Es war so seltsam, aufzuwachen und einen anderen Menschen neben sich zu finden ... würde sie sich daran gewöhnen?

Nein, niemals, dachte sie. Es wird immer ein Wunder für mich bleiben. Und er ... Sie schaute zu ihm hinüber und versuchte, ihn im Dunkeln zu sehen. Er regte sich und murmelte etwas. Sie berührte seine Schulter und wisperte ihm zu, sie müsse zurück in ihr eigenes Gemach, ehe die Marys erwachten.

Langsam glitt sie unter den Decken hervor und spürte den kalten Steinboden unter den Füßen. Sie zog Laken und Pelze zurecht und ging zu der Verbindungstür. Behutsam öffnete sie sie und schlich sich in ihr Zimmer. Die Marys schliefen noch; aber sie wußte, sie hatten bemerkt, daß sie nicht schon früher zurückgekehrt war. Andererseits blieb sie oft lange auf, besprach sich mit Rizzio oder spielte Karten bis zwei Uhr morgens. Daran waren sie gewöhnt.

Jetzt mußte es drei oder vier Uhr sein. Auf Zehenspitzen ging sie zu ihrem Bett und kletterte hinein. Sie war nackt, und ihre Kleider waren noch in Darnleys Zimmer. Wie sollte sie ihnen das verheimlichen? Sie halfen ihr immer beim Anziehen, brachten ihr vorgewärmte Unterkleidung und falteten ihr Nachthemd zusammen, um es wegzulegen.

Die Nachthemden lagen in der Ulmenholztruhe am anderen Ende des Raumes. Konnte sie im Dunkeln den Weg dorthin finden und leise eines herausnehmen? Vorsichtig kroch sie wieder aus dem Bett und tastete sich hinüber. Sie spürte den Seidenteppich unter den Füßen und wußte, daß sie auf halbem Weg war. Hier stand ein schwerer Stuhl, dem sie auszuweichen hatte.

Endlich hatte sie die Truhe erreicht und hob den Deckel; lautlos beschwor sie ihn, kein Geräusch zu machen, und er blieb stumm. Sie nahm das oberste Hemd heraus; am Gefühl erkannte sie das rosafarbene Wollhemd mit dem Seidenfutter. Sie hatte es schon gehabt, bevor Franz gestorben war, aber seitdem hatte sie es nicht oft getragen, weil es ihr für ihre Witwenschaft zu luxuriös und zu bunt erschienen war.

Aber ich bin keine Witwe mehr, dachte sie plötzlich. Ich bin eine Braut. Ich bin keine Jungfrau mehr, sondern eine Frau.

Sie stieg wieder in ihr Bett und schlüpfte unter die Decke, und ihr war, als sei sie ein völlig anderes Geschöpf als das, welches zuletzt hier geschlafen hatte. Ihr Körper war heiß und schmutzig und klebte am feinen Seidenfutter des Nachthemdes.

Sie hatte sie nie irgendwie unsauber gefühlt, außer vielleicht, wenn sie einen ganzen Tag lang hart geritten war, aber auch das war ein Schmutz und Geruch von anderer Art, wiewohl nicht völlig unähnlich.

Ding-ding-ding-ding. Die kleine Uhr schlug die Stunde. So früh noch. So spät.

Aber ich bin unbehelligt zurückgekehrt, und niemand weiß etwas. Es ist mein Geheimnis, meins und Darnleys.

Die Sonne strahlte zu den Fenstern herein, und die Uhr schlug neunmal, als sie aufwachte. Ihre Augen waren verklebt, sie fühlte sich steif, und zwischen ihren Beinen war sie schmerzlich wund.

Die Marys waren schon angekleidet und hantierten geschäftig im Zimmer. Eine – Flamina – zog die Uhr auf; eine andere polierte ihren Schmuck mit einem weichen Tuch und einer Paste aus Aragonit-Gummi und Alabaster. Der »Great Harry« lag da wie ein Kinderspielzeug und wartete, daß er an die Reihe kam.

Maria bat um ein Bad, und sofort wurde warmes, parfümiertes Wasser heraufgetragen und in eine große Zinnwanne gegossen, die vor dem Kaminfeuer stand. Hinter einem Wandschirm ließ sie sich das Nachthemd ausziehen und stieg hastig in die Wanne. Voller Entsetzen dachte sie daran, daß Abdrücke von Darnleys Händen an ihrem Körper sichtbar und daß die Spuren seiner Lippen auf ihrer Haut zurückgeblieben sein könnten. Würde das warme Wasser sie abwaschen? Sie ließ sich tiefer hineingleiten.

»Eure Majestät, soll ich das Sandelholzöl ins Wasser gießen, das wir von den Zigeunern bekommen haben?« rief Flamina über den Wandschirm.

Würde es den seltsamen Geruch überdecken, den sie von Darnleys Bett in das ihre und von dort in die Badewanne getragen hatte?

»Ja, bitte.«

Flamina kam um den Schirm herum, nahm das Fläschchen und

goß das Öl in langem, dünnem Strahl ins Wasser. Kleine Tröpfchen breiteten sich auf der Oberfläche aus und schwammen dort wie winzige Opale. Sie roch am Flaschenkorken. »Köstlich. Es erinnert mich an etwas Orientalisches. Myrrhe. Oder Balsam von Gilead, was immer das sein mag; den habe ich mir jedenfalls immer schwül und schwer vorgestellt, so wie das hier.«

»Danke.« Maria spritzte sich das duftende Wasser über die Schultern.

»Ihr seid letzte Nacht lange auf gewesen.«

»Ja. Ich ... ich konnte nicht schlafen. Und ich mußte mit Rizzio über die Vorbereitungen zur – zur Feier der Wiederbelebung des Ordens der Distel sprechen, die ich bald abzuhalten gedenke.«

»Des Ordens der Distel ...?

»Ja. Das ist – das ist – der alte Ritterorden Schottlands. Wie es in England den Hosenbandorden gibt und in Frankreich den Orden des heiligen Michael. Er ist seit dem Tod meines Vaters nicht mehr zusammengekommen, und nur noch wenige Ritter sind übrig.« Nervös spritzte sie sich wiederum Wasser über die Schultern.

»Aber den könnt Ihr nicht wiederbeleben, denn Ihr seid eine Frau«, wandte Fleming ein. »Frauen können nicht Ritter sein und die goldenen Sporen tragen.«

»Ich werde einen Vertreter benennen«, sagte Maria. »Ich bin die Herrin des Ordens. Und es ist nötig, daß Schottland seinen früheren Glanz und seine alte Würde wiederherstellt.« Sie sah Fleming an. »Du kannst jetzt gehen.«

Geh, geh, laß mich allein, damit ich nachdenken kann über das, was geschehen ist, über meinen Mann, mein Geheimnis ...

Das Sandelholzöl verströmte zarte Duftwolken, die sie umhüllten und ihr in die Nase stiegen.

Darnley war es, als habe jemand an die Tür geklopft. An die Tür der königlichen Gemächer! *Seiner* Gemächer. Warum störten ihn ständig so viele Leute? Nie ließ man ihn in Frieden! Er versteckte die Whiskyflasche unter seinem Mantel, der zerknüllt lag, wo er ihn hingeworfen hatte.

Er hatte den Raum schon halb durchquert, als er beschloß, umzukehren und noch einen kräftigenden Schluck zu nehmen. Er hatte inzwischen gelernt, dieses scharfe Zeug schnell zu schlucken, so daß es ihm nicht den Mund verbrannte.

Er zog die Ärmel herunter, damit sie seine Handgelenke bedeckten, und riß die Tür auf. Zu seiner Überraschung stand James Hamilton draußen, der alte Herzog von Châtelherault. Der weißhaarige, breitgesichtige alte Mann sah aus, als sei er in einer Mission gekommen, die ihm zuwider war; der Abscheu gegen Darnley stand ihm ins Gesicht geschrieben.

»Was wollt Ihr?« fragte Darnley höhnisch. Dieser Mann war sein Feind, der Feind seines Vaters, der Mann, der es *gewagt* hatte, ihnen ihren Anspruch auf den nächsten Platz in der Thronfolge streitig zu machen. Nun, jetzt würde er schon sehen! Darnley würde auf diesem Thron sitzen, auf dem Thron, den sie so sehr begehrten. Und mein Kind wird König werden, dachte er. Und zu seiner Überraschung hörte er, daß er diese Worte laut aussprach.

»Wie bitte?« fragte der Herzog. »Habe ich richtig gehört?« Er sah Darnley an und roch den Whiskydunst. Vielsagend blickte er zur Sonne, die noch nicht sehr lange am Himmel stand. »Ich bin gekommen, um die bestehenden Differenzen zwischen unseren beiden Häusern zu erörtern und vielleicht zu einer Verständigung zu gelangen. Wollt Ihr mir nicht die Ehre erweisen, mich hereinzubitten?«

»Nein«, sagte Darnley. »Nein, das will ich nicht. Seit wann bittet man seinen Feind, über die Schwelle zu treten?«

»Aber ich komme nicht als Feind.« Châtelherault hob die Stimme.

»Niemals als Freund!« rief Darnley. »Ihr habt versucht, die Königin zu verraten, und Euren verrückten Sohn auf sie gehetzt! Der Earl von Arran, der hätte sie wohl gern entführt –«

Bei der Erwähnung seines Sohnes erstarrte der Herzog. »Beleidigt nicht meine Familie!«

»Er ist immer noch verrückt, nicht wahr? Eingesperrt in Eurem Haus, wie es sich für einen Irren gehört.«

»Ich bin gekommen, um friedlich mit Euch zu sprechen, aber ich sehe wohl, mit einem Esel wie Euch kann es keinen Frieden geben!«

»Wenn ich wieder genesen bin, werde ich Euch aufs Haupt schlagen! Seid dankbar, daß ich noch nicht wieder bei Kräften bin!«

»Narr! Narr von einem Knaben!« Der Herzog machte auf dem Absatz kehrt und marschierte davon.

Boten schwärmten durch ganz Schottland und riefen bestimmte Männer nach Stirling, damit sie dort an der Zeremonie des Ordens der Distel teilnahmen, dortselbst abzuhalten zu Gefallen Ihrer Majestät.

Lord James in Edinburgh beschied, er habe dringende Geschäfte in der Stadt, die – leider – verhindern würden, daß er nach Stirling käme.

William Maitland von Lethington war bereits nach Frankreich abgereist, um die Zustimmung des Königs und der Regentin zur Vermählung der Königin Maria und des Lord Darnley einzuholen, und erhielt den Ruf nicht mehr.

James Melville schickte sich an, der Einladung zu folgen, aber er fragte sich verwirrt nach Sinn und Zweck dieser Zeremonie.

Erskine, Morton, Ruthven, Lindsay, Argyll und Kirkcaldy von Grange sagten zu und begannen, ihre Garderobe auszuwählen.

Paul de Foix, der französische Botschafter, hatte ein Quartier zugewiesen bekommen.

John Knox war nicht eingeladen.

James Hepburn, der Earl von Bothwell, der heimlich und ohne königliche Erlaubnis in das Heim seiner Ahnen nach Liddesdale zurückgekehrt war, erfuhr überhaupt nichts von der Angelegenheit.

Maria, Königin der Schotten, zog mit majestätischem Gang und hocherhobenem Haupt in einer Prozession in die königliche Kapelle ein, die inzwischen mit königlichen Bannern und den grünweißen Bannern des Ordens (anläßlich der Zeremonie in aller Hast genäht) behängt worden war. Um die Schultern trug sie die goldene Kette des Ordens, geschmückt mit emaillierten Disteln und Rautenzweigen, die zuletzt ihr Vater im Jahr 1540 getragen hatte. An ihren Fesseln prangten die goldenen Sporen des Ritterordens, und sie trug einen Samtmantel, dunkelgrün wie die alten Wälder.

Die vierzehn Männer, die zu Ritterlichen Gefährten des Ordens ernannt werden sollten, erwarteten sie in aufrechter Haltung. Sie hatten die ganze Nacht gefastet und gewacht, wie es der Brauch verlangte. Jetzt nahm die Königin mit ihrem Gefolge ihren Platz vor dem Altar ein.

Der Wappenherold trat vor und blähte die Brust.

»Nun müßt Ihr als würdige Ritter, von Eurer Königin auserkoren, ihr in diesem vornehmen und alten Orden zu dienen, einer nach dem anderen vortreten, um Eurer Königin sowie dem Orden der Distel Treue zu schwören, eingedenk seines Mottos: *Nemo me impune lacessit.*« Er wies auf das Banner mit dem Kreuz des heiligen Andreas und der darübergenähten Distel aus Atlasseide. »›Niemand verletzt mich ungestraft.‹«

Die Trompeter stießen zweimal in ihre silbernen Hörner.

Maria hob die Hände, und die langen Ärmel ihres Gewandes hingen fast bis zu ihren Knien herab.

»Mein gutes Volk und Ihr treuen Edelleute. Als Frau kann ich diese Zeremonie nicht selbst vollziehen, denn ich bin kein Ritter. Daher ist es mir eine Freude, ein altes Vorrecht auszuüben und meinen Ritter zu erwählen, auf daß er die Pflichten eines Amtes übernehme, das auf Männer beschränkt und den Weibern versagt ist.«

Alle strafften sich noch mehr und warteten.

»Henry Stuart, Lord Darnley, tretet vor.« Ihre Stimme hallte laut durch die hohe Kapelle.

In einer der hinteren Reihen bewegte sich etwas: Eine große, in blauen Samt gekleidete Gestalt löste sich aus dem Schatten und kam durch den Mittelgang nach vorn. Vor ihr blieb er stehen. Lange standen er und die Königin einander dicht gegenüber, Auge in Auge. Niemandem in der Kapelle entging der Blick, den sie wechselten: ein Blick des Verlangens und der Entschlossenheit. Dann kniete er auf dem Schemel vor ihr nieder, und seine frischbesohlten Stiefel zeigten der Versammlung ihr glänzendes Ledergesicht.

»Legt Euren Eid ab«, befahl sie ihm.

»Ich werde den christlichen Glauben mit allen meinen Kräften verteidigen«, sagte er mit lauter Stimme. »Ich werde meiner obersten Herrscherin, der Königin von Schottland, und ihren Nachfolgern treu und ergeben sein.

Ich werde mich für das Amt der Ritterschaft verwenden und mich darin üben.

Ich werde eifrig meine Pflicht tun, wann immer ich vernehme, daß Mörder, Räuber oder Meisterdiebe das Volk unterdrücken, und werde sie nach besten Kräften ihrer gerechten Strafe zuführen.

Ich werde niemals meine Königin, meinen Herrn oder meinen Gefährten in Zeiten der Not im Stich lassen.

Ich werde den vornehmen Orden der Ritterschaft, von dem ich Pferd, Waffen und ritterliches Gewand empfangen werde, nach allen meinen Kräften stärken, bewahren und verteidigen.

Ich werde niemals Verrat im Herzen tragen gegen unsere Oberste Herrscherin, die Königin, sondern werde ihr derlei stets offenbaren.

Dazu verhelfe mir Gott und das heilige Evangelium durch meine eigene Hand sowie durch Gott, den Herrn.«

»Amen«, sagte Maria. Sie beugte sich nieder, hob ihren Kleidsaum und löste die Sporen von ihren Fersen. Dann hielt sie sie in die Höhe und reichte sie dem Ritter, der vor ihr stand. Er nahm sie, und sie umfaßte dabei seine Hände.

»Legt sie an«, sagte sie, und sie ergriff das Schwert, das ihrem Vater gehört hatte und berührte damit sanft seinen Hals an beiden Seiten.

»Ich nenne Euch Sir Henry.«

Er richtete sich auf, und die Sporen klirrten an seinen mageren Knöcheln.

»Ich ernenne Euch zum Lord von Ardmanach, Baron und Peer im Parlament.«

Er neigte leicht den Kopf.

»Und zuletzt – fürs erste – ernenne ich Euch zum Earl von Ross.«

Die anwesenden Adeligen schnappten unhörbar nach Luft – aber wäre es hörbar gewesen, so hätte es nicht lauter sein können. Earl von Ross, das war ein königlicher Titel, den nur ein schottischer Prinz tragen durfte.

Wieder kniete er auf dem Schemel nieder.

»Ich werde meiner obersten Herrin, der Königin von Schottland, treu und ergeben sein und werde bewahren und verteidigen Ihrer Hoheit Leib, Reich, Lehen und Gesetze, und zwar mit allen meinen Kräften. Dazu verhelfe mir Gott, das heilige Evangelium und meine eigene Hand.«

Sie hieß ihn aufstehen und winkte einem Diener, der einen Gürtel und ein Schwert auf samtenem Kissen brachte.

»Der Gürtel Eures Titels«, sagte sie und schnallte ihn um seinen Leib.

»Und nun, Lord von Ross, fordere ich Euch auf, meines Amtes zu walten: Tragt die Sporen der Ritterschaft und weiht die Kandidaten zur Ritterschaft im Orden.«

Als sie aus der Kapelle in die Maisonne hinaustrat, sah sie Throckmorton, der mit banger Miene ein Stück abseits stand, unweit des Durchgangs zur Großen Halle, in der bereits die Festtafel gedeckt wurde.

»Ihr macht ein langes Gesicht«, stellte sie fest und trat zu ihm.

»Der Earl von Ross ist ein königlicher Titel«, sagte er.

»Lord Darnley hat königliches Blut, oder?«

»Genauer gesagt – und all seinen vornehmen Loyalitätsbeteuerungen zum Trotz – bedeutet die Annahme eines schottischen Titels und die Nominierung für das schottische Parlament den Widerruf seiner Treueverpflichtung gegenüber seinem eigenen Lande, gegen England, und gegenüber seiner eigenen Herrscherin, gegen Königin Elisabeth. Indem er Euch Gefolgschaftstreue geschworen hat, hat er seine eigene Königin verraten.«

»Inwiefern? Ich habe ihn nicht aufgefordert, ihr zu widersagen.«

»Man kann nur einen Herrn haben, Majestät. Und wer seinen Herrn heute so leichthin wechselt, wird sich morgen vielleicht wieder wandeln. Seht Euch vor.«

Throckmorton klang betrübt – wegen ihrer Ahnungslosigkeit oder wegen ihrer möglichen Doppelzüngigkeit, das wußte sie nicht zu sagen. Aber es schmerzte sie.

»Eure Herrin wechselt ihre Haltung mit den Kleidern; jeden Tag bringt sie etwas anderes vor, verspricht sie etwas anderes, nimmt sie zurück, was sie gestern gesagt hat!« versetzte sie.

»Aber ihre Höflinge und Ritter sind niemals schwankend in ihrer Gefolgschaftstreue zu *ihr*. Sie kennt noch nicht den Natternbiß eines falschen Dieners oder Ratsherrn«, sagte Throckmorton. »Dieser Darnley hat sein Mäntelchen einmal nach dem Wind gehängt, und er wird es wahrscheinlich wieder tun. Ich –«

»Ich habe ihn noch nicht zum Herzog von Albany gemacht, was der höchste Titel von allen ist. Ich erwarte Nachricht von Königin Elisabeth, bevor ich fortfahre. Ich will ihr meine Achtung erweisen und ihr Gelegenheit geben, diese Ehe doch noch zu segnen«, sagte Maria. »Ihr seht, wie vernünftig ich bin und bleibe. Vorläufig. Guten Tag.« Sie reckte den Kopf in die Höhe, raffte ihren grünsamtenen Mantel zusammen und ging zum Festbankett in die Halle.

Maria saß auf einem Schemel und hielt einen elfenbeingerahmten Spiegel in der Hand. Das Spiegelbild war stumpf – obwohl helles Licht durch das offene Fenster ihres Privatgemachs fiel –, und sie konnte ihre Gesichtszüge nicht deutlich erkennen. Aufmerksam betrachtete sie ihre Augen und suchte nach Tiefe. Aber sie sah nichts als das Suchen im eigenen Blick.

Sah sie anders aus? Sie fühlte sich verändert, und sie fragte sich, ob man es sah. Dichter sprachen davon, daß Liebe in den Augen glänzte und die Züge veränderte. Aber sie gab sich ja auch Mühe, äußerlich unverändert zu erscheinen.

Sie schaute ihre Ohren an, an denen schwere Ohrringe hingen: ein Geschenk von Darnley. Sie waren mit Saphiren und Diamanten sowie mit einem verschlungenen, metaphorischen Spruch über Familien und Erben und Hoffnungen und Schicksal geschmückt.

»Aber wir brauchen keinen Symbolismus«, hatte er gesagt, und dann hatte er seinen hübschen Kopf gesenkt und ihre Brüste geküßt. »Symbolismus ist ein armer Vetter dessen, was wir hier haben.«

Und dann hatte er …

Bei der Erinnerung daran merkte Maria, daß sie errötete. In diesem Augenblick stieß Flamina die Tür auf und kam mit einem Brief herein.

»Er ist aus Frankreich«, sagte sie und gab ihn ihrer Herrin.

Es war ein schwerer Brief, und Maria erkannte das Siegel des Kardinals darauf. Dem Himmel sei Dank! Er war von ihm, von ihrem Onkel Kardinal, an dessen Rat und Meinung ihr in diesen tückischen Gewässern am meisten gelegen war. Seit Wochen wartete sie auf seine Antwort.

»Danke«, sagte sie und erbrach das dicke, spröde orangegelbe Wachssiegel.

»Liebste Nichte und Schwester in Christo –«

Ja, ja.

»Wir erhalten Kunde von dem Sachverhalt, den Lord Darnley betreffend, einen Prinzen von königlichem Geblüt, den wir bei verschiedenen Gelegenheiten anläßlich seiner Besuche in Frankreich beobachten konnten. Seiner Abkunft, seiner gewinnenden Person und seiner allgemeinen Empfehlungen sind wir uns wohl bewußt.«

Sie schloß die Augen und drückte den Brief an ihren Busen. Oh, ich danke dir, guter Gott.

Schließlich las sie weiter.

»Mein Kind, wäre nicht meine tiefe Liebe zu Dir und meine Sorge als Dein Onkel und Dein Hirte in Christo, so würde ich schweigen. Aber das darf ich nicht. Ohne Einzelheiten anzugeben (denn da gäbe es Hunderte, die man hat beobachten können, während er, ungezügelt von elterlicher Hand, hierzulande weilte), muß ich Dir sagen, daß er meiner Meinung nach *un gentil hutaudeau* ist, ein hochgeborener, streitsüchtiger Geck, ein Schwächling, den nichts stützt und aufrecht hält als der Heldenmut seiner Vorfahren und das Ansehen der daraus folgenden Titel. Diese aber wurden längst verstorbenen

Ahnen von längst vergangenen Königen verliehen. Den Lebenden obliegt es, neu zu werten – und der lebende Abkömmling des Hauses Darnley ist Deiner nicht würdig. Ich bitte Dich, erspare Dir –«

Sie stöhnte auf und zerknüllte das Papier.

Onkel. *Et tu?*

Warum sieht ihn niemand so wie ich, schrie sie innerlich in stummem Schmerz.

Es kam ein Brief vom Herzog von Châtelherault; er beklagte sich über die Schmach, die der Earl von Ross ihm angetan habe, indem er gedroht habe, ihm wegen einer eingebildeten Kränkung aufs Haupt zu schlagen.

»Über eine derartige Herausforderung kann man kaum hinweggehen, wenn man nicht bedenkt, wer sie ausspricht«, schrieb er. »Dann aber erstattet man am besten höheren Orts davon Bericht.«

Der Herzog und Darnleys Vater waren alte politische Feinde, dachte Maria, und natürlich würde sich der Herzog gegen jede Beförderung der Lennox-Stuarts stellen. Aber hatte Darnley denn tatsächlich gedroht, ihm »aufs Haupt zu schlagen«, sobald er wieder bei Kräften wäre, wie der Herzog behauptete?

Und warum hat er mir nichts davon erzählt? fragte Maria sich.

Throckmorton hatte behaglich vor dem Feuer im Speiseraum des Gasthauses in Stirling gesessen, und es graute ihm davor, in seine einsame Kammer hinaufzusteigen. Noch immer erfüllte herzhafter Gesang die Schankstube; ja, die Verse wurden immer skurriler, auch wenn die schottischen Worte schwer zu verstehen waren. Aber wenn er jetzt noch mehr tränke, würde ihm morgen der Kopf brummen. Widerstrebend zahlte er die Zeche und kletterte die steile Stiege zu seinem kalten, aber gut eingerichteten Zimmer hinauf. Seufzend – denn am liebsten wäre er geradewegs zu Bett gegangen – zwang er sich, die Kerze auf den Tisch zu stellen und sich hinzusetzen. Er mußte an Cecil und an Elisabeth schreiben.

»Lord Darnley«, schrieb er, und zögernd formte seine Feder Wort für Wort – oh, wie gern würde er jetzt schlafen – »hat nach meiner letzten Audienz vor wenigen Tagen die genannten Ehren empfangen, wobei nur die Ernennung zum Herzog von Albany ausgespart blieb – welche Ehrung die Königin aufzuschieben versprach, bis sie Kunde davon habe, wie Eure Majestät die Vorgänge aufnimmt und auf meinen Bericht antwortet.«

Er blies die Wangen auf und ließ die Luft langsam entweichen. »Nichtsdestoweniger finde ich die Königin derart gefesselt durch Liebe oder List oder, um die Wahrheit zu sagen, durch Prahlerei und Narretei, daß sie nicht halten kann, was sie sich selbst verspricht, und daher auch nicht halten kann, was sie Eurer Majestät in diesen Dingen verspricht.«

Und nun die Crux des Ganzen.

»Die Königin ist in der Angelegenheit des Lord Darnley schon so weit gegangen, daß sie unwiderruflich ist und es keine Möglichkeit mehr gibt, dieselbe ungeschehen zu machen, außer durch Gewalt.«

Maria strich ihr Wams glatt und drehte den Fuß hin und her, um zu sehen, wie ihr Bein in einer weinroten Strumpfhose aussah.

»Findest du, es sieht aus wie ein Männerbein?« fragte sie Darnley, der neben ihr in ihrem Gemach stand. »Oder ist es zu schlank?«

Darnley streckte zum Vergleich sein eigenes aus, und es war fast so schlank wie ihres.

»Sicher nicht. Es ist ein sehr männliches und hübsches Bein«, sagte er. »Komm, du trödelst zu lange. Ich glaube, du traust dich nicht, zu tun, was dein Vater getan hat, auch wenn du es vorgeschlagen hast.«

»Wenn mein Vater verkleidet ausging, dann tat er es als Bürger Ballengeich, nicht als Bürgerin Ballengeich. Die Veränderung geht viel weiter.« Sie befingerte den Haarknoten unter ihrer Samtmütze. Sie hatte Angst, das Haar könnte herunterfallen, wenn die Spangen sich lösten: Die Mütze war zu klein, um es allein zu halten.

»Du gibst einen prächtigen Mann ab«, sagte er. »Du bist zu groß, als daß man dich für eine andere Frau als dich selbst halten könnte. Königin Elisabeth dagegen ist zwar kleiner an Statur, aber sie muß sich jeden Tag als Frau verkleiden. Sie ist von Natur aus ein Mann; also sind Kleider und Juwelen erforderlich, um diese Tatsache zu verhüllen, damit sie als Königin regieren kann – denn als König könnte sie es kaum.«

Maria gab ihm einen Rippenstoß, und dann wirbelte sie herum und küßte ihn. »Du bist böse. Aber ist es wahr?«

»Unter ihren Waschweibern wird erzählt, daß ihre Regel nicht ist wie die einer gewöhnlichen Frau«, sagte er. »Aber in Wahrheit erzählen sie natürlich nur das, wofür man sie bezahlt«, räumte er ein.

»Bezahlte Menschen nehmen auf ihren Eid, was du willst«, sagte sie. »Erst wenn Leute selbst für das bezahlen müssen, was sie reden, kannst du ihnen Glauben schenken.«

Darnley machte eine ungeduldige Handbewegung. »Komm jetzt, meine Königin. Du bist ein makelloser Mann. Die Nacht wird älter, genau wie wir.« Er nahm sie bei der Hand. »Laß uns gehen!«

Zusammen stiegen sie die kleine Wendeltreppe hinunter, die Marias Schlafgemach in Holyrood mit Darnleys verband; dann durchquerten sie seine Räume und traten hinaus in den weiten Hof des Schlosses.

Hand in Hand rannten sie vorbei an den lodernden Fackeln im Hof, über die Zugbrücke und durch das große Tor hinaus nach Canongate, das zur Stadtmauer von Edinburgh hinaufführte.

Es war ein schöner Juniabend, und noch um zehn Uhr war der Himmel nicht ganz dunkel. Canongate würde voller Menschen sein, die dort auf und ab spazierten oder späten Geschäften nachgingen, und so gingen sie außen herum durch Horse Wynd, die erste Seitenstraße außerhalb des Schloßtors, und dann ein Stück weit durch Cowgate, die große Straße, die parallel zum Canongate verlief, und schließlich durch Blackfriars Wynd wieder zurück. Auf diese Weise würde niemand merken, daß sie von Holyrood Palace kamen.

»Ich liebe Edinburgh«, flüsterte Darnley, als sie stehenblieben, um Atem zu schöpfen. »Es ist so geheimnisvoll und so verlockend. All die Seitenstraßen, die von der Hauptstraße abzweigen, die hohen Gebäude, die einsamen Hauseingänge – ganz anders als London. Hier kann man kommen und gehen, nicht wie in Stirling. Ich bin froh, daß wir Stirling verlassen haben.«

Zusammen verließen sie Blackfriars Wynd und wanderten Canongate hinauf. So viele Leute waren unterwegs, daß es aussah wie auf einem Jahrmarkt.

»Guten Abend«, sagte ein Mann und legte eine Hand an die Mütze.

»Guten Abend«, antwortete Darnley und stieß Maria an. Maria sprach ihm nach.

»Guten Abend«, dröhnte eine weitere Stimme; sie gehörte einem rundlichen Kaufmann, der zielstrebig in Richtung des Netherbow-Tors ging. Sie folgten ihm, und durch das Tor in der mächtigen Stadtmauer von Edinburgh kamen sie auf die High Street. Beinahe unmittelbar zur Rechten stand Knox' Haus. Ein Licht leuchtete irgendwo in seinen Tiefen, aber im Arbeitszimmer, das über der Straße lag, war es dunkel.

»Knox schläft«, sagte Darnley und deutete nach oben.

»Knox schläft nie«, sagte Maria. »Außer mit seiner jungen Frau.«

»Glaubst du, er tut, was wir tun?«

Maria errötete. »Nein. Das bezweifle ich.«

»Ich auch, Gemahlin.« Darnley nahm ihre Hand und küßte sie. »Weißt du, daß ich selbst zu dieser Stunde noch die spätere plane, da ich im Dunkeln zu dir kommen darf?«

»Ja. Ich auch.« Es stimmte.

Darnley bückte sich und tastete zwischen den Pflastersteinen in der Gosse herum. Er fand einen losen und holte damit aus, um ihn ins Fenster zu werfen.

»Hör auf!« Maria hielt seinen Arm fest. »Was hast du vor?«

»Knox ist gegen unsere Heirat.« Er wand sich los. »Da wird er neue Fensterscheiben brauchen.«

»Nein.« Maria schlug ihm den Stein aus der Hand. »Seine Fensterscheibe ist nicht sein Herz. Jede Störung seiner Wege, jeden kleinlichen Ärger macht er mir zum Vorwurf; bitte gib ihm keinen echten Anlaß.«

Seufzend wandte Darnley sich vom Fenster ab. »Aber ich würde ihm zu gern aufs Haupt schlagen.«

»Das scheint ein Lieblingswort von dir zu sein«, bemerkte Maria. »Du hast es auch zu dem alten Herzog von Châtelherault gesagt, zu –«

Ein Schwarm Leute, die geradewegs aus der Schenke kamen, drängte an ihnen vorbei, und sie sangen noch immer.

Trink aus deinen Branntwein, ja, trink dein Glas leer,
Trink es leer, dreh es hin, dreh es her,
Der Branntwein ist alle, das Glas ist jetzt leer,
Ich war schon in Glasgow und Dover vorher...

»Er kann's gebrauchen. In seinem Kopf rappelt's sowieso.«

Sie kamen am Stadthaus des Earl von Morton vorbei.

»Aber es steht dir nicht an, Leuten aufs Haupt zu schlagen. Das tut ein Lehrbursche an einem Feiertag.« Ob auch Robert Dudley den Leuten in den Londoner Straßen gedroht haben mochte, ihnen aufs Haupt zu schlagen? »Einem Prinzen steht es nicht an.«

Darnley grunzte unzufrieden, aber er ging weiter. »Also schön«, knurrte er.

Jetzt, da sie im Herzen Edinburghs angekommen waren, wurden die Straßen noch breiter, und hier waren sie in gewisser Weise Treffpunkt der Bürger. Auf dem verbreiterten Platz bei der St.-Giles-Kathedrale stand gedrungen das mächtige Tolbooth, in dem sich Rathaus und Gefängnis vereinten. Gleich unterhalb standen der Tron – der große städtische Waagebalken – und das alte Mercat Cross. Hier erledigten die Bürger von Edinburgh ihre täglichen Angelegenheiten – vom Gebet über die Gesetzgebung bis zum Wiegen der Schafwolle –, und auch abends versammelten sie sich gern hier. Der Platz war mit Fackeln gut beleuchtet und bot auch für große Gruppen genügend Raum zum Schlendern.

Als sie sich dem Tron näherten, nahm Darnley einen Anlauf und sprang in den Wiegebottich. Der senkte sich herab und prallte mit dumpfem Schlag auf den Boden.

»Wieviel wiegt der junge Gentleman?« rief eine kräftige, selbstsichere Stimme von den Stufen des Mercat Cross. »Was ist er wert?«

»Eine goldene Krone«, antwortete Maria; sie vergaß, daß ihre Stimme nicht zu ihrem Kostüm paßte.

Sie zog Darnley aus dem Bottich. »Und ich werde dir eine geben«, sagte sie leise und nahm ihn bei der Hand. Sie zog ihn hinüber zum Mercat Cross mit seinem hüfthohen, runden Sockel. Ringsum saßen dort Leute und ließen die Beine baumeln.

»Hier, wo alle königlichen Proklamationen verlesen werden, lasse ich dich am Tag unserer Hochzeit zum König ausrufen«, flüsterte sie ihm ins Ohr.

»Und was treibt der feine junge Gentleman?« fragte die Stimme jetzt beinahe neben ihnen.

Maria sah ihn an; er saß auf dem Rand des Sockels, ein dunkler Mann mit sauber getrimmtem Bart und langem Haar. Plötzlich bemerkte sie, daß hinter ihm Gefangene mit bleichen Gesichtern aus den Fenstern des Tolbooth starrten. Sie stieß Darnley in die Seite, damit er antwortete, denn sie wagte nicht, es selbst zu tun.

»Ich bin ein Vetter des *valet de chambre* bei Lord Darnley und zu Besuch auf Schloß Holyrood«, sagte er. »Meine Aufgaben sind zuzuschauen und zuzuhören, um die Wahrheit zu sagen. Und das« – er deutete auf Maria – »ist mein kleiner Bruder.«

»Die Größe muß in der Familie liegen, und zwar schon in früher Jugend, denn Ihr habt die Größe vor der Stimme.«

Ein guter Beobachter. Sie würden sich vorsehen müssen, aber gerade das war der Spaß an der Sache.

»Ja. Ich bin erst fünfzehn«, sagte Maria kühn. »Ich bin des Wartens so müde.«

»Alles kommt mit der Zeit, mein Junge«, versicherte der Mann ihr.

»Und was, wenn ich so kühn fragen darf, ist Euer Handwerk?« erkundigte Darnley sich.

»Ich bin Drucker. Ich arbeite dort drüben« – er deutete auf eine Tür auf der anderen Straßenseite – »bei Bassandyne. Wir haben im letzten Jahr fünf verschiedene Bücher gedruckt und fast alle verkauft.« Der Stolz in seiner Stimme war unüberhörbar.

»In dem langen, dunklen Winter hier kann man wenig anderes tun als lesen«, sagte Darnley. »Kein Wunder, daß Euer Geschäft blüht.«

Nein, nein, Darnley, dachte Maria, sag das nicht. Du mußt sagen, daß seine Bücher dann sehr gut ausgewählt sein müssen.

»Was wißt Ihr denn von den Wintern hier?« fragte der Mann. »Ihr habt noch keinen erlebt.«

»Wir sind im Februar gekommen.«

»Mitten im Februar. Und auf ein Jagdschloß. Ihr habt keine Ahnung von dem, was wir hier in Schottland in dem ›langen, dunklen Tunnel‹ tun – in den kurzen Tagen zwischen November und Januar, wie? Und in England, wo Ihr herkommt, da gibt es Possenkram und Konzerte und dergleichen, wie ich höre. Aber *ich* gebe nicht vor, etwas von England zu verstehen, denn ich war ja nie dort.« Er hielt das wohl für ein nachahmenswertes Beispiel.

»Woher wißt Ihr so genau, wann wir gekommen sind?« fragte Maria.

»Das weiß jeder. Wir verfolgen alles, was unsere Königin angeht. Wir wissen, wann sie kommt und wann sie geht, wer sie besucht und wann er es tut, mit wem sie ißt, was sie trägt, welche Lieder sie und dieser mißgestalte kleine Italiener singen, und in welcher Nacht.«

Dieser Fremde wußte alles über sie, und sie wußte nicht einmal seinen Namen!

»Aber ist denn alles wahr, was Ihr wißt?« fragte Maria unwillkürlich.

»Das kommt darauf an«, antwortete der Mann. »Manche Informanten sind natürlich zuverlässiger als andere.«

Wer sind Eure Informanten? Maria sah, daß Darnley im Begriff war, diese Frage zu stellen, und sie gebot ihm mit einem Blick, zu schweigen. Nichts würde den Mann schneller mißtrauisch machen.

»Was Ihr zum Beispiel gerade aufgezählt habt, ist unwahr. Der Italiener ist nicht mißgestaltet. Das weiß ich, denn ich bin ihm schon begegnet«, sagte Maria.

»Nicht mißgestaltet? Aber ich habe gehört – und zwar aus absolut zuverlässiger Quelle –, er habe einen Buckel und vorquellende Augen wie eine Kröte!« Der Mann war offensichtlich enttäuscht.

»Nein.« Maria lachte. »Er ist klein von Statur, aber sonst sieht er in jeder Hinsicht ganz normal aus. Aber sagt mir – was habt Ihr über die Heirat der Königin gehört?«

Jetzt lachte der Mann. »Das soll ich Euch erzählen, und Ihr gehört zu Lord Darnleys Haushalt?«

»Warum nicht?« meinte Darnley. »Ich habe nichts übrig für den Herrn meines Herrn; ich bin nur der Abwechslung halber hier. Ich denke, er ist ein … ach, ich weiß es nicht.«

»Ein Einfaltspinsel«, sagte der Mann. »Ein *ehrgeiziger* Einfaltspinsel. Und die Königin ist so überzeugt von ihm. Aber heiraten muß sie, und es gibt niemanden sonst. Gleich wer leibhaftig gekommen wäre, um sie zu freien, sie hätte sich in ihn vernarrt – das ist meine Meinung. Gekommen ist nur Lord Darnley; die anderen Trottel haben mit Botschaftern und Briefen herumgetändelt – kaum sehr verlockend. Hätte sie den Lord Dudley – bitte um Verzeihung, ich meine den Earl von Leicester – persönlich gesehen, dann wäre die Sache vielleicht anders ausgekommen. Aber der Earl ist auch ein ehrgeiziger Mann, und er bleibt in der Nähe seiner eigenen Königin. Ach, na ja. Sie ist ein gutes Weib; sie verdient, auch im Bett einmal an die Reihe zu kommen – und einen Erben verdient sie außerdem.« Der Mann schwang seine Beine vom Podest. »Ich gehe jetzt in Ainslies Taverne«, gab er bekannt. »Kommt doch mit.«

Maria und Darnley liefen ihm mit wildem Herzklopfen nach. Dies war fünfzigmal besser als Lauschen an der Tür.

Als sie die Straße überquerten, kam ein Reiter an ihnen vorbei. Die Leute nahmen die Hüte ab und riefen: »Seid gegrüßt, Lord Moray.« Der Reiter dankte ihnen freimütig und setzte seinen Weg fort.

Lord James! Wie mühelos und natürlich nimmt er die Ehrerbietung der Menschen auf der Straße entgegen, dachte Maria.

»Der Earl von Moray«, erklärte der Mann. »Den habt Ihr wahrscheinlich noch nicht gesehen, denn er ist seit der Ankunft Eures

Herrn noch nicht bei Hofe gewesen. Er ist ein Bastardsohn des Königs und der höchste Mann in Schottland.«

Wie leicht ihm das über die Lippen ging: *der höchste Mann in Schottland.*

»Wieso?« fragte Maria.

Sie standen jetzt vor der Schenke, aber sie hielt den Mann beim Wams fest und wollte eine Antwort, bevor sie in die lärmende Schankstube gingen.

»Er allein stammt noch aus der Zeit vor der Reformierten Kirche, aus der Zeit der alten Königin. Er war der einzige, den wir hatten, um das Land durch all die Unruhen im Krieg gegen Frankreich zu führen, damals, als wir keine Königin hatten, sondern nur John Knox, und auch in der ersten Zeit nach der Rückkehr der jungen Königin. Er hat Schottland in seiner Hand bewahrt und liebevoll behandelt. Es ist schade – und ein schlechtes Omen –, daß er sich aus dem Rat der Königin zurückgezogen hat, ja, aus der ganzen Regierung.«

»Wo habt Ihr das denn gehört?« wollte Darnley wissen.

»Das weiß jeder«, sagte der Mann. »Es ist ja kein Geheimnis.« Er warf einen sehnsüchtigen Blick auf das Wirtshaus, wo Lärm und der Geruch von Bier und Brot herauswehten, wenn die Tür aufging.

»Aber was wird aus dem Earl werden?« fragte Maria, die Hand immer noch an seinem Wams.

»Entweder wird er stärker werden und die Königin und ihren Auserwählten stürzen, oder er wird schwächer und schwindet allmählich dahin. Das wird das Volk entscheiden.«

Marias Finger lockerten sich, und sie ließ ihn los. »Und Euch ist es gleich, wer bleibt?« fragte sie.

»Eigentlich ja. Solange sie meine Druckerpresse in Ruhe lassen. Moray scheint ein guter Mann zu sein, die Königin ist eine gute Frau. Laßt nur das Volk entscheiden.« Er zuckte die Achseln. »Kommt«, sagte er und deutete auf die Schenke.

»Ach, ich hab' eigentlich doch keinen Durst«, sagte Maria. Die Wärme und der Lärm, die durch die Tür drangen, waren ihr unangenehm. Wer würde dort freiwillig hineingehen, wenn er draußen bleiben konnte, wo er saubere Luft hatte und die Sterne sehen konnte.

»Wie Ihr wollt.« Der Mann ging hinein.

Maria ging rasch davon, auf die dunklen Massen der Burgbefestigungen zu. Als sie den Tron und das Mercat Cross hinter sich gelassen hatten, waren nur noch wenige Leute unterwegs.

Lord James. Er hatte Anhänger, und für das gemeine Volk war er ihr ebenbürtig. Das war ihr nicht in seinem ganzen Umfang klar gewesen.

»Der Drucker ist nur ein einzelner Mann«, sagte Darnley. »Es ist seine Meinung«, beharrte er. »Er spricht doch nicht für jedermann.«

Aber seine Worte klangen hohl.

Lord James hatte sich in der Tat aus Protest gegen die bevorstehende Heirat zurückgezogen und sammelte jetzt seine Kräfte. Alle auf ihrer Insel waren dagegen: Königin Elisabeth, Lord James, die meisten Lords der Kongregation. Die Lords hatte sie gezwungen, in der Versammlung ein Dokument zu unterzeichnen, in dem sie die Verbindung billigten, aber das Papier war wertlos, und das wußte sie. Karl IX. und Katharina von Medici hatten aus Frankreich ihre Zustimmung übermittelt, und Philipp II. und der Papst ebenfalls. Aber welches Gewicht hatte das? In der Arena der Weltpolitik ein großes. Aber ganz unmittelbar betraf ihr Vorhaben die schottische und die englische Welt, und das war die Bühne, auf der sie jetzt zu agieren hatte. Die Bretter unter ihren Füßen aber zitterten und fühlten sich nicht sehr stabil an.

Brauchte sie die Erlaubnis ihres eigenen Volkes zum Heiraten? Und wenn ja, wie konnte sie sie einholen? Und was war mit John Knox? Er hatte dagegen gepredigt, hatte dröhnend darüber schwadroniert, wie gefährlich es sei, zwei Papisten heiraten zu lassen. Aber wenn man ihn umstimmen könnte?

Sie schaute die Straße hinunter nach St. Giles mit dem stachelgekrönten Turm, der sich, teilweise vom Tolbooth verdeckt, über die Dächer erhob. Jeden Sonntag, dachte sie, hören dort Hunderte von Menschen seine Predigten. Könnte ich sie nur für meine Interessen einspannen! Sie hätten mehr Einfluß als tausend Proklamationen. Knox kann nicht völlig verstockt und blind sein; sicher ist er empfänglich für den gesunden Menschenverstand und für politische Erwägungen. Ein Erbe für Schottland – ohne einen Erben sind wir verloren. Und ich würde erlauben, daß er im protestantischen Glauben ebenso wie in meinem eigenen unterwiesen wird, so daß er klug werden und alle seine Untertanen verstehen könnte ... Ja, diese Zusage kann ich Knox anbieten.

Knox also muß es noch einmal sein. Noch einmal muß ich Knox ertragen und mit ihm sprechen.

John Knox schaute aus dem Fenster. Was war das für ein Aufruhr? Leute wimmelten durcheinander, und jemand holte mit einem Stein aus, um ihn in sein – Knox' – Fenster zu werfen. Krawallmacher! Seit einiger Zeit gab es eine ganze Menge davon. Das war der Einfluß der Königin und all dieser dreckigen Papisten, die sie mitgebracht – besser gesagt, die sie wiederbelebt hatte. Denn die latenten Papisten waren wieder auferweckt worden, wie ein Regenschauer das verdorrte, verbrannte Gras wieder ergrünen läßt.

Und wenn es ihr gelänge, diesen englischen Papisten, Darnley, zu heiraten, würde alles nur noch schlimmer.

Darum ist es meine Pflicht, ständig dagegen zu predigen, dachte er. Vielleicht läßt es sich noch verhindern.

Der Kerl hatte die Hand wieder sinken lassen; der Stein war nicht geflogen. Sein Kumpan hatte ihn zurückgehalten, und jetzt gingen sie weiter. Knox seufzte. Das ersparte ihm die Mühe, die kleinen Scheiben zu ersetzen, die zersprungen wären. Alle Zeit, die er auf solche notwendigen und trivialen Dinge verwandte, fehlte ihm bei den wahren Dingen seines Lebens.

»John, kommst du zu Bett?« Die süße Stimme rief ihn aus der hinteren Schlafkammer; sie wehte herunter, und er hörte sie über dem wüsten Lärmen der Nacht draußen, wie ein Hund die Stimme seines Herrn unter tausend anderen heraushört.

Margaret, sein neues Weib. Er packte die eisernen Fensterriegel, als würde ihn das stählen und sein Herz beruhigen, das ihm bei dem Klang ihrer Stimme bis zum Halse schlug.

Er hatte Marjory, die Mütter seiner Söhne, wohl geliebt, und er hatte noch Wochen nach ihrem Tod getrauert. Gott hatte ihm seine Gehilfin genommen, und es hatte Augenblicke gegeben, da er Gott dem Herrn ihre Anwesenheit mißgönnt, ja, da er sogar Marjory um ihren Platz an Jesu Seite in der ewigen Seligkeit beneidet hatte. All die aufsässigen irdischen Gedanken hatten von ihm Besitz ergriffen: Ich brauchte sie mehr als Du. Warum hast Du sie weggenommen? Du hast so viele, ich nur eine.

Und der Höhepunkt der lästerlichen Gedanken: Gott ist wie jener reiche Herrscher, von dem Nathan dem David erzählte: Er verlangte von dem Armen, der nur einen Bock besaß, diesen für seinen Festschmaus zu schlachten, während er selbst große Schafherden hatte. Endlich aber, nach langem Weinen und Beten, hatte er sie in Gottes Obhut übergeben und – aufrichtig – sagen können: Der Herr hat gegeben, der Herr hat genommen, der Name des Herrn sei gepriesen.

Und als er sich schließlich in den Willen des Herrn gefügt hatte, da war Margaret in sein Leben getreten.

Margaret Stewart, Tochter des Lord Ochiltree, eines der führenden protestantischen Lords. Sie hatte königliches Blut, denn sie stammte von James II. ab, und im gewöhnlichen Plan der Dinge wäre sie weit über seinem Stand gewesen – er war schließlich nur ein Kaufmannssohn aus Haddington. Aber »es gibt weder Sklaven noch Freie, weder Mann noch Weib, denn ihr seid alle eins in Jesu Christo«, und so konnten der bescheidene Bürger und die Aristokratentochter sich mit dem Segen der neuen Kirk in der Ehe vereinen.

Und Margaret hatte ihn gewollt; sie war eifriger auf diese Verbindung erpicht gewesen als er.

Ich fühlte wieder ein Verlangen nach Junggesellenschaft, aber der Herr hatte andere Pläne, dachte er.

»John!« Die Stimme klang nachdrücklicher.

»Ich komme«, sagte er. Er wandte sich vom Fenster ab und ging durch das dunkle Zimmer und die schmale Treppe hinauf.

Seine Füße zauderten – warum? Fehlte ihm die Kraft für das, was jetzt die Pflicht von ihm verlangen würde? Oder lag es daran, daß er verabscheute zu sehen, wie diese andere Seite seiner selbst sich erhob, die sich mit noch so viel Anstrengung nicht niederhalten ließ?

Er ging durch den schmalen Korridor bis zum Schlafgemach mit dem großen Doppelbett. Margaret lag darin, die Decke bis zum Kinn hochgezogen.

»Endlich«, sagte sie.

Knox legte sein Alltagswams aus dunkelbraunem Leder ab und setzte sich auf einen Schemel, um Schuhe und Strümpfe auszuziehen. Er bemühte sich immer wieder, daran zu denken, wie müde er war, aber schon kribbelte es in seinem Unterleib. Umständlich und mit großer Mühe zog er erst den einen, dann den anderen Schuh aus, und nachdrücklich ermahnte er sich immer wieder, wie müde er sei. Die Schuhe polterten schwer auf den kahlen Holzboden.

Er ging zu seiner Truhe und warf sein grobes Leinennachthemd über, ungeplättet und rauh. Er ließ es über die Schultern gleiten und fühlte beinahe mit Genugtuung, wie es unangenehm über seine Haut scheuerte.

Nun konnte er es nicht länger hinausschieben. Langsam ging er zum Bett und zog mit einer entschlossenen, militärischen Bewegung die Decke zur Seite. Für ihn selbst war es überzeugender als für sie.

Starr lag er dann auf dem Rücken; halb graute ihm, halb lechzte er danach, daß sie endlich zusammenkämen wie Mann und Frau. Seine Finger krallten sich in die Decke; sein langer brauner Bart lag säuberlich obenauf – wie ein glattgekämmter Pferdeschwanz.

»John …« wisperte seine Frau und näherte sich; sie rückte herüber und lag jetzt dicht neben ihm.

Sie streckte die Hand aus und berührte sein Haar, glättete es sorgfältig, schob die Finger hinein bis zur Kopfhaut, liebkoste es. Wieder spürte er ein Kribbeln in seinen Lenden.

Sie stützte sich auf die Ellbogen, wandte ihm das Gesicht zu und küßte ihn. Erst drückten sich ihre Lippen auf die seinen und zwangen sie dann auseinander. Sie hatte eine kleine, feuchte Zunge, die sich in seinen Mund schlängelte, zwischen den straffen, rissigen Lippen und den schützenden Zähnen hindurch. Erst zog er wie immer die Zunge zurück, um sie in Sicherheit zu bringen. Dann aber ließ etwas – nicht er, niemals er selbst – wieder locker, und beide Zungen begannen sich zu umschlingen und zu befühlen.

Sie lag jetzt halb auf ihm, und ihre Brüste fühlten sich an wie volle Weinschläuche, die sich an ihn quetschten und hierhin und dorthin schwappten. Fast erwartete er, es darin gluckern zu hören. Es war komisch, erheiternd. Weshalb also fing sein Pfahl, seine Männlichkeit an zu pochen und zu schwellen?

Konnte er ihm befehlen, still zu liegen? Er versuchte es, indem er streng den Befehl erteilte. Dann versuchte er, alles lächerlich zu machen, was die Erregung verursachte. *Die Brüste einer Frau: zwei Beutel wie Kuheuter. Ein Kuß: zwei Lippenpaare, zusammengepreßt wie eine Kelter. Die Zungen: zwei Schnecken, die langsam übereinanderkriechen und dabei eine Schleimspur hinterlassen. Und bald: ein Spalt und ein Auswuchs, die sich unter mancherlei Gestemme und Gestoße ineinanderschieben, wie wenn ein Esel mit seiner zu breiten Bürde zwischen zwei Pfosten steckengeblieben ist und nun zerrt und zieht und ächzt.*

Bei dem Gedanken an den zerrenden Esel wuchs seine Erregung noch weiter. Er war jetzt groß und stramm wie ein Esel, und er brannte darauf, Erleichterung zu finden.

Er rollte Margaret auf den Rücken, und sie blieb liegen: die Verkörperung des Gehorsams und der sinnlichen Nutzbarkeit.

»Zieh dieses Hemd aus«, wisperte er, und sie setzte sich auf und streifte es langsam ab, erst den einen, dann den anderen Ärmel.

Ich hätte es einfach hochschieben sollen, dachte er. Sein Glied fing an, von allein zu zucken, und lange würde es nicht mehr dauern.

Aber ich kann es einfach nicht von allein passieren lassen, als wäre ich ein sechzehnjähriger Lehrjunge, dachte er. Das wäre so peinlich, so beschämend. Wieder zuckte sein Glied, und eine heiße Welle zog hindurch.

O Gott!

Endlich war das Hemd herunter, und jetzt hatte er keine Zeit mehr, sein eigenes auszuziehen. Er zog es hoch, schob sich hastig zwischen ihre Beine und stieß sie mit den Knien weit auseinander. Als er alles ordnungsgemäß ausgerichtet hatte, stieß er in ihr weiches Inneres hinein; er drang in sie ein und versank völlig in ihr, so daß ihre Lenden sich aneinander rieben. Das erstaunte ihn: Er hatte das Gefühl gehabt, er sei dick wie eine Eiche und so lang wie der Maibaum im Dorf.

Köstliche, quälende Lust überflutete ihn. Auf irgendeine wunderbare Weise drückte sie ihn, um diese Lust zu verstärken, und sie bewegte sich, als suche sie selbst irgend etwas. Sein Pfahl erschauerte und verströmte sich, aber er verlor nichts an Härte oder Form, und sie bewegte sich immer weiter. Wußte sie nicht, daß es vorüber war?

»Ich danke dir, mein liebes Weib«, flüsterte er ihr in das Ohr unter dem schweißnassen Haar.

»Ooohh«, murmelte sie, aber sie hörte nicht auf mit ihren Bewegungen; im Gegenteil, sie war wie eine Getriebene, wand sich hierhin und dorthin, stemmte und zerrte. Wie der steckengebliebene Esel.

Dann stieß sie einen lauten Schrei aus und begann, krampfhaft zu zucken. Er spürte, wie sich ihr Inneres wellenförmig zusammenzog, fühlte, wie etwas in ihr sein Glied liebkoste, es streichelte wie ein Stück Samt. Die Wellen kamen und gingen, wurden unendlich zart und verebbten dann.

»Oh, John«, keuchte sie, als sei sie soeben eine Treppe hinaufgehastet. Ihre Hände fielen von seinem Nacken herunter.

Was war geschehen? Knox bekam Angst. Er rollte sich von ihr herunter, wollte sie in die Arme nehmen, mit ihr sprechen, aber sie schien zu schlafen oder ohnmächtig zu sein.

Gebe Gott, daß ihr nichts geschehen ist, dachte er. Das darf nie wieder passieren. Oh, Margaret – ich kann es nicht ertragen, dich zu verlieren. Gott wird eifersüchtig sein und mir auch dich entreißen.

John Knox – sein Glied saß jetzt klein und gehorsam in der Hose, so daß es, außer zum Vollzug seiner Ausscheidungsfunktion, für ihn aufgehört hatte zu existieren – bereitete sich auf seine Audienz bei der Königin vor. Margaret Knox, diskret bekleidet mit den dunklen Gewändern einer achtbaren Ehefrau und voller Zurückhaltung, half ihm, letzte Hand an seine Garderobe zu legen.

»Dein Kragen sollte flach anliegen«, sagte sie und klopfte die Ecken herunter. »Ich habe ihn gestärkt; hoffentlich habe ich genug genommen.«

»Es genügt.« Er entzog sich ihren Händen; er war nervös, obwohl er wußte, daß er es nicht sein sollte. Er hatte schon viele solche Unterredungen hinter sich, und der Heilige Geist würde ihm eingeben, was zu sagen sei, und würde seine Worte lenken.

Die Königin hatte ihn nach Holyrood befohlen. Es war nicht das erste Mal, und es würde nicht das letzte Mal sein. Es bedeutete, daß sein Dienst wirksam war und daß seine Worte ihr Ziel erreichten. *Niemand tritt einen toten Hund*, dachte er voller Genugtuung bei sich. *Die Hunde bellen, aber die Karawane zieht weiter*, kam ihm gleich darauf in den Sinn. Das war nun weniger befriedigend.

»Die Stunde ist gekommen«, sagte er und rückte ein letztes Mal seinen Kragen zurecht. Draußen erwartete ihn eine Schar von Anhängern, die ihm alles Gute wünschen und ihn bis zum Schloßtor begleiten wollten. In würdevollem Ernst stieg er die Treppe hinunter, und der erste, der ihn begrüßte, war Margarets Vater, Lord Ochiltree.

»Kommt, Bruder, wir gehen mit Euch.« Der Lord deutete auf die vielköpfige Menge. »Denn wenn Gott mit Euch ist, wer kann dann wider Euch sein!«

Sie setzten sich in Bewegung, Canongate hinunter, und nahmen ihren Führer in die Mitte. Als sie am Schloßtor von Holyrood angekommen waren, wandte er sich zu ihnen und sagte ihnen Lebewohl.

»Nun muß ich dieser heidnischen Herrscherin allein entgegentreten, dem Daniel gleich in der Löwengrube«, erklärte er.

»Ja, aber der Löwe bist du!« schrie jemand. »Zeig ihr die Zähne!«

Er überquerte den Hof, und man führte ihn durch die weite Eingangshalle, die mittlerweile vertraute breite Treppe hinauf und in den Audienzsaal. Die Königin war bereits da; sie saß auf ihrem Thron, hinter sich das golden und violett bestickte Staatstuch.

Sie war angetan mit den roten und gelben Farben Schottlands, als wolle sie an seine Liebe zu seinem Land appellieren. Ihr Haar war glatt zurückgebunden, und ihr Gesicht glänzte; es war soeben mit Mandelöl gesalbt worden – importiert aus Frankreich, vermutete er. Sie lächelte und war offensichtlich glücklich.

Aber sie ist nicht hübscher als meine Margaret, dachte er ehrlich überrascht. Unversehens schrumpfte sie in seinen Augen.

»Master Knox«, sagte John Erskine, »Ihre Majestät hat mich ausersehen, zugegen zu sein, Fragen zu beantworten und zu bezeugen, was zwischen Euch besprochen wird.«

Erskine, ein milder und freundlicher Mann und ein strammer Protestant, der kürzlich von der Königin zum Earl von Mar ernannt worden war. Daß Lord James fehlte, war unübersehbar und deutlicher spürbar, als seine Anwesenheit es gewesen wäre, dachte Knox.

Er verneigte sich leicht und wartete, daß die Königin zu sprechen begann.

»Lieber Master Knox«, sagte sie, und ihre Stimme klang weich und anstoßerregend angenehm, »ich muß Euch zu einer kürzlich stattgefundenen Hochzeit gratulieren und Euch Glück wünschen.« Sie lächelte, als hätte sie ihm soeben ein Lehen angeboten.

»Gewiß habt Ihr mich dazu nicht herbefohlen«, versetzte er.

»Ich möchte nicht, daß unfreundliche Gefühle zwischen uns stehen«, sagte sie und lächelte immer noch, als hätte sie seine schroffe Erwiderung nicht gehört. »Was immer in der Vergangenheit geschehen sein mag, ich weiß, daß wir uns geändert und daß wir seit unseren ersten Tagen viel gelernt haben.« Immer noch dieses blöde Lächeln.

»Jeden Tag lerne ich im Herrn«, antwortete er. »Das ist nicht das gleiche wie das Lernen, mit dem auch ein Kind, und wäre es noch so dumm, sein Wissen Tag für Tag mit wenig eigener Mühe erweitert. Bei Euch kann ich keine Veränderung feststellen, Madam – nicht, seit Ihr hier gelandet seid in jenem häßlichen Nebel, der Euch vor vier Jahren umgab.«

»Ihr habt mich nicht von Angesicht zu Angesicht gesehen«, beharrte sie. »Wenn wir jetzt miteinander sprechen, werdet Ihr vielleicht Veränderungen erkennen: die Bereitschaft zum Entgegenkommen.«

Sollte dieser plumpe Wink ihn verlocken? »Worüber wünscht Ihr zu sprechen, Madam?«

»Über die Zukunft Schottlands; sicher teilt Ihr diesbezüglich meine bange Sorge darum, daß ein Erbe zur Verfügung steht.«

»Gott wird dafür sorgen«, sagte Knox steif. Das war es also.

»Gott kann nicht selbst dafür sorgen, ohne Anstoß zu erregen«, erwiderte sie honigsüß. »Ich kann kein Kind zur Welt bringen, wenn ich keinen Gemahl habe. Das würde sich nicht geziemen.«

»Aber ein unziemlicher Gemahl ist noch schlimmer«, sagte er. »Und der Mann – nein, ich kann ihn nicht einmal als Mann bezeichnen; er ist ein verlottertes Kind –, den Ihr Euch zum Gemahl zu nehmen gedenkt, ist eine Beleidigung sogar gegen Euch! Ihr dürft nicht einmal daran denken!« Er sprach so laut, daß man es durch Fenster und Türen hören konnte; er hatte seine Stimme darin geübt, weithin zu tragen.

»Also ist es wahr!« sagte sie, und immer noch tat sie in aufreizender und lügenhafter Weise, als sei sie in heiterer Stimmung. »Ihr predigt gegen meine geplante Ehe mit Lord Darnley.«

»Das leugne ich nicht. Habt Ihr erwartet, daß ich es tue?«

»Ihr müßt aufhören mit diesen Störungen.« Sie sprach noch immer in gleichmütigem und vernünftigem Ton.

»Niemals.« Er funkelte sie an.

»Master Knox!« schrie sie plötzlich, und ihre Stimme war schrill und hatte nicht mehr jenen sanften, angenehmen Ton, den sie bis dahin verwendet hatte. »Noch nie wurde ein König behandelt, wie Ihr mich zu behandelt beliebt! Ich habe Eure groben Reden – gegen mich selbst wie gegen meine Familie und auch gegen meinen Glauben – ertragen. Ich habe Euch sogar um Rat und Hilfe ersucht, nur um mich schmählich abweisen zu lassen. Aber diese Predigten gegen meine Heirat – ich kann sie nicht länger dulden! Ihr müßt unverzüglich damit aufhören. Ich befehle es Euch!« Sie brach in Tränen aus, und ein Diener eilte mit einem Taschentuch herbei.

Knox trat von einem Fuß auf den anderen und wartete geduldig, bis sie sich wieder in der Gewalt hatte. Dummes, hysterisches Mädchen!

»Wenn ich nicht predige, habe ich nichts an mir, was bei irgend jemandem Anstoß erregen könnte. Und wenn ich predige, dann bin ich nicht Herr meiner selbst, sondern muß Ihm gehorchen, der mir befiehlt, in klaren Worten zu sprechen und keinem Sterblichen auf dieser Welt zu schmeicheln«, erklärte er schließlich.

»Aber was habt Ihr mit meiner Ehe zu schaffen?« rief sie. »Die Lords haben ihr Einverständnis gegeben.«

»Wenn die Lords damit einverstanden sind, daß Ihr Euch einen Heiden zum Gemahl nehmt, dann widersagen sie damit Christo, verbannen sie Seine Wahrheit aus ihren Herzen, verraten sie die Freiheit dieses Reiches. Und« – er spürte, daß diese Worte von außen zu ihm kamen – »vielleicht wird diese Wahl am Ende auch Euch selbst zu wenig Trost bereiten!« Er hatte plötzlich Sünde, Leid und Häßlichkeit wie eine schwere Last gespürt, die ihn niederdrückte.

»Was habt Ihr mit meiner Ehe zu schaffen?« wiederholte sie. »Was seid Ihr eigentlich in diesem Reiche?«

»Ein Untertan, der in diesem Reich geboren ist, Madam«, versetzte er trocken. »Und bin ich auch weder Earl noch Lord noch Baron darin, hat Gott mich doch – so jämmerlich ich in Euren Augen auch erscheinen mag – zu einem gewinnbringenden Glied desselben gemacht.« Er richtete sich auf und stand so groß und hager wie möglich vor ihr, als sei ein unsichtbarer Draht an seinem Kopf befestigt, an dem er aufgehängt war. »Ich bin ebenso wie jeder Edelmann verpflichtet, den Mund aufzutun, wenn ich etwas Schädliches nahen sehe.«

Maria fing von neuem an zu weinen. Erskine bestieg die Estrade und sagte: »Seid nicht traurig, liebste Königin – Ihr, die Ihr doch so schön und huldvoll seid und hochgeschätzt bei allen Fürsten Europas ...«

Aber sie weinte weiter, bis Knox mit beißendem Ton das Wort ergriff. »Madam, ich habe nie Gefallen an den Tränen eines Gottesgeschöpfes gefunden; ja, kaum kann ich das Weinen meiner eigenen Knaben ertragen, wenn meine Hand sie züchtigt, und noch weniger frohlocke ich angesichts der Tränen Eurer Majestät. Aber da ich sehe, daß ich Euch wahrhaft keinen gerechten Anlaß gegeben habe, Anstoß zu nehmen, sondern nur die Wahrheit gesprochen habe, wie meine Berufung es von mir verlangt, so muß ich eher das Weinen Eurer Majestät ertragen, als ich wagen darf, gegen mein Gewissen zu verstoßen oder mein Land durch mein Stillschweigen zu verraten.«

Es war hoffnungslos. Der Schmerz über diese Erkenntnis ließ sie aufschreien: »Master Knox, verlaßt diesen Saal!«

Er verneigte sich und gehorchte. Die hohen Türflügel des Audienzgemachs wurden ihm geöffnet, und dann stand er draußen auf dem Treppenabsatz, der als Vorraum diente. Ein Schwarm hübscher junger Hofjungfern saß auf einer Fensterbank, und jede von ihnen trug ein andersfarbiges, buntes Kleid. Die Sommersonne ließ sie strahlen, und ihre gesunden Gesichter waren gerötet.

»O schöne Damen!« fühlte er sich genötigt auszurufen und damit ihre Aufmerksamkeit auf sich zu lenken. Seine Stimme klang beschwingt und munter, als wolle er mit ihnen tändeln und scherzen.

»Wie angenehm möchte doch Euer Leben sein, könnte es so bleiben und könntet Ihr am Ende grad' so fröhlich angetan in den Himmel eingehen!« Er drohte ihnen mit dem Finger. Sie erinnerten ihn an die Blumen auf einem Gartenbeet: schön und einfach und vergänglich.

»Doch ein Pfui über den Schurken Tod, der kommen wird, ob Ihr es wollt oder nicht! Und wenn er Euch ereilt hat, dann werden ekle Würmer sich an diesem Fleisch zu schaffen machen, und wäre es noch so zart und weiß!« Er strich einem der Mädchen mit dem Finger unter dem Kinn entlang und fühlte das weich schmelzende Fleisch, das den unvergänglichen Kieferknochen darunter umhüllte. »Und die schwache Seele, so fürchte ich, wird nicht die Kraft haben, irgend etwas mitzunehmen – nicht Gold noch Schmuck, nicht Fransen, Perlen oder Gemmen.«

Jäh wandte er sich ab und überließ sie ihrem gewöhnlichen Untergang, dem Untergang, den niemand je für wirklich hielt.

Nicht ich – das dachten sie insgeheim alle. Nicht ich. Und während sie sicher auf ihren Ästen hocken, sägt der Tod am Stamm des Baumes, dachte er voller Genugtuung darüber, daß er sie verstört hatte.

Sie werden mindestens drei Minuten lang darüber nachdenken, dachte er säuerlich, als er die Treppe hinunterstapfte.

Die menschliche Schwäche. Was konnte ein einzelner dagegen tun, gegen ihre selbstgefälligen Lügen, ihre lustvolle Verblendung und ihre machtvollen Sehnsüchte?

Zwei Wochen später, am 29. Juli, ritt Knox durch die Hauptstraße von St. Andrews; er war auf dem Weg zur alten Abtei, deren Kommendator Lord James war. Die Sonntagspredigt hatte er an diesem Tag in der Pfarrkirche gehalten und damit ein Gelübde erfüllt, daß er auf den Galeeren abgelegt hatte.

Wie lange das schon her war – fast zwanzig Jahre! Das Meer funkelte in der hellen Mittsommersonne; es glitzerte wie eine Million winziger Fischschuppen. Draußen auf der Felsenklippe hatte die Ruine der Kirche von St. Andrews gestanden wie eine zerfallende Sandburg. Oh, jene Tage, jene Tage, die ersten Früchte des Aufstandes gegen den Kardinal und die korrupte Kirche des Satans! Damals ließen wir zum erstenmal das Entsetzen in ihren Herzen aufscheinen und zeigten ihnen, daß wir die Armee des Herrn waren, die da marschierte!

Der Gedanke an die Männer, wie sie die Burg erstürmt und den Kardinal mit seiner Hure im Bett überrascht hatten, erwärmte sein Herz. Und nachdem dieser zur Vergeltung dafür, daß er Wishart so grausam verbrannt hatte, erstochen worden war, hatte man seinen Leichnam just an der Stelle der Burgmauer aufgehängt, an der er lächelnd zugesehen hatte, wie Wishart ein Opfer der Flammen wurde.

Der Kardinal und seine Hure … wie kam es nur, daß die, welche die römische Religion praktizierten, sich anscheinend entweder Huren hielten – wenn sie Männer waren – oder, wenn sie Frauen waren, selber Huren waren?

Aber St. Andrews haben wir gesäubert, und heute ist es der erhabenste Sitz der Reformierten Kirche: unser Prunkstück.

Es war ein freundliches Städtchen auf den Felsenklippen über der Nordsee mit seinen breiten Straßen, hübschen Stadthäusern und Colleges. Die Stadt war angefüllt mit Gelehrten und ihren Studenten: Da war das St. Mary's College, das St. Salvator's College, das St. Leonard's College. Ironischerweise war ausgerechnet St. Leonard's, das 1512 gegründet worden war, um Rekruten für die Kirche von Rom auszubilden, jetzt ein Treibhaus der Reformation.

Dies ist unser kleines Genf, dachte Knox voller Stolz. Und ich selbst bin hier erwachsen geworden – ich selbst habe hier den ersten Schritt jener langen Reise getan, auf der ich noch immer bin.

Er trieb sein Pferd zum Trab. Er war ganz froh gewesen, Edinburgh mit seiner Unordnung und seinem Trubel einmal hinter sich zu lassen. Die Königin hatte am Sonntag zuvor das Aufgebot für ihre Vermählung mit Lord Darnley bestellt, und seine Informanten aus dem Schloß hatten ihm berichtet, daß sie die Hochzeit sehr bald zu feiern gedachte. Das Aufgebot würde jedenfalls keine drei Wochen währen, wie es ihre eigene – angeblich so geliebte – Kirche verlangte.

Vielleicht ist sie schwanger, dachte Knox. Das würde diese Hast erklären.

Er erreichte das Kloster mit seinen hohen, grauen Mauern und dem Torhaus. Wachen gab es hier keine, denn die Abtei hütete keine geheimen Schätze mehr, die der Öffentlichkeit nicht zugänglich gewesen wären. Ungehindert ritt er in die Umfriedung und suchte nach dem Haus, in dem Lord James wohnte. Es war früher die Behausung des Priors gewesen, ein gut ausgestattetes Steingebäude, ein Stück weit abseits der übrigen kirchlichen Bauten.

Lord James hatte ihm eine dringende und ganz ungewohnt beschwörende Botschaft zukommen lassen: Er solle inmitten dieser Krise um die bevorstehende Hochzeit der Königin zu ihm kommen. Knox tat ihm den Gefallen mit Freuden, und ebenso erfreulich fand er es, daß Lord James noch nicht so hochmütig geworden war, wie seine Feinde ihn schilderten. Er brauchte ihn, Knox, immer noch.

Er näherte sich dem Haus des Priors, und jetzt erschien auch ein Diener, um ihm das Pferd abzunehmen.

»Lord James?« fragte Knox.

»Drinnen, guter Master Knox«, sagte der Bursche und deutete auf den Haupteingang.

Knox trat ein und gelangte, vorbei an den alten Bildwerken von Heiligen und Obstranken, die den Eingang umrahmten, in einen dunklen Vorraum. Er meldete sich bei der Wache – auch kaum mehr als ein Junge – und wartete.

Die schwere Eichentür am hinteren Ende des Vorraums knarrte und bebte; sie war verzogen, und der obere Teil klemmte im Rahmen. Endlich aber flog sie auf. Lord James kam heraus.

»Mein lieber Bruder in Christo«, sagte er und umarmte Knox. »Ich danke Euch, daß Ihr gekommen seid.« Er zog ihn hinter sich her durch die verzogene Tür und durch mehrere Zimmer, bis sie schließlich in einer geräumigen Versammlungshalle waren, deren Fenster auf einen überschwenglich blühenden Garten hinausgingen. Die Rosenstöcke schwankten im leichten Wind; ihre Stämme waren so dick wie das Handgelenk eines Mädchens.

Lord James wirkte aufgeregt; seine Stirn war zerfurcht, und seine Augen schienen nicht auf das zu blicken, was vor ihm war, sondern auf etwas, das er nicht sehen konnte. Er schnaubte immer wieder, als wolle er sich die Nase freimachen, aber er war nicht erkältet oder sonstwie krank. Seine Nase muß ganz wund sein, dachte Knox.

»Was geht in Edinburgh vor?« fragte Lord James schließlich. Wieder schnaubte er kaum hörbar.

Knox versuchte sich zu erinnern, wann Lord James die Stadt verlassen hatte. »Die Königin wird sich mit Lord Darnley vermählen. Das Aufgebot wurde letzten Sonntag bestellt. Alles geht seinen Gang. Sie wird ihn zum Herzog von Albany ernennen, und – das ist ganz sicher – binnen kurzem auch zum König.«

»Das kann sie nicht aus eigener Macht!« rief James. »Das Parlament muß es billigen und ihm die Mitkönigskrone aufsetzen, wie es bei diesem elenden Franz geschehen ist.«

»Sicher. Aber sie kann ihn trotzdem zum König ›ernennen‹, was immer das dann bedeuten mag.«

»Es bedeutet gar nichts. Es ist ein Titel, den man aus Höflichkeit gewährt, und er wird mit ihrem Tode erlöschen. Wenn sie stirbt, kann er nicht König bleiben, sondern wird wieder einfach Lord Darnley sein.«

Knox waren diese Spekulationen gleichgültig. Weshalb war Lord James so besorgt deshalb? Er betrachtete forschend sein Gesicht, während jener weitersprach.

»Hat meine Abwesenheit Unruhe hervorgerufen oder zu Bemerkungen Anlaß gegeben?« fragte er. »Ich habe mich ja aus ihrem Rat zurückgezogen und mich geweigert, die Heirat zu sanktionieren. Und dann habe ich Edinburgh verlassen.«

»Eure Abwesenheit hat man durchaus zur Kenntnis genommen; aber was sie bedeuten soll, das weiß ich nicht. Es hängt ja davon ab, was damit gemeint ist. Falls es Euch möglich ist, das zu offenbaren ...«

James zog einen schweren, holzgeschnitzten Stuhl heran, ein Erbstück des letzten Priors, bei dem die Reformatoren alles beschlagnahmt hatten. Er setzte sich, als stehe er unter Eid.

»Ich gedenke zu kämpfen.«

»Auf welche Weise? Und zu welchem Zweck?«

James machte ein überraschtes Gesicht. »Diese Ehe bedeutet ein katholisches Kind. Ein katholisches Kind bedeutet einen katholischen König. Das können wir nicht zulassen. Die Reformation wird aufgelöst werden. Es wundert – nein, es erschreckt mich also, daß Ihr fragt.«

»Und wer wird mit Euch kämpfen?« Knox wollte Einzelheiten, keine vagen Erklärungen.

»Die Hamiltons. Sie hassen Darnley, seit er ihr Oberhaupt beleidigt hat. Kirkcaldy von Grange. Ochiltree, Euer Schwiegervater, und seine Verwandtschaft.«

»Das sind nicht genug«, sagte Knox.

»Andere schließen sich vielleicht an. Viele sitzen auf dem Zaun und schauen zu; vielleicht sehen sie, daß der Weg zu uns frei ist.«

»Wer auf dem Zaun sitzt, kann naturgemäß in beide Richtungen schauen. Ihr habt also nur die Hamiltons?«

»Die Douglas sind mit Darnleys Mutter verwandt und können

sich deshalb dem Unternehmen nicht zur Verfügung stellen. Argyll wäre eine Möglichkeit – obwohl seine Frau eine uneheliche Schwester der Königin ist. Er würde dann viele mitbringen.«

»Und die Erskines?«

»Schwer zu sagen. Sie sind der Königin persönlich verbunden, aber sie sind auch der Reformierten Kirche verpflichtet. Lord Ruthven, die Lindsays ... auf sie können wir, glaube ich, zählen. Womöglich auch auf Glencairn.«

»Und wer ist auf der anderen Seite?«

James öffnete ein silbernes Reliquiarium, das einmal die Zähne des heiligen Medardus beherbergt hatte – des Schutzpatrons der Zahnkranken –, und nahm ein Blatt Papier heraus.

»Der Sohn George Gordons, des verstorbenen Earl von Huntly, der selber George heißt, ist immer noch im Kerker und kann für beide Seiten nichts tun. Die Setons, die Beatons, die Livingstons, die Flemings, die Maxwells, der Earl von Atholl – sie alle werden die Königin unterstützen. Aber das sind minder bedeutsame Gestalten. Nur Atholl ist ein Earl.«

»Aber im Verein mit den Familien Douglas und Stewart sind sie durchaus gewichtig. Und dann wäre da noch der Earl von Bothwell, der traditionell königstreu ist. Er hat sich nach Schottland zurückgeschlichen, und vielleicht wird er versuchen, die Gunst der Königin wiederzugewinnen.« Knox verlagerte sein Gewicht auf dem Stuhl; diese massiven, holzgeschnitzten Sitzgelegenheiten waren Kunstwerke, aber entschieden unbequem. »Gott verzeih mir, aber jetzt muß ich fragen: Es gibt einen Namen, der unseren Erfolg sicherstellen kann, und Ihr habt ihn nicht genannt. Wo steht die Königin von England in dieser Frage?«

»Sie schweigt diskret.«

»Wie immer.«

»Aber ich glaube, sie ist unserer Sache wohlgesonnen und wird uns, denk ich, wenn nicht mit Truppen, ganz sicher mit Geld unterstützen.«

»Worauf begründet Ihr diesen Glauben?«

»Sie hat sehr heftig auf die geplante Heirat mit Darnley reagiert. Sie will keinen katholischen König in Schottland.«

»Vielleicht nicht. Aber« – hier lag nun die Crux, die entscheidende Frage, die vor allem beantwortet sein mußte – »was habt Ihr ihr sonst noch zu bieten? Habt Ihr einen König, der ihrem Geschmack eher entspricht?«

James seufzte. Er öffnete den Mund, als wolle er etwas sagen, und schloß ihn dann wieder.

Er sieht sich also selbst als König, dachte Knox. Aber zumindest hat er Verstand genug, es nicht herauszuposaunen. Vielleicht spricht er es nicht einmal bei sich selber aus.

»Der Herr wird es richten«, sagte James schließlich.

»Der Herr kann nur aus denen wählen, die auch uns zur Verfügung stehen. Ich sehe keine Alternative zur Königin. Sie ist die letzte königliche Stewart. Nun, ließe man den Gedanken an das königliche Blut einmal gänzlich außer acht, ergäben sich natürlich viele interessante Möglichkeiten. Angeleitet vom Heiligen Geist, könnten wir uns einen Herrscher wählen. Wie im Vatikan angeblich die Päpste gewählt werden.« Er lachte trocken.

»Ja. Vielleicht.« James lächelte zögernd.

Das ist also der Weg, an den er gedacht hat, stellte Knox bei sich fest.

»Aber die englische Königin wird es niemals zulassen«, gab er zu bedenken. »Denn sie muß ja zwangsläufig an der Auffassung festhalten, derzufolge königliches Blut sich auf irgendeine Weise von allem anderen Blut unterscheidet. Wenn das nicht so ist, hat sie keinen Anspruch auf den Thron. Ihr Titel beruht nicht auf einem unangefochtenen Anrecht und auch nicht auf der Erlaubnis des Parlaments, sondern auf der Magie des königlichen Blutes. Sie wird Eure Rebellen nicht unterstützen.«

»Ich habe ebenfalls königliches Blut! Genauso viel wie Königin Elisabeth!« rief James. »Unsere Väter waren Könige, unsere Mütter Gemeine!«

»Mit einem Unterschied: Elisabeths Vater hat ihre Mutter geheiratet und sie zur Königin gekrönt.«

»Und dann hat er sie verstoßen und hinrichten lassen.«

»Gleichwohl wurde eine gewisse Form beachtet. Der Papst erkennt deren Rechtmäßigkeit nicht an, aber gerade das macht Elisabeths Glorie aus.« Knox hatte einen plötzlichen Einfall. »Ihr habt indessen genug königliches Blut in Euch, das man umstandslos würde anerkennen können, solltet Ihr mit Eurem Versuch, die Königin zu stürzen, erfolgreich sein. Aber« – er funkelte James mit seinen leuchtenden braunen Augen an – »zuerst müßt Ihr siegen.«

Ein paar Stunden zuvor, als Knox im Hause des Kaufmanns zu St. Andrews, der ihm vor seiner Predigt Obdach geboten hatte, noch in seinem Bett lag, war Maria bereits aufgestanden und hatte ein schweres, schwarzes Trauergewand mit einer weiten Trauerkapuze angezogen – das Gewand, das sie zur Totenmesse am Ende der vierzigtägigen Tieftrauer nach Franzens Tod getragen hatte. Seitdem hatte sie es viele Male angezogen, und jedesmal hatte sie das Gefühl gehabt, daß sie damit zu Franz zurückkehrte und zu ihm sagte: »Ich habe dich nicht verlassen, und ich werde es niemals tun.« Heute nun, an ihrem Hochzeitsmorgen, fühlte sie sich genötigt, es noch ein letztes Mal anzulegen, um Franz bei der Vermählung dabeizuhaben, damit er ihr seinen Segen geben und sie freilassen könnte. Nur Franz konnte sie fortgeben.

Um sechs Uhr früh erschienen der Earl von Lennox und der Earl von Atholl, um sie in ihre Mitte zu nehmen und sie in die Kapelle von Holyrood zu eskortieren. Langsam schritt sie den langen Mittelgang hinunter auf den wartenden Priester zu, und dann trat Darnley vor und nahm seinen Platz an ihrer Seite ein.

Rasch wurde das Aufgebot noch einmal verlesen, und rasch tauschten sie das Ehegelübde aus. Darnley nahm einen dreifachen Ring mit einem Diamanten in der Mitte und rot emailliertem Gold an den Außenseiten, und mit den Worten: »Mit diesem Ring nehme ich dich zu meinem Weib«, steckte er ihn an ihren Finger.

»Und so erkläre ich Henry, den Herzog von Albany und Earl von Ross, und Maria, von Gottes Gnaden Königin der Schotten und Herrscherin der Inseln, zu Mann und Frau«, verkündete der Priester. Die Worte hallten durch die Kirche.

»Te Deum laudemus!« rief Rizzio. »Es ist vollbracht und kann nicht mehr durchbrochen werden!«

Maria und Darnley wandten sich zu ihm und umarmten ihn, den einzigen Vertrauten, der von ihrer geheimen Verlobung gewußt hatte.

Maria ließ sich in ihre Gemächer zurückbringen und legte ihre Trauerkleidung ab, um sie nie wieder anzuziehen. Die Marys zogen die Befestigungsnadeln heraus und halfen ihr mit feierlichem Respekt, sich zu entkleiden. Sie breiteten den Trauermantel auf dem Bett aus und falteten ihn beinahe zärtlich zusammen, und zwischen die Falten legten sie süßduftende Kräuter. Maria beugte sich über das Gewand und küßte es, bevor es in einen bestickten Seidenbeutel gelegt und weggeschlossen wurde.

Mary Seton sah die Tränen in ihren Augen; sie nahm sie beiseite und umarmte sie abseits des munteren Geplappers. »Ihr ehrt Franz durch Eure Tränen der Treue und der Erinnerung. Aber, Mylady, er starb in der Blüte der Jugend, und Ihr seid ohne ihn älter geworden. Die junge Maria wird stets seine Frau bleiben. Aber Ihr seid inzwischen eine andere, und dieser Teil, der seitdem herangewachsen ist, kann Lord Darnley lieben, ohne Franz untreu zu werden.«

»Glaubst du, daß es so ist?« flüsterte Maria.

»Lady, ich weiß es.« Sie hob die Hand und wischte Maria eine kleine Träne von der Wange. »Und jetzt geht mit Freude zu Eurem neuen Herrn und Gemahl.«

Maria umfaßte ihre Hände und ließ sie dann wieder los. »Ich bin zugleich glücklicher und trauriger, als ich es je gewesen bin. Ist das möglich?« murmelte sie.

»Ja. Ich sehe, daß es so ist. Aber, ich bitte Euch – der Lord Darnley darf Eure Tränen nicht sehen.« Seton wischte ihr die Tränen aus den Augen, die sich neuerlich dort sammelten. »Euer Brautkleid wartet.«

Fleming und Beaton legten das scharlachrote Kleid heraus; es war mit Perlen und Goldfäden bestickt, daß es steif war in seiner reichen Pracht.

Maria ließ sich ankleiden und legte dann ihr feinstes Geschmeide an: ihre schwarzen Perlen, den »Great Harry« und Ohrringe mit riesigen Perlen aus den Meeren jenseits von Indien. Die Marys bürsteten ihr das Haar und setzten ihr eine perlenbesetzte Seidenhaube auf. Ihr dichtes Haar wallte hinten darunter hervor.

Es gab Tanz und ein formelles Festmahl, und dann ertönten die Fanfaren, und im Schloßhof wurden die Festgaben verteilt. Bald darauf wurde das Abendessen aufgetragen. Maria und Darnley umschlangen einander in den majestätischen Tänzen zur Musik der Posaunen, Flöten und Gamben. Darnley wandte den Blick nicht von ihr; den ganzen langen Tag über starrte er sie an wie eine Göttin oder eine Erscheinung.

Endlich, als alles vorüber war – das Bankett, drei einzelne Tänze, das Abendmahl, die Fanfaren, die Verteilung der Gaben –, verabschiedeten Maria und Darnley sich von der Gesellschaft, und sie begaben sich in ihre Gemächer und in ihre Schlafkammer.

Auf ihren Befehl hin waren keine Bediensteten anwesend. Als sie die Türen geschlossen hatten, waren sie ganz allein.

Kerzen brannten in allen Haltern, und ein großer, von französischen Goldschmieden gefertigter Kandelaber mit zehn weißen Lichtern stand auf ihrem Schreibtisch. Maria umarmte Darnley. Sie hatte etwas sagen wollen, aber es gab keine Worte, die des Anlasses würdig waren, keine Worte, die ihre letzte Trauer und die Befreiung davon hätten ausdrücken können, oder das Glück über den neugefundenen Schatz.

Eine nach der anderen bliesen sie die Kerzen aus, und Stück für Stück legten sie die juwelenbesetzten Kleider ab, bis sie zusammen in dem großen königlichen Bett lagen, wo glatte, junge Haut ihresgleichen suchte.

»Du hast mich zum König gemacht«, murmelte er schließlich, und es waren die ersten Worte, die er sprach, seit sie das Schlafgemach betreten hatten.

»Zum König, ja. Zum König von allem«, flüsterte sie.

»Dieses Bett ist mein Reich, dein Körper mein Land«, sagte er. »Mögen Christoph Kolumbus und Francisco de Coronado nach Amerika fahren; mein neuentdecktes Land bist du, und ich möchte alles erforschen.«

Draußen in den Straßen von Edinburgh waren die Bürger in Aufruhr wegen dieser Hochzeit; beim Mercat Cross traten einige beiseite, als der königliche Herold sich näherte, den Sockel bestieg und sein Pergament entrollte. Zwei Trompeter ließen eine Fanfare erklingen, und er verlas die Proklamation der Königin: Ihr geliebter Gemahl, Henry Lord Darnley, Herzog von Albany, sei hinfort zu betrachten und zu ehren als Henry, König von Schottland, nach Ihrem eigenen Wunsche.

Niemand jubelte.

Eine Woche später wurde an derselben Stelle wieder eine Proklamation verlesen, diesmal zur Mittagsstunde. Drei königliche Fanfarenstöße folgten und erklärten Lord James Stewart, den Earl von Moray, offiziell für vogelfrei als Rebell und Verräter wider die Königin.

Und ist meine Rüstung fertig, meine Liebe?« Darnley wartete aufgeregt in seinem Schlafgemach auf Holyrood, als Maria ihn in seinen Gemächern besuchte. Sie hatte eine unangenehme Auseinandersetzung mit Lord Seton gehabt – nicht, daß Seton selbst unangenehm gewesen war, aber das Thema war es: der Aufstand ihres Bruders James sowie seine und seiner Landsleute Weigerung, ihrem Ruf zu folgen und vor ihr zu erscheinen.

»Ich hatte doch keine Wahl, oder?« fragte sie ihren getreuen Haushofmeister immer wieder. »Ich mußte bewaffnete Männer zu meiner Unterstützung herbeirufen. Und nun muß ich gegen ihn zu Felde ziehen.«

Lord Seton schüttelte den Kopf. »Es ist eine Tragödie.«

»Das ist der zweite Aufstand eines Untertanen gegen mich.« Maria konnte es selbst kaum glauben. »Erst Huntly, und jetzt Lord James. Nach allem, was ich für ihn getan habe!«

»Es ist ja, *weil* Ihr das alles für ihn getan habt«, zirpte Rizzio.

Lord Seton blickte überrascht auf. »Ich dachte, wir wären allein«, sagte er spitz.

Rizzio kam aus der kleinen Kammer. Dort also hatte er sich versteckt!

»Verzeiht mir; ich konnte nicht verhindern, daß ich Euch hörte«, sagte Rizzio. »Ich hatte nebenan mit Korrespondenzen zu tun. Aber, meine liebe Königin, wie ich sagte: Es ist gerade, *weil* Ihr das alles für ihn getan habt. Ihr habt ihm gewaltige Ländereien gegeben und den Bastard zum höchsten Mann im ganzen Land gemacht. War der Rest nicht vorhersehbar?«

»Nein«, fauchte sie. »Undankbarkeit ist mir ein Greuel! Sie ist der einzige Fehler, den ich nicht ertragen kann!«

»Er hatte keinen Anreiz mehr, Euch noch länger zu folgen. Hättet Ihr ihm Eure Gunsterweise nur vorenthalten! Das wäre eine zuverlässigere Methode gewesen, sich seiner Loyalität zu versichern.«

»Ich bin seine Königin! Durch das göttliche Recht meines königlichen Blutes!«

Rizzio schüttelte mitleidsvoll den Kopf. »Ich vermute, sein eigener Anteil Königsblut spricht lauter in seinen Ohren.«

»Ich werde mich an ihm rächen!« rief sie, und sie eilte hinaus und stürmte in Darnleys Gemächer. Und hier nun wartete Darnley begierig auf seine Rüstung.

»Ich … ich weiß es nicht.« Sie hatte seine Rüstung ganz vergessen; es sollte eine goldene sein, und Schmiede aus der Umgebung fertigten sie hastig für ihn an, indem sie einzelne Teile zusammenlöteten und mit Gold überzogen.

»Oh.« Er sah so enttäuscht aus. Dann aber hellte sich seine Miene auf, und er sagte: »Was wirst *du* tragen?«

»Ich werde mir einfach einen Männerharnisch ausborgen. Und da ich ihn unter meiner Kleidung tragen werde, ist es nicht so wichtig, ob er verziert ist oder nicht – oder ob er mir gut paßt.«

Sie nahm sich die Muße, Darnley in seiner Umgebung zu bewundern. Er hatte die Einrichtung seiner Gemächer selbst beaufsichtigt und besondere Sorgfalt auf das Bett verwandt. Einer der feinsten Samtstoffe war für die Vorhänge ausgewählt worden und mit seinem eigenen Familienwappen bestickt worden.

»Weißt du, was meine Mutter an ihren Bettvorhängen hat?« hatte er eines Nachmittags gefragt, als er Maria nach einem zärtlichen Liebesspiel verträumt in den Armen gehalten hatte. Dann hatte er gelacht. »Sie hat Heiligenbilder darangesteckt! Nur mit Nadeln darangesteckt – auf diese Weise kann sie sie a-a-auswechseln, j-j-j-je nach J-J-J-Jahreszeit!« Er hatte so schallend gelacht, daß er kaum zu Ende hatte sprechen können. »Meine Mutter. So werde ich immer an sie denken.«

»Ich würde deine Mutter gern kennenlernen«, hatte Maria gesagt. Darnley redete viel über sie.

»Lieber nicht. Sie ist eine Hexe.«

Jetzt stand er da und befingerte die Vorhänge an seinem Bett. »Ich habe dieses Purpur satt«, sagte er. »Vielleicht werde ich es gegen Gold austauschen.«

Er hatte den purpurnen Samt doch erst seit einem Monat! »Ich fürchte, solche Ausgaben werden warten müssen«, sagte sie. »Um die Truppen für den Marsch gegen Lord James zu bezahlen, muß ich meinen Schmuck verpfänden. Fünftausend Mann im Feld zu unterhalten, das ist eine kostspielige Angelegenheit.«

Darnley ließ den Bettvorhang fallen. »Vielen Dank für meine Rüstung«, sagte er. »Ich hatte keine Ahnung, daß es ein solches Opfer sein würde.«

Sie lächelte ihn an. »Betrachte sie als Hochzeitsgeschenk«, sagte sie grimmig.

Maria hatte kräftige Männer zu den Waffen gerufen; sie sollten sich mit Proviant für fünfzehn Tage in Edinburgh einfinden. Fünftausend waren gekommen, ihrem Banner zu folgen; der Earl von Morton führte die Vorhut, der Earl von Lennox die Nachhut. In der Mitte des Heerzuges, bei Maria, ritten Darnley, die Marys, die Lords, die ihr treu geblieben waren, und Rizzio. Vor dem Abmarsch hatte sie Lord George Gordon aus dem Gefängnis entlassen, wo er seit dem Aufstand seines Vaters schmachtete, und ihm seinen ererbten Titel eines Earl von Huntly zurückgegeben.

Lord James war es, der den Nutzen von Huntlys Aufstand gehabt hatte, dachte sie. Jetzt wird zumindest der Sohn für alle Zeit der Feind des Feindes seines Vaters sein. Und der Feind meines Feindes ist mein Verbündeter.

Die Rebellen unter Führung von Lord James hatten sich in Ayr versammelt, an der schottischen Westküste. Er war nicht allein; der Herzog von Châtelherault als Erbfeind der Lennox war bei ihm, und auch Kirkcaldy von Grange. Das kränkte Maria ebenso, wie es sie überraschte: Sie hatte Kirkcaldy immer für einen loyalen und klaren Kopf gehalten. Der Earl von Argyll war ebenfalls auf Seiten der Rebellen. Berichten zufolge hatten sie derzeit nur ungefähr zwölfhundert Mann, aber sie rechneten damit, daß binnen kurzem Truppen des Earl von Argyll aus dem Norden zu ihnen stoßen würden.

»Wir werden sie angreifen, bevor ihre Verstärkung eintrifft!« rief Maria. »Auf nach Ayr!« Und mit fliegenden Fahnen strömte ihr Heerzug mit ihr gegen Ende August zu den Toren von Edinburgh hinaus. Es waren goldene, dunstige Tage, und mühelos konnte man so tun, als sei dies nur eine Staatsreise durch das Land, bei der man die milde Wärme genoß und den Bauern bei der Ernte zuschaute. Aber unter ihrem scharlachrot und golden bestickten Reitkleid war der leichte Brustharnisch, den sie für erforderlich gehalten hatte, und unter Kapuze und Schleier trug sie eine stählerne Haube. In ihrem Gürtel steckten griffbereit Pistolen.

Das Schloß in Edinburgh hatte sie in Erskines Obhut gegeben, und Randolph hatte sie mitgeteilt, falls er versuchen sollte, die Rebellen mit Geld aus England zu unterstützen – denn Lord James hatte versucht, seinem Aufstand eine religiöse Färbung zu geben, indem er ihn als eine Sache des protestantischen Gewissens darstellte, das über die Hochzeit zweier Katholiken in Empörung geraten sei –, würde sie ihn unter Hausarrest stellen lassen.

So marschierten sie westwärts, durch Linlithgow und Stirling und weiter nach Glasgow. Das Wetter hielt sich, und die Ausflugsstimmung ebenfalls.

Zu Marias Überraschung stellten die Rebellen sich nicht zum Kampf, sondern versuchten statt dessen, an ihnen vorbeizuschlüpfen und sich ihre Abwesenheit in Edinburgh zunutze zu machen. Maria ließ ihre Armee kehrtmachen und auf demselben Wege nach Stirling zurückkehren. Plötzlich aber brach ein heftiges Unwetter los; Wolkenbrüche ergossen sich über das Land wie zu Noahs Zeiten und ließen kleine Bäche zu wütender Kraft anschwellen. Es regnete so heftig, daß ihnen das Wasser in den Mund strömte, bis sie nach

Luft schnappten. Als sie einen für gewöhnlich schmalen Bachlauf namens Carron erreichten, wurden dort mehrere Männer von den Fluten fortgerissen und ertranken in einem jetzt reißenden Fluß.

»Laßt uns haltmachen! Laßt uns hier haltmachen und abwarten!« rief Darnley. Der Regen troff wie ein Schleier an seinem Helm herunter, und seine Haare hingen strähnig darunter hervor.

»Nein!« rief Maria. »Das können wir nicht! Wir müssen weiter!« Sie warf einen Blick auf das brodelnde, schlammige Wasser des wütenden Flusses und bekreuzigte sich. »Gott erbarme sich der Seelen dieser Verlorenen.« Dann trieb sie ihr Pferd voran und betete bei sich, daß sie nicht fortgerissen werden möge. Aber ihr Pferd war ein guter Schwimmer und erreichte sicher das andere Ufer. Darnley folgte ihr; er klammerte sich mit beiden Armen um den Hals seines Pferdes.

Die Rebellen kamen kurz vor dem Unwetter nach Edinburgh, aber sie konnten die Stadt nicht einnehmen. Ihr Anliegen fand keine Sympathie bei den Stadtbürgern, und niemand eilte zu ihren Fahnen; Erskine, der Krone treu ergeben, beschoß sie von der Burg aus und zwang sie zur Flucht. Diesmal zogen sie sich in Richtung Stirling zurück und begaben sich dann südwärts nach Dumfries, wo sie verzweifelt auf englische Hilfe warteten.

Marias Heerzug konnte endlich haltmachen, und auf freiem Feld wurden Zelte aufgeschlagen. Sie war über die Maßen aufgeregt, denn soeben hatte sie die Nachricht von der Flucht der Rebellen erhalten. Sie stand im Zelteingang, hielt die Klappe fest und sah dem Sonnenuntergang zu, der die zurückweichenden Wasser des Carron färbte.

»Das habe ich mir gewünscht«, sagte sie leise. »Ich wollte so gern wissen, wie es ist, ein Mann zu sein und eine Rüstung zu tragen und die ganze Nacht im Freien zu sein. Es heißt, man solle sich genau überlegen, was man sich innig wünscht, denn es wird sicher eintreten.«

»Und gefällt es dir, ein Mann zu sein?« fragte Darnley, der sich auf einem Feldbett ausgestreckt hatte.

»In mancher Hinsicht ja.«

»Das Kämpfen macht solchen Spaß!« rief Darnley. »Es hat mir vorzüglich gefallen.«

»Wir haben noch nicht gekämpft«, sagte Maria. »Wir sind nur geritten und haben die Rebellen gejagt.«

»Wahrhaftig, wir sollten es ›die Treibjagd‹ nennen. Lord James und seine Leute sind uns ständig ausgewichen«, sagte Darnley. »Bis morgen wird er über die Grenze fliehen. Es sei denn, Bothwell fängt ihn ab.«

»Ja. Bothwell beherrscht das Grenzland. Aber ich habe ihn nicht beauftragt, die Rebellen zu fangen.«

»Warum nicht?«

»Ich will ihn auf die Probe stellen. Er ist ohne Erlaubnis nach Schottland zurückgekommen, und strenggenommen steht er immer noch unter Arrest. Er ist noch nicht um eine Audienz eingekommen. Also bin ich neugierig, zu sehen, ob er uns aktiv zu Hilfe kommt oder ob er in die andere Richtung schaut. Mag sein, daß er verbittert ist, weil er sich von mir schlecht behandelt fühlt. Aber auch dabei ließ ich mich von Lord James leiten!« Ihr Magen zog sich zusammen, als sie erkannte, daß sie bei vielen ihrer Handlungen von Lord James gedrängt, ermuntert oder gefördert worden war, Handlungen, die manch einen von ihr entfremdet und sie in die Isolation getrieben hatten – und in seine Hände.

»Laß das jetzt«, sagte Darnley. »Komm her.«

Sie wunderte sich über seinen Ton und ging nicht darauf ein. »Schau dir den Fluß an«, sagte sie. »Der Carron ... aber für die armen Männer, die er fortgeschwemmt hat, war er Charon persönlich.«

»Ich habe gesagt, du sollst herkommen!« Darnley schlug auf das Feldbett. »Und mach die Zeltklappe zu!«

Maria ging zu ihm; lang ausgestreckt lag er da, und ein seltsamer Ausdruck war auf seinem Gesicht erschienen. Als sie sich über ihn beugte, packte er sie und zog sie auf sich. Seine Finger gruben sich in ihren Hals.

»Du willst also wissen, wie es ist, ein Mann zu sein?« Seine Stimme war rauh. »Also gut. Sei du der Mann. Nimm mich. Nimm mich gegen meinen Willen.«

Maria verspürte ganz ungewohnte Angst. Er war plötzlich verändert. Seine Augen blickten kalt und starr. »Nein – was für ein törichter Einfall ...!« Sie wollte sich losreißen, aber er hielt sie fest. Sein Griff war überraschend kraftvoll. »Bitte laß mich los.«

»Nein.« Er reckte ihr sein Gesicht entgegen. »Aber gut, wenn du mein Spiel nicht spielen willst, werde ich dich bestrafen!« Und mit verblüffender Geschwindigkeit warf er sie auf den Rücken und fing an, an ihren Kleidern zu reißen.

»Henry, nein!« Was war nur über ihn gekommen? Er preßte seinen Mund auf den ihren, daß sie sich in die Lippe biß, und sie roch einen seltsamen, aber nicht unbekannten Geruch. Was war das? Sie hatte so etwas schon einmal gekostet …

Er zerrte an ihren Unterkleidern und entblößte sie. »Halt still!« zischte er ihr ins Ohr. »Du sollst stillhalten! Ich befehle es dir!«

Statt zu gehorchen, versuchte sie, ihn von sich herunterzuwerfen. Aber er drückte ihr die Hand auf den Mund und flüsterte: »Du darfst deinem Gemahl nicht Trotz oder Ungehorsam entgegenbringen! Du weißt, daß du dich meinem Willen unterwerfen mußt!«

»Mmmmm – mmmm –« Sie versuchte zu sprechen. Was geschah hier mit ihm? Und dann erkannte sie den Geruch plötzlich. Es war Whisky. Er war betrunken. Fast hätte sie vor Erleichterung gelacht. Das war es also.

»Pst!« machte er und biß sie in die Schulter; mit der freien Hand riß er noch immer an ihren Kleidern. Wie ein Wahnsinniger hielt er sie gefangen, während er sein Verlangen befriedigte.

Draußen hörte sie ein Horn blasen, ein Signal, mit dem angezeigt wurde, daß nun das Abendbrot ausgeteilt werden sollte. Es klang sehr weit weg.

John Knox war in Edinburgh zurückgeblieben; er schrieb seinen Bericht über den gescheiterten Aufstand. »Wiewohl auch die meisten ermüdeten, so wuchs doch der Mut der Königin wie bei einem Manne und ward so stark, daß sie stets bei den Vordersten ritt.«

Ja, das mußte er zugeben: Der Mut der Königin war unvergleichlich. Und der Aufstand hatte nichts erbracht; Lord James und seine Leute hatten nach England ins Asyl fliehen müssen.

Ich habe ihn gewarnt, dachte Knox. Ich habe ihm gesagt, daß er nicht genug zuverlässige Männer auf seiner Seite habe. Die auf dem Zaun saßen, sind auf der falschen Seite heruntergesprungen.

Wieder in Edinburgh, nahm Maria Holyrood dankbar in Besitz. Als sie das Schloß betrat, ging ihr durch den Kopf, daß noch vor kurzem die Rebellen hierher gekommen waren und gehofft hatten, seine Bequemlichkeiten zu genießen. Nie war es ihr kostbarer erschienen.

Spät am Abend kniete sie vor dem Elfenbeinkruzifix aus St. Pierre nieder und betete.

»Guter Gott«, flüsterte sie, »ich danke Dir, daß Du mein Königreich befreit hast.« Aber tief im Herzen war sie sehr traurig. Unwillkürlich mußte sie an ihre hochfliegenden Hoffnungen, an ihre bebenden Erwartungen denken, mit denen sie den Ruf zur Rückkehr in ihr Land vor eben diesem Kreuz empfangen hatte.

»Ich habe in allen Dingen versucht, eine weise Herrscherin zu sein. Ich habe Deine Führung gesucht. Aber manche Edelleute waren unzufrieden und haben mir meine Bemühungen mit Verrat gelohnt.« Das war die Wahrheit, und sie schmerzte, auch wenn der Aufstand vereitelt worden war.

»Bitte hilf mir!« sprudelte sie, lauter jetzt, hervor. Es hatte weitere beunruhigende Zwischenfälle mit Darnley gegeben; Gewalttätigkeit hatte sich mit öliger Liebenswürdigkeit abgewechselt, und sie hatte Angst. Manchmal schien er sich in einen Menschen zu verwandeln, den sie gar nicht kannte.

Und er zeigte keinerlei Interesse daran, ihr bei der Bewältigung der Folgen des Aufstandes zu helfen; sie mußte Recht sprechen und Treue belohnen, und es war, als nehme er überhaupt keinen Anteil am Land, obgleich er immer wieder darum bettelte, sie möge ihm die Gattenkrone aufsetzen. Manchmal, wenn er rauh zu ihr war, sagte er wohl: »Kein Wunder, daß ich keine Papiere unterschreiben und nicht an den Ratssitzungen teilnehmen will, wenn du mir meinen rechtmäßigen Titel vorenthältst! Gib ihn mir, und ich tue alles!« Ihre Antwort war immer die gleiche. »Zeige dich erst würdig.«

Ein Geräusch! Jemand war hereingekommen. Maria erstarrte; sie fürchtete, es könne Darnley sein. Aber eine sanfte Hand legte sich auf ihre Schulter, und sie hörte Mary Setons leise Stimme. »Ich will mit Euch beten.« Sie kniete neben ihrer Herrin nieder und verharrte lautlos. Erst als Maria aufstand, erhob auch Seton sich wieder, und sie tat es mit jener wunderschönen Beweglichkeit, die allem, was sie tat, Anmut verlieh.

»Es betrübt mich, Euer Herz so verstört zu sehen«, sagte sie.

»Es gibt nichts, was Er« – Maria deutete mit dem Kopf zum Kruzifix – »nicht heilen kann.«

Seton nahm sie bei der Hand und führte sie zu einem Stuhl. Dann setzte sie sich ihr gegenüber und nahm ihre beiden Hände. »Ich dachte, die Ehe würde Euch glücklich machen«, sagte sie.

»Das dachte ich auch«, sagte Maria. »Und ich kann auch nicht sagen, daß ich unglücklich bin. Ich habe glückliche Neuigkeiten. Ich glaube, ich bekomme ein Kind.«

»Das ist allerdings eine glückliche Neuigkeit! Und was sagt Lord Darnley dazu?«

»Ich hatte noch – keine Gelegenheit, es ihm zu sagen.«

»Ich verstehe.« Seton wartete, ob Maria noch mehr sagen würde. Schließlich sprach sie weiter. »Es tut mir leid um Lord James. Ich weiß, es schmerzt Euch in vielerlei Hinsicht. Verrat ist am schlimmsten, wenn er von denen kommt, die allen Grund hätten, uns zu lieben.«

Ja. Das war es. Er war kein gewöhnlicher Rebell. »Er hat sich eingebildet, er werde Unterstützung von Königin Elisabeth bekommen«, sagte Maria schließlich. »Aber als er nach England kam, hat sie ihn nur öffentlich gescholten. Er wurde vor allen ausländischen Gesandten gedemütigt.« Sie lachte. »Wie ich zu meiner Freude erfahren habe, konnte ich mich darauf verlassen, daß Elisabeth in einer Krise *mich* unterstützt. Meine königliche Schwester hat sich als eine wahrhaft gute Schwester erwiesen!«

»Freut es Euch nicht, was den Rebellen widerfuhr, als sie eine Audienz bei der englischen Königin erhielten?« fragte Rizzio und blickte von den Briefen auf, die er abzuschreiben hatte. Maria hatte eine förmliche Schilderung des Vorgangs an ihren Onkel Kardinal diktiert, voll ausgewogener, sorgfältig formulierter Sätze. Rizzio verspürte eine distanzierte Zurückhaltung gegenüber dem Kardinal. Aber seit ihrer Hochzeit war die Welt auch ein feindseliger Ort für sie geworden, voll von Leuten, die ihre Wahl mißbilligten; Rizzio vermutete – wenn er auch keinen Beweis dafür hatte –, daß der Kardinal dazugehörte.

»Ach – mein Bruder!« Ihr Gesicht wurde traurig. »Seine Treue zu verlieren … doch nein, ich kann nicht verlieren, was ich nie besaß. Aber ich habe mich so in ihm getäuscht!«

»Dann ist es Eure Unschuld, was Ihr verloren habt – nicht Euer Bruder.«

»Ja. Aber fehlen wird er mir doch. Fehlen wird mir, was er für mich war, fehlen wird er mir als Mensch.«

»Ihr habt jetzt einen Ehemann. Der müßte Euch doch jeden Bruder ersetzen.«

»Das ist nicht das gleiche.« Sie zog sich wieder zurück; das Wort *Ehemann* hatte es bewirkt. »Ein Ehemann ist ein neu aufgepfropfter Zweig, ein Bruder aber ein alter.«

»Doch soll das eheliche Band am Ende das stärkste sein, das es gibt.«

»Das braucht seine Zeit.« Sie wandte sich einem Brief zu. »Wollen wir fortfahren?« fragte sie munter.

Rizzio schob das Schreibzeug beiseite. Er war müde. Es war anstrengende Arbeit, jeden Brief makellos zu schreiben, die Wörter korrekt auf dem Blatt zu verteilen, damit sie gefällig anzusehen und der Persönlichkeit würdig waren, an die sie gerichtet waren. Auch verschmierte die Tinte leicht, und je glatter das Papier, desto schwieriger war es, die Schrift gleichmäßig zu halten.

»So«, sagte Maria. »Habt Ihr Lust, bei dem bevorstehenden Gespräch mit Lord Bothwell zugegen zu sein? Oder möchtet Ihr Euch lieber zurückziehen? Ich brauche Eure Dienste nicht ausdrücklich.«

Ob er sie beim Wort nehmen konnte? Solche Gespräche waren oft so langweilig.

In diesem Augenblick erschien Darnley. Er sah übellaunig aus. Damit war die Sache für Rizzio entschieden.

»Ich glaube, ich ziehe mich lieber zurück, teure Königin«, sagte er, und er stand auf und küßte ihre Hand – und ganz unvermittelt ihre Wange. Dann wandte er sich ab und ging hinaus.

Darnley starrte ihm finster nach und sah dann Maria an.

»Du bevorzugst ihn weit über jedes kluge Maß hinaus«, meinte er schmollend. »Diener sollten die Königin nicht küssen.«

»Das sollten sie wirklich nicht«, pflichtete sie ihm bei, um ihn zu besänftigen. »Aber er ist mehr Bruder als Diener.«

Noch immer runzelte Darnley die Stirn. »Ich möchte meinen, du hättest genug von Brüdern.«

Seine Worte verursachten einen körperlichen Schmerz bei ihr. *Genug von Brüdern … nicht Bruder genug …*

»Er war einmal ein guter Bruder«, sagte sie schließlich. »Diese Erinnerung will ich mir bewahren.«

»Du bist barmherzig.« Darnley zog die Nase hoch. »Willst du es auch dem Earl von Bothwell gegenüber sein?«

»Allerdings. Ich muß gestehen, ich bewundere seine Tollkühnheit. Mein Rechtspruch war ungerecht, da ich das Wort des Earl von Arran gegen seines stellte – obgleich sich seitdem erwiesen hat, daß dieses Wort aus dem Munde eines Wahnsinnigen kam. Hat er aber stillgehalten und geduldig im Kerker gewartet? Nein, er ist geflohen.«

»Und dann ohne Erlaubnis nach Schottland zurückgekehrt. Darf man so etwas bewundern? Warum ist sein Ungehorsam löblicher als der von Lord James?«

»Weil er nicht eine Armee gegen mich aufmarschieren ließ, sondern mir statt dessen zu helfen beliebte.«

»Ja.« Wieder zog Darnley die Stirn kraus. »Und jetzt willst du ihn und nicht meinen Vater zum Statthalter im Grenzland machen.«

»Warum denn nicht? Bothwell ist in dieser Gegend geboren. Er kennt sie gut, kennt jeden Menschen dort. Er kennt das verflochtene Band von Gefolgschaft und Geschichte, das zu einem so verzwickten Muster gewoben ist, daß unsereins es nie entwirren kann. Dein Vater« – den sie immer noch nicht leiden konnte – »ist aus einer anderen Gegend des Landes, und er könnte es niemals. Die Treuebindungen dort sind sehr erdverbunden.«

»Bothwell hat wenig genug getan.« Darnley gab nicht auf.

»Er brauchte nicht viel zu tun. Die Rebellen ergriffen sofort die Flucht.«

»Hmmm.«

Maria ging zu ihm und warf ihm die Arme um den Hals. »Mißgönne ihm diese Anerkennung nicht. Wir brauchen ihn. Wir haben so viele andere verloren! Lord James ist nicht mehr da, und Kirkcaldy – ein so tapferer Soldat! Gerade diejenigen, die für mich gegen Huntly ins Feld gezogen sind, haben sich nun gegen mich gewandt. Sie waren die besten Soldaten im Reich!«

»Der Earl von Bothwell!« verkündete die Wache.

»Bitte laßt ihn ein.« Maria warf Darnley einen warnenden Blick zu. Darnley zog sich in eine entlegene Ecke zurück, setzte sich mit beleidigter Miene hin und verschränkte die Arme. Er saß so tief im Schatten, daß niemand ihn sehen konnte.

Herein trat James Hepburn, den Hut unter dem Arm. Mit zielstrebigen Schritten kam er heran und kniete nieder, so daß Maria nur seinen roten Haarschopf sah. Dann hob er den Kopf und sah ihr ins Gesicht.

»Allergnädigste Königin«, sagte er, »es ist vier Jahre her, daß ich Euch zuletzt sah. Vieles ist in diesen Jahren geschehen, das uns zu anderen Menschen hat werden lassen. Aber ich stelle ausdrücklich fest – und ich bin kein Schmeichler –, daß Eure Schönheit zusammen mit Eurer Macht und Eurem Ruf außerordentlich zugenommen hat. Ihr seid jetzt eine wahre Königin. Schottland kann sich glücklich nennen.«

»Bitte erhebt Euch«, sagte sie.

»Sehr wohl.« Er stand auf, und sie winkte ihn zu sich.

Sein Gang war, wie es bei stämmigen, muskulösen Männern oft der Fall ist, von einer energischen Zielstrebigkeit. Er war inzwischen dreißig Jahre alt, und was immer er im Gefängnis an Entbehrungen erlitten haben mochte, war hernach an den Tischen Frankreichs mehr als wettgemacht worden. Er machte den Eindruck von geballter Kraft und Unabhängigkeit.

»Lord Bothwell, Ihr habt Schottland ohne unsere königliche Erlaubnis betreten«, stellte sie fest.

Er lächelte. »Ich bitte um Vergebung, Eure Majestät. Ich habe mich so sehr danach gesehnt, zurückzukehren, und Ihr wart mit anderen Dingen beschäftigt.« Er zog eine Braue hoch. »Ich wollte Euch der Bürde eines zusätzlichen Verwaltungsaktes entheben: der Unterzeichnung meiner Papiere.«

Sie konnte nicht anders, sie mußte lachen. »Nein, Ihr seid unverbesserlich. Das war doch nicht der wahre Grund.«

Er hob scherzhaft die Schultern.

»Aber was immer der Grund sein mag, als Ihr einmal hier wart, habt Ihr Euch bei dem kürzlich unternommenen Aufstand als loyal gegen uns erwiesen. Dafür sind wir Euch dankbar, und wir setzen Euch wieder in Euren früheren Stand als Statthalter des Grenzlandes ein und belobigen Euch für Eure Wachsamkeit bei der Sicherung der Grenzen, als diese jüngst bedroht waren.«

»Bei mir ist niemand vorbeigekommen«, antwortete er. »Die Rebellen sind weit im Westen nach Carlisle über die Grenze geschlüpft, außerhalb meines Zuständigkeitsbereiches. Oh, seitdem sind sie nach Osten gezogen; wie ich höre, sitzen sie zur Zeit in Newcastle und leben dort von einer beleidigend kargen Unterstützung, die sie von Königin Elisabeth beziehen.«

Maria erschrak. Also unterstützte Elisabeth sie doch, ihren hochfahrenden Beteuerungen des Gegenteils zum Trotz!

»Newcastle«, fuhr er fort, »ist eine öde Stadt mit einer starken Burg. Und in der Nähe sind die Ruinen des Römerwalls; Dichter und Gelehrte machen viel Aufhebens darum. Vielleicht kann Lord James sich damit belustigen; er kann zwischen den moosbedeckten Trümmerhaufen sitzen und über die Vergänglichkeit der Zeit und der Königinnen nachsinnen.« Er hielt inne und legte den Kopf schräg. »Elisabeth hat ihm öffentlich befohlen, als Verräter ihr Reich zu verlassen. Trotzdem bleibt er da und wird sogar von ihr alimentiert.«

War das eine Frage? »Dann sind die Dinge wirklich nicht das, was sie zu sein scheinen.«, sagte Maria schließlich.

»Durchaus meine Meinung«, pflichtete Bothwell ihr bei.

»Aber wem *kann* man dann noch trauen?« fragte eine dünne Stimme aus der Ecke: Darnley.

»Bis ich weiß, wer da spricht, wage ich nicht, es zu sagen«, erwiderte Bothwell. »Das könnte doch zu gefährlich werden.«

»Der König spricht«, antwortete die schmale Stimme.

»Ah.« Nie hatte Bothwell voller und kräftiger geklungen. »Dann muß ich sagen: Vertraut nur denen, die Eure Lehnsherrin und Königin ebenso hingebungsvoll lieben, wie Ihr es tut. Wohl ist sie schön und gütig und klug und vertrauenswürdig, aber es gibt welche, die sie gerade wegen dieser Vorzüge hassen und ihr schaden möchten. Es ist ein Fehler anzunehmen, daß man eine gute Königin stets lieben wird. Gerade ihre Tugenden können unter Minderen Neid und Haß hervorrufen.«

»Die Rebellen sind jetzt beträchtlich gemindert«, sagte Maria. »Denn sie werden alle ihre Ländereien und Titel verwirkt haben, wenn das Parlament zusammentritt. Dann gibt es keinen Earl von Moray mehr. Er hat sich übernommen.«

»Das ist immer gefährlich, Eure Majestät.« Bothwell klang belustigt. »Eine gute Lektion für uns alle.«

»Dann übernehmt Ihr Euch auch nicht bei dieser Statthalterschaft, die sie Euch gibt!« schrie Darnley und stand plötzlich auf.

»Das würde mir nie in den Sinn kommen«, sagte Bothwell ernsthaft. »Ich bin zufrieden mit dem, was Ihre Majestät mir zu geben geruht.«

Als Bothwell unter Treueversicherungen abgezogen war, wandte Maria sich an Darnley.

»Du hättest nicht so schroff sein müssen«, sagte sie und ließ sich auf einen Stuhl fallen.

»Ich traue ihm nicht«, war Darnleys eisige Antwort.

»Er hat nichts getan, wodurch er Mißtrauen verdient hätte, im Gegensatz zu allen anderen. Ich mußte sogar Botschafter Randolph ausweisen, weil er sich an der Ermutigung der Rebellen beteiligt hat. Morton ist noch hier, aber ich weiß, daß er mit meinem Bruder geliebäugelt hat und eine ständige Korrespondenz mit ihm pflegt, obwohl er meine Truppen geführt hat und Kanzler des Reiches ist. Wohl stimmt es, daß Argyll die Rebellen nicht offen unterstützt hat, indem er ihnen seine Soldaten schickte, wie er es versprochen hatte, und er ist auch nicht mit ihnen geflohen; aber mein Vertrauen hat er doch verwirkt, denn er hat beide Seiten verraten.«

»Ist dir denn Gefolgschaftstreue dermaßen kostbar?«

»Mehr als alles andere. Wenn jemand mich einmal betrogen hat, oder wenn er auch nur zugeschaut und nicht Stimme noch Schwert erhoben hat, um den Verrätern Einhalt zu gebieten, dann ist er für mich verloren.«

»Wie traurig, wie über die Maßen traurig, für dich verloren zu sein«, sagte Darnley und küßte ihr die Hand. Seine schönen Augen mit den langen Wimpern waren geschlossen.

Jetzt würde sie es ihm sagen. Jetzt, wo er so liebreizend war.

»Henry, wir haben ein freudiges Ereignis vor uns. Wir erwarten einen Erben ... siehst du, schon jetzt macht er mich müde. Aber ich kann mich ausruhen. Die nächsten sieben Monate werden ruhig und erfreulich sein – ein ausgezeichnetes Klima für das Kind.«

Darnleys Gesicht erstrahlte vor Glück. »Ein Kind! Oh, Maria, meine Liebe! Ein Kind, unser Kind!«

Sie war erleichtert, obwohl ihr gar nicht klar gewesen war, wie unsicher sie in Bezug auf seine Reaktion gewesen war. In letzter Zeit waren seine Reaktionen so unberechenbar.

Darnley umarmte sie. »Ich freue mich auf die Geburt, und ich bin stolz, der Vater deines Kindes zu sein. Vater eines Königs – das werde ich sein! Eines unumstrittenen Königs. Er braucht nicht die Zustimmung des Parlaments für seinen Titel, und er ist auch nicht darauf angewiesen, daß er ihn von seinem Eheweib verliehen bekommt!«

»Ach, laß das jetzt. Du benagst diese Sache wie ein Hund seinen Knochen.«

»Du befiehlst mir, dich zu lassen? Nun gut!« Er wandte sich ab und eilte zur Tür.

»Ich habe dir nicht befohlen, *mich* zu lassen, sondern dieses Thema –«

Der Wandbehang wehte, als er die Tür des Gemachs dröhnend hinter sich ins Schloß warf. Es war ein vertrautes Geräusch und ein vertrauter Anblick.

Maria verließ das Audienzgemach und begab sich in ihre Schlafkammer. Sie war müde und ging langsam. Bis jetzt hatte die Schwangerschaft sich hauptsächlich dadurch bemerkbar gemacht, daß sie sich ständig benommen fühlte und daß ihre Kräfte rasch zur Neige gingen. Übelkeit oder Ohnmachtsanfälle, wie Bourgoing sie vorhergesagt hatte, waren noch nicht vorgekommen. Sie erfüllte noch immer alle ihre Aufgaben; nach dem Feldzug, der als »Treibjagd« bekannt geworden war, waren politische Entscheidungen an die Stelle militärischer Unternehmungen getreten. Es war anstrengend.

In letzter Zeit hatte sie sich, durch körperliche Kraftlosigkeit beeinträchtigt, gern mit Handarbeiten beschäftigt, vor allem mit dem Entwurf symbolischer Bildstickereien. Anfangs hatte es nur dazu gedient, die Hände zu beschäftigen und den Müßiggang zu bekämpfen, aber allmählich war daraus eine herausfordernde geistige Übung geworden, und darüber hinaus bot es ihr eine einfache Möglichkeit, zu entfliehen, sich in eine Welt zu flüchten, in der alles nach einem geheimen Muster geordnet war. Jetzt arbeitete sie gerade an einem Bild, auf dem sie und Darnley in symbolischer Gestalt dargestellt waren. Es zeigte eine Landschildkröte, die am Stamm eines kronengeschmückten Palmenbaums emporkletterte. Er war die Schildkröte, sie der Baum. Als die Marys sie fragten, was es zu bedeuten habe, wollte sie es ihnen nicht sagen. Das war der Vorzug solcher Sinnbilder: Sie konnten alles Mögliche bedeuten.

Sie ließ sich auf den Sessel sinken, der mit einer Steppdecke gepolstert und vor das Fenster geschoben worden war, und nahm sich ihr Nähkästchen vor. Die Stickerei brachte ihr wachsendes Unbehagen in Bezug auf Darnley zum Ausdruck – *war* er eine Landschildkröte, die versuchte, durch die Ehe in eine höhere Stellung zu klettern? Immer wieder stimmte er seine alte Leier von der Mitkönigskrone an: Warum hatte das Parlament sie ihm nicht gewährt? Warum war sie so grausam, daß sie das Parlament nicht zusammenrief und verlangte, daß es sie ihm gewährte?

Unterdessen kümmerte er sich wenig um seine königlichen Pflichten; er war nie zur Stelle, um Dokumente zu unterzeichnen, und so hatte man einen Faksimilestempel von seiner Unterschrift anfertigen müssen. Dauernd war er auf der Falkenjagd, beim Reiten oder …

Sie zog einen dicken Strang lohfarbener Seide hervor und fing an, das Garn auseinanderzuflechten. Dann hielt sie die Nadel gegen das Licht und fädelte die nötigen Fäden ein.

… oder er ging abends aus. Wo ging er nur hin? Nach dem Abendessen pflegte sie die Wendeltreppe in seine Gemächer hinunterzugehen, weil sie ihn dann allein anzutreffen hoffte, aber er war weg, mochte das Wetter noch so schlecht sein. Wenn sie ihn fragte, wollte er keine Antwort geben. Manchmal, spät abends, hörte sie Aufruhr unten im Hof, wenn er verlangte, durch das Torhaus eingelassen zu werden. Dann redete er laut und schwerzüngig. Sogar tagsüber umgab ihn manchmal Weindunst.

Sie fing an, die gelben Punkte im Muster des Schildkrötenpanzers einzufügen. Den Faden durchziehen, den Faden herausziehen, den Faden durchziehen ... es war so beruhigend.

Sie war einsam, einsamer denn je, denn mit dem einzigen Menschen, mit dem sie immer sollte reden können, konnte sie es nicht.

Ich habe geheiratet, um der Einsamkeit zu entrinnen, dachte sie, und statt dessen habe ich sie nun in ihrer schrecklichsten Gestalt gefunden.

Und im Reich war nach dem Ende der Treibjagd immer noch keine Ruhe eingekehrt. Noch immer herrschte Unzufriedenheit; sie spürte sie in der Stille um sie herum, in der mürrischen Mißstimmung, die ganz Edinburgh zu durchdringen schien. Darnley fand allenthalben herzliche Abneigung, und jetzt gab es Zeiten, da auch sie ihn nicht leiden konnte; begonnen hatte dies mit seiner Grausamkeit im Zelt während der so treffend benannten »Treibjagd«.

Letztes Jahr um diese Zeit war er noch gar nicht in Schottland eingetroffen, dachte sie. Dann kam er, und ich liebte ihn. Ist es wirklich schon nach so kurzer Zeit vorüber? Kann die Liebe so vergänglich sein?

Wenn das Kind da ist, wird alles anders sein. Ja, es wird anders sein, es muß anders sein.

Aber bis dahin ... Lord James fehlt mir, dachte sie überrascht. Seine Gegenwart fehlt mir, und auch derjenige, für den ich ihn hielt.

Genug davon, ermahnte sie sich streng. Was für ein König hätte denn so wenig Stolz, daß er einen Verräter vermißte?

Darnley eilte durch die Seitengassen, die parallel zum Canongate verliefen; sein Mantel verdeckte fast sein ganzes Gesicht, und er lief vornübergebeugt, um nicht ganz so groß auszusehen. Er war wieder einmal ausgerissen, war aus dem erstickenden Holyrood geflüchtet, um in Frieden atmen zu können. Es war ganz leicht, in der Dunkelheit von Edinburgh zu verschwinden, wenn die Sonne untergegangen war. Die guten Männer der Kirk waren alle daheim – und lasen höchstwahrscheinlich in der Bibel! –, aber Edinburgh hatte mehr zu bieten als das, was die Kirk guthieß. In den Gassen und Wynds gab es Schenken, wo man trinken konnte, und auch Häuser, in denen anderer Trost gespendet wurde.

Von letzterem hatte er erst kürzlich zu kosten begonnen, auf schüchterne, zögernde Weise. Die Wahrheit war, daß er ein schlechtes Gewissen dabei empfand. Er war schließlich verheiratet. Weshalb mußte er so etwas tun? Aber die Dinge, die er gern tat, erregten seinen eigenen Abscheu, und selbstverständlich würde auch seine Gemahlin sie abscheulich finden. Da war es besser, gleich dafür zu bezahlen und es von einer zu kaufen, die seine Ideen noch zahm oder allenfalls einfach alltäglich finden würde.

Und was das Trinken anging – es war eine entspannende Angelegenheit, sich in ein Etablissement zu begeben, wo diese Tätigkeit gefördert wurde, statt daß man ständig darum kämpfen mußte, noch ein bißchen zu bekommen. Die Diener bei einem Bankett waren so langsam! (Obwohl der Wein dort immer der feinste war.) Und in seinen Gemächern lauerten immer seine beiden Kammerdiener, Taylor und Anthony Standen, und glotzten ihn an, wenn er sich noch ein oder zwei Schlückchen genehmigte. Er *wußte*, daß sie im Kopf mitzählten.

Darnley stieß die Tür der Schenke »Zum Mönchsarsch« auf – das Schild darüber zeigte einen Mönch, der seine Kutte hochhob und seinen blanken Hintern vorzeigte. Es war eine kleine, düstere Taverne gleich hinter Blackfriars Wynd, und Darnley fand sie für seine Zwecke ausgezeichnet geeignet; sie war beliebt genug, so daß er nicht auffiel, aber zu dieser Abendstunde nicht übermäßig voll. Er suchte sich einen Platz auf einer Bank und winkte der Schankkellnerin, noch bevor er sich hingesetzt hatte.

»Oho! Guten Abend, Eure Majestät!«

Darnley erschrak. Wer hatte ihn erkannt? Seine Augen durchforschten den Raum, und dann erblickte er die muskulöse Gestalt des Archibald Douglas, der sich auf einer der Bänke räkelte. Archibald hob einen Becher und trank ihm zu.

Verdammt! Jetzt mußte er hingehen und sich zu seinem entfernten Vetter setzen. Ein wenig fröstelte ihn; man munkelte, der düster sarkastische Archibald sei ein Mörder oder einer, der sich von Mördern besolden ließ.

»Seid gegrüßt, Vetter«, sagte Darnley matt und setzte sich neben ihn. Er sah Archibalds massigen Schenkel nur wenige Zoll neben sich auf der Bank; Archibald rückte nicht beiseite, wie es die Höflichkeit geboten hätte.

»Ich wußte gar nicht, daß der Gemahl der Königin solche Örtlichkeiten schätzt«, sagte Archibald. »Was für eine erfreuliche Überraschung.« Er nahm einen großen Schluck aus seinem Becher, und danach sah Darnley kleine Ale-Tröpfchen, die in den Barthaaren am Mund des Mannes glitzerten.

»Jeder hat ab und zu gern etwas Abwechslung«, antwortete Darnley. »Und das Ale hier schmeckt mir gut.« Das tat es wirklich. In letzter Zeit hatte er auf seinen Whisky verzichten müssen. Er war nach den Problemen mit dem Earl von Argyll und seinen Ländereien oben im Norden nicht nur schwierig zu bekommen – der Whisky brachte auch seinen Magen durcheinander und bereitete ihm hämmernde Kopfschmerzen. So hatte er sich auf Ale und Wein verlegen müssen.

»Was ist denn sonst noch nach Eurem Geschmack?« fragte Archibald, und Darnley erstarrte. Wußte Archibald etwa von seinen Besuchen in jenem Haus? »Ich mochte den Whisky des Earl von Argyll, aber der ist heutzutage schwer zu bekommen.«

»Ja.« Archibald grunzte und nahm wieder einen Schluck.

Darnleys Ale wurde gebracht, und er trank in tiefen Zügen. Stundenlang hatte er darauf gewartet.

Zusammen tranken sie mehrere Becher. Nach den ersten drei empfand Darnley allmählich die Befreiung, die er suchte. Er brauchte drei große Becher Ale, um die Wirkung eines kleinen Gläschens Whisky zu erzielen, aber hatte er sie dann erzielt, war das Gefühl das gleiche. Nicht einmal Archibald störte ihn jetzt mehr; im Gegenteil, er empfand sogar eine gewisse Kameraderie mit seinem Verwandten. Die Kerzen in der Schenke schienen ebenso schön zu leuchten wie hörnene Laternen, bernsteingelb und besänftigend. Die Holztäfelung an den Wänden war schwer und edel wie Ebenholz. Und plötzlich erstrahlte das Bild Marias in seinem Kopf: Maria mit offenem Haar, im Nachtgewand, in seinem Bett ... Füße, weiß wie bei einer Marmorstatue, lugten unter der Decke hervor ... Diese Füße ... manchmal berührten sie sich in seinem Kreuz, wenn ihre langen Beine ihn umschlangen ...

»Ist die Königin heute abend beschäftigt?« fragte Archibald eben.

»Nein.« Er wußte nicht, ob sie beschäftigt war oder nicht; er wußte nur, daß ihn das Bier gerufen hatte und die Frauen oben in dem kleinen Haus, ein paar Türen weiter, wo er seine Phantasien ertränken konnte, ohne daß man ihm Fragen stellte oder er sich schämen mußte. Deshalb war er ausgegangen.

»Dann ist sie nicht mit ihrem Sekretär zusammen?« Archibald machte ein überraschtes Gesicht.

»Das weiß ich nicht.«

»Ah.«

Das Wort schwebte in der Luft wie ein Kolibri.

»Was soll das heißen?« fragte Darnley gezwungenermaßen.

»Ich meine, es wäre ungewöhnlich, wenn sie nicht mit ihm zusammen wäre – diesem sonderbaren kleinen Mann mit den sonderbaren kleinen Vorlieben.«

Darnley fing an zu lachen. »Ich bin seit einer Weile mit Rizzio bekannt, und es ist nichts Sonderbares an seinen Vorlieben.« Tatsächlich hatte der Italiener sogar durchaus geschmackvolle Vorlieben, was Kleidung, Essen, Wein und Bücher anging … lauter Sachen, die in den Augen der Kirk sündhaft waren.

»Warum gibt die Königin sich dann mit ihm ab?« fragte Archibald, als sei er ehrlich verwirrt.

»Ich weiß nicht, was Ihr meint.«

»Natürlich, das müßt Ihr ja wohl sagen. Ich bitte um Vergebung. Mit Eurer Erlaubnis …« Er zuckte die Achseln.

Wollte er etwa andeuten – *wagte* er anzudeuten –, daß er, Darnley, als Ehemann ein Auge zudrückte? Daß er zusah, wie der italienische Sekretär heimlich seine Gemahlin erfreute? »Eine solche Beleidigung ist unerträglich!« schrie er und sprang auf, die Hand am Schwert.

Auch Archibald stand auf, und seine Körpermassen schienen zu wachsen und die Schenke auszufüllen. »Ich wollte Euch nicht beleidigen«, sagte er. »Ich habe nur – als Euer Vetter – versucht, Euch zu warnen und auf die Gefahr aufmerksam zu machen. Es war meine *Treue*, die mich zum Reden veranlaßte.« Sein Blick wirkte ehrlich.

Darnley, der so betrunken war, daß er sein Schwert gar nicht mehr herausbrachte, ließ sich wieder auf die Bank fallen. In seinem Kopf drehte sich alles. »Ihr lügt …« murmelte er. Wo war Archibald hin? Der Mann war weg. Darnley rief nach neuem Ale.

Er sackte gegen die Wand und schloß die Augen. Er würde heute nacht nicht zu den Weibern gehen. Nein, er würde zu seiner Frau gehen. Zur Königin. Gab es einen Grund, weshalb sie ihm nicht geben sollte, was er verlangte? Zum Teufel mit den Weibern. Und zum Teufel mit Rizzio!

Darnley gestattete sich, an die Phantasie zu denken, die ihn stets erregte. Er wollte, daß Maria seine Füße küßte und ableckte. Dann sollte sie seine Beine lecken, langsam höher und immer höher auf seine Lenden zu, und sie sollte ihr Haar um seine Beine schlingen; dazu sollte sie seine Füße mit der Stirn berühren, ihr Haar scheiteln und seine Beine damit umhüllen wie mit einem Zelt, während sie sich leckend zu seinem Geschlecht heraufbewegte. Der Gedanke an das glatte, weiche Haar, die warme Zunge …

Unversehens war er so erregt, daß er es kaum noch aushielt. Er kramte in seiner Börse nach Geld für das Ale, und dann taumelte er in die Nacht hinaus; er konnte kaum gehen, so schmerzhaft war seine Erektion.

Maria hatte eben Mary Seton gebeten, das Holunderblütenwasser zu bringen, um sich damit Schultern und Nacken zu bestreichen. Es war spät, und sie freute sich auf das Bett. In letzter Zeit schien sie mehr Schlaf zu brauchen, und – das mußte sie zugeben – sie erlaubte sich mehr Aufmerksamkeiten als zuvor. Der zarte Duft von Holunderblüten schien den Schlaf herbeizuführen, und es gefiel ihr, die Augen zu schließen und sich vorzustellen, sie liege in einer sommerlichen Blumenwiese.

»Ich danke dir, liebe Seton«, sagte sie und nahm die dünne Glasflasche entgegen. Die Flüssigkeit darin war hellrosafarben. Sie träufelte sich ein wenig davon in die Handfläche und verrieb es langsam im Nacken, und sie fühlte, wie es sie entspannte und ihre Muskeln lockerte.

»Soll ich später noch einmal zu unserem Rosenkranz zurückkommen?« fragte Seton. Sie hatten früher oft vor dem Schlafengehen noch zusammen den Rosenkranz gebetet, aber seit Maria verheiratet war, hatte das aufgehört. In letzter Zeit aber, nachdem Darnley angefangen hatte, abends fortzugehen, hatten sie diese Gewohnheit wieder aufgenommen.

»Ja«, sagte Maria.

Als sie in ihrem Schlafgemach allein war, trug sie in aller Ruhe die Lotion auf und las dann ein wenig in du Bellays Gedichten.

Si notre vie est moins qu'une journée
En l'éternel, si l'an qui fait le tour –
Chasse nos jours sans espoir de retour …

Wenn unser Leben hier ist kürzer als ein Tag
Der Ewigkeit, und wenn das Jahr
Sich rundet und die Tage weitertreibt
Ohn' alle Hoffnung auf die Wiederkehr …

Die Tür flog auf, und Darnley stand da, schwankend an den Türrahmen geklammert.

»Du bist also allein!« sagte er. Seine Stimme klang laut und vorwurfsvoll. Er kam herein und warf die Tür hinter sich zu.

»Ja, ein Weilchen wenigstens. Ich erwarte aber bald –« Sie klappte ihr Buch zu und stand auf, um ihn zu begrüßen.

»Oh, du erwartest also einen Gast? Gut, dann schick ihn weg!«

»Ihn?«

»Du weißt schon, wen ich meine!« Darnley kam torkelnd auf sie zu.

Nicht schon wieder! Nicht schon wieder betrunken! Das Herz krampfte sich ihr zusammen, und zugleich erfaßte sie Wut. Ihr Ritual mit dem Holunderblütenwasser, ihr Augenblick der Stille, der kleine Kreis von Schönheit und Raffinement, den sie sich geschaffen hatte, sollte jetzt zerstört werden. »Nein, das weiß ich nicht«, sagte sie zurückweichend.

»Komm her! Weiche nicht vor mir zurück!« Er packte sie und preßte sie an sich. Sie fühlte, wie erregt er war, und es war ein ebensolcher Angriff gegen sie wie der Aufstand des Lord James. Er wollte ihr die Kleider herunterreißen, aber er war so betrunken, daß er nur täppisch daran zerrte.

»Hinunter mit dir! Auf die Knie, und diene mir!« Er packte sie beim Kopf und wollte sie zu seinen Füßen hinunterdrücken. Sie riß sich los und schlug ihm fest ins Gesicht.

»Werde erst nüchtern, du betrunkener Rüpel!« rief sie. »Wie kannst du es wagen, so in meine Gemächer zu kommen?«

»*Deine* Gemächer, *deine* Gemächer«, äffte er in unstetem Singsang. »Was soll das ›dein‹ und ›mein‹? Sind wir nicht ein Fleisch? Ist der Mann nicht eins mit seinem Weibe? Komm und sei eins mit mir!« Er sprang vor und wollte sie umreißen, aber sie wich ihm mühelos aus.

Als er dann am Boden lag, konnte sie sich nur mit Mühe davon abhalten, nach ihm zu treten. Sie zitterte. Rückwärts ging sie zur Tür und rief die Wache.

»Bringt den König fort«, sagte sie tonlos. »Tragt ihn in seine Gemächer und ruft seine Kammerdiener, damit sie sich um ihn kümmern.«

Als Darnley hinausgeschleift worden war, überkam sie ein heftiger Zitteranfall.

Wenn er trank, wurde er zu einem Ungeheuer. Und es wurde schlimmer mit ihm; die Abstände zwischen den Zuständen wurden kürzer. Sie würde ihre Tür von jetzt an verschlossen halten müssen. Immer noch bebend, ging sie hin und drehte den großen Eisenschlüssel im Schloß.

Darnley hatte es an der Innentür zu Marias Schlafgemach versucht, und sie war verriegelt gewesen. Bis dahin war er nicht auf den Gedanken gekommen, daß Archibald Douglas mit seiner Andeutung, da sei etwas nicht in Ordnung, recht haben könnte. Ja, gerade um zu beweisen, daß Douglas mit seiner hinterhältigen Anspielung unrecht gehabt hatte, war er ja die Wendeltreppe zwischen ihren beiden Suiten hinaufgestiegen, war er leise durch den Flur geschlichen und hatte mit größter Behutsamkeit nach der Türklinke gegriffen. Er hatte die Tür fest gegen den Rahmen gezogen, um jedes Geräusch zu verhindern; er hatte die Klinke heruntergedreht und gegen die Tür gedrückt. Ohne Erfolg. Die Tür war von innen verschlossen. Sie war noch nie verschlossen gewesen.

Er legte das Ohr an das dicke Holz; es gab kein Schlüsselloch, durch das er hätte spähen können. Er hörte ihre Stimmen klar und deutlich: seine und ihre. Maria und Rizzio.

Ihm war übel, und er ließ sich gegen die Tür fallen. Er wurde betrogen.

Oder doch nicht? Konnte es nicht auch eine unschuldige Erklärung geben?

Aber warum dann die verschlossene Tür?

Nein. Es gab keine andere Erklärung als die, von der Douglas andeutungsweise gesprochen hatte.

Rizzio. Rizzio war Marias Liebhaber.

Darnley hätte gelacht, wäre es nicht eine so ungeheuerliche Beleidigung seiner selbst gewesen. Der Italiener war alt – mindestens fünfzig – und einen ganzen Kopf kleiner als Maria. Außerdem war er häßlich und von niederer Abkunft.

Aber das alles machte die Erniedrigung für ihn selbst nur um so größer.

Hätte sie sich Maitland ausgesucht, geschmeidig, kultiviert, hochintelligent ... tja, dann ... oder Bothwell, der im Bett geübt war und wohl wußte, wie man eine Frau in dieser Hinsicht zufriedenstellte ... oder von mir aus de Foix, der französische Botschafter mit seinem europäischen *savoir-faire* und seiner großen Intrigantenerfahrung ... bei jedem von ihnen könnte ich sagen: »Er hat dies und jenes, und ich habe es nicht.« Aber Rizzio ...!

Er wandte sich ab und ging die Treppe hinunter, und er war so betäubt, daß er sich wunderte, wie er es noch schaffte, einen Fuß vor den anderen zu setzen. Er kehrte in sein Schlafgemach zurück und warf sich mit dem Gesicht nach unten auf das große Bett. Das Bett, das Maria immer besucht hatte. Aber sie kam nicht mehr ...

Seine Augen schwammen in Tränen, während ihm die Bilder früherer Liebesstunden beharrlich durch den Kopf gingen, so lebhaft, wie sie ein holländischer Maler nur hätte abbilden können. Wie sie ihn besucht hatte ... was sie gesagt hatte ...

Waren es lauter Lügen gewesen? Sagte sie das gleiche jetzt zu Rizzio, in diesem Augenblick, gleich dort oben?

Er schlug mit den Fäusten auf die Federmatratze. Sich vorzustellen, wie Maria in den Armen eines anderen lag, war eine Qual.

Du mußt der Wahrheit ins Auge sehen, befahl er sich streng. Die Wahrheit ist die Wahrheit. Sie hat sich mit dir die Zeit vertrieben, hat dich benutzt, um ein Kind zu bekommen, einen Thronerben von königlichem Geblüt, und jetzt hat sie keine Verwendung mehr für dich. Sie hat dir die Mitkönigskrone versprochen, und jetzt sagt sie, es ist unmöglich, und du mußt Papiere unterschreiben und an den Ratssitzungen teilnehmen, um sie dir zu verdienen. Aber das ist nur ein Vorwand. Die Wahrheit, die Wahrheit ... die Wahrheit ist, daß du deinen Zweck erfüllt hast. Jetzt bist du entbehrlich. Die Wahrheit ist, sie liebt dich nicht mehr.

Bei dieser Erkenntnis durchfuhr ihn der Schmerz wie eine Schwertklinge. Aber sie war noch gar nichts, verglichen mit dem Gedanken, der damit einherging: Vielleicht hat sie dich nie geliebt, und all deine Erinnerungen, all die kostbar gehüteten Worte sind unwahr. Selbst das, was du zu haben glaubtest, hattest du nie.

Vielleicht ist das Kind von Rizzio ...

Weinend zerknüllte er sein Kissen. Er weinte, bis er entkräftet war, beinahe tot.

Er mußte eingeschlafen sein, denn als er die Augen öffnete, waren sie von getrockneten Tränen verkrustet. Er stöhnte. Warum war er bekleidet? Da war etwas Häßliches, etwas Unangenehmes, das am Rande seines Bewußtseins lauerte ... was war es nur? Es ragte lautlos drohend wie ein großer Heuschober, der seinen Schatten über das abgeerntete Feld warf. Und plötzlich brach es mit einem triumphierenden Aufbrüllen über ihn herein.

Deine Frau hat dich verlassen. Und mehr noch: Deine Frau hat dich nie geliebt.

Er hob den Kopf. Im Palast war es still. Rizzio mußte die Gemächer über ihm längst verlassen haben.

Aber es gab Häuser in Edinburgh, die niemals schliefen. Kleine Häuser noch hinter den Wynds, mit unauffälligen, nicht weiter gekennzeichneten Türen.

Plötzlich verspürte er ein überwältigendes, wollüstiges Verlangen nach einem Weib. Im Dunkeln waren alle Weiber gleich; das behauptete man wenigstens. Und so war es auch! Ja, so war es!

Er schwang die Beine über die Bettkante. Seine neuen wollenen Strümpfe spannten sich angenehm über seine Knie.

Ja, ich brauche mich nicht einmal anzukleiden, dachte er. Ich bin schon bereit.

Seine Füße berührten den Boden, und lautlos tappte er zu der brennenden Kerze, die auf seinem Schreibtisch stand.

Ich glaube, ich werde Rizzio einladen, mich zu begleiten, dachte er. Vielleicht wird er etwas sagen, was alles aufklärt. Vielleicht gibt es eine Erklärung. Vielleicht ist es doch nicht wahr ...

Vielleicht ist es nicht wahr. Bei diesem Gedanken tat sein Herz einen Satz.

Er nahm seine Kerze und ging durch die Galerie zu Rizzios Gemächern. Dort klopfte er leise an die Tür.

Drinnen rührte sich etwas. Ein Rascheln. Maria war doch gewiß nicht bei ihm?

Ich bin der König, sagte er sich. Ich darf eintreten, wo ich will. Er drehte den Türgriff – hier war nicht abgeschlossen – und ging hinein.

Rizzio fuhr im Bett hoch und schnappte nach Luft.

Räuber, dachte Darnley. Er glaubt, ich bin ein Räuber. Welch ein Witz – *er* ist der Räuber!

»Guter Lord D... – Majestät, was habt Ihr auf dem Herzen?« blubberte Rizzio.

Darnley hielt ihm die Kerze dicht vors Gesicht. Es war zerknittert und müde. Sein Haar war strähnig und fettig. Das machte alles nur noch schlimmer.

»Ich habe gar nichts auf dem Herzen«, antwortete er leichthin. »Ich habe Lust, ein paar ziemlich unorthodoxe Angebote in gewissen Vierteln von Edinburgh zu verkosten, und dachte mir, ein Begleiter macht die Sache lustiger.«

»Oh.« Rizzio ließ sich in die Kissen zurücksinken. Er sah erschöpft aus. Ein alter Mann sollte sich eben nicht in die Dinge verwickeln lassen, in die er sich hatte verwickeln lassen. »Ich muß Euch bitten, mich zu entschuldigen«, sagte er schließlich.

»Nein, das müßt Ihr *nicht!*« erwiderte Darnley und packte ihn beim Kragen seines Nachthemdes. »Ihr müßt mich begleiten. Ich weigere mich, allein zu gehen! Und ich bin schließlich Euer König!«

Rizzio rappelte sich auf und stieg aus dem Bett. Sogar in seinem bestickten Nachthemd bot er – unter gewöhnlichen Umständen – einen komischen Anblick. Jetzt war er nur widerlich.

»Ihr müßt mich für einen Augenblick entschuldigen«, sagte er und zog sich hinter einen Wandschirm in einen Alkoven zurück, um sich anzukleiden.

War sein Glied noch rot und wund von kürzlicher Benutzung? Betätschelte er es, als er es wegsteckte, durchlebte er noch einmal jeden Augenblick?

»Ich bin bereit«, sagte er schließlich und kam hervor.

»Gut«, sagte Darnley.

Schweigend machten sie sich auf den Weg; Darnley zerrte den schlaftrunkenen Rizzio durch die Korridore und hinaus in die frische Luft. Rizzio stolperte auf den Pflastersteinen, und Darnley riß ihn hoch.

»Aufwachen!« zischte er.

Rizzio war also erschöpft von seinen Liebesspielen. Welchen Beweis brauchte er noch?

Darnley wußte eine Seitenpforte, durch die sie hinauskonnten, ohne den Wachen mit ihren Fackeln über den Weg zu laufen. Der Weg führte sie um die Südseite des Schlosses herum und dann durch dunkle Gassen und enge Wynds, in die das Mondlicht niemals drang. Alles war dunkel; keine Laternen brannten mehr, keine Lampen flackerten in den Stuben, als sie vorübergingen. Es war die tiefste, stillste Stunde der Nacht, und man hörte keinen Laut außer dem Geraschel der Mäuse, die sie im Vorübergehen aufstörten.

Die Mauern der Häuser schienen Kälte auszustrahlen, und bald fröstelte Darnley trotz seines wollenen Mantels.

»Hier um die Ecke«, sagte er zu Rizzio, und man hörte leise Stimmen. Dann klopfte er leise an eine Tür, und es öffnete eine Frau, die offensichtlich nicht geschlafen hatte. Aber das Zimmer hinter ihr war zu düster erleuchtet für ehrliche Arbeit.

»Ich suche Letitia«, sagte Darnley, und jetzt klang seine Stimme gepreßt vor Erregung.

Die Frau sah Darnley an. Dann erkannte sie, wer er war: der König. Sie hob die Hand und streichelte seine Wange.

»So feine Haut«, sagte sie mit gedämpfter Stimme. »Euch bekommt keine außer mir.« Sie führte ihn in eine kleine Schlafkammer, nachdem sie eine andere Frau angewiesen hatte, sich um Rizzio zu kümmern. In der Kammer war nichts als ein riesengroßes Bett. »Kommt.« Sie zog ihn hinter sich her, zog ihn einem Strudel gleich auf das Bett. Dort legte sie sich hin und streckte ihm die Arme entgegen.

Sie schien begierig danach, ihn zu berühren, zu küssen. Wenn ihr Verlangen gespielt war, so war davon nichts zu bemerken. Es wirkte echter als alles, was seine Mutter ihm in der Kindheit entgegengebracht oder was Maria ihm in ihrer Ehe geboten hatte.

Und es stimmte … *im Dunkeln waren alle Frauen gleich* … Sie fühlte sich genauso an wie seine Gemahlin …

Danach entzog sie sich ihm nicht, und sie redete auch nicht von Politik oder Pflichten. Statt dessen liebkoste sie ihn. Zu welchem Zweck? Er verstand es nicht. Dann flüsterte sie: »Ich glaube, unsere Freuden könnten sich neunfach vergrößern, würden wir sie nur dreifach genießen.«

»Meinst du etwa …?«

»Warte nur ab.« Sie erhob sich gewandt. Sie läutete eine Glocke, und ein Dienstmädchen erschien in der Tür. Sie flüsterte etwas, und die Tür schloß sich wieder.

»So«, sagte sie und reichte ihm einen großen Becher Wein. »Erfrische dich.«

Gleich darauf ging die Tür knarrend auf. Rizzio schaute herein.

»Ist das nicht ein ungewöhnlicher Nachtisch?« flüsterte die Frau. »Tu mit ihm, was du willst.«

»Ah, Rizzio, mein Freund«, murmelte Darnley. »Bitte komm doch zu mir.« Seine Zunge war schwer vom Wein.

Zögernd näherte Rizzio sich dem Bett.

»Wir sind begierig nach dir«, sagte Darnley.

Rizzio sah aus, als ob er krank sei. Aber gehorsam kletterte er ins Bett.

Die Frau begann, ihm mit geschickten Fingern die Kleider auszuziehen. Als sie bei der Hose angelangt war, nickte sie Darnley zu.

Darnley schnürte sorgfältig den Hosenlatz auf; mit langsamen, trägen Bewegungen zog er die Kordel aus den Ösen. Die V-förmige Öffnung verbreiterte sich immer mehr. Darunter kam eine seidene Unterhose zum Vorschein. Darnley schob die Kniehose herunter. Die Seidenhose blieb vorläufig an Ort und Stelle.

Dort drunter ... dort drunter ... dachte er, dort liegt, was meine Königin dem meinen vorzieht. Er riß die Hose herunter und glotzte: Das Glied war völlig verborgen unter einem Busch von drahtigem Haar, das an den Besen einer Bäuerin erinnerte. Nichts regte sich dort.

»Ich bin eben fertig«, sagte Rizzio entschuldigend.

»Das macht nichts«, sagte die Hure. »Der Teil, den wir brauchen, ist noch jungfräulich. Zumindest heute nacht.« Sie bedeutete ihm mit einer Handbewegung, sich umzudrehen. Er machte ein ängstliches Gesicht.

»Da ist nichts zu fürchten«, beruhigte sie ihn und streichelte seine Hinterbacken, als er sich gehorsam auf den Bauch drehte. Dann spreizte sie die muskulösen Backen auseinander. »Nein, nicht so angespannt. Dann wird es *doch* wehtun.«

Sie sah Darnley an. »Ist es nicht betörend? So rund, so makellos geformt ... natürlich wird es sich anders anfühlen. Aber Bier schmeckt ja auch anders als Wein. Von beidem summt einem der Kopf, und manch einer trinkt beides und fühlt sich dann um so besser ... da, siehst du ... Ich merke schon, der Gedanke erregt dich.«

Sie warf einen wissenden Blick auf seine Lenden: Sein Glied regte sich wie ein Mann, der einen Schlag auf den Kopf bekommen hat und sich, nachdem er eine Weile auf dem Boden gelegen hat, wieder aufrappelt.

Ja, es erregte ihn, aber nicht so, wie sie dachte. Es erregte ihn, sich vorzustellen, wie er den Mann schändete, der ihm die Frau gestohlen hatte, wie er ihn zu Dingen zwang, die er als obszön empfand, wie er ihn demütigte ...

»Ja, das stimmt«, murmelte er.

»Aber es geht nicht nur darum, daß du deine Freuden unmittelbar von ihm beziehst«, sagte sie. »Auch ich habe Wünsche, und wenn ich mich auf eine bestimmte Art dazulege, können sie erfüllt werden. Jeden Menschen verlangt es nach Abwechslung, und du und ich, wir haben eines schon versucht. So will ich, denke ich, Master Davie – so heißt du doch, oder? – bitten, den schwierigsten Part zu übernehmen. Er muß stoßen, derweil zugleich in ihn hineingestoßen wird. Von dir, mein süßer Prinz, will ich nur die geschmeidige, liebevolle Zunge. Doch zuvor muß ich sehen, daß ihr beide aufeinanderliegt.«

Lächelnd schob sie Darnley über Rizzio, und auf ein Zeichen hin stieß sie Darnley nieder.

Darnley spürte den Haß und die Angst bei Rizzio, aber das machte seine Lust nur noch inbrünstiger. Er wollte ihn mißhandeln, wollte sein Inneres zerreißen, ihn beschämen. Als er hörte, wie Rizzio einen Schmerzensschrei unterdrückte, triumphierte es in ihm. Der kleine Italiener wurde starr.

»Ich sage doch, du mußt dich entspannen«, sagte die Frau.

»Aaah –« In Rizzios Stimme klang scharfer Schmerz.

Darnley spürte, wie der Mann sich zwang, sich zu entspannen, aber es half ihm wenig. Sie waren nicht dazu geschaffen, sich zusammenzufügen.

Um so besser, dachte Darnley.

Grausam bestrafte er den kleinen Mann, benutzte ihn so roh und niederträchtig, wie er nur konnte. Er spürte den Schmerz, den er ihm zufügte, während er zugleich mechanisch mit dem Munde arbeitete, um der Frau Lust zu bereiten. Sie wand sich und stöhnte wollüstig. Rizzio aber blieb stumm.

Darnley bearbeitete Rizzio noch lange, nachdem die Frau sich befriedigt zurückgezogen hatte. Anscheinend war es Rizzio gelungen, seine Pflicht bei ihr zu erfüllen, denn sie lag matt da und lächelte halb. Aber seine Stummelfinger krallten sich in das Kissen, und er biß die Zähne zusammen, als Darnley tiefer und tiefer in ihn drang.

»Um Jesu willen, hört auf«, flehte er schließlich.

»Nein, ich habe doch noch kaum meinen Spaß gehabt«, beharrte Darnley und stieß noch härter in ihn.

Rizzio schrie auf.

Dann begann Darnley krampfhaft zu zucken; aber es war anders als alles, was er je erlebt hatte. Zu einem Viertel war es purer Haß, ein Viertel Neugier, ein Viertel Rachsucht und ein Viertel körperliche

Lust. Triumphierend schrie er auf; es war ein schriller, hoher Schrei. Dann sackte er über Rizzio zusammen.

Erst als er sich von ihm löste, sah er das hellrote Blut an sich.

Das also hat es so glitschig gemacht, dachte er. Nicht das Öl der Leidenschaft … aber das wäre natürlich auch unmöglich gewesen.

Rizzio schluchzte.

»Es hat dir nicht gefallen?« Die Frau klang überrascht. »Manche Männer ziehen es sogar vor. Es tut mir leid … aber hier ist eine Salbe, die dir den Schmerz lindern wird …«

Rizzio sprang aus dem Bett und raffte seine Kleider zusammen. Seine roten Hinterbacken boten einen komischen Anblick.

»Ihr seid böse und verkommen«, sagte er zu Darnley. »Ihr werdet diesen Tag bereuen.«

»Oh, ist es Tag?« höhnte Darnley. »Ich dachte, es wäre Nacht.«

Die Frau hob einen Vorhang am Fenster und spähte hinaus. »Der Morgen dämmert. Es ist die Stunde zwischen Tag und Nacht.«

Rizzio ging hinaus.

Maria wollte Beaton bitten, ihr den pelzverbrämten Kapuzenmantel zu bringen, aber sie hielt inne. Die Klänge des Liedes, das Rizzio spielte, waren so süß, daß sie das Stück erst zu Ende hören wollte. Und sie hatte kein Verlangen danach, in das Kaufmannshaus zu eilen, in dem sie speisen sollte.

Sie stand am Fenster ihres kleinen Eßzimmers ihrer Suite in Holyrood und schaute auf die Lichter von Canongate hinaus. In der Eisschicht auf dem steinernen Pflaster glänzten sie wie in einem Spiegel.

Ich muß vorsichtig gehen, dachte sie.

Die Schwangerschaft, die inzwischen fünf Monate währte, fing an, sich auf ihren Gleichgewichtssinn auszuwirken.

Das Lied war zu Ende. Die Zeit war gekommen.

»Ich danke Euch, lieber Rizzio«, sagte sie.

Er lächelte. »Ich habe noch zwei andere, die ich Euch beim nächsten Mal vorspielen will«, sagte er.

»Beaton, meinen Mantel«, sagte sie müde.

Das Mädchen holte ihn aus dem Schrank und brachte ihn her. »Du mußt nach Frankreich schicken, damit man dir Stoff für dein Hochzeitskleid sendet«, schalt Maria sie. »Schon jetzt läßt du den Schneidern herzlich wenig Zeit. Und vergiß nicht, du kannst dir aussuchen, was du willst. Es ist mein Geschenk.«

Mary Beaton lächelte, aber es war ein steifes kleines Lächeln. Trauerte sie immer noch um ihre gescheiterte Romanze mit diesem Randolph, dem englischen Botschafter, der sich in Dinge eingemischt hatte, die ihn nichts angingen? Die Romanze hatte ein jähes Ende gefunden, als Maria ihn des Landes verwiesen hatte, weil er Lord James bei seinem Aufstand ermutigt hatte. Seitdem machte einer ihrer Landsleute ihr den Hof.

»Alexander Ogilvy ist ein Glückspilz«, versicherte sie Beaton. Wirklich, dachte sie bei sich: Er ist aufrecht und ehrlich und wird sie nie betrügen.

Rizzio kletterte von seinem Stuhl herunter und ging mit Maria durch ihre Gemächer und die breite Treppe hinunter. Als Beaton sie nicht mehr hören konnte, sagte er leise: »Ogilvy fühlt sich ganz und gar nicht wie ein Glückspilz.« Er schwieg einen Moment, aber er konnte nicht darauf warten, daß sie fragte, warum. »Er liebt eine andere – Lady Jean Gordon. Auf die aber erhebt ein mächtigerer Lord Anspruch. Jung zu sein, verliebt und machtlos, das ist ein trauriger Zustand.«

»Wer hat denn Anspruch auf sie erhoben?« fragte Maria, während sie die Treppe hinunterschwebte und ihr Samtgewand gehorsam auf den Stufen hinter ihr her glitt.

»Lord Bothwell. Sie sollen nächsten Monat heiraten.« Rizzio verdrehte die Augen; es machte ihm Spaß, daß er die Königin verblüffen konnte. »Da ist keine Liebe im Spiel – bloß Besitz. Das ist das Schlimme.«

»Bothwell! Heiratet er – heiratet er sie denn gegen ihren Willen?«

»Das kann man wohl sagen. Aber die Familie hat sie verkauft.«

Einen wunderlichen Augenblick lang fragte sie sich, wie es wohl wäre, einfach genommen und gegen ihren Willen geheiratet zu werden. Würde sie Widerstand leisten oder sich fügen?

Bothwell! Stell dir vor, du müßtest dich ihm hingeben ... Er wäre sicher rauh und fordernd. Er würde dich zerquetschen. Er würde dich benutzen wie ein Pferd.

Aber er würde niemals seltsame Gerüche verströmen, und er würde niemals von dir verlangen, daß du abscheuliche Gesten vollziehst, die einer kranken Phantasie entsprungen sind.

Die Erinnerung an Darnleys Verhalten tat ihr weh. In letzter Zeit hatte er das Ehebett in einen Ort der schmierigsten Zoten verwandelt. Er …

»Meine Teuerste!« Darnley stand unten an der Treppe, angetan mit feinsten Samtkniehosen und einem juwelenbesetzten Umhang. Sein Gesicht war schön wie eh und je, und sein Lächeln war wie ein Bogen aus Elfenbein. Aber es schauderte sie, als er ihre Hand ergriff. Mit seinem Seitenblick wollte er Rizzio fortschicken, aber der Italiener hatte sich bereits abgewandt.

»Und was hat meine schöne Königin heute getrieben?« fragte er leichthin.

»Es waren viele Depeschen zu lesen«, sagte sie. Früher einmal wäre dies ein Hinweis oder ein Befehl gewesen, aber jetzt wollte sie gar nicht mehr, daß er sich mit diesen Dingen befaßte.

»Und?«

Da braut sich wieder etwas Häßliches zusammen, dachte sie. »Es geht viel Korrespondenz zwischen Edinburgh und London hin und her«, sagte sie vorsichtig. »Als seien da dringende Angelegenheiten im Gange. Cecil schreibt fast täglich an die schottischen Rebellen in Newcastle und auch an Knox. Und ich –« Sie brach ab. Sie hatte keine Lust, Darnley von ihrem Verdacht zu erzählen. Er könnte sich verplappern.

»Ja, meine Liebe?« Er beugte sich zu ihr und küßte sie.

Er roch nach Wein. Also hatte er schon wieder getrunken. Aber seiner Haltung war nichts anzumerken.

»Warum trinkst du so viel?« fragte sie traurig.

»Ich weiß nicht, wovon du redest.« Er wandte sich ab.

Schweigend gingen sie das Canongate hinauf und durch Netherbowport in die Stadt. Der Kaufmann, Donald Muir, importierte Weine aus Bordeaux und La Rochelle und bezahlte mit Wolle sowie mit Ziegen-, Schaf- und Kaninchenfellen. Er war nicht reich, aber wohlhabend und ein wichtiger Ratsherr in der Stadt. Maria dienten die Kaufleute und ihre Versammlungen als willkommene Abwechslung von der erstickenden Atmosphäre ihrer Verpflichtungen im Schloß, und ihre Einladungen nahm sie immer gern an.

»Willkommen, willkommen!« Muir stand in seiner Haustür und winkte begeistert, als er die Fackeln sah, die das königliche Paar begleiteten.

In seinem Haus war es gemütlich, und man hatte gleich das Gefühl, hier sei alles in guter Ordnung. Der Tisch war mit Zinn und Glas gedeckt, und ein Sortiment von Gewürzen – Ingwer, Pfeffer,

Nelken – erlaubte es den Speisegästen, jedes Gericht nach eigenem Geschmack zu vervollkommnen. Es war eine sorgsam verlesene Gesellschaft: ein anderer Kaufmann, der Ostseehandel vor allem mit Hanf und Eisen betrieb, ein Student der Theologie aus St. Andrews, ein Arzt von der Universität zu Aberdeen, der eine Untersuchung über die Pest angestellt hatte, ein Rechtsanwalt, der auf Testaments- und Erbrechtsfragen spezialisiert war, ein englischer Buchhändler mit einem Geschäft in Edinburgh und ein stiller junger Mann, der angab, wissenschaftlicher Mathematiker zu sein. Alle diese Männer und auch ihre Frauen erwiesen sich als lebhafte Plauderer, und Maria hörte ihnen mit Vergnügen zu. Ihre Berufe waren für sie so exotisch wie eine Reise zu den Flüssen von Südamerika.

Der Mathematiker ... er rechnete stundenlang, aber nicht aus praktischen Gründen, etwa weil er eine Summe ermitteln wollte!

Der Arzt ... er hatte eine Abhandlung geschrieben, in welcher er Müll, Fliegen und Ratten als Urheber der geheimnisvollen Pest ausmachte, nachdem er bei einer besonders schweren Welle genaue Beobachtungen angestellt hatte.

Lieber würde ich in einen ausbrechenden Vulkan schauen, dachte sie. Dieser ernste Mann mit der ruhigen Stimme muß sehr tapfer sein.

»Aber was hat denn der Müll damit zu tun?« hörte man Darnley plötzlich fragen. »Müll gibt es überall – Haufen von Mist, Scheiße, Pisse ...« Er sprach jedes dieser Worte laut und deutlich aus, damit es bis zum Ende der Tafel hallte. Die Gesellschaft verstummte, als er die Stimme erhob. »Aber nicht überall ist die Pest!« Er nickte dem Diener zu, der ihm Wein nachschenken wollte, und leerte das Glas in einem Zug. Dann streckte er es aus, um sich erneut eingießen zu lassen. »Guter, ehrlicher Dreck hat noch keinen Menschen krank gemacht!«

»Eure Majestät«, begann der Arzt vorsichtig, »wie ich in meiner Abhandlung *Eine kurze Beschreibung der Pest* festgestellt habe, muß die Pest zunächst ausgebrochen sein. Dann aber wird sie durch alle diese Dinge verschärft. Sie entsteht nicht im Dreck, aber sie wird dort ausgebrütet.«

»Bah! Wie alle Gelehrten werft Ihr mehr Fragen auf, als Ihr beantwortet! Aber versteht Ihr Euch auf die Falkenjagd, he?« Er lachte laut. »Das ist ein Maßstab für einen Mann, nicht das Studium der Misthaufen!«

Der Gastgeber versuchte, das Gespräch in andere Bahnen zu lenken. »Wie ich höre, wird es in den Niederlanden unter der Hand der Spanier zunehmend unruhig. Man ist dort außerstande, die Inquisition zu verdauen.«

»Wer könnte das aber auch?« fragte der Theologiestudent plötzlich. »Sie ist ein Frevel, eine Beleidigung Gottes! Und ich hoffe, unsere guten calvinistischen Brüder können Wilhelm den Schweiger überreden, nicht länger zu schweigen, sondern –«

»Ich habe gefragt, ob Ihr Euch auf die Falkenjagd versteht!« schrie Darnley. »Ihr da, Knabe, antwortet mir!« Er sprang auf und funkelte den Arzt an. »Seht Ihr, er beleidigt mich!« kreischte er. »Er verweigert die Antwort!«

»Henry, nicht!« rief Maria und erhob sich schwerfällig. Sie streckte die Hand nach seiner Schulter aus, doch er schlug sie herunter.

»Dann werden wir eben kämpfen!« Darnleys Hand fuhr zu der Stelle, wo sonst sein Schwert hing, und drehte sich dann taumelnd um. Er war völlig betrunken. Krachend stieß er gegen den Tisch und prallte dann gegen einen Schrank.

»Aufhören!« befahl Maria. Das war nicht peinlich, sondern zutiefst beschämend. Er sah aus wie ein Besessener.

»Du verrätst mich also! Dann ist es, wie alle sagen!« Er drehte sich einmal und gleich noch einmal um, als versuche er, sich aufzurichten. »Lebewohl!« Er stürzte zur Tür, riß sie auf und stolperte die Treppe hinunter. Sie hörten, wie er den Halt verlor und fiel; dann stieß er eine Kette von Flüchen aus.

»Unser König«, sagte der Theologiestudent bitter.

Maria schämte sich sehr. Der Gastgeber bemühte sich, die Leute zu beruhigen und sie wieder am Tisch Platz nehmen zu lassen, aber Maria wandte sich zum Gehen. Sie nahm ihren Mantel und winkte ab, als ihre Diener herbeikamen, um sie zu begleiten.

»Nein. Ich will allein gehen.«

»Eure Majestät, es ist nicht ungefährlich –«

»Laßt mich! Es ist sicher genug. Ich danke Euch, guter Sir Muir. Ich werde Eure Freundlichkeit nicht vergessen.« Rasch ging sie die Treppe hinunter und durch die High Street zurück nach Holyrood.

Warum habe ich es so eilig, wieder dort hinzukommen? fragte sie sich. Um mit Darnley zusammen zu sein? Er ist nicht da; er wird fortgegangen sein – was immer es für finstere Orte sein mögen, die er nachts aufsucht. Mich kümmert es nicht.

Die Nacht war kalt und beruhigend. Sie hatte geschwitzt und gezittert, aber der Schwall der kalten Luft war jetzt eine Erleichterung. Sie kam an John Knox' Haus vorbei und sah das Kerzenlicht in seinem Arbeitszimmer, und unversehens beneidete sie ihn um das Leben, das er führte. Er hatte Kinder, ein liebendes Weib, treue Freunde und eine klare Berufung. Wenn er morgens aufstand, mußte er darauf brennen, anzufangen, und abends mußte er sich befriedigt zur Ruhe legen. Und das nur, weil er einen klaren Ruf empfangen hatte und ihm gefolgt war.

Sie verlangsamte ihre Schritte, als sie sich Holyrood näherte. Es gab keinen Grund zur Eile. Sie hatte dort nichts von dem, was Knox in seinem kleinen Haus hatte.

Bothwell stand vor dem Spiegel und striegelte sich. Er mochte den kleinen Hut nicht, den er zu seiner Hochzeit tragen sollte; aber das goldene Wams aus gerippter Seide mit den Puffärmeln und das kurze Cape aus lohfarbenem Samt waren vorzüglich gearbeitet und würden seine Braut zweifellos beeindrucken. Die schmale Spitzenkrause, die sich, mit kleinen Goldknöpfen befestigt, straff um seinen sonnengebräunten Hals spannte, war ihm unbequem; aber jetzt war es zu spät, sie noch ändern zu lassen. Wenn er verheiratet wäre …

Verheiratet. Er würde heiraten. Und es war ein gutes Geschäft, das er da ausgehandelt hatte, erfreulich für alle. Die Königin hatte in den Ehevertrag geschrieben, daß er »ihrem Wunsch und ausdrücklichen Ratschlag« entspreche. Von Standpunkt der Königin aus betrachtet, vereinten sich hier zwei Loyalisten aus verschiedenen Regionen: aus dem Hochland und dem Grenzland; was ihn betraf, gerieten seine wackligen Finanzen wieder auf festen Boden, und für Lady Jean Gordon bedeutete es, daß ihre Familie wieder aus dem Schatten des Aufstandes hervortrat, den ihr Vater vor vier Jahren angezettelt hatte. Für seine Gefolgschaftstreue während der »Treibjagd« wurde ihr Bruder George jetzt wieder in die Grafschaft Huntly eingesetzt, und sie galt als heiratsfähige Frau.

Nicht, daß sie seinem Geschmack vollkommen entsprach. Ihr Alter war passend – sie war gerade zwanzig. Ihr Aussehen war passabel, ja, attraktiv, wenn man sandblondes Haar und ein breites Gesicht schön fand. Aber ihr Benehmen! Sie war so würdevoll, so über alle Maßen vernünftig, so langweilig. Und das Schlimmste war, sie war hochintelligent. Hätte sie nur die ersten drei Eigenschaften und nicht auch die vierte besessen, dann hätte er *carte blanche* gehabt, zu tun, was ihm paßte. Aber so würde sie sich vielleicht als verdrießlicher Wachhund erweisen. Er würde ihr die Vorstellung austreiben müssen, daß er jemand sei, der sich einsperren ließe.

Jetzt waren seine Diener hereingekommen, um ihn zur protestantischen Kirche in Canongate zu begleiten. Die Königin hatte sie in der königlichen Kapelle nach katholischem Ritus trauen lassen wollen. Aber das hatte er abgelehnt, auch wenn seine Braut aus katholischem Hause kam. Er wollte selbst entscheiden, wo die Zeremonie stattfinden sollte, und nicht Gast der Königin sein.

Dann hatte sie darauf bestanden, daß sie und Darnley – nicht einmal in Gedanken konnte er ihn »den König« nennen – hernach auf Holyrood ein Bankett veranstalten würden. Wieder hatte er abgelehnt; er wollte lieber in Kinloch House speisen, im Heim eines reichen Bürgers. Schließlich hatte sie Lady Jean aus ihren eigenen Schränken Silberbrokat und weißen Taft für ein Hochzeitskleid geschenkt, und die Braut hatte zu seinem Mißfallen angenommen.

»Sie will uns bemuttern, anziehen und füttern«, hatte er gemurrt. »Als wären wir Kleinkinder.«

»Ist nicht aber die Königin Ernährerin und Mutter ihres Volkes?« hatte Jean eingewandt. »Zweifellos hat sie doch Freude daran. Und vielleicht hat sie auch das Gefühl, sie müsse die Hinrichtung meines Bruders John wiedergutmachen.«

»Bah. Wenn er aus Liebe zu ihr gestorben ist, kann *sie* etwas dazu? Männer verlieben sich und tun törichte Dinge. Weshalb sollte sie sich da verpflichtet fühlen, uns zu entschädigen?«

»Und weshalb sollten *wir* uns verpflichtet fühlen, abzulehnen? Der Stoff, den sie mir anbietet, ist eine Menge Gold wert. Wir müssen nehmen, was Schicksal, Schuld und Umstände uns zu bieten haben; dieselbe Bande wird uns in Zukunft noch oft berauben.«

Er hatte sich abgewandt; ihr praktischer Sinn schmeckte ihm allzu sehr nach Opportunismus.

Ah, seine Braut! Die Brautführer umringten ihn und jubelten ihm zu, und eine wogende Menge geleitete ihn zur Kirche, wo sie ihn erwarten würde.

Maria saß ruhig in der königlichen Bank in der protestantischen Kirche, in einer Bank, die bis zu diesem Tage noch keinen Stewart gesehen hatte.

Was würde der Papst wohl denken, fragte sie sich. Wenn er mich jetzt sehen könnte, wie ich eine protestantische Hochzeit beehre …

Sie warf einen Blick zu Darnley, der neben ihr saß. Er war nüchtern und, wie immer in diesem Zustand, schmeichlerisch und unschuldig.

Die Kirche war voll; es gab kaum noch einen freien Platz. Da die Reformierte Kirche keine Musik erlaubte, erfüllte Stimmengesumm das Gotteshaus. Jetzt kam der Bischof von Galloway, Lady Jeans Onkel, im bescheidenen Gewand der Reformatoren den Mittelgang herunter und nahm seinen Platz im vorderen Teil der Kirche ein.

Auf ein Zeichen hin begannen die Gäste einen Psalm zu rezitieren, und dann erschien Bothwell von rechts, begleitet von einem Diener. Schweigend blieb er vor dem Bischof stehen.

Der Psalm ging in einen Choral über, und dann schritt Lady Jean, dicht verhüllt von einem zarten Schleier, unter dem ihr silbernes Brokatkleid schimmerte wie ein Opal, den langen Gang hinunter auf Lord Bothwell zu.

Maria konnte ihre Stimmen nicht hören, als sie ihre Ehegelübde ablegten. Sie sah, wie Bothwell Lady Jeans Hand ergriff und ihr den Ring auf den Finger schob. Sie sah, wie er ihren Gesichtsschleier hob, um ihre Züge zu enthüllen, und wie er sie küßte. Sie hörte, wie der Bischof mit singender Stimme verkündete: »Sie sind nun Mann und Frau.« Die beiden wandten sich zur Gemeinde um und zogen hinaus. Bothwell grinste. Lady Jean blickte erfreut.

In der Großen Halle von Kinloch House wartete die Gesellschaft auf das Erscheinen der Königin und des Königs, ehe die Festlichkeiten begannen. Die Musik spielte diskret und zart, und die Tafeln waren mit feinem Linnen gedeckt und funkelten von Kristall und Gold. An der obersten Tafel waren prachtvoll geschnitzte Stühle für das Brautpaar und das Königspaar reserviert.

Als Maria und Darnley zur Tür hereinkamen, verneigte sich Bothwell, und seine neue Gräfin vollführte einen Hofknicks.

»Glückwunsch«, sagte Darnley und nahm ihre Hände. »Glückwunsch, und möge Hymen Euch und Euren Herd segnen.«

»Hmmm.« Peinlich berührt, nickte Bothwell kurz.

Maria ging voran zu dem Tisch, der sie erwartete, und sie bewegte sich anmutig durch die Scharen ihrer Untertanen.

Der größere, prunkvollere Stuhl war ihrer, und sie bot ihn nicht Darnley an. Er tat, als nehme er keine Notiz davon. Zu ihrer Rechten saß Bothwell, zur Linken Lady Bothwell. Neben ihr hatte ihr Bruder

Platz genommen, der neue Earl von Huntly, blond und hübsch. Die übrige Gesellschaft setzte sich rasch ebenfalls zu Tisch, und die Diener trugen einen Strom von Schüsseln herein – Köstlichkeiten aus der Region von Strathbogie, wo die Gordons ihren Sitz hatten, und manches auch aus Bothwells Heimat Liddesdale. Maria, die im Laufe der Schwangerschaft ihren Appetit verloren hatte, nahm nur eine kleine Portion Lachspastete und Powsowdie. Letzteres sah höchst unappetitlich aus, ein Gemisch aus Schafskopf und Nierenstück vom Hammel, aber es schmeckte überraschend gut.

»Damit wurde ich großgezogen«, sagte Bothwell und winkte dem Diener, ihm mehr zu bringen. »Eigentlich ist es eine Kinderspeise, die Mütter im Grenzland ihren Kleinen zum Abendbrot geben. Aber ich habe es immer geliebt.«

»In Frankreich hatten wir Zimtsuppe mit gedünsteten Äpfeln aus der Normandie«, sagte Maria, und süße Sehnsucht durchwehte sie schmerzlich, als sie an die glücklichen Abende mit Franz, Elisabeth und Claude im königlichen Kinderzimmer dachte. »Ich vermisse diese Äpfel.«

»Dann müßt Ihr Euch welche schicken lassen. Eine Seereise dürften sie gut überstehen.« Er nahm einen großen Schluck Wein. »Immer noch Sehnsucht nach Frankreich«, stellte er sachlich fest.

»Nein, das stimmt nicht.«

»Freilich, Ihr habt auch keinen Grund, Euch nach Frankreich zu sehnen, wenn Ihr Euch mit Franzosen umgebt, französisch sprecht, französisch singt, französisch schreibt, mit französischem Garn näht, französische Bücher lest und Euch einen französischen Koch haltet, der Euch richtiges französisches Essen bereitet. Und – ach ja, Euer Beichtvater, dieser Dominikaner – wie heißt er gleich? – und Bourgoing, Euer Leibarzt. Habe ich Euch nicht schon vor langer Zeit gewarnt?«

»Ihr sagt das, als hätte ich ein Verbrechen begangen!« Sie funkelte ihn an, wie er so selbstgefällig dasaß und sich so ganz und gar zu Hause fühlte. »Kann ich etwas dazu, wenn« – *wenn das schottische Essen, die Ärzte und die Bücher so wenig taugen*, hätte sie fast gesagt, aber sie verschluckte es rasch – »wenn ... wenn ich dort aufgewachsen bin, und wenn auch ich kindliche Vorlieben entwickelt habe? Ich bemühe mich ja, die schottischen Dinge kennenzulernen –«

»Mit diesem Italiener? Mit Rizzio?« Er nahm noch einen Schluck Wein, stieß sein Messer in ein Stück Wildbret auf seinem Teller und beförderte es damit in den Mund. Dann leckte er geschickt mit der

Zunge über die scharfe Klinge, um sie zu säubern. Sie beobachtete ihn dabei und erwartete, auf seiner breiten Zunge eine dünne rote Linie aufquellen zu sehen. Aber er redete weiter, als sei nichts gewesen. »Jedermann verabscheut ihn.«

»Dieser Haß verblüfft mich«, sagte sie. »Er hat nichts getan.«

»Er hat Eure schottischen Ratgeber verdrängt. Die Leute halten ihn für einen päpstlichen Agenten. Manche munkeln sogar, er sei Euer Liebhaber.« Er wiederholte das Kunststück mit Wildbret, Messer und Zunge.

»Wie absurd.« Aber sie erinnerte sich an die Warnung, die Melville schon vor Monaten ausgesprochen hatte. Sie schaute zu Rizzio hinüber, der an einem der unteren Tische saß. Er lächelte und gestikulierte. Plötzlich mußte sie es zugeben: Von weitem sah er wirklich aus wie ein Frosch.

»Es stört mich, daß er heute hier ist«, sagte Bothwell. »Wieso habt Ihr ihn mitgebracht?« Sein Ton war rauh.

»Er gehört zu meinem Haushalt, und er ist ein Freund.«

»Aber nicht Ihr gebt dieses Fest, sondern der gute Bürger Kinloch.« Er deutete mit dem Kopf auf den schlanken, blauäugigen Ostseehändler. »Habt Ihr angenommen, ein Edinburgher Kaufmann füttert gern einen Ausländer?« Er funkelte sie an. »Ihr unterschätzt ihren Haß gegen ihn. Ihr unterschätzt auch ihre Abneigung gegen Euren Gemahl und Eure Ehe. Ihr unterschätzt die Schwäche Eurer Position. Ihr unterschätzt –«

»Ihr überschätzt meine Nachsicht und Toleranz!« fauchte sie. »Daß ein Untertan sich mir gegenüber derartige Freiheiten herausnimmt – nein, das ist unerträglich! Ihr seid unverschämt, Sir, und über Gebühr anmaßend; und auch wenn heute Euer Hochzeitstag ist, Euer Mund ist ein ungezogener Bube!« Sie wandte sich an Lady Jean, die sich mit Darnley unterhalten hatte. »Ich wünsche Euch viel Vergnügen mit diesem hitzköpfigen, tollkühnen Schwätzer!«

»Genau das gleiche könnte ich zu Euch sagen«, versetzte Bothwell von hinten. »Denn soeben habt Ihr Euren eigenen Gemahl beschrieben.«

Sie wollte etwas entgegnen, wollte den Tisch verlassen, aber dann merkte sie, daß niemand etwas gehört hatte und daß Lady Jean versuchte, auf ihre unbedachten Worte zu antworten.

»Eure Majestät, er ist Soldat und redet, wie er mit seinen Truppen reden würde«, sagte sie in ruhigem Ton. »Wenn ich die Wahl habe, ist mir ein Soldat, der eine rauhe Rede führt, lieber als ein glattzüngiger Höfling.« Sie warf einen vielsagenden Seitenblick auf Darnley, der ausdruckslos lächelte; ihre Bemerkung hatte getroffen.

»Ich hoffe nur, sein Liebeswerben ist sanfter als seine Manieren«, sagte Maria mit einem Blick auf die friedfertige, gefaßte junge Braut. Bothwell war für seine kurzen, rauhen Amouren bekannt. Sie hatte sogar – von Rizzio – gehört, er verfahre in der Liebe derart grob, daß er manchmal einen Posten aufstelle, während er es mit irgendeiner Magd in einer Ecke trieb, sich dann die Hose zuknöpfe und fünf Minuten später verschwunden sei. Die arme Lady Bothwell!

»Wir werden unsere Flitterwochen in Seton verbringen«, sagte sie und riß Maria aus ihren Gedanken, in denen sie sich gerade lebensnah vorstellte, wie Bothwell in einer Ecke seiner Wollust nachging.

»Ich wünsche Euch viel Freude dabei«, brachte sie heraus.

»Die erwarten wir auch«, sagte Lady Jean. »Ich danke Euch.«

»Ja, wir können es kaum erwarten«, fügte Bothwell mit leiser Stimme hinzu.

Das Bankett dauerte bis in den späten Nachmittag, und danach folgte ein Ball – auch wenn Bothwell sich als Knoxianer bekannte, dachte Maria. Überhaupt schienen die Protestanten das ganze Erlebnis mehr zu genießen, als sie sollten, und die Musiker spielten so lange und mit solcher Begeisterung, daß Maria sich fragte, woher sie wohl die vielen Noten haben mochten. Aus dem verbotenen Frankreich etwa?

Indem sie mit Darnley tanzte und redete, konnte sie ihn von den Mundschenken fernhalten, und tatsächlich verhielt er sich fast den ganzen Abend lang ruhig und höflich, unterhielt sich gelegentlich ausführlich mit dem Earl von Morton und mit mehreren seiner Verwandten aus dem Douglas-Clan und unterbrach seine Gespräche lächelnd für einen neuen Tanz.

Als sie nachher in langsamem, majestätischem Zug durch die High Street nach Holyrood zurückkehrten, kamen sie an den dunklen Massen des Tolbooth vorbei.

»Beabsichtigst du immer noch, die Beschlagnahme des Vermögens von Lord James und seinen Männern zu verfügen, wenn das Parlament nächsten Monat zusammentritt?« fragte er plötzlich.

»Du hast selbst einmal darauf hingewiesen, daß er viel zuviel Land besitzt«, antwortete Maria. »Jetzt wird er keins mehr haben. Jawohl, Lord James und alle seine Anhänger, die sich jetzt in England verstecken, haben mit ihrem Verrat ihre Güter verwirkt. Es wundert mich, daß du fragst. Warum?« Sie war plötzlich mißtrauisch.

»Aus keinem besondereren Grund. Nur, daß … vielleicht ist es unklug. Vielleicht gibt es einen anderen Weg …«

»Es gibt keinen anderen Weg, Darnley.«

Als sie an diesem Abend zu Bett ging, fragte sie sich, wie Bothwell sich wohl – vielleicht just in *diesem* Augenblick – seiner jungen Frau im Brautbett nähern mochte. Der Gedanke daran war ihr ein Graus. Arme Lady Bothwell!

Der Winter war wie ein winselnder Hund, der seine Zähne in menschliche Knochen schlug, sie benagte und nicht loslassen wollte, der sein Opfer schüttelte und an ihm zerrte. An manchen Tagen hellte sich der Himmel auf, und ein Hauch von warmer Luft, die aus Italien zu kommen schien, legte sich über das Land. Dann konnten die Höflinge Tennis spielen und sich im Bogenschießen üben. Gleich darauf aber schloß die bleierne Wolkendecke sich wieder, und die helle, singende Luft des Südens verwehte, vom jähen Griff arktischer Kälte ins Nichts gedrängt.

Die Temperaturschwankungen, der Mangel an Bewegung und der ständige Aufenthalt in geschlossenen Räumen ließen Maria matt und lustlos werden. Trotz der Fastenzeit bekam sie die ausdrückliche Erlaubnis, Fleisch zu essen, damit sie wieder zu Kräften käme.

Am zweiten Samstag im März – in Chenonceau würden schon die Blumen blühen – lagen im Hof zu Holyrood noch immer große Schneehaufen, deren Oberfläche vom ständigen Tauen und Überfrieren körnig geworden war. Kleine Eisbröckchen funkelten wie Diamanten in der grauen Kruste.

Maria stand am Fenster und schaute hinaus. Diese Untätigkeit macht mich wahnsinnig, dachte sie. Wegen des Kindes kann ich nicht reiten oder auf die Beiz gehen. Rizzio und Darnley konnten wenigstens Tennis spielen.

»Habt Ihr gestern im Hemd gespielt, David?« fragte sie Rizzio, der heute wieder schweren Samt trug.

»O ja. Es war warm genug«, antwortete er. »Und Lord Darnley hat sein Hemd sogar ausgezogen.«

Täuschte sie sich, oder überlief ihn leiser Schauder?

»Aber bald begann er zu frieren«, fuhr er fort. Sein Gesicht war abgewandt, so daß sie seinen Ausdruck nicht erkennen konnte.

»Heute abend müssen wir wieder zu winterlichem Zeitvertreib zurückkehren.« Sie seufzte. »Wir werden ein kleines Abendessen in meinen Gemächern einnehmen. Aber es wird Fleisch für alle meine Gäste geben; das wird ein Genuß sein. Anthony Standen soll mit Euch singen. Vielleicht ist sogar ein Wahrsager da, zum Spaß.«

»Damiot, der Wahrsager, war gestern bei mir«, erzählte er plötzlich. »Er sagte mir: ›Hüte dich vor dem Bastard.‹ Aber der Bastard ist doch in England.«

»Meint Ihr Elisabeth?« fragte sie lachend.

»Nein, Lord James.«

»England ist voll von Bastarden. Seht Ihr, wie schon uns beiden verschiedene einfallen? Aber auch Schottland ist voll von Bastarden. Zwei davon werden heute abend mit uns speisen: meine Schwester Jean und mein Bruder Robert. Müßt Ihr Euch vor den beiden auch hüten?«

»Vermutlich kann man nicht vorsichtig genug sein.«

»Dann werde ich sie auffordern, ihre Waffen abzulegen, bevor sie meine Gemächer betreten«, sagte sie lachend.

Die kleinen Vögel, die Darnley ihr geschenkt hatte, zwitscherten in ihrem Bauer.

Es dämmerte, und in Marias Gemächern zündeten die drei übriggebliebenen Marys die Kerzen an und halfen Rizzio, dem Arzt Bourgoing und John Beaton, einem Verwandten Mary Beatons, der im Haushalt diente, in dem winzigen Speiseraum den kleinen Tisch zu decken. Hier war es wärmer als im großen Schlafgemach, und die Vorhänge konnten die Zugluft wirksam fernhalten. Als Mary Fleming sang und Rizzio dazu Laute spielte, kam es Maria so vor, als sei unten im Hof ungewöhnlich viel Lärm – ein leises Rumpeln und gedämpfte Stimmen. Aber als sie aus dem Fenster schaute, konnte sie nichts erkennen, denn im Zwielicht sieht man am schlechtesten. Ein paar Gestalten bewegten sich dort unten, aber es waren nicht viele.

Ihre Geschwister, Jean und Robert, kamen herein, die Arme voller Orangen und Feigen.

»Ein besonderer Genuß!« riefen sie. »Von weit her, aus dem Süden Frankreichs! Ein Händler in Murray's Close hatte sie soeben bekommen.« Sie stellten die Körbe hin und suchten ein paar Früchte für den Tisch aus. »Höchst fastenwidrig!«

»Fleisch ist auch da«, sagte Bourgoing augenzwinkernd. »Als ihr Leibarzt habe ich es verordnet.«

»Was ist mit uns anderen?« fragte Jean scherzhaft. »Müssen wir alle ein körperliches Gebrechen haben, welches Fleisch erfordert?«

»Dafür würde ich einstehen, Madam«, antwortete er feierlich.

»Ah, wir wollen uns setzen – hier kommt Arthur Erskine, der Hauptmann meiner Garde!« sagte Maria. »Damit ist unsere Gesellschaft für heute abend vollständig. Und Standen, ein Page meines Gemahls.«

»Acht Leute in diesem Kaninchenbau«, sagte Jean kopfschüttelnd. »Ihr braucht einen großen Speiseraum, teure Königin.«

»Wir können uns hineinquetschen«, beharrte Maria.

Sie zwängten und drängten sich hinein, und schließlich hatten alle ihren Platz gefunden, wenngleich sie sich beim Essen immer wieder mit den Ellbogen anstießen und ins Gehege kamen. Aber der Wein heiterte sie auf und ließ das Ganze wie ein lustiges Spiel erscheinen, wie ein Picknick im Zimmer.

»Auf das Ende der Fastenzeit«, sagte Arthur und hob seinen Becher. »Möge es bald kommen.«

Sie lachten und tranken.

»Bilde ich es mir ein, oder ist diese Fastenzeit sowieso schon längst über die vierzig Tage hinaus?« fragte John Beaton. »Nie ist sie mir so lang geworden wie diesmal. Und der März ist ein so *laaaanger* Monat.«

»Ich hasse den März«, sagte Lord Robert. »Er ist mir der unangenehmste –«

Es raschelte an der Tür, und als Maria hinüberschaute, sah sie Darnley dort stehen. Er sagte nichts, sondern starrte stumm herein.

»Mylord«, sagte sie und versuchte, sich ihre Überraschung nicht anmerken zu lassen. »Hast du schon gespeist? Bitte setze dich zu uns.« Darnley kam nie mehr in ihre Gemächer und speiste auch nicht mehr mit ihr. Die private Wendeltreppe zwischen ihren Gemächern blieb jetzt unbenutzt.

»Ich habe gegessen«, sagte er. »Aber ich will mich zu euch setzen.« Er schob sich herein, legte ihr den Arm um die Taille und beugte sich nieder, um sie zu küssen.

»Rizzio, rutscht herüber und macht Platz für meinen Gemahl«, sagte Maria.

Dann bemerkte sie das Entsetzen in Rizzios Gesicht, und als sie sich umdrehte, sah sie, was er sah: In der Tür stand Lord Ruthven; sein Gesicht war bleich wie ein altes Laken, seine Augen rot wie die Hölle.

Ein Geist! Sie schnappte nach Luft und schlug die Hand vor den Mund, um einen Aufschrei zu unterdrücken. Vor wenigen Tagen war berichtet worden, Ruthven liege auf dem Sterbebett und werde von einer unbekannten Krankheit dahingerafft; jetzt, im Tode, war er hergekommen. Der flackernde Feuerschein spielte auf seinen blutleeren Zügen und überstrahlte seine knochigen Augenhöhlen; er spiegelte sich flirrend im Metall, das unter seinem weißen Nachtgewand blinkte. Eine Rüstung. Trug ein Geist eine Rüstung? Als er sich bewegte, klirrte es.

»Wie, mein guter Lord Ruthven, wie kommt Ihr hierher? Seid Ihr denn wieder genesen?« Sie bemühte sich, das Beben in ihrer Stimme zu unterdrücken. Er stand in dem Ruf, ein Hexenmeister zu sein – vielleicht kam ja die ganze Erscheinung geradewegs aus der Hölle.

»Ich bin in der Tat sehr krank gewesen, aber ich fühle mich kräftig genug, um zu Eurem Wohle herzukommen.« Seine Augen blickten starr; ihre bernsteinfarbene Iris war von den gelben Augäpfeln kaum zu unterscheiden.

»Was könnt Ihr zu meinem Wohle tun?« fragte sie, und ihre Stimme zitterte gegen ihren Willen. »Ihr kommt nicht wie einer, der es gut meint.«

»Ich komme, um diese Memme zu holen, diesen Rizzio«, sagte er langsam und mit rauh krächzender Stimme. Langsam und steif hob er den Arm und deutete auf ihn. »Komm heraus aus dem Privatgemach der Königin, wo du dich schon allzu lange herumtreibst!« Seine Stimme wurde lauter.

»Warum? Was hat er getan?« Maria sah, daß Ruthven nach seinem Dolch griff. »Wenn er Unrecht begangen hat, soll er sich vor dem Parlament verantworten!« Sie stand auf, um Rizzio zu schützen, aber unversehens nickte Ruthven Darnley zu.

»Nehmt Euer Weib an Euch! Haltet sie fest!« kläffte er, und Darnley, der immer noch hinter ihr stand, packte sie bei den Schultern und drückte sie auf ihren Stuhl.

»Was weißt du davon?« schrie sie.

Rizzio sprang auf und suchte aus der Kammer zu fliehen. Aber Ruthven versperrte ihm den Weg. Voller Panik drängte Rizzio sich in die Fensternische, so weit weg von Ruthven, wie es nur ging, aber es waren nicht mehr als drei Schritt. Ruthven stürzte auf ihn zu, aber Anthony Standen und Arthur Erskine hielten ihn zurück.

»Legt nicht Hand an mich; ich lasse mich nicht anrühren!« rief Ruthven und schwenkte seinen Dolch. Er trat gegen den Tisch, daß er umkippte und gegen Marias schwangeren Leib stieß. Teller und Speisen flogen durch die Luft, und der eine Kandelaber fiel zu Boden und zerbrach, während Jean den anderen ergriff und in die Höhe hielt, wodurch das Handgemenge in eine gespenstische Beleuchtung getaucht wurde.

Weitere Männer erschienen in der Tür, Anhänger Ruthvens; polternd kamen sie über die private Treppe – aus Darnleys Gemächern –, und sie brüllten und schrien nach Blut. Dann erscholl in den äußeren Gemächern, an der Haupttreppe, der Ruf: »Ein Douglas! Ein Douglas!« und achtzig Männer des Earl von Morton strömten herein, überwältigten die königliche Garde, tobten durch den Audienzsaal und das Schlafgemach.

Einer von ihnen schwenkte ein Seil und schrie: »Hängt ihn auf! Hängt den kleinen Spion!«

»Verräter und Schurken!« rief Maria, als sie das verräterische, hellrot leuchtende Haar des Earl von Morton und neben ihm Lord Lindsay of the Byres erkannte.

Rizzio kroch über den Fußboden heran, verbarg sich hinter Marias Röcken, klammerte sich fest an sie und weinte: »Gerechtigkeit! Gerechtigkeit! Rettet mein Leben, Madam, rettet mein Leben, um des lieben Gottes willen!«

Dann stürmte George Douglas, Darnleys unehelicher Onkel, ein Mann von mächtiger Tonnengestalt, über Maria hinweg und schwang den rechten Arm im weiten Bogen schnell und wild über ihre Schulter hinweg nach Rizzio. Der Dolch drang mit dumpfem Schlag bis zum Heft in seinen Leib, und Blut spritzte hinten über Marias Kleid.

Rizzio sackte zusammen, und sie fühlte, wie seine Hände an ihrem Rock zerrten und ihn fast von ihren Hüften herunterrissen. Dabei gab er nur ein dumpfes, gurgelndes Stöhnen von sich. Sie drehte sich um und sah den Dolch, der aus seiner Seite ragte, doch in diesem Augenblick packte Darnley sie von neuem und hielt sie fest, während einer von Ruthvens Männern ihr eine Pistole mit gespanntem Hahn an die Seite hielt und ein anderer ihr eine an die Brust drückte.

»Schießt«, sagte sie, »wenn Ihr das königliche Kind in meinem

Leib nicht achtet.« Sie sprach wie in einem Traum; sie fühlte das kalte Eisen durch ihr Kleid und war doch seltsam furchtlos, ebenfalls wie in einem Traum.

Darnley schob die Pistole zur Seite, hielt sie aber weiter in seinen Armen gefangen.

Rizzio kroch und wälzte sich um sie herum, und die Männer warfen sich auf ihn. Dann fühlte sie unvermittelt einen Degenstoß in der Gegend ihrer Brust, aber Anthony parierte die Waffe mit einer Fackel.

Sie wollen mich auch ermorden, dachte sie, aber da bog Darnley Rizzios Finger auf und löste sie von ihrem Rock, und die Attentäter schleiften Rizzio aus der Kammer. Der Vogelkäfig wurde umgestoßen, die Finken entkamen und schwirrten wie Fledermäuse im Zimmer herum.

Maria sah, wie Rizzio sich im Schlafgemach an einen Bettpfosten klammerte, aber man schlug ihm mit dem Schaft einer Muskete auf die Finger. Die Meute fiel über ihn her, und er verschwand wie ein Hase unter einem Rudel blutgierig heulender Hunde. In wilder Aufregung schlugen und stachen sie auf ihn ein, ihre Arme hoben und senkten sich in tödlichen Hieben, und dann waren Schreie zu hören: Die Männer hatten sich in ihrer mörderischen Ekstase gegenseitig verletzt.

George Douglas packte Darnleys Dolch und rannte der Meute mit hoch erhobenem Arm hinterher. »Dies ist der Schlag des Königs!« brüllte er.

Neuerliches Stampfen und Schreien ertönte, dann Jubel, und schließlich hallten die Stimmen durch das große Treppenhaus, und man hörte ein mächtiges Krachen.

Ein paar Minuten vergingen; dann kam einer von Darnleys Kammerdienern aus dem Nachbargemach herein.

»Wo ist Rizzio?« fragte sie. Ihre Stimme war heiser und ihre Kehle so trocken, daß sie kaum sprechen konnte.

»Madam, es ist sinnlos, von Rizzio zu reden, denn er ist tot«, höhnte der Mann und brach dann in wieherndes Gelächter aus.

Mary Beaton kam zitternd herein. Sie war die ganze Zeit im Schlafgemach gewesen und hatte sich unter dem Bett versteckt. »Ich habe ihn gesehen, ich habe ihn gesehen! Er ist zerfleischt, teure Lady, zu Klumpen zerschnitten! Und – sie sagten immer wieder, es geschehe alles auf Befehl des Königs!« Sie deutete auf Darnley.

»Ah, Verräter und Sohn eines Verräters«, sagte Maria leise und blickte auf Darnleys Arm nieder, der sie immer noch umschlang. »Jetzt kenne ich dich.«

»Nichts da, Verräter!« schrie er. »Du bist es, die mich an Rizzio verraten hat, die mir die größte Schmach zugefügt hat, die ein Weib seinem Manne zufügen kann! Nie bist du in mein Gemach gekommen, noch hast du dich mir als meine Ehefrau hingegeben, seit der da sich in deine Gunst geschlichen hat! Hast mich nur empfangen, wenn *er* dabei war, hast mich ausgesperrt aus deinem Schlafgemach –«

»Weil du betrunken warst, stinkend – und widerlich!« antwortete sie.

Er stieß einen Schrei aus wie ein verwundetes Tier.

»Ich werde niemals mehr dein Weib sein, noch bei dir liegen, noch mich je zufriedengeben, ehe ich dein Herz so verwundet habe, wie es das meine jetzt ist!« Sie wandte sich an Jean. »Ich bitte Euch, geht und seht nach, was geschehen ist und wohin sie ihn gebracht haben.«

Jean wagte sich hinaus und war nach kurzer Zeit wieder da.

»Es ist, wie sie sagten, Madam. Rizzio ist wirklich tot, überall zerstochen, und der Dolch dieses Mannes« – mit dem Kopf deutete sie auf Darnley – »steckt in ihm. Dann haben sie ihn die große Treppe hinuntergeworfen, und er landete auf seiner eigenen Truhe, auf der Truhe, die er aus Italien mitgebracht hat. Der Torwächter hat ihn entkleidet. Jetzt liegt er da, nackt und zerschlagen und mit Blut bedeckt. Der Torwächter hat sechsundfünfzig Wunden an seinem Körper gezählt.«

Maria fühlte heiße Tränen auf ihren Wangen und einen Kloß in der Kehle, so daß sie kaum noch Luft bekam. »Keine Tränen mehr«, wisperte sie. »Ich will auf Rache sinnen.«

Ruthven erschien plötzlich in der Tür, taumelnd und keuchend. Er schleppte sich zu einem Stuhl, wühlte mit suchenden Fingern zwischen dem durcheinandergewürfelten Geschirr nach einem Becher und einem Weinkrug. Seine Ärmel waren blutig, seine Hände rot verschmiert.

»So also sieht Eure Gebrechlichkeit aus«, stellte Maria eisig fest.

Ein großes Getöse erhob sich im Hof, und der Earl von Morton kam atemlos herein. »Draußen ist ein Kampf zwischen meinen Männern und den Palastdienern unter Führung von Bothwell und Huntly im Gange.« Er klang leicht verärgert wie einer, dem eine zusätzliche Besorgung auferlegt worden war.

»Ich gehe!« sagte Darnley eifrig.

»Nein, ich gehe. *Ihr* bleibt hier«, sagte Ruthven und stemmte sich hoch.

»Wir sind fast zweihundert«, sagte Morton. »Und die Tore sind verschlossen. Aber wenn die Stadtbürger –«

»Die werden wir beruhigen«, riefen die pistolenschwingenden Schergen Ruthvens, die in der Tür aufgetaucht waren wie Katzen, die sich nach dem Verzehr ihrer Beute den Schnurrbart leckten. Einer von ihnen, Andrew Kerr von Fawdonside, schwenkte seine Pistole wie einen Blumenstrauß.

Morton, der Lordkanzler von Schottland: ein gemeiner Mörder. Maria funkelte ihn an – sein selbstgefälliges Gesicht, sein hübsches schwarzes Gewand. Einer der ursprünglichen Lords der Kongregation. Einer von Knox' Männern.

»Warum habt Ihr das getan?« fragte sie. »Wolltet Ihr mich auch ermorden? Zu welchem Zweck? Wer sollte statt dessen regieren? Elisabeth? Mylord Darnley? Niemand tötet für einen leeren Thron.«

»Schweigt still, Madam«, sagte Morton. Weshalb verhörte ihn diese Frau? Sie hatte starr vor Schrecken zu sein, eine Fehlgeburt zu haben oder zumindest bebend zu schweigen. Er schlug mit der Hand auf sein Schwert und eilte hinaus, um seine Leute zu befehligen.

Maria ging zum Fenster und sah zu, wie Douglas' Leute, erfahrene Kämpfer, der kleinen Schar von Bothwells Anhängern und denen des neuen Earl von Huntly sowie ihren mit Spießen, Beilen und Hämmern bewaffneten Haus- und Küchenbediensteten die Hölle heiß machten; sie drängten sie zurück, als der Earl von Morton zu den Douglas stieß und ihnen Mut machte. Sein leuchtend rotes Haar schaute unter dem Helm hervor und hob ihn deutlich von den anderen ab.

»Also«, sagte sie schließlich zu Darnley, »du hast gewonnen. Was willst du? Du mußt es dir schon sehr inständig wünschen, wenn du dafür mordest und solche Verwüstung anstiftest.«

»Die Mitkönigskrone«, sagte er, ohne zu zögern.

»Ist dir nicht klar, daß ein solcher Aufstand die Krone nur schwächt? So etwas bringt die Adeligen nur auf die Idee, sie könnten Könige und Königinnen mit dem Tode bedrohen und sie nach ihrem eigenen Belieben schaffen und vernichten.«

»Du hättest sie mir ja sonst nicht gegeben.«

»Und da hetzt du ihre Untertanen gegen deine eigene Gemahlin? Und wunderst dich noch, daß ich dich nicht liebe.«

Ich hasse ihn, dachte sie. Er hat mich verraten und war sogar bereit, mich ermorden zu lassen. Er will die Gattenkrone. Vielleicht ist das alles, was er je wollte, vielleicht ist das der einzige Grund, weshalb er zu mir gekommen ist, mich geheiratet hat ...

Der Schmerz war so stark wie eine Geburtswehe.

Schluß damit, Schluß mit dem Trauern um etwas, das es nie gegeben hat, befahl sie sich. Sie wollen mich auf irgendeine Weise absetzen, wollen statt meiner regieren. Darnley wird ihnen als Galionsfigur dienen. Er ist schwach, und sie können ihn benutzen. Wenn mein Kind geboren ist, werden sie es zum König krönen und Darnley seinerseits absetzen. Ich muß ihnen entkommen. Ich muß fliehen.

Darnley liebt mich noch immer. Sie wollen sich seine Schwäche zunutze machen, aber das kann ich besser.

»Ach, könnten wir nur wieder glücklich sein«, sagte sie wie zu sich selbst.

Er hörte es, und er beugte sich über sie und legte ihr behutsam die Hände auf die Schultern. Sie zuckte nicht zusammen, entzog sich ihm nicht, sondern schien sich an ihn zu lehnen. Oder war es seine Einbildung?

»Ich würde alles geben«, sagte er, »wenn –«

In diesem Augenblick stürmte eine Schar von Edinburgher Bürgern, angeführt vom Provost, das Palasttor, und sie schrien und drohten, in den Palast einzudringen. Lodernde Fackeln ließen erkennen, wie groß die Menge war: Es waren mindestens fünfhundert an der Zahl. Man habe von einem Tumult gehört, so brüllten sie, und von einem Angriff gegen die Person der Königin. Sie solle sich zeigen und ihnen die Wahrheit sagen.

Die Alarmglocke der Stadt läutete gellend.

Die Rettung! Maria sprang hoch und riß das Fenster auf, aber Andrew Kerr zog sie gewaltsam zurück und streichelte seinen Dolch. »Sprecht nur ein Wort, und ich zerschneide Euch in kleine Stücke und verfüttere Euch an die Aaskrähen.«

Darnley schaute hilflos zu; Kerr nickte ihm zu und stieß ihn zum offenen Fenster. »Schafft sie uns vom Halse!«

Der jämmerliche Feigling! War er denn aus Käsemolke? Kein Wunder, daß seine Gesichtshaut so cremig zart war! Sie haßte diese Wangen, die sie einmal so bewundert hatte.

»Ihr guten Bürger!« rief er jetzt. »Ich danke euch für eure Treue und Besorgnis! Aber es gibt keinen Grund zur Beunruhigung! Die

Königin ist wohlauf und sicher, und sie ruht. Der italienische Sekretär ist tot; er wurde bestraft, weil man entdeckte, daß er ein papistischer Spion war, der in einer Intrige mit dem König von Spanien im Bunde war. So enden alle Feinde der Königin und Schottlands!« Seine Stimme hob sich in freudiger Genugtuung.

Beruhigt wandten die Leute sich ab und stapften durch Canongate hinauf zurück in die Stadt, die Knüttel, Mistforken und Piken gesenkt.

»Wohlgesprochen«, sagte Kerr. »Natürlich glauben sie ihrem *König*. Sie werden lernen, Euch zu vertrauen und zu gehorchen, Eure Majestät.«

Solange Kerr hier ist, kann ich nichts tun, dachte Maria. Sie warf Darnley einen flehentlichen und unterwürfigen Blick zu.

Ich kann nichts tun, solange wir nicht allein sind, dachte sie. Ich muß mit ihm allein sein!

Sie sank auf einen Stuhl und ließ sich zusammenfallen. Kerr drehte sich um und sah sie an.

Ihm entgeht nicht die geringste meiner Bewegungen, dachte sie.

Im Hof draußen war es still geworden. Stille herrschte auch in ihren Gemächern. Wo waren sie nur alle?

»Mary? Mary Beaton?« rief sie.

»Sind alle weg.« George Douglas stand in der Tür, die starken Arme gegen die Türpfosten gestemmt, als wolle er sie einstürzen lassen wie Samson den Tempel. Seine Hände waren dunkel von Blut. »Sie sind – wie soll ich es sagen? – entlassen, *Eure Majestät*.« Er ließ den Titel klingen wie eine Beleidigung. »Und wir« – er nickte Kerr und Darnley zu – »halten es für das Beste, wenn Ihr Euch jetzt zur Ruhe begebt. Es ist schließlich schon spät.«

»Angesichts dessen, was sich alles geändert hat, ist es so spät nun wieder nicht«, stellte Maria fest. »Es war sieben Uhr, als wir uns zu Tisch setzten. Und jetzt ist es …«

»Halb zehn«, sagte Darnley.

»Nur zweieinhalb Stunden also. Und halb zehn ist früh.«

»Für dich, ja!« sagte Darnley. »Denn du bist – warst – es gewohnt, bis zwei Uhr mit Signor Davie aufzubleiben!«

»Rizzio ist schon im Bett und schläft fest«, höhnte Douglas. »Seinen Schlummer können wir nicht stören. Und jetzt halten wir es für angebracht, daß Ihr Euch ebenfalls zurückzieht.«

»Wo sind meine Damen? Ich brauche Zofen!«

»Sie sind … in Verwahrung.«

»Leistet denn niemand mir Gesellschaft in dieser üblen Nacht?« rief sie. »Mein Gemahl –«

»Nein, nicht Euer Gemahl«, unterbrach Douglas sie fest. »Den brauchen *wir*. Es gibt viel zu erörtern.«

»Bitte laßt mich nicht allein in dieser Kammer hier ...« Sie stand auf und deutete auf die Stellen auf dem Fußboden, wo schwärzliche Blutklumpen wie auf einer verkrusteten Wunde lagen. »Habt doch Erbarmen!« Sie ließ ihre Stimme kläglich beben, während Wut durch ihre Adern raste.

»Eine stände vielleicht zur Verfügung«, erwog Darnley. »Die alte Lady Huntly, die Witwe des Earl.«

Douglas zog die Brauen hoch. »Schlau, sehr schlau. Ja, die alte Lady, die von der Königin zur Witwe gemacht wurde. Ihr kann man vertrauen. Geht und treibt sie auf.«

Er kommandiert den »König« herum wie einen Diener, dachte Maria.

Darnley ging hinaus, und sie wartete. Ein dumpfer Schmerz in ihrem Leib kam und ging. O selige Mutter, laß mich nicht mein Kind verlieren, betete sie. Es ist zu früh; es könnte nicht überleben.

Der Schmerz nahm zu und ließ wieder nach, als Darnley mit Lady Huntly zurückkehrte.

»Eure Dienerin, Majestät«, sagte sie und verbeugte sich. Dann schaute sie sich nervös im Zimmer um und strich sich die Röcke glatt. Überall war Blut und Durcheinander.

»Bringt die Königin zu Bett«, befahl Douglas. »Laßt niemanden hinein oder hinaus. Sollte sich etwas Unerwünschtes ereignen, so findet Ihr mich gleich draußen auf dem Absatz der großen Treppe. Kommt!« Er winkte Darnley. Die beiden gingen hinaus, und Darnley warf noch einmal einen Blick zurück.

Als die Türen sich geschlossen hatten, war es einen Augenblick still. Dann flüsterte Lady Huntly: »Was ist geschehen?«

»Mein Sekretär Rizzio wurde in meiner Gegenwart von bewaffneten Lords ermordet. Aber es steckt mehr dahinter. Es hat etwas mit den Lords im Exil zu tun, mit der Rüge, die das Parlament gegen sie aussprechen wird, mit dem Ehrgeiz des Königs, ja, sogar mit einer Drohung gegen den Thron und gegen mein eigenes Leben. Ich habe noch nicht jeden Faden dieses Gewebes erfaßt, aber mit der Zeit wird das Muster schon hervortreten und deutlich werden. Ich weiß nur, daß sie mein Leben bedroht haben und daß nur Gott mich heute abend gerettet hat.«

»Heilige Mutter Gottes«, sagte Lady Huntly und bekreuzigte sich. Wieder machte sich der Schmerz bemerkbar.

»Ich muß mich ausruhen«, sagte Maria. »Vielleicht sollte ich mich lieber hinlegen.« Sie wollte sich erheben, aber da wurde ihr schwindelig.

»Bleibt sitzen, Majestät«, sagte Lady Huntly. Sie kniete nieder und zog Maria die Schuhe aus. Dann trat sie hinter sie und knöpfte das Kleid auf. »Hebt die Arme«, sagte sie und zog ihr das Kleid über den Kopf. Als sie es in die kleine Kleiderkammer trug, sah Maria die Blutspritzer auf der gelben Atlasseide.

Lady Huntly fand die Truhe, in der die Nachthemden aufbewahrt wurden, und nahm ein perlgraues, wollenes Nachtgewand heraus. Maria stand auf; sie fühlte sich plötzlich zittrig, als sie sich hinter den Wandschirm zurückzog, wo sie mit ungelenken Fingern und schweren Händen ihre Unterkleider abstreifte und das Nachthemd überzog.

Lady Huntly wartete auf der anderen Seite auf sie, und mit sanfter Berührung führte sie Maria zum Bett, wo sie bereits die Decken zurückgeschlagen hatte.

»Ihr – die Gemahlin eines Earl, eine vornehme Dame – versteht Euch auf diese Pflichten?«

»Ich bin eine Frau, Majestät, und Ihr seid eine Frau in Not und mit einem Kind unter dem Herzen. Da braucht man nichts zu lernen. Wo ist Euer Rosenkranz?«

Maria deutete zu ihrer Truhe, auf der eine kleine Elfenbeinschachtel stand. Lady Huntly brachte ihr den Rosenkranz, legte ihn um ihre Hände und faltete ihre Finger darum, als wäre sie ein Kind.

»Wenn ich die Vorhänge zugezogen habe, solltet Ihr zu Unserer Lieben Frau beten. Sie wird Euch helfen. Sie versteht Euch.« Lady Huntlys rundliches Gesicht war ruhig wie ein Juniabend, der Stille und Frieden verhieß.

Konnte diese Frau wirklich so gütig sein? Oder war es Täuschung? Würde sie sie in der Nacht erstechen?

»Euer Gemahl ist meinetwegen gestorben«, sagte sie.

»Er ist an einem Schlaganfall gestorben«, sagte Lady Huntly. »Ich glaube, auf diese Weise wollte Gott zeigen, wie sehr Ihm jene mißfallen, die sich gegen ihre Königin erheben.«

»Und Euer Sohn John –«

»Liebe hat noch nie bedeutet, daß man zum Verräter werden soll, Eure Majestät. Der heilige Paulus sagt: ›Die Liebe suchet nicht das

Ihre, sie läßt sich nicht erbittern‹, und der heilige Johannes sagt: ›Wer da behauptet, Gott zu lieben, aber seinen Bruder haßt, der ist ein Lügner.‹ Nein, nicht die Liebe hat meinem Sohn den Untergang gebracht, sondern Mutwille und Rebellion.«

Konnte sie wahrhaftig so empfinden? War ihr zu trauen?

»Ihr seid gut, Königin Maria. Ihr habt meinen ältesten Sohn George mit Ehren überhäuft und ihm die Güter der Huntlys zurückgegeben. Wir sind Euch treu ergeben.«

Dann war diese bemerkenswerte Frau also in solchem Maße fähig, ihre natürlichen Neigungen dem Befehl Gottes gemäß zu beugen, daß sie zu einer Verbündeten geworden war?

»Ich glaube, ich kann Euch dienen. Vielleicht kann ich Botschaften aus Euren Gemächern schaffen. Sie verdächtigen mich nicht. Der Earl von Bothwell und mein Sohn, der junge Earl, werden auf Euren Befehl handeln. Sie konnten nach dem Zusammenstoß mit Douglas' Leuten im Schloßhof aus Holyrood entkommen, und Ihr könnt sicher darauf zählen, daß sie mit Reitern und Soldaten bereitstehen, wenn Ihr es wünscht.« Sie lachte. »Sie mußten bei Bothwell durchs Fenster klettern und durch den Käfig mit den wilden Tieren flüchten, die Eure Majestät hier verwahrt. Lord Bothwell hat einen Riß in der Hose, weil die Löwin nach ihm geschnappt hat.«

Maria mußte kichern.

»Jetzt ruht, Majestät, und betet zur Seligen Jungfrau. Sie wartet auf Euch.« Resolut zog sie die Bettvorhänge zu.

Maria lag im Dunkeln. Sie hörte das leise Rascheln von Lady Huntlys Kleid, als sie durch das Zimmer ging. Sie hörte, wie sie das kleine Faltbett fand, wie sie es hervorzog und sich darauflegte, und nach ein paar Minuten hörte sie leises Schnarchen.

Meuchelmörder schnarchen nicht, dachte sie. Also meint sie es ehrlich. Sie ist mir treu ergeben, obwohl ich ihr den Gemahl und einen Sohn geraubt habe ... Wie seltsam sind doch die Wege des Herrn. Aber auch wie anstrengend und wie beschwerlich ...

Heilige Maria, Mutter Gottes, bitte für uns Sünder, jetzt und in der Stunde unseres Todes ...

Ist mein Tod denn nahe?

Nur wenn ich es zulasse.

Gegrüßet seist Du, Maria, voll der Gnaden. Der Herr ist mit Dir. Du bist gebenedeit –

Was sind ihre Pläne?

– unter den Weibern, und gebenedeit –

Werden sie mich einkerkern? Wer ist der Führer dieses Aufstandes? Morton? Darnley ist es nicht, und Douglas auch nicht. Sie haben nicht genug Verstand. Maitland? Knox? Ein Kirchenmann würde doch sicher nicht … Lord James? Der war nicht hier. Aber Boten konnten …

Ich muß fliehen. Es ist gut und schön, daß Bothwell und Huntly draußen bereitstehen. Aber es ist ein weiter Weg nach draußen. Ich muß hinaus. Diese hundert Schritte zum äußeren Umkreis des Schlosses sind ebenso weit wie eine Reise nach Moskau. Darnley, mein Gemahl. Ich muß ihn auf meine Seite ziehen. Ich muß. Er allein kann meine Sicherheit gewährleisten.

Er liebt mich noch immer. Seine Eitelkeit fühlte sich betrogen, nicht seine Liebe. Ich kann ihn dazu gewinnen, daß er tut, was ich will.

Plötzlich durchzuckte sie ein Bild, so lebendig, als komme es geradewegs aus der Hölle: Rizzio, mit geronnenem Blut bedeckt, mit starren Augen und steifen, kalten Gliedern. Wo mochte er jetzt liegen? *Im Bett und schläft tief*, hatte der schreckliche Douglas gesagt.

Möge er wenigstens in einem Grab ruhen, betete sie. Es ist ihnen zuzutrauen, daß sie ihn den wilden Tieren vorwerfen.

Aber wenn die Tiere satt gewesen wären, hätten sie Bothwell nicht gebissen …

In ihrem Kopf drehte sich plötzlich alles, und der Schlaf trug sie davon. Der Rosenkranz entglitt ihren Fingern.

Sie träumte, daß die Rubine im »Great Harry« sich in Blutstropfen verwandelten, herausquollen und von ihrem Mieder aufgesogen wurden. Sie träumte, sie sei in einen Turm gesperrt und sehe einen Ritter, der draußen wartete, um sie zu retten, aber er hatte das Visier heruntergeklappt, und sie konnte ihn nicht sehen – wie Heinrich II. bei jenem tödlichen Turnier das Visier heruntergeklappt hatte. Sie träumte von Rizzio, wie er seine Ebenholzlaute für sie spielte, und seine Stimme klang so süß, daß sie jäh aus dem Schlaf fuhr.

»Das muß er noch einmal spielen«, murmelte sie, und sie zog den Bettvorhang beiseite und sah mattgraues Licht, das in ihr Gemach fiel.

Dann sah sie das Blut auf dem Boden.

»Nein!« rief sie. Er war doch so lebendig gewesen, hatte gelebt und gesungen, gerade noch …

Sie ließ sich ins Bett zurückfallen.

Rizzio ist tot, und ich bin eine Gefangene. Ich habe sogar eine Turmstube hier. Aber draußen ist kein Ritter. Nur Darnley, der mich retten könnte, und ihn muß ich erst noch überzeugen. Das ist anders als in meinem Traum.

Neben dem Bett, auf dem Lager am Boden, schlief Lady Huntly, und ein Lächeln lag auf ihrem Gesicht.

Ihre Sorgen sind vorüber, dachte Maria. Wie lange hat es gedauert, bis sie wieder gut schlafen konnte? Mehr als drei Jahre ist es her, daß ihr Gemahl starb.

Wo werde ich in drei Jahren sein?

In drei Jahren werde ich da sein, wo ich mich selbst hinbringe. Es liegt alles in meiner Hand.

Sie war angekleidet und wartete, als Darnley in ihrem Gemach erschien. Sie hatte sich ein Kleid ausgewählt, von dem sie wußte, daß er es gern hatte, ein grünlich blaues mit einem Spitzenbesatz am Hals, und sie hatte ihr Haar nur zum Teil nach hinten gebunden. Sie trug keinen Schmuck.

Darnley hatte offensichtlich nicht geschlafen.

Gut, dachte Maria.

Er lächelte, als er sie sah, aber es war ein zögerndes Lächeln. Er kam heran und nahm ihre Hände.

»Ach, meine Maria«, rief er und sah ihr in die Augen.

»Du siehst besorgt aus«, sagte sie. »Und du hast allen Grund dazu.« Sie hätte ihre Hände gern weggezogen, aber damit hätte sie sich ihren Widerwillen anmerken lassen. Statt dessen schlug sie vor, auf der Bank vor dem Fenster Platz zu nehmen.

Als sie saßen, wandte sie sich zu ihm und zwang sich, die Augen weit zu öffnen und nichts als Sorge um ihn in ihren Blick zu legen.

Sonst bin ich verloren, dachte sie.

»Lieber Gemahl«, begann sie, »es bestürzt mich, wenn ich daran denke, in welcher Gefahr du dich befindest. Ich weiß nicht, was für Pläne sie mit mir haben …« Sie stockte, damit er es ihr sagen könnte. Aber er schwieg. »Doch die Tatsache, daß ich eine gesalbte Königin bin, wird ihnen die Hände binden oder sie wenigstens zögern lassen. Ich fürchte, in deinem Fall wird das anders sein.«

Darnleys bleiches Gesicht wurde gespenstisch fahl, und die sonst so glatten Flächen wirkten knotig.

»Sie sind Mörder«, fuhr sie fort. »Und keine gewöhnlichen Mörder, sondern Folterer. Warum sonst mußten sie David in meiner Gegenwart töten? Sie hätten sich auf ihn stürzen können, während ihr Tennis spieltet, sie hätten ihn nachts überfallen können, als er allein war. Aber du mußt dich fragen, weshalb sie es vorzogen, ihn auf diese Weise zu beseitigen. Das war kein simpler Mord; es war ein Akt des Terrors.« Sie schaute Darnley tief in die Augen. »Sie sind verschlagen und verzweifelt. Sie haben dich benutzt ... Hast du ein Bündnis mit ihnen unterzeichnet?«

»Ja«, gestand er kläglich.

»Und sie haben es in Verwahrung?«

»Ja.«

»Aha. Dann haben sie, was sie wollten: die Unterschrift des Königs unter einem Mordkomplott, und den Dolch des Königs im Leichnam des Opfers. Jetzt können sie sich deiner entledigen«, sagte sie leichthin.

Wie sie es erwartet hatte, erstarrte er neben ihr.

»Jawohl, dich beseitigen. Du bildest dir doch nicht ein, sie würden *dich* zu ihrer königlichen Galionsfigur machen, wenn sie *ihn* haben können?« Sie legte die Hand auf ihren Leib. »So fügsam du auch sein magst, ein Kind ist fügsamer. Nein, du hast deinen Zweck erfüllt.«

Sie verstummte, um ihre Worte wirken zu lassen.

»Und was haben sie mit mir vor?« fragte sie dann betont gleichmütig, als kenne sie die Antwort schon.

»Sie wollen dich morgen oder übermorgen nach Stirling bringen.«

»Und dann?«

»Dann sollst du dort das Kind zur Welt bringen.«

»Und dann?«

»Das weiß ich nicht.« Er ließ den Kopf hängen, und man sah, daß er es nur allzu gut wußte.

»Aha.« Sie wartete, bis das Schweigen den ganzen Raum erfüllte. »Man wird uns also voneinander trennen?«

Er zuckte die Achseln. Das hatten sie ihm nicht gesagt.

»Denn wenn wir getrennt werden, sind wir verloren. Gemeinsam können wir sie überlisten und dem Tod entrinnen, den sie uns zugedacht haben.«

Bei dem Wort *Tod* erschrak er.

»Henry« – so hatte sie ihn immer nur in ihren intimsten Augenblicken genannt – »sie haben gezeigt, daß sie weder unsere königliche

liche Person noch unseren geheiligten Rang respektieren. Sie haben versucht, uns zu entzweien, weil sie wissen, daß wir ihnen zusammen widerstehen können. Der erste Teil ihres Planes ist ihnen geglückt: Sie haben uns geängstigt und zu Gefangenen gemacht. Aber das Weitere – nämlich, uns zu entzweien und zu töten – ist noch lange nicht erreicht. Sie sind darauf angewiesen, daß du ihnen hilfst, bis sie dich nicht mehr brauchen. Aber wenn wir entfliehen ...«

»Das ist unmöglich«, sagte er. »Überall sind Wachen. Alle deine Leute sind geflohen.«

»Alle *unsere* Leute.« Sie nahm seine lange, knochige Hand und drückte sie. »Aber sie vertrauen dir. Wenn sie glauben, daß du mich bewachst ...«

»Sie würden niemals alle Wachen fortschicken.«

»Kannst du sie denn gar nicht überreden, den Palast zu räumen? Angenommen, ich verspreche ihnen Pardon?«

»Sie würden dir niemals glauben.«

»Aber wenn du sie überzeugst?«

Er schüttelte den Kopf.

Ich habe *dich* nicht überzeugt, dachte sie. Als der Feigling, der du von Natur aus bist, brauchst du schon mehr, um dich bewegen zu lassen.

»Ach, Henry«, sagte sie und beugte sich zu ihm, um ihn zu küssen. Es war das erstemal seit Monaten, daß sie ihn auf den Mund küßte, und sie spürte, wie seine Lippen zitterten. Aufseufzend legte er den Arm um sie.

Jetzt werde ich mit ihm ins Bett gehen müssen, dachte sie müde. Lady Huntly war nirgends zu sehen; sie war mit Botschaften zu Bothwell und ihrem Sohn unterwegs.

Gehorsam folgte er ihr, und im Bett warf er mit großer Begeisterung seine Kleider beiseite und zog die Bettvorhänge zu wie ein kleiner Junge, der »Festung und Soldaten« spielte. Er beachtete ihren Bauch nicht weiter, sondern sprudelte Worte der Bewunderung und Anbetung hervor. Tränen stiegen ihm in die Augen, und dann verlor er sich in seinem Treiben.

»Ach, meine Maria«, weinte er.

Maria stand bescheiden in ihrem Audienzsaal, während der Earl von Morton sie beäugte. Konnte er etwas wissen?

»Lord James, der Earl von Moray, ist wieder in Schottland«, verkündete er.

»Und ich habe ihn nicht hergerufen«, stellte sie fest.

»Das Parlament ist durch Proklamation des Königs aufgelöst.« Morton warf einen Blick zu Darnley hinüber, der strahlend lächelte.

Er heuchelt gut, dachte Maria. Aber das wußte ich ja schon.

»Also wird der Besitz der aufrührerischen Lords der ›Treibjagd‹ nicht eingezogen werden. Wie praktisch.« Sie spreizte die Hände und drehte die Handflächen nach oben. »Es ist gut, daß der König so großmütig ist. Denn gegen *ihn* richtete sich der Aufstand, und *seine* Person war es, die sie offenbar nicht verdauen konnten. Es ist in der Tat königlich, über einen solchen Fehltritt hinwegzusehen.«

»Madam, wollt Ihr mit Eurem Bruder zusammentreffen? Wollt Ihr ihn empfangen?« fragte Morton und strich sich über den buschigen, orangeroten Bart.

Wieso stutzt er ihn nicht? dachte Maria plötzlich, ohne daß es ihr etwas bedeutet hätte. Er ist so widerspenstig, so drahtig und so abstoßend. Er sieht aus, als ob Milben drin wohnten.

»Ja, das muß ich wohl, wie mir scheint.«

»Dann wird er heute nachmittag kommen«, sagte Morton. Verbarg sich da ein spöttisches Grinsen unter dem Bart? Er nickte kurz und herrisch, und Darnley folgte ihm hinaus.

Wende dich nicht wieder um, rief sie ihm lautlos nach. Selige Mutter, bitte laß nicht zu, daß er sich wieder *ihnen* zuwendet. Sie begann am ganzen Leibe zu zittern.

»Madam, nehmt diesen Beruhigungstrank«, sagte Lady Huntly und drückte ihr ein Glas in die Hand. »Und wenn Ihr es getan habt, mag Euch dies wieder aufmuntern: Ich habe Eure Botschaften hinausgebracht. Die beiden Männer erwarten mit Reitern und Fußsoldaten Eure weiteren Anweisungen.«

»Ich bete darum, daß es nicht alles vergebens sein möge. Beim nächsten Schritt meines Vorhabens sind viele Leute beteiligt, und er kann so leicht schiefgehen.« Sie nahm einen Schluck von dem schaumigen Getränk. »Es macht mir Angst, weil es so zart und fein ausbalanciert ist. Wie meine Uhr.« Sie deutete auf die kleine Uhr, die seit ihrer Kindheit in ihren Gemächern stand; es war die, welche die Stunden geschlagen hatte, als der Kardinal zu ihr gekommen war, um ihr zu berichten, daß das Datum ihrer Hochzeit mit Franz endlich festgesetzt worden war. Heute schlug sie nur noch unregelmäßig, und kein Uhrmacher hatte sie zu richten gewußt.

»Der nächste Schritt ist mein Bruder ... meine inszenierte Versöhnung mit ihm. Oh, seine Hand war gestern abend im Spiel ... er führte den siebenundfünfzigsten Hieb. Hüte dich vor dem Bastard, hatte es geheißen ...«

Sie strich sich nervös mit den Händen über die Arme, aber es war ihr zuwider, sich selbst zu berühren; sie kam sich häßlich und besudelt vor, weil sie sich von Darnley hatte nehmen lassen – als wäre ihre Haut beschmutzt. Rasch wandte sie den Kopf, um hinauszuschauen. Das unbeständige Märzwetter war wieder umgeschlagen, und es war warm und sonnig. Ein gleißend blauer Himmel wölbte sich über dem Palast, und das Gras unter dem Winterfilz leuchtete smaragdgrün hervor. Die Fenster standen offen; eine Biene flog gegen die bleigefaßte Scheibe und kam dann summend herein.

Woher mag sie kommen? frage Maria sich. Es ist noch zu früh für Bienen. Ob sie den ganzen Winter hindurch geduldig gewartet hatte?

Wie Lord James?

Welche Kühnheit, einfach zurückzukehren! Wer hatte ihn gerufen? Oder stand er in so enger Verbindung mit den Rebellen, daß er selbst den Mord überwacht hatte und genau wußte, wann er zurückkommen konnte?

Die Biene flog von einer Wand zur anderen und suchte nach einer Blüte. In Schlangenlinien irrte sie brummend über die Wandbehänge.

Es gibt keine Blüten im März, dachte Maria. Biene, du suchst zur falschen Zeit. Deshalb wirst du sterben. Wie wir alle, die wir uns irren.

Ein scharfes Klopfen an der Zimmertür, gefolgt von der Meldung eines unbekannten Soldaten: »Der Lord James Stewart, Earl von Moray.«

Maria erhob sich und verschränkte die Hände in gespielter Erwartung.

Herein kam Lord James mit gütigem Blick, einen Ausdruck von Zärtlichkeit und Sorge auf dem Vergebung heischenden Gesicht. Demütig und fast beschwörend kam er auf sie zu – wie ein kleiner Junge, der mit einem kindlichen Streich die Nachsicht seiner Eltern auf die Probe stellen wollte.

Sie spürte, daß sie auf das reagierte, was sie sich wünschte, nicht auf die Wahrheit, die sie kannte.

»Ach, James!« sagte sie. »Wärest du nur hier gewesen, dann wäre nichts von all dem geschehen!« Sie streckte ihm die Arme entgegen und umschlang ihn. »Es ist so schön, dich wiederzuhaben!«

Keiner von ihnen erwähnte den Grund, weshalb er Schottland verlassen hatte.

»Eine traurige Sache«, murmelte er und hielt sie im Arm. »Und jetzt, ach, müssen wir tun, was wir können, um den Riß zu heilen, der sich in Schottland aufgetan.«

Jetzt wird er mir sein Diktat kundtun, dachte sie. Er wird mir die Bedingungen der Verräter verkünden.

»Ihr werdet allen Pardon geben müssen«, sagte er, als sei ihm dieser Gedanke soeben gekommen. »Denen, die mit mir geflüchtet sind, und denen, die sich gegen Rizzio erhoben haben. Alle Parteien müssen miteinander versöhnt werden, damit wir einen neuen Anfang machen können.«

Sie drückte ihr Gesicht an seine Brust, damit er ihren Gesichtsausdruck nicht sehen konnte.

»Wir werden uns heute in Euren Gemächern versammeln«, sagte er, und sie fühlte, wie die Worte grollend aus der Tiefe seiner Brust hervorkamen, und hörte sie zugleich. »Morton und Ruthven –«

»Nicht Ruthven!« rief sie

»– und Maitland und ich«, fuhr er ungerührt fort.

»Ist Maitland also auch ein Verräter?« Sie löste sich von ihm. »Ich wußte ja sehr wohl, daß er eifersüchtig auf Rizzio war und sich zurückgesetzt fühlte, aber ich nahm an, er sei zu zivilisiert, um sich als Mörder zu versuchen.«

Wieder lächelte James das falsche Lächeln eines reumütigen kleinen Jungen. »Die Zivilisierten fühlen Haß und Leidenschaft wie jeder andere auch«, sagte er. »Königin Elisabeth und ihr Minister Cecil sind auch nicht erhaben über Mord und Verschwörung – warum also sollte Maitland es sein? Außerdem, seit wann ist es ›Verrat‹, einen Ausländer zu töten?«

Ja, warum nicht auch Maitland? Und was das angeht: Warum nicht auch John Knox? »Und wann darf ich euch erwarten?« fragte sie und bemühte sich, so ausdruckslos wie möglich zu klingen.

»Heute nachmittag. Zuvor müssen wir uns in Mortons Haus versammeln.«

Mortons Haus lag in bequemer Nähe zu Holyrood in einem ummauerten Hof mit eigenem Stall und Garten. Im ersten Stock verfügte es über einen Söller, der groß genug war, um allen Verschwörern Platz zu bieten, und während der Nachmittag verging, kamen sie nach und nach herein und standen freundlich plaudernd beieinander, als sei dies ein erfreulicher Anlaß, eine Verlobungsfeier zum Beispiel. Ruthven schlurfte zu einem Sessel und legte die Beine auf einen Schemel, aber das Töten schien ihn doch belebt zu haben; er sah nicht annähernd so krank aus wie am Abend zuvor. Lord James – in frischen Kleidern, die wunderbarerweise in Mortons Haus für ihn bereitgelegen hatten – strahlte ruhige Majestät aus. Maitland, der nicht in Edinburgh gewesen war, wirkte durch seinen rechtzeitigen Aufenthalt auf dem Lande sehr erfrischt. Nur Lord Lindsay of the Byres sah so ungesund aus wie immer; seine Lippen waren rissig und aufgesprungen, und er hatte dunkle Ringe um die Augen. Ein paar geringere Mitglieder der Gruppe wanderten umher: Lord Sempill, Patrick Bellenden, James Macgill, Kerr von Fawdonside und mehrere vom Clan der Douglas.

»Wir treffen vor dem Abendessen mit der Königin zusammen«, verkündete Morton und hob die Hand, um die Aufmerksamkeit auf sich zu lenken. »Nur einige von uns. Sie wird einen Gnadenerlaß für uns unterzeichnen ... für uns *alle*, Anwesende und Abwesende. Und dann, wenn wir das Papier, das uns entlastet, in Händen haben, werden wir die Königin unter Arrest stellen. Wer soll dann regieren, fragt Ihr vielleicht? Nun, wir haben doch einen König – König Henry!«

»Soll die Königin denn ihr Leben lang in Gefangenschaft bleiben?« fragte Lindsay; Speichel flog ihm von den Lippen, und er wischte sich mit dem Handrücken über den Mund. »Ich weiß von keinem derartigen Fall in der Geschichte – nicht im eigenen Land des Monarchen wenigstens. Freilich, James I. war viele Jahre lang in englischer Gefangenschaft, aber –«

»Sie könnte nach Stirling gebracht werden, dort erkranken und nicht wieder genesen.« Das war Lord James mit seiner klaren, geschmeidigen Stimme.

»Unmöglich! Sie hätte doch ihre eigenen Ärzte, ihre eigenen Köche«, wandte Ruthven ein.

»Köche und Ärzte kann man bestechen«, beharrte James.

»Französische nicht!« Diesmal spuckte Lindsay absichtlich.

Lord James wiegte sich auf den Absätzen, und ein spöttisches Lächeln erschien auf seinem Gesicht. »Wie ich sehe, ist also niemand gegen meinen Vorschlag; man hat nur Bedenken hinsichtlich seines Erfolges«, stellte er fest.

»Ich bin nicht sicher, daß ich restlos verstanden habe, wie Euer Vorschlag lautet«, protestierte Maitland.

Lord James lachte. »Nun, da Eure Unschuld aktenkundig ist, darf ich vielleicht fragen, ob Ihr im Prinzip zustimmen würdet, wenn man sagt, daß die Regierung der Königin Maria ein Experiment war, welches fehlgeschlagen ist? Eine katholische Königin, die unfähig war, ihr protestantisches Land zu beherrschen, die sich schwach gezeigt hat und angewiesen auf die Führung eines Mannes? Doch ihre Torheit und ihr mangelndes Urteilsvermögen haben sie leider veranlaßt, sich auf unwürdige Männer wie Rizzio zu stützen.«

»Ja. Da würde ich zustimmen«, räumte Maitland ein.

»Gut. Dann hoffe ich zuversichtlich, daß Euch wie uns allen bessere Tage willkommen wären.«

Maria öffnete alle ihre Truhen und sucht nach der weißen Schminke, die sie von einem Maskenball in Frankreich übrigbehalten hatte. Beim Einpacken hatte sie sich damals selbst gescholten wegen ihrer Sentimentalität; aber es war der letzte Maskenball gewesen, auf dem Franz getanzt hatte. Die Schminke zurückzulassen wäre ihr wie ein Verrat vorgekommen. Ich werde sie später wegwerfen, hatte sie sich vorgenommen. Wenn ich dazu bereit bin.

Sie fand sie auf dem Grunde ihrer größten Eichenholztruhe, vergraben unter den Übungsheften aus den Tagen des Unterrichts bei dem französischen Schulmeister, zu klein gewordenen Reitgewändern und ihrem Erstkommunionskleid aus weißem Satin und Spitze.

Sie nahm den Tiegel heraus und stellte fest, daß die farbige Paste darin eingetrocknet und hart war. Aber als sie ein paar Tropfen Wasser aus ihrem Waschkrug hinzufügte und das Ganze vermischte, sah sie, daß die harte Masse wieder flüssig wurde, und vor Erleichterung und Dankbarkeit hätte sie fast geweint.

Geschickt betupfte sie sich das Gesicht damit – erst ein paar Punkte auf Nase, Wangen, Kinn und Stirn, und dann verrieb sie alles gründlich. Danach war sie aschfahl. Sie trug noch ein wenig auf die Lippen auf und lächelte dann zufrieden. Sie sah krank aus.

Die vier Männer standen vor ihr in ihren besten Gewändern; in ihren Brokatjacken glänzten die goldenen Fäden, Leinenkragen waren mit Spitze gesäumt, die schweren Umhänge pelzgefüttert. Morton, Ruthven, Maitland und Lord James. Sie hielten die Hüte in den Händen, aber in ihrer Haltung war nichts Unterwürfiges. Ihre Augen – dunkelbraun, gelb wie die einer Katze, grau und nußbraun – schauten ihr kühn ins Gesicht. Darnley stand steif an ihrer Seite. Bitte, lieber Gott, laß ihn nicht wankend werden! Sie wagte nicht, ihn anzulächeln oder auch nur anzuschauen, weil sie befürchtete, ihre Komplizenschaft könne offenbar werden. Was sich am Vormittag im Bett zugetragen hatte, lag jetzt acht Stunden zurück, und die Erinnerung seines Körpers würde sich wahrscheinlich als lückenhaft erweisen. Heilige Jungfrau, hilf mir! flehte sie stumm.

»Eure Majestät, meine geliebte Schwester«, begann James und trat einen Schritt vor. Er lächelte wieder zuckersüß wie ein kleiner Junge. »Wir alle sind bis zu einem gewissen Grade Rebellen«, sagte er, »insofern, als wir es alle versäumt haben, unserer gesalbten Königin vollständigen und vorbehaltlosen Gehorsam zu erweisen. Das bekennen wir.« Er wies mit einer Kopfbewegung zu seinen Gefährten, und die forderten ihn nickend auf, fortzufahren. »Ebenso sind wir in gleicher Weise auch Rebellen gegen Gott. Aber das bedeutet nicht, daß wir uns den Feinden Gottes angeschlossen hätten – oder den Euren. Auch bedeutet es nicht, daß es unrecht von uns war, uns falschen Ratgebern entgegenzustellen, wenn wir sahen – oder glauben mußten –, daß Eure Majestät von ihnen in die Irre geführt wurde oder ihrem Einfluß zum Opfer fiel. Genauso waren ja die Propheten im alten Israel zu handeln genötigt.«

Er hielt inne, als er erkannte, daß der böse Einfluß, gegen den er rebelliert hatte, nur wenige Schritte weit entfernt stand.

»Eure Majestät« – er verbeugte sich vor Darnley –, »es war unrecht von mir, Euch zu widerstehen oder zu versuchen, Eure Hochzeit zu verhindern. Verzeiht mir; ich war blind.«

Darnley lächelte nervös. Er sah, wie Marias lange, anmutige Finger eine Brosche an ihrem Mieder betasteten. Es war eine Rubinschildkröte. Erschrocken erinnerte er sich, daß Rizzio sie ihr geschenkt hatte. *Als Symbol der Sicherheit.*

»Ihr habt rebelliert und uns gezwungen, mit einer Armee gegen Euch zu ziehen«, sagte er. Aber dann durchflutete ihn die warme Erinnerung daran, wie er seine vergoldete Rüstung angelegt hatte und in die gelbe Septembersonne hinausgeritten war.

»Ja, zu unserer Schande«, sagte Lord James. »Aber ich habe dafür bezahlt. Ich habe das Exil in England ertragen und mich von der Königin dort zurechtweisen lassen –«

»Unsere Schwester Elisabeth ermutigt eben keine Rebellen«, sagte Maria.

»In der Tat nicht.« James lachte, und alle stimmten ein.

»Sagt mir, Bruder, was wollt Ihr denn?« fragte Maria dann mit sanfter Stimme.

Das Lächeln verschwand aus seinem Gesicht. »Bedingungslosen und vollständigen Pardon. Für alle, die sich erhoben haben, gleich aus welchem Grund.« Er deutete auf die drei Männer. »Wir sind alle fehlgegangen, Sünder, die wir sind. Und was sagt die Schrift? ›Da ist nicht einer, der Gutes tut, nein, nicht einer.‹ Aber es ist eine Eigenschaft Gottes und eines Königs, Barmherzigkeit zu zeigen. ›Ich habe nicht Freude am Tod eines Bösen, sondern daran, daß der Böse von seinem Wege abläßt und lebet.‹«

»Und was würde ich für diesen Pardon erhalten?« fragte sie. »Von den geistlichen Segnungen einmal abgesehen, natürlich.«

»Ein geeintes Schottland«, antwortete James sofort. »Es hat Unruhe gegeben, Hader ... wie in den ersten Tagen einer Ehe haben wir gelernt, zusammenzuleben, hat ein jeder die Gewohnheiten des anderen kennengelernt –«

»Den Verrat, zum Beispiel?«

»Dieses Wort –«

»- ist ein häßliches Wort. Es bezeichnet eine häßliche Sache«, beharrte sie.

Alle vier Männer ließen sich auf die Knie fallen. Es gab ein dumpfes Geräusch auf dem glatten Holzboden, nur wenig gemildert durch ihre dicken Hosen.

»Vergebt uns«, riefen sie. »Schaut nicht auf unsere Sünden, sondern auf Eure große Barmherzigkeit. Laßt uns einen neuen Anfang machen – möge dieser Tag unser wahrer Hochzeitstag sein!«

Ruthven kniete mitten in dem Fleck von Rizzios geronnenem Blut. Als er sein Gewicht verlagerte, hörte Maria das leises Knirschen der zerbröckelnden Kruste.

Möge er sich seine feine Hose mit einem unauslöschlichen Flekken besudeln! dachte sie.

»Ihr habt recht«, sagte sie leise. »Wir müssen die Vergangenheit hinter uns lassen. Es bringt wenig Gutes für Schottland, wenn die Königin und ihre Ratgeber im Zwist liegen. Ich werde einen Gnadenerlaß für Euch alle verfassen und dem Parlament vorlegen.«

»Wir haben schon einen entworfen«, sagte Ruthven und erhob sich. Jetzt hatte er in der Tat einen Fleck am Knie, und da, wo er gekniet hatte, war eine Delle in der Kruste auf dem Fußboden. Maria verspürte jetzt wirklich Übelkeit.

Sie nahm das Papier und tat, als studiere sie es. »Es sieht vollständig aus«, sagte sie. »Wir werden es abschreiben lassen und meine Unterschrift – sowie die meines Gemahls, des Königs – daruntersetzen.« Sie schwieg. Der Augenblick war gekommen.

»Ich fühle mich schwach«, flüsterte sie und lehnte sich an Darnley. Erschrocken nahm er sie in die Arme. Sie sackte zusammen und drückte die Hände auf ihren Leib.

»Schmerzen ...« murmelte sie.

»Hebamme!« rief Darnley.

»Nein ... keine Hebamme«, sagte Maria. »Die Schmerzen werden vergehen, wenn ich mich nur hinlegen darf. Bitte ...« Sie deutete auf ihr Schlafgemach.

Die Knienden erhoben sich. Darnley und die Königin wandten sich dem Schlafgemach zu, gingen hinein und schlossen die Tür hinter sich. Nicht lange, und Darnley kam wieder heraus.

»Sie ruht«, sagte er. »Die Anspannung – hoffentlich kommt das Kind nicht vor der Zeit.«

»Das Papier ...« sagte Lord James.

»Es liegt auf ihrem Schreibtisch. Sie wird es in ein paar Stunden unterzeichnen, wenn sie sich wieder erholt hat. Keine Angst. Morgen früh ist es fertig – und wenn ich ihre Unterschrift fälschen muß.« Er zwinkerte ihnen zu. »Und jetzt, Mylords, mögt Ihr Euch entfernen.«

»Und sie unbewacht zurücklassen?« grollte Ruthven. »Nein, niemals. Vergeßt nicht, daß sie am französischen Hofe ausgebildet wurde, wo Lügen und Heuchelei zur Lebensart gehören.«

»Wie hier Gewalt und Mord?« fragte Darnley. Als er sah, wie Ruthven ihn anfunkelte, lächelte er. »An keinem Hof gibt es eine besondere Ausbildung zur Doppelzüngigkeit. Der Königin, meiner Gemahlin, ist unwohl. Aber sie hat ihr Wort gegeben, den Gnadenerlaß zu unterschreiben, und als wahre Fürstin wird sie dafür einstehen. Ich bitte Euch, schickt die Wachen weg und geht nach Hause. Ihr müßt müde sein, und dies ist die zweite Nacht nach jenem ... Zwischenfall.« Er wies auf Marias geschlossene Zimmertür. »Sie braucht keine Wachen mehr, Sie liegt im Krankenbett, ihre Bediensteten sind alle weg, ihre wenigen Anhänger – wie Bothwell und Huntly – weit fort ... und außerdem werde ich sie ja bewachen. Ich werde für sie einstehen.«

»Dann möge die Vergeltung über Euren Kopf und über den Eurer Nachkommenschaft hereinbrechen, wenn etwas schiefgeht!« Maria hörte Ruthvens rauhe Stimme noch durch die geschlossene Tür.

Sie hörte weiteres Reden, schließlich Schritte und dann Stille. Die Tür öffnete sich knarrend, und Darnley schob den Kopf herein. Er war weißer als sie, auch ohne unterstützende Schminke.

»Er hat mich verflucht«, sagte er erschüttert.

»Hast du mit seinem Segen gerechnet?« fragte Maria und setzte sich hastig auf. »Er ist ein böser Mensch, und er hat nur Böses zu geben. Sind sie fort?«

Darnley seufzte. »Ja. Ich habe ihnen versprochen, daß sie den Gnadenerlaß morgen bekommen. Aber wenn sie noch einmal zurückkommen? Am besten fliehen wir sofort!«

Maria stand auf. Sie fühlte sich zugleich sehr stark und sehr schwach. Das Kind regte und bewegte sich, als wolle es ihr versichern, daß es unversehrt sei.

»Nein«, sagte sie. »Ohne Zweifel haben sie Wachen zurückgelassen, um uns gerade in diesem Punkt auf die Probe zu stellen. Es ist noch früh; es ist ja nicht einmal ganz dunkel. Wir müssen uns entkleiden und so tun, als gingen wir zu Bett. Später, gegen zwei Uhr, werden wir fliehen. Ich komme zu dir in dein Gemach, und dann gehen wir durch die Seitenpforte und über den Friedhof dorthin, wo unsere Retter mit Pferden warten werden.«

»Du hast schon dafür gesorgt ...?« Sein Blick war ungläubig.

»Für alles«, sagte sie.

Würde dieser Trottel nun bald gehen, damit sie sich die weiße Schminke aus dem Gesicht wischen könnte? Sie juckte und brannte.

Sie lag im Nachthemd in ihrem Bett; so vollständig spielte sie ihre Rolle. Sie wußte genau, wo ihr Reitkleid war und wie sie es binnen eines Augenblicks anziehen konnte. Bis dahin hatte sie noch etliche Stunden hinter sich zu bringen, in denen sie still, aber hellwach daliegen mußte.

Sie hatte keine Angst; nur Zorn strömte durch ihre Adern und ein tiefes, schmerzhaftes Verlangen nach Rache. Sie wollte eine Axt erheben und Ruthven den Schädel spalten, und sie wollte sehen, wie er zuckend zu Boden fiel.

Dazu würde sie Gelegenheit haben, wenn sie erst entkommen wäre ... entkommen ...

Maria schlich sich behutsam tastend die kleine Wendeltreppe zwischen ihrem und Darnleys Schlafgemach hinunter. Es waren fünfundzwanzig Stufen, nach links gewunden, und so lehnte sie sich auch nach links. In Darnleys Schlafgemach angekommen, orientierte sie sich nach der Erinnerung, denn es brannte kein Licht. Es war lange her, daß sie dieses Bett aufgesucht hatte, aber in dem kleinen Gemach war es leicht zu finden.

Darnley schlief. Er atmete leicht wie ein Kind, und wie ein Kind war er schwer zu wecken.

»Komm«, flüsterte sie. »Jetzt.«

Gehorsam ließ Darnley sich bei der Hand nehmen und durch sein Audienzgemach und weiter durch eine Galerie zu einer Treppe führen, über die sie in den Keller hinuntergelangen; dort war es feucht, kalt und leer. Im Palast war es still, und vor Darnleys Tür waren keine Wachen postiert wie vor der ihren.

Sie vertrauen ihm tatsächlich, dachte sie. Oder sie sind einfach unvorsichtig.

»Es ist nicht mehr weit«, flüsterte sie. Der Geruch in dem langen Gang, der von Säcken mit Äpfeln vom letzten Jahr, alten Kohlköpfen, Tonnen mit Salzheringen und Weinfässern gesäumt war, glich der Erinnerung an ein winterliches Mahl.

»Dort ist eine Tür ... hinten, wo die Weinfässer aufhören ... ja.« Sie streckte die Hand aus und berührte das rauhe Holz, und sie betete zu Gott, daß die Tür nicht abgeschlossen sein möge!

Aber sie hatte nur einen Holzriegel, der sich leicht öffnen ließ. Knarrend ging sie auf, und frische Luft flutete herein; es roch nach Frühlingserde.

»Komm!« Drei Stufen führten zur ebenen Erde hinauf, und dann standen sie draußen – frei.

Nach der Finsternis im Keller war es hier für ihre Augen taghell, und sie konnten ringsum die Grabsteine und Hügel sehen. Der Wind raschelte über ihnen in den kahlen Zweigen einer Esche.

»Sie erwarten uns auf der anderen Seite des Abteifriedhofes, wo der Bezirk von Holyrood zu Ende ist«, sagte Maria. »Jetzt komm. Aber laufe geduckt und schlängle dich zwischen den Grabsteinen hindurch, damit niemand unsere Bewegungen sehen kann. Es müssen ja Wachen um den Palast herumstreifen.«

Sie ließ seine Hand los, zog den Kopf ein und huschte gebückt von Grabstein zu Grabstein. Sie dankte der Gottesmutter dafür, daß heute nacht kein heller Mond schien; so waren sie dunkle Gestalten, die sich durch die Dunkelheit bewegten.

Plötzlich versank Marias Fuß in weicher Erde, und sie fiel vornüber; auch ihre Hände gruben sich in den Boden.

Ein frisches Grab.

Fast hätte sie aufgeschrien, als sie dicht unter der Erdoberfläche auf etwas Hartes stieß. Sie kroch hastig beiseite und blieb dann keuchend und mit klopfendem Herzen sitzen.

»Rizzio«, wisperte sie.

»Oh, Davie«, murmelte Darnley und strich mit beiden Händen über den notdürftigen Grabhügel. »Mein Leben lang werde ich es bereuen, jeden Tag ... ich bin jämmerlich betrogen worden!«

Die Memme wollte anfangen zu weinen!

»Ein Größerer als er wird ganz in der Nähe schlummern, ehe zwölf Monate vorüber sind«, sagte Maria, so leise sie nur konnte.

»Was?« fragte Darnley. Seine Stimme zitterte.

»Ich habe gesagt, wir müssen weiter. Wir sind halb da.« Maria richtete sich auf den Knien auf und zog an Darnleys Hand. Er trat auf Rizzios Grab, als er dem nächsten Stein zustrebte.

Grabstein, Hügel, Grabstein, kleiner Hügel, Monument ... es war wie auf einem großen Schachbrett, und sie waren bewegliche Figuren.

Ein Pferd schnaubte etwa dreißig Schritt vor ihnen. Ein Wächter? Ein Retter? Maria wartete darauf, daß das Geräusch noch einmal ertönte. Etwas bewegte sich am Ende des Friedhofes, wo die Retter warten sollten.

Sie müssen es sein! Sie müssen! dachte Maria. Und herausfinden kann ich es nur, indem ich ihnen so nahe komme, daß ich verloren bin, wenn sie es nicht sind.

Langsam schlich sie sich näher, und behutsam schob sie einen Fuß vor den anderen. Jetzt hörte sie flüsternde Stimmen, die sich mit dem Schrei der Eulen und dem Geraschel der Mäuse im Dunkeln mischten.

»– nach drei –« Sie verstand nur diese beiden Worte.

»– galoppieren –« Und in diesem einen Wort erkannte sie Bothwells Stimme.

Sie richtete sich auf und rannte die letzten zwanzig Schritte. Die Pferde erschraken, und die Männer zogen ihre Schwerter.

»Bothwell!« flüsterte sie, aber es war ein lautes Flüstern. »Alles ist gut!«

Und dann hoben Arme sie über den Zaun, die sich anfühlten wie Ulmenstämme, und Bothwells Stimme sagte: »Gott und allen Dämonen sei Dank!«

Da waren Arthur Erskine und Lord Stewart von Traquair, Marias

Stallmeister und Hauptmann ihrer Garde, und ihr Diener Bastian Pages. Aber nicht genug Pferde.

»Ihr werdet hinter mir sitzen«, sagte Erskine, und Maria wurde wiederum von Bothwell hochgehoben und hinter Erskines Sattel auf das Pferd gesetzt.

»Nach Seton House«, sagte Bothwell. »Dort erwarten uns zweihundert Mann. Wenn bei Tagesanbruch in Holyrood die Wache abgelöst wird, sind wir schon meilenweit weg!« Er klang angewidert und belustigt zugleich. »Könnt Ihr so weit reiten, Majestät?« fragte er Maria plötzlich.

»Ja, ich muß doch«, antwortete sie. »Und damit Schluß.«

Er nickte knapp, aber sie sah, daß seine Zähne in einem raschen Grinsen aufblitzten.

»Los, fort mit Euch!«

Erskines Pferd machte einen Satz nach vorn, und Maria mußte sich festklammern, um nicht herunterzufallen. Ihr umfangreicher Bauch machte es ihr schwer, die Arme um Erskine zu schlingen, und sie merkte, daß sie herunterzurutschen drohte. Erskine spürte, daß sie aus dem Gleichgewicht geriet, und zügelte sein Pferd.

»Komm doch, schneller!« rief Darnley und trieb sein Pferd neben sie. Der Wind griff mit langen, kalten Fingern nach ihnen. »Wir werden verfolgt, da bin ich sicher!« Er beugte sich herunter und schlug mit der Gerte nach ihrem Pferd.

»Es geht nicht schneller, wenn das Kind nicht in Gefahr gebracht werden soll«, antwortete Maria. Das Hufgetrappel unterstrich jedes einzelne Wort.

»Das macht doch nichts. Wenn es stirbt, machen wir ein neues!« schrie er.

»Dann laß mich und rette dich!« rief Maria, und er tat es.

Man kann ihn nicht einmal mehr hassen, dachte Maria. Er ist jenseits von allem Mitleid, jenseits aller menschlichen Betrachtung.

Bothwell warf ihr einen Blick zu, aber sie weigerte sich, bemitleidet oder verachtet zu werden, und sie haßte ihn dafür, daß er den Wortwechsel mit angehört hatte. Sie wandte den Kopf und blickte starr geradeaus, als könne sie bis nach Seton schauen. Das Stoßen und Stampfen der Pferdehufe schüttelte ihren Bauch.

Mein armes Kind, dachte sie. Heilige Mutter, beschütze es.

Sie schaute sich um und spähte in die Dunkelheit. Niemand schien ihnen zu folgen.

Die Nacht war immer noch pechschwarz, und während sie auf

den Forth und auf Seton House zu galoppierten, mußten sie sich auf den Instinkt der Pferde verlassen, um in dem unebenen Gelände nicht in Gräben oder lose Erde zu geraten. Tiefhängende Äste waren eine ständige Gefahr, und die Reiter mußten geduckt im Sattel sitzen, um ihnen auszuweichen; trotzdem wurden sie oft von Zweigen gestreift oder ins Gesicht gepeitscht.

Bis Seton House waren es zwölf Meilen, und als sie am Torhaus angelangt waren, hatte Maria steife Finger; so fest hatte sie sich an Erskines Wams geklammert. Außerdem war sie völlig durchfroren. Aber als sie in den Hof trappelten, sah sie Fackeln lodern; sie hörte und roch eine große Zahl von Pferden und wußte, daß ein Kontingent loyaler Reiter sie erwartete.

Sie war in Sicherheit.

Erskines Pferd blieb stehen. Bothwell hob sie herunter, und Lord George Seton – Maria Setons Bruder – und der neue Earl von Huntly kamen heran.

»Willkommen, Eure Majestät!« rief Seton. »Gott sei Dank, Ihr seid wohlauf. Wir alle erwarten Eure Befehle.«

Sie schaute sich um. Nach dem langen Ritt stand sie ein wenig wacklig auf eigenen Füßen, aber sie war voller Überschwang. »Hier ist es nicht sicher«, sagte sie. »Es liegt zu nah bei Edinburgh. Wir müssen eine wirklich feste Burg aufsuchen.«

»Dunbar«, sagte Bothwell entschieden. »Auf drei Seiten ist es durch das Meer geschützt und so uneinnehmbar, wie eine Festung es nur sein kann. Es sind noch einmal dreizehn Meilen bis zur Küste. Könnt Ihr – ?«

»Natürlich kann ich reiten! Und allein! Bringt mir ein Pferd!« Glaubten sie etwa, man müsse sie in einer Sänfte tragen?

Er machte ein zweifelndes Gesicht, nickte dann aber Lord Seton zu. »Bringt der Königin einen schnellen Zelter«, sagte er. Lord Seton nahm mit überraschter Miene zur Kenntnis, daß ihm in seinem eigenen Haus Befehle erteilt wurden.

»Auf!« rief Maria, als sie im Sattel saß. Zweihundert Mann hoben ihre Fackeln, schrien Hurra und folgten ihr.

In den drei Stunden bis Dunbar begann der Morgen zu grauen, und als sie sich dem grauen, klobigen Kastell näherten, beleuchtete es vom Meer her die aufgehende Sonne, umgeben von einem Feuerkranz. Ein Chor von Möwen besang ihren Einzug.

»Wer kommt da?« rief die Wache von den Zinnen des Tores herunter.

»Die Königin!« antwortete Maria. »Öffnet in meinem Namen!«

Drinnen stellten Maria, Bothwell und Seton fest, daß der Burghauptmann, Simon Preston, der Provost von Edinburgh, nicht anwesend war. Auf wessen Seite stand er? Er war gerade zur rechten Zeit an der Spitze der Bürger vor dem Tor von Holyrood erschienen – hatte er vielleicht schon vorher von der Rizzio-Verschwörung gewußt? Weshalb hatte er sich mit Darnleys Lügen so bereitwillig zufriedengegeben? Und wo war er jetzt?

Gleichgültig, dachte Maria. In der Stunde der Not war er mir keine Hilfe, sondern hat statt dessen den leichten Ausweg vorgezogen. Deshalb ist er hier nicht länger Hausherr. Eine solche Festung gehört in die Hand eines Mannes, dem ich vertrauen kann. Bothwell. Ja, er hat es jedenfalls verdient.

Die Rufe der Möwen vor den Fenstern klangen wie das Geschrei hungriger Kinder.

»Ich bitte Euch«, sagte sie zu einem Diener, »bringt mir zwei Dutzend Eier, etwas Butter, Käse, Ale und eine eiserne Pfanne. Und zündet das Feuer in diesem Herd an.« Dann wandte sie sich den Führern zu und sagte: »Ihr Herren, ich werde Euch ein Frühstück machen.«

Als sie an einem kleinen Tisch saßen und ein Mahl verzehrten, das Lord Seton »Eier à la Reine d'Ecosse, Käse Royale und Ihrer Majestät Ale« nannte, gab Maria bekannt, daß fortan Bothwell der Kommandant der Festung Dunbar sein solle, und dann ersuchte sie die Männer, eine Armee von loyalen Soldaten auszuheben, die mit ihnen gegen Edinburgh ziehen solle.

»So viele, wie Ihr für nötig haltet«, sagte sie, »um die Rebellen zu vertreiben.« Sie sah Bothwell an, denn er war der erfahrenste Soldat.

»Wir holen uns die Scotts. Dann habt Ihr alle Kämpfer, die Ihr braucht.« Er lachte. »Ja, sie werden Euch treu sein, und –«

»Wir lassen den Ruf an *ganz* Schottland ergehen«, verbesserte Huntly. Seine klaren blauen Augen blickten fest und kühl.

»Was, glaubt Ihr, werden die Lords Morton, Ruthven und Lindsay wohl zum Frühstück speisen?« fragte Maria plötzlich und reichte noch eine Schüssel Eier herum. Sie lächelte.

»Sie werden kleine Brötchen backen, wie man so sagt«, antwortete Lord Seton. »Und ich schätze, sie werden sich daran die Zähne ausbeißen.«

»Gibt es hier Feder und Tinte?« fragte Maria. »Ich muß sofort an Karl IX. in Frankreich und an Elisabeth in England schreiben. Sie müssen informiert werden!«

Die Sonne zog golden durch eine Wolkenbank herauf. »Wird Regen geben«, knurrte Bothwell nach einem kurzen Blick in den Himmel. Der Wind war eisig, und das Meer vor den Burgfenstern wirkte hart vor Kälte. Darnley kauerte fröstelnd vor dem Feuer in der Halle. »Was sollen wir tun?« fragte er.

»Ich rufe meine Grenzländer zu den Waffen«, sagte Bothwell. »Sobald sie kommen, marschieren wir mit starken Truppen nach Edinburgh zurück.«

»Und treiben die Rebellen hinaus!« rief Maria. Sie sah die beiden Männer an; Bothwell war offensichtlich erschöpft, aber Darnley sah schlechter aus. »Treiben sie geradewegs nach England oder wo sie sich sonst verkriechen möchten!«

»Ja!« Bothwell brüllte fast.

Die gottlosen, kaltblütigen Mörder ... und der schlimmste hockte hier vor dem Feuer. Maria strich sich mit der Hand über den Leib – sehr sanft, als fürchte sie, daß jede weitere Berührung das Kind töten könnte.

Und wenn du geboren bist, werde ich Rache nehmen, dachte sie und sah Darnley aus dem Augenwinkel an. Nein, *dein* Weib werde ich nicht wieder sein, Verräter.

Am Nachmittag erreichte Maria die Kunde, daß andere Lords, ermutigt durch ihre Tapferkeit und durch Bothwells strategisches Geschick, nach Dunbar unterwegs seien, um sich und ihre Soldaten in ihren Dienst zu stellen.

Bothwell kam herein, als sie gerade die Meldung las. Er starrte sie an.

»Schlaft Ihr denn niemals?« fragte er. »Braucht Ihr keine Ruhe für ... das Kind?«

»Das Kind wird ein echter Stewart sein und sich am wohlsten fühlen, wenn es Gelegenheit zu großen Taten hat«, sagte sie und unterdrückte dabei einen Seufzer der Erschöpfung. »Aber seht – die Earls von Atholl, Sutherland und Crawford und die Brüder meiner

Marys, die Lords Fleming, Seton und Livingston, kommen nach Dunbar. Wir haben gesiegt.«

»Noch nicht«, sagte Bothwell. »Es hat noch keinen Kampf gegeben.«

Endlich gestattete Maria sich etwas Ruhe; sie streckte sich auf einem der Betten in den alten Gemächern aus. Wie lange war sie jetzt schon wach – seit vierzig Stunden? Alles verschwamm ineinander, von dem Augenblick an, da sie den Plan zur nächtlichen Flucht gefaßt hatte, bis zu dem Ritt über Land ... Unvermittelt war sie von bleierner Müdigkeit erfüllt. Sie schlief.

Als sie aufwachte, verspürte sie ein neues Gefühl: eine kalte, sichere Angst.

Erst jetzt konnte sie alle Ereignisse im Zusammenhang sehen, und erst jetzt erkannte sie, wie prekär ihre Situation war. Sie war ringsum eingekreist von Verrätern und Mördern. Der innerste Kreis ihrer Beschützer hatte sich als ein Kreis von gefährlichen Feinden entpuppt, der ihr keine Sicherheit geboten hatte. Und ihm gehörten die mächtigen Adeligen an, diejenigen, die über Intelligenz und über starke Truppen verfügten.

Ich wußte ja immer, daß Knox mein Feind war, dachte sie; man muß ihm zugute halten, daß er es von Anfang an bekannt hat. Und was immer er gepredigt haben mag, er hat nie selbst den Dolch geführt; ich könnte ihn in meine Gemächer einladen, ohne daß ich fürchten müßte, erstochen zu werden.

Aber Ruthven ... Morton ... Douglas ... die vornehmsten Namen Schottlands! Und dann mein Bruder, Lord James, der höchste Mann im ganzen Land ... wie rasch er auf dem Schauplatz erschienen ist! Er muß den ganzen Plan von England aus gelenkt haben. Denn das steht fest – geplant war die Sache. Das war keine impulsive Tat. Sie geschah einen Tag, bevor das Parlament die Rebellen der »Treibjagd« bestrafen sollte.

Sie merkte, daß sie zitterte, und zog sich einen Pelz um die Schultern.

Das ist die Kälte, sagte sie sich. Nicht die Angst.

Draußen stöhnte der Wind, und sie sah den Regen, der gleichmäßig vom Himmel herniederprasselte.

Wem kann ich vertrauen? Ist Bothwell der einzige loyale Lord im ganzen Land? Er hat die Krone nie im Stich gelassen und schon meine Mutter vor ihren Feinden beschützt ...

»Ich wünschte, ich hätte meine Rüstung hier ...«

Maria hörte eine vertraute, abstoßende Stimme: Darnley. Müde wandte sie den Kopf, und da stand er, einsam mitten in dem kargen, steinernen Gemach. Dies war ein Raum für rauhe Krieger, nicht für parfümierte Höflinge.

»Ich habe meine Rüstung in Edinburgh gelassen. Wie kann ich ohne Rüstung mit den Truppen reiten?« winselte er.

Das war alles, was ihm an der Treibjagd gefallen hatte: seine Rüstung.

»Borge dir etwas von Bothwell«, antwortete sie.

Darnley warf den Kopf in den Nacken und lachte; es war ein blökendes, schrilles, unangenehmes Lachen, das eigentümlich von den unebenen Mauern des Gemaches widerhallte. »Da würde mir nichts passen. Ich bin größer als er«, meinte er verächtlich.

»Ich meinte etwas aus den Waffenkammern hier«, sagte sie nicht minder verachtungsvoll. »Dies ist ein königliches Arsenal; hier lagert man Rüstungen, Artillerie und Schießpulver.«

»Oh. Ja.« Er sah sich unbestimmt um. »Nun, ich werde mich darum kümmern.«

Sie richtete sich auf. »Ist schon jemand gekommen?«

»Atholl ist bereits hier, mit eintausend Mann. Und einige von Bothwells Leuten ...«

»Ja. Die Scotts sind da.« Bothwell stand in der Tür; seine klobige Gestalt füllte den Rahmen fast aus. »Ich komme gerade, um es Euch zu sagen.«

»Mit wie vielen Männern?« fragte Maria und stand auf.

»Ein paar hundert. Und sie berichten, daß die Robsons und die Taits auch unterwegs sind, und zwar mit einigen ihrer besten Männer: Crack-spear, der Speerzerbrecher, und Cleave-the-Crune, der Kronenspalter – dreimal dürft Ihr raten, wie sie sich diese Namen erworben haben.«

Maria lachte. »Sie mögen so viele Kronen spalten, wie sie wollen. Meinen Segen haben sie.«

»Was für eine abscheuliche Verherrlichung der Gewalt!« sagte Darnley.

»Die Namen sind überaus bildhaft«, meinte Bothwell. »Da ist Curst Eckie, ›der Verfluchte‹, Ill Will Armstrong, ›der Böswillige‹, Buggerback ›Rammelrücken‹ Elliot und Bangtail ›Ponyschwanz‹ Armstrong. Wenn Ihr einmal ins Grenzland kommen wolltet, würden sie vielleicht auch für Euch den passenden Namen finden.«

Darnley wandte sich ab und verließ mit steifem Rücken den Raum.

»Ja«, sagte Maria. »Sie könnten ihn den ›feigen Henry‹ nennen.« Es schauderte sie. Jetzt, da er sich entfernt hatte, war es, als habe ein böser Geist den Raum verlassen.

»Seid Ihr ausgeruht?« fragte Bothwell. »Ihr solltet zusehen, daß Ihr es seid.«

»Was werden wir denn jetzt tun?« fragte sie. Sie war bereit, alles zu tun, was er sagte.

»Wir werden noch warten. Und wenn genug Männer in Dunbar sind, wird es Zeit, daß wir gegen die Übeltäter zu Felde ziehen.«

Innerhalb von drei Tagen waren viertausend Mann in Dunbar versammelt, und diese Nachricht gelangte rasch nach Edinburgh. Bothwell und Maria entschieden, der Augenblick sei gekommen, Dunbar zu verlassen und westwärts zu marschieren; Bothwell führte seine Grenzländer, Maria vier Kompanien Berufsinfanterie. Alles in allem hatten sie die Unterstützung von sieben Earls und vier Lords, und während des Marsches schlossen sich weitere an. Darnley war es gelungen, sich an die Spitze von Lord Setons Truppen zu setzen, so daß es aussah, als führe er sie an.

Je näher sie Edinburgh kamen, desto dichter drängten sich die Menschen am Straßenrand, und sie jubelten alle. Vor der Stadt hieß Erzbischof Hamilton sie im Namen seines Clans willkommen. Die Bürger von Edinburgh strömten heraus und geleiteten sie in die Stadt. Bothwell feuerte seine Feldhaubitzen ab.

»Soldaten!« rief er. »Ihr werdet in der Stadt Quartier bekommen!«

Es gab keinen Widerstand, keine Kämpfe. Die Haubitzenschüsse erwiesen sich als Salut, nicht als Eröffnungssalve der Schlacht. Die Verräter waren aus der Stadt geflohen und bereits auf dem Weg nach Süden und zur Grenze.

Maria ritt in die Stadt ein, von ihren Feinden befreit, von Jubel umtost, an der Spitze von achttausend Mann. Die Stadt gehörte ihr, sie hatte gesiegt.

Am nächsten Tag machten sie und ihr Rat – mit Ausnahme von Darnley, der keine Lust hatte, teilzunehmen – sich unverzüglich daran, die Schuldigen zu bestrafen und die Regierung wieder auf die Beine zu bringen. Alle diejenigen, die bei dem Mord nicht unmittelbar anwesend, wohl aber indirekt darin verwickelt gewesen waren, wurden vom Hofe verbannt; zu ihnen gehörten Argyll, Boyd, Maitland und auch Rothes und Kirkcaldy, die sich nach dem letzten Aufstand noch in England aufhielten. Morton, Lindsay, Ruthven und der ganze Douglas-Clan wurden für verfemt erklärt, und zwar mitsamt ihren Parteigängern.

Und was sollte mit Darnley geschehen? Er mußte an Marias Seite behalten werden, um die Legitimität ihres Kindes zu gewährleisten. Man fand eine Lösung: Er würde vor dem Kronrat seine Unschuld beschwören, und diese entlastende Erklärung würde öffentlich angeschlagen werden. Und so schwor Darnley mit glänzendem Gesicht und argloser Miene, er habe mit der Verschwörung nichts zu schaffen gehabt, und er habe »dieselbe niemals mit Ratschlag, Befehl, Zustimmung, Hilfe oder Billigung befördert«.

Danach begab er sich zum Trinken in eine Schenke, die dem Marktkreuz, wo die von ihm unterzeichnete Erklärung angeschlagen war, unmittelbar gegenüber lag.

»Gut, gut, gut«, murmelte er immer wieder, hob seinen Becher und trank dem Marktkreuz zu.

Schon das Klirren von Darnleys Messer auf seinem Teller zerrte an Marias Nerven. Sie haßte alles, was mit ihm zusammenhing, jede Erinnerung an seine bloße Existenz. Die Geräusche, die er machte, wenn er sein Fleisch kaute, seinen Wein herunterschluckte – das alles war ihr widerwärtig. Sie zwang sich, ihn anzusehen, befahl sich, zu lächeln. Er erwiderte das Lächeln, der Einfaltspinsel. Sah er nicht, wie falsch ihr Gesichtsausdruck war?

Nicht mehr viel länger, dachte sie. Sie mußte ihn umschmeicheln und besänftigen, damit er das Kind als sein eigen anerkannte und die Verleumdungen gegen Riccio endgültig Lügen strafte. Habe ich nicht alles getan, was möglich war, um ihn zufriedenzustellen? Ich habe eine Proklamation erlassen und seine Unschuld an der Mordtat erklärt; ich habe ihn an meiner Seite behalten ... ich habe ihn nur nicht in mein Bett gelassen, und dabei hatte ich die Ausrede, daß die Ärzte es verboten hätten – Gott sei Dank!

Darnley lächelte sie immer noch an und legte den Kopf schräg wie ein Hund. »Sollen wir auf den Mauern spazierengehen, meine Liebe?« fragte er.

Sie zwang sich, aufzustehen und zu nicken. Sie nahm sogar seine Hand, und zusammen spazierten sie langsam hinaus in den Hof von Edinburgh Castle.

Die dünne Maisonne war nicht stark genug, um sie zu wärmen, und Maria schickte einen Bedienten, damit er ihr einen Mantel hole. Daß sie ihn sich um die Schultern legen mußte, gab ihr einen Vorwand, um Darnleys Hand loszulassen. Als sie den Schutz der inneren Mauern verließen, sprang sie der rauhe Frühlingswind an, der frisch vom Forth herüberwehte. Darnley lachte freudig wie ein Kind. Er lief zu den Festungsmauern, während Maria ihm mit gemächlicheren Schritten folgte.

»Schau nur! Schau nur, dort!« Er wies auf die Muster, die der Wind am Fuße des Burgfelsens auf dem Wasserspiegel des Nor'Loch malte. Der lange schmale See, in den man die Leichen der Pestopfer zu werfen pflegte, funkelte heute in der Sonne, und seine blaugraue Farbe war ein Abglanz des Himmels.

»Ja, ja«, antwortete sie und bemühte sich, nicht gereizt zu klingen.

Was für ein Kind, dachte sie. Und ich habe ihn für einen Mann gehalten, ihm Treue geschworen und ihn auf einen Thron gesetzt. Letztes Jahr um diese Zeit ... nein, ich will nicht daran denken. Es ist zu schmerzlich.

Rauhes Gelächter hallte durch den Hof, gefolgt von den Schritten genagelter Stiefel. In ein Gespräch vertieft, gingen Bothwell und sein Schwager Huntly auf die Lange Treppe und das Tor zu; ihre Mäntel flatterten hinter ihnen her.

Wartet, hätte Maria fast gerufen, und sie hob die Hand, um ihnen zuzuwinken. Dann ließ sie sie wieder sinken. Die beiden waren hinter einer Mauer verschwunden.

»Was die Taufpaten angeht, so denke ich, mein Vater –« sagte Darnley eben.

»Nein!« sagte Maria. »Nein, nicht dein Vater!« Sie mißtraute ihm; sie hatte den Verdacht, daß auch er mit den Mördern Rizzios gemeinsame Sache gemacht hatte. »Ich hatte mir gedacht, wir sollten die Könige anderer Länder bitten, seine Paten zu sein. Schließlich wird dieses Kind König der Schotten werden, und möglicherweise auch der Engländer. Da ziemt es sich, daß dies von vornherein anerkannt wird.«

Darnley seufzte. »Wer soll es denn sein?« fragte er.

»Ich hatte gehofft, man könnte Karl IX. von Frankreich fragen, den Herzog von Savoyen und Königin Elisabeth.«

»Königin Elisabeth?« schrie Darnley so laut, daß die Soldaten, die auf den Mauern Wache hielten, sich umdrehten. »Was – wo sie unsere Ehe verbieten wollte? Nein, nein, nein.«

»Aber auf diese Weise könnten wir sie gewinnen; siehst du das nicht?« Maria bemühte sich, leise und vernünftig zu sprechen. »Königin Elisabeth liebt Kinder, und wenn sie dem unseren durch ein Gelübde verbunden ist, wird sie es später mit Wohlwollen betrachten –«

»Niemals! Die Beleidigung war zu groß! Niemals, niemals!«

»Ich gedenke sie zu fragen, und ich bin die Königin«, sagte sie mit Entschlossenheit.

Darnley ignorierte sie in einem seiner plötzlichen Stimmungswechsel. Er drehte sich um und schaute auf das Loch hinaus. Plötzlich sprach er ganz leise. »Glaubst du, daß es stimmt, was behauptet wird – daß Hexen nicht untergehen? So hat man sie hier auf die Probe gestellt, habe ich gehört.«

Maria schauderte es. »Ich hoffe, ich muß eine solche Probe niemals mit ansehen. Die armen Geschöpfe werden aus dem Wasser gefischt und auf dem Scheiterhaufen verbrannt.«

Hexen, dachte sie, und Böses in mancherlei Gestalt umgeben mich. Meine Mutter ist in diesen Mauern gestorben, und vielleicht werde ich ihr nachfolgen.

Ihre Gedanken waren so schwer, daß sie sich auf den glitzernden Wasserspiegel des Sees hinabgezogen fühlte.

»Meine Liebe!«

Darnley hielt sie mit überraschender Kraft fest. Sein Gesicht war bleich, und er sah erschrocken aus. Er drehte sie um und führte sie vom Abgrund weg über den Hof zurück.

Warum hielt er sie so schützend fest? Sie versuchte, seinen Arm abzuschütteln.

»Du wärest fast gefallen«, sagte er. »Du bist nach vorn geschwankt, und wenn ich dich nicht festgehalten hätte –« Er zitterte.

Heilige Jungfrau Maria! Sie begann selbst zu zittern. Bin ich denn ohnmächtig geworden?

»Du mußt dich hinlegen«, sagte er. »Ich bringe dich in deine Gemächer.«

Sie lag in ihrem königlichen Bett, und ihre Wange ruhte auf Bettwäsche aus lohfarbener Seide; es war die, welche sie zusammen mit den Marys bestickt hatte, als sie alle noch nicht verheiratet gewesen waren. Sie hatten gelacht und gesungen und einander mit ihren zukünftigen Ehemännern geneckt, und sie hatten Wünsche über die Betten geäußert, die diese Seide einst überziehen würde.

Jetzt liege ich darin und weiß nur allzu gut, was für einen Ehemann ich am Ende bekommen habe, dachte Maria. Brauchte ich mit ihm nur niemals wieder in diesem oder in irgendeinem anderen Bett zu liegen – mehr würde ich mir nicht wünschen. Ob Livingston und Beaton glücklich sind? Beaton hat erst vor einem Monat geheiratet, und sie schien mit ihrem Schicksal zufrieden zu sein. Flamina schreibt noch immer an den verbannten Maitland, obwohl sie weiß, daß er in den Mord verwickelt war. Seton ... sie zeigt kein Interesse an irgendeinem Freier.

»*Ma reine*, es heißt, Ihr wäret draußen bei der Mauer ohnmächtig geworden.« Eine kleine Frau stand unversehens neben ihr. Der vertraute Duft von süßem Zitronenöl drang Maria beruhigend in die Nase.

»Madame Rallay.« Dieser Besuch war tröstlicher als alle Seidenwäsche. »Ich fürchte ja. Aber es ist ganz und gar nicht meine Art. Und ich fühle mich auch schon viel wohler. Und – nein, ich brauche nichts von Eurem Gebräu aus Calvados und schaumiger Sahne!« Das war schon in Frankreich immer Madame Rallays Allheilmittel für sie gewesen.

»Ich habe es bereits in Auftrag gegeben, und Ihr müßt es trinken«, erwiderte die Französin streng.

Maria sah ein, daß Widerstand zwecklos war. Aber sie wußte plötzlich, was sie wollte, und warme Milch war es nicht. Sie griff nach Madame Rallays Hand. »Ich werde es trinken; das verspreche ich. Aber danach müßt Ihr nach meinem Beichtvater schicken. Ich muß ihn sehen. Es ist Zeit.«

Maria saß auf einer Bank in ihrem verdunkelten Gemach und wartete auf Pater Roche Mamerot. Sie merkte, daß sie zitterte. Der Tod: Er war überall um sie herum, und als sie im Bett gelegen hatte, war seine Anwesenheit plötzlich spürbar gewesen. Er hatte auf sie gewartet wie früher auf ihre Mutter. Eine Entbindung war gefährlich, und sie konnte dabei sterben. Sterben ... und für ihre Sünden zur Hölle fahren.

»Mein Kind.« Der alte Dominikaner, der mit ihr aus Frankreich gekommen war, begrüßte sie freundlich; er war allmählich alt geworden, während ihre Sünden sich fortentwickelt hatten: von der Weigerung, in der königlichen Kinderstube ihr Spielzeug mit den anderen zu teilen, zu einem beunruhigenden Verlangen nach eitlem Luxus und zu anderen Verfehlungen der Erwachsenen. Er war immer ein guter Beichtvater gewesen, und von Gottes Gnade hatte er stets mit größerem Nachdruck gesprochen als von seinem Zorn.

»Segne mich, Vater, denn ich habe gesündigt, gesündigt, gesündigt ...« Sie griff nach seiner Hand und bedeckte sie mit Küssen, und sie schloß die Augen, um die Tränen zurückzuhalten.

»Aber, aber, mein Kind – das Sakrament ist dazu da, die Herzen zu erleichtern, wenn ihnen die Last allzu groß wird ...« Er wollte ihr seine Hand entziehen, aber sie hielt sie weinend fest. »Was beunruhigt Euch denn so?«

»Ich habe Sünden begangen, die Sünde des Stolzes und die Sünde des Zorns! Ich habe versäumt, Milde zu üben! Ich habe –«

»Man weint nicht, weil man ›versäumt hat, Milde zu üben‹.« Seine Stimme war sanft, beinahe spöttisch. »Derlei Abstraktes verwundet nicht die Seele und ruft nicht den Reueschmerz hervor, den ich hier sehe. Was habt Ihr wirklich getan?«

»Ich hasse ihn! Ich hasse meinen Gemahl! Ich hasse ihn in meinem Herzen! Ist das nicht böse? Ich wünschte, er würde sterben ... ich wünschte, er wäre tot ... Ich verachte ihn!« Sie vergrub das Gesicht in den Händen und weinte stürmisch. »Ich kann seine Anwesenheit nicht mehr ertragen. Er ist mir zuwider. Pater, was kann ich nur tun?«

»Leider müßt Ihr diese Abneigung überwinden. Er ist Euer Gemahl, und in den Augen Gottes seid Ihr ein Fleisch. Ihr wißt, es ist Eure Pflicht –«

»Ich kann aber nicht! Ich kann nicht!«

»Als Mensch könnt Ihr es nicht, aber mit Gottes Hilfe ...«

»Nein.« Aufstöhnend drückte sie die Hände in die Seiten und krümmte sich vornüber. Sie sah aus, als habe sie einen Fußtritt bekommen.

»Ihr sagt nein, weil Ihr es nicht ertragen könnt, Euch zu unterwerfen, aber nicht, weil Ihr bezweifelt, daß Gott die Macht hat, Euch zu helfen.« Er sah selbst betroffen aus. »Und es gibt keine Absolution ohne den aufrichtigen Versuch, sich zu ändern, fürchte ich.«

»Ich habe Angst, Pater; ich fürchte, wenn ich sterbe, werden

Darnley und sein Vater regieren, und sie werden das Kind töten – solche furchtbaren, alptraumhaften Gedanken martern mich! Wie kann ich das Bett mit einem Mann teilen, von dem ich glaube, daß er meinen Tod wünscht?«

»Gibt es ... Habt Ihr das Verlangen nach einem anderen Mann, oder habt Ihr lustvolle Gedanken in dieser Richtung?« Er mußte diese Frage stellen.

»Nein. Nein, an so etwas denke ich nie. Ich sage Euch, Pater, Ihr wißt, daß ich als Jungfrau in diese Ehe kam und daß ich diesem Teil des Lebens vorher nie viel Aufmerksamkeit gewidmet hatte ... obgleich andere ohne Ende daran zu denken, davon zu singen und darüber zu tratschen scheinen. Ich war ebenso eine jungfräuliche Königin wie meine Cousine. Gäbe Gott, ich wäre es wieder! Nein, solche Gedanken habe ich nicht.«

Er betrachtete forschend ihr tränennasses Antlitz. »Ich glaube Euch. Ihr solltet dankbar sein, daß der Teufel darauf verzichtet hat, Euch in dieser Hinsicht zu peinigen. Es würde das Leid, das Ihr jetzt erfahrt, nur verdoppeln.« Er seufzte. »Ich möchte nicht, daß Ihr mit Sündenmakel auf Eurer Seele ins Kindbett steigt. Eure Gefühle sind verständlich. Aber habt Ihr die Kraft, zu versuchen, sie zu überwinden? Alles, was Gott verlangt, ist der Wille dazu. Darüber hinaus fordert er kein Versprechen, und gewiß verlangt er nicht, daß man unbedingt erfolgreich sei.«

»Ja. Wenn Ihr sagt, daß es sein muß. Und Ihr seid ja schon seit vielen Jahren der Beschützer meiner Seele«, flüsterte sie.

»Dann vollzieht den Akt der Reue, damit ich Euch die Absolution erteilen kann.«

Maria senkte den Kopf. »O mein Gott! Ich bereue von Herzen alle meine Sünden, und sie sind mir ein Greuel vor allem anderen, denn sie mißfallen Dir, der Du bist unendlich gut und liebreich, und liefere mich aus der Strenge Deiner Gerechtigkeit; entschlossen will ich mir vornehmen, mit Hilfe Deiner Gnade dafür Buße zu tun und nie wieder Deinen Unwillen erregen. Amen.«

»Dann vergebe ich dir deine Sünden im Namen des Vaters und des Sohnes und des Heiligen Geistes«, sagte Pater Mamerot. »Zur Buße müßt Ihr diese Angelegenheit ins Reine bringen, sobald Ihr es könnt.« Er warf einen Blick auf ihren Leib. »Und möge Gott Euch eine sichere Entbindung gewähren.«

Die Wehen setzten einen Monat später ein, an einem Juniabend. Bis dahin hatte Maria die älteren Frauen immer wieder mit der bangen Frage geplagt: »Woher werde ich denn *wissen*, ob es wirklich Wehen sind?« Und sie hatten alle geantwortet: »Ihr werdet es wissen. Ihr werdet es wissen.« Und jetzt begriff sie, weshalb sie alle so sicher gewesen waren.

Es tat weh. Es tat von Anfang an weh. Man hatte ihr gesagt, es könne auch sanft beginnen, aber bei der ersten Wehe war es, als fahre ihr eine dünne Messerklinge durch den Leib, seitwärts vom Kreuz zum Bauch. Und sie hörten auch nicht mehr auf, als sie einmal begonnen hatten. Frauen hatten ihr erzählt, im frühen Stadium könne man noch Handarbeit machen oder heiter musizieren, aber Maria konnte nicht mehr aufstehen. Sie hatte das Gefühl, sie müsse mit einem Feind in ihrem Innern kämpfen, der sie jederzeit überwinden und überwältigen könnte.

So lag sie in dem großen Bett in Edinburgh Castle, krallte sich in zerknüllte Laken und bemühte sich verzweifelt, nicht zu schreien. Alles, was die Hebamme ihr befahl, tat sie – legt Euch so hin, umklammert dies hier, riecht an diesem mit Levkojenwasser getränkten Taschentuch –, denn die Frau *mußte* doch mit Geheimnissen vertraut sein, die ihr helfen würden. Aber nichts half; die Schmerzen wurden immer stärker, und schließlich war sie sicher: Hätte sie einen Dolch bei der Hand, würde sie sich in diesem Augenblick töten.

»Nehmt meine Hand!« befahl Lady Atholl. »Drückt sie heftig!«

Maria gehorchte, obwohl sie nicht genug Kraft hatte, um sie so heftig zu drücken, wie sie es gern getan hätte.

»Meine Schwester liegt zu dieser Stunde selbst im Kindbett«, flüsterte die Frau. »Ja, hier in der Burg. Jetzt, da ich Euren Händedruck habe, kann ich zu ihr gehen und Euren Schmerz mitnehmen. Sie wird ihn für Euch tragen!« Und die Frau – fast so schwer, als sei sie ebenfalls schwanger – stemmte sich vom Stuhl hoch.

»Nein!« rief Maria. »Nein, das will ich nicht.« Sie streckte die Hand aus, um sie zurückzuhalten.«

»Pst.« Die Hebamme drückte Maria sanft zurück in die Kissen. »Laßt die Hexe gehen. Haltet sie nicht an Eurem Bett fest.«

Hexe? War die Frau eine Hexe? »Lady Atholl –« begann sie, aber ein rasender Schmerz schnitt ihr das Wort ab. Sie hatte das Gefühl, der Leib werde ihr mit glühenden Eisenzangen zerrissen, aber die riesige Masse darin – es fühlte sich nicht mehr an wie ein Kind – wollte sich nicht rühren. Was brachte all diese Schmerzen zustande?

Sie peitschten und wanden sich um das reglose Geschöpf wie Wellen um einen Stein.

»Helft mir! Helft mir!« schrie sie, aber sie wußte, daß niemand es konnte. Sie konnten ja nicht in sie hineingreifen und das Kind herausziehen. »Oooooh!«

Plötzlich schien der Schmerz aufzubrechen wie eine Wolkendecke, durch die plötzlich die Sonne strahlt, und einen Augenblick lang fühlte sie gar nichts. Dann aber kehrte alles mit voller Wucht zurück.

»Preßt jetzt! Preßt! Es ist Zeit!«

Und jetzt waren die Schmerzen etwas, gegen das sie sich stemmen konnte, etwas, das einen Anfang hatte, einen Kern und ein Ende. Und in der Fläche des Schmerzes, in die ihr Bauch sich verwandelt hatte, spürte sie eine Bewegung.

»Macht euch bereit! Macht euch bereit!« rief die Hebamme, und ihre Gehilfin kam hastig mit einem Wickeltuch und einer Schüssel mit heißem Wasser zum Fußende des Bettes.

Die Hebamme keuchte und schwitzte, als arbeite sie vor einem offenen Ofen. Sie beugte sich vor, und die Sehnen in ihren Armen strafften sich.

»Es ist da! Es ist da! Oh!« rief sie. »*Er* ist da! Er! Es ist ein Prinz! Ein Prinz!«

»Ein Prinz!« murmelten die Bediensteten ringsum und blieben stehen, um ihn anzustarren.

»Die Arbeit ist noch nicht getan!« schimpfte die Hebamme.

Maria hörte den Ruf »ein Prinz!« und empfand grenzenlose Erleichterung. Aber – war er gesund?

Sie hörte betriebsames Geraschel, konnte aber nichts sehen, und dann hielt die Amme ein glitschiges, blau glänzendes Baby hoch. Eine Haut bedeckte seinen Kopf. Das bedeutete Glück. Die Amme streifte sie herunter; sie war spinnwebfein. Schleim tropfte an ihm herunter. Ein Klaps auf den nassen Hintern, dann ein Schrei, quäkend, zittrig.

»Gott sei Dank!« rief die Hebamme. Sie legte das Kind einer Dienerin in die Arme. »Saubermachen!« Sie wandte sich Maria zu, um sich um sie zu kümmern.

Maria lag da, noch immer von Schmerzen durchglüht, und sie hörte, wie das Baby leise wimmerte, hörte auch die Ausrufe der Frauen. Er war also makellos geformt. Dank sei der Seligen Mutter!

Sie zogen sauberes Leinen unter sie, wischten ihr mit warmen, duftenden Tüchern den Schweiß ab und gaben ihr ein frisches Nachthemd. Das durchgeschwitzte Kissen wurde gegen ein frisches ausgewechselt, und dann legten sie ihr das eingewickelte Baby in die Arme.

Er sieht so … so *alt* aus! war ihr erster Gedanke. Seine Augen waren dick verquollen, sein Blick war ernst. Und seine Haut war ganz runzlig.

»Alle Neugeborenen sind häßlich, Euer Gnaden«, sagte die Hebamme. »Sogar Helena von Troja war es, möchte ich meinen.«

Das Kind war also ungewöhnlich häßlich – weshalb sonst sollte die Hebamme versuchen, sie zu beruhigen? Aber Maria kümmerte es nicht, wie ansehnlich seine Züge waren; sie war so erleichtert, ihn unversehrt in den Armen zu halten.

Und – seine Haut war hell, sein flaumiges Haar golden. Die runzligen kleinen Lider öffneten sich und offenbarten strahlend blaue Augen.

Niemand kann sagen, er sei Rizzios Sohn, dachte sie mit grenzenloser Erleichterung. Bis zu diesem Augenblick war ihr nicht bewußt gewesen, wie sehr sie befürchtet hatte, daß die dunkle Seite der Stewarts zum Vorschein kommen könnte. James III., hieß es, war so dunkel, daß er aussah wie ein Ausländer. Aber dieses Kind war hell wie Darnley.

Dieses Kind, James Charles … so konnte sie ihn jetzt nennen; er konnte getauft werden. James nach ihrem Vater, Charles nach ihrem fernen Urahnen Karl dem Großen. Möge dieses Kind ein großes Königreich erben, betete sie.

»Wollen wir den König hereinrufen? Und den Hof?« fragte die Hebamme.

»Ja.«

Einer der Kammerdiener riß die Türen auf und gab der Wache die Neuigkeit bekannt; der Soldat jubelte vor Freude und befahl dann einem zweiten, er solle loslaufen und die Nachricht im Schloß verbreiten.

Wenige Augenblicke später erbebte das ganze Gemach, als die Kanonen der Festung für den neuen Prinzen Salut schossen.

»Verwahrt die Glückshaube, die er getragen hat«, sagte Maria, als ihr plötzlich einfiel, was sie gesehen hatte.

»Ja, natürlich«, sagte die Hebamme empört. »Glaubt Ihr, wir verstehen unser Handwerk nicht? Man muß sie immer verwahren – sonst ist das Glück, das sie bringt, verloren. Hier in Schottland bedeutet sie außerdem, daß der Kleine das zweite Gesicht haben wird und daß ihm Zauberer und Feen mit ihrer Macht nichts anhaben können. Das ist gut für einen König.«

Besser wäre ein Schutz gegen Verräter als einer gegen Feen, dachte Maria, vor allem hier in Schottland. Von den ersteren gibt es nämlich mehr als von den letzteren.

Der kleine James Charles strampelte in seiner üppigen Staatswiege, die mit zehn Yard Samt drapiert war. »Kommt der König?« fragte Maria. Das mußte sie auch noch hinter sich bringen.

In diesem Augenblick erschien Darnley mit seinem Kammerdiener Anthony Standen in der Tür.

»Oh, mein Herz frohlockt!« rief Darnley und kam zu ihr ans Bett geeilt. »Mein Liebling!«

Lord Erskine, der Befehshaber des Edinburgher Schlosses, und andere Höflinge folgten ihm herein, und allmählich füllte sich das Zimmer.

»Bitte, Mylady, den Prinzen«, sagte Maria und deutete mit dem Kopf zur Wiege. Die Hebamme griff hinein, hob den Säugling heraus und legte ihn sanft in Marias wartende Arme. Maria schob die Tücher zurück und zeigte Darnley das Gesicht des Kindes.

»Mylord«, sagte sie, »Gott hat Euch und mir einen Sohn geschenkt, dessen Vater niemand anders als Ihr seid.«

Sie legte Darnley das Kind in die Arme. Dann hob sie die Stimme, damit jeder im Gemach sie hören konnte. »Mylord, hiermit erkläre ich vor Gott, was ich auch am großen Tag des Jüngsten Gerichts vor Ihm verantworten werde: Dies ist Euer Sohn und niemandes sonst; und es ist mein Wunsch, daß alle, die hier zugegen sind, Männer und Frauen, dessen Zeugen sind. Denn er ist so sehr Euer Sohn, daß ich fürchte, es könnte ihm später noch zum Nachteil gereichen.«

Einen Augenblick lang war es still. Würde Darnley das Kind annehmen und damit ihre Erklärung bestätigen?

Darnley betrachtete lange das Gesicht des Kindes. Dann küßte er es auf die Wange, legte es Maria in die Arme und küßte auch sie.

»Dies ist der Prinz, der hoffentlich als erster die beiden Königreiche von England und Schottland vereinigen wird«, sagte er mit klarer, triumphierender Stimme. Das Baby wand sich und runzelte das ohnedies schon runzlige Gesicht.

»Aber Madam!« rief Standen. »Soll er Thronfolger sein vor Eurer Majestät und seinem Vater?«

»Ach«, sagte Maria; sie konnte sich nicht mehr zurückhalten, »sein Vater ist für mich dahin.«

»Liebste Madam!« Darnleys Stimme wurde schrill wie die einer Katze, die mit dem Schwanz in die Tür geraten ist. »Ist das Euer Versprechen, alles zu vergeben und zu vergessen?«

»Ich habe alles vergeben, doch vergessen kann ich nie. Was wäre, wenn Kerrs Pistole losgegangen wäre?« Ihre Stimme begann zu zittern. »Was wäre dann aus ihm und mir geworden? In welchem Stand wäret *Ihr* dann gewesen? Das weiß nur Gott, doch wir können es vermuten.«

»Madam!« antwortete Darnley. »All das liegt in der Vergangenheit.«

»Dann laßt es dort bleiben«, sagte sie leise und wie zu sich selbst. »Laßt es dort bleiben.«

Unterdessen verbreitete sich die Nachricht in Edinburgh. In Scharen strömten die Menschen nach St. Giles, um in einem feierlichen Gottesdienst für die Unversehrtheit der Königin und die Geburt eines Erben zu danken, und auf Arthur's Seat und Calton Hill loderten die ersten festlichen Freudenfeuer auf. Von dort strahlte die Kunde mit fünfhundert Feuern durch das ganze Land: Schottland hat einen Prinzen!

Der Prinz war um zehn Uhr am Morgen des neunzehnten Juni 1566 zur Welt gekommen. Am Mittag hatte James Melville die Stadt verlassen und war auf dem Weg nach London, um die Ankunft des Kindes seiner Patin mitzuteilen, der Königin Elisabeth.

Im Morgengrauen stand Maria leise fröstelnd in Leith am Kai und wartete. Es war kalt hier um diese Stunde, obwohl es Juli war. Aber ihr Zittern kam nicht nur vom kalten Wind, der vom Forth hereinwehte, sondern auch von ihrer Nervosität. Kam *er* ihr nach? Immer wieder schaute sie zur Straße nach Edinburgh zurück, und jeden Augenblick erwartete sie, eine Schar Reiter herankommen zu sehen. Darnley würde sie aus jeder Entfernung erkennen.

Sie hatte diese Flucht nach Alloa geplant – vielleicht nicht heimlich, aber Darnley hatte sie nichts davon gesagt. Sieben Wochen waren seit der Geburt des kleinen James Charles vergangen, und endlich hatten die Ärzte und die höfische Etikette sie aus ihrer buchstäblichen Gefangenschaft im Schloß von Edinburgh entlassen. Entlassen in die Pflicht zur Rückkehr in Darnleys Bett – sofern sie ihn nicht in das ihre kommen ließ. Und Darnley hatte eifrig darauf gewartet; das hatte er nur allzu deutlich gemacht.

Ein Schauder überlief sie. Der Gedanke daran war jetzt schlimmer denn je, weil sie es so lange aufgeschoben hatte. Es war wie eine scheußliche Gewohnheit, die, einmal durchbrochen, nur mit äußerster Erniedrigung und voller Abscheu wiederaufgenommen werden kann. Vielleicht würde die Zurückgezogenheit ihr die Kraft und den Mut geben, sich in seine Umarmungen zu fügen, oder aber die endgültige Entschlossenheit, für alle Zeit vor ihnen zu fliehen.

John Erskine, der Earl von Mar, hatte ihr sein Schloß am Nordufer des Forth in der Nähe von Stirling angeboten. Dort würde sie schlafen, lesen, in den Feldern spazierengehen, Sommerblumen zu Kränzen und Girlanden sammeln, tagträumen. Und beten – um den rechten Weg beten. Sie fühlte sich so verloren, gerade jetzt, da sie doch frohlocken sollte.

Sie warf einen Blick hinüber zu Lady Reres, einer Verwandten Beatons, die den kleinen James sanft wiegte. Sie war die Amme des Kindes, und ihre mächtige Leibesfülle an sich schien ihm schon Trost und Beruhigung zu spenden. Bald würde Maria den Sohn in Erskines Obhut geben, denn seine Familie übernahm traditionell die Obhut über die königlichen Kinder, wie es sein Vater schon bei ihr getan hatte. Aber bis zu dem Tag, an dem sie sich von ihm trennen müßte, behielt sie den Sohn in ihrem eigenen Gemach, lauschte auf jedes Wimmern und Seufzen und forschte in seinen Zügen nach Familienähnlichkeiten.

Von Darnley keine Spur. Aber auch keine Spur von dem Schiff, das Bothwell ihr versprochen hatte: Es werde sie erwarten, wenn sie vor Sonnenaufgang zum Hafen käme. Maria wandte sich an Madame Rallay und sagte leise etwas zu ihr.

»Er wird schon kommen, Madam. Macht Euch deshalb keine Sorgen«, sagte Madame Rallay.

»Kann ich denn niemandem vertrauen?« brach es aus Maria hervor. Wenn sie sich auf Bothwell nicht verlassen konnte, auf wen dann? Er allein hatte sich nicht bestechen lassen und sich nicht gegen sie gewandt, obwohl er Protestant war. Er hatte ihr geholfen, die grauenhafte Rizzio-Affäre zu überstehen.

Zwei rauh aussehende Männer kamen auf sie zu; der Bart des einen war so buschig und rotsträhnig, daß er aussah, als sei er falsch; der andere war dünn und so leicht gekleidet, daß Maria sich fragte, ob er überhaupt Blut in den Adern habe oder ob er sich etwa dadurch abgehärtet habe, daß er draußen im Schnee schlief; sie hatte von solchen Leuten gehört.

»Maj'stät?« sagte der mit dem falschen Bart und riß sich den Hut vom Kopf. »Euer Schiff wartet am anderen Kai. Ich bin der Käpt'n. Käpt'n William Blackadder, zu Euren Diensten.«

Black Adder. Schwarze Natter. Nie hatte ein Mann einen passenderen Namen, dachte Maria. Er sah aus wie ein Strauchdieb, giftig wie eine Schlange.

»Lord Bothwell schickt mich«, sagte er störrisch, als sei es eigentlich nicht nötig, dies noch hinzuzufügen.

»So ist es.« Bothwells Kopf tauchte hinter der Kaimauer auf; er war an den Eisensprossen einer der Pfähle heraufgeklettert. Jetzt sprang er vollends herauf und gab Blackadder einen Stoß. »Ist das Leck gestopft?« fragte er, und als er Marias Gesichtsausdruck sah, fing er an zu lachen. »Ein Scherz«, sagte er. »In Wirklichkeit ist Blackadders Schiff durchaus seetüchtig. Das muß das Schiff eines Piraten auch sein, wenn er seinem Handwerk nachgehen will.«

Lachend winkte er Maria und ihren Damen. »Kommt. Das Schiff ist bereit, die Matrosen warten, und die Flut steigt.« Er sah sich vielsagend um. »Wie ich sehe, hätte ich gar kein so großes Schiff besorgen müssen.«

»Vielleicht kommen andere nach«, sagte Maria. »Möglicherweise auf dem Landweg.«

»Erwarten wir den König?« erwiderte Bothwell unverblümt.

»Nein.«

»Dann laßt uns aufbrechen.«

Er ging über zwei Ladestege voraus zu einem schmuck aufgetakelten Schiff, das dort vertäut lag. Es hieß *Defiance* und hatte braune Segel. Plötzlich erinnerte sich Maria, daß sie den Namen schon einmal gehört hatte ... und es war wirklich ein Piratenschiff gewesen!

Bothwell schritt den Laufsteg hinauf, und der Kapitän folgte ihm. Die Matrosen, sie trugen dunkle Wollsachen, begrüßten ihn mit Zuneigung und Respekt. Blackadder starrten sie nur finster an.

Unter dem Kommando Bothwells, dessen Stimme weithin über das Wasser hallte, legte das Schiff scheinbar mühelos ab; Taue knarrten, als die Segel gesetzt wurden. Das Ufer wich zurück, und sie nahmen Kurs auf die Strommitte des Forth. Bewegte sich da etwas auf der Straße? War Darnley doch noch gekommen, aber zu spät?

Dann wird er mir zu Lande folgen, dachte sie bedrückt. Gibt es kein Entkommen vor ihm, keine Erholung, nicht einmal für ein paar Tage? Sein Benehmen wird nicht besser, sondern immer nur noch schlimmer …

Bothwell hatte das Kommando an Blackadder übergeben; jetzt kam er heran und blieb neben ihr an der Reling stehen. »Bald werde ich mich meinen anderen Aufgaben zuwenden müssen«, sagte er. »Ich meine, denen an Land.«

»Es ist schwer für Euch, für zwei so verschiedene Bereiche verantwortlich zu sein«, meinte sie. »Ebensogut könnten wir eine Seeschlange bitten, im Wald zu jagen und auf dem Meer.«

Er lachte. »Es gäbe schlimmere Vergleiche als den mit einer Schlange; also will ich friedlich bleiben. Das Grenzland braucht im Augenblick Disziplin und eine harte Hand. Seit Lord James sich in den ersten Aufstand hat verstricken lassen, herrscht dort kaum noch Ordnung. Um es klar zu sagen: Ich fürchte, sie sind außer Rand und Band. Ich selbst kann wohl auf meine Art für Recht und Ordnung sorgen, aber die Wahrheit ist, daß die Präsenz der Krone erforderlich ist. Ihr solltet eine Staatsreise dorthin unternehmen und über die schlimmsten Verbrecher zu Gericht sitzen, um sie dann an Ort und Stelle aufzuknüpfen. Etwas anderes verstehen sie nicht. Seit Jahren ist da keiner mehr aufgehängt worden. Es gab nur Blutfehden und Morde.«

»Glaubt Ihr wirklich, ich sollte dort hingehen?«

Die Sonne war aufgegangen und überzog das Wasser mit einer glitzernden Bahn. Maria schlug die Kapuze zurück und ließ den Wind in ihrem Haar spielen. Die Kälte wich aus der Luft.

»Ja. Sie müssen wissen, daß sie eine Königin haben. Zur Zeit glauben sie sich niemandem verantwortlich außer dem Oberhaupt ihres jeweiligen Clans. Mir gehorchen sie ein wenig – besser gesagt, meinem Schwert. Aber sie sollten *Eure* Anwesenheit spüren, und jetzt tun sie es nicht. Ich werde sie zusammentreiben, aber Ihr müßt über sie urteilen.«

»Und sie aufhängen? Das soll ich tun?«

»Es ist die einzige Möglichkeit, sie auf Euch aufmerksam zu machen.« Er lachte wieder.

»Es würde mir ihren Haß eintragen, aber nicht ihren Respekt«, wandte sie ein.

»Im Grenzland läuft das auf dasselbe hinaus. Außerdem – wenn sie Euch einmal gesehen hätten, würden sie vielleicht Eure Vasallen werden. Sie sind eine sentimentale Bande. Höflich auf eine seltsame Art. Ihr könntet sie für Euch gewinnen.«

»Mit Lächeln und schönen Worten? Oder mit Hängen und Prügeln?«

»Ihr könntet beides ausprobieren und sehen, was besser wirkt.«

Sie wußte nicht, ob er es ernst meinte oder nicht. »Ich werde kommen, wenn Ihr die Banditen, Mörder und Diebe zusammengetrieben habt.«

»Ein schöner Auftrag. Ich mache mich am besten gleich an die Arbeit, während Ihr in Alloa den kühlen Sommerwind und die Waldspaziergänge genießt.« Er wandte sich von der Reling ab und gab einem der Seeleute ein Zeichen.

»Vielleicht solltet Ihr selbst ein paar Tage in Alloa bleiben. Wir könnten uns beraten – ich wünschte, Ihr würdet mir vom Grenzland erzählen«, sprudelte sie hervor. »Ihr wißt mehr darüber als irgend jemand sonst, und ich muß lernen!«

»Das Grenzland könnt Ihr nie verstehen«, sagte er. »Das ist unmöglich für einen Außenseiter.«

»Ich kann es nicht mehr hören!« rief sie. »Jeder nennt mich eine Außenseiterin und benutzt das als Vorwand, mich von allem auszuschließen! ›Ihr könnt Schottland nicht verstehen, denn Ihr seid Französin!‹« ahmte sie die ewigen Reden nach. »›Ihr könnt die Heilige Schrift nicht verstehen, denn Ihr seid katholisch!‹ ›Ihr versteht nichts vom Krieg, denn Ihr seid eine Frau!‹ ›Man kann Euch die Königsherrschaft nicht anvertrauen, denn Ihr seid eine Tochter!‹ Nun, ich kann Euch sagen, ein Außenseiter kann oft mehr lernen als einer, der zu einer Sache geboren ist – was immer es für eine Sache sein mag!«

Er sah sie an, als hätten ihre Worte ihn eine Handbreit zurückgeweht wie ein starker Wind. »Wohlgesprochen. Ihr versteht also doch etwas. Auch ich bin in mancher Hinsicht ein Außenseiter. Was Ihr sagt, stimmt. Wir werden uns eingehender unterhalten müssen. Ein andermal. Wenn Ihr das Grenzland besucht, um meinen Übeltätern den Prozeß zu machen.«

Eine Woche verging, bevor Darnley nach Alloa kam. Bis dahin konnte Maria in der Freiheit schwelgen, die aus seiner Abwesenheit rührte – eine Freiheit, die ihr selbstverständlich gewesen war, bevor sie ihn gekannt hatte; aber dies war doch anders.

Sie saß im Vorhof des Schlosses und sah den Vögeln am Himmel zu und den Falken, die am wolkengesprenkelten blauen Himmel kreisten, als Lord Erskine herauskam.

»Ein Bote hat mir gemeldet – der König wurde heute morgen gesehen, wie er Edinburgh verließ. Ich denke mir, wir können ihn heute abend hier erwarten.« Wie es sich für das Spiel gehörte, das alle mit dem »König« spielten, verzog er nicht das Gesicht, und er gab seinen Worten auch keinen vielsagenden Unterton. Sein langes Gesicht – das schon unter gewöhnlichen Umständen immer jammervoll aussah – war jetzt nicht weniger betrübt.

»Oh. Ich verstehe. Danke, daß Ihr es mir sagt.«

Maria versuchte, irgend etwas aus Erskines Miene zu lesen. Sie kannte ihn so lange – sein Vater war einer ihrer Vormünder gewesen, und er selbst hatte von Anfang an zu ihrem Hofstaat gehört. Aber er war auch Lord James' Onkel, und er hatte zu den ersten Lords der Kongregation gehört. In mancher Hinsicht waren alle Widersprüche und Geheimnisse Schottlands in diesem unergründlichen Mann vereint. Wenn ich ihn verstehen könnte, dachte Maria, könnte ich auch alles andere verstehen.

»Soll ich ihm sein Quartier neben Euren Gemächern herrichten lassen, Eure Majestät?«

»Nein. Mir ist es lieber, wenn er für sich untergebracht wird.«

»Wie Ihr wollt.« Erskine verneigte sich leicht. »Ich bin so froh, daß Ihr hergekommen seid!« platzte er plötzlich heraus.

»Ich bin auch sehr glücklich«, sagte sie.

Und das war sie auch. Die frische Luft, die Stille, die Ruhe und der Schlaf waren sehr erholsam gewesen. Und Erskine, der bald zum Hüter und Beschützer ihres kostbarsten Besitzes, des kleinen Prinzen, werden würde, hatte Gelegenheit gehabt, das Kind im Arm zu halten, mit ihm zu spielen und es zu beobachten wie ein ganz gewöhnliches Kind.

»Ich weiß es über die Maßen zu schätzen, daß Ihr den Prinzen jetzt, gleichsam privat, zu mir gebracht habt, damit ich ihn kennenlernen kann. Seid versichert, daß ich ihn hüten und lieben werde«, sagte Erskine.

»Versprecht mir, daß Ihr ihn beschützen werdet!« sagte Maria. »Versprecht mir, daß Ihr ihn, was immer geschehen mag, wie groß der Aufruhr, die Kämpfe, die Zwietracht auch sein mögen – daß Ihr ihn niemandem ausliefern werdet: nicht den Engländern, nicht den Franzosen, nicht ... nicht sonst jemandem, der vielleicht Anspruch auf den Thron erheben möchte.«

»Es ist meine ererbte Pflicht und mein Privileg, Euch dies versprechen zu dürfen«, versicherte er ihr. »Aber Ihr seid so beunruhigt ...«

»Ja!« Sie griff nach seiner Hand. Sie sollte nicht mit Erskine darüber reden, sie sollte niemandem ihre Gedanken anvertrauen – das wußte sie, aber die Worte schienen aus eigener Kraft aus ihr hervorzubrechen. »Alles ist düster, seit Rizzio ermordet wurde. Sogar bei der Treibjagd war es anders – da erklärten sich Lord James und die anderen offen zu meinen Feinden, und es kam zu einer ehrlichen Konfrontation. Es war eine mannhafte Art von Verrat, sozusagen.«

Ich darf nichts gegen Lord James sagen; dieser Mann ist sein Onkel und ihm zweifellos treu ergeben, dachte sie. Aber er ist so gütig, so mitfühlend ... Das war für mich immer das Problem hier in Schottland. Ich kann die Dinge nicht deuten, wie sie sind.

»Aber dieses Morden, diese geheimen Bündnisse, diese Bestechungen ...« Es schauderte sie. »Ich fürchte, es ist noch nicht vorüber, irgendeine monströse Sache ist immer noch im Gange.« So, jetzt hatte sie ihre innersten Befürchtungen ausgesprochen. »Es lastet über mir wie eine Wolke, und ich kann nicht atmen und fühle mich davon umhüllt.«

Erskines Gesicht war voller Sorge. »Meine teuerste Königin – Ihr müßt beruhigt sein: Es ist alles vorüber, und wir können uns auf eine prachtvolle und klare Zukunft hier in Schottland freuen, nun, da der Prinz da ist.« Er schaute hinüber zu dem Baby, das in seiner kleinen Wiege in der Sonne schlief.

Und wenn ihr ihn in die Hände bekommt, was dann? Der Plan ist noch nicht vollendet, aber bald ... Maria, du mußt mit diesen Gedanken aufhören; sie sind böse und kommen aus der Hölle, um dich zu quälen.

Erskines sanfte Augen schauten ihr forschend ins Gesicht.

Aber gütige Augen können böse Absichten verbergen. Sieh dir Darnley an! Wessen Augen könnten unschuldiger glänzen?

All das hat mein Vertrauen und meinen Glauben an irgend etwas außer mir selbst ermordet. Selbst an Gott ... Warum hatte er nicht die Macht, es zu verhindern?

»Euer Gesicht ist voller Sorge«, sagte Erskine. »Ich bitte Euch, bettet Kummer und Sorgen zur Ruhe.«

Darnley kam am nächsten Morgen; er ritt seinen Schimmel und sah so prachtvoll aus wie Lancelot. Maria tat, als sei sie erfreut, ihn zu sehen, aber kaum war er mit ihr allein, packte er sie beim Arm.

»Warum bist du fortgelaufen?« fragte er. »Noch dazu mit Bothwell!«

»Ich bin nicht ›fortgelaufen‹«, erwiderte sie fest. »Ich bin hergekommen, um mich auszuruhen und mich zu erholen. Bothwell hat mir nur das Schiff besorgt – wie es seine Pflicht ist! Danach ist er unverzüglich ins Grenzland gereist.«

»Ja – wo er seitdem damit beschäftigt ist, Räuber einzufangen«, sagte er sarkastisch.

»Was willst du damit sagen?«

»Gar nichts.« Darnley verschränkte die Arme und stand da wie ein Soldat auf Wachtposten.

»Ich habe über die Taufe nachgedacht«, sagte Maria. »Bitte komm und laß uns darüber sprechen.« Sie nahm seine Hand – schlaff und schweißfeucht, bemerkte sie – und führte ihn zu einer sonnenbeschienenen Stelle auf dem Söller. »Henry, wäre es nicht wunderbar, wenn die Taufe ein Fest von großer Feierlichkeit und Bedeutung wäre? Der Prinz hat Paten von höchstem Rang. Ja, Königin Elisabeth schickt ein goldenes Taufbecken, das dreißig Pfund schwer ist!«

»Sie haßt unseren Sohn! Weißt du, was sie gesagt haben soll, als man ihr seine Geburt meldete? Sie hat gestöhnt und gesagt: ›Die Schottenkönigin hat einen schönen Sohn entbunden, und ich bin nur ein unfruchtbarer Strunk!‹ Und jetzt sucht sie ihre wahren Gefühle hinter diesem kostspieligen Geschenk zu verbergen. Hah!« höhnte Darnley.

»Vergiß doch diesen Tratsch. Denke nur daran, daß dies eine Gelegenheit ist, nach den jüngsten … Unruhen Schottland für die Welt zu öffnen. Wir können allen zeigen, wie schön und zivilisiert unser Land ist. Es würde dem Handel aufhelfen, und es würde unsere Bedeutung in der politischen Arena vergrößern.«

»Woran denkst du da genau?« fragte er wachsam.

»An eine großartige Zeremonie, wie man sie in Frankreich hat. Mit Feuerwerk und einer festlichen Woche … Turniere, vielleicht gar ein Stierkampf.«

Er runzelte die Stirn. »Aber das wäre teuer«, sagte er schließlich. »Wovon sollten wir es bezahlen?«

Sie haßte es, wenn er das Wort »wir« benutzte, aber sie zwang sich, darüber hinwegzugehen. »Ich werde mich in die Schatzkanzlei begeben und die gesamten Finanzen durchsehen, und wenn nötig, erhöhen wir die Steuern.«

»Wie sollen die Lords da zustimmen? Wenn es keine protestantische Zeremonie ist?«

»Das weiß ich nicht. Aber wir werden es sehen.«

Da trat Darnley an sie heran und nahm sie in die Arme. Er küßte sie, und ihr war, als müsse sie vor Ekel in Ohnmacht fallen. Seine Arme umschlangen sie fester, und er wollte sie in das Nachbargemach führen, wo er ihr Bett vermutete.

»Nein, nicht jetzt – es ist Mittag, und die Hofdamen sind hier.«

»Pah – die Hofdamen! Du bist die Königin. Dreh den Schlüssel um und sperre sie aus!« Er zerrte sie mit einem Ruck zur Tür.

»Nein, Henry. Ich möchte sie nicht beleidigen und –«

»Zur Hölle mit dir!« Er schleuderte sie von sich. »Ich gehe! Ich sehe schon, ich bin in deinen Gemächern nicht willkommen!«

In dieser Nacht träumte sie zum erstenmal von Bothwell. Sie träumte nur, daß sie zusammen ritten, wie sie in jener Nacht nach Dunbar geritten waren. Es war dunkel und regnerisch; fast spürte sie die Nässe auf ihren Wangen. Als sie aufwachte, rieb sie sich das Gesicht und wunderte sich, daß es nicht regennaß war. Sie war verlegen, als könne er wissen, daß sie von ihm geträumt hatte.

Aber im Laufe des Tages mußte sie immer wieder an ihn denken. Sie fragte sich, wie es ihm im Grenzland ergehen mochte. Darnleys Bemerkung hatte sie darauf gebracht, vermutete sie. Bothwell war auf die Gefahren seines Auftrags nicht weiter eingegangen, aber Risiken mußten dabei sein. Vielleicht war es gerade das Risiko, was ihn vorantrieb.

Was wußte sie eigentlich über ihn? Sie hatte ihn nach jenem Streit verhaften lassen – auf die Anschuldigungen seines Gegners hin, eines Hamilton, der sich dann als wahnsinnig erwiesen hatte. Aufgrund solcher dürftigen Beweise hatte sie ihn ins Gefängnis geschickt, aus dem er rasch entkommen war, so daß er während des größten Teils ihrer Regierungszeit gar nicht im Lande gewesen war. So kam es, daß er ein Geheimnis für sie war, anders als die übrigen Adeligen, die sie inzwischen nur allzu gut kennengelernt hatte.

Er ist ein Edelmann, dachte sie, aber er ist anders als die anderen. Ich weiß, daß sein Vater sich von seiner Mutter hat scheiden lassen, als Bothwell neun war, und daß Bothwell zu seinem Großonkel nach Spynie geschickt wurde. Dieser »Bischof« hatte eine Schar von unehelichen Kindern und eine besondere Vorliebe für Affären mit verheirateten Frauen. All das hatte Bothwell mit angesehen, während er aufwuchs … und dabei mußte er gelernt haben, was er über Frauen wußte. Aber wo hatte er das Kämpfen gelernt? Und die Seefahrerei? Denn als er mit einundzwanzig sein Erbe angetreten hatte, war er im Grenzland bereits als Held bekannt gewesen, und er hatte ein Kommando zur See geführt. Ich weiß, daß er für meine Mutter gekämpft hat …

Ich weiß eigentlich so wenig über ihn! Und doch scheint es, als sei er mein treuer rechter Arm geworden.

In dieser Nacht, nachdem sie mehrere Stunden geschlafen und etliche bedeutungslose Träume geträumt hatte, besuchte er sie wieder. Sie träumte, daß er sie umarmte und küßte. Sie sprachen nicht miteinander. Er griff nur nach ihr, legte seine starke Hand auf ihren Hinterkopf und drückte sie an sich. Er hatte die Finger in ihr Haar gegraben und ihre Kopfhaut berührt. Sein breites Gesicht zeigte keinerlei Ausdruck; es war völlig unbewegt. Seine Augen, grünbraun wie ein Oktobertag, blinzelten nicht.

In diesem Traum trug er ein rauhes Hemd aus hausgesponnener Wolle, wie es die Leute auf dem Land trugen. Es hatte die Farbe von Gerstenbrot, und die Fäden wiesen kleine, knotige Unregelmäßigkeiten auf. Am Halse war es offen, so daß man seine Schlüsselbeine sah.

Mit der anderen Hand hielt er sie fest. Er küßte sie und preßte seinen Mund so rauh auf ihre Lippen, daß alles Gefühl außer diesem Druck aus ihnen verschwand. Sie spürte, wie er seinen Leib an sie drückte, als wäre er ein Messer und sie ein Schleifstein. Die Berührung seiner Finger an ihrem Hinterkopf und auf ihrem Rücken war intensiv und drängend. Sie empfand sie so scharf, daß sie wußte: Dies war Wirklichkeit.

Und dann, wie es in Träumen geschieht, verschwand Bothwell unversehens wie ein Geist in der Morgensonne, er zerschmolz und verwehte. Maria erwachte; das Nachthemd war bis über die Hüften heraufgerutscht, das Haar im Nacken verdreht. Naßgeschwitzt wühlte sie sich unter der dicken Decke hervor. Dann blieb sie auf der Matratze liegen und ließ den kühlen Luftzug vom Fenster über sich hinwegstreichen, bis sie zu frösteln begann.

Maria war in Traquair House, einem behaglichen alten Anwesen im Tal des Tweed im Grenzland, der einmal ein königliches Jagdhaus gewesen war. Jetzt war es der Familiensitz eines weiteren Stewart-Vetters: John Stewart, der vierte Laird von Traquair, war der Hauptmann von Marias Garde und hatte ihr bei der Flucht aus Holyrood geholfen. Er hatte die königliche Reisegesellschaft eingeladen, eine Woche in den Wäldern rings um das Haus zu jagen, wo es Hoch- und Niederwild in Hülle und Fülle gab. Irgendwann einmal hatte es hier außer Hirschen und Elchen auch Wildkatzen, Wölfe, Bären und Wildschweine gegeben.

Sie hatte Darnley mitgenommen, denn sie wußte, wie sehr er die Jagd liebte. Sie wollte sich dazu zwingen, seine Gesellschaft zu ertragen, und sie hoffte, daß sie es auf diese Weise gefahrlos tun könnte. Er würde seine Zeit draußen verbringen, in der Gesellschaft der anderen, die sie mitgebracht hatte – mit Bothwell, Mary Seton und ihrem französischen Sekretär Claud Nau. Hernach würde er dann zu müde sein, um noch irgendwelche Ansprüche zu stellen. Und wenn er es doch täte – nun, dann müßte sie es darauf ankommen lassen.

Um ihn weiter abzulenken, hatte Maria darauf bestanden, das Baby und seine dicke Amme, Lady Reres, mitzunehmen. Auch das würde Darnley beschäftigen – hoffentlich.

Bothwell wiederzusehen, machte sie nach den Träumen ein wenig verlegen. Sie schämte sich ihretwegen, als könnte er davon wissen. Er würde sie als Erniedrigung empfinden. Aber leibhaftig erschien er ihr ganz anders, und sie war froh, zu sehen, daß der Traum-Bothwell nur ein Geschöpf ihres Geistes war. Dieser hier war liebenswürdiger und kleiner, und seine Haut schälte sich vom Sonnenbrand, den er sich beim stundenlangen Reiten geholt hatte.

»Ich hatte letzten Monat großen Erfolg im Grenzland«, hatte er ihr berichtet. »Freilich, der prächtige Vollmond, den wir im Juli hatten, war sehr hilfreich.«

»Wieso?« fragte sie neugierig.

»Nun, der Mond ist die Göttin der Rinderdiebe«, sagte er. »Die Scotts haben sogar das Motto: ›Der Mond wird wieder scheinen.‹ Und das hat er auch getan. Als der Mond drei Nächte hintereinander so mächtig am Himmel stand, konnte ich eine ganze Bande einbuchten, die gerade sozusagen auf Raubzug war. Sie erwarten Euch im Herbst zum Gericht. Ihr kommt doch, oder?«

»Ja. Ich habe es versprochen.« Sie lächelte ihn an. »Es freut mich, daß Ihr ein Stück weit nach Norden habt heraufkommen können, um mit uns zusammen eine Zeitlang *dieser* Jagd nachzugehen. Sagt mir – wo seid Ihr geritten?«

»Oh, wir haben die Kerrs durch das Land gejagt. Haben sie durch die Einöde von Liddesdale und Eskdale getrieben, haben sie durch das Wasser spritzen lassen, das überall durch das Grenzland fließt. Aber jetzt können meine Leute ein Weilchen allein weitermachen. Ich mußte mich um ein paar andere Geschäfte kümmern, und da ist es nur recht, wenn ich ein paar Tage dienstfrei habe.« Er hatte gelächelt, und plötzlich war ihr eingefallen, daß Lady Reres eine Schwester seiner alten Geliebten gewesen war – wie hatte sie gleich geheißen? Janet Beaton, die immer noch aussah wie ein junges Mädchen, obwohl sie fünfzig war. Hexerei. Es hieß, sie sei eine Hexe. Trieb er etwa mit dieser Familie noch »Geschäfte«?

»Eine prächtige Hundemeute«, sagte Bothwell eben.

Sir Johns Jägermeister brachte eben seine Hunde heraus, gelbe und braune. Sie zerrten an ihren Leinen.

»Oh, gleich geht's los, ihr Burschen, gleich geht's los«, sagte Sir John liebevoll, und er bückte sich, als sie sich um ihn herumdrängten und ihm die Hände leckten. »Hallo, Jethro, was macht die Pfote? Schon besser?«

Maria schaute zum Himmel; dunkle Wolken jagten darüber hin und warfen flüchtige Schatten auf die Erde.

»Es wird nicht regnen«, versicherte Bothwell ihr. »Die Wolken benehmen sich hier immer so. Sie sind frei wie Gesetzlose.«

»Ich bin froh, daß die Gesetzlosen weniger geworden sind, seid Ihr hier Statthalter des Grenzlandes seid«, sagte sie.

»Oh, es sind immer noch genauso viele, und die Hälfte erwartet Euer Urteil«, sagte er. »Die Elliots machen immer noch großen Ärger.«

Sir John bestieg sein braunes Jagdpferd und ritt voran, zum Tor hinaus und auf den Jagdforst zu. Maria blieb Seite an Seite mit Bothwell; eine Samthaube mit einer Feder thronte auf einem zierlich geflochtenen Haarknoten, und ihr Rücken war gerade wie ein Brett. Während sie auf dem Pfad dahintrabten, redete sie weiter mit ihm.

»Irgendwann müßt Ihr mir mehr über die verschiedenen Grenzlandfamilien erzählen. Ich möchte alles wissen; ich habe zum Beispiel gehört, daß die Kerrs Linkshänder sind und daß ihre Wendeltreppen sich nach rechts abwärtsdrehen statt nach links, damit sie ihr Schwert ungehindert benutzen können. Ist das wahr?«

»Ja«, sagte Bothwell. »Nicht alle sind Linkshänder, aber eine große Zahl, das stimmt. Im Grenzland heißen alle Linkshänder ›kerhändig‹ oder auch ›corrie-fäustig‹.«

»Stimmt es auch, daß hier im Grenzland die Hand eines männlichen Kindes bei der Taufe vom Wasser ferngehalten wird, damit sie ungetauft bleibt und freiweg morden kann?«

Bothwell warf den Kopf in den Nacken und lachte so laut, daß die anderen vier sich umdrehten.

»Nein, das ist ein Märchen«, sagte er schließlich. »Gute Christen können ebensogut morden wie jeder andere auch; das ist kein Hindernis. Lord Ruthven zum Beispiel, der eben jenseits der Grenze in Newcastle entschlafen ist, hat auf dem Totenbett einen Engelschor vernommen, oder nicht?«

»Das erzählt man sich«, sagte Maria. »Aber ich möchte nicht wissen, wo er jetzt verweilen muß.«

Sir John stieß in sein Jagdhorn, und die Hunde wurden von der Leine gelassen. »Von hier an wird der Wald dichter. Wir wollen darauf achten, daß wir nicht getrennt werden. Vor etwa zwei Wochen wurden etwa eine Meile von hier zwei Hirsche gesichtet.« Er hob den Arm und ritt voran; sie folgten ihm hintereinander.

Die Bäume rückten immer dichter zusammen; es war ein Mischwald aus Eichen, Birken und Fichten, und die Äste über ihnen verzweigten und verflochten sich ineinander und bildeten ein Dach. Die Jäger verstummten. Vor ihnen raschelten die Hunde durch das Unterholz.

Aber nach einer Stunde hatten sie noch kein Stück Wild gesichtet, nicht einmal einen Hasen. Plötzlich stießen sie auf die Überreste eines großen Hirschen, der hingestreckt auf einer kleinen Lichtung lag. In der Nähe sah man die Spuren eines Lagerfeuers.

»Wilderer«, sagte Sir John kopfschüttelnd. »Daß sie so kühn sein können – sich so nah an das Haus heranzuwagen!«

Sie zogen an dem Hirsch vorbei, den die Krähen bereits sauber abgenagt hatten, und ritten weiter. Etwa eine Meile weiter fanden sie zwei Rehe, ebenfalls abgeschlachtet. Sir John zügelte sein Pferd und starrte die Kadaver an.

»Wie es scheint, sind Eure Förster blind, unfähig oder bestochen«, sagte Darnley in hochfahrendem Ton. »Und offensichtlich, *Lieutenant*, gilt Euer Gesetz hier nicht viel.« Er funkelte Bothwell an.

»Kommt, wir wollen es noch ein Stück weiter versuchen«, sagte Sir John; er bemühte sich um einen ruhigen Ton.

Aber auf fünf Meilen hatten sie weitere vier gewilderte Rehe gefunden, und kein einziges lebendes.

»Ich verschwinde«, sagte Darnley und riß sein Pferd herum. »Offenbar wären wir mit der Falkenjagd im Moor besser bedient.«

Bevor Maria ihn aufhalten konnte, trabte er davon.

»Er wird sich verirren«, sagte sie zu Sir John. Sie war verlegen wie eine Mutter, die dafür sorgen muß, daß ihrem eigensinnigen Fünfjährigen nichts zustößt.

»Ich werde mich um ihn kümmern«, sagte Sir John mit wissendem Lächeln und wandte sich zurück. Seton und Nau folgten ihm. »Lord Bothwell kennt ja den Weg.« Einen Augenblick später waren sie auf dem dunklen schmalen Waldweg verschwunden.

»Ausnahmsweise stimme ich mit Lord Darnley überein«, sagte Bothwell. »Es hat keinen Sinn, heute zu jagen. Die Wilderer waren dreist. Hier ist nichts mehr für uns übrig.« Er blies in eine kleine Pfeife, die er bei sich trug. Sir Johns Jägermeister antwortete mit einem eigenen Pfiff, und daraufhin wies Bothwell ihn mit mehreren Tönen an, die Hunde in den Zwinger zurückzubringen.

Als sie aus dem Wald hervorkamen, sagte Bothwell: »Ich habe keine Lust, nach Traquair House zurückzukehren, und nach der Falkenjagd steht mir der Sinn auch nicht. Sagt den anderen, ich bin nach Ettrickbridge geritten; ich habe dort Geschäfte, die mich für den Rest des Tages in Anspruch nehmen werden.« Er zügelte sein Pferd, um es zu wenden, und salutierte. »Den Rest des Weges findet Ihr; man sieht das Haus ja von hier aus.«

»Laßt mich mit Euch kommen«, sagte sie plötzlich. »Ich möchte lieber reiten, als auf die Falkenjagd zu gehen.«

»Ich habe Geschäfte zu erledigen. Persönliche Geschäfte.«

»Ich werde Euch nicht stören.«

»Also schön.« Er gab seinem Pferd die Sporen und wandte sich nach Süden, weg vom River Tweed, auf das Yarrow zu, vorbei an Minch Moor.

Die Berge hier waren nicht hoch, aber sie waren breit und rund und schwellend wie die Brüste einer Amme. Einer nach dem anderen erhoben sie sich, bedeckt mit niedrigem, buschigem Heidekraut, Ginster und Moos und von grauen Steinen übersät. Der Himmel über ihnen war eine gesprenkelte Kuppel in Weiß und Grau und Blau.

Auf halbwegs ebener Strecke ritt Bothwell, so schnell es ging, aber wenn es bergauf oder bergab ging, mußte er sein Pferd zügeln. Als sie ihn jetzt in seiner Umgebung sah, wo er ebenso hinzugehören schien wie die flechtenüberzogenen Steine oder die einheimischen Falken, die am Himmel kreisten, da fiel es Maria schwer, sich vorzustellen, daß er einige Zeit im Ausland verbracht hatte und modische Kleider besaß.

Er ritt vor ihr her, ohne sich umzudrehen; er war sicher, daß sie keine Aufsicht nötig hatte. Die Landschaft, die sie durchquerten, war grau, grün und braun und von Steinen übersät; runde, kahle Hügelkuppen umgaben sie ringsum, und mit leisem Seufzen durchkämmte der Wind den steifen, verdorrten Ginster. Kleine, klare Bäche, »burns« genannt, blitzten in der immer wieder aufstrahlenden Sonne, wo sie bemooste Böschungen hinunterstürzten und sich rauschend unten in schwarzen Tümpeln sammelten.

Als sie einen dieser Hügel hinunter auf eine Baumgruppe zu ritten, die einen Bach säumte, merkte Maria, daß sie hungrig war. Sie mußten schon seit Stunden unterwegs sein, aber sie hatte nicht auf die Zeit geachtet. Als sie zum Himmel schaute, verriet ihr der leuchtende Fleck in den Wolken, daß es schon Nachmittag sein mußte. Seit Stunden dachte sie nur an die überwältigende Landschaft ringsumher. Alles andere, auch der Gedanke an Darnley, verschwand in der Majestät des Himmels und der Berge und in dem sauberen Wind, der hier wehte.

Unvermittelt hielt Bothwell an und stieg ab. »Habt Ihr keinen Hunger?« fragte er, als habe er ihre Gedanken gelesen.

»Ja«, gab sie zu und stieg ebenfalls vom Pferd.

»Ihr seid ausdauernd wie ein Soldat«, stellte er bewundernd fest. »Von Eurer Unermüdlichkeit bei der ›Treibjagd‹ habe ich natürlich gehört. Und nach dem Mord an Rizzio habe ich sie selbst erlebt – aber der Zorn kann ein mächtiger Ansporn sein. Heute wart Ihr nicht zornig. So war die Probe wahrheitsgetreuer.«

»Ihr habt mich auf die Probe gestellt?«

»Nur, wie ich alles auf die Probe stelle, um zu sehen, woraus es gemacht ist. Das ist meine Art; ich kann nichts dazu.« Er lächelte, als habe er soeben eine geheime Schwäche gebeichtet. Dann führte er sein Pferd zum Bach und ließ es von dem klaren, braunen Wasser trinken.

»Warum ist das Wasser braun?« fragte sie.

»Das kommt vom Boden und vom Torf, durch den es fließt.« Er schöpfte eine Handvoll. »Aber schaut nur – es ist absolut sauber und klar. Das Braun ist keine Erde und kein Schlamm. Trinkt es nur.«

Sie beugte den Kopf und trank von dem Wasser, bis ihre Lippen

Bothwells Handfläche berührten. Das kalte Wasser war von zartem Geschmack und kribbelnder Frische.

»Das ist besser als Wein«, sagte sie schließlich.

»Ja.« Er wischte sich die Hände an der Reithose ab.

Dann setzten sie sich auf einen Stein am Ufer des Baches und teilten sich das, was Bothwell zum Essen dabei hatte: harten Käse, Räucherfleisch und schweres Gerstenbrot. Die Hügel ringsum sahen zu, nackt und stumm.

»Wie kann sich hier jemand zurechtfinden?« fragte Maria. »Es sieht alles gleich aus – wüst und weglos.«

»Deshalb kann nur ein Einheimischer hier das Recht durchsetzen«, sagte er und kaute auf seinem Brot. »Euer Bruder Lord James war ein Außenseiter und konnte es nicht. Ebensowenig, mit Verlaub, konnte es Euer königlicher Vater, König James V.«

Die Erwähnung dieser Namen versetzte sie jäh zurück an den Hof und zu den alten Sorgen.

»Laßt uns nicht von diesen Dingen reden«, sagte Bothwell, der schon wieder ihre Gedanken gelesen hatte. »Ihr wolltet mehr über das Grenzland wissen; also wollen wir von dem Ehrenkodex sprechen, der hier herrscht. Er lautet: Verrate niemals jemanden an das Gesetz, erweise jedem deine Gastfreundschaft, und brich niemals ein Versprechen. Das ist alles. Nur drei Dinge. Und sie schwören mit diesen Worten: ›Ich schwöre beim Himmel über mir, bei der Hölle unter mir, bei meinem Teil des Paradieses, bei allem, was Gott erschuf in sechs Tagen und sieben Nächten, und bei Gott selbst.‹« Er stützte den Kopf auf den Arm. »Ist das nicht einfach?«

»Ihr könnt von Glück sagen, daß Ihr zu einer Welt gehört, die Ihr versteht«, sagte sie, und dabei wich sie noch ein Stück weiter vor ihm zurück, und zwar auf eine Weise, die nur ihr selbst bewußt war.

»Ich verstehe sie wohl, aber mein wahrer Platz in Schottland und in meinem eigenen Heim zerstob, als ich noch ein Junge war. Mein Vater ließ sich von meiner Mutter scheiden, und ich wurde fortgeschickt; kurz davor sah ich mit an, wie mein Vater George Wishart verriet, worauf dieser auf dem Scheiterhaufen verbrannt wurde. Ich war dabei, als mein Vater ihn belog und ihm schwor, daß ihm keine Gefahr drohe. Dann nahm er ihn fest und lieferte ihn seinen Feinden aus. Ihr seht, weshalb ich für Lügner nichts übrig habe und warum ich sie so hasse.« Er bückte sich und faltete sorgfältig das Tuch zusammen, in dem sein Proviant eingewickelt gewesen war.

»Ach.« Seufzend zwirbelte sie ein Stückchen schwammiges Moos zwischen den Fingern. »Glücklich ist, wer seine Welt kennt und in ihr leben darf.«

»Wir stellen oft fest, daß wir uns unsere eigene Welt selbst erwählen müssen, daß wir selbst entscheiden müssen, wo unser Heim sein soll, und daß wir dann den Boden dafür roden müssen. Kommt jetzt.« Er raffte die Zügel seines Pferdes zusammen. »Meine Streife führt mich noch ein bißchen weiter, und dann habe ich einen Besuch abzustatten.«

Eine Streife? War das Ganze eine Patrouille gewesen? Aber er war ihr nicht sonderlich besorgt oder wachsam erschienen.

»Die Gegend ist anscheinend menschenleer und ruhig«, sagte er; anscheinend hatte er schon wieder ihre Gedanken gelesen. »In diesem Bezirk geht es nicht gerade geschäftig zu. Aber ich wollte doch sichergehen.«

Sie ritten weiter über schwellende Hügel, und die Sonne näherte sich dem Horizont. Es schien kein Fleckchen zu geben, wo jemand sich hätte verstecken können – allenfalls hinter vereinzelten Grenzmauern aus Feldsteinen, die sich über die Hügel zogen. Aber als der Nebel sanft aus den Senken heraufzusteigen begann, war sie nicht mehr so sicher. Erst feiner Dunst nur, verdichtete er sich zusehens, als die Sonne hinter den Bergen versank.

Endlich gelangten sie zu einer strohgedeckten Steinhütte, die sich zwischen zwei Hügeln in eine Bodenfalte schmiegte. Bothwell stieg ab und band sein Pferd draußen an; dann winkte er ihr, sie möge es ihm nachtun und ihm folgen. Er klopfte an die Tür, und ein Mann, der die mittleren Jahre hinter sich hatte, aber noch kräftig aussah, öffnete sie einen Spaltbreit. Er starrte Bothwell einen Augenblick lang an und rief dann jemanden von drinnen. Die Tür öffnete sich knarrend ganz.

Maria trat in die niedrige, einräumige Behausung. Ein Torffeuer glühte in der Mitte auf dem Boden, und darüber hing ein Eisentopf, in dem eine Suppe oder ein Gebräu brodelte. Mehrere kleine Hunde mit langem, seidigem Fell fingen an zu kläffen.

Das Paar, in zerfranste Wollsachen gekleidet, bot Bothwell mit Handbewegungen den einzigen Sitzplatz an, den es hier gab: einen dreibeinigen Schemel. Er wollte eben auf Maria verweisen, aber mit einem raschen Blick verbot sie ihm, ihre Identität zu offenbaren.

»Gott segne Euch, Earl, Gott segne Euch«, sagte die Frau und öffnete einen Lederbeutel mit ein paar Münzen, den Bothwell ihr gegeben hatte.

»Ein Menschenleben ist mehr wert«, sagte Bothwell. »Aber uns Sterblichen ist es nicht gegeben, für ein Leben mit einem Leben zu bezahlen. Etwas Besseres habe ich also nicht.«

»Er war nur ein Junge und nicht weiter wichtig in Eurer Truppe«, sagte der Vater. »Außerdem ist es fast ein Jahr her.«

»Was ist ein Jahr?« fragte Bothwell. »Fehlt er euch deshalb weniger?«

»Nein«, gestand die Mutter.

»Habe ich's nicht versprochen?« sagte Bothwell. »Ich habe euch mein Wort gegeben: Ich würde euer Opfer nicht vergessen. Aber euer Rob war schwer zu finden. Ich mußte mancherlei Erkundigung einziehen; verzeiht also, wenn es lange gedauert hat, bis ich von mir hören ließ.«

»Aber daß Ihr es selbst bringt ... Wir möchten Euch jetzt auch etwas geben, wenn wir können«, sagte die Frau.

»Das habt ihr schon getan.«

»Ich meine etwas zur Erinnerung an uns – zur Erinnerung an ihn. Er würde es so wollen ...«

Aber in der kahlen kleinen Stube gab es nichts. Dann jedoch fiel Bothwells Blick auf die Hunde. »Was für Hunde sind das? Sie scheinen mir nur aus Fell zu bestehen.«

»Es sind Skye-Terrier, sehr treu und sehr wild, Hunde, die nur einem einzigen gehören können. Und gute Jäger außerdem – Ihr wäret überrascht, denn man sieht es ihnen nicht an. Wir werden bald Welpen bekommen.«

»Die möchte ich gern«, sagte Bothwell entschlossen. »Zwei – einen für mich, und einen für meine Mutter. Einen Rüden und eine Hündin, so daß wir mehr davon züchten können!« Er hob die Stimme, und Maria merkte, daß er sie wirklich gern haben wollte und daß er etwas von Hunden verstand und sie liebte. Wieder etwas, das sie bei ihm nicht erwartet hatte. »Dann hole ich sie später ab.«

»Ist das Eure Gemahlin, Lady Bothwell?« fragte der Mann plötzlich und beäugte Maria. Er wollte ihr gern seine Verehrung erweisen.

»Nein.« Bothwells amüsiertes Lächeln war in dem trüben Licht kaum zu bemerken. »Sie ist heute nur mit mir zusammen geritten.«

»Ist die Gräfin schwanger? Ich bete zum Himmel, daß Ihr einen Erben bekommen möget.«

»Nein, sie ist es nicht. Aber ich danke euch für eure Gebete.«

Die Frau hielt Maria eine irdene Schüssel mit Suppe hin, und Maria nahm einen Schluck. Es war hauptsächlich Wasser mit einer

Spur von Kohl und Mehl. Wovon lebten diese Leute nur? Sie nickte beifällig und leerte die Schüssel ganz. Ihr Magen füllte sich mit Wärme, aber nicht mit Nahrung.

Als Bothwell seine Suppe getrunken hatte, verabschiedete er sich. »Ich stehe immer noch in eurer Schuld«, sagte er, als sie sich noch einmal für das Gold bedankten.

Der Mond ging eben auf, als sie durch das Moor und über die Hügel nach Traquair zurückritten. Hinter ihnen glomm noch sacht der Sonnenuntergang, aber vor ihnen leuchtete ein verschleierter Mond in diffusem Licht. Die Nebel krochen immer höher an den Bergen herauf.

Plötzlich war Maria sehr müde, und sie überlegte, ob ihre Aufmerksamkeit für den Rückweg hinreichen würde, der ja infolge der Dunkelheit und der wirbelnden Nebelschleier notgedrungen viel langsamer vonstattengehen würde. Gleichzeitig aber fühlte sie sich losgelöst von ihrem müden Körper, und sie wünschte sich, der Ritt möge immer weitergehen und niemals enden. In alle Ewigkeit wollte sie hinter Bothwell durch dieses gefährliche Gelände reiten, hier und dort haltmachen und sich immer wieder von ihm durch ihr eigenes Verlangen nach seiner Gesellschaft überraschen lassen, durch ihren Wunsch, ihn sprechen zu hören, ihn anzusehen.

Aber er ritt nur vor ihr her, zügelte sein Pferd nicht und schaute sich auch nicht nach ihr um.

Er will nicht, daß es ewig dauert, dachte sie. Er hat keine Lust, mit mir zu verweilen, wie ich es mit ihm möchte.

Ein Verlangen durchströmte sie, so wild und erschreckend, daß sie erst ganz benommen und dann verblüfft war. Es war anders als alles, was sie je empfunden hatte, und sie war darauf nicht vorbereitet: eine seltsame Mischung aus Sehnsucht danach, ihn zu besitzen, aus Ehrfurcht und einem echten, körperlichen Schmerz, der mit den Worten *Hunger* oder *Verlangen* nur unzulänglich beschrieben war. Gleichzeitig verspürte sie den Drang, ihn zu beschützen, als ob sie ihn bereits besäße, als hätte sie ihn immer schon besessen, schon bevor sie ihn kannte.

Wenn er sich nur umdrehen und mich ansehen wollte! dachte sie. Sie versuchte, ihn mit ihrem Willen dazu zu zwingen. Aber er tat es nicht.

Als sie Traquair House erreichten, war es so spät, daß der wolkenverhangende Mond beinahe senkrecht über ihnen stand. Der Nebel hatte das Haus eingehüllt, und nur die Fackeln und der Kerzenschein, der aus den Fenstern kam, wiesen ihnen den Weg in den Hof.

»Ah, ich bin müde«, sagte Bothwell; er schwang sich von seinem Pferd und gab die Zügel einem Stalljungen. Er ging eilig auf den Eingang zu, ohne auf sie zu warten.

Sein Ton ist so beiläufig, so wegwerfend, dachte sie. Aber wenn ich ihm befehlen wollte, stehenzubleiben, müßte er es tun.

»Wartet«, rief sie und ging ihm nach. »Lauft nicht weg.« War auch wirklich kein herrischer oder klagender Unterton in ihrer Stimme? Sie kam auf ihn zu und schaute ihn an, bemühte sich aber, es ihn nicht merken zu lassen. Was für ein Gesicht machte er? In dem spärlichen Licht konnte sie es nicht erkennen.

»Dieser Ritt hat mir viel bedeutet«, sagte sie und ging mit ihm die Eingangstreppe hinauf. Er lachte kurz und abschätzig. »Ich möchte mehr über das Grenzland wissen«, beharrte sie. »Nehmt Ihr mich noch einmal mit?«

»Wenn Ihr es wünscht, werde ich es einrichten. Beim nächstenmal können wir ein paar Leute mitnehmen, und Ihr könnt meine Verbündeten kennenlernen. Sie würden Euch gefallen – Sore John und Archie Fire-the-Braes …«

Nein! Keine anderen, schrie sie innerlich. Ich habe die anderen satt, ich will nicht immer mit anderen zusammen sein. Ich will allein sein, allein mit dir …

»Nein, ich glaube, es würde mir widerstreben, die Fragen, die ich stellen muß, vor anderen zu stellen.«

»Wir Ihr wollt.«

Als sie eingetreten waren, wandte er sich ab und wollte sich in seine Gemächer entfernen.

»Wollt Ihr nicht mit uns zu Abend essen?« fragte sie.

»Ich esse in meinen eigenen Gemächern«, erwiderte er über die Schulter und ging weiter den Gang hinunter.

»Und das wirst du auch tun«, sagte Darnley, der plötzlich um eine Ecke gekommen war. »Wir anderen haben schon vor Stunden gegessen.« Er musterte sie von Kopf bis Fuß und zuckte dann die Achseln. »Ich habe mir Sorgen gemacht. Ich dachte schon, du hättest einen Unfall gehabt.«

»Mit Bothwell?« antwortete sie sofort. »Er kennt das Land und die Leute hier so gut, daß diese Gefahr nicht bestand.«

»Ach?« Einen Moment lang flackerte es in Darnleys Augen, aber seine Frage erstarb. »Ich bin nur froh, daß du wohlbehalten bist; das ist alles«, sagte er. »Komm, meine Liebe.« Er legte ihr einen Arm um die Schultern und führte sie die Treppe hinauf.

Die steinerne Balustrade glitt unter ihrer Hand dahin; sie lehnte sich dagegen, um möglichst viel Abstand zwischen sich und Darnley zu bringen. Sie schauderte vor seiner Berührung zurück. Sie hatten nicht mehr als Mann und Frau beieinandergelegen, seit sie ihn nach Rizzios Tod auf diese Weise für sich gewonnen hatte. Damals war ihr Schock so tief gewesen, daß sie sich selbst wie eine Tote gefühlt und gar nichts gespürt hatte. Seitdem aber war es, als sei jeder Nerv in ihrem Körper überaus empfindsam geworden, und sie konnte es nicht mehr ertragen, daß er sie anfaßte. Sie war vor ihm geflohen, hatte sich bisher immer außer Reichweite halten können. Jetzt aber war sie in die Ecke gedrängt und konnte ihm nicht entkommen.

Sie hatte sich dafür gewappnet, nachdem sie bei Pater Mamerot die Beichte abgelegt hatte; sie hatte gewußt, daß es kommen mußte, und schließlich war es ihr gelungen, das Ganze als eine Probe ihrer Opferfähigkeit zu betrachten. Sie hatte Darnley sogar ein prächtiges Himmelbett geschenkt, mit violetten Damastvorhängen und violettbraunen Samtschabracken, die in Gold und Seide mit Symbolen und Blumen bestickt waren, und bezogen mit Laken aus holländischem Linnen – als könne dergleichen auch in ihr das Verlangen wecken.

Und jetzt – jetzt war er an ihrer Seite, eifrig, drängend. Und das nach Bothwell ... wenn sie so gern allein gewesen wäre, um ihren Gedanken an Bothwell nachzuhängen ...

Aber als sie jetzt an Bothwell dachte, überkam sie eine seltsame Erregung, und sie erbebte.

»Ist dir kalt, meine Liebe?« sagte Darnley, der es gespürt hatte. »Es war töricht von dir, nachts durch das Moor zu reiten. Gefährlich und töricht!«

Er stieß die Tür mit einem Fußtritt auf; sie knarrte in ihren Angeln und schlug dröhnend gegen eine holzgetäfelte Wand.

»Ich bin so müde«, begann sie – einleitende Worte, die ihr hoffentlich noch die wunderbare Gnadenfrist von einer weiteren Nacht einbringen würden.

»Ich weiß, und ich möchte es dir behaglich machen«, sagte er zärtlich, schloß die Tür und nahm sie in die Arme.

Es würde keine Gnadenfrist mehr geben.

»Ich fürchte, ich muß jetzt ruhen. Ich bin fast ohnmächtig«, beharrte sie.

»Ja, leg dich hin. Laß mich dein Kammerdiener sein.« Er führte sie zum Bett. Sie stieg hinein, legte sich hin und streckte sich der Länge nach aus. Über ihr im Baldachin schauten die gestickten Wappenbären von Traquair in gnadenloser Belustigung auf sie herunter.

Darnley begann, ihre Füße zu massieren; er rieb sie, als wären es die Füße einer Heiligen. Er küßte sie, und sie mußte sich sehr beherrschen, um sie nicht wegzuziehen oder gar nach ihm zu treten.

Oh, ich kann es nicht, ich kann es nicht, dachte sie. Ich ertrage es nicht!

Vielleicht solltest du es als Strafe für deine Gedanken an Bothwell ansehen. Da paßt es gut, daß du ausgerechnet heute nacht den Preis bezahlen mußt. Hast deiner Nächsten Ehemann begehrt. Denn er ist ja verheiratet, und du selbst hast das Hochzeitsgewand für seine Braut besorgt.

»Ah, jetzt sehe ich dich lächeln«, sagte Darnley. »Würdest du mir verzeihen, meine Liebe? Ich muß – mich für einen Augenblick entfernen.« Er glitt vom Bett herunter und begab sich nach nebenan, um sich zu erleichtern. Maria entledigte sich rasch ihrer Kleider – sie wollte nicht, daß er es tat – und zog ein dickes, wollgefüttertes Nachthemd an, das am Hals zugeknöpft war. Dann zog sie ihre Haarnadeln heraus und öffnete ihr Haar. Sie beugte den Kopf nach vorn und schüttelte ihn, und sie fühlte sich seltsam erregt von der üppigen Schwere ihres Haars. Wie würde es wohl Bothwells Gesicht umfluten, wenn er auf dem Rücken läge? Wie mochte Lady Bothwells Haar im Bett aussehen?

»Wenn du dein Gesicht sehen könntest«, sagte Darnley leise.

Sie öffnete die Augen und sah ihn mit gebannter Miene dort stehen. Sein schlanker junger Körper war vom Mondlicht umrissen, und seine Arme hingen bewegungslos an seiner Seite.

Sie sah ihn sachlich an und erinnerte sich, wie seine elfenbeinerne Schlankheit sie angesprochen hatte. Aber es war eine ästhetische Reaktion gewesen, wie man sie auch empfindet, wenn man eine vorzügliche Statue anschaut, begriff sie plötzlich. Es hatte nichts zu tun mit … es war etwas ganz anderes als …

Als schöner Gegenstand gefiel er ihr. Aber eben nur als Gegenstand, ein perfekt gearbeiteter Gegenstand.

Ich muß es jetzt tun; es ist meine Pflicht und die Strafe für alles Unrecht, das ich getan habe … jetzt muß ich Buße tun, dachte sie. Und es steht mir nicht einmal frei, mir meine Buße selbst auszusuchen. Viel lieber würde ich einen Monat fasten oder barfuß nach Rom gehen. Statt dessen aber muß ich *dies* tun.

Er umklammerte sie aufseufzend. »Ich dachte schon, nie wieder würde ich deine Umarmung fühlen«, rief er. »O Gott, ich liebe dich über alle Götzenanbetung hinaus!«

Und er stieg zu ihr ins Bett.

»Als du mir das Bett auf Holyrood schenktest, mit den schönen Vorhängen und Schabracken in meinen Lieblingsfarben Violett und Braun ... da hoffte ich ... doch wagte ich nicht zu glauben ... daß mir vergeben sei und daß du wieder mein Weib sein wolltest. Doch dann kamst du nicht ...«

»Pst, Henry.« Sie strich ihm über das Haar. Er hatte angefangen zu weinen. Nicht auch noch das. Nicht ein langes Gespräch, das den Liebesakt immer weiter hinausschob. Nein, das könnte sie nicht ertragen. Wenn es heute abend nicht geschähe, würde sie sich vielleicht nicht wieder dazu überwinden können. Sie mußte ihn so erregen, daß er den Akt vollzog und sein Gewinsel vergaß.

Sie hob sein Gesicht zu sich und begann ihn zu küssen. Seine Tränen versiegten. Er fing an, sie hungrig wiederzuküssen, in ihre Unterlippe zu beißen und sie in seinen Mund zu saugen.

Sie spürte, wie sein schlanker, beinahe knochiger Körper sich an sie preßte. Es war keine Kraft darin, nur Not. In mitleidiger Barmherzigkeit knöpfte sie ihr Nachtgewand auf und ließ ihn ihre nackte Haut an der seinen fühlen. Er erschauerte und fing wieder an zu weinen. Rasch fuhr sie mit der Hand über seinen Rücken und küßte seine knochigen Schultern. Dieses Gegreine konnte nicht so weitergehen.

»Maria – mein Weib – du hast vielleicht gehört, daß ich gegangen bin, wohin ich nicht hätte gehen dürfen, daß ich in Edinburgh Frauen besucht habe – es war unrecht von mir – ich will nicht wieder sündigen ...«

»Pst«, wiederholte sie. Als ob es sie kümmerte, ob er mit Huren sündigte oder nicht ...!

Aber es soll mich kümmern, rief es in ihr. Es soll mich kümmern, wenn mein Mann unrecht tut ...

Aber ihre innere Stimme wurde erstickt von den hartnäckigen Lauten seines Verlangens. Er lag auf ihr, zitternd und unentschlossen, ob er sie nun verehren oder vergewaltigen sollte. Sie küßte ihn in einer getreuen Nachahmung der Leidenschaft, um ihn zum körperlichen Vollzug zu drängen. Jetzt könnte sie es ertragen.

Er reagierte wie der einundzwanzigjährige Jüngling, der er war, mit aufwallendem Blut. Sie lag auf dem Rücken und ließ ihn den

Liebesakt vollziehen, und sie zwang sich, dabei an etwas anderes zu denken ... an die Falken, die heute am Himmel gekreist hatten, an den schwarzen Tümpel zwischen den Felsblöcken, wo sie und Bothwell heute haltgemacht hatten ...

Bei dem Gedanken an ihn spannten sich alle ihre Muskeln an, daß es Darnley mit einem Ruck durchfuhr. Aus dem Takt geworfen, schrie er auf, aber sie besänftigte ihn, und er fügte sich.

Denke an den Himmel, so blau hinter den jagenden Wolken ... an die Kate, eine Hütte eigentlich ... die beiden Leute dort ... sie sahen soviel älter aus, als sie wahrscheinlich waren ... ob sie Bothwell die Hunde schenken werden? Die Hunde sahen merkwürdig aus, aber sie sagten, es seien Jagdhunde ... wie können sie nur laufen mit dem langen Haar ...?

Darnley schrie auf und klammerte sich an sie. War es also vorüber? Sie küßte ihn auf die Stirn. Sie war schweißfeucht. Ja, er war fertig.

Dank sei Gott und allen Heiligen, vor allem den jungfräulichen! Ich habe es hinter mir! Fast hätte sie geweint.

»Maria, Maria«, murmelte er. »Ach, meine Maria!«

»Schlafe jetzt«, sagte sie. »Schlafe hier an meiner Seite.«

Zufrieden rollte er sich zusammen und schlummerte fast augenblicklich an ihrer Schulter ein.

Nach einer Weile glitt sie unter ihm hervor und raffte ihr Nachtgewand auf, das auf dem Boden lag. Sie zog es an, ging zum Fenster und schaute hinaus. Die Wolken waren aufgerissen und auseinandergeweht; in opalen schimmernden Klumpen waren sie über den Himmel verstreut.

Ganz in der Nähe floß der River Tweed funkelnd im Licht des Vollmonds dahin. Wäre sie ihm noch näher gewesen, hätte sie das Murmeln und Plätschern des flachen Wassers auf den Steinen hören können. Wie ging noch der Vers über den Tweed, den Bothwell ihr beigebracht hatte?

Sagt der Tweed zum Till:
Was fließt du so still?
Sagt der Till zum Tweed:
Zwar fließest du schnell
und ich langsam vorbei,
doch wo du einen ertränkst,
ertränke ich zwei ...

Der Tweed war also gefährlich, auch wenn er hier in der Nähe des Hauses vielleicht zahm aussah. An manchem Abend hatten sie Lachs und Forelle aus seinem kalten Wasser verspeist, und er war ihr wie ein gutmütiger Fluß vorgekommen.

Der Mond schien in den Hof und berührte jeden der runden Pflastersteine mit seinem Licht. Die Bäume wiegten sich und schwankten leicht im Wind, und sie schwenkten ihre fetten Augustblätter wie Fächer.

Im ganzen Haus war es dunkel. Auch in Bothwells Gemächern, wie sie sich eigens vergewissert hatte.

Am nächsten Morgen versammelten sie sich alle im gepflasterten Vorhof, wo Sir John Tische und Stühle hatte aufstellen lassen. Die Sonne sprenkelte bereits das Laub der Bäume und verhieß auch für diesen Tag wieder schönes Wetter; der fahle, versiegte Mond ging im Westen unter.

»Bitte nehmt Euch, was Ihr wollt«, sagte Sir John in leutseligem Ton, als die Bediensteten heißes Bier in kleinen Krügen, Schüsseln mit Eiern in Senfsauce und kaltes Hammelfleisch herumreichten.

Bothwell nahm sich einen Teller und setzte sich lässig. Er legte einen Arm über seine Stuhllehne und trank aus seinem Bierkrug, und dabei bewegte sich seine Gurgel auf und ab. Dann leckte er sich mit der Zunge über die Lippen und stellte seinen Krug hin.

»Ihr seid gestern lange geritten«, sagte Sir John, und es klang nicht wie eine Frage.

»Das stimmt«, sagte Bothwell; er kaute auf einem Stück Hammel und schluckte es herunter, ehe er antwortete. Dann lächelte er und zeigte dabei weiße, ebenmäßige Zähne. »Die Strecke war gar nicht so lang, aber die Zeit: Für die steilen Pfade braucht man doch viele Stunden. Aber ich habe gesehen, was ich sehen mußte.«

Ich auch, dachte Maria.

Ihre Gefühle für ihn waren nicht vergangen – im Gegenteil, sie hatten sich in den Stunden, da sie ihn nicht gesehen hatte, wie durch Zauberei noch vertieft. Das Zwischenspiel mit Darnley hatte sie nicht beeinträchtigt.

In Frankreich hatte ihr Lehrer ihr einmal gesagt, wenn sie sich ein Bild wirklich einprägen, wenn sie es ganz und gar in ihrem Geist befestigen wolle, so daß es dort für alle Zeit lebendig blieb, dann solle sie sorgfältig jeden Aspekt des betreffenden Gegenstandes bei sich benennen, als müsse sie ihn einem Blinden beschreiben.

»Denn, *ma petite*, der menschliche Geist ist derart unbeständig, daß er bald wieder losläßt, was er gesehen hat; willst du etwas behalten, so mußt du es mit Worten festnageln.« Sie hatte es versucht und festgestellt, daß es mit Blumen, Zimmern, mit Gesichtern und Festen gleichermaßen ging.

Und jetzt wollte sie Bothwell für alle Zeit im Gedächtnis behalten, wie er in diesem Augenblick war, vor der Haustür eines alten Jagdschlosses an einem schönen Tag im August, im einunddreißigsten Jahr seines Lebens, und so begann sie, lautlos bei sich zu beschreiben, was sie sah.

Hinter ihm sind die Mauern, von zartem, sahnigem Weiß – zum Teil, über den rechteckigen Fenstern, von Efeu bewachsen. Die Sonne bescheint die Mauern, aber über Bothwell selbst fällt noch der lange Schatten der Bäume, die das Haus schützend umstehen.

Sein Kopf ist rund und ziemlich groß für seinen Körper. Sein Haar ist beinahe rot, aber dann eben doch nicht; es ist genug Braun darin, um den Eindruck zu mildern. Es ist kurzgeschnitten wie bei einem Soldaten, und man sieht die Ohren. Es sind schön geformte Ohren, und sie liegen dicht am Kopf an. Er hat breite Ohrläppchen.

Seine Haut ist straff und gebräunt und glattrasiert, sein Kiefer ausgeprägt. Seine Lippen sind breit und geschwungen und ein bißchen rosig.

Sein Hals ist stark und sonnengebräunt wie das Gesicht, und seine Schultern sind breit. Er trägt ein Jagdhemd aus rostbraunem Leder, aber trotz der weiten Ärmel kann ich die Muskeln sehen, die seine Arme so umfangreich machen. Auch seine Hände sind groß; er hat stumpfe Finger und trägt keine Ringe.

Ihr Blick wanderte hinunter zu seinen muskulösen Beinen, die sich in den Reithosen abzeichneten, und zu den kräftigen Füßen in den flachen Stiefeln.

Dann schaute sie hoch zu seinen Augen.

Da ist eine Narbe über dem linken Auge, von seiner Prügelei mit Cockburn von Ormiston. Aber sonst ist er unversehrt, und er hat sogar lange Wimpern. Seine Augen sind grünbraun wie das Moos im Winter.

»Stimmt etwas nicht?« fragte Bothwell. »Ihr starrt mich an, als kröche ein Insekt auf mir herum.«

»Da war eins.« Maria war entsetzlich verlegen. »Aber es ist weggeflogen. Es war auf Eurem – auf Eurem –«

Alles lachte, und Maria errötete.

»Deshalb also starrtest du so auf seinen – seinen *was?*« fragte Darnley tückisch.

»Auf gar nichts«, fauchte Maria.

»Nun denn«, sagte Sir John hastig, »was würde Euch heute gefallen? Sollen wir versuchen, im Ettrick Forest zu jagen, und hoffen, daß die Wilderer nicht vor uns da waren? Ich bin zutiefst beschämt über das, was gestern geschehen ist.«

»Ich muß leider fort«, sagte Bothwell. »Es war ein angenehmes Zwischenspiel, aber mich ruft die Pflicht in Gestalt der Elliots. Sie sind noch keineswegs bezwungen, und die Zeit wird knapp.« Er stand auf und nahm einen letzten Schluck aus seinem Bierkrug. »Ich gedenke, sie alle bis Oktober in unsere Gewalt zu bringen.«

»Wollen wir dann zusammen auf die Jagd gehen?« fragte Darnley, an Maria gewandt. »Das heißt, wenn du glaubst, daß du nach gestern abend noch im Sattel sitzen kannst.«

»Sie ist eine gute Reiterin; der gestrige Ritt hat das Ende ihrer Kräfte nicht annähernd berührt«, sagte Bothwell.

»Nein, ich meine unseren Ritt im Bett gestern abend«, sagte Darnley beinahe krähend vor Stolz.

Maria schnappte in entsetzlicher Beschämung nach Luft. Nicht wegen Darnleys widerwärtiger Prahlerei, sondern – und diese Erkenntnis machte sie noch verlegener – beschämt deshalb, weil Bothwell nun wußte, daß sie sich Darnley hingegeben hatte, in diesem Jagdschloß, nur wenige Zimmer von seinem entfernt. Daß er dies wußte, war ihr ein Graus.

»Komm, vielleicht bist du ja wieder guter Hoffnung!« johlte Darnley. »Und, ihr guten Leute« – er zwinkerte Sir John und Bothwell anzüglich zu – »soll man eine Stute nicht bewegen, wenn sie trächtig ist? Kommt, laßt uns reiten und reiten und reiten!« Er lachte und drehte sich um sich selbst, und dabei schwappte das Ale aus seinem Krug.

»Betrunken!« rief Maria aus, entsetzt über diese Erkenntnis. »Es stimmt also, was man mir sagt – daß es mit deinem Trinken schlimmer geworden ist, mit deiner unablässigen, gossenmäuligen Trunkenheit! Es ist erst neun Uhr morgens, und wie viele von denen hast du schon leergetrunken?« Sie trat gegen seinen Krug, daß er über das Pflaster und ins Gras kullerte. »Du betrunkener, alberner Dummkopf! Nie wieder sollst du mich anrühren!« Sie schlug ihm so heftig ins Gesicht, daß er sich noch schneller um sich selbst drehte. Seine Beine verhedderten sich, und er kippte um.

Die Diener an der Eingangstreppe erstarrten.

Plötzlich fühlte sie starke, breite Hände auf den Schultern, und eine feste Stimme klang ihr ins Ohr. Bothwell stand so dicht hinter ihr, daß seine Lippen fast ihre Wange berührten. »Ruhig. Laßt ihn da liegen. Erniedrigt Euch nicht.« Er ließ sie los und trat zurück.

»Sir John, ich muß mich verabschieden.« Er warf einen verachtungsvollen Blick auf Darnley, der ausgestreckt am Boden lag. »Darf ich vorschlagen, daß Ihr in Zukunft frischen Apfelmost oder vielleicht Milch zum Frühstück trinkt, Eure Majestät? Guten Tag.« Er wandte sich ab und ging über den Hof und ins Haus, um seine Sachen zu holen und eilig zu verschwinden.

Als er fort war, ließ Maria den Kopf auf die Knie sinken, und sie begann zu schluchzen. Ihr war jämmerlicher zumute, als sie es je für möglich gehalten hätte. Dann aber wischte sie sich die Tränen ab und befahl sich, mit dem Weinen aufzuhören.

Sie ließ Darnley wie ein Häuflein Elend, zitternd und wimmernd, am Boden liegen.

Auch ich werde abreisen, dachte sie. Ich werde den kleinen Prinzen nehmen und ihn geradewegs nach Stirling bringen, um ihn in die Obhut der Erskines zu geben.

Sie ging in ihr Schlafgemach und nahm den schlummernden Säugling aus seiner zierlich geschnitzten Wiege, einem Geschenk des Gastgebers, aus dunklem Holz, mit wattiertem Samt gepolstert. Das zwei Monate alte Kind hatte inzwischen ein volles Gesicht und runde, rote Wangen; es rührte sich und schlug die tiefblauen Augen auf.

Eine Woge von wilder Liebe und Stolz ließ sie erbeben, als sie auf den Sohn hinunterschaute. Das alles war es also wert gewesen, damit dieses Kind erschaffen werden konnte? Wenn sie ihn atmen hörte und seinen warmen Körper im Arm hielt, dann spürte sie, daß die Antwort ein Ja war.

»Zieht ihn reisefertig an«, befahl sie Lady Reres. »Und packt alle seine Sachen ein.« Sie wandte sich an Sir John, der ihr gefolgt war. »Es ist nötig, ihn auf Stirling Castle in Sicherheit zu bringen, wie damals auch mich«, sagte sie. »So ist es der Brauch, was den Thronerben angeht. Und der dazu bestimmte Augenblick ist fast gekommen – was tut es da schon, ob es ein paar Wochen früher oder später geschieht? Holt Eure Leute zusammen und stellt mir binnen einer Stunde eine Eskorte auf.«

»Majestät, tut dies nicht in Hast oder Zorn …«

Sie hörten, wie Darnley in den Flur stolperte und die Treppe heraufgepoltert kam.

»Und *ihn* sperrt Ihr ein!« rief sie.

Sir John schaute sie an, und man sah, daß es ihm echte Pein bereitete. »Majestät, ich darf nicht Hand an ihn legen. Er ist der *König* … habt Ihr das vergessen?«

»Ja, Weib, hast du das vergessen?« lallte Darnley in der Tür.

Maria umklammerte das Baby fester.

»Ich habe nicht vergessen, daß ich dir den *Titel* des Königs gewährt habe. Aber du bist weder gesalbt noch gekrönt noch vom Parlament bestätigt. Und glaub mir, das wird auch niemals geschehen! Und jetzt« – sie hob die Stimme, damit die Wache sie hörte – »befehle ich als die einzige souveräne Herrscherin dieses Reiches, daß Ihr den Earl von Ross und Herzog von Albany hier in Arrest nehmt. Sperrt ihn in seine Gemächer, bis er sich von seinem Tobsuchtsanfall erholt hat. Und sollte er gewalttätig werden, fesselt ihn!«

Die Wachen sahen Sir John an, dann Darnley, und schließlich wieder Maria, und dann traten sie zögernd vor und packten Darnleys Arme. Er versuchte sie abzuschütteln, doch er konnte es nicht.

»Ich muß den kleinen Prinzen in seine Kinderstube nach Stirling bringen, wo er in Sicherheit aufwachsen wird. Wenn du wieder zu dir gekommen bist, magst du nachkommen«, sagte sie zu Darnley. »Schafft ihn weg«, befahl sie der Wache.

»Dafür wirst du bezahlen«, fauchte Darnley. »Du wirst deinem geliebten Rizzio nachfolgen, und es wird nichts übrig sein, was man begraben könnte! Man braucht dich nicht mehr – du hast einen Prinzen hervorgebracht! Jetzt bist du überflüssig … überflüssig … dein Leben ist nichts mehr wert …« Seine Stimme verhallte, als man ihn fortschleifte.

»Die schwachen, einfallslosen Drohungen eines Feiglings«, sagte Maria und gab eine Unbekümmertheit vor, die sie nicht empfand.

»Ich bitte Euch, seid auf der Hut. Ein Feigling ist der tödlichste Feind, den es geben kann«, sagte Sir John beunruhigt.

Maria drückte das Baby noch einmal an sich, bevor sie es der Amme in die Arme legte. »Ein Feigling ist nur dann gefährlich, wenn er Komplizen hat«, antwortete sie. »Und niemand würde sich mit ihm auf eine Intrige einlassen, nachdem er sie schon einmal alle verraten hat.« Sie seufzte und strich sich nervös die Röcke glatt. »Und wenn man mich beseitigen wollte, ehe er mit der Mitkönigskrone gekrönt wäre, dann wäre er nicht mehr Gemahl einer Königin, sondern – ein einfacher Witwer!« Sie fing an, kurz und stoßweise zu lachen. »Er müßte in einem weißen Schleier herumlaufen!«

In diesem Augenblick hörte sie Hufgetrappel im Hof, und als sie sich aus dem Fenster beugte, sah sie Bothwell auf seinem kastanienbraunen Pferd. Sein rötliches Haar glänzte in der Sonne, als er sein Pferd herumriß und zu ihrem Fenster heraufschaute.

»Lebt wohl!« rief er. »Wir sehen uns in Jedburgh.« Er starrte sie an, als habe er alles mit angesehen, was sich gerade zugetragen hatte.

»Gott behüte Euch«, rief sie, und sie spürte, daß ihre Kraft sie mit ihm verließ. Sie winkte langsam, er salutierte und ritt davon.

»Hier habt Ihr mein Herz«, sagte Maria zu Lord und Lady Erskine, als sie ihnen das eingewickelte Baby überreichte, das Unterpfand der Unabhängigkeit Schottlands. Als ihr das Kind aus den Händen genommen wurde, war der Schmerz fast so groß wie bei der Geburt.

Arme Frauen brauchen ihre Kinder nicht abzugeben, dachte sie. Auch John Knox braucht seine Söhne nicht in die Obhut einer anderen Familie zu geben.

»Wir werden ihn hüten, als wäre er unser eigener«, versprach Erskine. Er nickte den formell gekleideten Kammerdienern zu, und eine rundliche Matrone trat vor und nahm das Kind in Empfang. Der kleine James gurrte und streckte eine Hand nach ihrem Gesicht aus.

»Sie wird Lady Eres in ungefähr vierzehn Tagen ersetzen«, sagte Erskine.

Nein, nein, ich kann es nicht ertragen, schrie Maria bei sich.

Jetzt weißt du, wie deiner eigenen Mutter zumute war, dachte sie.

»Kommt, Ihr müßt wissen, daß er immer der Eure sein wird«, sagte Erskine. »Ihr könnt ja herkommen und so viel Zeit mit ihm verbringen, wie Ihr wollt. Ihr werdet seine Lehrer auswählen und mit ihnen über seine Lektüre und seinen Unterricht sprechen.«

Aber ich werde nicht hier sein und mit ansehen, wie er sich mit seinen Lektionen plagt und wie er seine Spiele erlernt. Man wird mir alles erst zeigen, wenn es eingeübt und vervollkommnet ist. Ich werde ihn nicht trösten, wenn ihn das erste Mal jemand mit Worten verletzt, werde seine seltsamen, unerwarteten Fragen nicht beantworten …

»Der Kerkermeister des Sokrates riet: ›Versuche, leicht zu tragen an dem, was sein muß‹«, sagte Erskine.

Maria kehrte nach Edinburgh zurück, nachdem sie ein paar Tage bei den Erskines in Stirling verbracht hatte, um sich zu vergewissern, daß Prinz James sich gut eingewöhnt hatte. Langsam ritt sie in die Hauptstadt zurück und versuchte, an die Taufe zu denken und sie zu planen. Es würde ein prachtvoller Festakt werden, bei dem Schottland sich den Augen der Welt offenbarte. Für ein paar kurze Tage würden die Franzosen kommen und sehen, was aus ihrer früheren Königin geworden war, nachdem sie ihr Reich verlassen hatte. Sie würde sie mit Stolz willkommen heißen. Und Elisabeth? Würde Elisabeth wirklich kommen?

Aber die Pläne für ein Fest, so prächtig es auch werden mochte, konnten ihr banges Herz nicht beruhigen. Was in Traquair geschehen war, hatte das Fundament zerschmettert, auf dem alles andere errichtet war: die Endgültigkeit ihrer Ehe mit Darnley, die Notwendigkeit, sie anzuerkennen, ihm zu vergeben, ihn zu ertragen und sich selbst allem anderen gegenüber wie tot zu verhalten. Daß sie plötzlich so besessen von Bothwell war, beunruhigte sie so tief, daß sie unablässig darüber nachdachte, als gebe es hier ein Problem, das zu lösen sei; sie analysierte es beständig und suchte nach einer Erklärung dafür. Logische Erklärungen, die ihr einfielen, bestanden darin, daß sie sich in ihrem Abscheu gegen ihren Gemahl bei Bothwell bestimmte Eigenschaften vorstellte, um sich von der furchtbaren Wahrheit über Darnley abzulenken, vor der sie sich so sehr fürchtete. Vielleicht erinnerte er sie auch an ihren Onkel François, den Duc de Guise, den großen Soldaten Balafre mit der Narbe im Gesicht. Als Kind hatte sie ihn für den idealen Mann gehalten, und jetzt sah sie seinen Schatten in Bothwell. Vielleicht aber auch verwechselte sie Dankbarkeit mit Zuneigung, nachdem er sie nach dem Mord an Rizzio aus Holyrood gerettet hatte. Es gab eine einfache Erklärung dafür, dessen war sie sicher – und indem sich die Sache erklärte, würde sie sich selbst aufheben und harmlos machen.

Sie war kaum wieder in Holyrood, als Darnley aus Traquair House flüchtete und auf die Beiz ging. Sie war erleichtert darüber, daß sie ihn nicht zu sehen brauchte, aber sie wußte, daß er irgendwann zurückgeholt werden müßte. Würde es niemals zu Ende gehen? Was war die Lösung?

Es war an der Zeit, die Lords zurückzurufen, die mit der Verbannung vom Hofe bestraft worden waren, vor allem Maitland. Für die große öffentliche Feier mußte überall Ruhe herrschen; wenn edle

Gäste aus dem Ausland kämen, dürften sie nicht den halben Hofstaat in der Verbannung vorfinden. Maitland kehrte also zurück, und mit ihm Argyll und Lord James, und alle versöhnten sich mit Maria.

Alles ist wieder, wie es war, dachte sie. Zumindest oberflächlich.

John Knox hatte in Ayrshire im Westen von Schottland Zuflucht gesucht; er war also nicht anwesend, um sie mit seinen Predigten zu plagen oder wegen der Taufe – die hoffentlich nach katholischem Ritus durchgeführt werden würde – mit Drohungen zu überhäufen; sie mußte sich nur mit den Lords der Kongregation einigen.

Dementsprechend brachte sie das Thema in einer kleinen Staatsratssitzung Lord James gegenüber zu Sprache, als dieser wissen wollte, wer die Zeremonie zelebrieren solle.

»Ich hatte gedacht … Erzbischof Hamilton«, sagte sie ruhig.

Einen Augenblick lang war es ganz still. »Ein Katholik?« fragte Lord James.

»Ja.«

»Das Volk wird nicht erlauben –« begann Maitland.

»Das Volk muß doch damit rechnen! Die Mutter des Prinzen ist katholisch, und sein Vater« – ein peinliches Thema – »stammt aus einer katholischen Familie!« sagte sie.

»Aber er ist Thronerbe eines protestantischen Landes«, stellte Lord James fest.

»Erwartet Ihr, daß ich John Knox die Taufe vollziehen lasse?« rief sie. »Mir ist klar, daß sein Reich ein protestantisches sein wird. Warum, glaubt Ihr, bin ich es zufrieden, daß Lord Erskine sein Erzieher ist – Lord Erskine, ein guter Protestant? Ich *will* ja, daß mein Sohn diesen Glauben versteht. Aber was seine Taufe angeht – nein, es kann ihm so oder so nichts schaden, und *meinem* Gewissen wird es helfen. Eine katholische Taufe hindert niemanden daran, später Protestant zu werden, wie jeder von Euch bezeugen kann und nicht zuletzt auch John Knox!«

»Ihr seid also bereit, Euch mit dem Gedanken zu befassen, daß er sich frei dafür entscheiden kann, Protestant zu werden, sobald er ein verständiges Alter erreicht hat?« fragte Lord James vorsichtig.

»Ja, natürlich. Niemand von uns kann sich seinen Glauben von den Eltern aussuchen lassen; wenn unser Glaube etwas bedeuten soll, müssen wir ihn selbst erwählen. Aber niemand kann im Zustand der Unwissenheit wählen. Man muß etwas kennen, um wirklich die Freiheit zu haben, es zu erwählen *oder* zu verwerfen.«

Maitland lächelte. »Das ist völlig einleuchtend und ein gutes Argument. Ich sage, die Zeremonie soll katholisch sein, wenn die Königin es wünscht.«

»Also schön«, sagte Lord James widerwillig. »Aber nun zu den Kosten – wie habt Ihr es Euch damit gedacht? Ich verstehe nichts von solchen Zeremonien – wir haben sie in Schottland nicht mehr.«

»Der Prinz hat Paten aus drei Ländern; jeder wird eine Gesandtschaft von mindestens fünfzig Personen schicken. Dann wird es Bankette geben, Feuerwerk – ich kann jetzt nicht genau abschätzen, wieviel das alles kostet. Aber ich werde mir die Bücher der Schatzkanzlei ansehen und feststellen, wieviel der Kanzler bezahlen kann. Das werde ich unverzüglich tun, und wenn eine Steuer nötig ist –«

»Oh, das Volk wird eine Steuer nicht hinnehmen«, unterbrach Lord James rasch.

»Wenn eine Steuer nötig ist«, fuhr sie ungerührt fort, »bin ich bereit, Zugeständnisse zu machen, die dem Volk akzeptabel erscheinen werden. Vielleicht sogar willkommen sind.«

Noch in derselben Woche zog sie ins Schatzamt um, in ein Gebäude am Cowgate – einer Straße, die parallel zur High Street verlief –; vorgeblich tat sie es, um jederzeit Zugriff auf alle Bücher zu haben, aber in Wirklichkeit nicht nur dazu, sondern auch, weil sie ungestört sein wollte. Sie fand, daß sie in kleinen Räumen am besten nachdenken konnte, unbehelligt vom Protokoll des Lebens im Schloß, von den wachsamen Augen des Hofes gar nicht zu reden.

Sie ließ sich begleiten von ihrem Sekretär Claud Nau, der gut mit Zahlen umgehen konnte und außerdem über die Kosten eines derartigen Festes Bescheid wußte, und von Madame Rallay; nach wenigen Tagen kam auch Lady Reres dazu, nachdem sie in Stirling nicht mehr benötigt wurde. Sie brachte Nachricht von Prinz James und seiner Kinderstube.

Maria stellte bald fest, daß es ihr Spaß machte, die Kassenbücher der Regierung und ihres Hofstaats durchzusehen. Sie fand die alten, die bis in die Regentschaftszeit ihrer Mutter zurückreichten, und sah mit Entzücken den ersten Eintrag, der ihr selbst galt: »Weißer Taft für das Taufkleid der Prinzessin.« Manchmal ließ sie Lord James oder Maitland kommen, um sie wegen eines Postens zu befragen oder sich Abkürzungen erklären zu lassen, aber am liebsten zerbrach sie sich selbst den Kopf darüber und ließ die Bücher bei der fraglichen Eintragung offen liegen. So konnte sie jederzeit daran arbeiten, wie es ihr gefiel, ohne daß sie befürchten mußte, sich zu verlieren.

Aber ihr anfänglicher Eindruck war zutreffend gewesen: Die Krone hatte sehr wenig Geld – nicht genug, um ein Fest in dem Maßstab zu finanzieren, der ihr vorschwebte. Also gut, dann mußte eben eine Steuer her.

»Wir sind ein armes Land, Schwester«, sagte Lord James. »Ihr müßt Eure eigene Krönung nur einmal mit der Königin Elisabeths vergleichen, um es Euch klarzumachen. Eine Steuer ist also die einzige Möglichkeit.« Es war offensichtlich, daß er dieses Tauffest für eine Extravaganz hielt, und für eine törichte dazu.

»Es wird uns nicht helfen, wenn die Welt uns als armes Land erlebt«, wandte sie ein. »Wenn wir es verbergen und einen ansehnlichen Aufwand treiben, wird uns das später gut anstehen.«

»Was ist mit dem König?« fragte Lord James. »Wird er dabei sein und sich … fügen? Es hat ja keinen Sinn, sich Geld zu borgen und einen großen Aufwand zu machen, nur um aller Welt zu verraten, was wir hier als König haben. Ich weiß, daß er dagegen war, Königin Elisabeth einzuladen.«

»Er wird kommen, er wird kommen«, sagte Maria mit einer Zuversicht, die sie nicht empfand.

Das Wetter wurde häßlich – kalt, regnerisch, trüb. Maria verließ das Schatzamt nur ungern; sie hatte hier Zuflucht vor der Welt gefunden, und jetzt war sie darin gefangen. Sie zog sich in ihr privates Gemach zurück und las in einem bequemen Sessel vor dem Feuer, und sie genoß die paar Stunden völliger Ungestörtheit, in denen niemand irgendwelche Ansprüche an sie stellte. Der Regen prasselte gegen die Fenster.

Sie schaute hinaus und sah, wie Frauen hastig ihr Bettzeug ins Haus schleppten, das sie zum Lüften in den benachbarten Hof gehängt hatten. Als der Hausdiener noch mehr Holz für das Feuer brachte, deutete sie auf das Haus, zu dem der Hof gehörte, und fragte: »Wessen Haus ist das?«

»Es gehört David Chalmers, Madam«, sagte er. »Lord Bothwells Diener.«

»Ein feines Haus für einen Diener«, sagte sie überrascht.

»Oh, er ist mehr als nur ein Diener; er ist ein Gefährte, ein Freund, der ihm dient. Ja, Chalmers wohnt hier die meiste Zeit des Jahres über.«

Maria schaute auf das Haus hinunter. Ob Bothwell es ihm gekauft hatte? Dann war er sehr großzügig zu seinen Freunden. Es war ein

Haus mit vier Stockwerken. Sie sah, daß dort Lichter angezündet wurden, und jetzt konnte sie in die Räume schauen; sie schienen gut eingerichtet zu sein.

Bothwell. Sie hatte keine weitere Nachricht von ihm – außer der, daß er im Grenzland tätig war, wie sie es ihm befohlen hatte.

Seufzend wandte sie sich wieder ihrem Buch zu. Die Kerze blakte in dem Luftzug, den ein starker Wind durch das Zimmer wehen ließ. Sie würde bald zu Bett gehen. Einer der glücklichen Umstände dieses Aufenthalts bestand darin, daß sie ihre Zeiten selbst bestimmte, nur nach ihren eigenen Bedürfnissen.

Sie gähnte. Vielleicht war es jetzt schon Zeit, schlafenzugehen. Ja, sie würde Madame Rallay rufen, ihr Nachthemd anziehen –

Es klopfte leise an der Tür.

»Herein«, sagte sie.

Bothwell trat ein.

Sie war zu überrascht, um überrascht zu tun. Es war unmöglich, daß er hier war. Aber er war hier. Sie starrte ihn an. »Hier ist nicht Jedburgh«, sagte sie im Ton einer Feststellung.

»Nein.«

Erst jetzt sah sie sich um. Es war niemand bei ihm. Niemand hatte ihn zu ihrem Gemach geführt. »Wie seid Ihr ...?«

»Ich fürchte, ich bin heimlich nach Edinburgh gekommen. Niemand weiß, daß ich hier bin. Ich wohne nebenan, bei Chalmers. Lady Reres hat mich freundlicherweise durch die Hintertür hereingelassen. Die Höfe grenzen ja aneinander.«

»Lady Reres?« sagte sie. »Ach ja, natürlich – Ihr seid ja alte Freunde ...« Genauso mußte sie Bothwell viele Male eingelassen haben, damit er ihre Schwester Janet besuchen konnte. Plötzlich war sie nicht mehr froh, ihn zu sehen, sondern wünschte, er wollte wieder dahin zurückgehen, wo er hingehörte, ins Grenzland, oder sich auf ihre Träume beschränken. »Was wollt Ihr?«

»Mit Euch sprechen«, sagte er. »Darf ich mich setzen?«

Erst jetzt sah sie, daß er naßgeregnet war. »Natürlich. Weshalb möchtet Ihr mich sprechen? Habt Ihr ein besonderes Problem mit den Gefangenen oder mit dem Datum für den Gerichtstag, das wir festgesetzt haben?«

»Nein. Nein, damit ist alles in Ordnung. Aber ...«

»Bitte setzt Euch näher ans Feuer. Aber was?« Allmählich gewöhnte sie sich an ihn, und sie begriff, daß er keine Erscheinung war.

»Es gibt Ärger, fürchte ich. Wo ist Darnley?«

»Irgendwo auf der Falkenjagd. Ich weiß es nicht.«

»Ihr solltet ihn stets beobachten lassen. Ich höre, daß er Komplotte schmiedet, daß er geheime Briefe verschickt und erhält, aus ganz Europa, ja, sogar vom Papst! Und daß er vorhat, aus dem Land zu verschwinden. Er hat ein Schiff in Bereitschaft ...«

»Gut!« rief sie. »Laßt ihn aus dem Land verschwinden! Soll er nach Mexiko segeln und dort auf einer der Pyramiden wohnen! Mir ist es gleich!«

»Vielleicht ist er Euch persönlich gleich«, sagte Bothwell und wählte seine Worte sorgfältig. »Aber er ist mehr als nur eine Person. Er ist ein Symbol, das von anderen ausgenutzt werden kann. Er kann ›katholisch‹ sein, oder ›der letzte männliche Tudor‹, oder ›rechtmäßiger Thronerbe‹ ... was Ihr wollt. Schließlich sind das zum Teil die Gründe, weshalb Ihr ihn habt heiraten wollen. Dessentwegen, was er symbolisiert. Ist es nicht so?« Seine Stimme klang sanft.

Betrübt nickte sie. »Zum Teil war es mein törichtes Verlangen, Elisabeth zu gefallen und mich in die Reihe der englischen Thronfolger zu plazieren. Elisabeth hatte gesagt, ihr sei es lieber, wenn ich einen englischen Untertan heiratete und nicht einen Prinzen aus dem Ausland. Und da war Darnley, der einen Schuß königlichen Blutes in den Adern hatte. Und er *war* ja hübsch und gab sich solche Mühe, mir zu gefallen ... und ich dachte, ich liebte ihn. Er war anders damals, oder er erschien mir anders ...« Sie merkte, daß sie den Tränen nahe war. Sie hatte nichts dagegen, das alles auszusprechen: Bothwell hatte es ja selbst schon mit eigenen Augen gesehen.

»Arme Königin«, sagte Bothwell. »Ihr wolltet nur gefällig sein.«

»Ja!« rief Maria. »Man hatte mich gelehrt, wenn ich mich bemühte, an andere zu denken, dann würde ich meinen Lohn schon bekommen! Und als ich hierher nach Schottland kam, habe ich mich so sehr bemüht, allen zu gefallen! Aber je mehr ich mich bemühte, desto mehr ärgerte ich die Leute – ach!« Sie warf die Hände in die Höhe und lachte erstickt auf. »Wißt Ihr noch, wie wir an jenem Tag draußen im Moor darüber sprachen, daß man einen Ort braucht, an den man gehört? Seitdem habe ich erkannt, daß ich nie einen solchen Ort hatte – eigentlich nie. Ihr habt Glück. Ihr habt Eure Heimat im Grenzland, und Ihr seid auf Euren Schiffen zu Hause. Die Schiffe gefallen mir auch.«

»Ja, ich weiß, Ihr liebt das Segeln. Ich habe gehört, daß Ihr auf der Reise nach Frankreich als einzige nicht seekrank wart und daß

Ihr keine Angst vor dem Sturm hattet. Das Meer hat sich schon für manchen Heimatlosen als Heimat erwiesen. Ihr hättet Seefahrerin werden sollen.«

»Wo seid Ihr schon überall gewesen?« fragte sie. »Wart Ihr schon im hohen Norden? Wart Ihr auf den kleinen Inseln im Westen, auf den Hebriden?«

»Ja, ich bin schon hingesegelt. Die See dort ist rauh, und wenn man ankommt, hat man das Gefühl, eine echte Pilgerfahrt gemacht zu haben. Es ist wahrhaft eine andere Welt dort – eine Welt, die wir nicht kennen, die wir nicht kennen können. Diese bittere Abgeschiedenheit ... was trieb die Mönche dort hin, und was hielt sie dort in ihren kleinen Felsenzellen?«

»Ach! Wie gern führe ich dort einmal hin! Wenn Ihr mich nur einmal mitnehmen könntet!«

Er lehnte sich auf seinem Stuhl zurück und lächelte. »Es gibt keinen Grund, weshalb ich es nicht könnte. Eines Tages.« Er hielt inne und schaute ihr gerade ins Gesicht. »Wenn Ihr die Komplotte und den Verrat Eures Gemahls überlebt.«

»Das habe ich schon.« Aber es war ihr zuwider, es beim Namen genannt zu hören: *Verrat*.

»Er ist noch nicht fertig. Ich bitte Euch, gebt acht auf ihn. Setzt Spitzel auf ihn an. Unterschätzt ihn nicht.«

Bothwell hatte Darnleys Drohungen in Traquair nicht mehr gehört, sonst wäre er sicher noch stärker beunruhigt gewesen.

»Also gut«, sagte sie. »Ich muß Euch vertrauen und auf Euren Rat hören.«

»Ihr dürft einen solchen Mann niemals unterschätzen«, sagte Bothwell hartnäckig.

»Und Ihr habt den weiten Weg hierher gemacht, um mir diese Warnung zukommen zu lassen?«

»Ja. Findet Ihr nicht, daß es wichtig ist? Ihr scheint mir sehr unbesorgt, was Eure eigene Sicherheit angeht. Ich will Euch an eine Soldatenmaxime erinnern: Vernachlässige niemals deine Deckung, und glaube niemals, daß die Schlange nicht mehr zustoßen kann.«

Allmählich merkte sie wieder, wie stark sie sich zu ihm hingezogen fühlte. Erst war sie so verblüfft über seinen Anblick gewesen, daß sie es nicht gespürt hatte. Dann war sie erleichtert gewesen, daß es vorüber war – wie jemand, der einen Schatz findet, aber auch ein verwickeltes Gefüge von Anweisungen, die dazugehören und ihn zur Last werden lassen. Dieses Gefühl für Bothwell wäre im besten Fall eine Belastung gewesen, im schlimmsten aber verderblich. Da war es schon besser, festzustellen, daß es von allein verschwunden war, ehe irgendein Schaden angerichtet worden war.

Aber jetzt war es wieder da – ein Gefühl, so stark wie der Mann selbst. Sie war davon überzeugt, daß er es sehen konnte, daß es mit Händen zu greifen war. Und zugleich betete sie darum, daß er ohne weiteres Aufheben wieder gehen möge.

Sie erhob sich. Er folgte ihrem Beispiel und erhob sich. Sie hörte sich irgend etwas sagen: Wie freundlich es von ihm sei, eigens herzukommen, und wie sehr sie es zu schätzen wisse. Ob er eine Erfrischung wünsche? Meine Güte, wie spät es doch schon ist, gute Nacht, und ich freue mich auf Jedburgh ... Folgte er ihr zur Tür, zu der sie ihn führen wollte? Sie wagte nicht, sich umzusehen.

Seine Hand berührte ihre schmale Schulter, und sie drehte sich sofort um – und zwar so, daß sein Arm jetzt ihre Schultern umschlang. Ihr Gesicht war nur zwei Handbreit von seinem entfernt. Er ließ den Arm nicht sinken, sondern hob auch den anderen und umschloß sie ganz. Sanft schmiegte er sie an sich. In seiner Berührung war nichts als gütiger Trost.

Er hat Mitleid mit mir, wie mit diesen Leuten in der Hütte dort ... Seine Berührung ist wie die eines Bruders, nur daß mein eigener Bruder so kalt ist ... Er muß glücklich verheiratet sein, und mich sieht er – wie hat er gesagt? – als ›arme Königin‹. Seine Blicke, seine Hände, alles ist brüderlich ... Ich weiß ja, wie Blicke und Hände sind, wenn Verlangen da ist ... ich habe genug davon gesehen und gespürt, als ich es nicht wollte ... Chastelard, Gordon, Arran, jetzt Darnley ...

Nie hatte sie sich so sehr nach etwas gesehnt, und nie hatte sie sich so sehr zurückgewiesen gefühlt.

Sie hob den Kopf, um ihn anzusehen, und da küßte er sie.

Sie hatte sich geirrt. Da war Verlangen, großes Verlangen. Sein Kuß war ganz anders als in ihrem Traum, zart verharrend und sinnlich. Sie fühlte seinen Atem sanft und leicht an ihren Lippen. Es war ein ganz natürliches Gefühl, sich von ihm umarmen zu lassen, ihn zu küssen, ohne nachzudenken oder zu zögern. Sie liebte es, seine Lippen zu fühlen; sie waren glatt und weich und verhießen eine intime Zärtlichkeit auf allen Ebenen, von der dies nur der Anfang war.

Sie fühlte nichts als diese Lippen und ihre Verheißung ...

Bothwell war zurückgewichen. »Nein!« sagte er. »Nein, verzeiht mir!«

Sie wollte ihn wieder an sich ziehen, aber das durfte sie nicht tun. Er sah beschämt und verwirrt aus. »Es gibt nichts zu verzeihen«, sagte sie schließlich.

»Es wird nicht wieder vorkommen«, sagte er und wich so weit zurück, daß sie außer Reichweite war. »Das kann ich Euch versprechen, wenn Ihr mir nur diesen einen Fehltritt vergeben wollt, diese eine Anmaßung ...«

»Es gibt nichts zu vergeben«, beharrte sie. »Bitte lauft nicht weg. Der Regen ist noch schlimmer geworden ...« Draußen hörte man das Trommeln der Regentropfen auf dem Dach.

»Ich muß gehen«, sagte er und streckte die Hand nach dem Türgriff aus. »Vergeßt nicht, was ich Euch gesagt habe, über Lord Darnley!« Dann war er zur Tür hinaus, und im nächsten Augenblick war er verschwunden.

Darnley! Seine letzten Worte hatten Darnley gegolten!

Stürmisch weinend warf sie sich auf das Bett. Das Rauschen des Regens übertönte ihr Schluchzen, und so kam niemand, um sich zu erkundigen, was ihr fehle.

Ins Grenzland zurückgekehrt, machte Bothwell sich daran, seine Erbfeinde, die Kerrs anzugreifen. Außerdem nahm er eine ganze Bande Armstrongs von Liddesdale gefangen; sie saßen jetzt im Kerker von Hermitage Castle, der mächtigen Festung, und würden vor Gericht gestellt und wahrscheinlich hingerichtet werden, wenn die Königin nach Jedburgh käme.

Nach drei erfolgreichen Wochen im Felde kehrte er nach Crichton Castle zurück, wo Lady Bothwell ihn erwartete. Er war seltsam erpicht darauf, ihr von seinen Großtaten zu erzählen – vielleicht, weil er ihr gern zeigen wollte, daß *sein* Teil Schottlands genauso gefahrvoll und aufregend war wie ihr geliebtes Hochland, und daß *ihr* Gemahl im Felde mehr zu fürchten war als irgendein Gordon.

Als er sie fand, saß sie in einem der oberen Gemächer auf einem großen Kissen vor dem Kamin; sie trank ein Glas Wein und war mit einer Handarbeit beschäftigt. Sie blickte kaum auf, als er hereinkam. Sie war immer so ruhig, so gefaßt. Ihr war es einerlei – ob er kam oder nicht, ob er verletzt war oder nicht. Er wollte irgend etwas sagen, nur um zu sehen, ob sie ihn zur Kenntnis nahm, aber er überlegte es sich anders. Er machte auf dem Absatz kehrt und ging hinaus, just als sie mit blassen, vorquellenden Augen zu ihm aufblickte. Als sie sah, daß er hinausging, lächelte sie und wandte sich wieder ihrer Handarbeit zu.

Bothwell stand unversehens oben am Treppenabsatz und schaute die beiden Treppen hinab. Wütend ging er hinunter und wollte zu den Pferdeställen zurück, als er Bessie Crawford erblickte, eine von Lady Bothwells jungen Zofen, die mit einem Tablett die Treppe hinaufkam. Sie warf den Kopf in den Nacken und schien mit sich selbst zu reden. Sie stand beinahe vor ihm, ehe sie ihn bemerkte, und verlegen verstummte sie.

»Bitte setze dein Gespräch mit dir selbst doch fort«, sagte er. »Ich lausche zu gern.«

»Oh! Sire! Ich wußte nicht, daß Ihr wieder da seid! Warum hat man es nicht – nicht bekanntgemacht?« stammelte sie.

»Ich habe die letzten drei Wochen damit zugebracht, mich an Leute heranzuschleichen. Das ist eine Gewohnheit, die man nicht so leicht wieder ablegt.« Er hob die Kuppeln von den Tellern auf ihrem Tablett. Hasenragout. Mürbe Brötchen. Käse. Er steckte ein Stück Käse in den Mund und schob ein kleines Brötchen hinterher, und er wartete, daß das Mädchen namens ihrer Herrin protestierte. »Es kann sich lohnen, ein Dieb zu sein«, sagte er. »Vor allem, wenn man wirklich hungrig ist.«

»Ich fürchte nur, die Gräfin wird enttäuscht sein«, sagte Bessie. »Jetzt muß ich wieder zurück in die Küche, um das Tablett aufzufüllen.«

»Ja.« Bothwell ging mit ihr die Treppe hinunter. Sie warf immer wieder einen Blick über die Schulter, um zu sehen, wo er war, und ein Lächeln schlich sich über ihr Gesicht.

Sie gingen durch den Gang und in die Küche, wo nur ein einziger Koch faul in einem Topf rührte und French Paris, einer von Bothwells Aufträgern, Mausefallen mit Brosamen spickte.

Bessie stellte ihr Tablett hin und bat den Koch, es wieder aufzufüllen, während Bothwell sich zu Paris begab und ihm ein paar Anweisungen zuraunte. Dann nahm er Bessie beim Arm und führte sie entschlossen zur Tür des benachbarten Küchenturms. Gleich darauf waren sie in dem kleinen Raum, der als Vorratskammer diente; Bothwell schloß die Tür und lehnte sich mit verschränkten Armen dagegen. »Paris wird dafür sorgen, daß man uns nicht stört.«

Bessie starrte ihn an, und ihr kleines Gesicht war weiß. Aber sie wich nicht zurück, als er nach ihr griff. Herrgott! Er brauchte eine Frau. Er brauchte sie so dringend, daß es schmerzte.

Er zog ihren kleinen, steifen Körper an sich; sie war knochig, hatte aber große Brüste. Er beugte sich nieder, um sie zu küssen, und dabei erwartete er, daß sie den Kopf wegdrehte und quiekte und leise Protestlaute von sich gäbe, die rasch ersterben würden. Er wußte, daß sie keine Jungfrau war; Paris hatte sie schon gehabt, und der Koch auch.

Und richtig, sie neigte für einen Augenblick den Kopf, so daß er sie aufs Ohr und in den Nacken küssen mußte, ehe sie ihm das Gesicht entgegenhob. Das obligatorische Geziere war vorbei, und jetzt küßte sie ihn leidenschaftlich und ließ ihn ihren Körper fühlen. Ohne daß er darum gebeten hätte, öffnete sie ihr Mieder und murmelte: »Jetzt mögt Ihr tun, was Ihr wollt«, und dabei bot sie ihm ihre melonenförmigen Brüste wie auf einem Teller dar.

Er hatte kein großes Interesse daran, ihr bleiches Gesicht zu küssen oder sich ihrer Brüste zu bemächtigen; er brauchte nur eine einzige Art der Erleichterung. Sie legte sich rücklings auf den Boden und zog entgegenkommend ihre Röcke hoch. Jetzt wußte er, daß die Geschichten, die Paris und der Koch erzählt hatten, stimmten. Hastig öffnete er seine Hose und senkte sich über sie, beschämt wegen der Oberflächlichkeit des Vorgangs, aber begierig erpicht darauf, die Sache hinter sich zu bringen. Je eher er sie besteigen könnte, desto schneller würde er den brennenden, pochenden Ruf seines Leibes zum Verstummen bringen, der ihn so quälte – und zwar nicht dank seiner Ehefrau!

»Ah«, wisperte sie leise, als sie ihn auf sich fühlte, wie er sie erforschte, und dann stieß sie den erwarteten kleinen Schrei aus, als er in sie eindrang. »Oh, Mylord Bothwell, Mylord, Mylord ...« Ihre Stimme wurde schriller, und er konnte ihr eine Hand auf den Mund legen, um sie zum Schweigen zu bringen. Dann aber war er ganz darin vertieft, sich Befriedigung zu verschaffen, und er achtete nicht länger auf den Lärm; er würde ohne Zweifel explodieren, wenn diese köstlich lockende Marter seines Leibes nicht bald endete. Er stieß und bohrte, und es war ihm, als wolle er sie innerlich aufspießen, und dann durchflutete ihn die langersehnte Erleichterung, und er stöhnte vor Wollust auf.

Aber es war so schnell gegangen, daß er nicht einmal außer Atem geraten war. Und kaum waren die Wogen des Gefühls verrollt, wälzte er sich von ihr herunter. Es war vorbei.

»Das war gut«, sagte er leichthin und griff nach seiner Hose. Bessie blieb liegen und schaute ihn verloren an. Er streckte die Hand aus und zog ihren Rock herunter, um sie zu bedeken.

»Werdet Ihr mich noch einmal wollen, Sire?« fragte sie honigsüß.

Er war überrascht. »Nun – möglicherweise«, sagte er.

»Es wird mir eine Ehre sein, es noch einmal zu tun«, sagte sie.

»Warum?« fragte er neugierig.

»Ihr könnt es so gut«, sagte sie nüchtern, »selbst wenn Ihr in solcher Eile seid. Ich würde gern einmal sehen, wie Ihr es macht, wenn Ihr mehr Zeit habt.«

Er warf den Kopf in den Nacken und lachte. »Ich will mein Bestes tun, deine Neugier zu befriedigen.«

Bothwell war schon vor der Zeit auf. Aus dem Kerkergewölbe der Festung Hermitage kam Stampfen und Lärmen; dort drängten sich die Armstrongs, die er am Tag zuvor festgenommen hatte. Er rollte von seinem Feldbett herunter, rieb sich die Rückenmuskeln und betastete dann seinen Schwertarm, um zu sehen, ob er steif oder wund war. Lieber nicht – er hatte heute mächtig viel zu tun.

Nein, da war nichts zu spüren. Er krümmte den Arm und ballte die Faust. Was für ein wunderbarer Tag doch gestern gewesen war: Die Lairds von Mangerton und Whitehaugh hatte er eingebuchtet, diese diebischen Halunken. Ihre Turmfestungen hatten sie nicht gerettet. Und jetzt mochten sie, verflucht, dort unten verrotten und darauf warten, daß ihnen der Prozeß gemacht würde, wenn die Königin käme.

Wenn die Königin käme. O ja, bis dahin hätte er noch mehr Gesetzlose für sie. Es würde heute wieder ein schöner Tag werden. Das wußte er.

Auf bloßen Füßen ging er über den feuchtkalten Steinboden, streifte sein Hemd ab und tauchte die Hände in das steinerne Waschbecken in der Ecke. Er wusch sich das Gesicht und fröstelte, als das eisige Wasser seine Haut berührte.

Das stärkt den Charakter, schnaubte er bei sich.

Feuchtigkeit sickerte mit leisem Tröpfeln an den Wänden herunter. Hier in Hermitage Castle hatten selbst die inneren Mauern einen Moosschimmer.

Bothwell langte nach seinen Reitkleidern – einem Linnenhemd, einer gesteppten Oberjacke aus Leder, zum zusätzlichen Schutz mit Hornplättchen benäht, ledernen Stiefeln und Reithose – und zog sich langsam an, als wäre ihm nicht kalt. Dann griff er nach seiner Reiterpistole, seinem Schwert und seinem Dolch und war bereit, den Feinden der Königin entgegenzutreten.

Der Königin …

Er und seine Leute, ein Trupp von etwa hundert Soldaten, versammelten sich vor dem kolossalen Torbogen in der vorderen Außenmauer der Festung, der sich aufwärts schwang wie das Portal einer Kathedrale, dabei aber dunkel und unheimlich dräute wie das Tor zur Hölle. Das Geheul der Spürhunde, schlanker, schwarzer Tiere, klang furchterregend wie das Bellen des Zerberus.

»Ah, ihr Männer!« rief Bothwell. »Es ist wieder ein herrlicher Tag für die Jagd heute!« Tatsächlich war es grau und neblig, aber das hatte damit nichts zu tun. »Die Elliots! Die Elliots! Wir reiten gegen die Turmfestung von Jock o' the Park!«

Betäubendes Schweigen senkte sich über die Männer. Jock o' the Park war einer der berüchtigtsten, skrupellosesten unter den Räuberbaronen. Und noch nie war er festgenommen oder besiegt worden.

Bothwell lachte, so laut er konnte, aber die dicken, gefühllosen Steine der Zitadelle sogen das Lachen in sich auf und ließen es matt klingen.

»Ihr erinnert euch also an den Vers?

Nicht Spindel, nicht Löffel, nicht Bratenspieß,
Nicht Bett, nicht Kissen noch Laken er ließ.
Jock o' the Park,
Der Räubersmann stark,
Bei solcher Arbeit
Ist nichts ihm zu arg.

Kommt, wird das nicht eine fette Beute?« Bothwell hob sein Schwert und schwenkte es über dem Kopf.

»Ja! Ja!« Jetzt schwenkten auch die Männer ihre Klingen, und dann trappelten sie über die rohen Bohlen der Brücke über den Wassergraben, galoppierten am Bachlauf entlang hinunter, spritzten hindurch und donnerten weiter auf trockenem Boden. Sie folgten dem

Bach, der einem anderen zufloß, dem Liddelwater, und wo die beiden Gewässer sich vereinigten, lag der »Park«: das heimische Revier der Elliots.

Das Land war gefleckt in herbstlicher Pracht; purpurne Streifen von Heidekraut zogen sich über die steileren Hänge, und braun und gelb leuchteten Farn und Ried am plätschernden Wasser. Samtgrüne Grasflecken dehnten sich neben welken Einöden von braunem Ginster auf den Hügeln und leuchteten unerwartet kräftig unter gefallenem Laub und altem gelbem Schilf hervor. Der Himmel war von blassem Perlgrau.

Sie zogen an dicken, rechteckigen Steintürmen vorbei, die sich an der heidebewachsenen Böschung des Baches aneinanderreihten, und freuten sich an ihren starken Pferden und an diesem dunstigen Tag.

Der mächtige Festungsturm, der Jock o' the Park gehörte, ragte bald vor ihnen auf; arrogant thronte er auf einer Wiese am Zusammenfluß der beiden Bäche, und schottische wie englische Gesetzeshüter wußten, daß hier der Kampfring des Grenzlandes lag, in dem weder das Gesetz der einen noch das der anderen Seite galt.

Bothwell gab seinem Pferd die Sporen und galoppierte den anderen voraus, um Jock zu überraschen und ihn an der Flucht zu hindern. Aber es waren genug Leute draußen, die den einzelnen, bewaffneten Reiter herankommen sahen und ihren Herrn warnten, und bevor Bothwell sein Pferd zügelte und zum Turm hinaufbrüllte: »Ich verhafte Euch im Namen der Königin«, sprengte Jock bereits durch das Bachbett und in die Hügel hinauf.

Bothwell sah ihn und überlegte, ob er die Ankunft seiner Truppe abwarten sollte, ehe er die Verfolgung aufnähme. Nein – bis dahin wäre Jock außer Sicht. Rasch wandte er sein Pferd und trieb es über die Felder; im Galopp ging es über frisch abgeerntete Stoppeln und zwischen aufrechten Halmen hindurch und bald auch durch dichteres Gestrüpp, je weiter er Jock ins wildere Hügelland folgte. Jock hatte das Flußtal verlassen und ritt bergauf; er hatte also ein Bergversteck, zu dem er wollte.

Ich darf ihn nicht aus den Augen verlieren, dachte Bothwell und trieb sein Pferd voran.

Der Abstand verringerte sich: dreihundert Yard, zweihundert Yard, einhundert, fünfzig – und dann sah Bothwell, wie Jock über die Schulter zurückschaute, sah sogar die Farben des Karos an seinem Reitmantel. Der Mann grinste.

»Halt!« rief Bothwell, und er griff an seinen Gürtel und zog seine Pistole. Er schoß in die Luft, daß es von den Bergen widerhallte.

Jock zügelte sein Pferd, aber das bedrohliche, selbstzufriedene Grinsen wich nicht von seinem Gesicht.

»Halte lieber Abstand, *Lieutenant*, du Mann der Königin«, sagte er, und jedes Wort troff von Verachtung.

»Ich bin mein eigener Mann«, versetzte Bothwell. »Und Burgherr von Liddesdale. Wenn Ihr Euch weigert, meinem Befehl zu gehorchen, so wollen wir sehen, wer der bessere Mann ist. Das befehle ich Euch nicht nur mit meiner Autorität als Offizier – denn was ist ein Offiziersamt anderes als ein verliehener Titel, und nur allzu oft steht es dem Manne, der damit behängt ist, übel an –, sondern auch von Mann zu Mann. Einzelkampf.«

Und während er redete, näherte er sich Jock immer weiter, bis er auf der kleinen, grünen Lichtung, auf der sie angehalten hatten, nur noch acht oder zehn Schritt weit von ihm entfernt war. Dann sprang er vom Pferd und zog im selben Augenblick sein mächtiges zweihändiges Schwert.

Jock beäugte ihn einen Moment lang verwundert; dann stieg er ebenfalls ab. Mit Bedacht zog er sein Schwert und näherte sich Bothwell.

»Du kommst aus einer anderen Zeit«, sagte er leise. »Hältst du dich für einen von König Arthurs Rittern? Ein Zweikampf!« Er lachte rauh. »Oder möchtest du für eine Sünde Buße tun? Von mir aus – ich will dir gern zu deiner Strafe verhelfen.« Er zückte das große Schwert und stürzte sich auf Bothwell, so daß dieser kaum Zeit fand, sich zu ducken und sein Gleichgewicht wiederzufinden.

Er ließ den Schwertarm wirbeln, und sein Schwert sauste mit schwirrender Klinge an Jock vorbei und verfing sich in seinem Umhang. Jock wich zurück, holte aus und stieß nach Bothwells Schulter. Die Spitze seiner Klinge berührte das wattierte Leder und riß es auf, aber Bothwell zuckte nicht zurück. Statt dessen sprang er zu Jocks Verblüffung vor und drückte ihm die Schwertklinge an die Brust.

Jock stolperte und fiel hintenüber. Bothwell stürzte sich auf ihn und drückte ihn nieder, daß er hilflos auf dem Rücken liegenblieb. Mit behutsamer Sorgfalt legte Bothwell ihm die Schwertschneide an den Hals, wo der Adamsapfel auf und nieder hüpfte.

»So«, flüsterte Bothwell, als wären andere in der Nähe, die zuhören könnten, »ergebt Ihr Euch?«

Jocks Überraschung schien immer noch größer zu sein als seine Angst. »Ja«, sagte er. Aber hatte er auch verstanden, was gesagt worden war? Oder war es nur ein Trick?

»Ist mein Leben denn sicher?« fragte Jock. »Garantierst du für meine Sicherheit?«

»Ihr müßt Euch verantworten, wenn die Königin kommt, um zu Gericht zu sitzen«, sagte Bothwell. »Aber wenn Ihr freigesprochen werdet, will ich das akzeptieren und mich zufriedengeben. Dann sollt Ihr frei sein.«

»Die Königin!« sagte Jock. »Was weiß denn die?«

»Sie weiß, was Gnade ist. Besser, als gut für sie wäre, gut für das Reich und für ihre eigene Sicherheit – vielleicht. Aber in ihrer Gnade liegt Eure Sicherheit.«

»Dann bin ich einverstanden.«

»Also gut.« Bothwell nahm langsam sein Schwert weg und entließ Jock aus seinem harten Griff.

Der Gesetzlose stand auf, als sei seine Würde zertrampelt worden, und klopfte sich den Schmutz von der Kleidung.

»Ihr müßt mit mir zurückreiten«, sagte Bothwell. »Ich werde Euch nicht die Unehre erweisen, Euch zu fesseln. Euer Wort muß genügen.«

Er schob das Schwert in die Scheide und ging zurück zu seinem gut erzogenen Pferd, das während des Handgemenges geduldig gewartet hatte. Als er sich in den Sattel geschwungen hatte, drehte er sich um und sah, daß Jock aufgestiegen war und davongaloppierte.

Ein Lügner. Ein Mann, der sein eigenes Wort verriet.

Ruhig zog Bothwell seine Pistole aus dem Gürtel und schoß Jock aus dem Sattel. Die Wucht des Aufschlags schleuderte den Mann nach vorn; er krallte sich panisch in die Mähne seines Pferdes und stürzte dann unter seine Hufe. Das Pferd rannte weiter, aber Jock lag in einer Mulde, und seine Beine ragten aus Heidekraut und Farn. Ein Fuß zuckte und zitterte.

»Ein Mann, der sein Wort bricht, steht tiefer als ein Tier«, sagte Bothwell, als er auf den karierten Mantel zuritt.

Es war kein Laut zu hören, und die Bewegungen hatten aufgehört. Er mußte tot sein oder gerade sterben.

Vorsichtig stieg Bothwell ab und näherte sich dem formlosen Haufen; wachsam hielt er nach irgendeiner Bewegung Ausschau. Aber da war nichts als die unnormale Stille der ewigen Ruhe.

Als er noch näherkam, sah er den Blutfleck in dem grün und rot karierten Mantel; es war schwer, das neue Rot von dem des Musters zu unterscheiden.

Dieser Dummkopf. Warum ist er nicht mitgekommen? Höchstwahrscheinlich hätte die Königin ihn begnadigt. Sie hat noch nie jemanden hinrich–

Mit schrillem Schrei sprang Jock auf, schwang das Schwert und traf Bothwells Arm. Bothwell stolperte über einen schlüpfrigen, moosbewachsenen Baumstumpf und fiel auf den Rücken, schutzlos wie ein Tier auf der Schlachtbank. Ein Schwertstreich auf seinen Leib zerschnitt das gefütterte Leder, fuhr in die Eingeweide ...

Wut und Schock und Rachedurst erfaßten Bothwell wie eine rote Flut, die dem Schmerz vorauswogte, und er packte seinen kurzen, scharfen Dolch mit der Rechten und riß ihn aus dem Gürtel.

Jocks Gesicht war über seinem eigenen, grinsend wie ein Totenschädel, und atmete ihm seinen fauligen Atem in die Nase. Mit aller Kraft, knapp eine Sekunde, bevor er enthauptet worden wäre, stieß Bothwell ihm den Dolch durch den Stoff tief hinein in die Brust, zog ihn heraus und konnte ihn noch ein zweitesmal hineinbohren. Das Grinsen wich aus Jocks Gesicht, versickerte wie Wasser aus einem durchlöcherten Schlauch; Blut quoll aus seinem Mund auf Bothwells Gesicht und blendete ihn. Er fühlte, wie Jock von ihm herunterrollte, versuchte noch einmal, nach ihm zu stechen, und fand nur leere Luft – und dann traf ihn ein greller, schneidender Schlag auf den Kopf. Lichter explodierten hinter seinen Augen, und ein Regen von Funken in verschiedenen Farben und Formen sprühte durch seinen Kopf wie vom Hammer eines Schmiedes, der das Eisen schlägt.

Alles Geräusch wurde dumpf, schwand dahin, und nur ein Geschmack blieb zurück: der rostige, heiße Geschmack des Blutes, das durch seine Kehle floß, ihn ertränkte, erstickte, und dessen schwellende Flut ihn davontrug, hinunter in schwarzem, wirbelndem Strudel.

Er bekam keine Luft mehr. Seine Lunge füllte sich mit Blut, und er hatte nicht mehr die Kraft, sich umzudrehen, um sie zu entleeren. Gurgelnd floß das Blut ihm aus dem Mund wie einer der tausend rieselnden Bäche – ein Quell von dunkelroter Flüssigkeit, in dem sein Gesicht ertrank.

Lord Lieutenant Bothwell ist tot«, sagte der Soldat, der vor Maria stand. Er war müde und schmutzig nach dem Fünfundzwanzig-Meilen-Ritt von Hermitage Castle nahe der englischen Grenze bis Melrose, wohin Maria der erste Schritt der Reise nach Jedburgh geführt hatte.

Als die Königin schwieg, fuhr der Mann fort: »Jock o' the Park, ein Elliot, hat ihn getötet. Er ritt uns voraus und war Jock auf den Fersen, und wir sahen nicht, wie er ihn einholte. Als wir hinkamen, lag er in seinem Blute. Tot.«

Tot? Bothwell, tot? Nein, das war unmöglich, undenkbar. Er konnte nicht sterben. Sie hörte sich selbst zu dem Mann sagen: »Ihr müßt müde sein. Bitte nehmt eine Erfrischung.« Sie nickte dem einzigen anwesenden Diener zu.

Ich sollte Lord James und Maitland herbeordern, dachte sie. Nein, noch nicht. Noch nicht.

Anmutig nahm sie Platz und wartete mit gefalteten Händen, während der Bote – einer von Bothwells Männern, vielleicht einer, von dem er schon einmal gesprochen hatte – zwei Becher frisch gepreßten Apfelmost trank.

Wir sehen uns in Jedburgh.

Jetzt nicht mehr.

»Sie haben seinen Leichnam in die Festung Hermitage gebracht. Ich bin geradewegs hergekommen«, berichtete der Mann.

Seinen Leichnam.

»Ist er ... hat man ihn schon begraben?«

Hatten sie ihm nur ein Soldatenbegräbnis gegeben, ihn einfach zugeschaufelt? Oder würde eine formelle Bestattung irgendwo in einer Familiengruft stattfinden? Bothwell wäre das erstere lieber gewesen, das wußte sie irgendwie.

»Ich bin nicht mit zurück nach Hermitage geritten. Ich weiß nicht, was sie mit der Leiche gemacht haben. Oh, ich bitte um Vergebung, ich wollte Euch nicht verletzen. Wenn Ihr Anweisungen habt ...«

Leiche.

»Ich nehme an ... man sollte sich nach Lady Bothwells Wünschen richten.« Lady Bothwell hatte sie fast vergessen. »Ja. Ihr solltet unverzüglich zu seiner ... Witwe gehen und sie gleich in Kenntnis setzen. Sie darf es nicht von anderen erfahren.«

Tot. Ganz, ganz tot?

»Wie ist er … was waren seine tödlichen Verletzungen?«

»Er hatte böse Schwertwunden im Gesicht und am Bauch, und sein linker Arm war aufgeschlitzt und gebrochen, offenbar durch die Wucht eines Angriffs mit einem zweihändigen Schwert. Aber von Jock werden wir es nicht mehr erfahren. Eine halbe Meile weiter haben wir ihn tot gefunden; er hatte eine Schußwunde im Schenkel und zwei Stiche in der Brust. Bothwell hat ihn erwischt«, sagte er stolz. »Er ist zum Sterben weggekrochen. Über einem bemoosten Stumpf ist er zusammengesackt; sein Blut war noch warm. Bothwells natürlich auch«, fügte er hinzu.

Diese Einzelheiten ließen es plötzlich wahr werden. Der gebrochene Arm, das warme Blut …

»O Gott!« Sie brach in Tränen aus, und impulsiv umarmte sie den jungen Soldaten. Er hatte ihn gesehen, war an seiner Seite gewesen. Da war Blut an seinem Ärmel – von Bothwell? Ihre Finger griffen nach dem Fleck. Er war schwarz und hatte einen harten Glanz.

Sie schluckte heftig und wich zurück. »Bitte ruft meine Ratsherren herbei«, sagte sie zu dem Diener.

»Was gibt es, liebste Schwester?« fragte Lord James, als er wenig später hereinkam. Er gab sich überaus fürsorglich. Sein Blick war hart.

»Ja, was gibt es?« wiederholte Maitland, der ihm dicht auf den Fersen war.

Bothwell ist nicht mehr da, und ich bin wieder in eurer Hand, und jetzt habe ich keinen mehr, an den ich mich wenden kann, dachte sie.

Der Verlust des militärischen und politischen Verbündeten, als der er sich erwiesen hatte, fiel wie ein schweres Gewicht in das Netz der Verzweiflung, in der ihre Liebe zu ihm bereits leblos lag.

Sie hielt den Kopf hoch und deutete auf den Boten. »Er wird Euch berichten.« Sie traute sich nicht zu, selbst zu sprechen; und außerdem wollte sie es selbst noch einmal hören. Seltsam, aber sie wollte es wieder und wieder hören.

Der junge Bursche – viel mehr war er nicht – räusperte sich. »Lord Bothwell wurde im Kampf mit Jock o' the Park getötet. ›Kleiner Jock‹, so nannte man ihn. Weil er so groß war.« Er lachte nervös.

Lord James und Maitland warfen sich gegenseitig einen kurzen Blick zu.

»Gott schenke ihm die ewige Ruhe«, sagte Lord James mechanisch.

»Und was nun?« fragte der praktisch denkende Maitland.

»Wir müssen nach Jedburgh reisen, wie wir es angekündigt haben«, hörte Maria sich mit ruhiger Stimme sagen. »Die Gesetzlosen und Räuber, die unser getreuer Statthalter verhaftet hat, dürfen seines Todes wegen nicht straflos ausgehen. Das wäre eine Verhöhnung seines Andenkens.«

»Dann reisen wir morgen weiter?«

»Ja.«

Sie wandte sich an den Boten. Der Überbringer einer schlechten Nachricht soll verhaßt sein, dachte sie, aber ich will ihn nicht mehr aus den Augen lassen. Er ist meine letzte Verbindung zum lebenden Bothwell. Wieder schaute sie auf seinen blutigen Ärmel. »Ich bitte Euch, bleibt bis morgen bei uns.«

In dieser Nacht fand sie keinen Schlaf. Sie hatte Angst, sie würde wieder von ihm träumen – nein, sie wußte, daß sie es tun würde. Und die Qual, ihn lebendig in ihren Träumen zu sehen, würde ihre Verzweiflung nach dem Aufwachen nur verstärken. Es war besser, wach zu bleiben, in der Hand des Schmerzes, als sich von ihm abzuwenden und alles damit nur noch schlimmer zu machen.

Aber wachzuliegen war genauso schrecklich. Sie fühlte seine Anwesenheit in ihrem Zimmer, und sie wagte nicht, die Augen zu öffnen, da sie die Erscheinung sonst sehen würde, blutig und verstümmelt.

»Ich fürchte Euch, Lord Bothwell«, wisperte sie, »und zugleich weiß ich, daß ich Euch unrecht tue, denn Ihr habt mir niemals Böses gewollt. Aber Ihr seid jetzt ein anderer, verändert ... verzeiht mir, aber ich fürchte den Tod und seine Veränderungen selbst bei denen, die ich liebe ...«

Im Morgengrauen schien die Erscheinung allmählich zu verblassen.

Der Ritt nach Jedburgh hätte sie beruhigen müssen, denn es lag Schönheit in der gelben Oktobersonne und in der verklingenden Wärme des vergangenen Sommers. Sie ritten an der zerstörten Abtei von Melrose vorbei, deren spitze Bögen in den Himmel wiesen wie die schlanken Rippen eines Skeletts.

Alles stirbt und wird gewaltsam zerstört, dachte Maria. Die Mönche kamen hierher, als Schottland noch wild war, am Rande der Zivilisation, und bauten mühsam ihre Kirche, Stein auf Stein. Aber englische Gewalt zerstörte sie in einem Tag; und hätten sie es nicht getan, so hätte Knox mit seinem Wüten es an ihrer Statt erledigt. Bothwell versuchte Ordnung ins Grenzland zu bringen, doch ein Gesetzloser hat ihn getötet.

An diesem goldenen Tag kam es ihr so vor, als würden Dunkelheit, Chaos und Unordnung in Ewigkeit triumphieren, und als würde die Sonne immer zu früh untergehen. Die bleichen Rippen der zerstörten Abtei legten davon Zeugnis ab.

In Jedburgh sollten sie in einem befestigten Steinhaus, einem »Bastel House«, das sie von der Familie Kerr gemietet hatten, Quartier nehmen. Jedburgh selbst war eine ganz freundliche Stadt, wenn man bedachte, wo es lag. Schon viele Male war es von den Engländern überfallen worden, und immer wieder hatte es sich aus dem Staub erhoben wie ein Ringkämpfer, sich in Ordnung gebracht und wieder von neuem begonnen.

Im Untergeschoß des dreistöckigen Hauses lagen drei große Zimmer und zwei im Stockwerk darüber. Die falschgedrehte Wendeltreppe zwischen den beiden Stockwerken erheiterte alle, so sehr waren sie die üblichen Treppen gewöhnt. Als Maria in dieser Nacht in dem kalten, flachen Bett lag, schlief sie traumlos. Es gab nichts mehr, wovon sie hätte träumen können. Als sie erwachte, war sie dankbar, daß die Nacht leer geblieben war – so, als hätte man sie in eine schwarze Schachtel gesteckt.

Der Gerichtstag sollte morgen beginnen. Einer nach dem anderen würden die Verbrecher vorgeführt werden, gefesselt oder in Ketten, damit sie das Urteil über sie spräche.

»Hängt sie auf«, hatte Bothwell gesagt.

Maitland hatte warnend daran erinnert, daß Galgen und Henker knapp seien, und zu Massenertränkungen geraten, weil dies ökonomischer sei. »Im Wasser sind sie genauso tot wie am Strick«, hatte er gesagt.

»Ihr seid zu barmherzig«, hatte Lord James gesagt und eine Braue hochgezogen. »Sorgt nur dafür, daß überhaupt Hinrichtungen stattfinden.«

Sie saß auf einem hohen Stuhl mit dem Staatstuch über ihrem Kopf; es sah aus wie ein behelfsmäßiger Thron. Der erste, der ihr vorgeführt wurde, war der berüchtigte Willie Kerr, der Schwiegervatermörder.

»William Kerr, Laird von Cessford, Ihr seid angeklagt, den Vater Eurer Gattin auf das frevelhafteste getötet zu haben, indem Ihr ihm mit einer Axt Kopf und Arme abschlugt. Damit habt Ihr nicht nur gegen Eure eheliche Pflicht und gegen das Vierte Gebot verstoßen – das da sagt, man solle Vater und Mutter ehren –, sondern auch gegen Eure geistliche Pflicht, denn der Mann war ein Abt und hatte sogar Eure Söhne getauft.« Nüchtern verlas der Sekretär die Anklageschrift. »Das Urteil und die Strafe festzusetzen, obliegt nun Eurer obersten Herrscherin und Königin.«

Der Mann sah so durchschnittlich aus. Sein dichtes, braungraues Haar stand wie vor Angst zu Berge, und sein faltiges Gesicht sah ergeben aus – wie er sich auch in Räuberei, Krieg und Brandschatzung ergeben hatte …

»Gnade, Eure Majestät!« rief er und warf sich auf die Knie. »Ich habe gesündigt, ich habe einen Mord begangen, aber ich bereue! Und mein Weib … sie hat ihren Vater gehaßt, denn er hat sie geschlagen und mißhandelt, bis sie solche Angst vor ihm hatte, daß sie schon beim Klang seiner Stimme oder bei der Erwähnung seines Namens zu zittern anfing. Überdies – was hat ein Abt Kinder zu zeugen?« Er erhob sich, und sein Rückgrat straffte sich und wurde gerade. »Er war ein Sünder, und ich habe ihn bestraft! Er war ein Makel der Kirche! Wundert Ihr Euch, daß John Knox und sein Pöbel den Sieg davongetragen haben? Das kam nur, weil die Kirche von Leuten wie diesem Abt besudelt wurde!«

Der Mann sprach die Wahrheit. Nicht – wie in England – die Habgier des Königs hatte die schottische Kirche vernichtet, sondern die Habgier und Unfähigkeit ihrer eigenen Führer.

»Ich habe einen Schlag für Recht und Ehrlichkeit geführt, Majestät!« rief er. »Ehrlichkeit statt Heuchelei, Mißhandlung und Grausamkeit! Und ich bin bereit, dafür zu sterben! Mein Tod wird nicht vergebens gewesen sein.«

»Ihr werdet nicht sterben«, sagte Maria. »Denn Ihr sagt die Wahrheit.«

Sie hörte, wie Maitland und Lord James angewidert schnaubten.

Am Mittag zog Maria sich zurück, um ein wenig zu essen. Zehn Gefangene waren ihr vorgeführt worden, und sie hatte sich ihre Plädoyers angehört. Keiner war zum Tode verurteilt worden.

Lord James und Maitland mißbilligten das Verfahren so sehr, daß sie sich in ihre eigenen Gemächer zurückgezogen hatten und nicht mit ihr speisen wollten, obgleich sie gehorcht hätten, wenn sie es ihnen befohlen hätte.

Wie kann ich jemanden zum Tode verurteilen, der zu seinem Gewissen steht, fragte sie sich. Kerr hatte recht mit dem, was er über den Abt gesagt hat. Aber es war unrecht von ihm, die Bestrafung selbst in die Hand zu nehmen. Es ist schwer, sich zurückzuhalten; Gott handelt sehr langsam, wenn wir es Ihm überlassen, wie man es uns gelehrt hat.

Sie stocherte in dem gebratenen Rebhuhn mit Kohl herum; sie hatte keinen Appetit mehr, nicht seit jener Nachricht aus dem Grenzland.

Es klopfte.

»Herein«, sagte sie.

Ein vierschrötiger Mann, so dick, daß sein eigenes Fleisch ihn wärmte und er daher keinen Mantel brauchte, kam herein.

»Ich bin einer von Lord Bothwells Leuten«, gab er bekannt. »Es gibt herrliche Neuigkeiten. Der Earl lebt!«

»Was?« Maria erhob sich bebend.

»Der Earl lebt! Wir brachten ihn auf einem Karren zurück, blutig und kalt ... so kalt; das Blut auf seinen Wunden war geronnen, und er schien nicht zu atmen. Aber bevor wir die Festung Hermitage erreichten, regte er sich. Seine Wunden waren nicht tödlich.« Er warf die Hände in die Luft. »Und heute schlug er die Augen auf und wollte wissen, ob Eure Majestät von seinem Tod in Kenntnis gesetzt worden sei. Als wir es bejahten, befahl er mir, unverzüglich zu Euch zu gehen und Euch zu sagen, daß er lebe. Alles andere war ihm anscheinend völlig gleichgültig. Wenigstens zuerst.«

»Er lebt?« Der Mann mußte phantasieren.

»Ja. Er lebt und genest von Stunde zu Stunde.«

»Ist er noch ... er selbst?«

Der Mann lachte. »Das kann man wohl sagen. Er machte Witze über Jock und war entzückt darüber, daß er nicht entkommen ist. ›Ah, der bescheidene Dolch hat schon etwas für sich‹, sagte er. ›Wenn Pistole und Schwert dich im Stich lassen, ist es gut, noch einen Dolch im Gürtel zu haben.‹«

»Dann muß man ihm Zeit lassen, wieder gesund zu werden. Wir kommen, wenn der Gerichtstag vorbei ist.«

Neun Tage blieb sie in Jedburgh und hielt Gericht. Täglich erhielt sie Nachricht über den Fortgang der Heilung bei Bothwell. Er trägt den Arm in der Schlinge. Er hat drei volle Mahlzeiten zu sich genommen. Er ist in den Vorhof der Burg hinausgegangen und hat zu seinen Leuten gesprochen. Er hat ihnen Anweisungen für ihre Stoßtruppunternehmen gegeben.

Endlich waren ihr alle Missetäter zur Verurteilung vorgeführt worden, und sie hatte keinen einzigen zum Tode verurteilt. Lord James und Maitland waren offensichtlich besorgt über ihre Entscheidungen und blieben hartnäckig dabei, daß die Gewalt nur durch Gewalt bekämpft werden könne.

»Ein Feuer löscht man mit Feuer«, sagte Maitland. »Diese Leute verstehen nichts anderes. Eure Barmherzigkeit ist fehl am Platze.«

»Ihr habt nicht gezögert, Euch ihrer zu bedienen«, gab sie spitz zurück. »Warum sollten bei Hofe andere Maßstäbe gelten?«

»Es gibt einen Unterschied zwischen politischen Meinungsverschiedenheiten auf der einen Seite und schlichtem Raub und Totschlag auf der anderen«, bemerkte Lord James.

»Der Mord an Rizzio war blutrünstiger als das, was mit dem Abt von Kelso passiert ist. Ich sehe nicht den geringsten Unterschied – nur daß der Dolch des Königs ein paar Juwelen am Griff hat.« Sie hatte keine Lust, dieses Gespräch fortzuführen. »Ihr habt meine Erlaubnis, morgen abzureisen. Was mich betrifft, so will ich noch nach Hermitage. Es gibt manches mit Lord Bothwell zu besprechen, wenn er dazu imstande ist.«

»Das ist eine Reise von fast dreißig Meilen«, sagte Lord James. »Da müßt Ihr früh aufbrechen.« Wieder zog er fragend eine Braue hoch. »Ihr wollt also an einem Tag über sechzig Meilen reiten?«

»Und warum nicht?«

»Selbst bei Eurer Flucht nach Dunbar, die allseits bewundert wurde, waren es nur fünfundzwanzig. Und nun sechzig – bloß, um einen Kranken aufzumuntern?«

»Ich habe ihn nicht zu pflegen; ich habe Berichte auszutauschen.«

»Natürlich«, sagte Lord James. »Dann werden wir Euch begleiten. Das heißt, wenn Ihr es erlaubt.«

Der Tag dämmerte heiter, aber mit schneidender Kälte. Sie saßen im Sattel, als die Sonne über die Wipfel der Bäume heraufkam, die jetzt schnell ihr Laub verloren.

Maria konnte den Aufbruch kaum erwarten. Sie drehte ihr Pferd in der kalten Luft im Kreis und rief: »Laßt uns losreiten. Unser Führer wird uns den kürzesten Weg zeigen.«

So ging es hinaus; sie trabten die Hauptstraße der Stadt hinunter und an einer zweiten zerstörten Abtei vorbei, bis sie freies Feld erreichten und galoppieren konnten. Von Reif überzogene Getreidegarben leuchteten wie gespenstische Wachtposten, und die Felder waren silbern. Den Feldern benachbart lagen Obstgärten, die schon halb abgeerntet waren; Leitern lehnten an den Bäumen, und Körbe standen überall verstreut.

Aber als sie weiterritten, ließen sie die wohlgeordneten Felder und Obstgärten hinter sich; erst kam Dickicht, dann endlose Ketten von graubraunen Hügeln, an deren steilen, bemoosten Flanken kleine Rinnsale in Kaskaden herunterrieselten. Ein paar weiße Schmetterlinge tanzten zwischen purpurnem Heidekraut und braunem Farn, und Falken kreisten am weiten Himmel, aber die ganze Gegend wirkte gottverlassen.

»Sumpf!« rief der Führer und deutete auf einen mit dichtem Ried und Gras bewachsenen Flecken, der seiner Umgebung trügerisch ähnlich war. Sie ritten außen herum.

Inzwischen hatte die Sonne beinahe ihren Zenit erreicht, und die Temperatur war angenehm. Sie waren fast sechs Stunden geritten, als der Führer auf eine graue Steinmasse deutete, die zwei oder drei Meilen weit vor ihnen auf einer Anhöhe thronte.

Selbst aus dieser Entfernung sah das Gebäude riesig aus, und je näher sie kamen, desto wuchtiger ragte es empor, bis es aussah wie das Portal zu einer uralten Stadt. Die graue Festung schien immer weiter zu wachsen, bis sie den Himmel verdeckte und die Sonne verdunkelte.

Sie ritten auf den Plankensteg zu, der als Zugbrücke den Wassergraben überspannte, aber die Wache hatte ihr Kommen bemerkt, kaum daß sie den Hügelkamm erreicht hatten. Das Gittertor wurde hochgezogen, und die Wache lief, um ihren Herrn zu rufen.

»Kommt, er liegt hier drin«, sagte ein Soldat und führte sie vorbei an feuchten Kammern, in denen Maria tatsächlich Wasser tropfen hörte, zu einem überwölbten Gemach, wo ein knisterndes Feuer in einem höhlenartigen Kamin Feuchtigkeit und Dunkelheit in Schach hielt. Der Raum war erfüllt von Rauch, der aber angenehm duftete.

Unter einem Berg von Pelzen und Wolldecken lag Bothwell und schlief. Ein Junge hockte neben seinem Bett auf einem Schemel. Als

Maria näher kam, war ihr so bang, daß sie an Armen und Beinen zu frieren begann. Aber warum? Sie wußte doch, daß er lebte. Sie sah seinen roten Haarschopf und, als sie näherkam, auch sein rundes Gesicht und die fest geschlossenen Augen. Statt der gewohnten Sonnenbräune hatte sein bleiches Gesicht die Farbe von Birnenfruchtfleisch. Bei seinem Anblick durchlief es sie eisig. Er sah aus wie eine Leiche.

Dann rührte er sich. Ein Auge öffnete sich, dann das andere. Ihr Anblick schien ihn weder zu erfreuen noch zu überraschen oder zu trösten. Der Diener brachte ein kurzes, flaches Brett heran, um ihm beim Aufrichten zu helfen, und Bothwell zog mit einer Hand an den Decken und benutzte das Brett als Hebel, um sich hochzustemmen.

»Bitte spannt Euch nicht an«, sagte der Junge, schob ihm das Brett unter den Rücken und stopfte Decken dahinter.

Bothwell grunzte und senkte den Kopf, bis der Junge fertig war. Dann blickte er auf. »Willkommen, Eure Majestät. Mylord James, Earl von Moray. Maitland.« Er strich sich mit der unversehrten Hand übers Haar.

Diese Bewegung, so charakteristisch für Bothwell, rührte Maria, wie Worte es nie vermocht hätten. Eine schwindelerregende Freude durchflutete sie beim Anblick dieser kleinen Gebärde, denn sie wußte, daß mit ihr alles an ihm beschrieben war, alles, was sie liebte.

Ja, liebte. Und im selben Augenblick ließ dieses Wort, das sich in ihrem Herzen selbst zu sprechen schien, eine unheilvolle Vorahnung erwachen, daß ihr fast übel wurde.

Ja, ich liebe ihn, aber darin kann nichts als Schmach und Trauer liegen und kein gutes Geschick, dachte sie. In meinem Glück liegt eingebettet mein Leid, und nichts kann die beiden trennen.

Und hätte ich das nicht gewußt, so hätte ich vielleicht weitermachen können wie bisher, als Darnleys Gemahlin ringen können mit den häßlichen Folgen seiner Heimtücke und mit der tiefen Gegnerschaft, die die Lords für mich empfinden. Die schmale Kost aus Langeweile, Kleinkram und Niedergeschlagenheit hätte mir als Buße für die Unwissenheit dienen können, mit der ich anfangs nach Schottland kam, und sogar für die gedankenlosen Freuden meiner Zeit in Frankreich, als ich dort in müßiger Jugend einen scheinbar endlosen Sommer verlebte. Aber jetzt … ich kann nicht weitermachen … nicht wie bisher. Aber was statt dessen aus mir werden soll – das zu entdecken, davor graut mir.

»Wir hörten, Ihr wäret tot«, sagte sie leise.

»Dann ist dies hoffentlich eine angenehme Überraschung«, sagte er. Seine Stimme hatte anfangs matt geklungen, aber sie wurde kräftiger.

»Eine Überraschung nicht«, sagte Maria. »Zu unserer Erleichterung vernahmen wir schon am nächsten Tag, daß Ihr nur verletzt wart, aber nicht tödlich.«

»Er ist auf dem Karren aufgewacht«, sagte der Junge, der am Bett Wache hielt. »Da plagten wir uns gerade und transportierten die blutige Leiche auf diesem Karren, der schaukelte und rumpelte und alle zehn Meter steckenblieb, und da stöhnte er plötzlich und bewegte sich. Na« – er lachte fröhlich – »wir sind vielleicht gerannt! Habt *Ihr* schon mal erlebt, wie eine Leiche wieder zum Leben erwacht? Erst als wir ihn fluchen hörten, wußten wir, daß er kein Geist war.«

»Können Geister denn nicht fluchen?« fragte Bothwell. »Ich könnte mir vorstellen, daß sie es als allererstes tun. Wer möchte schließlich gern tot sein?«

Maria sah, daß seine linke Hand dick verbunden und daß der Verband um seinen Kopf von blutiger Flüssgkeit durchtränkt war.

»Mein Bauch ist am schlimmsten zugerichtet«, sagte er und warf die Decken mit seiner gesunden, starken Rechten zur Seite. Sein ganzer Leib war so bandagiert, daß er aussah wie eine der gesteppten Lederjacken, die die Grenzlandbewohner trugen. »Die Wunde ist fast sechs Zoll lang. Er hat mich erwischt, als ich ausgestreckt auf einem Holzklotz lag, wie ein Fasan, der darum bittet, daß man ihn tranchiere. Na ja. Wenigstens ist er jetzt tot. So vergehen alle Feinde der Königin«, sagte er leichthin. »*Er* ist doch auf dem Karren nicht wieder aufgewacht, oder?«

Maitland lächelte. »Nein. Aber Ihr werdet bald wieder wohlauf sein und weiter gegen die Feinde kämpfen.«

»Leider hat die Königin so viele«, sagte Bothwell vorsichtig. »Und der Gerichtstag in Jedburgh? Ist er zu Ende?«

»Allerdings«, sagte Lord James. »Wir wären sicher nicht vor der Zeit abgereist.«

»Sicher nicht. Und …?«

»Es sind Urteile ergangen«, sagte Maitland. »Hingerichtet wurde niemand.«

»Was ist mit Kerr?« Seine Stimme hob sich ungläubig.

»Die Königin hat ihm nur eine Geldstrafe auferlegt«, sagte Lord James. »Anscheinend war sie gerührt von seiner Geschichte über die persönlichen Unzulänglichkeiten des Abtes. Es war nicht die Art, wie unser königlicher Vater James V. mit diesen Verbrechern umzugehen pflegte; ich fürchte, diese weibische Verfahrensweise hat den Dienst, in dem Ihr Eure Wunden davontrugt, ganz unnütz werden lassen. Wenn Jock o' the Park noch lebte, hätte er zweifellos eine traurige Geschichte zu erzählen gewußt, mit der auch ihm die Hinrichtung erspart geblieben wäre; vielleicht hatte ja sein Sohn einen Anfall von Schwermut, oder sein Schwein ist an einer Buchecker erstickt. Wie betrüblich!«

Bothwell funkelte Maria an. Sie warf Lord James einen Blick zu, der ihm Schweigen gebot.

»Wenn es Berichte über Eure Feldzüge und andere Tätigkeiten im Grenzland gibt, so werden wir sie mit nach Jedburgh nehmen und dort studieren«, sagte sie so würdevoll, wie sie nur konnte. »Ich habe Akten über die Gerichtsverfahren mitgebracht, damit Ihr sie lesen könnt. Wir werden den Oktober noch in Jedburgh verbringen. Sobald Ihr reisen könnt, ersuchen wir Euch, mit einer Sänfte dort hinzukommen.«

»Mit einer Sänfte?« rief er. »Nur Schwangere und Invaliden reisen mit einer Sänfte!«

»Ich werde Euch innerhalb der nächsten zehn Tage eine schikken«, sagte sie unbeirrt. »Und Ihr werdet sie benutzen – ich befehle es.«

Der Nachmittag war bereits halb vorbei, der rechte Zeitpunkt zum Aufbruch verstrichen. Maria hatte nicht abreisen wollen, aber als sie jetzt die Berichte in der Hand hielt, war ihr klar, daß es Zeit wurde. Es würde dunkel werden, ehe sie zurück wären.

Die Sonne war noch einmal hervorgekommen und erhellte vorübergehend das Land; das Ocker der Hügel wurde zu Butterblumengelb, tiefdunkles Purpur zu strahlendem Violett, und das stumpfe Schilf war noch einmal kräftig braun. Aber das alles war nicht mehr von Dauer, und ehe sie drei Hügel hinter sich gebracht hatten, war die Sonne untergegangen; alle Farben waren matt, und der Nebel kroch aus den Sümpfen herauf und griff mit langen Fingern nach den Anhöhen.

Maria war müde – nein, erschöpft. Plötzlich erschien ihr ein Dreißig-Meilen-Ritt so entmutigend, ja unüberwindlich wie eine Reise nach Jerusalem. Die Dunkelheit kam schnell an einem Oktobernachmittag, und ihr Führer würde bald Mühe haben, die Wegmarken zu erkennen. Gleichwohl wagten sie nicht, schneller zu reiten, denn das Gelände war uneben und gefahrvoll.

Sie waren noch fünfzehn Meilen von Jedburgh entfernt, als die Dunkelheit sie einholte, inmitten einer weiten Einöde am Rande von Torfsümpfen, die von Steinen und Sträuchern übersät war.

»Ein Teufelsrevier«, knurrte Lord James.

»Gebt acht, wohin Ihr tretet«, sagte der Führer. »Reitet hintereinander. Ich werde absteigen und vorausgehen.« Er hielt eine Fackel vor sich und prüfte jeden Schritt.

Wind kam auf und drang durch ihre Mäntel, und es fing an zu regnen – ein trommelnder, eiskalter Regen.

Sie würden die ganze Nacht draußen verbringen, erkannte Maria. Vielleicht sollte man haltmachen, irgendeinen Unterschlupf errichten. Vielleicht wäre das sicherer. Vielleicht …

Plötzlich taumelte sie nach links: Ihr Pferd war gestolpert und steckte mit der rechten Seite im Sumpf. Das Tier stieß einen Schrekkensschrei aus, und die anderen hielten an.

»Was ist?« rief Maitland.

Das Pferd suchte sich zu befreien und ruderte im Morast. Maria wurde abgeworfen und landete in kaltem, von Dornengestrüpp durchsetztem Matsch. Sofort sanken ihre Füße ein, und sie fühlte keinen Grund. Instinktiv schlang sie die Arme um den Sattel und klammerte sich daran fest. Das Pferd schwamm im Sumpf.

»Die Königin!« schrie der Führer. »Halt! Hilfe!«

Er stürzte herzu und beleuchtete die brodelnde Unglücksstelle mit seiner Fackel. Das Pferd wieherte und strampelte panisch in der dickflüssigen, schleimigen Brühe.

»Klettert auf den Sattel und über den Rücken hinaus!« rief Lord James. »Auf der linken Seite ist es sicher! Kommt!«

Maria zog sich hoch, aber das Gewicht ihrer nassen Röcke zerrte sie hinunter. Mit einer Hand klammerte sie sich an den Sattel und streckte die andere ihrem Bruder entgegen. Er zog sie mit solcher Kraft zu sich, daß sie glaubte, er werde ihr den Arm abreißen. Er fiel hintüber, und sie landete auf ihm.

»Ruhig, nur ruhig.« Der Führer redete auf Marias Pferd ein und fischte nach den Zügeln. »Ruhig, so …« Allmählich hörte das Tier auf zu zappeln. »Soo …« Behutsam lenkte er es auf trockenen Boden, bis die suchenden Hufe Grund fanden. Mit lautem Schmatzen kam das Pferd aus dem Sumpf und spuckte fauliges Grünzeug und stinkendes Wasser aus.

Zitternd vor Kälte bestand Maria darauf, es wieder zu besteigen, statt mit einem der Männer zu tauschen. Noch einmal vier Stunden stolperten sie so weiter, und sie war so erschöpft und entkräftet, daß sie sich später nur noch an die Kälte erinnern konnte, an die Stille, den prasselnden Regen und die einzelne Fackel, die ihnen vorausleuchtete.

Mitternacht war vorüber, als sie schließlich das Haus in Jedburgh erreichten, aber das wußte Maria nicht. Ihre Zähne klapperten, und man mußte sie hineintragen. Als Madame Rallay ihr die nassen Sachen auszog, stellte sie fest, daß ihre Haut kälter war als der nasse Stoff.

Wärme – in Form von heißen, in Tücher gewickelten Backsteinen in ihrem Bett –, ein Feuer im Kamin und Pelze auf dem Bett konnten sie nicht wiederbeleben. Sie öffnete die Augen nicht mehr, sondern verfiel in ein Delirium, und am nächsten Abend konnte sie nicht sprechen und anscheinend auch nicht hören. Ihre Beine erlahmten, und dann auch ihre Arme.

»Sie stirbt!« rief Bourgoing voller Panik.

»An einem Sturz in den Sumpf?« fragte Lord James ungläubig.

»Eine gesunde Dreiundzwanzigjährige bricht nicht grundlos zusammen und stirbt«, meinte Maitland.

»Ihr Vater, der König, starb nach der Schlacht im Solway-Moos, und er war kaum dreißig«, sagte der Arzt. »Königliches Blut ist anders. Nach einem geistigen Schock kann der Körper zusammenbrechen.«

»Bah! Was für ein geistiger Schock denn?« rief Lord James. »Und *mir* geht es doch nicht so!«

»Euer Blut ist auch nur zur Hälfte königlich«, meinte der Arzt spitz.

»Sie wird bewußtlos!« rief Madame Rallay erschrocken. »Bitte schickt nach ihrem Beichtvater!«

Aus weiter Ferne hörte Maria die sanfte Stimme Pater Mamerots, der sie bat, ihr Gewissen zu erleichtern, damit sie ohne Sünde ins Paradies eingehen könne. Aber sie konnte nicht sprechen.

Und wie kann ich eine Sünde bekennen, die gar nicht geschehen und doch wirklicher ist als alle anderen?

»Sprecht!« flehte er. Aber sie konnte nicht.

»Ihre Füße werden kalt«, rief Bourgoing, und gerührt hörte Maria den Schmerz in seiner Stimme.

Er sorgt sich um mich, dachte sie dankbar.

Aber nichts davon schien mehr wichtig, und sie fühlte, wie sie davongetragen wurde und sich immer weiter von ihnen entfernte. Sie empfand nichts als tiefe Trauer darüber, daß sie Bothwell verlassen mußte, und auch die verblaßte wie etwas Belangloses und Unwesentliches. Was immer sie an sich zog, war so machtvoll, daß es alles andere überwog.

Plötzlich sah sie sich selbst auf dem Bett liegen, sah, wie Bourgoing in rasender Hast die Decken beiseiteriß und ihre Gliedmaßen umwickelte, bis sie weiß umhüllt waren – halb schon ein weißer Geist. Ein Hilfsarzt rieb sie mit heißem Öl ein, und sie sah den Schimmer des Glases. Es war irgendwie erheiternd. Jetzt klopfte Bourgoing ihr auf die Füße, massierte sie mit schnellen Schlägen, aber sie spürte nichts. Sie war nicht mehr in diesem absurd umwikkelten, schwachen Körper.

Sie sah Madame Rallay, das Gesicht leidvoll verzerrt, wie sie das Fenster öffnete, um ihren Geist hinausziehen zu lassen. Und sie fühlte sich hinausgezogen, unerbittlich, wie es schien.

Maitland rang die Hände in echter Bestürzung. Und Lord James? Er saß dort hinten, den Kopf über den Tisch gebeugt, und schrieb irgend etwas. Es war schwer zu sehen. Sie näherte sich ihm, schwebte über ihm. Eine kleine Schatulle stand offen neben ihm.

Er machte eine Bestandsaufnahme ihrer Juwelen!

Sie war tot, und das war seine Reaktion?

Zorn durchfuhr sie, und plötzlich hatte sie Gefühl in den Lippen. Bourgoing war dabei, ihr Wein einzuflößen, und der brannte ihr auf den rissigen Lippen. Sie erstickte fast. Plötzlich überkam sie heftige Übelkeit, und sie übergab sich auf Decken und Fußboden.

Erbrochenes tropfte ihr von den Lippen; sie schmeckte es und übergab sich gleich noch einmal. Sie hustete und würgte, von Schmerzen geschüttelt, und war wieder gefangen in ihrem Körper.

»Sie lebt!« rief Bourgoing, und verschwommen hörte sie, wie Lord James vom Juwelentisch zu ihr herüberstürzte.

»Ja«, sagte er kühl. »Ich glaube, die Königin lebt. Der Herr sei gepriesen!«

Tagelang lag Maria in ihrem Bett in ihrer Kammer im oberen Stock des befestigten Hauses der Kerrs und bemühte sich angestrengt, zu genesen. Gehorsam schluckte sie die dünne Grütze, die Bourgoing ihr mit einem Löffel einflößte; allmählich wurde die Grütze dicker, und dann gab es Eier und Brotpudding und schließlich gedünstetes Hühnchenfleisch. Sie brauchte nicht mehr im Bett zu liegen, sondern konnte an einem kleinen Tisch sitzen, um zu essen. Aber dann mußte sie sich wieder hinlegen.

Und während sie so dalag, erfaßten sie grausige Gedanken. Sie würde wieder gesund werden, aber wofür? Für Darnley? Er hatte nicht einmal den Vorsitz beim Gerichtstag führen wollen, so sehr er auch die Mitkönigswürde begehrte. Und jetzt war er nicht zu erreichen – irgendwo im Westen Schottlands war er auf der Beiz. Hatte man ihm überhaupt berichtet, daß sie krank war? Und hatte es ihn gekümmert?

Bei dem Gedanken an ihn und an die Torheit, mit der sie sich an ihn gebunden hatte, wurde sie von Zorn und Trauer geschüttelt.

Aber da ist das Kind, ermahnte sie sich immer wieder. Es war meine Pflicht, für einen Erben zu sorgen, und zwar den besten, den es geben konnte – für unseren Thron und später vielleicht auch für den englischen. Und das habe ich getan.

Ginge es nur um die Ehe, die keine mehr ist – das könnte ich ertragen. Es ist die Pflicht einer Königin. Aber da ist noch mehr ... da ist die Qual mit Bothwell.

Ich bin krank geworden, als ich begriffen hatte, daß das, was ich mir am meisten wünsche, die Verheißung meiner eigenen Vernichtung in sich trägt: Wenn ich das Elixier trinke, das ich, wie ich spüre, trinken muß, um zu leben, verrate ich damit alles, was ich einmal war.

Oh, arme, arme Königin, weinte sie lautlos.

Die Blätter wirbelten zu Boden wie träge gelbe Kreisel, als Bothwell nach Jedburgh gebracht wurde. Sie saß an ihrem kleinen Tisch und aß Brotpudding mit Rosinen, als sie die Reiterkolonne herankommen sah. Eine große Sänfte schaukelte zwischen zwei Pferden. Bothwell lag darin; sein linker Arm war noch verbunden, sein Leib dick von weiteren Verbänden. Aber sein Gesicht – ah, sein Gesicht – war heiter und hatte wieder Farbe. Er lächelte, und ihr war, als höre sie sogar sein Lachen.

Sie quartierten ihn im Stockwerk unter ihr ein; Maria hörte das Scharren und Rumpeln, als Möbel hereingetragen und umgestellt wurden. Wenn sie die Ohren spitzte, glaubte sie seine Stimme zu hören. Aber ein befestigtes Haus war seiner Natur nach eines mit dicken Steinmauern und verstärkten Böden, und so waren alle wirklichen Geräusche gedämpft.

Sie würde sich vorstellen, wie er dort unter ihr lag, und der Gedanke, daß er sie hören konnte, erfüllte jeden ihrer Schritte.

Am fünften Tag nach seiner Ankunft lud sie ihn ein, in ihren Gemächern mit ihr zu essen. Die Treppe bereitete ihm keine Mühe – seine Beine waren ja unverletzt –, und als er kam, wirkte er ziemlich kräftig, wenn man bedachte, was er gerade durchgemacht hatte.

»Es freut mich, zu sehen, daß Ihr so schnell wieder auf die Beine kommt«, sagte sie.

»Ein Soldat kann es sich nicht leisten, lange darniederzuliegen«, antwortete er. »Nach der ersten Woche sind die Wunden schnell verheilt. Und Ihr – Ihr seid plötzlich und schwer erkrankt!«

Sie hatte vergessen, daß sie seitdem nicht mehr mit ihm gesprochen hatte; zweifellos hatte er es von anderen gehört. »Ja. Ich bin im Dunkeln in den Sumpf gestürzt, und danach ... bin ich einem seltsamen Zusammenbruch zum Opfer gefallen.«

Aber du weißt, was es war, oder? dachte sie. Ihr war, als könne er ihre Gedanken lesen, als sei er in jeder Sekunde bei ihr gewesen, seit sie an jenem Nachmittag die Festung Hermitage verlassen hatte. Aber das waren törichte Phantasien.

»Es schmerzt mich, das zu hören.« Er schaute sie an und betrachtete sie in ihrer ungewohnten Zerbrechlichkeit.

»Es ist vorüber.« Sie sah seinen Blick und fragte sich, ob sie immer noch krank aussah. »Ich habe Eure Berichte gelesen ... Ist es wahr, daß ...?«

Und während des Essens versuchte sie, mit ihm die Probleme des Grenzlandes und seine Aufgaben dort zu besprechen. »Hier in diesem Patent heißt es, Euer Posten ermächtige Euch, gegen Rebellen zu reiten, sie mit Feuer und Schwert anzugreifen und jedes Haus, das gegen Euch gehalten wird, zu belagern und zu erobern. Es heißt sogar, Ihr könntet Eure Nachbarn unter Androhung der Todesstrafe zu Eurer Unterstützung heranziehen und in meinem Namen Briefe schreiben.«

»Jawohl, Madam.«

»Habt Ihr das getan?«

»Habe ich was getan?«

»Briefe in meinem Namen geschrieben.«

»Nein, noch nie. Ich würde mich nicht hinter Euren Röcken verstecken, um es einmal so zu sagen.«

Darnley kam fast zwei Wochen, nachdem sie krank geworden war. Sie hatte seinen Schimmel herannahen sehen, hatte von ihrem Fenster aus seinen blauen Federhut erblickt, und so hatte sie sich vorbereiten können. Sie zog ein Kleid und samtene Pantoffeln an und versuchte, sich das Haar zu richten.

Die Tür öffnete sich knarrend, und Darnley steckte den Kopf herein. Er hatte den Hut schräg aufgesetzt, so daß die Feder das erste war, was sie von ihm sah; erst dann folgte sein Kopf.

»Oh, meine Liebe«, sagte er und stürzte auf sie zu. Er beugte sich zu ihr, um sie zu küssen; sie drehte den Kopf zur Seite, so daß ein Wangenkuß daraus wurde.

Hatte er denn vergessen, daß er ihr Leben bedroht hatte, als sie einander das letzte Mal gesehen hatten? Wie konnte er das nur vergessen – oder erwarten, daß sie es vergaß?

»Ich hörte, du warst sterbenskrank«, sagte er.

»Hast aber gleichwohl deine Jagd fortgesetzt«, stellte sie sachlich fest.

»Nein! Habe ich nicht! Ich habe es doch erst vor zwei Tagen erfahren! Man hat mir die Kunde vorenthalten! Irgend jemand – und davon gibt es viele –, der uns übel will!«

»Von denen bist du der erste. Du spielst ihnen ja in die Hände mit deinem Schmollen, deinen Reden wider mich, deiner ständigen Abwesenheit.«

Aber könnte ich es ertragen, wenn er ständig zugegen wäre, immer um mich herum? fragte sie sich sofort.

»Wenn du mich nur anhören wolltest ...« begann er und schritt dabei auf und ab. »Aber auch hier ist, wie ich sehe, kein Quartier für mich bereitet! Lord Bothwell bewohnt meine Räume. Er hält hier Hof, und –«

»Er erholt sich von seinen Verletzungen. Er hätte bei der Verteidigung des Reiches beinahe sein Leben verloren.« *Während du auf der Jagd warst.*

»Er hat kein Anrecht auf die Gemächer des Königs!«

»Es sind nicht die ›Gemächer des Königs‹. Bin ich etwa verpflichtet, stets ein paar Zimmer für dich freizuhalten? Sie haben auf dich gewartet, mein Lieber, während ich allein zu Gericht saß. Sie waren leer, genau wie dein Staatssessel, und schrien: ›Hier ist kein König, kein König!‹ Da ist es weniger auffällig, wenn man sie ausfüllt. Es lenkt nicht soviel Aufmerksamkeit auf deine Nachlässigkeit.«

Er funkelte sie an. »Ich sehe schon, ich bin hier nicht willkommen.«

»Du bist immer willkommen, wenn du nicht trinkst und nicht tobst«, sagte sie müde. »Aber deine Ankunft kommt jetzt ein wenig spät.«

Er sah sie an, und sein Blick suchte den ihren. Er wollte irgendeine Bestätigung dafür, daß er ihr etwas bedeute, erkannte sie. Wie ich sie von Bothwell will, dachte sie. Aber ich kann sie ihm nicht geben.

»Dann adieu«, sagte er, riß die Tür auf und lief die Treppe hinunter.

Vom Fenster aus sah sie ihm nach, und der muskulöse Hintern seines Pferdes war makellos gerundet.

Er hatte immer einen guten Geschmack, was Pferde angeht, dachte sie. Sie fühlte sich matt und kraftlos und kletterte wieder ins Bett.

Sie war genesen, Bothwell war genesen, und es war Anfang November. Zeit, diesen seltsamen Ort der Verwundung und der Krankheit zu verlassen.

Die ganze Gesellschaft brach auf und wandte sich nach Osten. Vor ihrer Krankheit hatte Maria vorgehabt, sich dem Volk in dieser östlichen Mark zu zeigen. Es war die zahmste der drei »Marken« oder Bezirke, die sich längs der Grenze aneinanderreihten, jede mit einem englischen Gegenstück auf der anderen Seite. Hier war der Korridor, durch den Invasionstruppen nach Schottland zu kommen pflegten, denn hier war das Land flacher und nicht so sumpfig.

In Kelso stieß ein Heerzug von tausend Reitern zu ihnen, befehligt vom Vorsteher der Ostmark, Lord Home, der damit ihren Durchzug feierlich gestalten wollte. Sie kamen zum Meer, aber bevor sie nach Norden abbogen, machte Maria halt und schaute nach Süden. England lag wie eine weiche, grüne Decke am anderen Ufer des funkelnden Tweed.

Maitland ritt an ihre Seite, als sie murmelte: »England.«

Er kam noch näher, und sie bemerkte ihn.

»Ich habe England nie gesehen«, sagte sie. »Ich habe mir vorgestellt, man müsse die Grenze sehen können, es müsse etwas Greifbares vorhanden sein. Aber statt dessen fließt ein Land in das andere über. Der Unterschied ist gar nicht so groß.«

»Täuscht Euch nicht, Majestät«, sagte er. »Der Unterschied ist sehr groß. Und was eine Grenze anbelangt, die man sehen kann, so hat es eine gegeben: der alte Römerwall. Aber der liegt weiter im Süden. Die Engländer können sich also beglückwünschen: Es ist ihnen gelungen, ihre Grenzen auszudehnen und in unser Gebiet hineinzukriechen.«

»Es sieht so verlockend aus, so harmlos«, sagte sie. Prinz James würde dort eines Tages regieren; das wußte sie.

»Wie eine Schlange unter einem grünen Blatt«, sagte Bothwell, der plötzlich neben ihr war. Seine Stimme klang kräftig und selbstsicher wie immer. »Glaubt mir, es lauert Gefahr dort, so verlockend es auch aussehen mag.«

Sie warf einen letzten Blick hinüber. »Eines Tages sind die Reiche vielleicht eins, und dann ist die Grenze nur noch eine Erinnerung.«

»Nicht zu Euren Lebzeiten«, meinte Bothwell.

Sie zuckte zusammen, als sie ihn so beiläufig von ihrem Tod sprechen hörte.

Sie wandten sich nach Norden, und die Kavalkade setzte ihren prunkvollen Zug nach Edinburgh fort – über Eyemouth, Coldingham, Dunbar und vorbei an Tantallon Castle. Maria trug die Gewänder, die sie zu diesem Anlaß mitgenommen hatte: bestickte Tafthüte mit bunten Federn, atlasgefütterte Hochlandmäntel, Reitkleider, mit Goldborte verziert und mit Perlen und Topasen geschmückt. Sie winkte und lächelte der immer größer werdenden Menschenmenge zu, die hier die Hauptstraße säumte.

Aber sie war immer noch schwach, und auf Einladung des Laird von Craigmillar Castle sowie auf Bourgoings Drängen willigte sie ein, zwei Meilen vor Edinburgh abzusteigen und noch eine kurze Erholungszeit in der Burg zu verbringen, einer steinernen Festung auf einer Anhöhe. In der Ferne sah man das Meer.

Bothwell schlug mit der Faust gegen das strohgefüllte Kalbfell, so kräftig er konnte. Der Schmerz zuckte durch seinen Bauch, schoß an den Linien seiner Wunden entlang und erreichte sogar seinen gesunden Arm. Zähneknirschend holte er mit der Faust aus, um wieder zuzuschlagen. Er würde es so oft wiederholen, wie es nötig war, um seine Kräfte wiederzugewinnen. Es tat heute schon weniger weh als gestern. Auch nur zeitweilig ein Krüppel zu sein war eine schreckliche Erfahrung, und er gedachte sie so kurz wie möglich zu halten.

Das ausgestopfte Kalbfell war seine eigene Idee gewesen, die heißen Kompressen und die Streckübungen hingegen die Empfehlung des Leibarztes der Königin – dieses leutseligen Franzosen. Aber von Medizin schien er etwas zu verstehen, das mußte Bothwell zugeben.

»Guten Tag.« Die Tür ging auf, und Bourgoing kam herein. Mit einer Kopfbewegung deutete er auf die ausgestopfte Haut, die zwischen zwei Schränken in dieser trockenen, aber kalten und unwirtlichen Kammer in Craigmillar Castle aufgehängt war. »Ich habe bereits heißes Öl und Wasser in Auftrag gegeben«, verkündete er. »Es ist Zeit, die Verbände zu wechseln.« Er klopfte mit der flachen Hand auf ein dickes Bündel von sauberen weißen Leintüchern, das er unter dem Arm trug.

Bothwell ließ den Arm sinken, der ihm jetzt wehtat. Er war froh, einen Vorwand zum Ausruhen zu haben. Folgsam streifte er sein Hemd ab und wartete fröstelnd darauf, daß Bourgoing mit seinen ärztlichen Handlungen beginne.

Mit geschickten Händen entfernte der französische Arzt die flekkigen Verbände und betastete behutsam den verkrusteten Grat der großen Bauchverletzung. »Mmmm ... mmmm ...« war alles, was er sagte. Er massierte ein Salböl in die rote Haut. »Das war eine gewaltige Wunde. Ihr werdet eine furchtbare Narbe davontragen.«

»Ich sehne mich nach dem Tag, da die Kruste sich zur Narbe wandelt. Gegen Narben habe ich nichts.«

Bourgoing stach mit dem Finger in eine von Bothwells Brustmuskeln und stellte überrascht fest, daß er kaum eine Delle hineinbrachte. Der Mann hatte wirklich Muskeln aus Eisen; oder sie waren dem Eisen doch so ähnlich, wie Fleisch es sein konnte. Bewundernd murmelte er: »Ihr werdet bald wieder kämpfen.«

»Gut. Das ist mein Auftrag und mein Lebensunterhalt.« Bothwell zog sich das Hemd wieder an.

»Heute abend solltet Ihr die warmen Kompressen wieder auflegen«, sagte Bourgoing.

»Das ist eine Aufgabe für French Paris«, sagte Bothwell. »Ihr braucht Eure Zeit nicht mit der Arbeit eines Kammerdieners zu vertun.« Er grinste, denn er sah, was der Arzt dachte. »Ich verspreche Euch, daß ich Eure Anweisungen befolgen werde«, sagte er.

Als Bourgoing die graue, öde Kammer verlassen hatte, wandte Bothwell sich wieder seinem Kalbfell zu. Er hämmerte mit der Faust dagegen und stellte sich vor, es wäre ein Feind, stellte sich vor, es wäre sein größtes Verderben: sein Gelüsten nach der Königin.

Gelüste sind für keinen vernünftigen Mann ein Verderben, dachte er bei sich.

Wapp! Seine Faust schlug den Ledersack.

Das ist etwas für Studenten und Lehrjungen und alte Trottel. Ein intelligenter Mann hat seine Lust im Zaum; er zügelt sie wie ein widerspenstiges Pferd. Oder er macht sie sogar dienstbar, so daß sie ihm Glück bringt ... falls das Gelüsten anderer für diese das Verderben bedeutet.

Wapp!

Die Sache mit der Königin ...

Er verzog schmerzlich das Gesicht bei dem Gedanken an seine schändliche Schwäche, als er sie im Schatzamt geküßt hatte. Sie war allein gewesen, und er hatte sie immer hübsch gefunden ... aber es war doch eine Dummheit gewesen. Hatte er sie hinreichend wiedergutgemacht? Wieso hatte er das Gefühl, die Angelegenheit sei immer noch nicht erledigt und schwebe über ihnen? Indes, wollte er es noch einmal erwähnen, wollte er versuchen, sich erneut dafür zu entschuldigen, würde er dem Ganzen nur neues Gewicht geben, neues Leben.

Wapp! Deshalb waren Begegnungen im Felde um so viel besser – da gab es keine Unklarheiten. Man brauchte nur zu kämpfen – je einfacher, desto besser. Am besten regelte sich eine Angelegenheit im Kampf Mann gegen Mann. Aber das wollte kein Mensch mehr machen; sie bevorzugten alle diesen Kram von Bündnissen – und Meuchelmord ...

Jetzt durchzogen ihn allmählich reißende Schmerzen. Sein linker Arm brannte wie Feuer.

»So vergehen alle Feinde der Königin«, sagte eine kühle Stimme hinter ihm. Lord James stand in der Tür, den Kopf beifällig schräggelegt, die Handschuhe in der flachen Hand.

Bothwell grunzte und ließ sich schwer auf einen Stuhl fallen. »Es schmerzt mich, zu wissen, daß sie so viele Feinde hat«, sagte er. Er deutete auf den zweiten Stuhl, und Lord James nahm Platz. Bothwell griff nach seinem Weinkrug und goß zwei Becher voll, ohne Lord James zu fragen, ob er welchen wollte.

James nahm den Becher entgegen. »Aber die hat sie. An vielen Orten.« Er nahm einen kleinen Schluck Wein.

Das Schweigen hing zwischen ihnen; man hörte nur den Wind draußen, der sich in den großen steinernen Fensterhöhlen fing.

»Meine Schwester – die Königin –«, fuhr James schließlich fort, »bedauert nun endlich die Ehe mit ihrem Vetter Lord Darnley. Das gibt sie offen zu. Sie hat gerade heute einen Brief erhalten, der sie zum Weinen brachte. ›Wäre ich doch frei von ihm‹, sagte sie. ›Doch ich sehe kein Entkommen.‹ und dann fügte sie hinzu: ›Wäre ich nur in Jedburgh gestorben!‹«

»›Befreit mich denn keiner von diesem lästigen Pfaffen?‹« Bothwell lehnte sich zurück und warf einen Arm über die Stuhllehne. Er tat weh.

»Die Königin würde alles dafür geben, wenn sie von diesem jungen Dummkopf und stolzen Tyrannen befreit werden könnte.«

»Alles außer dem ausdrücklichen Befehl, ihr diese Freiheit zu verschaffen. Es ist ein Vorrecht des königlichen Blutes, eine Tat vorzuschlagen und es dann anderen zu überlassen, die Schuld auf sich zu nehmen.« Er warf Lord James einen Blick zu – dem listigsten Mann von ganz Schottland. Nur ein einziges Mal war James ins Offene gekommen – bei der »Treibjagd« nämlich –, und da hatte er ernsthaft Prügel bezogen. Einen solchen Fehler würde er nicht wieder begehen. In der Affäre Rizzio hatte er sich sorgfältig bemüht, alle seine Spuren zu verwischen. Aber wenn er glaubte, er könne sich Darnleys auf ähnliche Weise entledigen und Bothwell als seine Marionette benutzen, dann irrte er sich.

»Was wollt Ihr von mir?« fragte Bothwell unumwunden.

»Ihr sollt Euren Verstand benutzen, um eine Möglichkeit zu finden, wie sie ihn loswerden könnte. Es gibt die Annullierung der Ehe, die Scheidung, die Aufhebung durch das Parlament, ein Verfahren wegen Hochverrats – er hat sie immerhin gefangengesetzt und das Parlament kraft angemaßter Autorität aufgelöst –, und dann vielleicht ein kleiner Unfall auf dem Weg zum Kerker … Eure eigenen Eltern waren doch geschieden. Vielleicht könnt Ihr sie dazu überreden, sich …«

»Nein. Das war eine andere Sache.«

»Wir haben vor, sie darauf anzusprechen und das alles mit ihr zu erörtern. Maitland, Argyll, Euer Schwager Huntly, und ich selbst. Wir brauchen Euch bei uns. Sie braucht unsere Hilfe.«

Bothwell grunzte wieder und nahm noch einen Schluck.

»Es ist kein Verrat! Wir wollen ein Bündnis unterschreiben, in dem wir geloben, nur der Königin zu gehorchen. Darnley hat sein Recht verwirkt –«

»– zu leben?« Solch ein Bündnis hatte am Ende immer etwas mit Sterben zu tun.

»– ihr Mann zu sein und den Titel des Königs zu tragen, und sei es nur höflichkeitshalber.«

Die fünf Männer standen vor Maria, und ihre Gesichter glänzten vor Nervosität und Aufrichtigkeit. Maria, nach ihrer Krankheit schlanker denn je, war sehr blaß und sehr still, als sie jetzt von einem zum anderen blickte.

»Eure Majestät, wir haben uns hier aus Liebe und aus Sorge versammelt, als Eure getreuen Untertanen«, begann Lord James.

Sie sah furchtbar aus, dachte Bothwell. Ihrem Gesicht war anzusehen, wie sehr die Situation sie beanspruchte, und die Strapazen der eben überwundenen Krankheit hatten ebenfalls ihre Spuren hinterlassen. Alle Farbe war aus ihrem Antlitz gewichen; ihre Haut war wie eine glanzlose Kalkpaste. Auch ihre Stimme klang kraftlos und resigniert.

»Wollen wir uns setzen?« fragte sie, und Bothwell begriff, daß sie nicht die Kraft hatte, allzu lange zu stehen.

Sie und die fünf Männer nahmen auf einigen Stühlen Platz, die im Kreis vor dem Kamin standen; es brannte ein kräftiges Feuer hier. Die Wärme war wohltuend. Craigmillar war ein sehr zugiges Schloß, und die dicken Steinmauern schienen die Kälte festzuhalten.

Lord James schlug seinen Mantel zurück und setzte sich vorsichtig. Ebenso vorsichtig begann er zu sprechen.

»Wir hier« – er deutete in die Runde – »möchten Euch aus Eurem Dilemma helfen. Lord Darnley hat sich der hohen Stellung, in die er berufen wurde, als unwürdig erwiesen, und um Schottlands willen muß nun Abhilfe gefunden werden.«

»Eine Ehescheidung«, sagte Maitland, »wäre eine mögliche Lösung. Gründe dafür gäbe es sicher. Sein –«

»Mein Glaube erlaubt die Ehescheidung nicht«, sagte Maria mit dünner Stimme. »Und es darf nichts geschehen, was die königlichen Rechte meines Sohnes, des Prinzen, in Frage stellen würde.«

»Meine eigenen Eltern waren auch geschieden«, sagte Bothwell. »Das hat mein Recht auf das Erbe der väterlichen Titel nach seinem Tode nicht geschmälert.« Er fühlte sich verpflichtet zu diesen Worten.

»Titel sind nicht das gleiche wie ein Thron. Vielleicht sogar ein Thron in einem anderen Land«, erwiderte Maria vielsagend.

»Aber eine Annullierung wäre jedenfalls eine Möglichkeit«, schlug Maitland vor. »Die enge Verwandtschaft – Vetternschaft ersten Grades – da stellen sich Fragen ... Und –«

»Nein! Eine Annullierung wäre schlimmer als eine Scheidung! Eine Annullierung bedeutet, daß die Ehe rechtlich niemals bestanden hat, und damit ist der Stand der Nachkommenschaft unklar!« Jetzt sprach Maria überraschend laut und klar.

Maitland machte ein verlegenes Gesicht.

»Es darf nichts geben, was ihm das Recht an seinem Titel streitig machen könnte! Sonst waren alle Opfer vergebens. Und laßt Euch nicht einfallen, ihm irgendein Unheil zustoßen zu lassen, wie es bei Rizzio geschehen ist. Nein, auch wenn solche Dinge hier in Schottland regelmäßig geschehen, ich will mit einem solchen Verbrechen nicht mein Gewissen besudeln, nicht meine Ehre beflecken! Denn ich muß Gott entgegentreten und Ihm ins Gesicht schauen können.«

»Ja. Ja«, sagte Argyll besänftigend. »Dann sollte man ihn vielleicht verhaften, damit ihm das Parlament wegen Hochverrats den Prozeß machen kann. Die anderen Verschwörer, die an der Ermordung Eures Dieners beteiligt waren, wurden verurteilt und in die Verbannung geschickt; das Haupt der Verschwörung aber und der Urheber der Missetat ging straflos aus.«

»Alles wird ganz offiziell vonstattengehen, nur mit Billigung des Parlaments«, sagte Maitland. »Und auch wenn Lord James ein ebenso frommer Protestant ist wie Euer Gnaden Katholikin, wird er doch beide Augen zudrücken und nicht hinschauen. Das versprechen wir Euch.«

»Ich kann mein Gewissen nicht besudeln!« wiederholte sie immer wieder hysterisch. »Ich kann nicht ...«

Bothwell wagte nicht, sie anzusehen.

»Überlaßt das alles nur uns«, sagte Lord James geschmeidig.

Madame Rallay stellte ihrer Herrin behutsam den würzigen Trunk aus Calvados und Sahne hin; Maria saß an ihrem kleinen Intarsientisch, aber sie arbeitete nicht, sondern starrte ins Leere.

»Herzlichen Glückwunsch zum Geburtstag, meine liebe Königin«, sagte sie leise.

Maria blickte auf und lächelte geistesabwesend. Dann erst sah sie, was da vor ihr stand, und jetzt leuchtete ein echtes Lächeln auf ihrem Antlitz. »Ihr habt daran gedacht«, sagte sie gerührt.

»Allerdings, Madame. Wie hätte ich es vergessen können?«

»Ich werde heute vierundzwanzig Jahre alt. Gestern hatte Lord Darnley Geburtstag, und er ist einundzwanzig. Gleichwohl feiern wir nicht zusammen, und obwohl – oder vielleicht gerade weil – er so jung ist, hat das Laster ihn fest im Griff. Ich fürchte, er wird nie mehr davon freikommen.«

»Ihr müßt aufhören, zu brüten«, sagte Madame Rallay. »Wenn Ihr je wieder munter werden wollt, dann müßt Ihr aufhören, an diese unangenehmen Dinge zu denken. Aber nun zur Taufe – wann werden die Paten eintreffen?«

Maria lächelte. »Elisabeth lehnt es wieder einmal ab, mit mir zusammenzutreffen. Offenbar ist sie nicht besonders neugierig darauf, mich zu sehen. Sie schickt den Earl von Bedford, den Gouverneur von Berwick, mit ihrer Taufgabe, einem großen goldenen Bassin. Aber natürlich ist alles hochpolitisch – denn der Earl als strammer Protestant kann nicht wirklich teilnehmen, und so muß er selbst einen Vertreter entsenden: einen Vertreter für einen Vertreter!« Sie mußte lachen.

»Und die Franzosen?« Madame Rallay sah beifällig zu, als Maria einen Schluck von ihrem warmen Trunk nahm.

»Der Graf de Brienne wird Karl IX. vertreten; er reist aus Frankreich an. Und der liebe Monsieur de Croc, der reguläre französische Botschafter, vertritt den Vertreter des Herzogs von Savoyen, Moretta, der übermäßig lange in Paris zu verweilen scheint.« Es war nicht zu leugnen, daß sie die Mißachtung spürte, die man ihr da entgegenbrachte; selbst die funkelnde Zeremonie, die sie geplant hatte, und die damit einhergehenden Ehren schienen nicht auszureichen, um die Leute in den Norden zu locken. Die damit implizierte Geringschätzung ihres Landes ärgerte sie, auch wenn sie selbst französisches Personal und französische Staffage in dieses Land importiert hatte. Das war immer noch etwas anderes …

»Er wird bedauern, daß er es versäumt hat, wenn er erst die Schilderungen hört.«

»Ich habe drei Gruppen von Lords, eine jede in einer anderen Farbe, die bei der Zeremonie assistieren sollen. Lord James und seine Leute werden Grün tragen, Huntly und die Seinen Rot, und Bothwell und sein Anhang werden in Blau gekleidet sein.«

»Die Farbe der Treue.«

»Er war treu. Und ich muß mit ihm sprechen. Bitte, sagt Nau, er soll ihn rufen.«

»Sehr wohl, Madam. Und seid Ihr fertig mit der Milch? Dann will ich das Glas fortnehmen lassen.«

Bothwell kam unverzüglich. Sie bemerkte sofort seinen flotten Schritt und gratulierte ihm zu seiner schnellen Genesung.

»Das verdanke ich teilweise Eurem vorzüglichen Leibarzt Bourgoing«, gab er zu. »Er hat mich verhätschelt, und ich mußte mich pflegen fast wie eine französische Hure, mit stinkendem Parfüm und heißen Tüchern – aber ich habe es genossen. Ich hoffe, Ihr erholt Euch ebenso gut.«

»Meine Wunden kann man nicht behandeln wie die Euren.«

»Ich vermute, nun ist die Rede von Lord Darnley.«

»Ja.« Sie senkte den Kopf; es beschämte sie, daß sie von ihrem Mann sprach wie von einer Wunde. »Was habt Ihr ... beschlossen? Wie lautet der Plan? Ich habe Lord James alles überlassen. Von Darnley habe ich seit Craigmillar nicht einmal mehr einen Brief bekommen.«

»Ich weiß nicht, wovon Ihr da sprecht – Lord James hat nur gesagt, Ihr hättet einen bekommen, der Euch zum Weinen brachte.«

»Ja, Lord Darnley drohte mir darin, er werde an der Taufe überhaupt nicht teilnehmen. Er erklärte, da die ausländischen Gesandten, der englische zumal, ihn nicht als König anreden würden, lehne er es ab, überhaupt dabei zu sein. Und natürlich wirft es ein zweifelhaftes Licht auf die Legitimität des Prinzen, wenn der Vater nicht teilnimmt. Ach, Bothwell, was soll ich nur tun?« Kaum hatte sie die Worte ausgesprochen, bereute sie es schon wieder. Sie wollte ihm kein Unbehagen bereiten oder ihm das Gefühl geben, sie betrachte ihn als mehr denn als Ratgeber, dessen Vorschläge sie manchmal gebrauchen konnte. Sie wollte ihn nicht vertreiben – nein, nicht, wenn es ihr das Kostbarste auf der Welt war, nur in seiner Gegenwart zu sein. Das durfte er nicht wissen, nicht einmal spüren – denn sonst würde er fortgehen. Das wußte sie. Sie hatte es nach dem Kuß im Schatzamt gewußt: Das war alles, was sie bekommen würde, alles, was sie bekommen durfte; und so mußte es genügen.

Bothwell sah perplex aus. »Euch bleibt keine andere Wahl als zu verfahren wie bisher. Schreibt ihm und versucht, ihn zur Teilnahme zu überreden. Aber bettelt nicht, denn sonst wird es ihm nur ein Vergnügen sein, Euer Flehen zurückzuweisen. Und was wir zu unternehmen beschlossen haben – nun, einstweilen noch gar nichts. Das alles muß warten, bis die Taufe vollzogen ist. Es darf ja nicht sein, daß es Unruhen oder einen Skandal gibt oder daß dem Vater des Prinzen … ein Unglück zustößt, während die ausländischen Würdenträger hier versammelt sind.«

»Es werden vielleicht nicht so viele ausländische Würdenträger zugegen sein, wie ich gehofft hatte«, bekannte sie. »Es scheint, sie meiden Schottland.«

Bothwell explodierte. »Dann sind sie Narren! Und ich habe die ständigen Kränkungen gegen Schottland satt! Sie wissen ja nicht, was sie tun! Dieses Land hat –«

Sein Ausdruck erweckte in ihr das erste Glücksgefühl seit vielen Tagen. »Eure Treue ist anrührend«, sagte sie. »Und deshalb habe ich Blau als die Farbe erwählt, die Ihr und Euer Gefolge bei der Taufe und auch nachher tragen sollt. Ihr sollt beim Bankett dienen und mir die zeremoniellen Gerichte reichen.«

»Ich soll als *Diener* arbeiten?«

»Nicht als Diener; es ist eine Ehre –«

»Gerichte aufzutischen und Platten herumzutragen?«

»Ihr wißt doch, daß es nur eine Zeremonie ist! Lord James wird der Mundschenk sein, und er muß sogar knien, um mir den Becher zu reichen.«

»Das dürfte eine neue Erfahrung für ihn sein. Er ist ganz aus der Übung, was demütiges Knien angeht.«

»Und Huntly soll den Braten aufschneiden.«

»Mein Schwager ist ein passabler Metzger, das stimmt. Mit dem Kopf ist er nicht so gut, und alles Komplizierte macht ihm Mühe, aber mit dem Dolch weiß er zu hantieren wie ein echter Highlander.«

»Werdet Ihr es tun?« fragte sie zaghaft.

»Was?«

»Blau tragen und als Speisenaufträger dienen?«

Er lachte. »Natürlich. Dachtet Ihr, ich würde mich weigern?«

»Ich wußte es nicht. Aber ich kenne Eure Halsstarrigkeit.«

»Ich muß Euch allerdings sagen, daß ich bei der eigentlichen Zeremonie nicht in der Kirche sein werde.«

»Wollt Ihr dem Earl von Bedford Gesellschaft leisten?«

»Ja. Es ist schließlich eine Frage des guten Benehmens, daß wir uns um unsere Gäste bekümmern, oder nicht?«

»Ich dachte, es gehört auch zum guten Benehmen, daß ein Gast höflich gegen den Gastgeber ist.«

»Solange es nicht gegen sein Gewissen verstößt«, antwortete Bothwell ernst.

Endlich traf Darnley in Stirling ein. Er begab sich sogleich in seine Gemächer und sprach mit niemandem. Sein Vater, der Earl von Lennox, kam überhaupt nicht. Maria war gezwungen, ihren Gemahl aufzusuchen, da sie ihn nicht aufstören wollte, indem sie ihn aufforderte, zu ihr zu kommen – auch wenn das unter normalen Umständen nichts weiter bedeutet hätte.

Darnley saß auf einer Fensterbank und schaute auf die grünen Felder tief unterhalb des Schlosses hinaus; ein Schmollen verdüsterte sein hübsches Gesicht, als er zu ihr aufblickte.

»So. Da kommst du also. Was für eine Überraschung«, sagte er. Dann wandte er sich zum Fenster und deutete nach unten. »Was ist das dort?«

Sie trat neben ihn. »Das ist das Feuerwerksgerüst.« Würde er es wohl schön oder aufregend finden? »Es dauert fast sechs Wochen, alles einzurichten, so verzwickt ist es. Es wird Bodenfeuerwerk geben und Explosionen in der Luft, und der Winterhimmel wird hell sein wie im Mittsommer.«

»Wieviel hat es gekostet?«

»Zuviel.« Sie lächelte. »Aber ist es nicht unser Vorrecht, die Taufe unseres Sohnes so denkwürdig wie möglich zu gestalten?«

»Denkwürdig für wen? Der Prinz wird sich nicht daran erinnern. Und die französischen Gesandten werden in Frankreich schon anderes und Besseres gesehen haben. Und *ich* werde es nicht sehen.«

»Warum nicht?« Sie fühlte, daß der Zorn sie übermannte, so sehr sie dagegen ankämpfte. »Man wird unmöglich vermeiden können, zu sehen, wie der Himmel erstrahlt – es sei denn, man wäre besinnungslos betrunken. Hast du vor, dich zu betrinken und Schimpf und Schande über dich zu bringen?«

»Wenn es mir paßt, werde ich es tun!« schrie er.

Er sprang von der Fensterbank herunter und ging zu seinem

Tisch, wo eine große – und bereits halb leere – Weinflasche stand. Er schenkte sich einen großen Becher voll und stürzte ihn hinunter. »Ich habe dir gesagt, du sollst Königin Elisabeth nicht bitten, Patin zu werde. Aber nein, du konntest mir nicht gehorchen! Du gehorchst mir nie, all deinen Ehegelübden zum Trotz!« Er füllte seinen Becher noch einmal.

»Henry, bitte … ich flehe dich an …« Nur in ihren ruhigsten, innigsten Augenblicken nannte sie ihn »Henry«. Jetzt hoffte sie, es werde ihn rühren. »Laß uns versuchen, daraus einen Glückstag zu machen.«

Er sah sie an und schnitt eine Grimasse. Im Licht der Morgensonne, die durch das Fenster hereinfiel, sah sie plötzlich, daß er kleine rote Streifen im Gesicht hatte. »Wir werden sehen«, sagte er großspurig. »Es kommt darauf an, wie du mich behandelst. Behandelst du mich ehrenvoll, dann vielleicht. Ignorierst du mich aber um all der anderen willen – nun …« Er zog die Schultern hoch und wandte ihr den Rücken zu.

Allmählich trafen die Gesandten mit ihrem Gefolge ein. Das englische Kontingent allein bestand aus achtzig Personen, und die beiden französischen Gesandten brachten fast ebenso viele mit. Alle Lords kamen zusammen; keiner blieb weg: Lord James, Maitland, Kirkcaldy von Grange, die Earls von Argyll, Huntly, Atholl, Mar, Eglinton, die Lords Sempill, Seton und Fleming und Sir James Melville. Darnley blieb in seinen Gemächern; allerdings berichtete man Maria, daß er von Zeit zu Zeit nach Stirling hinunterspazierte, um dort in einer Schenke zu trinken. Jedenfalls weigerte er sich, an den Empfängen für die eintreffenden Würdenträger teilzunehmen.

Mit dem Beginn der Festlichkeiten geriet sie in einen Zustand solcher Nervosität, daß sie sich beinahe selbst wie berauscht fühlte. Ihre Empfindsamkeit vervielfachte sich: Sie sprach und hörte das, was in ihrer unmittelbaren Umgebung vor sich ging, aber gleichzeitig schienen ihre Ohren auch andere Geräusche aus anderen Räumen wahrzunehmen. Zugleich schien es ihr nämlich, als rege sich hier noch etwas anderes, als sei gleichzeitig noch ein ganz eigenes Treiben im Gange, und sie lauschte angestrengt, um es zu hören.

Mit Bothwell konnte sie nicht wieder unter vier Augen sprechen, und Lord James und Maitland schienen sie sehr aufmerksam zu beobachten.

Die Taufe sollte in der winterlich frühen Abenddämmerung des siebzehnten Dezember stattfinden. Um Punkt vier Uhr, als das Tageslicht zu schwinden begann, wurde der Prinz von seinen Paten aus den königlichen Gemächern abgeholt und zwischen einem Doppelspalier von Höflingen mit lodernden Fackeln hindurch in langsamer Prozession über den Hof zur königlichen Kapelle gebracht. Die katholischen Edelleute folgten mit den Utensilien, die für die Zeremonie benötigt wurden: Der Earl von Atholl trug eine lange, schlanke Taufkerze aus jungfräulichem Wachs, der Earl von Eglinton das Salz und Lord Sempill den Chrisam. Der Bischof von Ross trug das Lavatorium. Dahinter folgte das englische Kontingent; der Earl von Bedford brachte das goldene Taufbecken. Nach ihm kamen die Franzosen und dann die drei Adeligen Bothwell, Lord James und Huntly mit ihrem Gefolge.

Erzbischof Hamilton und die Bischöfe von Dunkeld und Dunblane erwarteten die Prozession an der Kirchtür, und man schritt langsam zum Altar, wo das große Taufbecken mit großer Feierlichkeit auf seinen Ständer gestellt und mit Weihwasser gefüllt wurde. Das Kind wurde ganz darin eingetaucht und auf die Namen James und Charles getauft. Herolde wiederholten die Namen dreimal zu Fanfarenstößen – in der Kirche und noch einmal draußen, wo Bothwell, Argyll, Lord James und der Earl von Bedford mit einer großen Schar Zuschauer warteten. Silbern ertönten die Trompetenklänge und durchschnitten mit ihrer klaren, makellosen Schärfe die Luft.

Als die Zeremonie zu Ende war, spielte die Orgel, und ein Chor begann zu singen, derweil das neugetaufte Kind in seine Gemächer zurückgebracht wurde.

Maria fühlte nur Erleichterung. Es war vorüber. Es war geschehen, und zwar nach katholischem Ritus, wie sie es erhofft hatte. Kein schreckliches Ereignis hatte es verhindert.

Die übrige Gesellschaft zog in prachtvoller Parade durch das Spalier der flammenden Fackeln über den Hof zurück zur Großen Halle, wo ein Bankett sie erwartete.

Lange, festliche Tafeln waren gedeckt; die Königin hatte ihren Platz in der Mitte der höchsten, mit dem französischen Botschafter zur Rechten und dem englischen zu ihrer Linken. Monsieur du Croc, der den Herzog von Savoyen vertrat, saß am untersten Ende. Darnleys Platz blieb leer.

Die Herolde, Zepterträger und Trompeter gingen den drei Haushofmeistern voraus; dahinter kamen Lord Seton und der Earl von Argyll, jeder mit einem weißen Zeremonienstab, und ihnen folgte die ganze Gesellschaft der Gäste, alle mit weißen Fackeln, so daß die Halle in hellem Licht erstrahlte. Als die Lords und Ladies ihre Plätze einnahmen, traten Diener vor, um ihnen die Fackeln abzunehmen, und sie blieben während des ganzen Banketts stehen und hielten die Fackeln in die Höhe.

Der Lärm des Banketts wurde um so stärker, je wärmer es in der Halle wurde und je öfter die Becher nachgefüllt wurden. Die Musiker mußten lauter spielen, und dennoch waren sie in dem Getöse nur noch schwer zu hören. Überall an den kerzenbeleuchteten Tischen wurde gelacht, und es schien keine Hemmungen und keine Bitterkeit zu geben.

Marias Speisenaufträger traten vor, um ihre Pflicht zu tun: Der Earl von Huntly als Trancheur schnitt mit seinem vortrefflich geschliffenen Messer dünne Scheiben von Wildschweinbraten und Hirsch; Lord James, der Mundschenk, kniete vor ihr nieder und reichte ihr einen juwelenbesetzten Becher mit süßem, dunkelrotem Wein. Und Bothwell präsentierte ihr jedes Gericht, nachdem es in festlicher Staffage durch die Halle getragen worden war. Seine breite Brust in dem glänzenden blauen Gewand, das er auf ihr Geheiß hin angelegt hatte, war ein leuchtender Hintergrund für die silbernen Platten, die er hereintrug.

Während sie sich von den verschiedenen Speisen nahm, machte er mit leiser Stimme Bemerkungen, die nur sie vernehmen konnte – »Das da sieht ein bißchen vertrocknet aus«; »Dies riecht wie Hundefleisch« –, und nur mit Mühe konnte sie verhindern, daß sie laut auflachte.

Unten, neben du Croc, saß Lady Bothwell; sie trug eine wunderschöne Haube mit einem Diadem aus Perlen.

Lady Bothwell, seine Frau. Wenn das Bankett vorüber wäre, würden sie sich zusammen zurückziehen. Dann, später irgendwann, würde man die Kerzen löschen, und sie würden allein in einem Bett liegen, in dem Flügel des Palastes, in dem alle Gäste untergebracht waren. Sie würden leise sein müssen, damit ihre Nachbarn nichts hörten. Aber Bothwell würde sich darauf verstehen, keine Geräusche zu machen, und …

»Ich höre, diese Forelle kommt aus Lochleven, wo es sie im Überfluß gibt.« Bothwell stand neben ihr mit einem dekorierten Teller voller gedämpfter Forellen. »Ihr Fleisch ist überaus zart und weiß. Wie eine gekochte Nonnenhaube«, flüsterte er.

Während des Banketts bemühte sie sich, die Leere auf Darnleys Platz nicht weiter zu beachten. Sie hatte erwartet, daß die Gesandten es kommentieren und irgendwie deuten würden, aber niemand machte irgendeine Anspielung. Vielleicht genügte die Tatsache, daß er im Schloß anwesend war, um die Rechtsgültigkeit der Taufe zu bestätigen. Sie war betroffen darüber, daß seine Anwesenheit so wenig zählte, aber es ermutigte sie auch. Er hatte jetzt keine Macht mehr über sie; es gab nichts mehr, was er ihr hätte verweigern, nichts, womit er ihr hätte drohen können.

Der zweite Gang wurde hereingebracht, zarte Süßigkeiten auf einer fahrbaren Bühne, die unter Musikbegleitung von den Bediensteten hereingefahren wurde. Eine Gruppe von Schauspielern, als Satyrn verkleidet, lief ihnen voraus; sie wirbelten ihre Schwänze herum und machten Platz für den Wagen. Der Earl von Bedford und sein Sekretär, ein junger Höfling namens Sir Christopher Hatton, taten schokkiert. »Ist es das, was wir zu erwarten haben, wenn wir an Eurem Bankett teilnehmen?« fragte Hatton. »Werden uns Schwänze wachsen?«

Während sie lachend darauf antwortete, sah sie, wie Lord James und Bothwell hinten in der Halle vor einem der Kamine standen und ernsthaft miteinander redeten. Das überraschte sie; was konnten diese beiden für gemeinsame Sorgen haben?

Nach dem Bankett und einem kunstvollen Maskenspiel, entworfen von Bastian Page, ihrem französischen Bankettmeister, war es sehr spät. Lords und Ladies, die ganze Gesellschaft, verließen die Halle und gingen gähnend zu Bett.

Maria spazierte langsam zur Schloßmauer und schaute hinunter auf den Fluß, während die Gäste, einer nach dem anderen, in ihre Gemächer taumelten. Es war kalt hier, wenn man nur so dastand, aber sie fühlte sich ein bißchen benommen von der Wärme der Feuer, von Wein, Musik und der beständigen Notwendigkeit, den Gesprächen zu lauschen und passende Antworten zu geben. Der schwarze Himmel mit den harten, glitzernden Sternen war still und erholsam. Ein frischer Wind wehte von den Bergen herunter, und der Geruch von Schnee lag in der Luft. Morgen würde es vielleicht schneien, und das ganze Land würde unter einer weißen Decke verschwinden. Aber die Zeremonie war vorüber. Es war geschafft. Nun konnte es schneien, soviel es wollte.

Sie atmete langsam und ließ die kalte Luft wohltuend durch ihre Lunge wehen. Nach und nach verhallten die Schritte auf den Pflastersteinen ringsumher, und sie war allein.

Sie hatte keine Lust, in ihre Gemächer zurückzukehren und die ganze Zeremonie mit Seton und Flamina, ihren einzigen verbliebenen Marys, noch einmal durchzuhecheln. Sie hatten gestrahlt, und es würde ihnen großen Spaß machen, jede Einzelheit noch einmal zu erörtern. Aber sie hatte jetzt genug davon; sie wollte die ganze Angelegenheit forträumen und für lange, lange Zeit nicht mehr daran denken. Es war vorbei. Die Erregung, die sie durchflutet und vorangetragen hatte, versickerte jetzt, und sie fühlte nur noch eine überwältigende Erleichterung und Erschöpfung.

Kaum sichtbar vor dem dunklen, mondlosen Himmel, konnte sie die alte Privatkapelle des Schlosses ausmachen. Für sich allein stand sie da, selbstgenügsam und fast wie ein Spielhaus für Kinder. Maria war noch nie drinnen gewesen.

Ich war immer zu beschäftigt, dachte sie, oder nicht allein. Und als ich klein war, ließ meine Mutter mich nicht hinein.

Sie ging hinüber.

Ich muß nach dem Schlüssel fragen, damit ich sie einmal bei Tageslicht besichtigen kann, dachte sie.

Sie berührte die schwere Pforte, ergriff den Eisenring und drückte. Zu ihrer Überraschung öffnete sich die Tür ächzend. Sie war nicht verschlossen.

Sie spähte hinein. Drinnen war es völlig dunkel, aber es war eine freundliche, beschützende Dunkelheit. Maria kehrte dennoch in die Große Halle zurück – es war nicht weit bis dorthin – und nahm sich eine Kerze von einem der Tische; damit ging sie zur Kapelle zurück. Vorsichtig schob sie sich durch die Tür und hielt die Kerze hoch.

Im Innern war die Kapelle kleiner, als es von außen den Anschein hatte. Sie war zweigeteilt, und ein Bogen trennte die beiden Bereiche. Im hinteren Teil, unter einem kleinen Fenster, stand der Altar. Im vorderen Teil hatte man Stühle und Tische, Kerzenstände, Dekken und Kisten gestapelt.

Sie benutzten diese alte Kapelle, ein Heiligtum der schottischen Geschichte, als Rumpelkammer! Die Reformatoren ... Lord Erskine, der ernste Protestant, der Stirling befehligte, hatte das getan. Oder er hatte es doch erlaubt.

Einen Augenblick lang durchflutete sie die Verzweiflung.

Das also ist aus deinem Land geworden, dachte sie. Die alte Kapelle ist eine muffige Kammer für alte Möbel. Was sind das für Menschen, die so etwas tun? Ihnen ist nichts heilig; sie müssen alles auf ihrem Weg zerstören oder entweihen.

Vergebt uns, ihr edlen Vorfahren, betete sie stumm. Vergebt uns, euren unwürdigen Nachkommen, daß uns gar nichts kostbar ist. Wir haben uns in Wilde verwandelt.

So vertieft war sie in ihrem Bemühen, mit den lange verstorbenen Schotten zu sprechen, daß sie das Knarren nicht hörte, bis die Tür schon halb offen war. Das Herz wollte ihr stehenbleiben – halb vor Schrecken, halb vor Zorn darüber, daß sie ausgerechnet jetzt jemand stören mußte.

Sie fuhr herum und hielt die Kerze in die Höhe. Die Tür öffnete sich weiter, und Bothwell trat ein.

Ihr erster wilder, chaotischer Gedanke war: Er gehört nicht hierher! Nicht hierher in meine katholische Historie! Dann tat ihr Herz einen Satz und brachte ihren Verstand zum Schweigen.

Noch während er den Schritt in die Kapelle trat, fragte er sich, ob er es wirklich tun sollte. Offensichtlich wollte die Königin allein sein. Und der Himmel wußte, sie hatte es verdient nach der endlosen Anspannung der Zeremonie und der Ungewißheit im Blick auf Darnley und das, was er vielleicht tun würde, um alles zu verderben.

Der ganze Tag ist überraschend gut verlaufen, dachte Bothwell. Und die Königin hatte nicht erkennen lassen, daß sie irgend etwas nicht absolut unter Kontrolle hatte, wie immer sie im tiefsten Innern empfinden mochte. Dafür bewunderte er sie aufrichtig. Ja, sie hatte sich das Recht verdient, für ein paar Augenblicke allein zu sein – eine rare Kostbarkeit für jeden König.

Aber nach dem, was Lord James ihm erzählt hatte, war es unerläßlich, daß sie informiert wurde. Könige durften nicht ahnungslos sein, wenn sie die Herrschaft behalten wollten. Sie mußte Bescheid wissen.

Und so war er ihr gefolgt; er hatte sie beobachtet, als sie eine Weile an der Mauer gestanden hatte, und sich gescheut, sie zu stören. Aber als sie die Kapelle betreten hatte, war ihm klar gewesen, daß er es tun mußte.

Jetzt fuhr sie herum und funkelte ihn an.

»Verzeiht«, sagte er. »Ich habe Euch hineingehen sehen. Ich suchte eine Gelegenheit, allein mit Euch zu sprechen.« Leise schloß er die Tür.

An ihrem Gesichtsausdruck war nicht zu erkennen, ob sie wütend war oder nicht. Aber er mußte fortfahren. »Lord James hat mir erzählt, daß heute noch ein weiterer, ungeladener Gast in Stirling war«, sagte er.

»Ja, ich habe wohl bemerkt, daß Ihr in ein Gespräch vertieft wart. Wen hat er gesehen?«

»Archibald Douglas.«

»O Gott!« Bestürzt schrie sie auf, und mit einer jähen Handbewegung ließ sie die Kerze verlöschen. »Dieser Schlagetot, Mortons Vetter! Ist eigentlich die ganze Sippe so wie er? Und warum ist er hier?«

»Es scheint, daß er sich denkt – oder erwartet –, Ihr werdet seinen edlen Vetter aus der Verbannung heimrufen!«

»Niemals!«

»Aber er will für ihn bitten. Wie es scheint, hat er mit dem Earl von Bedford schon gesprochen, und mit Lord James ebenfalls.«

»Und?«

»Beide finden, Ihr solltet ihn zurückrufen, allerdings aus verschiedenen Gründen.« Er kam im Dunkeln näher heran, damit er leiser sprechen konnte. »Königin Elisabeth wünscht, daß die Rebellen nach Hause zurückkehren. Das hat sie Bedford in etwa gesagt. Vielleicht hat sie es satt, gut siebzig Mann durchzufüttern. Bedford hat die Anweisung, das alles mit Euch zu besprechen, bevor er abreist. Und Lord James möchte ihn zurückkommen lassen, weil er denkt, er könnte eine gewisse ... Hilfe im Umgang mit Darnley sein.«

»Und inwiefern?«

»Darnley hat Angst vor ihm. Wenn Morton mit Eurer Erlaubnis nach Schottland zurückkehrte, würde das deutlicher als alles andere klarmachen, wie wenig man hier von ihm hält; schon vor lauter Schrecken würde er sich dann besser benehmen. Ein Mann wie ... Euer Gemahl ist nur durch Habgier oder durch Angst zu lenken.«

»Und Ihr denkt, bis jetzt hat die Habgier die Oberhand behalten? All sein Tun war von Habgier bestimmt – einschließlich seiner Heirat mit der Königin?«

»Madam, das habe ich nicht gesagt.« Er kam noch näher; es war seltsam, im Dunkeln zu stehen und mit jemandem zu sprechen, der nur eine Stimme war.

»Aber gemeint habt Ihr es! Ja, Ihr denkt, er hat mich nur aus Gier geheiratet! Er hat nichts für mich übrig gehabt, und das zeigt er, seit der Ring auf meinem Finger sitzt und seine Titel am Marktkreuz proklamiert wurden, während er im Brautbett lag!«

»Madam, ich habe solche Dinge nicht zu beurteilen.« Bothwell spürte ihre Gegenwart jetzt so dicht vor sich, daß er sich nicht zu rühren wagte.

»Aber Ihr denkt es! Ich weiß es!«

»Wenn es so war, dann ist er ein Dummkopf. Aber wir wissen ja, daß er ein Dummkopf ist!« Bothwell nahm sie in die Arme. »All dies zu besitzen und es zu verschmähen!« sagte er. »Oh, er ist ein Dummkopf!«

Ohne sich zu überlegen, was er tat, küßte er sie plötzlich. Ihre Lippen waren zart wie die Blüttenblätter der weißen Lilie.

Er küßte sie weiter und fühlte, wie sie sich in seinen Armen regte. Er hielt sie fest und schmiegte ihren ganzen Körper an sich. Und unversehens brannte er vor Verlangen am ganzen Leibe; er spürte das Pulsieren in seinem Körper. Da war ein Zauber in ihr, die verlokkende Meisterung des Verlangens. Wieder küßte er sie und fühlte, wie sich ihre Körper aneinanderpreßten und sich danach sehnten, miteinander zu verschmelzen.

Sie hatte einen Ehemann, nur einen Steinwurf weit in den königlichen Gemächern. Und auf ihn wartete in diesem Augenblick seine Gemahlin.

»Nein«, hörte er sich sagen. Hatte er es wirklich gesagt? Es wäre zweifacher Ehebruch sowie ein Angriff gegen ihre königliche Person: Hochverrat. Sie brauchte nur nach ihrer Wache zu schreien.

Aber das würde sie nicht tun. Das wußte er. Sie war tapfer und dickköpfig und hatte keine Angst vor dem Verlangen. Darin übertraf sie ihn sogar; bei all seinen Abenteuern hatte er nie etwas dafür aufs Spiel setzen müssen. Er folgte seinem Verlangen nur, wenn es leicht war, und niemals, wenn es zwanghaft oder gefährlich wurde.

Doch jetzt überflutete es ihn und ertränkte alle seine Gedanken. Sie sanken hinter dem Altar auf die Knie.

»Versperre die Tür«, sagte sie. Er hatte erwartet, sie werde sich wegen des Altars und wegen der heiligen Stätte zu sträuben beginnen. Er erhob sich, tastete sich im Dunkeln zur Tür und wuchtete einen schweren Stuhl dagegen.

»Kein Licht, kein Laut«, flüsterte er. »Niemand käme auf den Gedanken, hereinzukommen.«

Ihr leises, entzückendes Lachen entflammte seinen ohnehin schon glühenden Körper.

»Ich bin allein«, sagte sie. »Ich kann es nicht glauben. Ich bin niemals allein. Diese kleine Kapelle ... so alt ... macht mich frösteln ... Schottland war einmal am Ende der Welt ... und manchmal scheint es immer noch dort zu sein.« Ihr Atem und ihre Stimme kamen jetzt stoßweise. »Wenn du mich willst, so nimm mich, nimm mich fort auf die andere Seite der Welt, zu all den Orten, zu denen du segelst, in die Länder, die du kennst – nach Indien ...«

»Still! Ihr seid wahnsinnig!« Er verschloß ihr den Mund mit einem Kuß. Ihre Lippen öffneten sich zitternd für die seinen.

Es war kalt wie in einer Gruft in der kleinen Kapelle. Draußen war es windig geworden, und mit leisem, fedrigem Geräusch tupften Schneeflocken an die beiden kleinen Fenster. Der Schnee würde sich auf die Kapelle legen und sie beide bedecken.

Er mußte sie auf den Boden legen. Aber die Steinplatten waren eiskalt und uneben. Er nestelte an seinem Mantel, fand die Schließe und zog ihn aus, um ihn auf dem Boden auszubreiten.

»Leg dich hierher«, wisperte er. Der Altar war nur eine Handbreit entfernt; er streifte ihn mit der Schulter, als er hastig seine Hosen aufschnürte und sie abstreifte. Dann war sein Unterkörper nackt, und er konnte sich nicht bezähmen: Er mußte sie küssen. Seine Lippen durchforschten die Grübchen an ihrem Hals, ihre weichen Ohren, ihre Wangen. Sie weinte fast vor Verlangen und sehnsüchtiger Erwiderung.

Er schob die Hand unter ihr Kleid. Es war zu kalt, um sich völlig auszuziehen. Er fühlte ihre Füße, spürte, wie kalt sie waren, strich mit der Hand langsam an ihrem von einem gestrickten Strumpf umhüllten Bein herauf. Das Bein war lang und fest. Behutsam rollte er den Strumpf herunter und liebkoste es. Sie stöhnte leise und schien zu erschlaffen. Seine Hand streifte den zarten, geheimen Ort, entfernte sich aber wieder. Dies war das einzige Mal, daß sie zusammensein würden, und er wollte es nicht hastig vorantreiben und rasch zu Ende bringen.

Er richtete sich auf und schob sich über ihr Kleid, zerdrückte Samt und Brokat. Er küßte das Mieder und fühlte, wie sie darunter zurückwich und sich ihm wieder entgegendehnte. Er küßte ihre Rippen und dann ihre Brüste, schwellend – das wußte er – unter dem Samt, den die Feuchtigkeit seines Mundes befleckte. Noch unter der doppelten Stoffschicht fühlte er, wie ihre Brustwarzen hart wurden und sich aufrichteten. Sein ganzer Körper straffte sich, und er war so erregt, daß er nah daran war, zu bersten.

»Rufe deine Wache und bestrafe mich«, flüsterte er. »Nein, du bist zu barmherzig, du würdest es niemals tun ...«

Zur Antwort küßte sie ihn; ihre Zunge streifte seine Lippen und strich über alle Runzeln und Rundungen. Dann öffnete sie den Mund und schmeckte ihn. Dabei schob sie die Hand nach unten und zog ihre seidene Hose aus, streifte sie über die unbeschuhten Füße und ließ sich, mit ihm zwischen den Beinen, wieder zurücksinken. Zwei Lagen Stoff, ihr Kleid und ihr Unterrock, trennten seine Nacktheit noch von ihrer. Sie strich mit beiden Händen über seine nackten, muskulösen Hinterbacken und drückte ihn dort an sich, als könne sie damit das störende Tuch irgendwie fortbrennen.

»Ich schmelze ... ich kann das nicht ertragen.« Seine Stimme klang erstickt und schien von weither zu kommen. »Beende meine Qual.«

Langsam, beinahe feierlich, löste er sich von ihr und richtete sich auf den Fersen auf, und dann hob er ihre voluminösen Röcke hoch. Die duftende Wärme ihres nackten Fleisches war unverkennbar. Der Augenblick war gekommen; er konnte es nicht länger hinausschieben.

Er senkte sich auf sie, hielt sie fest, rückte sich selbst auf den Knien in Position. Er zitterte. Seine Knie wurden weich. Der verletzte Arm in seinem Verband war unbeholfen; der Bauch mit der frischen Narbe ließ neue Hitzewellen durch ihn hindurch vibrieren. Er würde sterben, wenn er der Sache jetzt kein Ende machte.

Sie umschloß ihn mit ihren Beinen und zog ihn auf sich; sie verschränkte sie, lang und schlank, in seinem Kreuz. Er fühlte, wie er in sie eindrang, durch die dunkle, offene, wartende Pforte hinunterglitt. Aber da war immer noch Zurückhaltung; sie war fast jungfräulich in ihren zaudernden Bewegungen, ihrer Unsicherheit. Sie war köstlicher als alles, was er je gekostet oder erlebt hatte, diese jungfräuliche Reife. Plötzlich fürchtete er, er werde explodieren, sich auflösen und in all der Plötzlichkeit überhaupt keine Lust mehr schenken.

»Oh, mein Liebster«, flüsterte sie und bewegte sich an ihm. Mit den Bewegungen ihres Körpers bewegte sich nickend auch ihr Kopf, und ihre Stimme an seinem Ohr schwoll an und wieder ab.

Es war falsch, falsch, falsch ... Ein Teil seiner selbst zuckte in jäher Angst zurück. Hier war nichts mehr sicher ... es war schlimmer als ein Hinterhalt im Moor, eine schreiende Torheit und Waghalsigkeit ... Dann erwachte in ihm die Flamme der reinsten Lust, die er jemals verspürt hatte, breitete sich aus, umfaßte sein ganzes Wesen. Er brannte lichterloh.

Sie schrie auf, krallte sich in seinen Rücken, riß an seinem Wams. Er hörte, wie Perlen abplatzten und wie sie jenseits seines ausgebreiteten Mantels über den Steinboden kullerten. Ihr Rücken wölbte sich auf, ihre Beine begannen zu zittern. Sie würde gleich schreien. Rasch verschloß er ihren Mund mit dem seinen, um den Schrei zu ersticken. Ihr Körper war wild geworden und zuckte krampfhaft. Und dann, plötzlich, explodierte er selbst, und der Vorrat seiner langgehüteten Leidenschaft brach hervor, durchflutete sie.

Sie erbebte unter immer neuen Schauern und klammerte sich an seine samtgepolsterte Schulter. Keuchend riß sie sich von seinen Lippen los und wandte den Kopf.

Und dann war plötzlich alles vorüber, und sie lagen auf dem Fußboden in einer kalten, kleinen Kapelle. Maria streckte den Arm aus und berührte den Sockel des Altars. Sie kam zu sich, und ihr Atem ging wieder langsamer. Verlegen hustete sie.

Sie bemühte sich, hochzukommen und ihre Fassung wiederzugewinnen. Ihre Hand tappte suchend umher und tastete nach weggeworfenen Kleidungsstücken; die andere strich zitternd schweißfeuchtes Haar von der Wange. Sie atmete noch immer ein wenig rauh.

Bothwells Gedanken jagten einander: Was habe ich getan? Was wird jetzt geschehen? Er hatte Mühe, sich zu konzentrieren, denn sein Körper hatte sich noch nicht wieder beruhigt; sein Herz pochte. Er nahm Marias Hand, faltete sie in seiner eigenen und drückte sie an seine Brust. »Bitte bereut es nicht«, sagte er schließlich. »Ich verspreche Euch, ich werde niemals darüber reden und Euch auch sonst in keiner Weise daran erinnern. Aber Ihr müßt wissen, daß mir die Erinnerung für alle Zeit kostbar sein wird – als Erinnerung, nicht als Anmaßung irgendeiner Macht oder Gunst.«

Sie antwortete nicht; mit gesenktem Kopf versuchte sie weiter, sich anzukleiden. Ganz plötzlich fühlte er gerührte Liebe zu ihr.

Er zog sich selbst wieder an. Er wollte nicht, daß es zu Ende ging. Sie stand auf, hob seinen Mantel auf und reichte ihn wortlos herüber. Er nahm ihn und warf ihn sich über eine Schulter.

»Wir sind mit anderen verheiratet«, sagte er leise.

»Das weiß ich wohl«, sagte sie, und ihre Stimme klang ruhig in der Dunkelheit. »Ich liebe Euch, Lord Bothwell. Ich habe lange von Euch geträumt, und auch in dieser Weise. Ich glaube, ich habe es gesehen, bevor es geschah; irgendwie ist es meinem Geist gelungen, der Zukunft ihre Bilder zu entreißen. So lebe ich schon lange damit.«

»Womit lebt Ihr?«

»Mit dem, was jetzt geschehen ist.«

»Aber was *ist* denn geschehen? Was kann es für uns bedeuten, die wir doch verheiratet sind – und Ihr eine regierende Königin?«

»Das weiß ich nicht. Ich weiß nur, daß ich Euch liebe.« Ohne seine Antwort abzuwarten, schob sie die Stuhlbarrikade beiseite und öffnete die Tür. Eine Windbö, naß von Schnee, schlug ihm ins Gesicht.

Die Tür schloß sich wieder. Sie war fort. Er hörte nicht einmal Schritte auf dem Pflaster draußen; so weich waren ihre Schuhe.

Er strich sich den Mantel glatt und zog ihn richtig um die Schultern. Dann fuhr er sich mit der Hand über das Haar und setzte seinen Hut auf. Er zog die Tür auf und ging über den oberen Hof zu dem beleuchteten Flügel, in dem die Gemächer der Gäste lagen. Er betete zu Gott, daß niemand in den vorderen Räumen mehr bei Würfelspiel oder Gesang sitzen möge, niemand, der ihn zu sich winken würde.

Aber es war schon sehr spät. Wie lange waren sie in der Kapelle gewesen? Sicher nicht sehr lange, auch wenn es ihnen so vorgekommen war in dieser zeitlosen Zeit.

Er betrat seine eigenen Gemächer. Die Dienerschaft war bereits zur Ruhe gegangen. Lady Bothwell war noch auf; sie schrieb im Schein einer Kerze. Sie war noch angekleidet und lächelte ihm jetzt sanft zu.

»Es war ein schöner Abend, nicht wahr?« fragte sie zuckersüß.

»Ja.« Hastig zog er sich hinter einem Wandschirm aus, und als er sein Nachthemd übergeworfen hatte, stieg er sofort ins Bett. Er machte es sich bequem, und als seine Frau kam, tat er, als sei er schon fest eingeschlafen.

Am nächsten Morgen war er schon früh wieder wach – falls er überhaupt behaupten konnte, geschlafen zu haben. Es war eine seltsame Nacht gewesen; Maria war beständig zugegen gewesen, in seinen Gedanken, in seinem Herzen und sogar, wie es schien, in seinem

Körper: Seine Wunden waren durch die Anstrengungen angespannt worden, und jetzt schmerzten sie. Bei den Verrenkungen auf dem Steinboden hatte er sich überdies die Knie aufgeschürft, und er hatte einen Muskelkater im Nacken – damit er sich nicht einreden könnte, es sei nichts geschehen.

Es war etwas geschehen. Und plötzlich packte ihn die Angst vor dem, was jetzt als nächstes geschehen konnte und vielleicht geschehen würde.

Seine Frau neben ihm regte sich, seufzte, drehte sich um. Ihre schlafende Gestalt bot ihm so etwas wie Trost – der einzige körperliche Trost, den sie ihm je geboten hatte. Aber das war nur so, weil sie es nicht wußte. Wenn sie es je erfahren sollte ... das hier war nicht das gleiche wie mit einer Bessie Crawford. Nein, das hier war ... ja, was? Hochverrat? Eigentlich nicht, denn die Königin hatte es ja auch gewollt. Und der König war kein richtiger König, also war es auch kein Hochverrat, ihm Hörner aufzusetzen – wie es das englische Parlament für den Fall verfügt hatte, daß jemand Heinrich VIII. Hörner aufsetzte.

Heinrich VIII., der Großonkel der Königin. Der lüsterne alte Ziegenbock mit dieser lüsternen alten Stute von Schwester – solches Blut rann durch die Adern der Königin, und was nicht Tudor war, das war Stewart, und die waren auch nicht aus Eis. Letzte Nacht war das Blut der Königin so heiß gewesen, daß es gebrodelt hätte, wenn es auf den Steinboden in der Kapelle getropft wäre ...

Die Erinnerung daran erregte ihn wieder, sehr zu seiner Beschämung. Dem Liebesspiel nachzusinnen wie ein Landmädel, das war peinlich. Besser dachte man darüber nach, was es bedeutete und wohin es führen könnte: in Schwierigkeiten nämlich. In ungeheure Schwierigkeiten, neben denen Jock o' the Park und sein zweihändiges Schwert einen Dreck bedeuteten.

Wer Liebhaber der Königin war, der riskierte, sie zu schwängern. Es gab altehrwürdige Vorkehrungen für die Bastarde eines Königs, aber es sprach Bände, daß es nichts dergleichen für die einer Königin gab.

Wer Liebhaber der Königin war, der riskierte den verqueren Zorn ihres seltsamen, unberechenbaren Gatten.

Wer Liebhaber der Königin war, der riskierte, sich alle anderen Männer, ihre Ratgeber zumal, die es nicht waren, zum Feind zu machen. Sie würden ihn als eine männliche Diane de Poitiers sehen, als eine Gefahr für sie und ihre eigene Macht.

Wer Liebhaber der Königin war, der würde sie bei ihren religiösen Feinden in Mißkredit bringen, beim gemeinen Volk, den Knoxianern, die empört sein und vielleicht versuchen würden, sie vom Thron zu stürzen. Schon jetzt nannten sie sie eine »Hure« – die römische »Hure Babylon« –, aber das war etwas anderes. Nichts war der bibelfrommen Gemeinde der Gläubigen ärger verhaßt als die Sünden des Fleisches.

Es schauderte ihn, wenn er die schrillen Schreie nur im Geiste hörte. Er hatte gesehen, mit welcher Freude die braven Bürger von Edinburgh Xanthippen, Klatschweiber und Ehebrecherinnen untergetaucht, sie mit Obst beworfen, ausgepeitscht, ja, sogar gebrandmarkt hatten. Und wenn sie wüßten, daß die katholische Königin sich mit einem ihrer Höflinge nackt auf dem Boden der Kapelle gewälzt hatte …

Ihm wurde übel. Er taumelte so hastig aus dem Bett, daß seine Frau Jean erwachte, griff nach der *vase de nuit* und übergab sich. Der Anblick und der Geruch dessen, was sich darin ohnedies schon befand, vervollständigte seine Not, und er würgte restlos alles hervor, was er noch im Magen hatte.

Jean murmelte etwas Fürsorgliches und stand auf, um ihm ein Tuch zu holen, damit er sich das Gesicht abwischen könnte. Sie tauchte es in den Wasserkrug und säuberte sorgfältig seinen Mund.

»Du siehst schrecklich aus«, stellte sie fest, nachdem sie sein rotes Gesicht und die blutunterlaufenen Augen gesehen hatte. »Sicher hast du etwas Verdorbenes gegessen.«

»Ja.« Er erhob sich von den Knien und begab sich auf wackligen Beinen zum Tisch, wo eine Flasche Wein stand. Alles, um diesen scheußlichen Geschmack im Mund loszuwerden.

»Ich bitte dich, schlafe nur weiter«, sagte er. »Es ist noch zu früh zum Aufstehen.« Er spülte sich den Mund mit dem Wein aus und schluckte ihn an. Er wollte auch noch schlafen. Vielleicht konnte er es jetzt.

Er kroch wieder ins Bett und zog in der Kühle des Morgengrauens die Decke um die Schultern; der kleine Schluck Wein in seinem leeren Magen wirkte seltsam beruhigend.

Noch ein letztes war zu bedenken: Wer Liebhaber der Königin war – *dieser* Königin –, der würde im Paradies leben. Sie war die Frau, von der er seit langem träumte: schön, leidenschaftlich, und auch im Dunkeln wie für ihn gemacht. In diesen wenigen Augenblicken hatte sie sich fähig gezeigt, ihm in all seinen Wünschen gewachsen zu sein und sie zu erwidern, mochten sie auch bis jetzt unausgesprochen und unberührt gewesen sein.

Am Vormittag, er war schon seit einigen Stunden auf, bekam Bothwell Besuch: Lord James.

»Ist es gestattet?« fragte Lord James. »Ich störe hoffentlich nicht.«

»Nein, überhaupt nicht.« Bothwell zwang sich zu einem herzlichen Ton. Er hatte immer noch ein flaues Gefühl im Magen, aber er hatte sich vergewissert, daß er gesund aussah, und sich beim Anziehen und bei der Toilette besondere Mühe gegeben. »Ich warte nur darauf, daß es Zeit wird, zum Stierkampf in den königlichen Park zu gehen.«

»Ja, es gibt mächtig viele Festlichkeiten!« bemerkte Lord James sarkastisch, und in seinen verkniffenen Lippen sah Bothwell seine ganze asketische Einstellung. »Ist es gestattet?« wiederholte er.

Bothwell winkte ihn herein und führte ihn dann in eines der hinteren Gemächer, wo sie nicht gestört werden würden. »Es müssen dringende Angelegenheiten sein, die Euch zu so früher Stunde geradewegs zu mir führen. Was gibt's?« Bothwell haßte Verzögerungen und Umständlichkeiten.

»Ein Kerl, der nicht um den Brei streicht – da sind sich alle einig«, sagte Lord James streng. »Die Sache mit Morton und den anderen Mördern – werdet Ihr mit der Königin sprechen? Ich denke, Ihr könnt sie überreden.« Er sah Bothwell mit dem grausamen, gleichmütigen Blick eines Falken in die Augen.

Ahnte er etwas?«

»Warum ich? Ihr seid ihr Bruder und wart immer ihr oberster Minister.«

»Ach, spart Euch die Schmeicheleien. Seit Ihr bei dieser Heldenposse unten im Grenzland verwundet wurdet und dem Tod in so herzzerreißender Weise noch einmal entronnen seid, ist Euer Wort Gesetz bei der Königin. Worum Ihr sie bittet, wird sie Euch gewähren.« Er sah Bothwell weiter an; sein Blick war halb wütend, halb bezwingend. »Eure Schwertwunden haben Euch einiges an Kredit eingetragen.«

»Aber weshalb sollte *mir* daran liegen, Rizzios Mörder zurückzuholen? Und was liegt *Euch* eigentlich daran?«

»Morton war in vieler Hinsicht ein guter Mann.« Lord James wählte seine Worte mit Sorgfalt und nahm sich Zeit dazu. »Darnley hat ihn hintergangen. Er kennt Darnley besser als Ihr oder ich, besser selbst, als die Königin ihn kennt. Manche sagen ja, man lernt einen Mann erst dann wirklich kennen, wenn er einen verraten hat.« James schwieg einen Moment. »Seit unserer Unterredung auf Craigmillar hat es mir großes Kopfzerbrechen bereitet, wie wir tun können, was wir der Königin versprochen haben: sie von Darnley zu befreien. Ich bin zu der Auffassung gelangt, daß Morton am besten wissen wird, wie das zu bewerkstelligen ist.«

Ja. Indem man ihn umbringt. Das ist doch der Plan, dachte Bothwell. So also soll es geschehen? Wir lassen seinen tödlichsten Feind nach Schottland zurückkehren, einen Verwandten, der von ihm verraten wurde und der schon einmal einen Mord begangen hat ... Wieder fühlte Bothwell sich flau. Wenn sie nun mein Geheimnis entdekken – wie werden sie das wohl benutzen?

»Werdet Ihr bald einmal mit der Königin sprechen?« fragte Lord James eben. »Natürlich werden auch die übrigen Ratsherren darauf drängen – aber wenn Ihr *Eure* Stimme der unseren und der Stimme Königin Elisabeths hinzugesellt ...«

»Ich sagte doch, ich werde es tun, oder? Wenn Ihr es für ratsam haltet ...«

»Oh, ich halte es in der Tat für ratsam.«

»Also gut. Ich werde es tun, sobald sich die Gelegenheit dazu bietet.« Bothwell war zumute, als habe sich eine tiefe Grube unter ihm aufgetan. Mord und Ehebruch und Verrat – es war schwer, sich in wenigen, kurzen Stunden an all das auf einmal zu gewöhnen. Er lächelte matt.

»Gut.« Lord James erhob sich. Man wechselte keine Artigkeiten über das Wetter, das Fest oder die illustren Gäste. Man sprach nur zur Sache, und die Sache war Mord. »Ich glaube tatsächlich, Ihr könntet die Königin derzeit zu allem überreden. Selbst dazu, ihr eigenes Todesurteil zu unterschreiben.«

Er wußte es!

»Nur ein Scherz«, sagte Lord James und zog die Brauen hoch. »Ich muß sagen, Ihr seht ein bißchen schlecht aus. Vielleicht solltet Ihr den Stierkampf auslassen. Zuviel Blut. Aber bitte sprecht mit ihr noch heute, wenn es geht.«

Die kostspieligen, eine Woche währenden Festlichkeiten nahmen ein tumulthaftes Ende mit einer kunstreich inszenierten Schlacht um eine nachgebaute Festung in der Nähe von »King's Knot«. Es war beste französische Tradition, daß eine Festung der Liebe von liebestollen Rittern bestürmt und von grausamen *dames sans merci* verteidigt wurde. Sechs Wochen lang hatte sich John Chisholm, ein Schotte, der diese Kunst in Frankreich studiert hatte, mit dem Bau geplagt, und man munkelte, es werde nun ein spektakuläres Finale geben. Alle wurden eingeladen, dabeizusein, denn der Kostenaufwand dafür war gewaltig gewesen.

Bothwell – der, statt die Königin aufzusuchen, ihr im Gegenteil eifrig aus dem Weg gegangen war – hatte seine schönsten Kleider angelegt: ein weinrotes Wams mit Topasen, die ein goldbetreßtes Wappen umsäumten, und weite Kniehosen aus Satin über seidenen Strümpfen. Eine Samtmütze mit Feder vervollständigte das Gewand des mächtigsten Lords im ganzen Land.

Er reihte sich in die Menge ein, die durch das Schloßtor hinunter zu dem Platz strömte, wo das Schauspiel stattfinden sollte. In diesem Augenblick zupfte ihn French Paris am Mantel.

»Eine Nachricht für Euch«, sagte er. »Ich weiß nicht, wer sie gebracht hat; sie wurde, fest eingewickelt und mit Wachs verschlossen, ins Zimmer geworfen.«

Bothwell entfernte sich von der drängenden, festlich gekleideten Menge, um das Siegel aufzubrechen und die Botschaft zu lesen.

Ich bitte Euch, kommt sogleich in mein Privatgemach.

Das war alles. Er knüllte das Papier zusammen und stopfte es in seinen Hosenbund. Dann ließ er die plappernde Menge hinter sich.

Die Gemächer der Königin lagen verlassen da. Er öffnete die Außentür, die in die öffentlichen Räume führte. Im Vorraum war keine Wache. Er betrat die Staatsgemächer mit ihren glänzenden Steinböden und den stummen Wandbildern klassischer Großtaten und Liebesmühen, die allem, was hier vorging, Gewicht und Förmlichkeit verleihen sollten.

Auch hier war niemand. Der Thron, geschnitzt und vergoldet, stand leer unter dem Baldachin. Er durchquerte die drei äußeren Gemächer und gelangte in die Privaträume. Die Marys, die Bediensteten, alle waren fort. Kissen lagen überall wie dicke Katzen in der nahenden Dämmerung. Nur ein Kerzenleuchter spendete schwaches Licht, mattglänzend im blutroten Schein der Abendsonne, die durch die Westfenster hereinstrahlte.

Das innere Gemach – welches war es? Da war eine kleine Tür

neben dem Wandbehang mit den Arbeiten des Herkules – hier das Säubern des Augias-Stalls –, und sie war nur angelehnt.

Sie war dort drin, das wußte er. Jetzt mußte er sie sehen. Er streckte die Hand aus und klopfte. Mochte geschehen, was geschehen wollte. Er hatte keine Angst. Das hatte er hinter sich.

Maria hörte das leise Klopfen an der Tür. Sie hatte starr auf ihrem Stuhl gesessen und darauf gewartet, und jetzt wollte sie nicht aufstehen und ihn begrüßen. Es klopfte wieder, hartnäckiger diesmal.

Sie wollte ihn sehen; sie konnte es nicht ertragen, ihn zu sehen. Bis sie ihn leibhaftig wiedersähe, würde die Erinnerung an diese Nacht in der Kapelle genau so bleiben, wie sie war: vollkommen, herrlich und ganz und gar frei, frei von allen Untersuchungen und Seelenerforschungen und Entschuldigungen und Verheißungen, eine himmlische Überraschung und ein Geschenk.

Ich wünschte, ich würde ihn niemals wiedersehen; ich wünschte, ich wäre in jener Nacht gestorben, kaum daß ich in meinem Bette lag, dachte sie.

Sie war durch das Schneegestöber über den Hof geeilt, und ihre Schuhe waren naß geworden. Ihre Füße mußten taub gewesen sein, waren es vielleicht gewesen, aber sie hatte es nicht gespürt. Sie war in ihr Privatgemach gerannt, ohne ein Wort mit Madame Rallay oder Mary Seton zu sprechen, und hatte die Tür hinter sich geschlossen. Dann hatte sie sich, restlos glücklich, ins Bett gelegt und die Nacht hindurch in ihren Erinnerungen geschwelgt.

Die nächsten Tage mit all den Festlichkeiten waren wie in Trance vorübergegangen. Sie sah, wie Darnley den steilen Weg in die Stadt hinunterging – wahrscheinlich, um zu trinken, aber das war ihr gleichgültig. Sie erhaschte sogar einen Blick auf Archibald Douglas, der sich über den Hof schlich. Sie empfing Sir Christopher Hatton und dachte müßig, wie attraktiv er doch sei, und sie fragte sich, ob Elisabeth wohl ein Auge auf ihn geworfen hatte. Jeden Tag ging sie an der Kapelle vorbei und neigte dabei ehrfürchtig den Kopf: Für sie war es die heiligste Stätte, die sie je besucht hatte.

Bothwell sah sie nicht, wenngleich sie immer wieder seiner Gemahlin begegnete. Lady Bothwell schien überall zu sein, als habe sie sich in dieser Nacht vervielfacht. Maria konnte nicht umhin, sie aufmerksam zu betrachten und genau festzustellen, was sie trug. Wenn ihr Kleid grün war, war es das, weil Grün Bothwells Lieblingsfarbe war? Kleidete sie sich, um ihm zu gefallen?

Erst war sie erleichtert gewesen, ihn nicht zu sehen. Dann hatte sie allmählich das Gefühl, daß er ihr aus dem Weg ging. Der Zeitpunkt nahte, da alle Gäste abreisen würden. So peinlich es war, sie würde ihn zu sich kommen lassen müssen. Denn es wäre undenkbar, daß sie sich ohne ein Wort wieder trennten, obgleich sie es tief im Innern vorgezogen hätte. Sie würde es nicht ertragen, wenn er irgend etwas sagte, womit er zumindest diese Erinnerung beschmutzen würde.

Er hatte andere Frauen, und er hatte früher andere Frauen gehabt. In den letzten paar Tagen hatte sie mehr darüber in Erfahrung gebracht, wie um sich selbst zu quälen und zu bestrafen. Anscheinend war er in gewisser Weise zweimal verheiratet gewesen: Er war mit Janet Beaton »handfest« gewesen, und er hatte mit jener Norwegerin in wilder Ehe gelebt. Beides war freilich nicht bindend gewesen, aber was hatten sie ihm bedeutet?

Jetzt klopfte es laut und fordernd. Maria stand auf und öffnete die Tür.

Dennoch war sie auf die Wirkung seines Anblicks nicht vorbereitet, obwohl sie so intensiv in ihren Erinnerungen gewühlt hatte. Da stand er, wirklich und leibhaftig, und wartete ungeduldig darauf, eingelassen zu werden.

»Kommt herein«, sagte sie matt und trat beiseite.

Fast sprang er zur Tür herein und schloß sie gleich. »Ihr habt mich so lange draußen stehenlassen, daß ich sicher war, gleich würde mich jemand sehen!« sagte er. Er sah verärgert aus.

Schon das war anders als alles, was sie sich vorgestellt hatte. Der echte Bothwell war so verwirrend.

»Ich habe darauf geachtet, daß niemand hier ist«, sagte sie. »Sie sind alle zur Erstürmung der Burg hinuntergegangen.«

»Wenn diese Aufführung wirklich soviel kostet wie das Lösegeld für einen König – und man sagt, daß es so ist –, dann müssen wir ebenfalls hinuntergehen und es uns ansehen. Man wird uns darüber befragen, und wir müssen es gesehen haben.«

Das Lösegeld für einen König.

»Wir gehen ja. Gleich. Und jeder für sich natürlich.« Sie schwieg einen Augenblick. »Was meint Ihr damit – ›Lösegeld für einen König‹?«

»Das ist nur so eine Redewendung hier.«

»Eine höchst passende, fürchte ich.«

»Maria – ich glaube, ich darf Euch so nennen, hier, unter uns – ich bitte Euch. Fangt nicht damit an.«

Sie wandte sich ab und bedeutete ihm mit einer Handbewegung, er möge sich auf einem der großen Kissen vor dem Kamin niederlassen. Er tat es, und sie nahm ihm gegenüber Platz. Sie breitete ihre Röcke so um sich aus, daß sie das Kissen vollständig bedeckten, und schlang die Arme um die Knie.

»Ich weiß nicht, was Ihr meint«, sagte sie schließlich. Das Feuer im Kamin knatterte und spuckte.

»Ich meine die Diskussionen über Euren Gemahl, und was man tun muß, und was wir tun sollen, und so weiter. Maria, was geschehen ist, das ist geschehen. Aber ich kann damit nicht weitermachen. Ihr mögt lachen oder mich einen Feigling nennen, aber ich kann nicht der Liebhaber einer verheirateten Frau sein.«

»Es ist also nicht meine Krone, was Euch einschüchtert, sondern mein Trauring?«

»Ja.« Er lächelte. »Ich schäme mich, es zuzugeben, denn es klingt so puritanisch, aber es ist das einzige, was meine Moral mir nicht erlaubt. Vorige Woche habe ich gegen mein eigenes Gesetz verstoßen, aber nur in der Glut der Leidenschaft. Wenn ich es noch einmal täte, wäre es nicht mehr der Leidenschaft zuzuschreiben, sondern einer kühlen Hauptes getroffenen Entscheidung, sozusagen.«

»Ist Euch klar, daß ich Euch gerade deswegen liebe?« fragte sie. »Gerade wegen dieser sperrigen Grundsätze? Sie machen Euch zu dem, der Ihr seid, zu dem Mann, den ich liebe.«

»Maria, bitte hört auf damit! Können wir nicht auseinandergehen und alles vergessen? Ich will Euch weiter dienen, so treu ergeben wie zuvor. Aber mir wäre es lieber, nie wieder mit Euch allein zu sein. Es ist gefährlich.«

Er sah sie mit festem Blick an. Die Wunde in seinem Gesicht vernarbte allmählich, und bald würde nur noch die Erinnerung zurückbleiben. Er wollte auch die Nacht in der Kapelle zu einer Narbe werden lassen, dachte sie.

»Ihr wollt also, daß wir einander nie wiedersehen, außer wenn es unbedingt nötig ist, und dann nur unter den Augen anderer«, sagte sie leise. »Ihr wollt verdrängen, was geschehen ist, wollt versuchen, es zu vergessen, und meint, mit der Zeit wird es Euch wohl gelingen.«

»Ja.« Er wandte den Blick nicht ab.

»Ich will es aber nicht vergessen«, sagte sie.

»Wenn Ihr lieber weiter darüber nachsinnt, kann ich es nicht verhindern.«

»Oh, Bothwell, ich liebe Euch! Ich kann Euch nicht ziehen lassen, Euch den steilen Pfad nach Stirling hinunterschicken, fort ins Grenzland! Ich kann mich so nicht verstellen!«

»Ihr müßt. Wenn Ihr nicht verhüllen könnt, was geschehen ist, wird es unser beider Untergang sein!« Der Schrecken ließ ihn lauter werden.

»Liegt Euch denn nichts an mir?« hörte sie sich fragen, und zugleich haßte sie sich dafür, daß sie sich solche Worte entschlüpfen ließ. Sie bettelte; es war nicht minder Bettelei als das, was die Leute trieben, die sich unten am Schloßweg vor dem Tor versammelten und um Almosen und Brosamen von den Festtafeln flehten.

Er stand von seinem Kissen auf. Offensichtlich war ihm so unbehaglich zumute, daß er am liebsten weggerannt wäre; zumindest glaubte sie es. Sie erhob sich ebenfalls. Zu ihrer restlosen Verblüffung nahm er sie in die Arme und drückte sie an sich.

»Doch, mir liegt an Euch. Mir liegt an Euch, seit ich Euch das erste Mal sah, ein kleines Mädchen in Frankreich.« Er hielt sie fest in seinen Armen, aber es war keine Leidenschaft dabei, sondern nur Zuneigung.

»Ihr habt mich in Frankreich gesehen?« Ihre Stimme klang dünn und erstaunt. »Wo?«

»Ich habe Euch viele Male gesehen, wenn Ihr in Eurer Kutsche vorbeikamt. Habe ich Euch nie erzählt, daß ich in Frankreich war, als Ihr dort als Kind wart?«

»Nein, nie. Ich wußte es nicht. Was habt Ihr dort gemacht?«

»Studiert. Ich war am Scots' College, in der Nähe der Sorbonne. Ich hatte dort eine Kammer an der Philippe-Auguste-Mauer. Und ich sah Euch, wenn Ihr in Eurer Kutsche zum Louvre fuhrt, oder auf der Rue Ste.-Antoine zum Turnier; dann blieb ich stehen und schaute Euch an, und Ihr wart das schönste, bezauberndste Kind, das ich je gesehen hatte. Ihr machtet mich stolz darauf, Schotte zu sein! Ich zeigte Euch allen meinen Freunden und sagte: ›Sie ist aus Schottland. Da seht ihr, was für schöne Mädchen wir haben.‹ Ihr wart so viel hübscher als die Valois-Prinzessinnen.« Sein Mund war dicht an ihrem Ohr; sie fühlte seinen warmen Atem auf ihrer Haut.

»Da habt Ihr mich gesehen?« fragte sie immer wieder.

»Ich habe auf Euch gewartet. Ich bin sogar ein paarmal zu diesen elenden Turnieren gegangen, nur um Euch zu sehen. Da wart Ihr dann, umgeben von lauter Guise und Valois, und Ihr überstrahltet sie alle. Für mich wart Ihr … ein Engel.« Er lachte betrübt wie über einen verlorenen Schatz.

»Aber Ihr wart nicht dabei, als … der König starb?«

»Nein. Mit einundzwanzig kehrte ich nach Schottland zurück, um mein Erbe anzutreten. Das war vor Eurer Hochzeit.« Jetzt waren seine Lippen ganz dicht an ihrem Ohr; fast küßte er es.

»Ich liebe Euch; verlaßt mich nicht«, sagte sie und vergrub das Gesicht an seiner Schulter. Sie küßte seinen Hals und fühlte, wie er erschauerte.

Er küßte ihr Ohr, wie sie es wollte; sie wandte ihm das Gesicht zu, seinen Lippen entgegen. Er zögerte nicht, sondern küßte sie mit einer Leidenschaft, die durch alles Widerstreben nur noch wilder geworden war.

»Liebe mich und teile mein Geschick«, wisperte sie. »Ich kann dich nicht lassen.«

»Wir können nicht zusammensein, aber wir können auch nicht getrennt sein«, sagte er. »Eine vorzügliche Folter.« Er ließ sie los. »Ich weiß nicht, was ich tun soll, wohin ich gehen soll, ja, wie ich so existieren soll.«

»Du sagst, dein Gesetz erlaubt es nicht. Das verstehe ich … und ich respektiere es. Doch zugleich kann ich es nicht ertragen.«

»Aber ich kann ihm nicht gerecht werden!« Schmerz verdüsterte seine Miene. »Und was wird aus einem Mann, der seiner eigenen Moral nicht gerecht wird? Wird er durch die Liebe entschädigt oder gar belohnt? Ich weiß es nicht. Niemand in Schottland hat dergleichen je aus Liebe getan; wir haben keine Tradition der großen Liebespaare. Tristan und Isolde gibt es nicht in Schottland, auch nicht Lancelot und Guinevere, Paris und Helena, Antonius und Kleopatra.«

»Dann werden wir die ersten sein. Ich werde stolz darauf sein.«

»Daß wir uns benehmen wie die Heiden?« Er sank auf die Knie und starrte auf den türkischen Teppich vor dem Kaminfeuer. »Die Ungläubigen machen Dinge von großer Schönheit«, stellte er fest. »Selbst ihre geschmiedeten Schwerter sind fein ziseliert und mit Edelsteinen besetzt. Die Kacheln in ihren Moscheen und in ihren Behausungen sind schön gemustert und im Feuer gebrannt, damit sie haltbar sind.« Er sah zu ihr auf. »Die Welt ist groß, Mylady.«

Sie kniete neben ihm nieder. »Nein. Sie ist sehr klein. Sie ist nur hier, in diesem Gemach, in dem wir sind.«

»Es ist unsere Tragödie, daß das nicht stimmt. Rings um diese kleine Kammer liegt Schottland, und Schottland verzeiht seinen Sündern nicht. Um in die weite Welt zu gelangen, müssen wir durch Schottland fliehen, und dort wird man uns steinigen und wie Verbrecher behandeln. Ist es das, was Ihr wollt?«

»Nein. Aber ich glaube, daß wir es irgendwie vermeiden können. Das Schicksal wird gütig zu uns sein, Bothwell. Es muß.«

»Das glauben alle Liebenden. Aber nicht gegen das Schicksal haben wir zu kämpfen, sondern gegen die Menschen. Das Schicksal ist nichts als die Summe dessen, was die Menschen tun.«

Es war jetzt dunkel im Zimmer. Das Schauspiel der Burgerstürmung würde bald beginnen.

»Maria«, sagte er, »wenn wir in dieser Welt der Menschen überleben und sie als unser ›Schicksal‹ ins Geschirr nehmen wollen, dann müssen wir jedem außer uns selbst kalten Blutes gegenübertreten. Habt Ihr noch einmal über meinen Vorschlag nachgedacht? Morton, Lindsay und die anderen Verbannten? Werdet Ihr sie zurückrufen?«

»Ja. Wenn du mir dazu rätst«, sagte sie. »Aber die drei schlimmsten lasse ich niemals zurückkommen!« rief sie dann. »Nicht den üblen George Douglas, der Rizzio über meine Schulter hinweg erstach, nicht Patrick Bellenden, der seinen Degen gegen meine Brust richtete, und nicht Andrew Kerr von Fawdonside, der mir mit der Pistole in die Seite schießen wollte. Ihnen werde ich niemals erlauben, noch einmal einen Fuß nach Schottland zu setzen. Nein, niemals!«

»Wie Ihr es bestimmt«, sagte er. »Eure Barmherzigkeit ist groß.«

Da drang von draußen knallender Lärm zu ihnen herein. Sie lief zum Fenster. »Das Schloß!« rief sie. »Es explodiert! Oh, schau doch!«

Er kam zum Fenster und schaute zu, wie die Mauern der Theaterfestung auf der Wiese dort unten, gelb leuchtend im Licht innerer Feuer, einzustürzen begannen. Feuerkugeln flogen von den Zinnen und explodierten, wo sie aufschlugen, und Funkenwolken sprühten empor. Und dann flog plötzlich das ganze Gebäude in die Luft und schleuderte wirbelnde Räder aus Feuer und Farbe hinaus in die Nacht.

Darnley ging in seinem geräumigen, luxuriös eingerichteten Gemach nervös von einem Ende zum anderen, hin und her. Ab und zu warf er einen Blick zur Decke, wo die geschnitzten Medaillons sich allmählich in den heraufkriechenden Schatten verloren.

Da sind sie, dachte er. Damit hat Lord James ihr Angst gemacht, als sie klein war. Oh, sie hat mir alles davon erzählt ... als sie noch gern mit mir sprach. Ja, es gab eine Zeit – und es ist noch gar nicht so lange her –, da hat sie mir stundenlang von sich erzählt, von ihrer Kindheit, ihren Geheimnissen.

Und jetzt kommt sie nicht einmal mehr in meine Nähe, geschweige denn, daß sie mit mir redete!

Wut durchzuckte ihn, und er blieb an einem Tisch in der Mitte des Zimmers stehen, um sich einen großen Becher Wein einzugießen. Vielleicht würde ihm davon wohler werden. O Gott, er fühlte sich schrecklich – die Gelenke taten ihm weh, und er hatte ständig Kopfschmerzen. Aber kam *sie* vielleicht jemals, um sich nach seiner Gesundheit zu erkundigen? Nein!

Nicht einmal, als ich ihr mitteilen ließ, ich würde bei der Taufe nicht zugegen sein, dachte er. Wenn irgend etwas ihre Neugier hätte anstacheln oder sie erschrecken müssen, dann dies. Aber sie ließ sich gar nicht stören, sondern bewirtete weiter die Engländer und Franzosen und Kirchenmänner und Gott weiß, wen noch alles. Und das hier in Stirling, wo wir heimlich getraut wurden! Sogar meinen silbernen Teller für das Bankett ließ sie abräumen.

Dieses Biest!

Er schlug mit der flachen Hand auf den Tisch, so heftig er konnte. Der Schlag dröhnte ihm durch den Kopf und verstärkte das Pochen dort. Er schwitzte. Als er sich mit der Hand über die Stirn strich, fühlte er dort zu seinem Entsetzen lauter harte kleine Knötchen. Mit einem Aufschrei riß er die Hand herunter und machte sich hastig auf die Suche nach seinem kleinen Spiegel. Er nahm ihn aus dem bestickten Etui, hob ihn bang hoch und untersuchte sein Gesicht. Seltsame, körnige Pickel bedeckten nicht nur seine Stirn, sondern auch seine Wangen.

Sie sahen grausig vertraut aus. Er hatte solche Pickel schon auf den Gesichtern einiger Frauen im Bordell gesehen ... aber nie bei einer, mit der er selbst verkehrt hatte. Und da war diese Entzündung an seinem Geschlechtsorgan gewesen, aber die war doch wieder abgeheilt ...

Seine Gedanken jagten einander in panischer Hast, aber zugleich durchfuhr stechende Angst seine Eingeweide.

Syphilis. Vielleicht habe ich Syphilis!

Weißglühende Wut erfüllte ihn.

Nein! Das habe ich nicht verdient! *Sie* hat es verdient!

Vielleicht hatte er sie ja schon angesteckt? Aber nein. Sie waren seit Monaten nicht mehr zusammengewesen.

Wie betäubt ließ er sich auf den Stuhl sinken. Zu seinem Erstaunen stellte er fest, daß sein erster Gedanke war: Nun werden wir *nie wieder* zusammensein! Bei dieser Erkenntnis war ihm, als habe er eine ganze Welt verloren.

Ich liebe sie doch! Warum liebt sie mich denn nicht?

Er brach in Tränen aus und ließ schluchzend das Gesicht in die Hände sinken.

Warum hat sie sich gegen mich gewendet? Wegen Rizzio? Aber ich habe sie angefleht, mir zu vergeben, und ich habe sie in Sicherheit gebracht ... Wegen meiner Trinkerei? Aber das habe ich doch nur getan, weil ich mich ihretwegen so quälte! Und mit den Huren ist es das gleiche!

Nein ... es ist *seinetwegen*! Bothwell! Wie sie auf Hermitage zu ihm gerannt ist ... und wie sie ihn ansieht! Diesen Blick kenne ich!

Er sah ein rötliches Lodern, das von unten heraufflammte, und ging ans Fenster. Tief unten, wie eine rote Blume auf einem Schneeteppich, stand das Schloß, und seine dünnen Wände aus Gips und Papier leuchteten von innen wie eine Laterne. Ringsum wimmelten Menschen wie ein dunkler Fleck. Ach ja, das war dieses blöde Feuerwerksschloß, für das sie so viel Geld verschwendet hatte – daran lag ihr mehr als an *ihm*!

Jubel kam auf, als die Flammen höher schlugen und die Ritter darin mit Feuerspeeren kämpften. Und dann plötzlich stürmten die Ritter aus der Burg hervor, fahnenschwenkend und brüllend. Das Schloß blühte auf wie eine böse gelbe Blume, und dann flog es auseinander, und große Fetzen von brennendem Zeug wirbelten mit den Flammen empor. Eine krachende Explosion wie von einem Vulkan schoß Wolken von Trümmern in den Himmel wie eine gigantische Kanone.

Ich will sterben, dachte Darnley. Ich will, daß sie stirbt. Wenn wir nicht zusammensein können, dann will ich, daß wir in den Armen des anderen sterben. Dann weiß ich, daß niemand anders sie haben kann, und ich werde glücklich sterben.

Wieder zerriß eine Explosion die Luft.

Mit Schießpulver wird es gehen. Man braucht mehr, um ein richtiges Haus explodieren zu lassen, aber es könnte ja ein kleines Haus sein; es brauchte kein Palast zu sein …

Und dann würde sie sterben, sterben, sterben, die grausame Königin …

»Und dann bist du mein für alle Zeit«, flüsterte er und sah zu, wie sich der hinfällige Bau in den Flammen krümmte.

Die Gesandten verließen Stirling, und nach und nach verabschiedeten sich auch die anderen Gruppen. In der Woche vor ihrer Abreise schwelgte Maria in geheimen Treffen mit Bothwell, die sie immer wieder arrangierte; manchmal flüsterte sie die nötigen Anweisungen vor der Nase hochrangiger Gäste.

Komm in das Staatsgemach … in die leeren Gemächer, die der Earl von Atholl jetzt geräumt hat … in die Turmkammer mit dem Blick auf den »King's Knot« …

Und er war immer da und erwartete sie hungrig, und seine Bedenken hatte er anscheinend vergessen. In den kalten Kammern konnten sie einander nur umarmen und küssen und miteinander reden. Aber in den geheizten Gemächern, wo die Betten noch nicht fortgeschafft worden waren – die Bediensteten ließen das Bettzeug immer eine Weile auslüften –, konnten sie alles abstreifen, was sie voneinander trennte, und sich an ihrer Nacktheit entzücken. Maria löste ihr Haar, so daß es ihr als Mantel diente, und Bothwell streichelte, küßte und liebkoste es, als wäre es lebendig. Sie legte sich dann wohl auf den Rücken, ließ den Kopf über die Bettkante hängen und bot ihm so die hinreißende Kurve ihres langen Halses mit der durchscheinenden Alabasterhaut dar, und er sah das Blut dort in den Adern pulsieren. Sie war von schlanker Gestalt, und in einem bestimmten Licht sah sie aus wie eine zum Leben erwachte Statue.

»Du bist die Göttin, als die Ronsard dich beschrieben hat«, murmelte er. »Aber so sah er dich nur in seiner Phantasie – hoffe ich!«

Sie lachte dann. »Ich war damals weiß gekleidet.«

»Du bist auch jetzt weiß gekleidet: in deine köstliche Haut.«

Mit seinen moralischen Skrupeln schienen auch alle Hemmungen von ihm gewichen zu sein.

Aber sie konnten nie oft genug zusammenkommen; die Schwierigkeiten bei solchen Verabredungen, die Notwendigkeit, wachsam zu sein, und die beständige Beobachtung – das alles hinderte sie daran. In einem richtigen Bett in einem geheizten Zimmer beieinanderzuliegen, wurde deshalb zu einer heißerstrebten Kostbarkeit.

Und immer war auch Lady Bothwell zu beschwichtigen, Lady Bothwell, die Fragen stellte, Lady Bothwell, die unruhig wurde und darauf brannte, abzureisen.

Am Weihnachtstag rief Maria die verbliebenen Lords zusammen: Lord James, Maitland, Argyll, Huntly und Erskine. Sie entrollte den Gnadenerlaß für die Verbannten und las ihn langsam vor.

»Sie sollen zurückkehren, denn ich habe ihnen vergeben«, sagte sie. »Ihr müßt Eure Brüder willkommen heißen, und wir wollen beten, daß dies das Ende aller Zwietracht und Streitigkeit sei.«

In dieser Nacht bestieg Darnley seinen Lieblingsschimmel, verließ Stirling Castle und ritt geradewegs nach Glasgow und in den Bezirk seines Vaters.

Die Sonne des Dreikönigstags ging unter, als Maria dabeistand, während Mary Fleming, ihre lebenslustige Flamina, mit Maitland vermählt wurde. Der feierliche Akt fand nicht in der königlichen Kapelle statt, denn es waren nicht genug Gäste anwesend, um sie zu füllen, sondern im Staatsgemach der Königin. Maitland betrachtete seine Braut besitzergreifend. Fast fünf Jahre hatte er geduldig abgewartet; er war durch die Probleme des Altersunterschiedes gewatet und hatte alle politischen Umwälzungen überstanden, die ihn bald näher an die Königin, der er zu dienen behauptete, herantrugen, bald wieder von ihr entfernten.

Was Flamina anging, so betrachtete Maria sie voller Zärtlichkeit. Hoffentlich würde sie glücklich werden mit dem Chamäleon – so hatten seine politischen Feinde ihn getauft.

Möge er seine Gefühle für sie niemals ändern, wie er seine Allianzen zu wechseln scheint, dachte Maria. Möge er in seiner Braut die eine finden, der er immer treu sein kann.

»Jetzt, da Darnley fort ist, sind wir von ihm befreit. Komm heute nacht in mein innerstes Gemach«, flüsterte Maria, als sie Bothwell beim Tanz nach der Trauung streifte. Ihr war fast schwindelig von der plötzlichen Freiheit.

Bothwell runzelte die Stirn und schüttelt beinahe unmerklich den Kopf.

»Zu gefährlich«, raunte er später zwischen zwei unauffälligen Sätzen, die er an den strahlenden Maitland richtete. Lady Jean stand neben ihrem Mann und sah ihn mit großen, aufmerksamen Augen an. Dabei befingerte sie ihren Trauring.

Vielsagend?

»Wir wünschen Euch alles nur denkbare Glück«, sagte sie mit ihrer dunklen, schläfrigen Stimme. »Die Ehe ist voll von unerwarteten Dingen, aber im Laufe der Zeit leuchtet sie heller und immer heller, wie ein goldener Ring.« Sie trug ihren Ring mit sichtlichem Stolz.

»Laßt uns tanzen«, sagte Bothwell. »Diesen Tanz habe ich in Frankreich gelernt.«

»Ach, Frankreich. Du mußt einmal mit mir dort hinfahren ...« Den Rest des Satzes hörte Maria nicht mehr, denn Bothwell führte seine Frau mitten zwischen die Tänzer; aber sie sah, wie die Gräfin lächelte und Bothwells Schulter berührte, und sie sah, wie er zurücklächelte.

Ein bohrender Schmerz durchfuhr sie. Wieso tat es so weh, wenn sie doch wußte, daß er *sie* liebte? Und wie konnte es möglich sein, daß sie ihn heute nacht nicht allein sehen sollte?

Die Musik, die Kerzen, die Festgäste, das alles drohte sie zu ersticken, und am liebsten wäre sie hinausgelaufen und hätte sich irgendwo hingesetzt und gewartet, daß Bothwell später zu ihr käme.

Statt dessen mußte sie lächeln und tanzen und süßen Wein trinken und Mary Fleming küssen und sie wegen der Hochzeitsnacht aufziehen.

»Dein Stewart-Blut wird dir schon helfen, es zu überstehen. Wir haben die Leidenschaft im Blut«, versicherte sie ihr.

War es ein Segen oder ein Fluch, dieses leidenschaftliche Blut?

»Ja, endlich kann ich ihm die Zügel schießen lassen«, sagte Flamina. »Noch dazu mit dem Segen der Kirche!«

Bothwell sandte ihr später eine Nachricht, und als seine Frau am nächsten Morgen auf der Jagd war, liebten sie einander schnell und leidenschaftlich in seinen Gemächern. Danach teilte er ihr mit, daß es nun auch für ihn Zeit zur Abreise sei; seine Gemahlin stelle schon Fragen wegen des langen Aufenthalts, und sie brenne ungeduldig darauf, in ihr eigenes Lieblingsschloß Crichton zurückzukehren, das sie gerade einrichte.

»Außerdem will sie anscheinend unbedingt unser Testament aufsetzen«, fuhr er fort, »und unser Vermächtnis regeln.«

»Aber du schläfst doch nicht mit ihr!« rief Maria. »Wie kann sie sich da den Kopf über ihren Erben zerbrechen?«

»Nun, es gibt Brüder, Verwandte ...«

»Aber du schläfst nicht mit ihr!«

»Maria, sei doch vernünftig –«

»Nein! Du hast es versprochen! Du darfst nicht –«

»*Das* habe ich dir niemals versprochen! Ich habe dir versprochen, dich immer zu lieben –«

»Und mit deiner Frau zu schlafen?« kreischte sie.

»Still!« herrschte Bothwell sie an. »Willst du, daß das ganze Schloß dich hört? Wie könnte ich nicht mit ihr schlafen? Glaubst du, sie würde weiter keinen Verdacht schöpfen, wenn ich es nicht täte?«

»So, sie verzehrt sich also nach deiner Liebe und darf sie nicht entbehren! Die rechtmäßige Lady Jean Gordon –«

»Hör auf! Du klingst wie eine gewöhnliche, langweilige, besitzergreifende Mätresse und nicht wie eine Königin. Das lasse ich nicht zu! Ich habe genug von solchen Frauen: weinerliche, eifersüchtige Kletten ...« Er wollte sie küssen.

Die Vorstellung, wie er nackt bei seiner Frau lag, war ihr so zuwider, daß sie sich abwandte.

»Sei nicht gewöhnlich«, sagte er. »Ich will eine Königin.«

»Mußt du fort?«

»Ja. Ich muß.«

»Wann?«

»In ungefähr einer Woche, wenn das Wetter umschlägt. Du weißt, daß der vierzehnte Januar, St. Hilarius, von alters her der kälteste Tag des Jahres ist. Den Eisheiligen nennt man ihn. Also will ich diesen Tag noch abwarten. Dann reise ich ab.«

Aber als der vierzehnte Januar kam, hatte Maria mehr auf dem Herzen als nur Bothwells Abreise. Aus Glasgow, wohin Darnley zurückgekehrt war, kam die Nachricht, daß Darnley schwer an der Syphilis erkrankt sei. Und sie selbst fühlte sich auch nicht wohl, aber aus einem ganz anderen Grund: Sie war schwanger.

Sie mußte es Bothwell sagen, bevor er fortging! Diskret erkundigte sie sich nach seinem Aufenthaltsort und erfuhr, daß er in den Stallungen war und das Beladen seiner Pferde beaufsichtigte. Er wollte vierzig Meilen weit durch die Kälte reisen, und da kam es auf die Ausrüstung an. Er dachte nicht daran, ohne Pferdedecken, Werkzeug, Kerzen und zusätzlichen Proviant aufzubrechen, und er verließ sich nicht darauf, daß die Pferdeknechte alles von alleine sicher verstauten.

Unter dem Vorwand, nachzusehen, wie es ihrem weißen Lieblingszelter Ladysmith ging, dem in rätselhafter Weise das Knie angeschwollen war, huschte Maria hinaus zu den Ställen. Als Pferdeliebhaberin ging sie oft dorthin, und so schöpften die Stallburschen keinen Verdacht.

Bothwell inspizierte mit gefurchter Stirn die Hufe seines Pferdes. Als er aufblickte und sie gewahrte, verdüsterte ein Mißfallen seine Miene, das sich rasch in Ärger verwandelte.

»*Willst* du uns unnötigem Verdacht aussetzen? Wir haben uns bereits verabschiedet. Jetzt geh!« Er schaute zu den Stallburschen hinüber, die in den Boxen beschäftigt waren. Bis jetzt hatte noch keiner aufgeblickt. »Jawohl, Eure Majestät, ich will sehen, ob es Nachricht von Moretta gibt. Die letzte Botschaft, die mich in Edinburgh erreichte, besagte, daß er Paris eben erst verlassen habe.« Er hob die Stimme bei diesen Worten ein wenig. »Schade, daß er die Zeremonie versäumen mußte!«

»Bothwell!« Sie griff nach seinem Ärmel. »Ich kann das nicht dem Papier anvertrauen!« Sie beugte sich vor und flüsterte ihm ins Ohr: »Ich fürchte, ich bin schwanger. Deshalb muß ich zu Darnley nach Glasgow.«

»Nein! Der ist krank. Du darfst nicht, darfst nicht –«

»Ich werde mich ihm nicht hingeben; aber was die Welt sehen wird, ist, daß wir wieder zusammengekommen sind. Was geschieht, wenn wir beide allein sind, kann niemand beweisen – aber auch nicht das, was *nicht* geschieht.«

»Es ist gefährlich dort.«

Ein Stallknecht in der Nähe wandte den Kopf und lächelte ihnen verschlagen zu.

»Ich sage doch, ich werde mich ihm nicht hingeben«, flüsterte sie.

»Glasgow selbst ist gefährlich. Es wimmelt da von Lennox-Stewarts, und Lennox selbst lauert auch dort.«

»Lennox ist krank.«

»Er tut so, als sei er krank. Ich kann dich nicht allein dort hingehen lassen. Ich habe ... man hört – Gerüchte, daß Vater und Sohn irgendeine ungeheuerliche Tat gegen dich planen. Lennox hat seine Absichten bereits signalisiert, indem er der Taufe fernblieb. Ich habe gehört –«

»Ich habe keine andere Wahl!« Sah er denn das nicht ein?

»Treib es ab! Janet Beaton hat Mittel –«

»Deine alte Geliebte? Die als Hexe verschrien ist? Deren Mittel möchten wohl schlimmer sein als der Zustand selbst!« Sie wurde lauter.

»Sprich leise!« zischte er. »Ich kann dich gut hören! Also schön. Aber diese Mittel wirken.«

»Ich habe mit Hexerei nichts zu schaffen.«

»Es ist keine Hexerei, sondern simple Bauernmedizin.« Er sah sich rasch um.

Sie schwieg.

»Du darfst nicht nach Glasgow! Maria, ich flehe dich an ...«

»Wenn du keine wahren Informationen hast, von denen ich nichts weiß – und ich befehle dir, es mir jetzt zu sagen –, dann muß ich.«

Er zuckte die Achseln. »Ich weiß nur Gerüchte. Aber, Maria, ähnliche Gerüchte machten die Runde, bevor Rizzio ermordet wurde. Sogar Cecil hörte in London davon. Darnley will die Mitkönigskrone. Die Rizzio-Verschwörer haben sie ihm für seine Beteiligung an dem Komplott versprochen. Jetzt weiß er, daß du Mittel und Wege suchst, dich seiner zu entledigen. Er muß rasch etwas unternehmen, solange er noch rechtmäßig mit dir verbunden ist.«

»Ich mißtraue ihm. Aber ich werde auf der Hut sein.« Sie streckte die Hand nach ihm aus, hielt dann aber inne. Sie durfte ihn nicht berühren. »Ich kann nicht glauben, daß er mir tatsächlich etwas zuleide tun würde.«

»Hoffentlich hast du recht.«

»Lebewohl. Ich werde dir aus Glasgow schreiben und dir von jedem seiner Worte berichten, so daß es, *wenn* etwas geschieht, Beweise geben wird – und dann bekommt er die Krone nie.«

»Ich werde auf deine Briefe warten. Und – Gott sei mit dir.«

Ein paar Tage später trabte Bothwell auf dem ausgefahrenen, vereisten Weg zwischen Crichton Castle – wo er seine Frau zurückgelassen hatte, damit sie die Arbeiter bei den Schnitzereien an der neuen Eichentäfelung in der Halle beaufsichtigte – und Whittingham dahin, einer Festung der Familie Douglas, die etwa fünfzehn Meilen weit entfernt war. Der Januar war eine elende Zeit selbst für eine so kurze Reise, aber Marias Lage machte sie unerläßlich. Unmittelbar nach ihrem Besuch bei Darnley und der »Versöhnung« mit ihm mußte sie zur Witwe gemacht werden. So einfach lagen die Dinge.

Es stimmte, was er ihr erzählt hatte. Es gab Gerüchte, denen zufolge Darnley und sein Vater eine Art Staatsstreich gegen Maria planten, der damit enden sollte, daß sie die Krone an sich rissen – im Namen des kleinen Prinzen selbstverständlich. Aber wann das stattfinden sollte, was genau stattfinden sollte, und wer die Mitverschwörer waren, das wußte er nicht.

Wären meine Spitzel doch so gut bezahlt wie Cecils, klagte er bei sich und zog sich den Mantel fester um den Hals. Dann wüßte ich alles.

Andererseits ist es gleichgültig, was der schwache, quäkende Dummkopf plant, solange ich zuerst handle.

Er hatte ein flaues Gefühl im Magen. Ein guter, sauberer Kampf im Freien, der gefiel ihm. Aber dieses Ränkeschmieden, diese heimtückische, in sich feige Art des Umgangs mit Gegnern stieß ihm sauer auf.

Daß ich mich mit der Königin eingelassen habe, das hat mich dahin gebracht, dachte er. Es hat mich zu einer Maske gemacht, so falsch wie jeder dort bei Hofe. Es ist mir zuwider. Und jetzt, wo dieses Kind unterwegs ist, kann ich nicht einfach Schluß machen.

Der mächtige Steinturm von Whittingham ragte zwischen den stumpfen, braunen Ästen des schlummernden Waldes am Fuße der Lammermuir Hills empor. Bothwell trabte in den Hof, und ein fröstelnder Knecht nahm ihm sein Pferd ab. Drinnen erwarteten ihn der Earl von Morton, Maitland und Archibald Douglas, Mortons Scherge für alle Gelegenheiten: ein Halsabschneider, Fälscher und Schläger.

»Ah!« Grüßend wandten sie sich ihm zu und reichten ihm einen Becher mit heißem Ale.

»Pünktlichkeit ist eine Tugend«, meinte Archibald Douglas. »Jetzt kann die Sitzung beginnen.«

Im Gegensatz zu einer höfischen Zeremonie sollte es hier keine belanglosen Floskeln, keinen Austausch von Artigkeiten geben, wenngleich Bothwell sich nicht verkneifen konnte zu sagen: »Nun, Mr. Maitland, wie ich sehe, können nicht einmal die Flitterwochen Euch von der Erfüllung notwendiger Pflichten abhalten – von der Planung eines Meuchelmords etwa.«

»Haltet den Mund!« Morton trat vor. »Wir werden uns draußen beraten.«

Bothwell klopfte an die feuchten grauen Steine. »Selbst die Wände haben hier Ohren, he?« Er nahm noch einen Schluck heißes Bier. Gern hätte er es sich ein Weilchen am Feuer bequemgemacht, damit seine tauben Finger und Zehen wenigstens wieder zu kribbeln anfingen.

»Euer Mangel an Originalität enttäuscht mich«, sagte Maitland nur.

»Wie mich Euer Mangel an Lust auf Eure neue Braut. Aber die Pflicht ruft.« Bothwell trank sein Ale aus und stellte den Becher hin. Dann zog er sich den Hut tiefer über die Ohren.

Draußen schien die Kälte dicht über dem Boden zu schweben.

»Bei der Eibe dort«, sagte Archibald und deutete auf einen riesigen Baum, der etwa dreißig Schritt weit vom Haus entfernt stand, umgeben von Farnkraut und flechtenüberzogenen Felsen. Vorsichtigen Schritts überquerten sie das Feld; sie rutschten auf den Steinen aus, und Schnee drang ihnen in die Stiefel.

Der Baum mit seinen schützenden, tiefhängenden Ästen war wie ein Zelt, das den Wind abhielt.

Morton setzte sich auf einen der flacheren Felsen, nachdem er zuvor seinen Mantel dort ausgebreitet hatte. »Ihr lacht«, sagte er streng zu Bothwell. »Aber *überall* gibt es Spitzel. Und wir dürfen auf keinen Fall belauscht werden.«

Maitland, der Bräutigam, sprach als erster. »Das Problem ist einfach, meine Herren. Die Königin bedauert ihre Ehe mit Lord Darnley. *Wir* bedauern ihre Ehe mit Lord Darnley. Es gibt niemanden, der diese Ehe *nicht* bedauert, mit Ausnahme von Darnley selbst und seinem stolzen Vater. Es wird Zeit, daß die Ehe auf die altehrwürdige Weise zu Ende geht: bis daß der Tod sie scheidet. Nachdem ich dieses Gelübde eben erst selbst vernommen habe, hat es mich inspiriert.«

»Ja«, sagte Bothwell. »Scheidung, Annullierung … da bleiben zu viele Fragen unerledigt.«

»Und es ist keine Strafe für den Missetäter«, knurrte Morton. »Er hat uns in der Affäre mit Rizzio betrogen – hat seinen eigenen Clan, die Douglas, im Stich gelassen! Das ist unerträglich! Ich habe viele Monate lang darüber brüten dürfen, während ich im Exil war – erst in England, dann in Flandern, dann wieder in England.« Seine dunklen Augen funkelten.

»Ihr werdet also den ersten Schlag führen?« fragte Archibald. »Die Familientradition aufrechterhalten und Bell-the-Cat's Großschwert führen? Ihr habt es ja nicht ohne Grund in Verwahrung.«

Morton befingerte seinen buschigen roten Bart. »Ich wage es nicht«, bekannte er schließlich.

»Was?« Bothwell sah ihn ungläubig an. »Wozu haben wir Euch dann zurückgeholt?«

»Das ist es ja«, sagte Morton mürrisch. »Die Königin hat mich soeben für einen Mord begnadigt. Ich wage nicht, so schnell einen zweiten zu begehen.«

Der Wind nahm zu, und die Äste des Baumes klopften gegeneinander. Alle funkelten Morton erbost an, bis dieser rief: »Ich verachte ihn, und mit Vergnügen würde ich nicht nur den ersten Schlag führen, sondern auch alle übrigen – wenn die Königin mir den Auftrag dazu geben könnte.«

»Aber sie *hat* Euch den Auftrag dazu gegeben. Sie hat uns alle beauftragt«, sagte Maitland. »Auf Craigmillar haben wir alles besprochen, und ihre einzige Bedingung war, daß es keinen Makel auf ihrer Ehre hinterlassen dürfe.«

»Was ›es‹ ist, wurde allerdings nicht weiter definiert«, räumte Bothwell ein. »Sie erklärte, sie wolle ihre Freiheit; als sie ›es‹ sagte, war es das, was sie meinte.«

»Tut es, und sie wird Euch nachher dafür danken«, drängte Archibald.

»Nicht ohne ihren ausdrücklichen Befehl«, beharrte Morton. »Und zwar einen schriftlichen.«

»Den gibt sie Euch«, sagte Archibald.

»Dann besorgt ihn«, erwiderte Morton.

»Das werde ich«, erklärte Archibald empört. »Und zwar schleunigst.«

»Aber wie machen wir's?« fragte Maitland hartnäckig. »Wir sollten uns jetzt auf einen Plan einigen, da wir einmal« – er nickte Archibald spöttisch zu – »so wirkungsvoll vor Lauschern geschützt sind.«

»Ersticht ihn irgendwo im Felde«, schlug Bothwell vor. »Er ist ganz vernarrt in die Falknerei, selbst bei schlechtestem Wetter. Es wär ein leichtes, ihn in die Wildnis hinauszulocken. Und dann …«

»Wir würden auch seine Diener umbringen müssen – Standen, Taylor …«

»Ihr überseht die Tatsache, daß Lord Darnley weiß, daß Ihr ihn haßt, und daß er deshalb mißtrauisch wäre, wenn Ihr ihn einladen wolltet, weit hinauszureiten«, gab Maitland geschmeidig zu bedenken.

Morton machte ein langes Gesicht. »Das stimmt. Aber jemanden in einem Schloß umzubringen ist eine schwierige Sache. Zu viele Leute. Erinnert Euch, wie es bei Rizzio gegangen ist.«

»Wir können ihn überfallen, wenn er von einem Schloß zum anderen reist«, erwog Archibald. »Dann könnte man Strauchdieben und Briganten die Schuld in die Schuhe schieben.«

»Hmmm … ja«, sagte Maitland. »Aber es käme darauf an, wie groß sein Gefolge ist.«

»Wir könnten ihm einen Hinterhalt legen, wenn er unterwegs zu seiner ewigen Falkenjagd ist«, meinte Bothwell. »Das hätte den Vorteil, daß sein Gefolge kleiner und der Schauplatz entlegener wäre.«

»Jemand müßte uns über seine Unternehmungen auf dem laufenden halten. Das bedeutet, daß jemand aus seiner engsten Umgebung in die Verschwörung eingeweiht werden muß«, sagte Maitland.

»Man weiß, daß Sir James Balfour mit ihm verkehrt«, sagte Archibald. »Und der ist bestechlich.«

»Aber er würde auch *uns* an *ihn* verraten«, wandte Bothwell ein.

»Und Gift?« fragte Maitland. »Diesen alten Nothelfer gäbe es ja immer noch.«

»Auch da wäre wieder das Problem, daß man jemanden in seiner engeren Umgebung benötigt, der es ihm verabreicht«, erinnerte Morton.

»Nicht bei einer öffentlichen Veranstaltung, einem Bankett etwa. Aber vielleicht ist die einfachste Methode immer noch die beste«, sagte Maitland munter. »Verhaftet ihn im Namen der Königin wegen Hochverrats, und wenn er sich dann wehrt, bringt ihn um. In Notwehr, versteht sich.«

»Beschafft mir den Auftrag«, sagte Morton zu Archibald. »Denn ich werde schmerzlich enttäuscht sein, wenn ich den Verrat an mir selbst nicht rächen kann.«

Maria schaute Archibald Douglas an, diesen dunklen Mörder, der besser zum Zweig der Black Douglas gepaßt hätte, nicht zu dem der Red Douglas. Er hatte um eine Privataudienz gebeten, und sie hatte sie ihm am Vorabend ihrer Abreise nach Glasgow gewährt. Aber als er ihr ins Ohr geraunt hatte, was er wollte, hatte sie es kaum glauben können.

»Nein!« rief sie. »Nein, einen so gottlosen Vorschlag will ich mir nicht einmal anhören! Geht mir aus den Augen!«

Die Erlaubnis, Darnley zu töten? Gerade ihr lag daran, daß Darnley am Leben blieb. Tote konnten keine Kinder zeugen.

In aller Eile hatte sie sogar Bourgoing nach Glasgow entsandt, damit er ihn behandelte; er durfte der Krankheit nicht erliegen, bevor sie ihn erreichen und eine Nacht mit ihm hinter verschlossenen Türen verbringen konnte.

Sichtlich erregt, war Bothwell nach Edinburgh geeilt und bestand jetzt darauf, daß er und Huntly sie ein Stück des Weges nach Glasgow begleiteten. Sie war über jeden Vorwand, ihn zu sehen, entzückt, und es rührte sie, daß er so besorgt um sie war. Sie vereinbarte, für die eine Übernachtung in Callendar House abzusteigen, wo Mary Livingstons Familie wohnte. Dort wäre sie sicher und hätte außerdem Gelegenheit, Lusty wiederzusehen. Lusty kam zwar regelmäßig an den Hof und brachte auch ihren kleinen Sohn mit, aber sie hatten in den letzten beiden Jahren doch nur wenig Zeit ungestört miteinander verbringen können.

Es war ein verhältnismäßig milder Tag im Spätjanuar, als sie Edinburgh verließen. Gleichwohl war die Straße sumpfig und von umgestürzten Bäumen und Schneehaufen blockiert, und so kamen sie nur langsam voran. Bothwell ritt vorauf; stolz saß er im Sattel und spähte mit wachsamen Augen rechts und links die Straße entlang, ob auch alles in Ordnung wäre. Sie sah ihn zu gern reiten. Sein rötliches Haar glänzte glatt in den schrägen Strahlen der tiefstehenden Sonne.

Ob das Kind sein rötliches Haar haben wird, dachte sie, und sofort überkam sie ein Gefühl von Schuldbewußtsein und Erregung zugleich. Das Kind! Sie trug sein Kind unter dem Herzen!

Am Morgen war ihr übel gewesen, und dieser Ritt wäre unerträglich geworden – aber sie konnte so in *seiner* Gesellschaft sein, und die Übelkeit genoß sie als Beweis für die Existenz des Kindes.

Bothwell hatte anzudeuten versucht, daß er Informationen für sie habe, aber bis jetzt hatten sie noch keine Gelegenheit gefunden, miteinander zu sprechen. Fünfhundert Reiter in blinkenden Stahlrüstungen umgaben sie und zogen in einer Kolonne, die fast eine Meile lang war, hinter ihnen her wie ein langer, glänzender Drachenschwanz.

Am späten Nachmittag erreichten sie Callendar House in der Nähe von Falkirk; sie hatten den ganzen Tag gebraucht, um die fünfundzwanzig Meilen hinter sich zu bringen. Hinter dem Turm ging gerade die Sonne unter und badete die rauhen Mauern in rosigem Licht, und dankbar stieg Maria vom Pferd und trat durch die offene Tür, wo Lord Livingston, seine Frau und ihre liebe Lusty sie erwarteten. Sie fiel ihnen um den Hals, ihnen, die so viele Jahr hindurch ihre Freunde gewesen waren.

Mary Livingston, rundgesichtig, drall … das einfache Leben bekam ihr ganz offenkundig. Sie sah gesünder aus als alle Frauen bei Hofe.

An diesem Abend sang man französische Lieder – die Bothwell gut kannte, denn er sprach tadellos Französisch –, schwelgte in Erinnerungen und plauderte wachsam; niemand ließ sich anmerken, daß irgend etwas nicht in schönster, ja, langweiliger Ordnung sein könnte.

Auf der Treppe zu ihren Gemächern konnte Bothwell sich zu ihr hinüberlehnen und flüstern: »Sieh dich doppelt vor. Ich weiß jetzt, daß Lennox irgendwelche Ränke mit dem Kontinent schmiedet. Der Papst hat heimlich Geld geschickt, und ein Jesuit ist eingetroffen.«

»Aber *ich* bin doch katholisch!« erwiderte sie, ebenso flüsternd. »Warum sollt der Papst Ränke gegen *mich* schmieden? Deine Informationen sind falsch, sie *müssen* falsch sein.«

»Nein! Oberflächlich betrachtet, ist es verwirrend. Aber –«

Lord Livingston kam an ihre Seite, beschrieb ihnen weitschweifig ihre Gemächer und entschuldigte sich gleichzeitig dafür.

»… fürchte, sie werden sich vielleicht doch als zu klein erweisen; vergebt mir. Aber die neuen Vorhänge an den Betten sind gerade erst aus Paris gekommen, und ich bilde mir ein, daß sie Euch möglicherweise gefallen könnten …«

»Ja, gewiß, da bin ich ganz sicher«, sagte Maria. Ihr wurde wieder übel, und sie sehnte sich danach, sich hinzulegen und eine Schüssel griffbereit zu wissen. Außerdem mußte sie zu Ende hören, was Bothwell ihr zu sagen hatte.

Er aber wurde entschlossen in einen anderen Flügel des Hauses eskortiert, und es fand sich keine weitere Gelegenheit mehr.

Als Maria sich im Bett ausstreckte und die Augen schloß, um zu ruhen und ihren Magen zu beruhigen, kam Mary Livingston herein, um ihr eine gute Nacht zu wünschen. Einen Moment lang blieb sie noch unschlüssig am Fußende des Bettes stehen, und beim Anblick ihres vertrauten, geliebten Gesichtes fühlte Maria sich zutiefst getröstet. Sie sehnte sich danach, sich Lusty anzuvertrauen, aber während sie diese Versuchung spürte, sah sie doch gleichzeitig, wie absolut unmöglich es war: Eine gewaltige Kluft trennte sie jetzt von ihrem früheren Leben. Sie konnte es Lusty nicht erzählen, und auch sonst niemandem von denen, die sie früher gekannt hatte. Es gab keinen mehr, dem sie sich anzuvertrauen wagte – keinen außer Bothwell.

Ohne ihn war sie ganz allein.

Früh am nächsten Morgen reisten sie weiter; Bothwell kehrte nach Edinburgh und dann nach Crichton zurück, und Maria hatte noch fünfundzwanzig Meilen bis Glasgow zurückzulegen. Lord Livingston übernahm Bothwells Platz in ihrer Begleitung.

Bedächtig ritten sie durch die Winterlandschaft und drangen immer tiefer in das feindliche Territorium der Lennox-Stewarts ein, und Maria verspürte ein unruhiges Gefühl. Im westlichen Teil Schottlands galten andere Gefolgschaften, und hier hatten andere die Macht.

Unterwegs ritten sie an hohen Erdanhäufungen vorbei, Überresten des zweiten Römerwalls – des antoninischen –, die jetzt völlig überwuchert waren. Maria empfand große Trauer bei der Erinnerung daran, daß Darnley sich einmal für die Spuren der alten Römer interessiert hatte. Früher einmal hatte er sich für so vieles interessiert – oder sie hatte es zumindest geglaubt.

Vor Glasgow empfing sie Thomas Crawford, ein Bediensteter aus dem Hause Lennox. Sein Erscheinen sollte die Aufmerksamkeit Marias – falls jemandem diese Beleidigung entginge – darauf lenken, daß sein Herr nicht gekommen war, um sie willkommen zu heißen.

Dieser Feigling! Kauerte er in seiner Kammer auf Glasgow Castle und nagte an seinen Fingernägeln? Oder wollte er sich nur über sie lustigmachen?

Sie konnte die Verachtung in ihrem Tonfall nicht unterdrücken. »Gegen Angst gibt es keine Medizin.«

»Mein Herr fürchtet nichts außer den kalten, unfreundlichen

Worten, die Ihr zu seinem Sohn gesprochen habt«, antwortete Crawford erbost.

Was für ein unangenehmer, stolzer Kerl dieser Crawford war – wie der Herr, so's Gescherr.

»Habt Ihr noch weitere Aufträge?« fragte sie.

»Nein«, gab er zu.

»Dann schweigt jetzt still«, befahl sie, und dann gab sie ihrem Gefolge ein Zeichen, um ihn herum weiter nach Glasgow zu reiten.

Das Städtchen an den Ufern des River Clyde sah unschuldig und einladend aus, als sie näherkamen. Mitten darin standen eine Burg, eine Kathedrale und ein erzbischöflicher Palast, der aber leerstand, seit Erzbischof Beaton seinen ständigen Wohnsitz nach Paris verlegt hatte, als John Knox und seine Anhänger vor sieben Jahren obsiegt hatten. Es war eine hübsche kleine Ansammlung von Gebäuden, der die Königin jetzt entgegenritt, derweil die untergehende Sonne das Wasser des Clyde dunkelrot färbte.

Darnley spielte mit seiner Schreibfeder. Unversehens hatte ihn das Verlangen gepackt, ein Gedicht zu schreiben, während er so im Bett gelegen und über Marias Grausamkeit im Gegensatz zu seiner eigenen reinen und tiefen Sehnsucht nachgesonnen hatte. So hatte er sich von den durchgeschwitzten, übelriechenden Laken erhoben, war aufgestanden und hatte sich zittrig an seinen kleinen Tisch gesetzt.

Anthony Standen, sein Kammerdiener, war gleich da gewesen, um ihn zur Rückkehr ins Bett zu bewegen, aber statt dessen hatte er Feder und Tinte bringen müssen. Er hatte gehorcht; Anthony hatte gelernt, immer zu gehorchen – sofort, und ohne Fragen zu stellen. Das gehörte zu denjenigen seiner Eigenschaften, die Darnley am besten gefielen.

Jetzt saß Darnley, im Nachthemd und mit Pelzen über den Schultern, zusammengesunken am Tisch und beäugte seine Verse.

»Teuer – was reimt sich da? – Gemäuer? ›Verfolg' sie schmachtend durchs Gemäuer‹? Nein. Geheuer? ›Zu lieben sie ist nicht geheuer?‹ Feuer? Ah ...«

Er starrte ins Leere und wartete, daß die Worte sich in seinem Kopf sortierten und in Reihe und Glied geordnet aufstellten wie Soldaten. Wie wunderbar es doch war, dieses poetische Talent zu besitzen … »Ah … jetzt kommt's.« Er richtete sich auf und ließ die Worte durch seinen Arm strömen.

Ob ich auch grüble voller Schmerz
Und schreite hin und her,
Plag' doch vergebens wund mein Herz,
Wie schon so mancher mehr,
Der nicht so arg sich hat gemüht
Um die, die ihm so teuer,
Und wilder stets mein Leib erglüht,
Je näher ich dem Feuer.

Vollkommen! Und schon stand ihm die nächste Strophe vollständig vor Augen.

Die Turteltaube trauert nicht
So tief um ihren Gatten
Wie ich um sie, da sie mir bricht
Das Herz in nächt'gem Schatten,
Das sie doch sollt' in ihre Hut …

Dieser Schmerz. Der Schmerz war so herzzerreißend, daß er ihn nicht hätte ertragen können, wenn er nicht gewußt hätte, daß er bald aufhören würde. Das war ein großer Trost: zu wissen, daß es in seiner Macht stand, sich selbst zu erlösen und sich Befreiung von diesem Schmerz zu schenken. Und daß er und Maria dann für immer zusammensein würden. In den Chroniken der Geschichte würde man ihre beiden Namen stets in einem Atemzug nennen.

Ich werde uns unsterblich machen, dachte er. Gibt es ein größeres Geschenk, das ein Liebender zu bieten hätte?

»Sire, Sir James Balfour ist da«, meldete Standen.

Jetzt mußt die letzte Strophe doch noch warten; hoffentlich würde er sie nicht vergessen. Die letzte Zeile sollte jedenfalls lauten: »Lebwohl, ich schweige nun.« Aber jetzt das Mittel zum Zweck.

Darnley rückte die Taftmaske vor seinem Gesicht zurecht und stülpte sich einen Hut auf den Kopf, um die kahlen Flecken zu verbergen, wo ihm Haarbüschel ausgefallen waren.

»Herein«, rief er und reckte den Kopf stolz auf dem dünnen Hals. Er raffte sich den Mantel fester um die Schultern.

Balfour trat ein; seinem Äußeren war, wie immer, nicht anzumerken, was er dachte oder empfand. Er war ein Mann in mittleren Jahren, dessen Haut von papierartiger Beschaffenheit war: Sie spannte sich straff über die Flächen seines Gesichtes und sah beinahe glänzend aus. Sein Haar war kürzer geschnitten als bei den meisten, und seine Augen waren so hell, daß sie auf den ersten Blick aussahen wie harte, milchweiße Marmorkugeln.

»Es ehrt mich, daß Ihr mich habt rufen lassen, Eure Majestät. In welcher Weise kann ich Euch zu Diensten sein?« sagte er und beugte das Knie.

Darnley hatte ihm im vergangenen Herbst zu der Ernennung zum Sekretär des Rates verholfen, und zwar trotz seinem Rufe als »schlimmster Schurke von Schottland«, den er auf hartem Wege gegen eine furchterregende Konkurrenz errungen hatte – mit dem Mord an Kardinal Beaton, der Plünderung der Kirchenschätze, mit Verrat und Blasphemie. Aber Balfour war bereit gewesen, ihm zu dienen – bis jemand anders vielleicht einen höheren Preis zahlte. Bis jetzt war das nicht geschehen.

»Wenn – nur einmal angenommen – wenn ich wollte, daß jemand bei einer Explosion stirbt … wäre das technisch möglich? Ich weiß, daß Kanonen manchmal explodieren, und das Pappschloß, das eigens zu diesem Zweck auf der Wiese zu Stirling errichtet wurde, flog auch in die Luft … aber wenn jemand ein Gemach zu diesem Zweck herrichten wollte …« Darnleys Stimme zitterte. Wenn es nun nicht möglich war? Er wäre *so* enttäuscht … Mit angehaltenem Atem wartete er.

»Es ist keine exakte Wissenschaft, Majestät. Pulver ist unterschiedlich stark, und oft wird es in unserem Klima feucht und entzündet sich überhaupt nicht mehr. Ihr wäret besser beraten, wenn Ihr dergleichen in Italien arrangieren wolltet!« Er lachte; es war ein trockenes, humorloses Lachen, so hart wie die Flächen seines Gesichtes.

»Leider ist das keine Alternative.« Wie konnte dieser Mann es wagen, über ihn zu lachen? Er war genauso schlimm wie alle anderen. »Wenn es in Schottland geschehen muß, wie würde man das anstellen?«

Balfour atmete durch den Mund, um den fauligen Geruch von Darnleys Atem nicht riechen zu müssen. »Um eine Explosion zu erreichen«, sagte er, »muß man das Pulver fest zusammenpressen und umschließen. Für eine kleine Explosion würde ein Faß genügen. Aber um einen gemauerten Raum zu zerstören … ah, dazu müßte man ihn unterminieren.« Er sah, daß Darnley verärgert die Zähne zusammenbiß. »Oder man müßte es in einem Haus tun, unter dem sich bereits eine Krypta oder ein Kellergewölbe befindet.«

»Kennt Ihr ein solches Haus?«

»Aber natürlich.« Balfour grinste. »Mein Bruder Robert hat genau das richtige – das alte Propsthaus in Kirk O'Field. Aber das Haus ist ziemlich wertvoll, und da müßte man ihn natürlich entschädigen.« Er verschränkte die Arme. »Das wäre ein ziemlich kostspieliger Mordanschlag. Warum nicht einfach einen Dolch nehmen? Viel ökonomischer. Leiser. Sauberer.«

»Ich will aber nicht, daß es leise oder sauber vonstattengeht. Ich will es spektakulär haben!« rief Darnley.

»Aha. Natürlich ist der Vorteil einer Explosion auch, daß viele Leute gleichzeitig getötet werden können; so betrachtet, ist es vielleicht gar nicht so teuer. Und alle Spuren werden verwischt. Und aussagekräftig ist es auch. Alle Welt wird wissen, daß es beabsichtigt und kein Unglück war.«

»Genau«, hauchte Darnley.

Balfour wandte das Gesicht ab.

»Könnt Ihr so etwas arrangieren?« fragte Darnley.

»Natürlich. Aber auf die Gefahr hin, Eurer Majestät Mißfallen zu erregen: Ich muß wissen, wen Ihr zu ermorden gedenkt.«

»Wieso?«

»Weil selbst ich meine Grundsätze habe«, erwiderte Balfour knapp. »Ich bringe nicht jeden Beliebigen um. Es gibt einige, bei denen mein Gewissen es nicht gestatten würde.«

»Ach?« Der Mann war ein Lügner. Er hatte kein Gewissen; er befürchtete lediglich, er selbst könne das ausersehene Opfer sein. »Dann kommt näher. Ich will es Euch ins Ohr flüstern.«

Mit angehaltenem Atem schob Balfour ihm seinen Kopf entgegen.

»Die Königin«, raunte Darnley.

Balfour erschrak, und Darnley sah es.

»Sprecht jetzt«, sagte er. »Seid Ihr dazu imstande oder nicht?«

Balfour blickte verschlagen zur Seite und grinste. »Ja. Ich übernehme diese Aufgabe.« Und wieviel wird es anderen wert sein, dies zu verhindern, überlegte er. Vielleicht bin ich bald ein reicher Mann!

»Gut«, sagte Darnley. »Ihr macht mich sehr glücklich.«

Im Schloßhof angelangt, stiegen Maria und ihr Gefolge ab und schickten sich an, das Schloß zu betreten. Huntly und Livingston hatten mitsamt ihrem Gefolge Quartier in der Stadt gefunden, und die Hamiltons ebenfalls. Bedienstete mit lodernden Fackeln führten die Pferde fort. In der Dämmerung erblickte Maria plötzlich Sir James Balfour, der das Schloß soeben durch eine Seitenpforte verließ. Dazu mußte er den Hof in der hintersten Ecke, bei den Stallungen, durchqueren, und obwohl er sich den Mantel halb über das Gesicht gezogen hatte, verrieten ihr seine auffällig farblosen Augen, wer er war.

Was suchte er hier? Der frühere Henkersknecht von Knox, der Mörder des Kardinals, galt jetzt als Mann Bothwells. Das hatte Bothwell ihr zumindest erzählt. Bothwell hatte aber nicht erwähnt, daß er in Glasgow sei. Offenbar hatte Bothwell es nicht gewußt.

Maria nickte ihm zu, und er erwiderte den Gruß flüchtig. Die Verstohlenheit seiner Gebärde beunruhigte sie.

Bothwell hat mich gewarnt, dachte sie. Er sagte, hier drohten Gefahren – auch wenn er nicht genau sagen konnte, welcher Art. Aber sicher gibt es Dinge hier, von denen wir nichts wissen ... Ich bin weit in das Territorium meiner Feinde vorgedrungen. Mein Gemahl und sein Vater sind hier wirklich Könige.

Langsam ging sie im Schloß auf die Treppe zu; sie raffte ihre Röcke zusammen. Was erwartete sie hier? Darnleys Pflege würde mehrere Räume erfordern, die alle miteinander verbunden sein müßten, damit er die notwendigen Arzneien und Behandlungen bekommen könnte.

Qualmende Fackeln erhellten den dunklen, engen, tunnelartigen Korridor und warfen unebene Schatten auf das nackte Mauerwerk, das von keinem Wandbehang gemildert wurde. Es war wie ein Korridor in einem Alptraum: düster, kalt und betörend – fast erwartete sie, daß die Fackelhalter an den Wänden sich bewegten wie gespenstische Hände.

Warum waren hier keine Wachen? Leise drehte Maria den Knauf der ersten Tür, an der sie vorbeikam. Drinnen waren nur eine Matratze und ein Tisch mit verschlossenen Glasbehältern und undurchsichtigen Flaschen sowie offenen Schalen mit getrockneten Kräutern. Der Duft von Majoran und Angelika erfüllte die ganze Kammer.

Im nächsten Raum offenbarte sich ein Bett von königlichen Ausmaßen mit bestickten Volants aus blauem Samt und einem fransengezierten Himmel; es gab sogar einen Betstuhl vor einem Kruzifix. Aber auch diese Kammer war leer wie die vorige. Gleichwohl trat Maria ein und ging hindurch zur nächsten, aus der sie leises Stimmengemurmel und sogar Lautenklänge hörte.

Darnley saß über die Laute gekrümmt und sang vor sich hin. Sie erkannte ihn nur an der Stimme, denn das Geschöpf, das sie sah, war beinahe kahlköpfig und von purpurroten Geschwüren bedeckt, und die Hände sahen aus wie die eines Skeletts. Sie zupften die Saiten der Laute, und ein Totenschädel sang dazu.

»Ihr vom Hochland, ihr vom Tiefland,
Ach, wo wart ihr nur?
Erschlagen ist der Earl von Moray,
Ruht in grüner Flur.«

Darnley legte den Kopf in den Nacken und schloß die Augen; jetzt sah er wirklich aus wie der leibhaftige Tod.

»Er war stark, und er war tapfer,
War ein Ritter fein,
Ach, der gute Earl von Moray,
Möcht' wohl König sein.«

»Ein Bastard wird niemals König sein«, sagte sie laut.

Darnley riß die Augen auf und starrte sie an. »Du bist also gekommen«, stellte er fest, aber es war ein Vorwurf, kein Willkommensgruß. Jetzt war es zu spät, um sein Gesicht noch hinter der Taftmaske zu verstecken. Gleichviel – mochte sie ihn sehen, wie er war!

»Wie du siehst.« Sie bemühte sich, ihn nicht anzustarren, aber seine Verwandlung war so verblüffend, daß sie sich anstrengen mußte. Das Fleisch war von seinen immer so zarten Knochen heruntergeschmolzen, so daß er aussah wie eine jener grotesken, reisigdürren Gestalten, die an den Galgen baumelten, nur daß seine Haut nicht schwarz und verrottet, sondern durchscheinend und verrottet war und von Krusten und purpurroten Flecken übersät. Der kahle Kopf ließ ihn übernatürlich alt aussehen.

»Bourgoing hat mir geholfen«, sagte er und legte die Laute beiseite. »Du hättest mich am Anfang sehen sollen!« Seine Augen wurden schmal. »Komm, liebes Weib, und küsse mich!«

Sie zwang sich zu einem Lächeln und näherte sich ihm. Aus der Nähe sah er noch scheußlicher aus. Ein paar der Geschwüre eiterten noch. Sie fand ein makelloses Fleckchen bei seinem linken Auge und berührte es leicht mit den Lippen.

»Danke«, murmelte er. »Ich fühle schon, wie die Heilung einsetzt.«

Sein Atem stank; es war ein ausgeprägter Geruch, der anders war als alles, was sie je gerochen hatte. In ihm *schwärte* es; ein anderes Wort gab es dafür nicht.

Ich kann es nicht tun, dachte sie. Nein, um nichts in der Welt kann ich mich mit ihm einschließen lassen und die Nacht mit ihm in dieser Kammer verbringen. Ich muß ihn mit nach Edinburgh nehmen, ihn in meiner Nähe behalten, und dann, irgendwann, wenn er geheilt ist ...

Aber *wird* er je geheilt sein? Was, wenn diese Krankheit von Dauer ist oder wenn er daran stirbt? Was, wenn es immer nur noch schlimmer wird? Was, wenn dies die einzige Gelegenheit sein wird, die Nacht mit ihm zu verbringen?

Dann werde ich die Schande später ertragen müssen. Denn ich kann nicht ...

»Du starrst mich an, liebes Weib. Findest du meinen Anblick so abscheulich?«

So sieht die Sünde aus, dachte sie. Die seine ist nur zufällig in seinem Antlitz sichtbar. Bei mir und Bothwell kann man sie noch nicht sehen. Aber alle Sünde ist so häßlich wie die hier, könnten wir sie nur sehen.

»Nein. Du dauerst mich nur.« Und das stimmte; er tat ihr wirklich leid. Wie früher, als Franz so oft krank gelegen hatte, oder als Darnley selbst die Masern gehabt hatte, war sie gerührt. »Ich wünschte, du könntest auf der Stelle geheilt werden. Es schmerzt mich, dich so unpäßlich zu sehen.«

Anthony Standen, Darnleys hübscher, junger englischer Kammerdiener, erschien plötzlich im Schatten in einer Ecke des Zimmers. Darnley schaute ihn stirnrunzelnd an.

»Bring mir ein paar heiße Tücher«, befahl er in nörgelndem Ton. »Mein Gesicht muß wieder abgetupft werden.«

Standen ging hinaus.

»Es schmerzt dich? Aber es war dein unfreundliches Benehmen gegen mich, was mich hat krank werden lassen«, sagte er. »Deine Grausamkeit ist schuld daran, daß ich jetzt so bin, wie du mich siehst.« Wütend funkelte er sie an und strich sich dann langsam mit der flachen Hand über den kahlen Schädel. »Gott weiß, ich bin gestraft dafür, daß ich dich vergöttert und daß ich keinen Gedanken außer dir gehabt habe!«

Sie wich so weit zurück, wie es die Höflichkeit gestattete. »Ich wüßte nicht, wann ich dich grausam behandelt hätte. Und ich habe auch nie von dir verlangt, mich zu vergöttern.«

»Du bist grausam, wenn du dich weigerst, meine Reue anzunehmen und dich mit mir zu versöhnen.« Er wollte aufstehen, aber seine schwachen Beine trugen ihn nicht. Sie zitterten vor Anstrengung. »Oh, du sagst wohl, ich bereue und sündige dann von neuem. Aber ich bin jung! Sind mir denn die Sünden der Jugend nicht erlaubt? Warum erwartest du so viel von mir?« Er starrte sie an. »Anderen hast du vergeben, die auch gefehlt haben – Verrätern wie Morton und Lord James. Ja, gegen *die* bist du barmherzig!«

Er sah so unschuldig und hilflos aus. Aber er war ganz und gar verlogen; wahrscheinlich log er so viel, daß er sich an die einzelnen Lügen überhaupt nicht mehr erinnern konnte und sich deshalb für ehrlich hielt.

»Was ist denn mit den Gerüchten, die etlichen Mitgliedern des Staatsrates zu Ohren gekommen sind: daß du ein Schiff bereitliegen hast, das dich aus Schottland fortbringen soll? Und dann gibt es da einen gewissen Mr. Hiegate, der offenbart hat, daß du planst, mich zu ergreifen und den Prinzen zum König zu krönen. Ein Mann aus Glasgow, Walker, hat es mir berichtet.« Maria ging zum Gegenangriff über.

»Dem reiße ich die Ohren ab!« schrie Darnley. »Er lügt! Es gibt kein Komplott – außer dem, das die Mitglieder *deines* Rates schmieden! Jawohl, ich habe von dem Plan gehört, mich einzusperren und mich zu erschlagen, wenn ich Widerstand leiste. Der Bürgermeister von Glasgow hat ihn mir enthüllt! Andererseits«, fuhr er in öligem Ton fort, »wurde mir auch berichtet, daß du dich weigertest, dieses Ersuchen zu unterschreiben, als sie es dir vorlegten.«

Jemand in Craigmillar hatte sie verraten! Vielleicht war es auch ein Lauscher gewesen und nicht einer der fünf Verschwörer ... Sie fror und fühlte sich sehr verwundbar.

»Deshalb«, sagte er sanft, »würde ich niemals glauben, daß du, die du doch schließlich vor den Augen Gottes mein eigen Fleisch bist, mir etwas Böses antun würdest.«

Sein Fleisch ... sein verwesendes Fleisch ... ein Fleisch ... Aber kann ich das gleiche auch von ihm sagen: daß er mir niemals etwas antun würde?

Standen kam mit einem Tablett voll heißer, nasser Tücher herein. Er legte sie Darnley behutsam auf Hals und Gesicht und wischte dann die Krusten von den Geschwüren. Darnley war das Behagen anzusehen – wie einer Katze, die gestreichelt wurde.

»Ich will zu Bett gehen«, sagte er schließlich zu Standen, und der Kammerdiener zog ihn hoch und half ihm, auf zitternden Beinen nach nebenan in das Schlafgemach zu gehen. Darnley fiel auf dem Betstuhl auf die Knie und starrte sehnsuchtsvoll zum Kruzifix hinauf. Dann ließ er sich ins Bett bringen. Zitternd vor Anstrengung kroch er unter die Decke. Einen Augenblick lang schauten seine spindeldürren Beine hervor wie die eines Storchs, bevor sie unter der Decke verschwanden.

»Ich wünsche mir nichts mehr in diesem Leben, als daß wir uns versöhnen und wieder als Mann und Frau zusammenleben«, sagte er, als Standen gegangen war. »Und wenn das nicht sein sollte, wenn ich wüßte, daß es nicht geschehen wird, dann würde ich mich nie wieder aus diesem Bett erheben – nein, niemals wieder!«

»Das ist auch mein Wunsch«, sagte sie, so freundlich und überzeugend sie nur konnte. »Aus eben diesem Grunde bin ich hergekommen. Aber zuvor mußt du von deiner Krankheit geläutert werden; am besten, du kehrst mit mir nach Craigmillar Castle zurück, um dich dort behandeln zu lassen. Es ist gesünder dort als im tiefgelegenen Holyrood, und doch so nah, daß ich mich jeden Tag um dich kümmern kann. Und die Gemächer dort liegen ebenfalls so, daß die medizinischen Bäder, denen du dich unterziehen mußt, mühelos durchgeführt werden können.«

»Ich kann aber nicht reisen.«

»Ich habe eine Sänfte mitgebracht, um dich dort hinzubringen.«

»Bist du denn so erpicht darauf, daß ich genese und wir wieder vereint werden?« Er klang gerührt. »Ist das wirklich dein Wunsch?«

Sie nickte.

»Ah, dann …! Ich werde mir einreden, daß es stimmt, denn wäre es anders, würden uns daraus größere Unannehmlichkeiten erwachsen, als dir bewußt ist.« Er seufzte und zog sich die Decke ans Kinn.

»Wir sind beide müde«, sagte sie, erleichtert darüber, daß die Begegnung für heute zu Ende war. Sie wandte sich zum Gehen.

»Bleib hier! Geh nicht fort!«

»Nein – ich muß woanders schlafen, nicht in der Krankenstube.

Bis zum erzbischöflichen Palast sind es nur hundert Schritte. Ich werde morgen früh wiederkommen, das verspreche ich –«

Seine Hand schoß hervor wie eine zustoßende Schlange und packte ihr Handgelenk.

»Nein! Du darfst nicht gehen! Du kommst nicht wieder!«

»Ich verspreche dir, daß ich wiederkomme!« Sie versuchte, seine Knochenfinger aufzubiegen.

»Ist Bothwell hier?«

Das Blut stockte ihr in den Adern. »Nein, natürlich nicht!« Sie riß ihr Handgelenk los.

»Dann tu so, als sei dies Hermitage und der erzbischöfliche Palast Jedburgh; dann zweifle ich nicht daran, daß du morgen früh in aller Eile wieder hier bist«, murmelte er. Plötzlich änderte sich sein Tonfall. »Oh, ich bin so glücklich, dich zu sehen; ich könnte vor Freude fast *sterben*!«

Als sie in ihrem Schlafgemach als Gast des ständig abwesenden Erzbischofs endlich allein war, schlüpfte sie wieder aus dem Bett. Mary Seton, ihre einzige Kammerzofe – Madame Rallay war zu alt für solche Winterreisen –, hatte pflichtschuldig mit ihr gebetet und sich dann in dem Glauben zurückgezogen, sie werde nun schlafen.

Aber schlafen? Nein, dies war keine Nacht zum Schlafen. Darnley so zu sehen, reduziert auf die bloße Manifestation der Krankheit, war ein Schock gewesen. Noch hier in der Kammer lag der seltsame Mantel des Bösen, der Glasgow Castle zu bedecken schien, schwer über allem. Mary Seton, ernst und fromm, wie sie war, hatte diese Aura vielleicht nicht einmal gespürt. Vielleicht mußte man mit dem Bösen schon bekannt sein, um es wahrzunehmen.

Maria zog ein paar Bögen Papier hervor, die sie unter ihren persönlichen Dingen hatte verbergen können, wenngleich sie nicht von bester Qualität waren. Leise strich sie einen davon glatt und stellte dann eine Kerze auf eine Ecke, um das Papier zu beleuchten und zugleich festzuhalten.

Sie griff nach der Feder und begann zu schreiben. Kein Gruß, kein Datum, keine Adresse. Sie durfte weder sich noch den Empfänger zu erkennen geben.

> Da ich nun fort war von dem Ort, wo ich mein Herz gelassen, wird man sich leicht vorstellen, wie mein Befinden war, bedenkt man, was der Körper ist ohne das Herz …

Es war so schwer gewesen, ihn zu verlassen und fortzureiten, um diese widerwärtige und schwierige Aufgabe in Angriff zu nehmen. Ihrer Liebe und ihrer Sünde wegen war sie dazu gezwungen …

Aber würde ich es ungeschehen machen, fragte sie sich. Würde ich jede Umarmung auslöschen, jeden Kuß aus dem Dasein tilgen? Nein – ich habe ja erst da angefangen zu leben, und wollte ich meine Freude ausmerzen, so würde ich sterben.

Bothwell … Sie stellte sich vor, wie er sie jetzt umarmte, wie er den Kopf senkte, um ihre Brüste zu küssen, und wie sie die Wange an das glatte Haar schmiegte, das so dicht auf seinem Kopf wuchs … Ihr Körper sehnte sich schmerzhaft danach, ihn zu umarmen, ihn zu empfangen.

Sie zitterte. Die Kerzenflamme flackerte im kalten Luftzug, der von den Mauern herüberwehte.

Aber sie mußte ihm mitteilen, was heute geschehen war.

> Vier Meilen vor Glasgow kam ein Gentleman, den der Earl von Lennox gesandt, und überbrachte mir seine Empfehlungen und Ausflüchte …

Sie berichtete, wie sie in Glasgow angekommen war, von den Lairds, die sie begrüßt hatten, und – bedrohlicher – von denen, die weggeblieben waren.

Sie erzählte, was Darnley auf die Gerüchte über seine eigene Verschwörung geantwortet und wie er sie seinerseits bezichtigt hatte, ihn einsperren und umbringen lassen zu wollen, und sie gab wieder, was er über ihre Entfremdung von ihm und über seinen Wunsch nach Vergebung und Versöhnung gesagt hatte. Dann war die Kerze niedergebrannt, und Wachs lief über das Papier. Sie stellte eine frische auf.

> Der König stellte mir viele Fragen: ob ich denn French Paris und Gilbert Curle zu meinen Sekretären gemacht hätte. Ich frage mich, wer ihm so viel erzählt hat – sogar von der bevorstehenden Hochzeit meines französischen Bankettmeisters Bastian Page.
>
> Er wurde dann zornig, als ich ihm von Walker berichtete, und sagte, er wolle ihm die Ohren abreißen, und er sei ein Lügner; denn ich fragte ihn zuvor, welchen Grund er habe, sich über einige der Lords zu beklagen und ihnen zu drohen. Er leugnete aber alles und sagte, er wolle lieber das Leben verlieren, als mir

das geringste Leid zuzufügen. Was das andere betreffe, so wolle er sein Leben wenigstens so teuer wie möglich verkaufen.

Vielleicht würde Bothwell das verstehen. Es war gut, daß sie es aufzeichnete.

Er hat mir namens des Bischofs und Sutherlands alles erzählt und auch von der Sache gesprochen, vor der Du mich gewarnt hattest. Damit er mir jetzt vertraut, muß ich mich bei ihm verstellen; als er von mir verlangte, daß ich ihm verspreche, wenn er gesund ist, wollen wir wieder in einem Bett schlafen, da sagte ich ihm, indem ich so tat, als glaubte ich seinen schönen Versprechungen, daß ich es wohl zufrieden sein wolle, sofern er nicht anderen Sinnes werde. Er solle es aber für sich behalten, weil die Lords fürchteten, er werde an ihnen Rache nehmen, wenn wir uns wieder einigen.

»Ich bin froh, daß du mir von den Lords erzählt hast«, sagte er. »Ich hoffe, daß du von jetzt an ein glückliches Leben mit mir führen willst. Denn ist es nicht so, möchte wohl größere Unannehmlichkeit über uns kommen, als du vielleicht erwartest.«

Das hatte er gesagt. Was hatte er damit gemeint? Vielleicht würde Bothwell es wissen.

Er wollte mich nicht gehen lassen, sondern ich sollte bei ihm wachen. Ich stellte mich, als glaubte ich, das alles sei wahr, und als wollte ich nun darüber nachdenken. Sodann entschuldigte ich mich und sagte, ich könne nicht die Nacht bei ihm sitzen, denn er sagte ja, er schlafe nicht gut. Man hat ihn nie schöner oder bescheidener sprechen hören; und hätte ich nicht schon den Beweis dafür, daß sein Herz wandelbar ist wie Wachs, das meine aber schon so hart wie ein Diamant, so hätte ich mich seiner wohl erbarmt.

Aber sei getrost: Ich werde meiner Absicht nicht untreu werden, und auch nicht Dir.

Darnley war rührend. Darnley war das Inbild der Zerknirschung – aber Darnley war ein Lügner und ein Mörder.

Ich werde mich nicht von ihm täuschen lassen, dachte sie, mag er noch so bedauernswert erscheinen.

Ihr war, als sei da noch jemand in der Kammer. Sie wandte den Kopf und spähte ins Dunkel, aber da war nichts. Nur ein Gefühl …

Aber ich bin jetzt auch eine Lügnerin, dachte sie. Er hat mich verunreinigt und angefangen, mich zu seinesgleichen zu machen. Ein Fleisch … sein Fleisch, so hat er mich genannt.

Ich tue hier ein Werk, das mir sehr verhaßt ist. Du würdest lachen, wenn Du mich so gut lügen oder wenigstens heucheln sehen könntest und hören, wie ich die Wahrheit mit Unwahrheiten vermische.

Er sagte, es gebe manche, die heimlich Unrecht begehen und nicht fürchten, daß darüber laut gesprochen werde, und da spreche man von Großem wie von Kleinem. Und er erwähnte auch die Lady Reres und sagte: »Gebe Gott, daß sie deiner Ehre diene«, und daß niemand Anlaß haben solle zu denken, daß meine Macht nicht in meiner eigenen Hand liege.

Bedeuteten diese Worte irgend etwas, oder war es Darnleys sinnloses Gestammel? Niemand wußte von ihren Treffen mit Bothwell – oder? Darnley wollte sie auf die Probe stellen. Aber wenn er glaubte, damit werde er sie zu einem Geständnis bewegen, so kannte er sie schlecht.

Ich habe ihm gesagt, er müsse geläutert werden, und das könne nicht hier geschehen. Ich habe ihm gesagt, ich wolle ihn nach Craigmillar bringen, damit die Ärzte und ich ihn kurieren können, ohne daß ich fern von meinem Sohn sei.

Mein Sohn. Ich muß mich hüten, ihn »unseren« Sohn oder »den Prinzen« zu nennen, denn der Brief könnte in feindliche Hände geraten.

Verzeih, wenn ich schlecht schreibe; mir ist nicht wohl, und doch bin ich glücklich, Dir zu schreiben, wenn die anderen schlafen, da ich doch nicht tun kann, was ich am meisten ersehne, nämlich in Deinen Armen liegen, Du mein geliebtes Leben, und ich bete zu Gott, daß er Dich behüten möge vor aller Unbill.

Ein Liebesbrief – jetzt wurde ein Liebesbrief daraus. Wie viele Liebesbriefe hatte Bothwell wohl schon bekommen? Sie wußte, daß er die blumigsten in einer genieteten Kassette unter Verschluß verwahrte. Sie würde ihm eine silberne Kassette für die ihren schenken und ihn bitten, die anderen zu vernichten.

Die anderen. Sie haßte den Gedanken an sie, und dabei wußte sie, daß es viel mehr waren, als sie je erfahren würde. Janet Beaton, die Hexe von Branxton, jenseits der Fünfzig und immer noch von übernatürlicher Schönheit. Anna Throndsen, die norwegische Admiralstochter, die ihm nach Schottland gefolgt und jahrelang im Land herumgeschlichen war. War sie jetzt wieder in Norwegen? Es gab einen unehelichen Sohn, William Hepburn, der Bothwells Erbe sein würde. Aber wer war seine Mutter?

Und Jean Gordon, Lady Bothwell? Sie hatte Bothwell nicht geliebt, als sie heirateten – aber jetzt? Er hatte mit ihr geschlafen, hatte ohne Zweifel auch *ihre* Brüste geküßt, und auch sie hatte die Wange in sein Haar geschmiegt.

O ihr Heiligen! Die Eifersucht verwandelt noch meine eigensten Erinnerungen in Höllenqualen, solange sie nicht ganz und gar mein eigen sind.

Er wird sich von ihr scheiden lassen müssen. Und wenn die Lords und das Parlament mich freigeben – sie werden einen rechtmäßigen Weg finden –, können wir heiraten.

> Wir sind an zwei unwürdige Gatten gebunden. Soll der Teufel uns scheiden, dann mag Gott uns zu dem treuesten Paar fügen, das er nur je gefügt.

Entsetzt betrachtete sie diese Worte, und dann strich sie »der Teufel« durch und schrieb statt dessen »das gute Jahr«. Wie konnte sie den Teufel anrufen?

Sie schob das Papier von sich. Warum schrieb sie solche Dinge? Sie fühlte sich wie besessen.

Es ist etwas Böses hier; ich kann es fast fühlen, dachte sie.

Sie wischte sich die schweißfeuchten, kalten Hände am Kleid ab.

Beinahe von selbst griff ihre Hand wieder nach der Feder und schrieb weiter.

> Ich bin müde, und doch kann ich nicht aufhören zu kritzeln, solange noch etwas Papier da ist. Verflucht sei diese pockennarbige Gestalt, die mich quält! Er ist nicht sehr entstellt, aber sein Zustand ist schlecht. Sein Atem hätte mich fast erstickt, obgleich

ich ihm nicht näher als bis zum Fußende seines Bettes gekommen bin.

Kurzum, ich habe erfahren, daß er höchst mißtrauisch ist, aber er vertraut mir nichtsdestoweniger und wird auf mein Wort hin überall hingehen.

Weh! Ich habe noch nie jemanden verraten; Deinetwegen aber tue ich es. Du läßt mich so sehr heucheln, daß mir vor Entsetzen ganz bang wird, und fast läßt Du mich die Rolle eines Verräters spielen.

Aber Bothwell hatte das alles nicht gewollt. Ihm wäre es lieber gewesen, sie hätte das Kind abgetrieben. Für ihn war das die einfache, geradlinige Lösung eines physischen Problems.

Bothwell. Er war vor allem Soldat, und er versank schon selbst im Sumpf der Intrige, ganz wie ihr Schimmel auf der Rückkehr von Jedburgh im Morast versunken war. Er war ebensowenig in seinem Element wie sie selbst. Sie waren beide in großer Gefahr.

Dir zu gefallen, mein geliebtes Leben, schone ich weder Ehre noch Gewissen, und es hindert mich weder Gefahr noch Erhabenheit …

Also machte *sie* einen Gott aus Bothwell, so wie Darnley sie vergöttert hatte. Ja, er hatte sie mit seiner Sünde angesteckt; sie hatte sich seine Seelenkrankheit zugezogen.

Ich möchte niemals müde werden, Dir zu schreiben, doch ich will nun schließen, nachdem ich Deine Hände geküßt. Verbrenne diesen Brief, denn er ist gefährlich, und es ist auch nichts darin gut gesagt, denn all mein Denken ist von Schmerz erfüllt …

Der Himmel wurde heller; das gelbe Kerzenlicht ließ das Papier verschmiert und schmutzig aussehen. Sie faltete den Brief zusammen und legte ihn bereit, um ihn French Paris, Bothwells vertrautem Boten, zu übergeben.

Noch nie hatte sie sich so allein gefühlt.

Die kleine Schar zog langsam durch die kalte, öde Landschaft. Lord Livingston, der die letzten zehn Tage hindurch geduldig in Glasgow ausgeharrt hatte, führte sie an. Maria und ihre Bediensteten ritten hinter ihm, und Darnley lag ausgestreckt in Marias eigener Sänfte, die zwischen zwei Pferden aufgehängt war, und wurde so behutsam wie möglich über die holprige Straße getragen. Die Sänfte war zugedeckt, damit der kalte Wind ihm nicht in das heilende Gesicht schneiden konnte. Trotzdem behielt er seine Taftmaske auf, damit sie ihn zweifach schützte: vor neugierigen Blicken und vor unfreundlichem Wetter.

Es ging ihm sehr viel besser, aber es würde noch Monate dauern, bis der schwärende Ausschlag völlig vergangen wäre – das hatte man ihm gesagt. Er war noch schwach und wußte nicht, wie er die Reise überstehen würde. Aber dieses sanfte Schaukeln bergauf und bergab wirkte einlullend, und er fühlte sich wie ein kleines Kind, das immer wieder einschlief und aufwachte.

Maria war erleichtert, als sie das fremdartige und unbestimmt bedrohliche Land der Lennox hinter sich gelassen hatte. Der Aufenthalt in Glasgow war ermüdend und grausig gewesen, denn dort schien immer Nacht zu sein, und die Stunden waren keinem normalen Ablauf gefolgt. Sie hatte den Rhythmus von Darnleys Krankenstube übernommen, wo sich ein verzerrtes Abbild der Welt geformt hatte. Der weite, leere Himmel, der Aufgang und der Untergang der Sonne waren jetzt willkommene Kennzeichen einer unnachgiebigen Normalität. Ihr war, als könne sie gar nicht genug von der beißend scharfen Luft einatmen – als wäre ihre Lunge noch immer angefüllt von den Dünsten der Krankenstube.

Seltsam, aber ihr Unwohlsein bei dem wahrhaft ekelhaften Anblick von Darnleys Syphilis und bei dem tödlichen Gestank des Verfalls war verschwunden. Es war, als könne sie ihrem Körper hier nicht die geringste Schwäche gestatten.

Von Bothwell hatte sie nichts gehört, aber das war auch nicht nötig. Sie hatte ihn nach besten Kräften über alle politischen Äußerungen informiert, die sie Darnley hatte entlocken können, aber nichts davon schien besonders alarmierend zu sein.

Was immer Darnley an Bosheiten für später geplant haben mochte, er würde jetzt weniger gefährlich sein, nachdem man ihn von seinem Vater und den Leuten seines Vaters getrennt hatte. In Edinburgh gab es niemanden, mit dem er sich hätte verschwören können; keiner der Lords vertraute ihm, und niemand wollte etwas mit ihm zu tun haben.

Ein großer Rabe, dessen breiter Rücken irisierend schillerte, flog ihnen voraus von einem kahlen Baum zum andern und wartete mit schräggelegtem Kopf, bis sie vorübergezogen waren. Dann schlug er mit den schweren Flügeln und segelte durch die Luft zum nächsten Baum. Er krächzte niemals, sondern sah sie nur unheilvoll an.

Sie reisten in bequemen Etappen; sogar zwischen Callendar House und Edinburgh stiegen sie noch einmal ab, und zwar in Linlithgow. Am nächsten Morgen sollte Bothwell zu ihnen stoßen und sie den Rest des Weges eskortieren.

Es ist fast vorüber! dachte Maria, aber sie empfand keine Freude, sondern nur tiefe Erleichterung. Sie wußte, daß sie bald wieder auf Bothwells Territorium sein würde, und fühlte sich sicher.

Aber als Darnley am nächsten Morgen unsicheren Schritts zu seiner Sänfte schlurfte, winkte er sie zu sich.

Sie ließ ihr Pferd stehen, das sie gerade hatte besteigen wollen, und kam zu ihm.

»Ich habe mich gegen Craigmillar entschieden«, sagte er. Unter der Maske klangen seine Worte nicht menschlich.

»Aber ich habe dort die Bäder für dich einrichten lassen«, protestierte sie. »Die Ärzte haben bereits ihr Quartier bezogen und ihre Apothekertische und Waagen aufgestellt. Du weißt, daß du nicht nach Holyrood kannst – es liegt zu tief und ist feucht. Und nach Edinburgh Castle kannst du auch nicht, denn dort ist es kalt und windig. Es gibt also keinen anderen Ort, der sich eignet.« Sie versuchte, sich ihren Ärger nicht anmerken zu lassen.

»Ich will nach Kirk O'Field«, verkündete er.

»Wohin?«

»Nach Kirk O'Field. Ich habe gehört, daß die Luft dort gut ist und daß Lord Borthwick, dessen Leben man schon aufgegeben hatte, kürzlich dort gewohnt hat und wieder vollständig genesen ist.«

»Aber es ist doch schon alles vorbereitet.«

»Dann ändere es«, befahl er großspurig und zog den Vorhang der Sänfte auf. »Ich wünsche, daß wir in Kirk O'Field Wohnung nehmen.«

»›Wir‹? Aber ich kann nicht bei dir wohnen, solange deine Behandlung nicht beendet ist.«

»Ich verlange ja auch nur, daß du im selben Hause wohnst. Es muß nicht dasselbe Zimmer sein. Ich will nur, daß wir unter ein und demselben Dach sind. Mehr verlange ich nicht! Kannst du mir das nicht gewähren?«

»Aber Darnley …«

»Es ist eine so *kleine* Bitte! Und es ist die letzte Bitte, mit der ich dir zu Last fallen werde.«

Er klang so unglücklich in seinem verzweifelten Flehen.

»Also gut«, sagte sie.

Vor Edinburgh auf der Linlithgow Road erwarteten sie Bothwell und seine Männer; aufrecht und unbewegt saßen sie auf ihren Pferden, als wäre es Sommer, da man weder fror noch sich die Zeit lang werden ließ.

Eine mächtige Woge der Erregung und Erleichterung durchflutete sie. Sein liebes Gesicht und seine Kraft waren wieder nahe. Lange schien es her zu sein, daß sie von ihm Abschied genommen hatte, nicht erst eine Woche. Sie hielt vor ihm an, er salutierte und sie sagte: »Wir gehen nicht nach Craigmillar, sondern nach Kirk O'Field.«

Bothwell machte ein überraschtes Gesicht. »In die Kirche?«

»Nein, in das Haus, in dem Lord Borthwick genesen ist. Der König wünscht sich der Behandlung dort zu unterziehen.«

»Aber …«

Maria schüttelte den Kopf. »Der König besteht darauf.«

In Edinburgh zogen sie durch ein Tor in der Stadtmauer und ein kurzes Stück die High Street hinunter. Bei St. Giles bogen sie in die Blackfriars Wynd, eine Seitenstraße, die geradewegs nach Süden führte, bergab über das breite Cowgate hinweg und dann wieder bergauf zu den Kirchenbauten auf einer Anhöhe, die teils außerhalb der Stadtmauer lag. Ein Teil der Gebäude stand ebenfalls außerhalb der Stadtmauer im freien Feld – daher der Name Kirk O'Field. In alten Zeiten hatte es dort drei imposante religiöse Gründungen gegeben, die sich über eine Strecke von sechshundert Yard auf dem Hügel aneinanderreihten: ein Dominikanerkloster, die Kirche namens »Kirk O'Field« und ein Franziskanerkloster. Die Reformation und die marodierenden Truppen Heinrichs VIII. waren nicht freundlich damit umgegangen. Das Dominikanerkloster, das einst über eine majestätische Kirche und ein luxuriöses Gästehaus für vornehme Besucher verfügt hatte, war jetzt eine Ruine; den Franziskanern war es nicht besser ergangen. Kirk O'Field hatte als *Collegium Sacerdotum*, als Priesterschule, gedient; das Geviert seiner Gebäude stand noch, war aber in weltliche Hände übergegangen. Robert Balfour besaß jetzt das Haus des Stiftsherrn, und der Herzog von Châtelherault, das Oberhaupt der Hamiltons, hatte die Gebäude bezogen, in denen früher das Spital und das Gästehaus untergebracht gewesen waren.

Die königliche Gesellschaft ritt in den viereckigen Innenhof ein, in dessen Mitte ein überdeckter Brunnen stand, und die Pferde mit Darnleys Sänfte hielten an. Mit schmaler weißer Hand zog er die Vorhänge beiseite und streckte die Füße heraus. Sir Anthony Standen war sofort an seiner Seite und half ihm beim Aussteigen.

Darnley sah sich um und ließ den Blick über die Gebäude wandern. Das große Haus gehörte dem Herzog und stand ihm nicht zur Verfügung. Balfours Häuser – es waren drei, die alle miteinander verbunden waren – lagen dem des Herzogs gegenüber, und sie waren ihm bezeichnet worden.

Und richtig, jetzt kam auch Robert Balfour aus dem Haus, das am neuesten von allen aussah.

»Willkommen, Eure Hoheit«, sagte er und verbeugte sich. Er hatte helle Augen wie sein Bruder, war aber viel fleischiger. »Es ist alles vorbereitet. Es ist eine große Ehre, jawohl, eine große Ehre ...«

Tatsächlich war das ganze Nachbarhaus mit seinen aneinandergrenzenden Gemächern bereit. Im alten Stiftsherrnhaus war das obere Gemach ausgelüftet und der Fußboden mit frischen Binsen bestreut worden. Am hinteren Ende des großen Gemachs hatte man eine Estrade errichtet. Feuer prasselten in allen Kaminen, und die Kälte war gründlich hinausgetrieben worden.

Maria streckte die Hand aus und befühlte die Mauern. Sie waren ziemlich trocken. Um diese Jahreszeit brauchte man mehrere Tage, um sie so trocken zu bekommen. Und der Bau einer fünfzehn Fuß breiten Estrade erforderte nicht nur Zeit, sondern auch Zimmerleute.

Sie wußten schon lange, daß wir kommen würden, und konnten sich darauf vorbereiten, dachte sie. Aber erst heute morgen hatte Darnley plötzlich verkündet, daß er herkommen wollte.

Verkündet? Verkündet, was längst entschieden und arrangiert gewesen war?

Unter der juwelenbestickten Haube prickelte und kribbelte ihre Kopfhaut.

Was geht hier vor? Wer wußte, daß wir kommen? Warum will Darnley wirklich hier wohnen?

Sie sah sich nach ihrem Gemahl um, immer schon groß und

dünn, aber jetzt beinahe schemenhaft. Plant er wieder einen Mord? Wen will er diesmal töten?

Mich?

Nein, er liebt mich wie ein Liebessklave.

Bothwell? Er scheint ihm zu mißtrauen, aber er muß doch wissen, daß Bothwell der einzige unter den Lords ist, der sich niemals an einer Intrige gegen uns beteiligt hat. Lord James? Maitland? Ja, die haßt er, aber er ist allein in seinem Haß. Lord James und Maitland sind keine hilflosen Ausländer wie der arme Rizzio …

Eine Woge der Verachtung ging über sie hinweg. Wer in ganz Schottland war so arm, daß er keine Bundesgenossen und Mitverschwörer finden konnte? Nur diese schwächliche, verkommene, verworrene Kreatur!

Sollte er doch seine Pläne schmieden – sie würden sich als ebenso nichtsnutzig erweisen, wie er selber war!

»Wir müssen nach Möbeln schicken«, sagte sie und sah Darnley an. »Ich hatte bereits vieles nach Craigmillar schaffen lassen. Von Holyrood werden wir unser Bett herbringen, das mit den braun-violetten Vorhängen und der Silber- und Goldstickerei, das ich dir zuletzt geschenkt habe; dann Wandbehänge für diese Wände hier, die schon so trocken sind, daß man sich um die Gobelinstickereien keine Sorgen zu machen braucht – den siebenteiligen Satz namens *The Hunting of the Coneys*. Und natürlich für die Toilette deine *chaise perchée*, damit du dich …«

Sie konnte Darnleys Gesicht hinter der Taftmaske nicht sehen. War er wütend? Verlegen?

»… des Durchfalls entledigen kannst, der dich so sehr plagt«, endete sie laut. Hoffentlich war er verlegen. Sollten sich nur alle vorstellen, wie er auf der Kante des samtbespannten Abortstuhls saß und ekelhafte Gerüche und Geräusche hervorbrachte. Ah, das würde seine königliche Würde in jedermanns Phantasie bestärken!

Er wandte sich ab, und sofort hatte sie ein schlechtes Gewissen. Er war ein Dummkopf, ein weinerliches, selbstsüchtiges Kind, das offensichtlich neue Bosheiten im Schilde führte. Aber sich so weit hinabzulassen, daß sie seine Krankheit verspottete und in aller Öffentlichkeit Bemerkungen über seine Verdauung machte, das war unverzeihlich.

»Ich werde auch alle Arzneien kommen lassen, und den Badezuber für deine Behandlung«, fuhr sie hastig fort. »Und wenn es einen geeigneten Raum für mich gibt, werde ich ebenfalls hier schlafen.«

Noch immer starrte Darnley mit verschränkten Armen mürrisch auf den Boden.

»Selbstverständlich gibt es einen Raum für Euch«, sagte Robert Balfour geschmeidig. »Er liegt direkt unter dem Seiner Majestät. Darf ich Euch hinführen?«

Sie drehten sich um und gingen durch das vierzig Fuß lange Gemach zurück.

Im angrenzenden Verbindungskorridor mußten sie zwei oder drei Stufen hinaufsteigen, denn die beiden Häuser standen auf unterschiedlich hohem Grund. Oben an dem steinernen Absatz der Wendeltreppe übernahm Balfour die Führung, und über etliche Treppenwindungen ging es hinunter in eine Zimmerflucht, die genauso angelegt war wie die Darnleys: Hinter einem Vorzimmer lag ein großes Schlafgemach.

Auch hier brannte ein Feuer, und süße Kräuter, die unter die Binsenstreu gemischt waren, ließen den Raum duften wie eine verblühte Juniwiese.

»Mir scheint, Ihr seid entweder sehr reich, wenn Ihr leere Zimmer heizt und parfümiert, oder Ihr seid von peinlicher Sorgfalt, und jede Art von Unordnung mißfällt Euch«, sagte Maria zu Balfour und beobachtete ihn aufmerksam.

»Ich bekenne, daß ich zu einer gewissen Extravaganz neige«, sagte er. »Es ist eine Schwäche von mir.«

Nein, ist es nicht, fühlte sie sich versucht zu sagen, aber irgend etwas zwang sie zur Zurückhaltung, eine Art instinktiver Vorsicht. Der Pelzbesatz an seinem Wams war verschlissen, und er trug weder Gold noch anderen Schmuck. Extravaganz war nicht sein natürliches Laster.

Man hat ihm aufgetragen, das alles vorzubereiten und auch für mich ein Gemach bereitzuhalten, und zwar so einladend wie möglich. Aber wer hat es ihm befohlen?

Plötzlich schien ihr dieser entlegene Ort und das kleine Anwesen, das nur sehr wenigen Wachen Platz bieten würde, eine unheilvolle Wahl zu sein.

Sie sah, daß Balfour sie beobachtete.

Wenn jemand mir nach dem Leben trachtet, wie sie Rizzio nach dem Leben trachteten, dann werden sie sicher scheitern, dachte sie. Bothwell wird dafür sorgen, daß mir nichts geschieht.

»Dieses Gemach ist vorzüglich«, sagte sie schließlich.

Sobald sie es mit Anstand bewerkstelligen konnte, verließ sie Kirk O'Field und ritt nach Holyrood, vorgeblich, um Möbel und Einrichtungsgegenstände auszuwählen, die in das Haus des Rekonvaleszenten geschafft werden sollten.

Das Schloß hätte sie willkommen heißen müssen, aber es herrschte die gleiche unheilvolle Atmosphäre wie in Kirk O'Field. Ihre Gemächer waren von Geistern erfüllt: Rizzio, Ruthven und namenlose andere, die gleichwohl ebenfalls anwesend waren. Das Böse war hier nie ausgetrieben worden.

Aber das kommt daher, daß Bothwell und ich hier nie zusammen waren, erkannte sie.

Doch bei dem Gedanken, in dem Gemach mit ihm zu schlafen, in dem Rizzio ermordet worden war, grauste ihr.

Sie richtete es ein, daß sie lange genug blieb, um – wenn auch nur kurz – mit Bothwell zu sprechen. Ihre Diener waren geschäftig dabei, Feuer zu machen: Selbst in den königlichen Gemächern brannte in der Regel kein Feuer, wenn die Bewohner nicht da waren.

Diese Feuer ... die sorgfältigen Vorbereitungen ... das alles war ungewöhnlich beunruhigend.

Bothwell erschien in der Tür, und ihr Herz machte einen Satz.

Es stimmt, was Diane de Poitiers mir einmal sagte, dachte sie überrascht: Wenn man jemanden liebt, hält man jedesmal den Atem an, wenn er das Zimmer betritt.

Seine Stirn war gefurcht, und er sah sorgenvoll aus. Sie vergaß ihre eigene Unruhe, so sehr war sie darauf bedacht, ihn zu trösten. Verärgert sah er sich nach den Kammerdienern um. Ihre Anwesenheit hinderte ihn am Reden, aber sie wegzuschicken würde erst recht ihren Argwohn wecken.

Also sprach sie. »Ist es nicht sonderbar, daß es dem König plötzlich in den Sinn kam, in Kirk O'Field einzuziehen? Ich kann es mir überhaupt nicht erklären. Die Behandlung wird dadurch viel schwieriger, aber er besteht darauf.«

Die Diener fachten das Feuer an; es wollte nicht recht brennen. Rauchwolken quollen ins Zimmer; sie hatten sich nicht vergewissert, ob der Kamin frei war. Es raschelte und zischte dort drinnen, als jetzt irgendein Tier, das darin genistet hatte, ausgeräuchert wurde. Bothwell schaute verächtlich hinüber.

»Werdet Ihr zu ihm ziehen?« fragte er in sachlichem Ton.

»Ich werde ihn besuchen, aber ich möchte die Ärzte nicht behindern. Seine Heilung ist schließlich das Wichtigste. Es gibt ein großes

Empfangsgemach dort«, fügte sie hinzu, »und an einem Ende ist bereits eine Estrade errichtet worden. Wenn es ihm besser geht, können ihn vielleicht einige Höflinge dort besuchen. Ja, ich muß seinen Staatssessel hinüberschaffen lassen. Er wird ihn brauchen, um Besucher zu empfangen.«

Bothwell warf wieder einen Blick zu den Dienern hinüber, die immer noch auf den Knien hockten und ins Feuer bliesen. Er verdrehte die Augen. »Ich wünsche ihm eine rasche Genesung«, sagte er schließlich, und mit einer Verneigung verabschiedete er sich.

Warte! hätte sie am liebsten gerufen. *Warte!* Ich muß mit dir sprechen über das, was da geschieht.

Aber es war hoffnungslos. Sie würde auf eine bessere Gelegenheit warten müssen.

In den nächsten Tagen wurde Darnley in strenger Abgeschiedenheit gehalten; die Ärzte unterzogen ihn einem Behandlungsprogramm, das heiße Waschungen mit Salz und Ziegenfettsalbe, Brühe mit getrocknetem rotem Pfeffer und Maulbeeren sowie Kompressen mit Rosen- und Kampferöl zur Abheilung der Wunden und zur Verhinderung der Narbenbildung zum Inhalt hatte. Zwischen den einzelnen Behandlungen, die alle vier Stunden vorgenommen wurden, sollte er im Bett liegen und schlafen. Tatsächlich aber dauerte es so lange, den Zuber mit heißem Wasser zu füllen, daß Darnley die halbe Zeit von den Dienern wachgehalten wurde, die ihre Wassereimer hineinschütteten und die Tür, die als Deckel diente, um die Wärme zu halten, auf den Zuber legten.

Da er wußte, daß sie ihn die ganze Zeit beobachteten, sorgte er dafür, daß er sich in erbaulichen Tätigkeiten erging. Er sang verschiedene Psalmen und studierte die Bibel, und er verwahrte einen Rosenkranz unübersehbar neben seinem Bett. Er wollte sichergehen, daß man sich wegen seines frommen, gottgefälligen Tuns in der letzten Woche seines Lebens an ihn erinnerte. Er schrieb Briefe an seinen Vater, der so besorgt um seine Sicherheit gewesen war, beruhigte ihn und rühmte die Versöhnung der Königin mit ihm.

> My Lord, ich gedachte Euch zu schreiben mit der Hilfe meiner guten Gesundheit, Dank sei Gott. Welche ich um so rascher wiedererlangt durch die gute Behandlung derjenigen, welche hat so lange verborgen ihren guten Willen: Ich meine ja meine liebe

Königin. Sie hat sich, das versichere ich Euch, die ganze Zeit hindurch und wohl noch immer als wahres und liebendes Weib erwiesen, und ich hoffe immer noch, daß Gott mit Freude erleuchten wird unsere Herzen, die so lange von Sorge geplagt waren. Und wie ich es Eurer Lordschaft in diesem Brief schreibe, so wird desgleichen Euch die Überbringerin bezeugen. So danke ich dem Allmächtigen Gott für unser gutes Geschick, und empfehle Eure Lordschaft in Seinen Schutz.

Aus Edinburgh, den VII. Februar, Euer liebender und gehorsamer Sohn,

HENRY REX

Ja, Gott würde ihre Herzen mit Freude erleuchten. Bald würden sie vor Seinem Antlitz vereint sein und entrückt aus diesem irdischen Jammertal.

Aber wann würden diese Behandlungen nachlassen, so daß die Königin die Nacht bei ihm verbringen könnte? Sonst war es ja nicht möglich, seinen Plan auszuführen. Und wenn nicht hier, wo dann?

Nachdem die Maßnahmen vier Tage angedauert hatten, erklärten die Ärzte ihr Erstaunen und ihre Genugtuung über die Fortschritte, die er machte. Die Bäder sollten nun auf zwei reduziert werden, eines nach dem Aufstehen und eines vor dem Schlafengehen. Die Kompressen wurden abgesetzt, und nur der eigentliche Ausschlag sollte leicht mit Salbe bestrichen werden. Er konnte jetzt auch wieder normale Speisen zu sich nehmen.

»Und Eure Majestät dürfen nach dem morgendlichen Bade Besucher empfangen«, sagten sie. »Nur empfehlen wir« – die Ärzte schauten einander an – »daß Ihr Euch vor einer Audienz die Zähne mit diesen getrockneten Rosmarinzweigen bürstet und dann mit Lavendelwasser gurgelt.«

Darnley runzelte die Stirn. *So* faul stank sein Atem? Das kam nur daher, daß er nichts Richtiges gegessen hatte; das war alles. Er riß ihnen die Zweige aus den Händen. »Also schön.«

Einer der Ärzte reichte ihm einen kleinen Spiegel. »Die Maske braucht Ihr nicht länger zu tragen.«

Darnley betrachtete sein Gesicht. Das grelle Purpur war verblaßt, aber sein Gesicht war immer noch mit runden, rötlichen Flecken gesprenkelt.

»Diese Salbe enthält weißen Lehm. Der wird helfen, die Male zu verbergen.« Der Arzt tupfte ihm ein wenig davon ins Gesicht.

Darnley lächelte. Das Resultat war verblüffend. Er konnte das Geschwür kaum noch sehen.

»Und was das Haar Eurer Majestät angeht, so könnt Ihr Hüte tragen, bis alles nachgewachsen ist.«

Die Ärzte waren zufrieden mit ihrer Kunst. Der König konnte sich jetzt wieder in der Öffentlichkeit sehen lassen – bis zum nächsten Schub der Krankheit, der zweifellos kommen und sich dann als tödlich erweisen würde.

Im Empfangsgemach drängten sich die Höflinge, erpicht darauf, dem leidenden König ihre Reverenz zu erweisen – oder wenigstens einen Blick auf ihn zu erhaschen, um ihre eigene Neugier zu stillen und ihren Herren in Frankreich und Holland zu berichten, was sie gesehen hatten. Lord James, Bothwell, Maitland, Huntly, Argyll, Mar und Kirkcaldy von Grange umstanden den zweisitzigen, mit rotem und gelbem Taft bezogenen Staatssessel, auf dem Darnley und Maria nebeneinander saßen. Die Brüder Balfour kamen, John Stewart von Traquair, Philibert du Croc, der französische Gesandte, und Moretta, der schwerfällige Savoyer, der endlich eingetroffen war, und sie alle lauschten aufmerksam jedem Wort.

Das Kaminfeuer loderte, die Musikanten spielten, und man plauderte leichthin über das Wetter und die Jahreszeit. In der kommenden Woche würde die Fastenzeit beginnen, und in anderen Ländern war der Karneval im Gange, aber hier in Schottland beschränkte man sich auf ein einziges katholisches Fest: die Hochzeit zweier Angehöriger des Hofstaates, des Franzosen Bastian Pages und seiner schottischen Braut, Margaret Carwood. Nach der Trauung am Sonntag würde auf Holyrood ein Maskenball stattfinden, mit Kostümen, Spielen und Verkleidungen. Knox war in England und konnte sich nicht einmischen.

Maria beobachtete wie immer Bothwell, der sich mühelos in der Menge bewegte; seine breiten Schultern schafften ihm jederzeit Raum. Sie konnte seine Stimme aus dem allgemeinen Geplapper heraushören.

Gott weiß, ich bin gestraft dafür, daß ich dich vergöttert und daß ich keinen Gedanken außer dir gehabt habe!

Wie dumm es geklungen hatte, als Darnley diese Worte gesprochen hatte; wie anders war es doch, es selbst zu empfinden!

War das Götzendienerei?

Du sollst keine anderen Götter neben mir haben, denn ich, der Herr, dein Gott, bin ein eifersüchtiger Gott.

Die Vorstellung, Gott könnte Rache nehmen und ihren Götzen Bothwell vernichten, wie er die Baalsgötzen Israels vernichtet hatte, war fürchterlich. Plötzlich sah er sehr verwundbar aus, wie er so dastand, all seiner Körperkraft zum Trotz.

Es ist unrecht, ihn so zu lieben, dachte sie. Aber wie kann ich damit aufhören?

Sie schaute zu Darnley hinüber, der mit schriller, schwacher Stimme lachte. Er schien ihre Aufmerksamkeit zu spüren und blickte sie an. Zögernd griff er nach ihrer Hand.

»Bitte bleibe heute nacht bei mir. Es würde mich trösten, zu wissen, daß du unter demselben Dache weilst.« Er drückte ihre Hand, aber sein Griff war ohne Kraft.

Maria machte sich zum Schlafen bereit. Sie betrachtete das kleine Gemach – es maß nur zwölf mal sechzehn Fuß – als sehr ansprechend. Es erinnerte sie an ihre Kammer in St. Pierre, wo sie ihre Tante Renée besucht hatte, in der Nacht, als der Brief von Lord James und den anderen gekommen war, in dem sie um ihre Heimkehr gebeten hatten.

Sie schaute aus dem Fenster in das Geviert des umschlossenen Innenhofes. Etwas Schnee war gefallen, und der Boden war weiß überstäubt. Gegenüber, etwa hundert Fuß weit entfernt, stand das imposante Haus des Herzogs von Châtelherault; viele Kerzen brannten dort in der Nacht.

Die Hamiltons sind lange auf, dachte sie. Sie blies ihre eigene Kerze aus und kroch unter die Decke. Ihre eigenen Zofen hatte sie absichtlich fortgeschickt. Heute nacht sollten keine Bediensteten, keine Zeugen zugegen sein. Sie und ihr rechtmäßiger Gemahl, König Heinrich, Lord Darnley, waren allein unter einem Dach; nur seine Diener schliefen in seinem Vorzimmer. Wenn sie später behauptete, er habe sie in dieser Nacht in ihrem Bett besucht, würde ihr niemand widersprechen können. Niemand würde beweisen können, daß es nicht stimmte.

Sie seufzte. Sie war gerettet. Sie hatte sich von der Schande befreit, einen Bastard zur Welt zu bringen.

Und was die Befreiung aus dem Joch der Ehe mit Darnley anging, da war sie nun doch nicht auf die Machenschaften der Höflinge und die Hilfe des Parlaments angewiesen. Darnley würde nicht mehr lange leben; er trug das Zeichen des Todes, für jedermann sichtbar, trotz allem, was die Ärzte vermocht hatten. Es war grausig klar, daß er zum Tode verurteilt war, und all die herzlichen Glückwünsche und Komplimente, die man ihm an diesem Tag gemacht hatte, erschienen ihr in diesem Licht brutal und obszön. Alle Welt wußte, daß die Syphilis für eine Weile verschwand, bevor sie zum letzten Schlag ausholte.

Von unten hörte sie den Lärm der Köche, die dabei waren, die Küche für die Nacht zu schließen, und sie hörte, wie ihre müden Stimmen verhallten. Dann war es still im Haus.

Sie schlief ein. Dann hörte sie draußen jemanden auf der Wendeltreppe. Nicht Darnley! Er würde doch nicht wirklich kommen? Kerzengerade saß sie im Bett, und Angst durchströmte sie in eisigen Wellen. Sie hielt den Atem an.

Aber nein – die Schritte gingen hinauf, sie kamen nicht herunter. Jemand ging zu Darnley. Jemand mußte ihn mitten in der Nacht besuchen. Die Ärzte?

Ja. So mußte es sein. Die Ärzte.

Erleichtert atmete sie aus und ließ sich zurücksinken. Jetzt hörte sie die Schritte über sich, hörte auch einen dumpfen Schlag, aber keine Stimmen. Sie flüsterten wohl, um die Bediensteten nicht zu stören. Sie schloß die Augen. Jetzt war sie nur noch dafür verantwortlich, die besten Ärzte für ihren Gemahl zu besorgen; die Behandlung oder ihre Gespräche hatte sie nicht zu überwachen. Das alles konnte sie ihnen beruhigt überlassen.

Darnley saß aufrecht im Bett, und seine Augen glänzten unnatürlich hell im Licht der einzelnen hohen Kerze neben seinem Bett, als die Balfours hereinkamen.

»Wir haben bis drei Uhr gewartet«, flüsterte James Balfour. »Selbst im Hause Hamilton sind die Kerzen jetzt gelöscht. Die Königin schläft, und es sind keine Damen in ihrem Vorzimmer. Wir sind völlig unbeobachtet.« Er setzte sich neben Darnley, und sein Bruder stellte sich an die andere Seite des Bettes.

»Ich bin jetzt entschlossen, in meinem Plan fortzufahren«, sagte Darnley mit leiser Stimme. »Seit heute abend weiß ich, daß die Königin die Nacht hier verbringen wird, wenn ich sie darum bitte. Vorher war ich nicht sicher. Und als ich mich der schweren Behandlung unterziehen mußte –«

»Wir sind sehr dankbar, daß sie so gut angeschlagen hat«, warf Robert ölig ein.

»Wir danken Euch«, sagte Darnley. »Nun zum Plan ...«

»Ich würde vorschlagen, daß ich, wenn Eure Hoheit wirklich entschlossen sind, den Plan auszuführen, die erforderliche Menge Schießpulver beschaffen und im Keller deines Hauses, Robert, einlagern werde.« James sah seinen Bruder an. »Wenn alles da ist, dann können wir es auf direktem Wege in die Kellergewölbe unter dem langen Gemach schaffen. Zu diesem Zweck können wir einen kleinen Tunnel graben, und die unbedingte Geheimhaltung ist sichergestellt.«

»Das lange Gemach!« rief Robert. »Du willst das lange Gemach zerstören?«

»Pst!« zischte James. »Seine Majestät wird dich entschädigen. Wir ›wollen‹ das Gemach nicht zerstören, im Gegenteil – wir würden es vorziehen, das alte Haus zu zerstören, in dem wir uns jetzt befinden. Aber dem steht zweierlei entgegen. Dort befinden sich die Küchen im Erdgeschoß, und die Köche und Dienstboten könnten etwas merken, wenn wir uns unter ihnen zu schaffen machen. Und der Grund dort ist steil abschüssig, so daß die Keller unter dem alten Haus sehr viel höher sind als die unter der langen Empfangshalle. Da würde man zwei- oder dreimal soviel Schießpulver brauchen, denn das Pulver muß fest gepreßt sein, wenn die Explosion Wucht haben soll. Du siehst also ein, nicht wahr, daß wir das lange Gemach opfern müssen. Ich weiß, daß es dir ans Herz gewachsen ist, aber –«

»Wieviel Pulver wird man brauchen?« Darnleys Augen glitzerten.

»Ein paar tausend Pfund müssen es auch für das lange Gemach sein«, sagte James. »Aber ich habe Mittel und Wege, es schnell zu beschaffen.«

»Ohne Verdacht zu erregen?« fragte Robert sarkastisch.

James lächelte. »Wofür hältst du mich? Natürlich ohne Verdacht zu erregen.«

»Dann macht das alles morgen, und grabt dann auch Euren Tunnel«, sagte Darnley. »Morgen ist Donnerstag. Am Freitagabend werde ich die Königin bitten, wieder hier bei ihrem leidenden, melancholischen Gemahl zu bleiben. Dann, etwa um diese Zeit – oder, nein, gegen fünf –, kann das Pulver gezündet werden. Ich werde den Befehl geben, daß meine Pferde um diese Zeit gesattelt bereitstehen sollen. Da die Lunte ja eine Weile brauchen wird, um abzubrennen, sagt Ihr mir Bescheid, wenn sie angezündet ist.«

»Die Königin scheint überaus gut zu Euch zu sein, Sire«, bemerkte Robert.

»Sie scheint, Robert, sie scheint. Aber die Dinge sind nicht immer so, wie sie zu sein scheinen. Es gibt keinen Zweifel daran, daß Schottland, der ganze Hof und alle ihre Untertanen ohne sie besser dran wären. Denn Schottland kann keine papistische Herrscherin haben, nachdem es sich einmal dafür entschieden hat, im reformierten Glauben zu leben. Wenn sie am Leben bleibt, wird sie den Prinzen sicher auch zum Papisten erziehen. Die Taufe war ja der Beweis dafür. Und daß ich mich weigerte, dabeizusein, war meine Antwort darauf. Was den Hof angeht, haben nicht fast alle Adeligen irgendwann einmal gegen sie rebelliert? Alle außer Bothwell. Und auch ihre Untertanen, selbst wenn sie es nicht wissen, verdienen Besseres als eine Herrscherin, die herumreitet und hübsch aussieht, die aber nicht den Willen hat, Gerechtigkeit walten zu lassen, und die so besorgt um ihr Recht auf den englischen Thron ist, daß sie den, auf dem sie sitzt, nur gering achtet. Verdient Schottland etwa keinen König, der den Thron der Heimat ehrt, statt ihn zu schmälern?« Er schwieg. Die Aufzählung der Gründe hatte ihm den Atem genommen. Hoffentlich waren sie überzeugend.

»Dennoch«, meinte Robert widerstrebend, »die Ermordung einer Königin ist eine schwere Sünde.«

»Ihr habt einen Kardinal umgebracht«, erinnerte Darnley ihn. »Und jetzt will ich Anthony Standen rufen, meinen Kammerdiener, dem ich unbedingt vertraue. Er muß uns bei unseren Plänen helfen.«

Die Balfours äußerten murmelnd ihre Bedenken dagegen, noch jemanden einzuweihen, aber Darnley bestand darauf, Anthony zu wecken und ihn von dem Komplott in Kenntnis zu setzen. Weil er noch schlaftrunken war, stellte er die Idee und ihre Durchführung zunächst nicht in Frage.

»Er hat starke Schultern«, sagte Darnley. »Er kann Euch helfen, den Tunnel zu graben und das Pulver zu schleppen.«

»Mit Verlaub, habt Ihr daran gedacht, Spuren zu legen, die auf jemand anderen deuten?« fragte Standen, der jetzt endlich wach wurde. »Denn da es ja Euer Haus ist, wird der Finger des Argwohns sogleich auf Euch deuten.«

Der Bursche war gerissen. »Hmmm – wir könnten Lord James die Sache in die Schuhe schieben – oder Bothwell ... dazu müßten nur ein paar kleine Dinge sorgfältig arrangiert werden. Ein leeres Faß. Oder jemand, der sich verkleidet und an ihrer Statt durch die

Straßen schleicht. Ich muß darüber nachdenken. Aber ich danke Euch, mein Junge.« James nickte ernst.

Als sie in ihren Samtpantoffeln lautlos davongeschlichen waren, blies Darnley seine Kerze aus und legte sich hin. Aber sein Herz klopfte, als habe er soeben einen Wettlauf gemacht.

Es würde geschehen.

Er war so aufgeregt, daß er fast zitterte.

Einen Augenblick lang erwog er, tatsächlich zu tun, was er seinen Handlangern weisgemacht hatte: die Königin in die Luft zu sprengen und selbst zu fliehen.

Aber nein. Wenn er auf wunderbare Weise mit knapper Not entkäme, würde jeder wissen, daß er es getan hatte, und dann würde man ihn zur Strecke bringen und hinrichten. Besser, er starb so, von eigener Hand, zum selbstgewählten Zeitpunkt. Zusammen mit *ihr*.

Der Schweiß war ihm ausgebrochen. Er stellte sich die gewaltige Explosion vor, wie sie ihn aus dem Bett schleuderte, wie sie ihn in einem einzigen, gleißenden Blitz verschwinden ließ.

Es war ein Feuertod, aber von dem langsamen, häßlichen Sterben auf dem Scheiterhaufen so weit entfernt wie ein feuriger Araberhengst, zum Rennen ausgebildet, von einem hinkenden alten Esel. Das eine war ein Wunder der Natur, furchterregend in all seiner Wucht, das andere ein ärmliches, erbärmliches, vergängliches Ding.

Tod durch Feuer. Ein passender Tod für eine Ehebrecherin – wie ihn das Gesetz sogar vorschrieb. Und eine Ehebrecherin war sie. Ein Rest von Zweifel war ihm an diesem Nachmittag genommen worden, als er gesehen hatte, wie sie Bothwell anstarrte. Der Ausdruck in ihrem Blick war unverkennbar gewesen.

Und was seinen eigenen Tod anging – er fühlte eine seltsame, beinahe erotische Macht dabei, ihn zu planen und zu wissen, daß er ihn haargenau so herbeiführen konnte, wie er es plante. Er fühlte sich wie Gott. Gott mochte geplant haben, ihn an der Syphilis sterben zu lassen oder von den Lords ermordet zu werden wie Rizzio. Aber er hatte Gott überlistet. Er würde sich nicht mit dem Esel begnügen, den Gott ausgewählt hatte; er würde den Araberhengst besteigen und in einen faszinierenden Tod reiten.

Ein Edinburgher Kaufmann nahm am Donnerstag, dem sechsten Februar, von Sir James Balfour sechzig Pfund als Bezahlung für eine gewaltige Menge Schießpulver in Empfang. Man sagte ihm, das Pulver werde für das königliche Arsenal benötigt – was, strenggenommen, stimmte. Noch am selben Tag transportierten die Brüder Balfour und Standen es nach Kirk O'Field. Es war indessen so viel, daß bei Anbruch der Dunkelheit erst die Hälfte im Keller von Sir Roberts Haus angekommen war. Im Dunkeln begannen sie, den Tunnel zu graben, aber als der Tag graute, hatten sie ihn erst zur Hälfte fertig.

Den ganzen Vormittag plagten sie sich mit weiteren Transporten, doch dann gingen die Vorräte des Kaufmanns zu Ende. Er versicherte ihnen, er selbst erwarte weitere Lieferungen für Samstag.

Als die Königin sich am Freitag abend in ihre Gemächer zurückgezogen hatte, mußten sie Darnley mitteilen, es sei noch nicht alles bereit. Er überschüttete sie mit einem Schwall von Flüchen.

»Das Unternehmen war größer als erwartet«,- erklärte James. »Aber bis Samstag nacht –«

»Verdammt sei deine lügenhafte Seele in die schwärzesten Tiefen der Hölle!« fauchte Darnley

James Balfour spürte, wie der Zorn durch seine müden Glieder strömte. Anderthalb Tage rackerten sie sich schon ab, und die ganze Nacht hatten sie nicht geschlafen. Plötzlich erwachten in ihm Zweifel an der versprochenen Belohnung. Darnley beantwortete alle ihre Bemühungen mit Undankbarkeit und ahnte nichts von den Risiken, die sie eingingen – seinetwegen. Kein Wunder, daß er überall verhaßt war.

»Sire, wir haben unser Bestes getan, und wir werden die Aufgabe erfüllen, wir wir es versprochen haben«, sagte er schließlich. »Es verzögert sich alles nur um einen oder zwei Tage.«

»Du begreifst nicht, du dummköpfiger Affe! Dies ist die letzte Nacht, die die Königin hier verbringt! Meine Behandlung ist zu Ende! Wir ziehen morgen nach Holyrood! Ich bin geheilt«, fügte er sarkastisch hinzu.

»Dann erleidet doch einen Rückfall«, versetzte James nicht minder sarkastisch. »Das wird Euch doch gewiß gelingen, um damit Euren Aufenthalt bis Montag zu verlängern.«

»Die Königin will am Sonntag bei der Hochzeit auf Holyrood dabeisein. Abends wird ein Fest gegeben ...«

»Scheißdreck. Ihr könnt darauf bestehen, daß sie nachher nach Kirk O'Field zurückkommt. Schließlich hängt ihr Leben davon ab.« Er lachte leise.

»Das ist alles nur Eure Schuld ...« redete Darnley weiter.

James Balfour blieb vor ihm stehen, und Darnley belegte ihn mit jedem Schimpfwort, das er in England, Frankreich und Schottland je gehört hatte. Aber die Beleidigungen prallten von ihm ab; gegen die Macht der Schmähungen war er längst unempfindlich. Er grinste sogar über diesen dummen Jungen, der immer weiter plapperte und überhaupt nicht ahnte, daß die illusorische Macht der Worte der wahren Macht der Information nicht gewachsen war.

Gewiß würde Schottland sich dankbarer für die Mühen und das Wissen Sir James Balfours erweisen. Schottland war Darnleys müde.

Er lächelte immer weiter, bis Darnley die Luft ausging.

Bothwell legte die Füße auf einen Schemel und wärmte sie vor dem munteren Kaminfeuer in dem Gemach, das man ihm auf Holyrood zugewiesen hatte. Das Zimmer gefiel ihm; es lag auf der Südseite, und man konnte über Palastgärten und Park hinweg nach Arthur's Seat schauen. Auch der Status, den das zugewiesene Zimmer implizierte, gefiel ihm.

Jetzt hatte er ein wenig Muße, um Sextus Julius' *Stratageme und Feinheiten des Krieges* zu lesen und sich in die militärischen Unternehmungen des Alten Rom zu flüchten. Wie sehr unterschieden sie sich doch von den stürmischen Attacken in den Hügeln des Grenzlandes.

Wie wäre es mir auf diesen Feldzügen ergangen? fragte er sich. Marschieren in Reihe und Glied, die *testudo* bilden, einen Schildkrötenpanzer aus Schilden, wenn feindlicher Beschuß drohte ...

Es klopfte leise.

Bothwell stemmte sich hoch, um zu öffnen; French Paris durchstöberte die Stände der Händler nach einem Maskenballkostüm für ihn, und er war allein.

James Balfour stand auf der Schwelle und grinste erwartungsvoll. »Darf ich?« fragte er und trat ein, ohne die Antwort abzuwarten.

»Offensichtlich«, sagte Bothwell.

Sofort spürte er, daß dies kein gewöhnlicher Besuch war. Balfour wirkte gespenstisch erregt.

»Was gibt's?« fragte Bothwell.

Balfour schälte sich aus Mantel und Handschuhen und warf beides arrogant auf den kleinen Tisch, auf dem Bothwells militärische Lektüre lag.

»Ich habe Informationen, die vielleicht die wertvollsten sind, die Ihr je erworben habt«, erklärte er großspurig.

»Ach ja?« Bothwell bemühte sich, ungerührt zu klingen, aber er wußte, daß ihm hier das fehlende Glied zu Darnleys Verschwörung angeboten wurde, nach dem er gesucht hatte. Balfour hatte es erschnüffelt; wie eine Ratte hatte er aus verborgenen Löchern und obskuren Beobachtungsposten hervorgelauscht. »Was sagt Ihr zu einhundert Pfund?«

Balfour lachte. »Absurd wenig. Wo ist Euer vielgerühmter Sinn für Ritterlichkeit? Ist das alles, was Euch das Leben der Königin wert ist? Ah, da gibt es andere, die mehr dafür zahlen werden, daß das Unternehmen Erfolg hat.« Er unternahm offensichtlich vorgetäuschte Anstalten, seinen Mantel wieder an sich zu nehmen. Bothwell packte ihn mit so festem Griff, daß die beiden Unterarmknochen gegeneinanderknirschten.

»Heraus damit«, flüsterte er.

»Laßt meinen Arm los.«

Bothwell ließ los. »Nennt Euren Preis. Ich habe keine Zeit, zu feilschen wie ein Fischweib.«

»Oder wie ein Glücksritter?« Balfour schüttelte seinen Arm. Er war plötzlich mißtrauisch. »Was liegt Euch denn daran?« Was er hier sah, war mehr als das Gespür eines Soldaten oder Abenteurers für einen schnellen Vorteil.

»Ich bin der Krone stets treu ergeben gewesen«, antwortete Bothwell geschmeidig. »Und jetzt nennt mir Euren Preis und sagt mir, welche Informationen Ihr habt.«

»Tausend Pfund«, sagte Balfour. »In französischen Kronen, damit die Herkunft nicht ermittelt werden kann.«

»Abgemacht.« Er würde das Geld beschaffen.

»Darf ich dazu Eure Unterschrift haben?« Balfour zog ein Stück Papier hervor, das als Schuldschein dienen sollte, und Bothwell unterschrieb es hastig.

Nachdem Balfour das Papier langsam und bedächtig zusammengefaltet und in seinen Kleidern geborgen hatte, bestand er darauf, sich zunächst Wein einzugießen und einen Schluck zu trinken, ehe er sagte: »Der König hat die Absicht, die Königin zu ermorden.«

Er hatte tausend Pfund für ein Gerücht bezahlt? Für ein Gerücht, das er schon kannte? Bothwell wurde rot vor Zorn. »Das könnte der König gar nicht. Niemand würde ihm vertrauen oder das Schwert für ihn führen. Die Diener der Königin sind ihr ausnahmslos treu.«

»Schießpulver ist demjenigen treu, der die Zündschnur legt, und bis dahin wartet es gehorsam.«

»Wo?« Bothwell fuhr auf.

»Im Kellergewölbe unter dem Haus von Kirk O'Field. Der Plan besteht darin, daß die Königin am Sonntag die Nacht dort verbringen und durch eine Explosion getötet werden soll.«

»Und der König?«

»Wenn die Lunte brennt, will er fliehen.«

»Woher wißt Ihr das?«

Balfour lachte kurz und trocken. »Ich habe das Pulver selbst dort hingeschafft. Anderthalb Tage habe ich gebraucht.«

»Ihr wurdet also dafür bezahlt, daß Ihr es hinschafftet, und jetzt wollt Ihr dafür bezahlt werden, daß Ihr es wieder wegbringt?«

»So ist es. Mein Stundenlohn ist beeindruckend, nicht wahr?«

»Ihr habt das Haus Eures eigenen Bruders vermint?« Bothwell war wie vom Donner gerührt.

»Mit seiner Erlaubnis.«

»Er ist also an dem Komplott beteiligt. Wer sonst noch?«

»Niemand. Wie jeder weiß, ist der König so unbeliebt, daß niemand zu einem Komplott mit ihm bereit wäre.«

Bothwell war erleichtert. In den Gerüchten war von einer weitverzweigten Verschwörung die Rede gewesen.

Balfour lächelte. »Die Wahrheit ist, daß mir das Pulver ausgegangen ist. Ich habe alles aufgekauft, was ich in Edinburgh bekommen konnte, aber es ist noch nicht fest genug gepackt. Man braucht noch einmal fünfhundert bis tausend Pfund.«

»Überlaßt es mir, es fortzuschaffen«, sagte Bothwell. »Ich kann es leicht in den königlichen Pulverkammern in Dunbar unterbringen. Dann kann niemand es zurückverfolgen. Und zweifellos wird Euer guter Bruder Robert froh sein, wenn sein Haus verschont bleibt.« Er bemühte sich, Balfour anzulächeln. »Und der König wird nicht erfahren, daß sein Plan entdeckt und vereitelt ist?«

»Nein.«

Balfours Versprechungen waren weniger wert als Lügen. Seine Kooperation konnte man nur sicherstellen, indem man ihn betrog.

»Laßt es vorläufig gut sein«, sagte Bothwell. »Ihr braucht Ruhe nach solchen Strapazen. Es war aber richtig, daß Ihr zu mir gekommen seid. Zweifellos wird Euch weiterer Lohn zuteil werden, die Krone wird Euch hohe Ämter gewähren ...« Er führte Balfour zur Tür. »Ich werde Hausschlüssel brauchen, um das Pulver herauszuholen.«

»Hier.« Balfour legte ihm die Schlüssel in die Hand; es war ein dicker Eisenring mit massiven Schlüsseln, schwer wie ein Stein.

»Guten Abend«, sagte Balfour. »Übernehmt Euch nicht. Es ist schwere Arbeit.« Er lachte wieder.

Als er gegangen war, ließ Bothwell sich auf eine Bank fallen. Er konnte kaum denken, konnte nur fühlen. Er mußte eine Weile sitzen bleiben, damit sein Blut sich wieder beruhigte.

Darnley hatte sein eigenes Todesurteil unterschrieben. Er, Bothwell, brauchte Darnley jetzt nur noch hochgehen zu lassen, ehe dieser begriff, was passierte.

Ich werde das fehlende Pulver aus Dunbar herschaffen. French Paris und meine Verwandten werden mithelfen, es zu tragen und zu verstecken. Sonntag nacht, wenn er schläft, werden wir es anzünden und ihn in die Luft fliegen lassen. Die Leute werden denken, er hätte es versehentlich selbst getan. Das Verbrechen bestraft den Verbrecher, und das war's.

Maria wird frei sein. Und wir können heiraten.

Aber statt zu frohlocken, empfand er das Wort »heiraten« plötzlich wie eine Eisenfessel, die ihn einem unbekannten Verhängnis entgegenschleifte.

Er griff nach seinem militärischen Buch und hielt es fest wie einen Talisman.

Ich bin Soldat, kein Staatsmann. Ich wollte nur ihren Körper, nicht ihre Krone.

Und da ist auch noch etwas anderes ...

Diejenigen, die sie lieben, sterben anscheinend alle eines frühen oder unnatürlichen Todes. Franz. Chastelard. John Gordon. Rizzio. Jetzt Darnley.

Er schüttelte den Kopf. Weibische Spekulationen und Zaghaftigkeit. Er hatte eine Aufgabe, und wenn er sie nicht erfüllte, würde Maria sterben.

Gegen seinen Willen bewunderte er Darnleys Einfallsreichtum, mit dem er die Alchimie für seine Zwecke einspannte, wo kein Mensch ihm mehr zur Hand gehen wollte.

»Aber wer obsiegen will, braucht mehr als nur Einfallsreichtum«, sagte er leise. »Er braucht Mut, das Gespür für den rechten Zeitpunkt – und Glück.«

Du mußt Glück haben, Bothwell, dachte er wild. Du mußt jetzt Glück haben, einmal im Leben, und dann brauchst du nie wieder welches.

Maria war verwirrt. Bothwell war in den letzten zwei Tagen nicht im Empfangsgemach erschienen, um Darnley seine Aufwartung zu machen, und er hatte ihr keine vertraulichen Botschaften gesandt. Auch French Paris war merkwürdig abwesend, und auch wenn sie sich bemühte, sich vom Geist der Festlichkeiten zu Bastian Pages und Margarets Vermählung gefangennehmen zu lassen, hatte sie das Gefühl, das Böse halte den Atem an, zumal als Bräutigam und Braut sich für schwarze Hochzeitsgewänder entschieden.

Nur noch zwei Tage, und Darnley würde Kirk O'Field verlassen. Er hatte sich störrisch geweigert, vor der Hochzeit umzuziehen, und er hatte es abgelehnt, an der Hochzeitsfeier teilzunehmen.

Er tut es, um mich zu ärgern, dachte sie. Aber er ahnt nicht, wie kostbar mir selbst ein einziger Tag der Freiheit von ihm ist!

Denn am Montag würde er wieder nach Holyrood kommen, und er erwartete, daß sie ihn dann wieder in ihrem Bett empfinge. Der bloße Gedanke daran erfüllte sie mit Ekel.

Und Bothwell – wie kann ich mich unter vier Augen mit ihm treffen? Werde ich mich *jemals* mit ihm treffen und den Luxus eines ganzen Abends mit ihm genießen können, ein geruhsames Essen, eine ganze Nacht im Bett, wo wir uns lieben und schlafen und uns wieder lieben, wenn wir im Dunkeln aufwachen? Es muß doch möglich sein – es muß.

Weshalb konnte mein Vater seine Mätressen haben und sich in aller Öffentlichkeit mit ihnen vergnügen, während ich gezwungen bin, mich zu verstecken wie ein Dienstmädchen?

Unversehens empfand sie Groll und Haß gegen ihren Vater.

Und mein Großvater, dachte sie verbittert. Er ist mit Bothwells Großmutter ins Bett gegangen, und es war kein Geheimnis. Und wir, die Enkelkinder, können es nicht tun, weil ich eine Königin und kein König bin. Was James IV. tun konnte, das kann ich nicht.

Und er kann nicht in Flammen gestanden haben wie ich!

Ihr Verlangen nach Bothwell, ihre Liebe zu ihm, ließ sie schwanken. *Umarme mich, küsse mich, berühre mich …*

»Euer Gnaden, bitte setzt Euch doch. Ihr taumelt.«

In peinlicher Verlegenheit drehte Maria sich um; Lord James stand hinter ihr.

Der stattliche Lord James, Inbild und Verkörperung des königlichen Rangs ihres Vaters, schob ihr schwungvoll einen Stuhl unter. Sie schlug die Augen nieder, denn sie merkte wohl, wie ihr das Blut in die Wangen schoß, als sie sich setzte.

»Ich bitte um Vergebung für mein Eindringen, aber ich brauche Eure Erlaubnis, mich aus Edinburgh zu entfernen.« Er gab sich so ehrerbietig, als habe er noch nie irgend etwas ohne ihre Zustimmung und Erlaubnis getan. »Meine Gemahlin braucht mich in St. Andrews.«

Sie war zu sehr damit beschäftigt, den Tumult in ihrem Herzen zu bändigen, und sagte nur: »Mir wäre es lieber, Ihr bliebet noch einen Tag, um an den Hochzeitsfeierlichkeiten teilzunehmen. Danach mögt Ihr dann gehen.«

»Nein, ich darf nicht säumen!« Er klang beunruhigt. »Meine Gemahlin hatte eine Fehlgeburt, und die Ärzte fürchten, das Kindbettfieber könne einsetzen. Es ist unerläßlich, daß ich sofort reise!«

»Also gut. Wann kommt Ihr zurück?«

»Sobald ich es gefahrlos tun kann.«

Bothwell klopfte beinahe zärtlich auf die letzte Pulverschicht. Es war erledigt. Was für eine elende Plackerei. Er stank nach Schweiß, und die Anstrengung hatte ihn spüren lassen, daß seine Verletzungen noch nicht völlig geheilt waren. Vor allem der Bauch tat ihm weh, wenn er die Muskeln anspannte.

Aber es war erledigt.

Und gerade noch rechtzeitig. Lord James hatte Edinburgh, wie es seine Gewohnheit war, hastig hinter sich gelassen. Wer nach einem unfehlbaren Zeichen für einen bevorstehenden politischen Mord suchte, der brauchte sich nur zu vergewissern, wo Lord James sich aufhielt: Er war niemals auf dem Schauplatz anzutreffen.

Den Stein werfen, ohne die Hand zu rühren, das war sein Motto.

Denn Lord James und alle anderen wollten Darnley beseitigt sehen. Am Ende aber war nur Bothwell bereit, die Aufgabe auch auszuführen.

Es paßt ja, dachte er. Ich bin der Liebhaber der Königin, und sie trägt mein Kind im Leib. Meine Verantwortung ist persönlich, ihre nur politisch.

Jetzt hatte die schwierigste Phase des Ganzen begonnen: das Warten. Man mußte warten, bis der lange Sonntag vergangen war; man mußte die Hochzeit abwarten, das Bankett, Marias Abschied von Darnley, ihren Umzug nach Holyrood.

Archibald Douglas und seine Leute sollten das Haus umstellen, damit Darnley nicht fliehen konnte. French Paris würde die Zündschnur anstecken, obgleich er, Bothwell, diese Ehre gern selbst gehabt hätte. Aber das würde vielleicht nicht möglich sein.

Die Hochzeit in der katholischen königlichen Kapelle zu Holyrood war gut verlaufen. Obwohl ihre eigene Ehe verzweifelt unglücklich war, hegte Maria einen angeborenen Optimismus, wenn sie sah, wie andere sich das Eheversprechen gaben.

Bothwell war trotz seiner protestantischen Skrupel anwesend, und während des Festaktes starrte sie seinen Rücken an und war außerstande, den Blick von ihm zu wenden; sie fragte sich, weshalb sogar sein Rücken so unverwechselbar anders als jeder andere aussah.

Zu Feier der Vermählung begab sich alles zu einem Bankett, und für eine kleinere Gruppe fand noch ein formelles Abschiedsessen für Moretta statt, der eben erst eingetroffen war, um den Herzog von Savoyen zu vertreten. Die Taufe hatte er um mehr als einen Monat verpaßt. Bothwell saß weit unten am anderen Ende der Tafel. Maria beobachtete ihn, ohne es sich anmerken zu lassen, während sie sich zugleich lebhaft mit den Earls von Argyll und Huntly unterhielt.

»So spät – vielleicht kann er Pate Eures nächsten Kindes werden«, meinte Argyll augenzwinkernd.

»In der Tat, ja ...«

»Seine Taufgabe ist ja prächtig. Die Juwelen im Griff des Fächers ...«

Bothwell umklammerte sein Weinglas mit starken Fingern. Aus dieser Entfernung sah sie nicht, daß sie zitterten.

Als das Mahl vorüber war, wurde ihr klar, daß sie noch etliche Stunden Zeit bis zur Maskerade auf Holyrood hatte, bei der Bräutigam und Braut formell »zu Bett gebracht« werden würden. Lachend stand sie auf und sagte: »Kommt, laßt uns nach Kirk O'Field hinausgehen und den König aufmuntern. Er würde unsere Gesellschaft zu schätzen wissen; das weiß ich.«

Und ich würde es zu schätzen wissen, wenn ich nicht mit ihm allein zu sein brauchte, dachte sie.

In der herabsinkenden Dämmerung des Februarnachmittags machten sie sich über das vereiste Kopfsteinpflaster von Blackfriars Wynd im Fackelschein auf den Weg zu dem Anwesen von Kirk O'-Field. Ihr Lachen hallte ihnen voraus, und das Rot, Braun und Violett ihrer Mäntel hob sich leuchtend von den grauen Mauern der Häuser und dem hellen Reif zu ihren Füßen ab.

Im Hause wartete Darnley. Maria erwartete, ihn schmollend und feindselig vorzufinden, aber er trug üppige, edelsteinfunkelnde Gewänder und hüpfte lebhaft umher. Er hatte sogar für Musik und für Hunderte von Kerzen gesorgt. Stolz legte er eine federngeschmückte Maske an und streckte die dürren Beine aus, die in silbernen Strümpfen steckten.

»Willkommen! Willkommen!« sagte er immer wieder.

War er betrunken? Hatte er den ganzen Nachmittag hindurch getrunken? Aber nein – sein Gang war nicht unsicher, seine Zunge nicht schwer.

»Mylord!« sagte Maria überrascht. Sie ließ sich von ihm bei der Hand nehmen und zum Tanz führen.

Die Lords und die übrigen Gäste standen da und schauten zu, und dann fingen sie an zu jubeln. Darnley verneigte sich.

»Komm, noch einmal!« sagte er und zog an ihrem Arm.

»Oh, mein Gemahl, du machst mich müde«, sagte sie.

Seine Wangen waren seltsam gerötet. Hatte er Fieber?

»Trinkt! Tanzt! Amüsiert Euch!« befahl er und umfaßte mit weiter Gebärde das ganze Gemach.

»Ach, meine Maria, du bist so schön«, flüsterte er dann. »So schön, daß ich wünschte, du wärest nicht aus Fleisch und Blut, sondern aus Marmor, so daß du Ewigkeiten überdauertest.« Er nahm ihre Hand und küßte sie zärtlich.

»Würfel her! Wir müssen spielen!« Er wandte sich unvermittelt der Gesellschaft zu. »Hier, an diesem Tisch. Ich habe schon alles vorbereitet!«

Es war spät, aber nachdem es einmal dunkel geworden war, hatten die folgenden Stunden sich ineinander verloren; man wußte nicht mehr, ob es sieben Uhr oder neun Uhr war, und ihre vollen Mägen meldeten keinen Hunger.

Maria war in ein Primero-Spiel vertieft, als Bothwell sich plötzlich zu ihr herüberbeugte und flüsterte: »Habt Ihr vergessen, daß Ihr versprochen habt, für das Maskenspiel nach Holyrood zurückzukehren?«

»Es ist doch noch früh«, antwortete sie und studierte die Karten. Sie gewann gerade.

»Nein«, sagte er, »es ist spät, schon nach zehn. French Paris meldete mir soeben, daß man Euch erwartet; sie wollen nicht mit der Vorstellung anfangen.«

»Oh!« Sie würde sich auch noch umziehen müssen. Wie lästig. Sie war nicht mehr in Stimmung für den Karneval; der weite Rückweg nach Holyrood durch die Kälte, dann das Kostüm, dann ...

Hätte sie die Wahl gehabt, wäre sie lieber nicht gegangen, sondern hätte in der Behaglichkeit des Hauses weitergespielt und später wieder in dem kleinen Steingemach geschlafen. Aber sie mußte ihre Verpflichtungen gegenüber ihren Bediensteten erfüllen. Müde stand sie auf.

Sie lenkte Darnleys Aufmerksamkeit auf sich und legte ihm sanft eine Hand auf die brokatumhüllte Schulter.

»Ich muß zurück nach Holyrood«, sagte sie. »Deshalb muß ich dir jetzt eine gute Nacht wünschen.«

»Aber du mußt zurückkommen!« Er warf seine Würfel hin. »Du mußt mir versprechen, daß du zurückkommst und hier schläfst!« Seine Stimme klang plötzlich schrill und zänkisch.

»Ach, ich bin doch jetzt schon müde. In tiefster Nacht noch einmal hier heraus zu kommen ...«

»Dann geh nicht!« Er packte ihre Hand.

Sie tätschelte seine Finger. »Ich muß. Ich habe eine Verpflichtung zu erfüllen. Margaret und Bastian sind zwei meiner liebsten –«

»Ich bin dein *Gemahl*!«

Bothwells Kopf fuhr herum.

»Ja, das weiß ich. Aber morgen wirst du hier ausziehen. Es sind doch nur noch ein paar Stunden.«

»Bitte! Gewähre mir diesen Wunsch!«

»Henry«, sagte sie in ihrem liebevollsten Ton, »sei nicht unvernünftig. Es ist nicht ratsam. Sicherer und gesünder ist es, wenn wir beide heute nacht richtig schlafen. Du mußt noch genesen. Schau her« – und sie zog einen Ring von ihrem Finger und steckte ihn auf den seinen – »hier ist ein Zeichen –«

»Maria!« Er war den Tränen nahe.

Sie mußte jetzt fort, oder er würde sie festhalten. Und dann wären Bräutigam und Braut gekränkt. Warum war er so selbstsüchtig?

Fast hätte sie gelacht. Ich stelle mir diese Frage, als wäre er normal und dies wäre das erste Mal, daß er sich so eigenartig verhält, dachte sie.

»Wenn ich kann, werde ich zurückkommen«, versprach sie. »Aber bitte bleibe nicht wach, um auf mich zu warten.«

Rasch zogen Lords und Ladies ihre Kapuzenmäntel an und zogen hinaus in die Nacht.

Als Maria sich noch einmal umschaute, stand Darnley am Fenster und preßte die Hände an die Scheibe.

Sie war wirklich sehr müde, und die Maskerade, an der sie hatte teilnehmen müssen, hatte sie angestrengt. Das Kind machte sich bemerkbar und zehrte an ihren Kräften. Vielleicht waren es auch die merkwürdigen, weinerlichen Forderungen Darnleys gewesen, und die Notwendigkeit, sich ihnen zu entziehen. Eigentlich machten solche Festlichkeiten ihr Spaß, aber jetzt wartete sie nur noch auf das Ende, damit sie zu Bett gehen könnte. Nicht einmal der Anblick Bothwells in seinem silbernen und schwarzen Karnevalskostüm erregte sie noch.

Nach dem gebührend inszenierten »Zubettbringen«, als die übrige Gesellschaft sich zu weiteren Tänzen in die Halle verfügt hatte, kamen Bothwell und Sir John Stewart von Traquair auf sie zu.

»Laßt uns ein Stück beiseite gehen«, sagte Sir John. Er war weiß im Gesicht und sah erschüttert aus. Rasch warf sie einen Blick auf Bothwell, aber seine Miene war ganz anders: Er wirkte grimmig und entschlossen.

»Warum, was ist denn?«

Die beiden Männer faßten sie bei den Ellbogen und bugsierten sie in eine leere Ecke.

»Ihr dürft nicht daran denken, nach Kirk O'Field zurückzukehren«, sagte Bothwell. »Ich habe gehört, was Ihr dem … König versprochen habt.«

»In Wahrheit bin ich auch zu müde.«

Bothwell nickte Traquair zu. »Sagt es ihr.«

»Nein. Ihr habt es mir erzählt. Ihr wißt besser Bescheid.«

»Der König hat vor, Euch heute nacht zu ermorden, wenn Ihr in das Haus zurückkehrt«, sagte er.

»Wie denn?« Ihre Stimme war dünn.

»Mit Schießpulver.«

»Was?«

»Er hat den Keller präpariert und mit Pulver vollgepackt. Das hat viele Tage gedauert. Jetzt wird sein geheimnisvoller Entschluß, nach Kirk O'Field zu gehen, verständlich.«

Sie war so erschrocken, daß sie nicht sprechen konnte. Wie er sie beschworen hatte, nachher zurückzukommen …

»Wir bitten Euch um die Erlaubnis, ihn zu verhaften«, sagte Traquair sanft. »Er ist ein Verräter.«

Sie begann hemmungslos zu weinen. Die Perfidie, die genüßliche Kaltblütigkeit des Ganzen war unfaßbar. Es war dämonisch.

Ich werde meiner obersten Herrscherin, der Königin von Schottland, und ihren Nachfolgern treu und ergeben sein. Ich werde niemals Verrat im Herzen tragen gegen unsere Oberste Herrscherin, die Königin, sondern werde ihr derlei stets offenbaren. Dazu verhelfe mir Gott.

»Er hat seinen Eid gebrochen«, flüsterte sie.

Bothwell warf Traquair einen Blick zu. Was hatte *das* jetzt für eine Bedeutung?

»Als er Ritter der Distel wurde, hat er geschworen –«

»Haben wir Eure Erlaubnis, ihn festzunehmen?« beharrte Bothwell. »Ihr müßt uns den Befehl geben. Er ist ein Verräter.«

Schon wollte Bothwell sich abwenden, aber sie hielt ihn fest. »Tut ihm nichts«, sagte sie.

»Wenn er sich der Verhaftung widersetzt, kann ich für seine Sicherheit nicht einstehen«, erwiderte er. »Er ist gefährlich, und entsprechend muß man ihn behandeln.« Er sah Traquair an. »Geleitet die Königin in ihr Schlafgemach. Ich erwarte Euch draußen.«

Aber auf der Treppe nahm er doch immer zwei Stufen auf einmal, denn er wollte lange vor Traquair in Kirk O'Field sein. Die Lunte wartete. Eine »Verhaftung« würde es nicht geben. Maria mochte ruhig noch daran glauben.

Wie Darnley sie angefaßt, wie er sich an sie gehängt hatte … widerlich. Dieser Verräter – der ekelhafte, unnatürliche Verräter!

Als er durch die Seitenstraßen von Edinburgh rannte und durch den alten Klostergarten auf Kirk O'Field zulief, brannte die kalte Luft in seiner Lunge. Er verlangsamte seinen Schritt ein wenig; es war dunkel, und kein Mond beleuchtete den Weg. Sein Atem ging keuchend, und er machte zuviel Lärm.

Jetzt war er beim Haus. Nirgends brannte eine Kerze. Darnley und seine Bediensteten waren zur Ruhe gegangen.

Im Garten an der Südseite warteten Archibald Douglas und seine Leute, in Kapuzenmäntel gehüllt. Ihr Atem stieg in kleinen Wolken auf, wie Rauch aus mehreren Schornsteinen. Sie froren, aber sie wagten nicht, mit den Füßen aufzustampfen oder auf und ab zu gehen.

French Paris, William Powrie, John Hay und John Hepburn erwarteten ihn an der Ostseite. Die Zündschnur lag wie eine Schlange auf der Erde; sie war kaum zu sehen.

Niemand hatte eine Fackel; Bothwell ließ sich einen Feuerstein geben und schlug ihn ein paarmal, ehe es ihm gelang, einen kleinen Docht anzuzünden. Dann beugte er sich feierlich nieder und hielt den Docht an die Lunte. Langsam begann sie zu glühen und brannte dann. Bothwell sah dem Rauch und dem roten Funken nach, der auf das Haus zukroch.

»Denkt daran, Ihr seid derjenige, der sie mit eigener Hand angezündet hat«, sagte French Paris mit zitternder Stimme.

»Gentlemen, es war mir ein Vergnügen«, antwortete Bothwell. »Ja, es war mir sogar eine Ehre, bei diesem beispiellosen Anlaß den Vorsitz zu führen.«

»Wegrennen!« zischte Paris.

Aber Bothwell blieb stehen und starrte dem glühenden Funken nach, der sich seinem Ziel entgegenfraß.

Darnley träumte: Er träumte von sich selbst, gesund und stark und kräftig, ein Ritter, der die Mauern Jerusalems erstürmte und die Ungläubigen erschlug. Er blickte nach rechts, und durch den Visierschlitz seines Helms sah er seinen Befehlshaber, Richard Löwenherz. Aber plötzlich wurde er selbst zu Richard mit all seinem Mut und seiner Macht …

Jäh schrak er hoch. Enttäuschung durchflutete ihn, als die letzten Fetzen des Traumes zerschmolzen. Er konnte sie nicht festhalten …

Und da war noch etwas anderes … etwas Trauriges, etwas Schlimmes …

Maria war entkommen. Er war gescheitert.

Bis eins war er aufgeblieben und hatte gewartet und gehofft. Er hatte sie ja so flehentlich beschworen; vielleicht würde sie sich noch erweichen lassen und zurückkommen. Das heißt, wenn Bothwell sie nicht daran hinderte …

Nie zuvor hatte er sich so mächtig und zugleich so hilflos gefühlt. Der Plan war *perfekt* gewesen. Balfour und Standen hatten alles haargenau nach seinen Wünschen exekutiert.

Exekutiert. Er kicherte. Dann fing er an zu weinen.

Ich könnte immer noch Selbstmord begehen, dachte er.. Aber solange *sie* nicht hier ist, ist es nicht recht. Und könnte ich es ertragen, ungesehen als Geist über ihr zu schweben und zuzuschauen, wie Bothwell sich nachher mit ihr vergnügt?

Vielleicht könnte ich dann ja Rache nehmen.

Aber nein. Ich bin im Fleische mächtiger, als ich es im Tode je sein werde.

Wut wechselte sich mit Jammer ab, während er starr in seinem Bett lag. Das Haus war so still, daß es ihm schon vorkam wie ein Grab. Eine steinerne Gruft, dunkel, kalt, still ... Die Gestalten seiner schlummernden Bediensteten sahen aus wie die Sarkophagskulpturen in einer Kirche, steinern hingestreckt, schlafend in alle Ewigkeit.

Er sank allmählich wieder in Schlaf, als ihm plötzlich ein leises Geräusch ans Ohr drang. Ein Trippeln, ein Rascheln.

Ratten! Er merkte, daß ihn schauderte, und zog sich die Decke höher. Er haßte Ratten; nie hatte er sich an ihre beständige Anwesenheit selbst in den auf das vorzüglichste eingerichteten Häusern gewöhnen können.

Ein Scharren.

Es war eine große. Oh, lieber Gott, laß sie bloß nicht hereinkommen!

Gemurmel. Menschliche Stimmen. Draußen. Dann wieder dieses Schlurfen. Aber auch das kam von draußen.

Er hielt den Atem an, damit er besser hören konnte. Aber da war nichts. Bald begann es sich in seinem Kopf zu drehen, und er atmete aus und gleich wieder ein.

Es roch nach Feuer. Aber nicht nach gewöhnlichem Feuer. Es war kein Holzfeuer, keine Kerze, kein Stroh. Es war –

Schießpulver! Jemand hatte das Schießpulver angezündet!

Von nacktem Entsetzen erfüllt, sprang er aus dem Bett und rannte zum östlichen Fenster.

Da draußen bewegte sich etwas. Männer. Wie viele, das konnte er nicht sehen. Es war stockfinster.

Aber da war ein kleiner Lichtpunkt, der sich bewegte.

Die Lunte!

Einen quälend langen Augenblick stand er nur da und zitterte. Seine nackten Füße und Beine waren wie Eis. Er trug nur ein dünnes Nachthemd.

Aber er hatte keine Zeit, sich anzuziehen. Er konnte sehen, daß der Funke immer näherkam. Und er wußte, wie viele tausend Pfund Pulver darauf warteten zu explodieren und was geschehen würde, wenn sie es täten.

Er stürzte auf den Balkon hinaus; er könnte über die Balustrade klettern und sich auf die Stadtmauer hinunterfallen lassen, die unmittelbar darunter lag, und dann durch den Garten ins freie Feld entkommen. Die Stadtmauer würde ihn vor der größten Wucht der Explosion schützen.

Er stolperte über William Taylors Bett und weckte ihn auf.

»Oohhh ...« stöhnte der Diener.

»Wir müssen fliehen!« quiekte Darnley; die Angst ließ seine Stimme zu einem Flüstern werden. Er lief zurück auf den Balkon und kletterte an der Seite über die Brüstung.

»Mylord, wartet doch, ich hole warme Sachen und ein Seil und einen Stuhl, damit Ihr leichter hinabklettern könnt. Ich bitte Euch, wartet doch!« Taylor raffte entschlossen alles zusammen, was er für die Flucht zu brauchen glaubte; er verstand nicht, weshalb diese panische Hast nötig sein sollte.

Aber Darnley konnte nicht warten. Er hing schon mit den Fingern am Sims. Die bittere Kälte machte seine Beine gefühllos, und so spürten seine nackten Füße nichts, als er losließ, um auf der Mauerkrone zu landen. Er verlor das Gleichgewicht, kippte hintenüber und fiel, ohne sich indes zu verletzen, unten auf den gefrorenen Boden.

Er war in Sicherheit! Das dunkle Haus stand noch, und die Mauer erhob sich als Wache davor. Er hörte, wie Taylor versuchte, ihm mit dem ganzen Apparat von Stuhl und Seil und Kleidern zu folgen; er machte einen schrecklichen Lärm.

Darnley rannte barfuß durch den Obstgarten und schnappte nach Luft. Er hatte das Gefühl, der Schweiß gefriere ihm auf der Haut und umschließe ihn wie eine kalte Kapsel.

Plötzlich prallte er gegen etwas. Ein Baum. Nein. Ein Mann.

»Halt!« sagte der Mann mit tiefer, vertrauter Stimme. Andere umringten ihn jetzt. Es war eine ganze Schar.

Eine rauhe, behandschuhte Hand packte ihn bei der Schulter; jemand anders drehte ihm beide Arme nach hinten und drückte ihn unbeweglich gegen eine breite, wattierte Brust. Der Mann bog sich nach hinten, und Darnley wurde hochgehoben, daß er mit seinen gefühllosen Beinen hilflos in der Luft strampelte.

»Ihr braucht nicht darauf zu hoffen, daß Euch die Flucht gelingt«, sagte die vertraute Stimme, als müsse ein sehr einfacher Sachverhalt erklärt werden. »Ihr müßt Eure Schuld bezahlen.«

»Welche Schuld?« quiekte Darnley.

»Die unverzeihliche Schuld, Eure Verwandten verraten zu haben. Wer Clan und Sippe verrät, taugt nicht zum Leben.«

Archibald Douglas!

Gott sei Dank, es war nicht Bothwell.

»Oh, Vetter«, winselte Darnley, »begeht nicht das schlimmere Verbrechen, Euer eigen Fleisch und Blut zu morden. Denn sonst wird Blut nach Blut rufen, und das Eure wird zur Vergeltung vergossen werden.«

Jemand lachte leise. Douglas schob ihm plötzlich sein Gesicht entgegen.

»Du bist wirklich einfältig, Vetter. Nicht uns wird man die Schuld geben. Bothwell wird es sein.« Er legte Darnley die massigen Hände um den dürren Hals.

»Nein! Nein! Bitte habt doch Erbarmen mit mir! Ach, Vetter, im Namen dessen, der sich der ganzen Welt erbarmt, verschont mich!«

Douglas quetschte den Hals zusammen und lächelte dabei immer weiter. Er fühlte, wie die Muskeln sich spannten, und er hörte das Pfeifen der Luft. Darnley zuckte und bäumte sich auf, aber der Namenlose hinter ihm hielt ihn fest, so daß seine Beine in der Luft baumelten.

Darnley zappelte so lange, daß Douglas allmählich die Hände wehtaten.

»Er braucht aber lange, um zu sterben«, stellte er sachlich fest. »Wer hätte gedacht, daß noch Kraft in ihm steckt?«

In diesem Augenblick kam Taylor herangepoltert, den Stuhl im Arm. Die Männer wandten sich ihm zu, und Douglas und sein Helfer hielten Darnleys lange, schlanke Gestalt regungslos fest.

»Noch einer«, sagte Douglas. »Bringt ihn um.«

Taylor ließ seinen Stuhl fallen und rannte in die entgegengesetzte Richtung davon; aber drei Douglas-Vettern liefen ihm nach, fingen ihn ein und erwürgten ihn.

»Gute Arbeit für eine Nacht«, sagte Douglas. »Legt die Strecke aus.«

Sie legten die Leichen unter einen Birnbaum des alten Gartens und ordneten die Sachen, die Taylor mitgeschleppt hatte, ringsherum an wie Opfergaben an die wilden Götter ihres Clans.

Bothwell war eine ganze Weile in sicherem Abstand stehengeblieben, und nichts war passiert. War die Lunte ausgegangen?

»Ich will nachsehen«, teilte er Paris flüsternd mit.

»Nicht!« Der Diener hielt ihn am Gürtel fest. »Geht nicht näher heran. Das ist zu gefährlich!«

Bothwell schüttelte ihn ab und ging rasch zum Haus hinüber. Plötzlich betäubte ein mächtiger Knall seine Ohren, und eine gewaltige Kraft warf ihn zu Boden. Er fühlte sengende Hitze zur Rechten, und als er unter seinem Arm hindurchschaute, sah er eine Explosion, die seine Vorstellungskraft überstieg. Das Haus erhob sich tatsächlich aus seinen Fundamenten, und die Mauersteine trennten sich voneinander – er sah grelles Rot zwischen den geraden, schwarzen Konturen der behauenen Steine – und regneten nach außen. Er rappelte sich auf und rannte, so schnell er konnte, und die Trümmer prasselten ringsumher zu Boden. Schon ein einzelner Stein würde wirken wie der Einschlag einer Kanonenkugel.

Endlich, weit außerhalb des tödlichen Hagelschauers, beobachtete er in makabrer Faszination, wie das Haus sich selbst zerstörte. Die Wucht des Schießpulvers war atemberaubend. Damit hätte man hundert Menschen töten könne, ja, fünfhundert …

Und all das, um einen einzigen Mann zu beseitigen. Aber so viel war nötig, um sicherzustellen, daß er wirklich tot war. Das Böse war schwer zu töten.

Eine zweite heftige Explosion riß am Gefüge des ganzen Anwesens, und eine Feuersäule schoß oben heraus und in den Himmel hinauf.

Wenn Maria nun dort gewesen wäre, wie Darnley es geplant hatte?

Ganz benommen kehrte er nach Holyrood zurück; er hielt sich in den Seitenstraßen und wich den eingestürzten Teilen der Mauer aus. Er mußte Maria berichten, was geschehen war, mußte sie sehen, um die grausige Vision zu zerstreuen, die sie im Innern der Feuersbrunst zeigte.

Die Menschen waren auf die Straße geströmt, und sie schrien und deuteten hierhin und dorthin. Er zog sich den Mantel übers Gesicht und bahnte sich einen Weg durch das Gedränge. Es war zu dunkel, als daß ihn jemand hätte erkennen können, aber seine angeborene Vorsicht verließ ihn auch in diesem Zustand der Erschütterung nicht.

Er gelangte zu der Seitenpforte des Schloßflügels, in dem er sein Quartier hatte. Sofort wollte er sich in Marias Gemächer begeben, aber es war schon zu spät. Die Gänge waren voll von stammelnden

Dienern und Wachen; er konnte jetzt nicht mehr versuchen, sie unter vier Augen zu sprechen, denn das Risiko war zu groß. Rasch eilte er in sein eigenes Gemach, zog sich aus und sprang ins Bett. Seine Kleider waren noch warm, als es klopfte. Eine der Palastwachen kam hereingestürzt.

»Was ist los?« fragte Bothwell und rieb sich die Augen.

»Das Haus des Königs ist explodiert, und ich glaube, der König ist tot!«

»Verrat!« rief Bothwell, sprang aus dem Bett und raffte seine Kleider auf.

Der Earl von Huntly, das blonde Haar ganz zerzaust, kam hereingelaufen, gefolgt von den Earls von Argyll und Atholl.

»Wir müssen zur Königin«, sagte Bothwell und zog sich den zweiten Stiefel an.

Sie eilten in den Gang hinaus und zu Marias Gemächern. Im Vorzimmer drängten sich verängstigte Bedienstete.

»Ein Lärm wie von zwanzig Kanonen!« rief Mary Seton und zerrte an Bothwells Ärmel. »Oh, Sir, was war das?«

»Woher zum Teufel soll ich das wissen?« bellte er und schob sie beiseite. Verdächtigten die Leute ihn etwa schon?

»Verrat! Man kommt uns holen!« heulte einer der französischen Pagen.

»Dann seid ein Mann!« rief Bothwell. »Steht auf und kämpft!«

Die Tür zu den Privaträumen der Königin war offen, und dort stand sie im Nachtgewand, das Haar offen und verwirrt. Sie sah ihn mit ratlosen, beschwörenden Augen an.

»Da war ein gottloses Getöse wie von Donner und Kanonen«, sagte sie. »Was ist da Schreckliches passiert? Hat es einen Überfall gegeben?«

»Nein, einen schrecklichen Unfall. Der König ist tot. Eine Explosion in seinem Hause hat ihn getötet«, sagte er.

»Tot?« Sie starrte ihn verständnislos an.

»Tot«, bestätigte er und schaute ihr fest in die Augen.

»Wissen wir das denn schon?« fragte Huntly. »Wir wissen nur, daß es eine Explosion gegeben hat. Wir kennen das Ausmaß des Schadens nicht, und wir wissen nicht, ob jemand überlebt hat. Warum also sagt Ihr das?« Er schaute Bothwell herausfordernd an.

»Wenn er nicht ein gutes Stück vom Hause entfernt war – was zu dieser Stunde und in Anbetracht seines Zustandes unwahrscheinlich ist –, dann kann er nicht überlebt haben.« Dafür habe ich gesorgt.

Wenn ich jemanden töten muß, dann sorge ich dafür, daß es auch geschieht. Aber es macht mir keinen Spaß – im Gegensatz zu euch.

Maria taumelte gegen Madame Rallay – erschrocken oder erleichtert?

»Geht«, sagte sie leise. »Geht und seht nach, was geschehen ist.«

»Ja.« Mit Vergnügen, dachte er.

Er winkte den anderen, und sie gingen hinaus.

Maria schaute aus dem Fenster, als Bothwell und die Männer den Hof überquerten und das Canongate hinaufgingen.

Noch immer war zur Linken in der Ferne Rauch zu sehen – dort, wo Kirk O'Field einmal gestanden hatte. Draußen auf der Straße herrschte Tumult.

Darnley war tot. Wie war es wirklich geschehen? War das Pulver durch ein Versehen explodiert, oder hatte es absichtlich jemand angezündet? Was hatte Darnley gesagt, als Bothwell ihn verhaften wollte?

»Majestät?« Sie drehte sich um und sah Sir John Stewart von Traquair hinter sich.

»Erzählt mir, was geschehen ist«, sagte sie matt; sie winkte den anderen, sich zu entfernen, und zog ihn beiseite. »Ihr wart doch da.«

»Nein, Majestät, ich war nicht da.« Er sah traurig und verlegen aus. »Bothwell ließ mich hier, damit ich Euch beschütze, falls Darnley Mörder zu Euch schicken sollte. Deshalb habe ich nicht gesehen, was geschehen ist. Ich weiß nur ... man sagt, es waren Bothwell und seine Leute, die es getan haben. Er – oder doch jemand, der *vorgab*, Bothwell mit seinen Leuten zu sein – wurde gesehen, wie er in Edinburgh die High Street auf und ab lief und das Pulver hinüberschleppte. Heute abend.«

»Aber er war doch den ganzen Abend bei uns!«

»Ich weiß. Aber wer immer daran interessiert ist, die Leute etwas anderes glauben zu machen, hat gute Schauspieler benutzt.«

Maria zitterte. Also hatte nicht nur sie oder Darnley heute nacht das Opfer sein sollen. Auch auf Bothwell hatte man es abgesehen. Noch jemand hatte Darnleys Komplott und das Pulver entdeckt und beschlossen, sich seiner zu bedienen, um Darnley und Bothwell in einem Aufwasch zu beseitigen.

Aber wer? Lord James?

Dann würde er mich als nächstes aus dem Weg räumen wollen.

Will er das? Wo ist er jetzt? Er sagte, er wolle nach St. Andrews, aber …

Der Schock überwältigte sie, und sie brach zusammen.

Als sie zu sich kam, war es Tag geworden, und ihr Gemach war von düsterem Licht erfüllt. Als sie sich bewegen wollte, fühlte sie eine schmerzhafte Schwere im Bauch. Unter ihr lagen dicke Tücher, klebrig und feucht.

Jemand betupfte ihr das Gesicht. Das warme, duftende Wasser wirkte beruhigend.

»Eure Monatsregel hat besonders schwer eingesetzt«, sagte Madame Rallay dicht an ihrem Ohr. »Es gab viel Blut, Klumpen und andere Dinge. Aber jetzt ist es vorbei, und Ihr dürftet keine Schmerzen mehr bekommen. Soll ich Bourgoing rufen?«

»Nein.« Er durfte es nicht wissen. Ob Madame Rallay etwas gemerkt hatte? Aber es durfte nicht bekannt werden.

Das Kind war fort. Oder war gar keines da gewesen? Vielleicht waren alle Symptome nur auf die Anspannung zurückzuführen, und es hatte nie ein Kind gegeben.

Sie begann hysterisch zu lachen. Ich hätte nie nach Glasgow gehen müssen, dachte sie wild.

»Pst! Hört doch auf!« flüsterte Madame Rallay und deutete mit dem Kopf zur Tür. »Man wird denken, Ihr lacht über seinen Tod. Man wird denken, Ihr seid nicht unglücklich darüber. Und dann wird man sich vielleicht fragen, ob Ihr mehr darüber wißt, als Ihr solltet.«

Das weiß ich allerdings, dachte sie. Ich weiß, daß er *mich* ermorden wollte.

Eine Stunde später war sie aufgestanden und angezogen und hatte etwas gegessen. Sie mußte bereit sein für die Nachrichten, die Bothwell ihr bringen würde.

»Madam«, sagte er, als er dann am Vormittag zusammen mit etlichen anderen Lords in ihrem Gemach stand, »es ist über die Maßen seltsam, was wir gefunden haben.«

»Zwischen den heißen, rauchenden Steinen fanden wir die zermalmten, verschmorten Leichen seiner Kammerdiener«, sagte Huntly. »Und kein Stein war auf dem anderen geblieben; das Haus war völlig zerstört. Es ist ein Trümmerhaufen, rauchende, glühende Asche.«

»Aber der König war nicht da.« Bothwell hob die Stimme. »Nein, nirgendwo im Haus. Erst um fünf Uhr in der Frühe haben wir ihn endlich gefunden, achtzig Fuß weit entfernt.«

»Und vom Feuer unberührt«, ergänzte Huntly.

»Aber tot«, sagte Bothwell. »Mausetot. Und nackt – zumindest von den Hüften abwärts. Dort lag er, die Schamteile für die Krähen entblößt, und die Beine hart gefroren. Neben ihm lag sein Kammerdiener Taylor. Und rings um sie her allerlei Dinge: ein Seil, ein Dolch, ein Stuhl, pelzgefütterte Jacken ...«

»Und er war nicht verletzt?« fragte Maria.

»Keine Wunde, kein Schnitt, kein Bluterguß, keine Verbrennung. Nur tot«, sagte Bothwell. »Ein geheimnisvoller Tod.«

»Wir ließen ihn in ein nahegelegenes Haus tragen und schicklich bedecken. Jetzt wird er gerade hergebracht, damit Ihr seinen Leichnam sehen könnt«, sagte Huntly.

»Und wir werden mit Euch gehen«, sagte Maitland, der unangekündigt erschienen war.

Sie fühlte sich außerstande, auch nur ihre Gemächer zu verlassen, aber sie wußte, wenn sie ablehnte, würde man das als ein deutliches Zeichen ihrer Schuld deuten. Der Raum füllte sich mit Leuten, und alle schauten sie mit hellen, neugierigen, anklagenden Augen an. Alle schauten sie an – alle außer Bothwell. Gerade er sollte sie ansehen, sollte sie stützen. Aber er wandte den Blick absichtlich woanders hin.

»Also gut«, sagte sie und bot Huntly den einen und George Seton den anderen Arm. Mit steifen Bewegungen verließ sie das Zimmer.

Das Nichts umhüllte sie wie ein Laken. Darnley war tot. Sie war von ihm erlöst. Die große Torheit, mit der sie sich an ihn gebunden hatte, war mit dem Haus in die Luft geflogen. Aber sein unnatürlicher Tod bedeutete, daß es mehr war als dieses simple Faktum, mehr als eine reine Erlösung.

Weshalb konnte er nicht einfach an seiner Krankheit sterben, dachte sie wild. Weshalb nun dies? Das ist sein Vermächtnis: Er hinterläßt Geheimnis und Schuld. Er wollte mich ermorden; jetzt wird man ihn von aller Schuld freisprechen, und er wird mich noch aus dem Grabe heimsuchen.

Vor ihr gingen Bothwell und Maitland die Treppe hinunter. Wohin gingen sie denn? Wohin würde man Darnley bringen?

Sie führten sie in eine fensterlose Kammer im Erdgeschoß. Normalerweise lagerte man hier Bänke, Böcke und Schemel; als sie eintraten, waren Diener dabei, diese hinauszuschaffen. Am anderen Ende des Raumes hatte man aus zwei Böcken und breiten Planken eine behelfsmäßige Bahre aufgebaut. Zwei Arbeiter behängten hastig die Wand dahinter mit schwarzem Tuch.

»Einen Stuhl für ihre Majestät«, bellte Bothwell. Sein Tonfall war rauh und knapp.

Dankbar ließ Maria sich auf den gepolsterten Stuhl sinken, den man hereinbrachte. Sie fühlte sich schwach und zittrig.

Die Türflügel am Ende der Kammer flogen auf, und sechs Gardesoldaten standen bewegungslos. Auf ihren Schultern ruhte eine Trage. Einen bizarren Augenblick lang sah es aus wie eines der raffinierten Gerichte, die bei formellen Banketten zur Unterhaltung serviert wurden. Ganz genauso hatten die livrierten Speisenaufträger dagestanden und stolz ihre Schlösser aus Zucker, vergoldete Schwäne oder Wälder aus Backwerk präsentiert.

Auch die Gestalt, die auf der Trage lag, sah aus wie aus Zuckerguß, so weiß war sie. Das Blondhaar sah aus wie Blattgold, und alles andere war weiß: das Nachthemd und auch das blutleere Gesicht.

»Kommt weiter«, sagte Maitland, und die Männer traten strammen Schritts ein. Darnleys scharfgeschnittenes Profil zog vor Marias Augen vorbei.

Es stimmte. Er war tot.

Aber statt Freude oder Erleichterung verspürte sie nur Grauen. Ihn tot zu sehen war ein grotesker und furchterregender Anblick. Ein junger Mensch sollte nicht so reglos, so blutlos daliegen.

Langsam stand sie auf; sie stieß die helfenden Arme der Höflinge beiseite und ging zu der Bahre, auf die man die Trage gelegt hatte. Hohe Kerzen standen am Kopf und bei den Füßen.

Der Anblick des wächsernen Gesichtes zog sie machtvoll an, ja, befahl sie zu sich.

Wie bewegungslos er dalag! Die absolute, tiefe Stille des Todes, der darin noch Granit oder Juwelen übertraf, schien ihre lebendige Brust zu durchdringen. Sie hielt den Atem an, als wäre es eine Verirrung, in seiner Gegenwart zu atmen.

Seine Augen waren geschlossen, und man hatte ihr die Wahrheit gesagt: Der Leichnam war unversehrt. Aber lebendig sah er nicht aus; diejenigen, die behaupteten, »die Toten schlafen nur«, hatten noch nie einen eben Verstorbenen gesehen.

Im Tode hingestreckt, war er plötzlich wieder der leuchtende, naive Jüngling, den sie im Garten zu Wemyss gesehen hatte. Der

Jüngling, der niemals vollends abgestorben war, sondern immer wieder aus dem betrunkenen Schwächling hervorgelugt hatte. Ein Teil dieses edlen Ritters war am Leben geblieben. Bis jetzt. Jetzt waren sie zusammen ausgelöscht, die Schuld und die Unschuld. Der Liebende, der versucht hatte, sie zu ermorden.

Vergiß das nicht, dachte sie. Sein Plan war es gewesen, *dich* hier aufgebahrt zu sehen. Nur – nein, du wärest zur Unkenntlichkeit verbrannt.

Jetzt, im fahlen Flackerlicht, sah man wieder die dunklen Flekken der Krankheit auf seiner bleichen Haut.

Jetzt werden sie nie mehr abheilen, dachte sie. Das hätte ihn geschmerzt.

Die Lords starrten sie unverwandt an und versuchten, in ihrem Antlitz zu lesen. Plötzlich war ihr, als werde vielmehr *sie* hier begutachtet, nicht Darnley.

In diesem Augenblick überkam sie das, was hier vor sich ging, mit seiner ganzen Wucht. *Ich werde hier beschaut, nicht Darnley!*

Noch im Tode willst du mir schaden, dachte sie. Ihr Abscheu spiegelte sich in ihrer Miene, als sie Darnleys Gesicht betrachtete, und die Anwesenden nahmen ihn gebührend zur Kenntnis.

In Marias Namen entwarfen die Lords einen Brief, der noch am selben Tag nach Frankreich geschickt werden sollte. Dumpf, und ohne ihn sorgfältig zu lesen, unterschrieb sie ihn.

> … wenn Gott in Seiner Gnade Uns nicht bewahrt hätte, wie Wir glauben, zu dem Zweck, daß Wir entschiedene Vergeltung für diese geheimnisvolle Tat üben, und ehe sie ungesühnt bliebe, möchten Wir lieber das Leben und alles andere verlieren. Es ist eine grausige und seltsame Sache, und Wir glauben, daß man Ähnliches in keinem Lande je vernommen …

Elisabeth. Elisabeth mußte es erfahren.

Bei dem Gedanken an die englische Königin wurde Maria ganz zaghaft. Elisabeth mit ihren Spitzeln und ihren Gesandten und ihrem wißbegierigen Sinn würde alles durchforschen und versuchen, es auf irgendeine Weise zu ihrem eigenen Vorteil zu verkehren. Aber wenn Elisabeth *nicht* unverzüglich informiert würde, dann würde es ihr gelingen, auch das zu ihrem Vorteil zu nutzen.

Ich habe nicht die Kraft, einen Brief zu verfassen, dachte Maria.

Ich werde Melville zu ihr schicken und darauf vertrauen, daß er ihre Fragen zufriedenstellend beantworten kann.

Nacht. Endlich Nacht – obgleich der ganze Tag ihr wie die Nacht erschienen war –, und sie konnte sich in den Schlaf sinken lassen oder es doch wenigstens versuchen. Sie bat Madame Rallay, alle Kerzen anzuzünden. Plötzlich hatte sie Angst, Darnleys bleicher, wütender Geist könne die Treppe heraufkommen und sich in ihr Zimmer schleichen, wie er es in der Nacht von Rizzios Ermordung getan hatte. Doch zugleich wollte sie allein sein und ihm entgegentreten. Sie befahl der verwirrten Madame, draußen im Vorzimmer zu schlafen.

Still und kalt lag sie im Bett. Es war ruhig im Palast, aber es war keine entspannte Ruhe, sondern nur ein Innehalten vor dem Sturz in neues Grauen.

Sie konnte nicht denken. Es war besser, nicht zu denken. Sie schloß die Augen. Und dann hörte sie das Geräusch: Schritte auf der Treppe. Leise Sohlen. Sie kamen herauf.

Ich bin bereit, dachte sie. Ich scheue dich nicht, Darnley, ganz gleich, in welcher Gestalt du vor mir erscheinst.

Dennoch zitterte sie, als läge sie nackt draußen in der Februarkälte, wie er dort gelegen hatte.

Die Tür öffnete sich lautlos an geölten Angeln. Die Kerzen mit ihrem milden Licht konnten die Dunkelheit draußen auf dem Treppenabsatz nicht durchdringen. Eine Hand umfaßte die Tür, damit sie nicht gegen die Mauer stieß und ein Geräusch machte.

Kurze, starke Finger. Eine breite Hand.

Bothwell kam herein. Seine Bewegungen, seine breitschultrige Gestalt verkündeten Sicherheit, noch ehe sie bewußt sein Gesicht erkannt hatte.

Sie unterdrückte einen Freudenschrei, und als sie ausatmete, war es ein heftiges Schluchzen. Rasch und lautlos war er bei ihr, sprang halb zu ihr auf das Bett. Er packte ihre beiden Hände und küßte sie rauh, und sein warmer Atem war fast schmerzhaft auf ihrer Haut.

»O Gott!« hauchte er und zog sie hoch, zog sie an sich, kniete auf der bebenden Matratze.

In wilder Hast suchten sich ihre Lippen, und beide wollten reden, erklären – und konnten sich nur küssen. Bei der Berührung seiner Lippen fühlte Maria, wie all ihr Verlangen gestillt war, all ihre Sehnsucht erfüllt. Bothwell war hier.

Er riß den Rüschenkragen ihres Nachthemds auf, küßte hungrig ihren Hals, biß und saugte an ihrer glatten Haut.

Sie legte den Kopf in den Nacken und ließ seine Lippen an ihrer Kehle und zwischen ihre Brüste hinunterwandern. Eine Hand legte sie auf seinen Scheitel. Sein Haar war kalt; anders als seine fiebernde Haut nahm es die Temperatur des Zimmers an.

Er hatte begonnen, ihre Beine zu liebkosen, ihren Hemdsaum hochzuziehen. Sein Atem ging keuchend und stoßweise. Sie aber war seltsam ruhig und frei von Erregung. Sie legte die Hand auf die seine und hielt sie fest.

»Ich habe das Kind nicht mehr«, sagte sie, so sanft sie konnte, nah an seinem Ohr. »Irgendwann in der Nacht, alles … alles … Es ist fort.«

Jäh hielt er in seinen Liebkosungen inne. »Dann … war alles umsonst!«

Seine Worte verwirrten sie.

»Alles … umsonst«, wiederholte er. Kopfschüttelnd ließ er sie los.

»Nein, nicht umsonst –«

»Du verstehst nicht.« Er holte langsam und tief Luft.

»Dann mußt du es mir sagen, mußt mir alles erklären. Warum gab es eine Explosion? Was ist passiert, als du ihn verhaften wolltest? Oh, es war so furchtbar, nichts zu wissen, nachdem du am Sonntag abend fortgegangen warst.«

Er ließ sich zur Seite rollen und lag in seinen Kleidern neben ihr auf dem Bett. »Es gab keine Verhaftung. Als ich mit meinen Leuten zum Haus kam, dachte er, du kämest zurück. Er zündete die Lunte an und floh. Du solltest das Haus betreten und in Stücke gerissen werden. Die Lunte brannte ungefähr zehn Minuten vor deiner mutmaßlichen Ankunft.«

»Aber er wurde getötet. Getötet, als er fortlief.« Sie mußte es jetzt wissen. »Hast du ihn getötet?«

»Nein«, antwortete er. »Nein, ich habe ihn weder gesehen noch angerührt. Bis ich im Morgengrauen zusammen mit den anderen seine Leiche entdeckte.«

»Wer war es dann?« Dank sei Gott und allen Heiligen. Bothwell war kein Mörder.

»Ich weiß es nicht, Es gab viele, die ihn mit Vergnügen umgebracht hätten, wenn sich eine Gelegenheit geboten hätte.« Er fuhr sich mit beiden Händen durchs Haar. »Und dieselben Leute werden jetzt uns die Schuld geben, um uns zu vernichten.« Er sprach leise und wachsam.

»Wer denn?«

»Ich weiß es nicht; das ist ja das Quälende. Alle reden freundlich und verbergen ihr wahres Antlitz. Wir sind in großer Gefahr.« Er schwieg einen Moment. »Ist dir nicht klar, daß wir auf ewig aneinander gefesselt sind – durch diesen toten Jungen auf seiner Bahre? Es ist ein Mord geschehen, Maria. Er ist ein Geheimnis, dieser Mord, aber ein Geheimnis, das uns ins Verderben reißen wird. Wir müssen uns aneinander festhalten, wenn wir überleben wollen.«

Er faßte ihre Hände und legte sie um sich. »Halte dich fest an mir«, befahl er. »Leg deine Arme um mich, und was immer geschieht, laß nie mehr los.«

Sie fühlte seinen harten Körper an sich; in seinen geballten Muskeln und den langen, starken Knochen schien Sicherheit vor aller Gefahr zu liegen. Die Narben an seinem Körper waren Abzeichen der Macht. Aber als sie jetzt den Kopf an seine angespannte Schulter legte, spürte sie, daß unter den stahlharten Muskeln ganz gewöhnliches Fleisch und nur allzu zerbrechliche Knochen lagen.

Maria befahl Trauer für den Hof, und sie stellte den Höflingen das erforderliche schwarze Tuch zur Verfügung, damit sie sich Kleider daraus nähen lassen konnten. Eine Woche nach seinem Tod wurde Darnley mit königlichen Ehren nach katholischem Ritus neben dem Sarkophag James V. in Holyrood bestattet.

Maria sah, wie der Sarg zum Altar getragen wurde, sie hörte das Singen, und sie empfand nichts als Erleichterung darüber, daß dieses unglückliche Leben vorüber war. Dann aber bekam sie doch Gewissensbisse, weil sie so wenig Mitleid aufbrachte. Aber er war wie von eigener Hand gestorben bei dem Versuch, andere zu ermorden. Und unschuldige Menschen waren der Explosion zum Opfer gefallen.

Der Hof war wie vom Donner gerührt gewesen; still war man umhergeschlichen, bis klar gewesen war, daß die Verschwörung mit dem Verschwörer untergegangen war und keine weitere Gefahr bestand. Beschämt vermutete man, daß dies die Ansicht der restlichen Welt bestätige, Schottland sei ein von Wilden bewohntes, barbarisches Land, in dem täglich Grausamkeiten begangen wurden, und ein Murren erhob sich – leise erst, doch dann immer lauter. *Bestraft die Schurken.* Niemand schien anzunehmen, daß Maria in Gefahr gewesen sei oder daß sich das Verbrechen gegen einen anderen als Darnley gerichtet haben könnte. Im Tode hatte Darnley die Bedeutung erlangt, an der es ihm im Leben gemangelt hatte: Ein Königsmord war begangen worden! Der König war erschlagen!

Bei den Ruinen des Hauses hatte man ein Faß gefunden, ein Beweis dafür, daß das Schießpulver hastig von irgendwo herbeigeschafft worden war – von Holyrood? In jener Nacht waren Männer keck durch die Straßen gelaufen, die sich als »Freunde von Lord Bothwell« bezeichnet hatten, erzählte man. Black Ormiston, einer von Bothwells Schergen, war kurz nach der Explosion in der Nähe des Schicksalshauses gesehen worden.

Maria und der Kronrat setzten eine Belohnung von zweitausend Pfund für Informationen über die Verbrecher aus, aber sie wußte, daß sich niemand finden würde. Niemand außer Darnley, und das mußte geheim bleiben. Seinen Namen wollte sie schützen um des kleinen Sohnes willen, und sie wußte, daß Bothwell die Wahrheit niemals enthüllen würde. Wer konnte außer ihm etwas wissen? Wer immer derjenige war, der von Anfang an mitgeholfen hatte, das Pulver dort zu verstecken? Ja, diese Komplizen würden es wissen ... Am Tag nach der Explosion eröffnete ein Ausschuß der Lords, die im Tolbooth zusammenkamen, eine Untersuchung.

Die erstickende Enge des Trauergemachs in Edinburgh Castle lastete auf Maria. Die Wände waren mit schwarzen Tüchern verhangen, und dicke Bienenwachskerzen brannten in den Kandelabern. Maria war zumute, als sei sie hier selbst begraben. Die ständige Anwesenheit des Todes, in der ein Gespenst ebenso real erschien wie die geduckte Gestalt Madame Rallays oder das verschleierte Gesicht Mary Setons, die auf dem Betstuhl kniete, war zutiefst beunruhigend. Sie hatte sogar furchtbare Träume, in denen sie und Bothwell tot waren und einander als Skelette umklammerten.

Bourgoing war besorgt über ihre erregte, morbide Verfassung. Er befahl ihr, die Kammer gleich nach Darnleys Bestattung zu verlassen und die gesunde, frische Luft eines Ortes an der See aufzusuchen. Immer wieder hatte er festgestellt, daß die Nähe des Meeres hilfreich sein konnte, wenn es galt, einen verstörten Geist wiederherzustellen.

Mary Setons Bruder George bot ihr sein Schloß am Forth an, und am sechzehnten Februar verließ Maria erleichtert das Trauergemach. Langsam ritt sie durch den Nebel zum Tor von Edinburgh hinaus, den schwarzen Kapuzenmantel fest um sich gewickelt.

An dem Tag, als Maria Edinburgh verließ, erschien ein Plakat in der Nähe des Tolbooth.

Ein gar gottloser Mord an unserem König

Begangen von dem niederträchtigen Sir James Balfour, dem schmutzigen Earl Bothwell und der Hexe Janet Beaton. Die Königin, die es wußte, war in der Macht der Hexe und willigte ein.

French Paris riß das Blatt erbost herunter und brachte es Bothwell, aber da hatte es schon fast ganz Edinburgh gesehen.

Zwei Tage später erschien ein zweites Plakat an derselben Stelle.

Der frevelhafte Earl von Bothwell
Hat unseren König ermordet.

Darunter war eine Zeichnung; sie zeigte den kleinen Prinzen James mit gefalteten Händen, wie er betete:

Richte und räche Du meine Sache, o Herr.

Wieder riß Paris das Blatt ab und vernichtete es.

In dieser Nacht zog ein Ausrufer durch die Straßen, der mit jammernder Stimme klagte: »Der mächtige Earl von Bothwell hat den König ermordet!«

Als brave Bürger in finsterer Nacht aus dem Fenster schauten, war niemand zu sehen. Aber sie hörten noch das Echo seiner Stimme: »Der Earl von Bothwell … der Earl von Bothwell ist der Mörder … Mörder … Mörder …«

Am ersten März erschien ein Flugblatt mit einer Zeichnung Marias, nackt bis zur Taille und mit dem Fischschwanz einer Meerjungfrau, und daneben Initialen *MR*. Darunter befand sich das Wappen des Earl von Bothwell, umgeben von einem Kreis aus spitzen Dolchen.

Eine Meerjungfrau war eine Sirene, eine Circe, eine Hure.

Die Hure und ihr Dolchschwinger waren Ehebrecher und Mörder, verkündete das Flugblatt ohne Worte.

Maria saß auf einer Bank und schaute auf das glitzernde Wasser des Forth hinaus. Es war ein ungewöhnlich milder Tag für den Monat März; die Sonne schien, und in der Luft war ein verheißungsvoller Duft, frisch und erregend, grün wie das Schilfrohr, das wie eine Wache am Ufer stand. Maria war in ihren weiten Trauermantel gehüllt und starrte in die Ferne.

Lord George Seton, ein behutsamer Mann, trat hinter ihr heran. Sanft berührte er ihre Schulter, und sie drehte sich um.

»Ein Brief«, sagte er, »von Königin Elisabeth.«

Der Kurier hatte ihn zunächst nach Edinburgh gebracht und war dann müde weiter nach Seton House gekommen.

»Ist der Bote noch hier?« fragte sie; sie scheute sich, das Siegel zu erbrechen.

»Er nimmt soeben eine Erfrischung zu sich.«

»Ich möchte ihn für seine Mühen belohnen.« Sie wollte den Brief nicht öffnen.

»Er wird eine Weile hierbleiben, vielleicht sogar über Nacht.«

»Gut. Laßt ihn nicht abreisen, ohne daß ich es weiß.«

»Nein, Eure Majestät.«

Diskret zog er sich zurück.

Sie nahm den Brief mit dem massiven Siegel. Es graute ihr davor, ihn zu lesen. Langsam zerbrach sie die starre Wachskruste und begann.

Madam,

Meine Ohren sind so betäubt, mein Herz ist so entsetzt, als ich von dem grausigen und frevelhaften Mord an Eurem Gemahl und meinem Vetter erfuhr, daß ich kaum den Mut habe, zu schreiben: doch kann ich nicht verhehlen, daß ich mehr um Euch denn um seinetwegen trauere. Ich würde nicht handeln wie eine treue Cousine und Freundin, wollte ich Euch nicht drängen, Eure Ehre zu wahren, statt ein Auge zuzudrücken und keine Vergeltung zu üben gegen jene, welche Euch den Gefallen getan, wie die meisten Leute behaupten. Ich rate Euch, nehmt Euch die Sache zu Herzen, damit Ihr der Welt zeigt, was für eine edle Fürstin und treue Frau Ihr seid. Ich schreibe so nachdrücklich nicht, weil ich an Euch zweifle, sondern wegen meiner Zuneigung zu Euch.

Maria ließ den Brief in den Schoß sinken, und er faltete sich von allein wieder halb zusammen.

Wie kann ich Vergeltung üben gegen den, der die Tat begangen hat? Er hat sich doch bereits selbst gestraft. Und um meines Kindes willen kann ich es nicht offenbaren!

Die jungfräuliche Königin allerdings könnte und würde eine so verfahrene, düstere Angelegenheit niemals verstehen.

Unvermittelt packte sie den quälenden, einfältigen Brief und zerknüllte ihn. Gern hätte sie den Ratschlag befolgt; in jedem anderen Land, in jeder anderen Lage, hätte sie es auch gekonnt. Aber hierzulande, hierzulande, wo es nichts zu geben schien als eine endlose Folge von Komplotten und Geheimnissen und Morden … vielleicht war Darnley in England normal gewesen. Er war ihr ganz normal erschienen, als er nach Schottland gekommen war. Aber danach war etwas geschehen. Was nur? Wenn Elisabeth ihn in normalem Zustand gekannt hatte, konnte sie nicht begreifen, was sich zugetragen hatte und was aus ihm geworden war. Auch konnte sie das Ausmaß des Verbrechens nicht erkennen.

Ein leises Schlurfen hinter ihr. Sie drehte sich um und erblickte den Kurier. Ja, sie hatte darum gebeten, daß er warten möge. Aber sie konnte ihm kaum sagen, was ihr durch den Kopf gegangen war. Hastig verbarg sie den zerknüllten Brief; hoffentlich hatte er ihn nicht gesehen.

»Ich danke meiner guten Schwester und Cousine für ihre Freundlichkeit und ihren aufrichtigen Ratschlag«, sagte sie, die Worte sorgfältig wählend. »Sie ist klug, und ihr Rat ist gut. Es ist ein Glück, in dieser unseligen Zeit eine solche Freundin zu haben.« Sie hob die Hand, damit er Elisabeths Ring sehen konnte, den sie noch immer trug. »Ich gedenke alles zu tun, was sie mir vorschlägt, und noch mehr dazu.«

Der Bote verneigte sich. »Habt Ihr eine besondere Botschaft, die ich Ihrer Majestät zu Gehör bringen soll?«

»Nur dies: Ich hoffe und bete, daß sie weiterhin meine liebe Schwester und Freundin sein möge.«

Sie kehrte nach Edinburgh zurück, zu Plakaten und unruhigen Menschen. Darnley war mit der Beerdigung nicht verstummt; seine Anwesenheit war verändert und stärker spürbar als je zuvor. Die Bürger der Stadt schienen eifrig auf den Anbruch der Dunkelheit zu warten, denn dann konnten sie sich durch neue Plakate und durch den gespenstischen Ausrufer unterhalten lassen, der sich bisher allen Versuchen, ihn zu fassen, entzogen hatte. Maria hörte ihn klagen.

»Bothwell ... Bothwell ... Bothwell hat den König ermordet!« hallte es durch Canongate.

Unverhofft wurde einer von James Balfours Gefolgsleuten überfallen und getötet, und Balfour floh aus der Stadt.

»Man munkelt, daß er ermordet wurde, weil er zuviel über jenen anderen Mord wußte«, sagte Lord James, der eben aus St. Andrews zurückgekommen war. »Die Frage ist nun, wer hat ihn ermordet? Balfour? Warum habt Ihr ihn nicht verhaftet?«

»Warum hätte ich ihn verhaften sollen?« fragte Maria. »Mit welcher Begründung?«

»Wegen Mordverdachts. Auf den Plakaten steht sein Name.«

»Ach, die Plakate«, sagte sie voller Verachtung. »Wollen wir die Rechtspflege jetzt so betreiben, daß wir jedem, der zu feige ist, seine Anklagen bei Tageslicht vorzubringen, erlauben, sie im Schutze der Dunkelheit anonym zu verbreiten? Das wäre doch schändlich. Vor allem müssen wir uns bemühen, nach dem Gesetz zu handeln. Es wird Zeit, daß die Sonne der Zivilisation hier zu scheinen beginnt und den Nebel vertreibt, in dem die Meuchelmörder lauern.«

»Diese Art von Plakaten kommt aus Frankreich«, sagte Lord James. »Es ist eine jener neuen Moden, die Euch bei Kleidern und Musik doch anscheinend ganz gut gefallen.« Er schwieg einen Moment lang. »Und was ist mit Bothwell?«

»Was soll mit ihm sein?«

Lord James grunzte abschätzig. Er strich sich über den glatten Bart und sah ihr in die Augen. »Ihr wißt, was mit ihm sein soll.« Wieder wartete er. »Sein Name steht auch auf den Plakaten. Der Ausrufer nennt seinen Namen. Es gibt Zeugen, die ihn in der Mordnacht draußen gesehen haben, ihn und seine Leute, wie sie Pulverfässer durch die Stadt trugen ...«

»Die Plakate! Der Ausrufer! Wenn sie nun alle ›Lord James Stewart, Earl von Moray!‹ schreien wollten, wäret Ihr dann auch so eifrig bemüht, ihnen zu glauben?«

»Es wäre niemals möglich, mich in einem solchen Zusammenhang zu nennen.«

»Nein, Ihr seid viel zu achtbar, um selbst bei irgendeiner Tat die Hand im Spiel zu haben! Aber Ihr drückt bei den Taten anderer stillschweigend ein Auge zu, und das ist oft viel schlimmer. Habt Ihr Euch nicht dazu bereit erklärt, damals auf Craigmillar Castle? ›Ein Auge zuzudrücken‹?«

»Ich weiß nicht, wovon Ihr redet.«

Bei seinen Worten überlief es sie eisig. Er ließ sich also für frühere Versprechungen oder Verpflichtungen nicht mehr zur Rechenschaft ziehen – im Gegenteil, er bestritt sie. Und wie sollte man ihm etwas anderes beweisen? Er war ein Lügner, all seinen frommen Reden zum Trotz. Und gefährlich noch dazu, gefährlicher als jeder heißblütige Messerstecher.

Sie mußte sich setzen. Sie fühlte sich schwächer und ausgelaugter als nach der Geburt ihres Kindes oder selbst nach der Krankheit in Jedburgh. »Das wißt Ihr also nicht?« sagte sie müde.

»Und das schädlichste von allem findet sich außerdem auf diesen Plakaten«, fuhr er fort und reckte ihr das Gesicht entgegen. »Ich stelle fest, daß Ihr es mit keiner Andeutung erwähnt. Aber es wird behauptet, daß Ihr und der Earl von Bothwell ein Liebespaar seid.«

Angst durchzuckte sie. Man wollte dieser Sache also nachgehen und sie nicht als Verleumdung abtun.

»Für mich war eine Zeichnung, die Euch halbnackt abbildet, eine Beleidigung der königlichen Ehre«, sagte er. »Seltsam, daß Ihr nicht protestiertet oder beleidigt wart.«

»Ich habe sie nicht gesehen«, sagte sie matt.

»Möchtet Ihr sie gern sehen? Ich habe sie bei mir.«

Er war ohne Erbarmen. Er forderte sie heraus, sich das Bild anzusehen, in der Hoffnung, ihren Widerstand zu brechen.

»Wenn es Euch Freude macht. Ich ziehe es vor, mir keine obszönen Zeichnungen anzusehen.«

Triumphierend schlüpfte er zur Tür des kleinen Gemachs hinaus und kam sofort mit dem Plakat zurück. Wider Willen schnappte Maria nach Luft.

Es war groß, fast ein Yard im Quadrat. Die Farben waren grell, die Zeichnung selbst von krasser Dreistigkeit. Im oberen Teil war eine Meerjungfrau zu sehen, nackt bis zur Taille, wie James gesagt hatte. Sie hatte langes Haar und trug eine Krone. In der linken Hand hielt sie etwas, das aussah wie eine langstielige Blume, in der rechten eine Schriftrolle. Und falls jemand es noch nicht verstanden hatte, war die Meerjungfrau von den Buchstaben *MR* flankiert.

Darunter sah man einen Hasen, das Familienwappen der Hepburns, und die Buchstaben *JH* – für James Hepburn – waren von einem Kranz aus spitzen Dolchen umgeben.

»Ist das nicht hübsch?« fragte James.

»Was hat sie da in der Hand?« fragte Maria.

»Weiter habt Ihr nichts zu sagen?« James trat einen Schritt zurück und hielt das Plakat in die Höhe. »›Was hat sie da in der Hand?‹ Gütiger Gott! Eine bessere Frage wäre vielleicht: ›Kommt dieser Mann in Euer Bett‹«

»Wie könnt Ihr es wagen!« rief sie. »Ihr verhört mich hier, als wäre *ich* eine Verbrecherin oder eine Verdächtige!«

»Offensichtlich seid Ihr es«, versetzte er trocken. »Sonst wäre das Plakat nicht erschienen. Wenn Ihr auf Hilfe bei der Aufklärung dieser Angelegenheit hoffen wollt, dann sagt mir jetzt: Stimmt es? Ist der Earl von Bothwell Euer Liebhaber? Hat er den König ermordet?«

»Nein!«

»Nein auf beide Fragen? Oder nur auf eine? Auf welche?«

»Der Earl hat den König nicht ermordet. Und er ist nicht mein Liebhaber!«

»Wer hat den König dann ermordet?«

»Das weiß ich nicht!«

»Seid Ihr nicht wenigstens neugierig? Wenn Ihr es nicht wart – und das glaube ich Euch –, dann wollt Ihr doch nicht, daß jemand frei herumläuft, der nicht davor zurückschreckt, einen Königsmord zu begehen! Er könnte noch einmal zuschlagen!«

»Vielleicht war es gar kein ›Königsmord‹, sondern nur ein Unfall. Der König hatte das Haus verlassen –«

»Maria, um all der Liebe willen, die es zwischen uns gab, und um der Liebe zu unserem Vater willen: Ich bitte Euch, verfolgt den Mörder. Begeht nicht den Irrtum zu glauben, es werde diesmal genauso gehen wie bei dem Mord an Rizzio: Man beläßt es dabei und vergißt es. Das geht nicht. Diesmal muß alles ans Licht.« Er warf das Plakat zu Boden.

Er sah gequält aus, und jetzt sah sie, daß er müde und angespannt war. Es hatte Liebe zwischen ihnen gegeben, früher einmal, bevor Darnley gekommen war. Und was Darnley anging, hatte James recht gehabt; vielleicht hatte er auch diesmal recht.

»Der Earl von Lennox verlangt ebenfalls eine Untersuchung«, gestand sie. »Aber wo kann ich mit einer Untersuchung anfangen? Niemand wird die Wahrheit sagen!«

»Ihr werdet Euch auf Sekretär Maitlands Rat verlassen müssen«, sagte James. »Verlaßt Euch nicht auf Bothwell. Er ist ein zorniger Mann und voller Groll. Die einzige Antwort auf die Plakate, die ihm eingefallen ist, besteht darin, daß er sich mit fünfzig Messerstechern umgeben hat, durch die Straßen stolziert und erklärt, er werde seine Hände im Blute dessen waschen, der es wagt, ihn von Angesicht zu

Angesicht zu beschuldigen. Erlaubt ihm nicht, irgend etwas zu leiten. Maitland –«

»Was ist denn mit Euch? Könnt Ihr mir nicht helfen?«

»Doch, natürlich, aber ein Grund, weshalb ich heute mit Euch sprechen wollte, ist der, daß ich um einen Paß bitten wollte, weil ich für ein paar Wochen auf den Kontinent will.«

»Jetzt?«

»Ich habe Geschäfte –«

»Offenbar ist Eure Gemahlin rasch wieder genesen!«

Lord James wollte sich also wieder einmal verdrücken; das bedeutete, daß er etwas Unangenehmes kommen sah. Er wollte sich verdrücken und nachher zurückkehren. Wozu?

»Ich gebe Euch keinen Paß«, sagte sie. Er sollte hierbleiben; sie brauchte ihn. Wenn ihm wirklich so viel an Schottland lag …

»Jetzt benehmt Ihr Euch so mutwillig und kleinlich wie Eure Cousine Elisabeth. Wißt Ihr noch, wie sie Euch den Paß verweigerte?«

»Das ist nicht das gleiche!«

»Vielleicht nicht. Aber ich könnte Schottland im Ausland bessere Dienste leisten. Ich würde mit Freuden eine Mission nach Frankreich übernehmen, um direkt mit ihnen dort zu sprechen. Ich werde ja nicht lange bleiben.«

Jetzt umschmeichelte er sie wie ein Krämer. Als nächstes würde er anbieten, ihr Seidenstoffe und Schnittmuster aus Paris mitzubringen.

»Ich weiß doch, wie gern Ihr die Goldfäden habt, die man hier nicht bekommen kann, und die bezogenen Knöpfe –«

Sie fing an zu lachen.

»Ich bitte um Vergebung?« sagte er steif.

Er wollte unbedingt weg. Er wußte irgend etwas. Vielleicht wäre es besser, wenn er verschwände. Dann hätten sie und Bothwell freie Hand. Die Vorstellung, daß James sie beobachtete und jeden Blick, den sie wechselten, analysierte, war furchterregend.

»Also schön«, sagte sie. »Ihr mögt fahren. Aber ich wünsche, daß Ihr unterwegs bei Königin Elisabeth Station macht und mit ihr sprecht. Und«, fügte sie lächelnd hinzu, »ich wäre entzückt, wenn Ihr mir ein paar Granatknöpfe besorgen könntet.« Sie waren notorisch teuer und schwer zu finden.

Maria sehnte sich verzweifelt danach, Bothwell zu sehen. Aber er hatte sich absichtlich ferngehalten; alle Blicke ruhten auf ihr, als sie den Anschein der Trauer aufrechterhielt. Bis zum zweiundzwanzigsten März, dem vierzigsten Tag nach Darnleys Tod, hatte sie sich so weit wie möglich in ihrem Trauergemach aufzuhalten.

Aber angesichts des Tumults in den Straßen, der Flut der diplomatischen Korrespondenz und der Notwendigkeit, sich mit den dringenden Ersuchen des Earl von Lennox zu befassen, konnte sie wenigstens mit ihren Ratsherren zusammenkommen, und Bothwell gehörte natürlich zu den führenden unter ihnen.

Als er eines Abends im März endlich ohne Maitland, Argyll oder seinen Schwager Huntly vor ihr stand, da war ihr, als sei es lange her, fast ein Leben lang, daß er in ihr Schlafgemach auf Holyrood gekommen war. Seit rötliches Haar hob sich kraß von den schwarz drapierten Wänden ab, ein Lichtstrahl des Lebens in dieser Kammer des Todes. Verlegen stand er da und sah sie an.

Wortlos nahm sie ihn in die Arme und küßte ihn. Die bloße Berührung war ein Schock. Sie hatten es sich versagt, einander in Gegenwart anderer auch nur in die Augen zu schauen, und sie waren unaufhörlich in Gegenwart anderer gewesen.

»Bothwell, Bothwell ...« murmelte sie. Sie fühlte seinen Körper an ihrem, und zum erstenmal während dieser ganzen Strapaze fühlte sie eine stützende Kraft. Bis dahin hatte sie völlig allein gestanden.

Sanft löste er ihre Arme von seinem Hals. »Es geht nicht, nicht heute abend.«

Aber sie mußte ihn bekommen, oder sie würde sterben! Sie wollte, daß er sie in den Armen hielt, sie wollte seinen Körper berühren, sein nacktes Fleisch, wollte bei ihm liegen und ihn in sich aufnehmen, bis sie nichts mehr fühlte als rohe Lust. Sie klammerte sich an ihn und küßte ihn. Er mußte sich umstimmen lassen. Sie würde ihn zwingen.

»Nein.« Er reagierte nicht, und ihr blieb nichts anderes übrig, als ihn loszulassen. »Hast du nicht die Plakate gesehen, die Anschuldigungen gehört? Sie wissen es.«

»Nein, sie wissen es nicht.«

»Doch, sie wissen es. Unsere einzige Hoffnung besteht darin, daß wir uns unverdächtig betragen, so daß der Gedanke von selbst dahinwelken wird. Und meine Frau ist krank geworden –«

»Deine Frau? Was hat ihre Krankheit damit zu tun?« Plötzlich kam ihr ein häßlicher Verdacht. »Sie ist doch nicht schwanger?«

»Nein. Aber, Maria, meine Liebe, in diesem Augenblick brauchen wir so viel Mitgefühl und Unterstützung, wie wir nur bekommen können. Du mußt die trauernde Witwe sein, ich der fürsorgliche Ehemann. Wir können uns nicht erlauben, den Earl von Huntly vor den Kopf zu stoßen, Euren Kanzler und den Bruder meiner Gemahlin.«

»Den Earl von Lennox, meinen Schwiegervater, ebensowenig«, sagte sie dumpf und ließ sich auf eine gepolsterte Bank fallen. »Er fordert eine Untersuchung und einen Prozeß.«

»Ganz zu recht.« Bothwell zog sich vorsichtig einen Stuhl heran und setzte sich; dabei wahrte er einen Abstand von gut drei oder vier Schritt. Jeden Augenblick konnte jemand »versehentlich« hereinplatzen.

»Ich habe ihm geschrieben und ihn gefragt, wie ich irgend jemandem den Prozeß machen kann, da doch so viele auf den Plakaten genannt werden. Janet Beaton, deine alte Geliebte –«

Er lachte, leise und hinreißend.

»– und Black John Spens, wer immer das sein mag.«

»Einer von Balfours Schergen.«

»Dann Balfour selbst und mehrere Franzosen aus meinem Hofstaat. Aber weißt du, wen er vor Gericht sehen will?«

Bothwell schüttelte den Kopf; dann senkte er ihn und legte beide Hände an die Schläfen.

»Dich. Er will dir den Prozeß machen.«

Bothwell blickte zwischen seinen beiden Händen auf. »Und?«

»Ich habe eingewilligt. Was blieb mir übrig? Ich habe versucht, es auf die nächste Parlamentssitzung zu vertagen, aber er will sein Recht sofort – sobald es gesetzlich möglich ist. Am zwölften April wirst du des Verbrechens angeklagt und vor ein Gericht gestellt.«

Er lachte laut auf. »Und wer werden die Geschworenen sein?«

»Deine Peers. Die Earls von Argyll, Huntly, Arran und Cassillis. Die Lords Lindsay und Sempill. Bellenden, Balnaves, Makgill und Pitcairn von Dunfermline.«

»Unsere beiden Schwäger sollen also zu Gericht sitzen?« fragte er ungläubig. »Und wie soll das helfen, unsere Namen von allem Verdacht zu reinigen? Ich sage dir eins: Wenn sie wagen, mich schuldig zu sprechen, werde ich mit ihnen ebenso verfahren!«

»Wie meinst du das?«

»Ich meinte nur ... es gibt noch vieles, was wir nicht wissen. Wer hat den König erwürgt? Ich war es nicht. Aber du und ich, wir beide wissen, es war nicht nur ein Mann nötig, sondern mehrere, die unter dem Befehl eines Kranken genug Pulver in die Krypta der alten Priorei schafften, um sie zu zerstören. Und wir wissen auch, daß jemand sich große Mühe gemacht hat, Indizien zu hinterlassen, die mich mit der Tat in Verbindung bringen. Sie legten sorgfältig ein Faß vor die Tür, damit es so aussähe, als habe man es dort hingeschleppt und dann liegengelassen, weil es nicht durch die Tür paßte. Tatsächlich aber ist das Faß so groß – wie es ja auch sein mußte, um nicht durch eine gewöhnliche Tür zu passen –, daß niemand, nicht einmal das stärkste Maultier, es hätte dort hinschaffen können, wenn es voll mit Pulver gewesen wäre. Nein, es wurde leer dort hinbefördert, und zwar von demjenigen, der den ganzen Abend umherparadierte und meinen Namen ausposaunte. Jemand hat sorgfältig geplant, mich zu belasten. Und das war nicht Darnley. Es war jemand anders, einer – oder sogar mehrere –, und das Ziel ist, uns alle drei zu vernichten. Darnley sollte bei der Explosion sterben; du und ich, wir sollten dafür verantwortlich gemacht werden. Ich wäre dann entmachtet, und du wärest – ja, was? – entthront? Das wäre undenkbar, solange sie nicht den kleinen Prinzen an deiner Stelle krönen könnten.«

Plötzlich waren es nicht mehr nur Bothwells müßige Spekulationen. Plötzlich hatte sie wirklich Angst.

»Und diese Leute, wer immer sie sein mögen – wie sollen wir sie erkennen? Wie können wir uns vor ihnen schützen?«

»Irgendwann werden wir wissen, wer sie sind. Und schützen können wir uns nur, indem wir nichts preisgeben, nichts sagen, unsere Geheimnisse bewahren.«

Sie rieb sich die Hände. Sie waren eiskalt. »Welches Datum haben wir?« fragte sie mit matter Stimme.

»Den achten März«, antwortete er.

»Morgen ist es ein Jahr her, daß Rizzio ermordet wurde. Der Alptraum dauert jetzt ein Jahr.«

»Laß gar nicht erst zu, daß du dir Gedanken darüber machst, wie lange es noch dauern muß. Solange es auch dauern mag, wir müssen länger standhalten. Wir müssen es überdauern.«

Er strich ihr mit beiden Händen das Haar rechts und links vom Gesicht glatt, leicht, sanft. »Wir haben viele Feinde, aber das haben wir immer gewußt. Einige von ihnen sind besonders deine, andere sind vor allem meine. Und wenn wir eins werden, wird vielleicht noch eine dritte Partei von Feinden entstehen. Aber das macht nichts.«

»Du kannst einen Heiratsantrag nicht unter so vielen anderen Worten vergraben«, sagte sie. »Er verdient doch wohl einen feierlichen Platz für sich.«

Bothwell trat einen Schritt zurück und nahm ihre beiden Hände in die seinen. Sie waren kühl und schlank. »Wie *fleurs-de-lys*«, sagte er und küßte erst die eine, dann die andere Hand. »Meine allergnädigste Herrin, willst du nicht die *fleurs-de-lys* auf deinen alten Mänteln, deine Erinnerungen an die Loire, deinen französischen Beichtvater – willst du nicht das alles aufgeben? Willst du mein Leben als das deine annehmen und mein Weib werden? Ich kann dir die Lieder des Grenzlandes geben, kann dich übers Meer fahren, weit hinauf in den Norden, zu den Orkneys, zu den Shetlands, nach Norwegen, ich kann dich mitnehmen auf Banditenjagd, wo wir im freien Felde schlafen.«

»Alles würde ich für dich aufgeben, nur nicht meine Religion«, sagte sie. »Das verlange nicht. Aber, oh, mit dir ginge ich ans Ende der Welt in einem weißen Unterrock. Was ich sonst verliere, kümmert mich nicht.«

»Psst. Sprich nicht vom Verlieren. Wenn wir rasch handeln, werden wir nichts verlieren.« Endlich küßte er sie, und ihr Mund öffnete sich unter dem seinen wie eine Blüte. »Es war ein Irrtum, als ich meinte, wir sollten abwarten. Warten macht alles nur noch schlimmer. Wir müssen kühn und mutig sein.«

»Mein geliebter Dämon«, sagte sie und berührte seine Wange, als wäre sie zartes, seltenes Elfenbein. »Wie schön du bist.«

Er lachte rauh. Niemand, nicht einmal seine Mutter, hatte ihn je schön genannt. »Meine liebe Maria«, hauchte er, »ich weiß wohl, daß ich nicht schön bin, nicht einmal hübsch. Aber ich liebe dich – über allen Wahnsinn hinaus, denke ich. Denn wahnsinnig muß ich wohl sein, um dies zu tun.« Er senkte den Kopf und küßte ihre Brüste, die über den Rand ihres Ausschnitts quollen. Er küßte sie langsam, ließ Lippen und Zunge an ihnen verweilen. »Überlaß die Einzelheiten mir«, murmelte er. »Vertraue mir, und ich werde dafür sorgen, daß niemand dich dafür verdammen kann, daß du mich geheiratet hast. Laß nur alle Schuld auf mich fallen.«

Sie gingen zum Bett und stiegen hinein. Er bemerkte beiläufig, daß sie parfümierte Laken hatte aufziehen lassen und daß die Kissen frisch und aufgeschüttelt waren. Er ließ sich hineinsinken. Dann streckte er ihr die Arme entgegen und umschlang sie. Ihr zartes, muschelförmiges Ohr war an seinem Mund; er berührte es mit den

Lippen. »Vertraue mir«, wiederholte er, und die Worte klangen verzerrt in ihrem Ohr. »Wir werden Mann und Frau. Es gibt kein Zurück mehr.«

Seufzend rollte er herum, legte sich auf sie, fühlte die köstlichen Konturen ihres schmiegsamen Körpers. Jedesmal, wenn er sie liebte, war es anders. Wie würde es heute sein?

Fast, als habe sie seine Gedanken gelesen, rollte sie sich auf ihn und begann, sein Hemd aufzuschnüren. Sie strich mit beiden Händen über seine Brust und legte dann den Kopf darauf. Ihr dichtes, üppig duftendes Haar fiel samtweich auf ihn herab. »Ich bin deine Liebhaberin, deine Sklavin, der du befehlen magst, wie du willst. Sag mir, was ich tun soll, und ich werde es tun.«

Träge begann er, ihr Anweisungen zu geben, nur um sie auf die Probe zu stellen. »Küsse meinen Hals ... die Mulde an meinem Schlüsselbein ... die Narbe auf meinem Bauch ...« Ihre Lippen spürten dem erhabenen Grat der Wunde nach, die Jock o' the Park ihm mit seinem Schwert zugefügt hatte; diese Lippen, weich und sanft auf dieser empfindlichen Haut, erregten ihn mehr als jede Berührung, die er je verspürt hatte. Nur mühsam unterdrückte er ein lustvolles Stöhnen. Er zog die geräuschlose Liebe vor, aber jetzt hörte er, wie aus seinem eigenen Mund ein Ächzen, Seufzen und unartikuliertes Schreien kam, während sie seinen Körper mit ihren süßen Lippen erkundete. Er ertrank in der Lust. Er gab sich ihr hin und ließ sie für eine Weile seine Herrin sein.

Später, als er wieder zu sich kam, bürstete er ihr das schweißfeuchte Haar, bis es glatt war und ihre Kopfhaut kribbelte; er spritzte ihr kühlendes Rosenwasser auf die Brüste und rieb es ein, und als sie dann Seite an Seite lagen, hielt er sie fest in den Armen und zeigte ihr, wie sie ihre Körper ineinanderfügen konnten, ohne daß einer oben lag: Keiner war der Herr, und beide waren gleich. Ruhiger geworden, konnte er ihr Gesicht sehen, ihren Atem hören, und er war entschlossen, ihr so viel Lust zu bereiten, wie sie nur empfangen konnte. Sie wand sich, stöhnte und schrie, und schließlich weinte sie, und das machte ihn glücklich.

Sie schliefen ein wie zwei Kinder, in fester Umarmung.

Später unterzeichneten sie einen privaten Ehevetrag, um sich zu binden. Sie gab Bothwell ein paar kostbare alte Kirchengewänder, drei bestickte Priesterroben; daraus sollte er sich neue Kleider nähen lassen, die er bei dem Prozeß tragen könnte. Zudem schenkte sie ihm

Darnleys Lieblingspferd und bestand darauf, daß er darauf zu Gericht reiten solle.

»Du bist unschuldig, und wir müssen deine Unschuld in die Welt hinausschreien«, sagte sie. »Kein Zagen, kein Entschuldigen.«

»Gesprochen wie eine echte Grenzländerin«, sagte er in verblüffter Bewunderung.

Aber allzu viele Grenzländer hatten am Ende wegen ihres Wagemuts am Strick gebaumelt; das wußte er wohl.

Bothwell streckte sich im Bett aus. In dieser Nacht fand er keinen Schlaf, und er suchte ihn auch nicht. Er genoß die Stunden, in denen er allein war, um nachzudenken und Pläne zu schmieden. Die Dunkelheit war wie eine wohlige Decke, die ihn vor dem Treiben der anderen Menschen schützte. Er würde noch den ganzen Tag von anderen umgeben sein. Es war der zwölfte April – der Tag seines Gerichtsprozesses.

Ihm war es willkommen. Er wollte es hinter sich bringen. Man konnte ihm nichts beweisen – aus dem schlichten Grund, weil niemand außer Lennox an einer allzu eingehenden Untersuchung der Sache gelegen war. In einer verschlossenen Silberkassette verwahrte er den »Bond«, das Bündnis, das die Lords unterschrieben und in dem sie sich darauf geeinigt hatten, Schottland von seinem König Darnley zu befreien. Alles angenehm unbestimmt formuliert, aber das Wort *Mord* kam in solchen Bonds schließlich niemals vor. Auch bei dem Bond gegen Rizzio war davon nirgends die Rede gewesen.

Morton hatte ihm das Papier gegeben – Morton, der sich von jeder aktiven Beteiligung fernhielt und nur durch Stellvertreter handelte. Aber der Bond enthielt die belastenden Namen: Maitland, Argyll, Huntly, Morton, Douglas, Lord James. Die Richter bei seinem Prozeß. Die führenden Mitglieder des Staatsrates. Nein, denen war kaum daran gelegen, Darnleys elenden Geist noch einmal aufzustören. Sollte er nur liegenbleiben.

Von Rechts wegen hätte Darnley vor Gericht gestellt werden müssen. Er hatte seine Gemahlin, die Königin, ermorden wollen.

Die Königin … die Königin mußte wieder heiraten. Sie würden anfangen, einen neuen Gemahl für sie zu suchen, und das öde Spiel würde von neuem beginnen, mit dem französischen Botschafter und

Abgesandten aus Spanien und vielleicht auch wieder mit Robert Dudley von Seiten Elisabeths. Aber das konnte nicht sein. Sie liebte ihn, Bothwell. Da gab es kein Zurück, denn ihr Verhältnis würde ohnehin irgendwann ans Licht kommen. Er und die Königin würden heiraten müssen. Es gab keine Alternative, selbst wenn er sie nicht geliebt hätte.

»Gott schütze die Königin!« murmelte er und wälzte sich unruhig im Bett. Jetzt ist es an mir, einen Weg zu finden, der es möglich macht, dachte er. Es muß aussehen, als täten wir es zum Wohle Schottlands, nicht um unserer eigenen Wünsche willen.

Ich bin müde. Kampfesmüde. Aber nur noch diese letzte Schlacht, und dann ist es vorüber.

Matte rote Streifen fingerten an den Fensterscheiben herauf wie eine Knochenhand. Der Morgen graute.

Draußen vor dem Schloßtor hatte sich schon um sechs Uhr eine große Menschenmenge versammelt. Der Generalprofos von Berwick bahnte sich einen Weg nach vorn, einen Brief von Königin Elisabeth in den Händen. Aber er bekam keinen Zutritt, konnte kaum die Aufmerksamkeit der Wache auf sich lenken.

»Ich bitte Euch, ich überbringe einen offiziellen und dringlichen Brief von Ihrer Majestät, Königin Elisabeth, an die Königin Maria«, rief er.

Die Wache starrte ihn stirnrunzelnd an. »Ich kann keinen Brief annehmen. Ihre Majestät schläft noch.«

Um neun Uhr war die Menge so angeschwollen, daß die ganze Straße vom Palasttor bis zum Tolbooth, wo die Verhandlung stattfinden sollte, voller Menschen war. Es war ein milder, warmer Apriltag, und fedrige Wolken jagten über einen klaren Himmel. Die Fenster der hohen Steinhäuser standen offen, und ebenso viele Leute wie auf der Straße standen auch dort oben und schauten hinaus; sie stützten sich mit den Ellbogen auf die Fenstersimse und atmeten die schwere, süße Luft.

Der Profos sah, daß Maitland auf ihn zukam. »Der Earl von Bothwell hat erfahren, daß Ihr einen Brief von der Königin von England zu überbringen habt. Aber er hält es für unmöglich, daß die Königin ihn vor heute abend wird lesen können. Sie schläft noch.« Maitland erbot sich nicht, den Brief anzunehmen, und lud ihn auch nicht ein, das Palastgelände zu betreten.

Erstaunt sah der Profos, wie eine große Schar berittener Männer sich im Hof versammelte, gefolgt von Hunderten von Arkebusieren: Bothwells Leute. Dann kam Bothwell selbst herausgeritten; er trug goldene Gewänder und saß auf einem mächtigen Streitroß. Darnleys Pferd!

Ringsum murmelten die Leute: »Da ist sein Pferd, das Pferd des toten Jungen, und Bothwell sitzt im Sattel ...«

»Wo mag er sonst noch reiten, wo ehedem der Junge ritt?« Lautes Gelächter.

»Wo er will, und so oft er will!«

»Und solange es der Königin gefällt, wird er weiter reiten!«

Jetzt heulte die Menge vor Lachen.

»Seht! Da ist sie! Die Hure!«

Der Profos schaute hoch und sah Maria, die Bothwell von ihrem Turmfenster aus langsam zuwinkte. Bothwell drehte sich im Sattel um und salutierte zu ihr hinauf. Dann warf er den Kopf in den Nakken und lachte, machtvoll und laut.

So fest also schläft sie, dachte der Profos. Und weigert sich, den Brief der Königin von England in Empfang zu nehmen, derweil sie ihren Geliebten anhimmelt.

Bothwell ritt jetzt dicht an ihm vorbei, prunkvoll und mächtig auf seinem Pferd. Die Arkebusiere bildeten rings um ihn herum eine waffenstarrende, lebende Hecke.

Nichts von der Wärme des Apriltags war in das kalte Mauerwerk des Tolbooth eingesickert, wo Bothwell jetzt seinen Platz einnahm, um sich zu verteidigen. Fünfzehn der Richter in diesem Prozeß hatten auf den Bänken Platz genommen; der Earl von Argyll führte den Vorsitz, und Bellenden hatte das Amt des Gerichtsschreibers übernommen und protokollierte und ordnete das Verfahren. Der gesamte schottische Hof war zugegen – mit drei bemerkenswerten Ausnahmen: Es fehlten die Königin selbst, Lord James Stewart und der Earl von Lennox.

Der Earl hatte zwei Vertreter entsandt, Crawford und Cunningham. Cunningham verlas eine Botschaft von Lennox: Seine Lordschaft sei »außerstande, anwesend zu sein, und zwar infolge des kurzfristig anberaumten Termins und auch, weil er um sein Leben fürchtete, da man ihm die Freiheit versagt hat, ein Gefolge mitzubringen, wie er es zu seinem Schutz für notwendig erachtet. Er hat daher beantragt, das Verfahren um vierzig Tage zu verschieben, oder aber um soviel Zeit, wie er brauche, um hinreichend Beweis für seinen Vorwurf gegen die Mörder zu erbringen, die er einstweilen in Haft zu nehmen bitte, bis er darauf vorbereitet sei, sie zu überführen«.

Bothwell lachte verächtlich. »Erst verlangt er einen Prozeß und besteht noch darauf, daß er stattfinde, bevor das Parlament wieder zusammentritt. Jetzt schützt er Ausflüchte vor, weil er nicht zugegen ist, und verlangt, daß ›die Mörder‹ – ein namenloser Plural – eingesperrt werden, bis es ihm gefällt, seine ›Beweise‹ vorzulegen. Hat ein Gericht je einen anmaßenderen Antrag vernommen?« Sein spöttischer Tonfall brachte alle zum Lachen.

»Vielleicht sollte jeder, der eines Verbrechens beschuldigt wird, nach Lust und Laune eines einzelnen in den Kerker geworfen werden, nur für den Fall, daß dieser sich vielleicht irgendwann bewogen fühlen möchte, Beweise gegen ihn vorzubringen. Pah, Gentlemen! Der Earl von Lennox ist es, den man einsperren sollte – wegen erwiesenen Schwachsinns!«

Langsam drehte er sich um, und sein Blick wanderte über die Reihen der Männer, die ihn anstarrten. Ihre verschiedenfarbigen Mäntel waren bunte Kleckse auf dem matten Braun der hölzernen Sitzbänke.

»Aber gleichviel – auch wenn der Earl nicht anwesend ist und niemand mich formell anklagen kann, werde ich doch mit Freuden jede Frage beantworten, die Ihr mir zu stellen wünscht. Denn vor allem möchte ich mich von dem Verdacht der Schuld an diesem Verbrechen reinigen.«

Von zehn Uhr bis sieben Uhr abends erörterte die Versammlung das »schreckliche Verbrechen«, doch es schien, daß niemand eine Antwort auf die vielen Fragen hatte. Niemand wußte, wer es getan hatte, warum es geschehen war, wie viele Leute beteiligt gewesen waren, oder auch nur, gegen wen das Komplott eigentlich gerichtet gewesen war. Bothwell konnte sie auch nicht aufklären. Endlich verkündete der Earl von Argyll, müde und hungrig, den Schluß der Verhandlung.

»Ihr seid freigesprochen«, erklärte er. »Es hat niemand Anklage erhoben oder Beweise gegen Euch erbracht. Ihr mögt gehen, wohin Ihr wollt.«

»Ich danke Euch, meine Lords und Freunde, für Eure Geduld«, sagte Bothwell. »Ich weiß, Ihr müßt hungrig sein. Ich bestehe deshalb darauf, daß Ihr als meine Gäste in Ainslie's Taverne mit mir zu Abend eßt, sobald Ihr Eure Sachen zusammengepackt habt. Gott sei gepriesen!« Er dankte mit ausladender Gebärde und warf sich seinen Mantel über die Schulter.

Die Taverne war groß und hatte mehrere aneinandergrenzende Räume. Im hintersten war eine lange Tafel aufgestellt – ein Brett, das auf Böcken lag –, an der die Gesellschaft, die Bothwell mitbrachte, Platz nehmen sollte.

Ainslie, der Wirt, war eifrig darauf bedacht, dem großen Earl, der die Stadt zu beherrschen schien, zu Gefallen zu sein. Der kam hereinspaziert, als wäre er gerade unterwegs zu einem gemütlichen, bedeutungslosen Zusammentreffen.

»Ich wünsche jedermanns Durst mit den besten Weinen zu löschen, die Ihr habt«, sagte Bothwell. »Soviel sie trinken können. Diejenigen, die lieber Bier trinken, sollen ebenfalls bekommen, soviel ihr Herz begehrt. Und nach dem Essen bringt Ihr Whisky.« Er sah den Ausdruck in Ainslies Gesicht. »Die Kosten spielen keine Rolle«, versicherte er ihm. »Und das Essen – ich will Lamm und Rindfleisch, vom zartesten natürlich. Und Weißbrot.« Er nickte den Gästen zu, die nacheinander hereinkamen. »Nehmt nur Platz, meine Freunde.«

Wachsam setzten sie sich, während Ainslie und seine Gehilfen auf dem Tisch die Kerzen anzündeten. Der Lichtkreis wuchs, bis Bothwell von seinem Ende der Tafel aus die meisten Gesichter erkennen konnte. Morton mit seinen harten, glänzenden Augen saß ihm am nächsten, und ihm gegenüber Argyll. Die übrigen – Huntly, blond und hübsch, der ernste Seton, Cassillis, Sutherland, Rothes, Glencairn, Caithness, Boyd, Sinclair, Sempill, Oliphant, Ogilvy, Ross, Herries, Hume – schauten ihn erwartungsvoll an. Andere warteten am untersten Ende der Tafel.

»Meine Freunde, macht nicht so düstere Gesichter«, sagte Bothwell und stand auf. »Dieser Abend ist der Abend, da ich befreit bin von dem häßlichen Gespenst des Verdachts und der Lügen. Ich danke Euch, denn Ihr habt es möglich gemacht, daß mein Name, der Name James Hepburn, der niemals je für treulos oder gar verräterisch erachtet ward, wieder reingewaschen wurde, so daß ich und meine Nachkommen in Stolz weiterleben können.« Er hob sein Glas. »Trinkt, ich bitte Euch. Trinkt auf die Gerechtigkeit. Trinkt auf die Ehre. Trinkt auf den Mut.«

Er setzte sich wieder. Er war erschöpft; die schlaflose Nacht, der Nervenkrieg um den bevorstehenden Prozeß, das alles forderte allmählich seinen Tribut. Er hatte das Gefühl, zu fallen, einzustürzen, und er bot all seine Willenskraft auf, um sich mit neuer Kraft zu füllen. Es gab noch viel zu tun.

Er aß mit Heißhunger, als ihm Rindfleisch und Brot vorgesetzt wurden. Mühsam beherrschte er sich, um die Brocken nicht mit den Zähnen abzureißen. Er sah, daß die anderen, die erst gezögert hatten, nach und nach ebenfalls zulangten, und dann hörte er nur noch das Klirren der Messer auf den Zinntellern. Es waren viele Messer – jeder aß mit seinem eigenen Dolch. Dann sah er, wie Ainslie neue Wein- und Bierkrüge brachte und die leeren forträumte. Gut. Sie mußten heute abend viel trinken.

Krug um Krug wanderte zum Tisch, und der Lärm schwoll an. Die Männer lachten sogar. Sie entspannten sich; ihre Messer lagen auf den Tellern, und mit vollen Bäuchen lehnten sie sich zurück. Ihre Köpfe gerieten ins Schwimmen.

»Gut war's heute abend«, bekannte Huntly, der selten seine Meinung sagte. »Jetzt wollen wir hoffen, daß die Geister in Frieden ruhen.«

»Ja«, sagte Morton, und Wein tropfte ihm auf den Bart und verschwand im Gestrüpp. »Schottland ist voller Geister; sollen sie sich gegenseitig Gesellschaft leisten. Jetzt können Rizzio und der König wieder zusammen Tennis spielen. Har har!«

»Gott schenke ihren Seelen Ruhe«, sagte Bothwell; hoffentlich klang es auch fromm genug. Er nickte Ainslie zu.

Acht Steingutflaschen mit Highland-Whisky von Gordons Ländereien wurden hereingetragen. »Jetzt wollen wir uns am feinsten Whisky von ganz Schottland laben.« Bothwell nickte seinem Schwager Huntly zu, der vor lauter Stolz rosarot anlief.

Die Verschlußkapseln wurden abgerissen, und die Flaschen machten die Runde. Die rauchige braune Flüssigkeit brannte den Männern in den Kehlen und stieg ihnen dann geradewegs in den Kopf.

Bothwell trank nicht mit, auch wenn er sein Glas hob und tat, als nippe er daran. Auch vom Wein hatte er nichts genommen. Er wartete.

Als die Gesellschaft noch einmal eine halbe Stunde getrunken hatte und alle ihn freundlich angrinsten, stand er auf.

Leise sagte er: »Gentlemen, Freunde und Gefährten, ich möchte mich Eurer Hilfe versichern. Ich weiß, es gibt vielleicht im Ausland welche – unwissende Dummköpfe, die von Schottland nichts verstehen, die nie von unserem Whisky gekostet oder von unserem Brot gegessen haben –, die sich über uns lustig machen und andeuten werden, wir seien unfähig, Gerechtigkeit walten zu lassen oder uns selbst zu regieren. Sie werden das heutige Verfahren in Frage stellen, unsere *ganze* Ehre in den Schmutz ziehen. Um das zu vermeiden, und um uns alle zu schützen, bitte ich Euch, dieses Dokument zu unterzeichnen.«

Er entfaltete es. In aller Herrgottsfrühe hatte er es mit peinlicher Sorgfalt aufgesetzt, hatte mit dem höchsten Einsatz gespielt, den er jemals gewagt hatte.

»Ich will es Euch vorlesen.

›Wir Unterzeichneten erkennen, daß der edle und mächtige Lord James, Earl von Bothwell, nicht nur geschmäht und verleumdet ward von solchen, die ihm übel wollen, und seinen persönlichen Feinden durch Plakate und auf andere Weise als Täter und Mitverschwörer bei dem scheußlichen Mord an dem König und Ihrer Majestät, der Königin, verstorbenem Ehegemahl, sondern auch durch Briefe, welche der Earl von Lennox eigens an Ihre Hoheit schrieb und darin verlangte und wünschte, es möge ihm wegen dieses Mordes der Prozeß gemacht werden: daß er, von gewissen Edlen, seinen Peers, und anderen wohlbeleumdeten Baronen vor Gericht gestellt, für unschuldig und obgenannten frevelhaften Verbrechens für schuldlos befunden wurde.

Daher verpflichten wir uns und übernehmen es auf Ehre, Treu und Glauben: Sollte irgend jemand weiter darauf beharren, besagten Earl von Bothwell mit Schmähungen und Verleumdungen als Beteiligten an jener besagten frevelhaften Mordtat zu verfolgen, von welcher Schuld die gewöhnliche Gerechtigkeit ihn freigesprochen, so werden wir selbst mit unserer Sippe, unseren Freunden, Bedienten und allen seine Partei ergreifen, ihn schützen und erhalten in diesem Streit gegen jeden, der sich anmaßt, ihn in Wort oder Tat zu entehren, zu beschuldigen oder zu schmähen.‹«

Die Männer nickten. Sollte er das Schriftstück jetzt einfach herumreichen und von ihnen unterschreiben lassen? Das Licht war schlecht, und sie waren betrunken genug, um den zweiten Teil, der sie sicher aufscheuchen würde, vielleicht gar nicht zu bemerken. Doch nein. Wenn sie nicht wußten, was sie da unterschrieben hatten, nützte es ihm auch nichts. Außerdem basierte sein ganzer Ruf darauf, daß er immer offen und unverhohlen auftrat.

»Ich danke Euch«, sagte er. »Es gibt aber noch einen zweiten Teil, welcher das berührt, was in diesen traurigen Zeiten natürlich jedermann auf dem Herzen liegt. Die Königin wurde in der Blüte ihrer Jugend des Gatten beraubt und hat nur ein Kind für die Thronfolge. Wieder werden Ausländer versuchen, vermöge unseres Unglücks die Herrschaft über unser Land an sich zu bringen.«

Jetzt blieb ihm nichts anderes übrig, als sich ins kalte Wasser zu stürzen. »Daher, wenn es Euch recht ist:

> In Anbetracht und Erwägung gegenwärtiger Zeiten, und wie Ihre Majestät, die Königin und unsere Herrscherin, nun eines Gemahls ermangelt, welches ein Zustand ist, in dem Ihre Majestät um des gemeinen Wohls unseres Heimatlandes willen nicht fortan verharren darf, sondern beizeiten einer neuen Ehe sich wird fügen müssen, ist daher jeder einzelne der Unterzeichneten, sollten die liebevollen und getreuen Dienste des besagten Earl von Bothwell, welche dieser Ihrer Majestät von Zeit zu Zeit hat angedeihen lassen, sowie seine anderen guten Eigenschaften und Weisen Ihre Majestät dazu bewegen, sich herabzulassen (indem sie einen Ihrer eigenen Untertanen allen ausländischen Prinzen vorzieht), den besagten Earl von Bothwell zu ihrem Gemahl zu nehmen – ist jeder einzelne der Unterzeichneten also damit einverstanden, daß eine solche Ehe feierlich geschlossen werde zu einer Zeit, die Ihrer Majestät als tunlich erscheint, und sobald die Gesetze es erlauben.«

Die Männer murrten und gerieten in Unruhe. Bothwell hörte überall an der Tafel zorniges oder erschrockenes Gemurmel. Gleichzeitig drangen die unverwechselbaren Geräusche eines Trupps von zweihundert Soldaten, den er rings um die Taverne hatte aufziehen lassen, in den Raum. Er senkte die Stimme so weit, daß die Soldaten über allem anderen deutlich zu hören waren. Die Männer verstummten; sie erkannten verzweifelt, daß sie in der Falle saßen. Bothwell räusperte sich und las ruhig und gelassen weiter.

> »In dem Fall aber, daß jemand sich anmaßt, direkt oder indirekt, unter welchem Wappen oder Verwand auch immer, besagte Ehe zu hindern oder ihr Zustandekommen zu stören, so werden wir

diese Hinderer und Störer und Widersacher derselben als Staatsfeinde und Übelgesonnene festnehmen und werden die Partei besagten Earls ergreifen und ihn bestärken zu dieser Ehe. Gegen alle, die sich dem widersetzen, werden wir einsetzen unser Gut und Blut. So wahr wir uns verantworten müssen vor Gott, und auf unsere Ehre und Treue sollen wir, so wir dies nicht einhalten, zu Lebzeiten nie wieder ehrlichen Leumund oder Glaubwürdigkeit besitzen, sondern für treulose Verräter gelten, und zum Zeugnis dessen haben wir unterschrieben mit eigener Hand und wie folgt.«

Mit einer schnellen, schattenhaften Bewegung huschte einer hinaus.

»Kommt zurück!« befahl Bothwell in so herrischem Ton, daß die übrige Gesellschaft noch unruhiger wurde. Er hatte nicht so sprechen wollen; es war ihm herausgerutscht.

»Mein guter Lord«, sagte Huntly mit entsetzter Miene. Er würde gut bezahlt werden müssen, wenn er der Scheidung seiner Schwester zustimmen sollte. »Wie könnt Ihr mich in der Öffentlichkeit so beschämen?«

Stühle wurden zurückgeschoben, und die Männer standen auf.

»Es steht Euch nicht frei, zu gehen«, sagte Bothwell. »Ihr müßt bleiben.« Draußen marschierten die Soldaten geräuschvoll auf und ab, wie er es ihnen befohlen hatte. »Ich muß darauf bestehen, daß Ihr zuvor dieses Papier unterschreibt.« Die Sache ging schlecht. Aber wie sonst hätte er es ihnen unterbreiten können?

Er schob Morton das Schriftstück zu und drückte ihm die Feder in die Hand. Der mächtige Dickschädel beugte sich über das Papier und kratzte seinen Namen darunter. Wortlos reichte er es dann an seinen Nachbarn Sempill weiter.

Bothwell blieb am Kopf der Tafel stehen und sah aufmerksam zu. Plötzlich durchfuhr ihn der Gedanke, daß ihnen einfallen könnte, das Papier zu zerreißen. Die Männer, die darauf warteten, daß sie an die Reihe kamen, funkelten ihn wütend an, während draußen die Stiefel der Soldaten auf dem Kopfsteinpflaster scharrten.

Ihm war, als habe er mindestens fünf Stunden so dagestanden, ehe das Papier, mit Unterschriften vollgeschmiert, wieder bei ihm ankam. Er warf einen Blick darauf, um sich zu vergewissern, daß sie nichts verändert oder gestrichen und daß sie mit richtigem Namen unterschrieben hatten, nicht etwa als »Johnnie Armstrong« oder »William Wallace« oder »Judas«.

»Ich danke Euch, meine Freunde und Bundesgenossen«, sagte er lahm. »Ihr könnt jetzt gehen. Bitte seht Euch vor.« Einige von ihnen hatten zweifellos soviel Whisky getrunken, daß sie stürzen und sich den Hals brechen konnten. Aber sie waren doch rasch nüchtern geworden, als er sie mit dem Schriftstück konfrontiert hatte.

Es war ein Fehler gewesen. Er hätte es niemals tun sollen. Jetzt hatte er sie sich alle zu Feinden gemacht. Und sein einschüchterndes, brutales Verhalten beschämte ihn.

Aber jetzt war es getan. Mit dem Papier in der Hand verließ er den leeren Raum. Als er am Ausgang der Taverne ankam, sah er, daß die Männer sich schon zerstreut hatten. Am nächsten Morgen würde sich die Sache in Edinburgh herumgesprochen haben, in drei Tagen in ganz Schottland, und am fünften Tag würde England es wissen. Er mußte jetzt schnell handeln. Er schickte seine Soldaten weg, nicht ohne ihnen für ihren nächtlichen Dienst einen zusätzlichen Sold zu versprechen.

Extrasold für die Soldaten, das Essen und der Wein, die Entschädigung für seinen Schwager Huntly – es war ein teures Unternehmen. Aber wenn alles gutginge, würde das Geld gut eingesetzt sein.

Du mußt Geld ausgeben, wenn du Geld verdienen willst, hatte sein habgieriger alter Onkel, der Bischof, ihn einmal gelehrt.

Die Nacht war still und warm, so freundlich, daß er seinen Schritt verlangsamte, als er jetzt nach Holyrood zurückkehrte. Verharre noch ein Weilchen, schien die Luft ihm zu sagen. Haste nicht durch mich hindurch, sondern atme mich ein. Atme tief, damit ich dich erfüllen kann. Und er tat es, drehte sich langsam um sich selbst und ließ seinen Mantel zu Boden fallen.

Der Himmel war klar, und der Mond schien so hell, daß er sogar die paar zarten Wölkchen sehen konnte, die wie ein verspäteter Einfall in der Schwärze schwebten. Das Leben war so süß, und man brauchte es nur zu pflücken: Es bettelte geradezu darum, daß man es bemerkte, wenn man so dahinging.

Er seufzte und hörte auf, sich im Kreis zu drehen. Unten in der Senke, am Fuße des langgestreckten Hangs, lag der Palast, vom Mondlicht silbrig blau angemalt.

Und im Turm sitzt sogar eine Prinzessin, dachte er. Sie wartet darauf, daß man sie rettet, nachdem nun der Drache Darnley erschlagen ist. Und er lachte so dröhnend, daß Vorübergehende sich nach ihm umschauten.

Er begab sich durch die inzwischen vertrauten Korridore und Treppen und Wendungen in die königlichen Gemächer. Sie erwartete ihn im innersten Gemach. Als sie sich erhob und auf ihn zukam, hatte er einen Augenblick lang das Gefühl, daß dies alles doch nur eine Geschichte war: die Prinzessin in Not – oder vielleicht sogar Circe, die ihre Liebhaber in Tiere verwandelte und vernichtete. Scham über die Szene in der Taverne durchflutete ihn. Wo hatte er sich nur hintreiben lassen?

Und dann war sie neben ihn, das Hell und Dunkel von Antlitz und Haar dicht vor ihm, der Honig ihres Atems an seiner Haut. Sie flüsterte: »Bist du in Sicherheit?« Und bei dem Klang dieser Worte, heiser und schmerzerfüllt, vergaß er die Männer in der Taverne und ihren Haß.

Der Prozeß. Sie meinte den Prozeß. »Ja. Ich bin freigesprochen.« Er merkte, daß auch er flüsterte – warum, wußte er nicht.

Sie küßte ihn, langsam. Er gestattete sich, den Kuß zu genießen, ein wenig länger dabei zu verweilen, als er es für gewöhnlich tat. Aber er hatte jetzt nicht den Wunsch, weiterzugehen; er war damit zufrieden, sie in den Armen zu halten.

Er löste seine Lippen von den ihren und sagte: »Der Earl von Lennox ist gar nicht gekommen. Er wollte mich festsetzen lassen, bis er sein Beweismaterial zusammengekramt hätte. Ich bestand darauf, daß das Verfahren fortgesetzt wurde. Da aber niemand eine Anklage gegen mich erheben oder Beweise vorlegen konnte, wurde ich am Ende für nicht schuldig erklärt und freigesprochen.«

Ihre weichen Lippen waren an seinem Hals, aber er trat zurück. Er merkte, daß er für den Augenblick ein wenig Abstand brauchte.

»Es ist fast Mitternacht«, sagte sie. »Hat die Verhandlung so lange gedauert?«

»Nein. Das Wichtigste kam erst später.« Er zog sein Schriftstück hervor und gab es ihr.

Sie ging damit zu einem kleinen Tisch, auf dem eine Kerze stand, und hielt das Papier dicht an die Flamme.

»Gib acht, daß du es nicht verbrennst!« sagte er erschrocken. Er hatte nicht den hohen Preis der eigenen Ehre dafür bezahlt, daß er es jetzt durch Unachtsamkeit verlor.

Sie las blinzelnd im trüben Licht, und als sie sich vorbeugte, fielen ihr die Haare ins Gesicht. Ungeduldig strich sie sie beiseite. Schließlich drehte sie sich um.

»Unglaublich«, sagte sie. »Wie konntest du das wagen?« Er

konnte nicht erkennen, ob es Abscheu oder Bewunderung war, was sie empfand.

»Die Wahrheit ist, ich weiß es nicht«, gab er zu. »Es mußte geschehen. Und jetzt ist es geschehen, und damit ist es zu Ende.«

»Nein, es ist nicht zu Ende«, widersprach sie. »Wäre es das nur! Und dein Schwager hat auch unterschrieben?«

»Nicht freiwillig. Und er wird es meiner Frau erzählen.« Wieder durchflutete ihn die Scham darüber, daß Jean es von ihrem Bruder würde erfahren müssen. »Die Männer wollten nicht unterschreiben. Ich habe sie mit Whisky abgefüllt und mit meinen Soldaten bedroht. Ich wollte nicht, daß es so ginge. Ich hatte gehofft, sie würden zugänglicher sein.«

Sie lachte. »Manchmal bist du so unschuldig«, sagte sie. »Während du vor Gericht standest, kam ein Brief von Königin Elisabeth, in dem sie mir mehr oder minder droht. Sie stellt meine Ehre in Frage.« Sie hielt ihm den Brief entgegen. Müde las er das Wichtigste:

> Um der Liebe Gottes willen, Madame, verwendet soviel Aufrichtigkeit und Ehrlichkeit an diese Angelegenheit, welche Euch so nah geht, daß alle Welt sich gerechtfertigt fühle in dem Glauben daran, daß Ihr unschuldig seid an einem so ungeheuren Verbrechen, und wäret Ihr es nicht, so hätte man guten Grund, Euch aus dem Rang einer Königin zu entfernen und der Verachtung der Gemeinen auszusetzen. Ehe dies Euch zustieße, wünsche ich Euch lieber ein ehrenvolles Grab, denn ein ehrloses Leben.

Sie riß ihm den Brief aus der Hand. »Und auch jetzt sind wir nicht sicher«, fuhr sie fort. »Etwas noch Bestürzenderes als dieser Brief von Elisabeth ist gekommen.« Sie reichte ihm einen großen, milchweißen Umschlag. »Von meinem Botschafter in Frankreich.«

> Doch, ach, Madame, heute wird in ganz Europa kein Gegenstand so häufig erörtert wie Eure Majestät und der gegenwärtige Zustand Eures Reiches, der größtenteils finster gedeutet wird. Ich fürchte aber, dies ist nur der Anfang und erste Akt der Tragödie, und es wird alles nur noch schlimmer kommen. Ich habe dem Botschafter von Spanien in Eurem Namen für die Warnung gedankt, die er Euch hat zuteil werden lassen, wenngleich sie zu spät kam. Er hat mich noch gebeten, Eure Majestät wissen zu lassen, daß er aus nämlicher Quelle erfahren habe, es sei wohl

noch ein beträchtliches Unternehmen gegen Euch im Gange, vor welchem Ihr Euch beizeiten hüten sollt. Bisher schreibe ich mit großem Bedauern, da ich mich außerstande sehe, irgendwelche Einzelheiten von seinem Herrn zu erfahren.

Bothwells Blick huschte über den Brief. »Wer immer es ist, es muß dieselbe Bande sein, die so sorgfältig falsche Spuren mit dem Faß gelegt hat und die durch die Straßen paradiert ist und meinen Namen gerufen hat. Sie stecken auch hinter den Plakaten und dem geheimnisvollen Ausrufer.«

»Du meinst, es ist eine Gruppe und nicht nur einer?«

»Ich bin der einzige, der allein handelt. Alle anderen handeln in Gruppen.« Es war ihm klar, daß es wie Prahlerei klang, wenn er so etwas sagte; aber es war die Wahrheit, und darin bestand die Gefahr für ihn. In Schottland, so schien es, kam einer, der allein ging, nicht weit.

»Pfui über das alles!« sagte er und legte den Brief auf den von Elisabeth. »Wir sind von gefährlichen Feinden umzingelt. Aber wir müssen stärker sein als sie.«

Er sah müde aus, und auch – obgleich es ihn beschämt hätte, wenn er es gewußt hätte – verstört und ängstlich. Sie wollte ihn beschützen, wollte alles in ihrer Macht stehende tun, um ihn vor den kommenden Prüfungen zu bewahren. Aber zugleich wollte sie in seinen Armen liegen, obwohl dies das Gefährlichste war, was sie für ihn tun konnte.

»Komm in mein Bett«, sagte sie plötzlich. »Ich befehle es.«

Mit einem unbeschreiblichen Blick – Erleichterung? Unglauben? Widerstreben? – neigte er gehorsam den Kopf.

»Zieh dich aus«, sagte sie. »Schnell. Ganz.«

Wiederum gehorchte er und blieb nackt vor ihr stehen. Sie aber stand nicht da und starrte ihn an, sondern zog ihn zu sich ins Bett; sie hatte sich ebenfalls rasch entkleidet und zugedeckt.

»Ich bin nicht sicher, daß ich auf Befehl lieben kann«, gab er zu bedenken.

»Ich bin sicher, daß du es kannst«, sagte sie und berührte ihn. »Ich weiß, daß wir es brauchen, um stark genug für die kommenden Prüfungen zu sein.«

»Du machst ein Sakrament daraus«, stellte er fest.

»Für mich ist es eins«, sagte sie.

»Maria«, sagte er nachher, als er sie wieder im Arm hielt, »vertraust du mir?«

»Mein Leben vertraue ich dir an«, murmelte sie schläfrig, die Lippen an seinem Hals.

»Dann mußt du darauf vertrauen, daß ich zustandebringen werde, was wir uns am meisten wünschen, und zwar auf meine Art. Was immer ich tue, zweifle nicht an mir, und verliere nicht für einen Augenblick den Glauben an mich.«

»Ich sage doch, ich vertraue dir mein Leben an.«

Das Parlament war beendet, und Maria schritt langsam in der Prozession dahin. Vor ihr ging mit majestätischem Schritt der Earl von Argyll, der die Krone trug; Bothwell trug das Zepter, und hinter ihr kam Huntly mit dem Staatsschwert. Die feindseligen Blicke der Menschen am Straßenrand merkte sie wohl. Noch nie hatte sie so etwas erlebt; stets hatte nur Bewunderung in den Augen der gemeinen Untertanen geglänzt. Nur John Knox hatte je bewirkt, daß man Blicke wie diese hier auf sie warf, und es war schrecklich, ihm jetzt sozusagen tausendfach vervielfältigt zu begegnen. Sie lächelte in der Hoffnung, damit Lächeln hervorzurufen. Hier und da gelang es, und eine Frau rief: »Gott segne Euch, wenn Ihr unschuldig seid am Tode des Königs.« Es durchlief sie kalt.

Wenn Ihr unschuldig seid am Tod des Königs. Wie konnten sie etwas anderes annehmen? Wenden sie sich so leicht gegen mich, und ohne jeden Beweis noch dazu? Es fröstelte sie.

Bothwells gerader Rücken vor ihr tröstete sie. Aber er war nur ein Mann, und sie waren so viele.

Schon nannte man die Parlamentssitzung »die Reinwaschung Bothwells«, obgleich nichts dergleichen stattgefunden hatte. Man hatte ihn bestätigt in seinem Amt als Großadmiral und als Statthalter im Grenzland und ihm überdies »in Anerkennung seiner großen und vielfältigen Dienste« den Oberbefehl über Dunbar Castle übertragen. Aber auch andere hatten Anerkennung erfahren: Huntly hatte formell seine Titel und Güter zurückerhalten, Morton und Lord James ebenfalls. All den alten Verrätern war Vergebung und Rehabilitation zuteil geworden. Es war ein neuer Anfang, zumindest auf dem Papier.

Bothwell hatte nicht erkennen lassen, was er plante. Seit dem Abend nach seinem Prozeß hatte sie ihn nicht wiedergesehen.

Es wäre eine Erleichterung, Edinburgh zu verlassen. Sie wollte nach Stirling, um ihren Sohn zu besuchen und mit eigenen Augen zu sehen, wie Erskine und seine Frau ihn erzogen. Hatten sie das Bild der Heiligen Jungfrau über seiner Wiege hängenlassen, oder war es heruntergenommen und durch einen Bibeltext ersetzt worden? Ach, Maria, Maria, dachte sie bei sich. Du bist erschöpft und denkst schlecht über alle Welt. Die Müdigkeit hat dein Unterscheidungsvermögen stumpf gemacht und wirft ihren Schatten noch auf die hellsten Dinge. Du hast die frische Luft von Stirling dringend nötig, und du mußt dein Kind in den Armen halten.

Der kleine James schien sich an ihrem Leiden angesteckt zu haben; er weinte und zappelte, als sie ihn aufnahm. Schwer war er geworden; Lady Erskine sagte, er habe sein Gewicht bereits verdreifacht und sei aus allen Kleidern herausgewachsen, die er gehabt habe.

»Aber er ist ein großes Baby«, sagte sie. »Er wird niemals fett.«

James fing an, Maria ins Gesicht zu schlagen. Sie wandte den Kopf leicht zur Seite, um ihm auszuweichen, aber er hörte nicht auf. Es schmerzte, auch innerlich, obwohl sie wußte, daß es das nicht tun sollte.

»Welches Spielzeug gefällt ihm besonders?« fragte Maria und drehte den Kopf zur anderen Seite.

»Er hat einen Satz von Schachteln, die ineinanderpassen«, antwortete Lady Erskine. »Die setzt er gern zusammen. Und Peter hier, unser Zimmermann, hat ihm einen Kasten mit verschieden geformten Löchern gemacht, und dazu Klötzchen, die durch diese Löcher passen: runde, viereckige, sternförmige. Es macht ihm Spaß, sie hineinzustecken. Er ist immer ganz ernst, wenn er es tut.«

Jetzt riß James sie an den Haaren. »Spielt er gern draußen? Es ist ein schöner Tag heute. Möchte er gern die Schwäne unten auf dem Teich sehen?« Sie gab Lady Erskine das Kind.

»Er hat sie noch nie gesehen«, sagte diese. »Laßt uns mit ihm hinuntergehen.«

Plötzlich kam Lord Erskine herein. Sein langes Gesicht erstrahlte in einem Lächeln. »So ein schöner Prinz«, sagte er. »Es ist uns eine große Ehre, daß er uns anvertraut ist.«

James gurgelte und streckte Erskine ein plumpes Händchen entgegen. Es durchfuhr Maria schmerzlich.

Mein Sohn, mein Sohn, dachte sie, schon bin ich eine Fremde für dich.

Sie gingen hinaus in den Schloßhof, wo der scharfe, frische Aprilwind hindurchfegte und pfeifend um die Ecken strich. Der wäßrige Geruch von schmelzendem Schnee und das laute Rauschen des Windes überfielen sie, und plötzlich war es der April vor zwei Jahren, als Darnley hier in Stirling krank gelegen und die Liebe zu ihm sie überwältigt hatte, so daß sie sich trotzig gegen die Lords und Elisabeth gestellt hatte ...

Sie gingen den langen, abschüssigen Weg zu den Schloßgärten hinunter, wo weit unten die weißen Pfauen umherstolzierten; die Schwäne, die von dort, wo sie den Winter verbracht hatten – wo immer das sein mochte –, zurückgekehrt waren, schwammen auf dem Wasser der Zierteiche. Lord Erskine trug James auf dem Arm, und das Baby quiekte und lachte, als er es hüpfen ließ. Schließlich setzte er das Kind ins weiche, neue Gras, wo es mit wippendem Häubchen davonkrabbelte.

»Majestät, Ihr seht müde aus«, sagte Erskine fürsorglich. »Ich hoffe, ich darf offen zu Euch sprechen, als Freund und als Untertan? Wir kennen einander so lange, und ich habe Euch in so vielen verschiedenen Situationen gesehen – sogar eine Stunde nach der Geburt des Prinzen.«

»Ich bin auch müde«, bekannte sie. »Aber ich hoffe, daß ich mich bald ausruhen kann. Falls einer Königin so etwas erlaubt ist.«

Erskine sah sie mit tiefer Sorge an. »Die letzten zwei Jahre waren so schwierig, daß man unwillkürlich das Gefühl hat, sie seien Teil eines göttlichen Plans.«

Nicht das wieder. »Knox ist fort«, sagte sie lächelnd. »Bitte, wir wollen ablassen von solchen Spekulationen. Ich bin, wie Ihr wißt, durchaus damit einverstanden« – dies war das schwierige Thema –, »daß der Prinz im Reformierten Glauben unterwiesen wird. Die Religion seiner Untertanen nicht zu kennen, das wäre eine große Wissenslücke.«

»Warum studiert Ihr sie dann nicht auch?« fragte Erskine unverblümt.

»Diejenigen, die mich hätten lehren können, waren rachsüchtig«, sagte sie. »Knox mit seinen üblen Reden und Flüchen verlockt mich nicht.«

»Das ist sehr schade«, gestand Erskine. »Denn er ist ein Mann des Landes, und gewiß kennt er das Sprichwort: ›Mit Honig fängt man mehr Fliegen als mit Essig.‹ Er verkündet die Süße des Evangeliums, aber dabei läßt er es sauer werden.«

Sie lächelte. »Macht nichts. Oh, schaut doch, der Prinz versucht, aufzustehen!«

Lady Erskine hielt James bei den Armen und ließ ihn ein paar Schritte gehen. »Er läuft, wenn er gestützt wird«, erzählte sie. »Wenn Ihr ihn das nächste Mal seht, wird er allein laufen.«

»Wenn Ihr ihn das nächste Mal seht«, sagte Erskine, »wird er ein stattlicher junger Prinz sein!«

Der Rückweg verhieß Maria und ihrem Gefolge einen angenehmen Ritt über Land. Der Frühling war weit fortgeschritten, und als Maria, Melville, Huntly und Maitland langsam auf weichen Pfaden durch Wiesen und Wälder ritten, spürte sie, wie ihre Stimmung sich besserte. Der Wind war von einem auf den anderen Tag warm geworden und wirkte einlullend; überall redeten die Vögel miteinander, zwitscherten, zankten, warben und warnten. Die lebhaften, energischen Bewegungen, mit denen sie von Ast zu Ast hüpften, vertrieben allmählich auch Marias Schwermut.

»Die Vögel frohlocken«, sagte sie und wandte sich Maitland zu. »Sie sind wie kleine Kinder, wenn sie schulfrei haben.«

Maitland lächelte knapp. »Ja, Eure Majestät«, sagte er, aber in seinem Ton lag keine Freude.

Die arme Flamina, dachte Maria. Erst vier Monate verheiratet, und schon hat er taube Ohren für den Frühling? Vielleicht ist er ja doch zu alt für sie.

Hinter ihr trottete Huntly einher, und seine Miene war ebenso düster. Sonst lächelte Huntly meistens und wirkte überhaupt ziemlich unbeschwert; das machte ihn ja, seinen beschränkten geistigen Fähigkeiten zum Trotz, zu einem guten Gefährten. Aber er war heute offensichtlich unglücklich.

Die Sonne stieg höher und schien durch die grünen Schleier der Zweige, die noch eine Woche zuvor kahl gewesen waren. Tiefer im Innern des Waldes war das Grün im Schatten kaum erkennbar, aber von dort zwinkerten weiße Punkte herüber: die ersten Waldblumen. Und überall hörte man das Rauschen und Gurgeln und Tröpfeln des Wassers, das sich aus der langen Umklammerung des Winters befreite.

»Wollen wir haltmachen und rasten?« fragte Maria.

»Ich sehe keinen geeigneten Platz dafür«, sagte Maitland. »Hier ist alles schlammig.«

Tatsächlich schmatzten die Hufe der Pferde auf dem Pfad.

»Dann eben an der nächsten hochgelegenen Stelle«, sagte Maria, bemüht, ihren fröhlichen Ton zu behalten. Trotz ihren Sorgen und der angespannten Situation freute sie sich an der Musik der Singvögel – Zaunkönige, Drosseln und Waldlerchen – und auch an den dunkleren Rufen der Amseln und dem rauhen Krächzen der Raben. Es war ein überschwenglicher Chor, der lauter vom Leben erzählte als irgendeine Musik, die für die Kirchenorgel komponiert war. Und über allem kreisten stumm die Falken am weiten blauen Himmel.

Es ging jetzt aufwärts, weg von dem Bach, der blitzend durch sein Steinlabyrinth dahinschoß, angeschwollen vom Frühlingswasser. Ein kleiner Hügel, umkränzt von Weinrosen und blühenden Weißdornhecken und mit einem Teppich aus leuchtend grünem, frischem Gras, erwartete sie.

»Wie herrlich!« sagte Maria, als sie über die Hügelkuppe schaute und die Blumenwiese sah, die sich vor ihnen erstreckte. »Es sieht aus wie ein Gobelin!«

Jetzt gestattete Maitland sich ein Lächeln. »Ah, jetzt preist Ihr die Kunst. Denn Ihr sagt, die Künstler arbeiten so fein, daß die Natur sie nachzuahmen scheint, nicht umgekehrt.

Die beiden stiegen ab, und die übrige Gesellschaft tat es ihnen nach. Zu allen Seiten des Hügels lag blühendes Waldland und undurchdringliches Unterholz; irgendwo sah Maria etwas Weißes aufblitzen: Ein Reh mußte sich im Schatten verborgen und sie wachsam beobachtet haben, ehe es davongesprungen war.

»Kommt, geht ein Stück mit mir«, sagte sie zu ihren drei Ratsherrn, aber Maitland und Huntly hatten sich bereits abgesondert und hätten sie nur noch gehört, wenn sie gerufen hätte. Nur Melville hörte sie und gehorchte.

Auch Melville sah unglücklich aus. Alle waren sie unglücklich unter dieser lächelnden, zärtlichen Aprilsonne! Gott mußte Seine Geschöpfe für taub, blind und undankbar halten, dachte Maria. Sie sah eine Igelfamilie, die sich hastig in Sicherheit brachte, als sie herankamen, und lachte laut.

»So ängstlich braucht doch der Igel nicht zu sein«, sagte sie. »Obgleich er vermutlich nicht so gut gerüstet ist wie sein furchterregender Vetter, das Stachelschwein. Habt Ihr schon einmal ein Stachelschwein gesehen? Ich hätte Lust, eine Stickerei zu machen –«

»Majestät«, unterbrach Melville sie, »ich glaube – wiederum: Verzeiht mir, aber ich tue nur meine Pflicht – ich glaube, Ihr habt Wichtigeres zu bedenken als Stickereien mit Stachelschweinen.« Er blieb stehen und schaute sie verzweifelt an.

»Lieber Melville«, sagte sie schließlich, »so viel habt Ihr schon mit mir zusammen durchgemacht. Ihr haltet es also wieder einmal für nötig, mich zu warnen? Mein Benehmen erregt Anstoß?«

»Ja, Eure Majestät. Es geht um Bothwell. Ihr müßt Euch von ihm trennen.«

Nein, dachte sie. Ich brauche keine Trennung, ich brauche eine Hochzeit. »Wir sind nicht verheiratet«, sagte sie.

»Nein, aber Ihr dürft es auch niemals sein. Er ist dessen nicht würdig, und es würde Euch kompromittieren, wenn Ihr einen solchen Mann nehmen wolltet. Als er die Lords zwang, dieses erbärmliche Schriftstück zu unterschreiben, zeigte das nur, wie verzweifelt seine Lage war. Lachhaft, jämmerlich.«

»Aber unterschrieben haben sie es.«

»Nur gezwungenermaßen. Majestät, hat er ... versucht, es in die Tat umzusetzen? Das Seltsame daran war ja, es handelte sich um die Erlaubnis, um Euch zu werben. ›*Falls* er sie überzeugen könne, ihn zu nehmen ...‹ Aber der Himmel muß diesen Gedanken aus Eurem Herzen verbannen! Ihr müßt Euch taub stellen gegen seine Beschwörungen, wie Odysseus sein Ohr vor den Sirenen verschloß. Stopft Euch Wachs in die Ohren und laßt Euch an den Mast fesseln, wenn es sein muß.«

»Ach, Melville. Ihr habt mein Bestes im Sinn«, sagte sie schließlich.

Und die ganze Zeit dachte sie: Was plant er nur? Was *kann* er tun, um eine solche Opposition zu überwinden? *Vertraue mir*, hatte er gesagt. Aber wie denn?

Sie ritt weiter, ein Maiglöckchen am Mieder, damit der süße Duft ihr Gesellschaft leiste. Ihre Begleiter schienen nach dem Aufenthalt in etwas besserer Stimmung zu sein. Vielleicht hatten sie die Rast gebraucht, vielleicht aber war es unmöglich, der raschelnden, geschäftigen Lebendigkeit der Igel und der Natur ringsum zu widerstehen.

Plötzlich krachte es vor ihnen im Gebüsch, hinter der Kurve, wo die Brücke über den kleinen Almond River sie erwartete. Ein großer Trupp Reiter erwartete sie – Hunderte.

»Ja, was ist denn das?« rief Maria und zügelte ihr Pferd. Soldaten.

Die Sonne blinkte auf ihren Helmen. Nein! Nicht schon wieder ein schottischer Überfall oder ein Aufstand! Noch während sie darum kämpfte, ihr scheuendes Pferd im Zaum zu halten, merkte sie, wie ihr Herz klopfte und wie jene vertraute, außergewöhnliche Energie durch ihre Adern strömte. Genauso hatte sie gefühlt, als sie Lord James in der »Treibjagd« nachgesetzt hatte und als sie mit Darnley über den Friedhof geflohen war; das Gefühl war allmählich wie ein Freund, auf den sie in jeder Gefahr zählen konnte.

»Was ist das?« rief sie. »Wer versperrt uns den Weg?« Mutig gab sie ihrem Pferd die Sporen und galoppierte los, um die Wegbiegung herum. Vor ihr war eine Armee. Und an ihrer Spitze stand Bothwell.

Er saß auf seinem Pferd wie eine hölzerne Statue, mächtig und reglos. Sein Visier war heruntergeklappt, und sie konnte seine Augen nicht sehen – nur einen langen, schmalen Schlitz wie der Mund eines Leichnams, an den Enden abgerundet.

»Was soll das?« wiederholte sie. Vor Bothwell hielt sie an, vor diesem merkwürdigen Bothwell mit dem unsichtbaren Gesicht.

»Eure Majestät«, sagte er, »in Edinburgh droht Gefahr. Ich und meine Leute, meine getreuen Grenzlandsoldaten, sind gekommen, um Euch in Sicherheit zu bringen. Wir gehen nach Dunbar Castle.« Mit einer flinken, pfeilschnellen Bewegung griff er nach dem Halfter ihres Pferdes. »Ich bitte Euch, leistet keinen Widerstand.«

»Wer hat die Waffen gegen uns erhoben?« fragte sie. War es Morton? Oder die Lennox-Stewarts, oder irgendwelche Knoxianer?

»Das kann ich in diesem Augenblick noch nicht sagen. Es herrscht große Verwirrung. Kommt.« Er wandte sein Pferd und führte ihres mit sich. »Ihr ebenfalls«, befahl er den drei Höflingen.

Besorgt um sie, wandte Maria sich ihnen zu, um sie zu beruhigen. Aber Maitland und Huntly sahen überhaupt nicht beunruhigt oder überrascht aus – nur Melville. Erschrocken erkannte sie, daß wieder einmal eine Verschwörung stattgefunden hatte, von der sie nichts geahnt hatte. Sie hatten es bereits gewußt. Deshalb hatte Maitland das blühende Land keines Blickes gewürdigt: Seine Aufmerksamkeit hatte dem blühenden Komplott gegolten. Und Huntly – dem paßte es nicht, und deshalb runzelte er die Stirn, aber einverstanden war er gleichwohl gewesen. Lieber Gott! War *das* Bothwells Lösung für ihr Dilemma?

»Wenn es wirklich einen Aufstand gibt, dann schickt einen von Euren Leuten nach Edinburgh, damit er Alarm schlägt«, sagte Maria.

»Wie Ihr wollt«, sagte Bothwell und nickte Lord Borthwick zu, der zu seiner Truppe gehörte. »Reitet, mein Guter. Einstweilen aber müssen wir uns beeilen.«

Sie zogen an Edinburgh vorbei, wo eine Kanonensalve gegen sie abgefeuert wurde, ohne indes zu treffen. Sie umgingen die Stadt und ritten weiter nach Osten, auf Dunbar und das Meer zu. Blühende Hecken, grüne Lichtungen und schäumende Frühlingsbäche verschwanden, und Maria sah nur noch die Scharen von Soldaten vor sich. Bothwell sprach nicht mit ihr, sondern führte sie nur immer weiter wie ein Abgesandter aus einem furchtbaren, unentdeckten Land, der eine Gefangene heimzubringen hatte.

Warum sagte er nichts? Sie schluckte heftig, als der erste Rausch der Erregung verebbte, aus ihren Adern rann und sie voller Unbehagen und Verwirrung zurückließ.

Die Sonne ging hinter ihnen unter, und Fackeln wurden angezündet, als sie durch die kleinen Dörfer Dalkeith und Haddington – Knox' Heimatort – und an Maitlands Ländereien vorbeizogen. Hätte dieser gewollt, hier hätte er sicher die Flucht ergreifen können. Aber nein – er wurde ja dafür bezahlt, daß er die Reise fortsetzte; ein deutlicherer Beweis für seine Komplizenschaft war nicht nötig.

Allmählich roch man die See, und gegen Mitternacht erreichten sie Dunbar Castle. Als sie in den Hof einritt und die Schreie der Möwen dahinter hörte, tat ihr Herz einen kurzen Freudensprung, denn ganz genau so war sie nach dem Mord an Rizzio in Sicherheit geritten. Aber es dauerte nur einen Augenblick. Diesmal war es doch etwas völlig anderes.

Bothwell ritt in die Mitte seiner wimmelnden Truppen. »Ich habe achthundert Mann hier, die alle treu auf mein Kommando hören«, brüllte er. »Laßt es nicht auf eine Probe ankommen, denn ich versichere Euch, sie werden mir gehorchen und jeden erschlagen, der versucht zu fliehen, ganz gleich, wer es ist.«

Man hörte vereinzeltes Murren und Rufen, aber nur bei Marias kleinem Gefolge.

»Versucht nicht, zu kämpfen«, warnte Maria ihre Begleiter. »Ihr seht doch, daß er Hunderte hat, und Ihr seid nur dreißig. Wir müssen uns fügen.« Sie wollte nicht, daß irgendwelche Tapferkeitsdemonstrationen in Blutvergießen endeten. Sie waren hoffnungslos in der Minderzahl.

Bothwell erhob sich in den Steigbügeln und rief mit hallender Stimme: »Die Lords von Schottland haben einen Bond unterzeichnet, in dem sie mir erlauben, die Königin zu heiraten und jeden, der es zu verhindern sucht, als Verräter zu behandeln.« Er schwenkte ein Papier in der Luft. Im roten Flackerschein der Fackeln war es kaum zu erkennen. »Aber ich weiß, es gibt welche, die tatsächlich versuchen wollen, es zu verhindern! Jetzt werde ich die Königin heiraten, ganz gleich, wer etwas dagegen hat – ja, ganz gleich, ob sie selbst einverstanden ist oder nicht!«

Entsetztes Schweigen senkte sich herab. Bothwell sprang vom Pferd, kam zu Maria und zog sie in seine Arme herunter. Er hielt sie so fest, daß sie kaum Luft bekam.

»Ich habe sie, und ich werde dafür sorgen, daß sie mein ist, unbestreitbar mein. Und versuche ja niemand, zu stören, denn sonst bringe ich ihn um!«

Er hob sie hoch und trug sie durch das gähnende Portal ins Innere der Festung. Sie zitterte und war wie betäubt. Er marschierte durch den Innenhof und in die Zitadelle und stieg dann, ohne innezuhalten, die Treppe hinauf in den obersten Stock. Dort ließ er sie herunter, schlug die dicke Holztür zu und verriegelte sie mit einem Balken, dick wie eine Brückenbohle. Draußen brach ein Tumult los.

»Hier kann niemand eindringen«, sagte er, als habe er ihre Gedanken gelesen. »Wir sind in Sicherheit.«

In dem viereckigen Raum, dessen alte Mauern aus unregelmäßigen, unbehauenen Steinen bestanden, flackerten drei Fackeln in ihren Haltern an der Wand. Eines der drei dem Meer zugewandten Fenster stand offen, und ein lauter Wind rauschte herein und übertönte fast seine Worte.

»In Sicherheit?« Sie starrte ihn an, den rauhen, lederbekleideten Kriegsmann, der da vor ihr stand. Sie hatte ihn zu kennen geglaubt. Jetzt sah er aus wie einer von den Nordmännern, die in die alten Steine geschnitten waren, auf denen die Wikinger-Invasionen dargestellt waren. »Du mußt verrückt sein. Warum hast du das getan?«

»Damit ich tausend Zeugen dafür habe, daß ich die Königin entführt und gegen ihren Willen mit ihr geschlafen habe. Ich hätte allerdings ein bißchen mehr Protest von dir gebrauchen können, um auch die Skeptiker zu überzeugen.« Er grinste, als habe er nichts Besonderes getan.

»Wie können wir das wagen? Niemand wird uns glauben!« Seine nackte Tollkühnheit war unglaublich.

»Sehen heißt glauben. Das behaupten sie doch«, sagte er. »Und jetzt haben tausend Leute es gesehen. Und ich werde dich lange genug hier einsperren, um es noch glaubwürdiger zu machen.«

»Daß du mich … entehrt hast?« Ihre Stimme zitterte. Er verlangte, daß sie diese Schmach ertrug, nur um seinetwillen.

»Ja. Du weißt, daß es nach dem schottischen Recht nur eine Möglichkeit gibt, diese spezielle Entehrung wiedergutzumachen: Heirat.«

Scham durchflutete sie, aber zugleich waren sein Wagemut und seine Geradlinigkeit doch bezwingend. »Aber sie werden dich dafür hassen! Du hast *dich* erniedrigt, und das läßt sich nicht wieder richten. Ach, Bothwell! Wie konntest du zu solchen Mitteln greifen? Ich ertrage es nicht, daß du dich selbst so verletzt!«

»Ich liebe dich. Und um dich zu bekommen, opfere ich meine –«

»Deine Ehre!«

»Nein, meinen Ruf. Das ist nicht dasselbe. Manchmal muß man den guten Ruf opfern, um eine tiefere Form der Ehre zu bewahren.«

»Ach, Bothwell!« Sie warf sich in seine Arme, entsetzt über das, was er sich angetan hatte.

Er beugte sich zu ihr, um sie zu küssen. Sie berührte seine Lippen zögernd; sie war so erschüttert und verwirrt, daß sie kaum wußte, wie sie reagieren sollte. Sie wollte ihn beschützen, ihn retten. Sie war gerührt über dieses ungeheure Opfer, entsetzt über seine grenzenlose Kühnheit. Als sie ihn einmal berührte, wollte sie, daß es nie wieder aufhörte. Der Lärm draußen schwoll an; sie hörte Geschrei, und die ersten Kämpfe schienen auszubrechen.

»Sie kommen uns holen«, flüsterte sie.

»Hier kann niemand eindringen«, wiederholte er.

Sie umschlangen einander fest, und dann hörten sie wieder Geschrei und Schritte, die im Turm heraufkamen. Etwas Metallenes – ein Schwert? ein Schild? – schlug laut dröhnend gegen die Tür.

»Seid Ihr da drin?« schrie eine kräftige Stimme. »Gebt die Königin heraus!«

»Das ist bloß Borthwick«, sagte Bothwell. »Der meint's nicht ernst.« Er küßte ihre Schultern und preßte ihren Körper an sich. Bebend standen sie mitten im Gemach.

»Gebt die Königin heraus!« schrie Borthwick noch einmal – so laut, daß es sicher weit in den Hof hinausschallen würde, so daß Melville, Maitland und Huntly bezeugen könnten, daß sie es gehört hatten.

»Niemals!« brüllte Bothwell zurück; er achtete darauf, daß es ebenso weit hallte. »Und könntet Ihr sie auch retten, wäre es jetzt schon zu spät!«

Er hob Maria hoch und trug sie zu einer Bettstatt an der Außenwand; dort legte er sie sanft hin. Er hockte sich auf die Fersen und begann langsam und behutsam ihr Kleid zu öffnen. Dabei nahm er sich Zeit, als wären sie ganz allein zusammen in einem abgeschiedenen Tal.

Draußen hämmerte Borthwick immer weiter an die Tür. Bothwell zog die Pelzdecken über sie beide und drückte Maria fest an sich.

Maria fühlte seinen starken Körper, und sie liebten sich überraschend lange und zärtlich, derweil Borthwicks Geschrei und Gehämmer durch die Tür dröhnte und ihrer Lust den Takt gab.

Es war still. Borthwick war gegangen, und offenbar hatte sich auch der Hof geleert. Man hörte nur noch das Meer tief unten, dessen Rauschen zu ihnen ins Gemach hallte. Nackt lagen sie zusammen unter den Pelzen, und ihre entblößten Schultern waren kalt. Bothwell schlief tief und regungslos.

Maria sah die Schatten, die über die Wand sprangen. Die Fackeln waren fast abgebrannt. Sie schloß die Augen und versuchte zu schlafen. Aber sie war seltsam erregt.

Jetzt sind wir wirklich verheiratet, dachte sie.

Und sie erkannte, daß sie bis jetzt nie wirklich verheiratet gewesen war, denn keiner ihrer Ehemänner hatte je etwas für sie opfern müssen. Das aber war der wahre Vollzug der Ehe.

Dies also ist mein Brautbett. Eine Matratze mit Wolfspelzen in einer zugigen Turmstube in einer Festung. Und doch ist es mehr Brautbett als jenes in den königlichen Gemächern zu Stirling oder das in Paris, wo ... O ihr Heiligen! Wo ich heute vor neun Jahren mit Franz verheiratet wurde! Zärtlich dachte sie an die kindliche Zeit im Bett mit Franz, und Bothwell lag schwer neben ihr. *Die Kindheit ist vorbei, und jetzt endlich bin ich ganz erwachsen.*

In dieser Nacht fand sie keinen Schlaf. Die Fackeln brannten aus, und langsam kroch purpurn blaues Licht in den Raum. Still lag sie da und sah zu, wie es heller und heller wurde, und als die Sonne über den Horizont kam, wußte sie es, denn die rastlose See dort unten warf schimmerndes Licht an die Decke.

Sie konnte den Raum jetzt besser sehen. Er war quadratisch, und die Mauern waren aus groben, mächtigen Blöcken von roh behauenem Stein. Dies war der älteste Teil der Burg, vor Hunderten von Jahren erbaut. Die Möbel waren einfach: ein Tisch aus Holzplanken,

Bänke, Schemel und zwei nietenbeschlagene Truhen. Es gab kein Bett – nur diese Matratze. An den Wänden hingen Schwerter und Schilde.

Sie drehte den Kopf und sah Bothwell beim Schlafen zu. Er hatte den Kopf auf die gefalteten Hände gebettet, als wolle er beten. Sie sah die Narbe auf seiner Stirn ganz deutlich; sie blieb weiß, wenn das übrige Gesicht von Sonne und Wind dunkel gefärbt wurde. Sie waren jetzt miteinander verbunden, und ihr Schicksal war ein und dasselbe. Sie hatte es so gewollt, hatte ihn sogar beauftragt, es herbeizuführen. Warum also diese düsteren Vorahnungen?

Leise stand sie auf und ging hinüber zum Fenster. Der Steinboden unter ihren Füßen war kalt und klamm. Als sie am Fenster stand, spürte sie überrascht, wie stark der Sog des Windes war: Er ließ ihr Haar hinausflattern wie einen Wimpel. Tief unten brandete die See auf die dunklen, zerklüfteten Klippen und ließ Fontänen von Gischt in die Höhe sprühen, wo sie für einen Augenblick schwebten wie die Schleier einer Tänzerin bei den Ungläubigen, bis sie in der Luft zerstoben. Ein Schwarm Möwen kreiste über dem Wasser und stieß aus der Höhe hinab, und ihre Schreie klangen klagend und rauh.

Bothwell berührte sie, schmiegte seinen nackten Leib an ihren Rücken. Er war so leise aufgestanden, daß sie es nicht gehört hatte.

»Guten Morgen, meine Liebe«, flüsterte er ihr ins Ohr und umschlang sie mit beiden Armen. »Wie gefällt dir meine Festung? Du hast sie mir gegeben.«

»Da ahnte ich nicht, wozu du sie benutzen würdest.« Er berührte ihren Nacken, und sie wußte nicht, ob sie es in diesem Augenblick wollte oder nicht. Dann merkte sie, daß er in Erregung geriet, und drehte sich zu ihm um.

»Ihr seid unersättlich, mein guter Earl«, sagte sie. »Schlimmer als der berühmte schwarze Widder von Yarrow.«

»Gibt es eine Ballade über den Widder? Müßte es eigentlich. Im Grenzland gibt es Balladen über alles, scheint mir ...« Er schloß ihre Augenlider mit zarten Küssen. Dann kniete er nieder und vergrub das Gesicht an ihren Schenkeln, schob sich herauf an den schlanken Säulen ihrer Beine und schwelgte in dieser Berührung. Sanft küßte er ihre Haut, küßte die Innenseite, und als er fühlte, wie ihre Muskeln zu beben begannen, führte er sie zurück zu der Matratze.

»Kann ich die Kleider wechseln?« fragte Maria später. »Oder muß ich ohne Toilette und Unterkleider bleiben?«

Bothwell rollte sich herum und stützte den Kopf auf die Ellbogen. Er grinste. »Natürlich kannst du dir deine Sachen heraufbringen lassen. Ich bitte um Vergebung. Ich bitte auch um Vergebung für dieses Quartier hier. Ich weiß, es ist ein wenig … mangelhaft. Aber ich weiß auch, daß wir vor allem ungestört sein wollten. Die neueren Teile der Burg sind ganz komfortabel, aber leider stehen sie jedermann offen.«

»Willst du die Ratsherren denn auch hier gefangenhalten?«

»Nein, die können gehen, sobald sie deine Zustimmung zur Ehe mit mir zur Kenntnis genommen und bezeugt haben. Das ist Teil unserer Vereinbarung.«

Plötzlich kam ihr ein Gedanke, bei dem es ihr eiskalt über den Rücken lief. Sie würden der Heirat vielleicht nur deshalb zustimmen, um nachher auch ihr und nicht nur Bothwell einen Vorwurf daraus machen zu können. Und um sie vom Thron zu stürzen. … *es sei wohl noch ein beträchtliches Unternehmen gegen Euch im Gange* … Das hatte der Erzbischof vor einem Monat geschrieben.

»Aber du bist immer noch verheiratet«, gab sie zu bedenken.

»Huntly war bereit, seiner Schwester die Erlaubnis zur Scheidung zu geben.«

Deshalb also hatte Huntly so mürrisch ausgesehen. »Und was ist mit … mit … Jean?«

»Sie wird mitspielen.«

»Macht es ihr nichts aus?«

»Das weiß ich nicht«, gab er zu.

Wie konnte er so wenig über die Gefühle seiner Frau wissen? »Ich verstehe.«

»Maria.« Er berührte sanft ihre Wange. Seine grünen Augen schauten sie eindringlich an. »Ich war im Leben nicht immer gut zu allen; manchmal war es nicht meine Schuld, aber ich übernehme die Verantwortung für alles. Vielleicht wäre meine Ehe besser gewesen, wenn meine Braut mich freiwillig geheiratet hätte. Aber das hat sie nicht getan; ihr Bruder hat sie verkauft, wie er sie auch jetzt wieder verkauft. Der Mann, den sie heiraten wollte, war einer anderen versprochen. Es war schwer für sie. Aber sie hat es mir auch schwer gemacht. Arrangierte Ehen haben ihren Preis. Manchmal glaube ich, der härteste Weg zum Geld führt über die Ehe.«

Er sah so ernst aus. »Aber was war mit der Dänin – oder was immer sie war?« hörte sie sich fragen, und sie empfand Abscheu gegen sich selbst.

»Was soll mit ihr gewesen sein? Sie war langweilig. Die Vorstellung, ich sollte mir ein Leben lang ihre schlechten Gedichte anhören, war unerträglich.« Er lachte. »Sie war die Tochter eines norwegischen Admirals, und ich lernte sie in Kopenhagen kennen. Sie war dunkel, was für Norwegerinnen ungewöhnlich ist, und deshalb bildete sie sich ein, sie habe ein heißblütiges lateinisches Temperament. Sie besaß sogar ein spanisches Kostüm, das sie zu tragen pflegte, und hielt sich darin für hinreißend, aber in Wahrheit sah es höchst albern aus.«

»Gleichwohl hast du mit ihr zusammengelebt.«

»Ihr Vater hatte sieben Töchter und war sehr darauf erpicht, sie unter die Haube zu bringen; er versprach eine Mitgift von vierzigtausend Silbertalern.« Er seufzte. »Ich sagte ja, es ist der härteste Weg, zu Geld zu kommen. Ich weiß Bescheid.«

»Du hast also das Geld genommen und sie dann verlassen.«

»Nein. Es war kein Geld da, wie sich herausstellte. Wer war jetzt der Betrüger, und wer der Betrogene?«

»Bitte laß meine Kleider bringen«, sagte sie unvermittelt. »Und ich möchte etwas essen.« Sie zog sich die Pelze um die Schultern.

»Wie du befiehlst«, sagte er, und er stand auf und ging zur Tür. Er wuchtete den mächtigen Balkenriegel aus seiner Halterung und öffnete die Tür.

Überrascht sah sie, daß die Tür selbst mindestens fünf Zoll dick war. Er schob den Kopf hinaus und knurrte irgend etwas. Offenbar stand eine Wache auf der Treppe.

Bothwell hatte gerade Zeit, in seine Hose zu schlüpfen und sich ein Hemd über den zerzausten Kopf zu ziehen, bevor drei Bedienstete mit einem Tablett voller Speisen und mit Marias Kleidern hereinkamen. Sie waren prächtig gekleidet; ihre neuen Livreen waren mit dem Wappen der Hepburns bestickt. Unterwürfig verbeugten sie sich und stellten ihre Last ab. Als sie gegangen waren, verriegelte Bothwell die Tür wieder. Er fing an zu summen, als er die Schüsseln aufdeckte und sie auf den Tisch stellte. Er breitete sogar ein weißleinenes Tischtuch aus.

»Ich wußte nicht, was du möchtest«, sagte er. »Aber ich habe hier Hering und Austern und Birkhuhn und Taube.« Er deckte noch ein paar Teller und Schüsseln auf. »Und hier sind Haferkuchen und Ayrshire-Käse, und Ebereschen- und Apfelgelee, und –«

»Aufhören!« rief sie und lachte über den Eifer in seinem Gesicht. Er würde einen guten Vater abgeben, denn manchmal wurde er selbst zum Kind. »Entführt zu werden macht mich hungrig, aber so hungrig nun auch wieder nicht.« Sie zog eine Bank heran, nahm sich einen Holzteller und fing an, Speisen auszuwählen.

»Ich hätte gedacht, es war etwas anderes, das dich hungrig macht«, sagte er und sah sie mit zurückhaltender Zärtlichkeit an.

»Aber dieser Hunger ist gestillt«, sagte sie, und dabei durchbohrte sie ein Stück Räucherfisch mit einem hölzernen Spieß und kostete davon. »Vielleicht ist es die Seeluft.«

»Vielleicht. Wenn ich auf See bin, habe ich selbst oft einen seltsamen Hunger.« Er nahm sich das größte Stück Fleisch von dem Teller.

»Erzähl mir von deinen Reisen«, bat sie.

»Das Segeln habe ich als Kind gelernt«, sagte er kauend. »Ich glaube, ich war nicht mehr als acht oder neun, als ich auf meine erste kleine Reise ging. Das war in der Nordsee, vor der Küste von Spynie. Ich wohnte dort bei meinem Onkel, dem Bischof – den du kennengelernt hast –, und meine Vettern, seine unehelichen Söhne, waren auf dem Meer zu Hause wie ein Reiter auf seinem Pferd. Es machte mir viel Freude, hinauszusegeln, einen Kurs zu berechnen und zu sehen, wie nah ich ihm kommen konnte. Mit zwölf segelte ich zu den Orkneys.« Er lächelte bei der Erinnerung daran.

»Wie sind die Orkneys?« fragte sie und aß mehr von den Haferkuchen, als sie wollte. Sie war wirklich sehr hungrig. »Ich wollte sie schon immer sehen.«

»Ich habe ja gesagt, heirate mich, und ich bringe dich hin. Sie sind kalt, aber sauber – wie ein Adler. Sie scheinen fast zu fliegen. Nichts kann sie verderben. Mein Vorfahr war Earl von Orkney. Vermutlich liegt es mir im Blut, die Inseln zu lieben.« Er schenkte sich großzügig Wein ein und verdünnte ihn mit Wasser.

»Wie lange ist das her? Seit wann ist deine Familie nicht mehr dort?«

»Es ist lange, lange her. 1397 bekam mein Ahn den Titel. Später war meine Familie dann gezwungen, die Grafschaft an James III. zu verkaufen.«

»Ich werde dich zum Herzog von Orkney und Lord von Shetland machen«, sagte sie impulsiv.

»Aber nicht zum König«, antwortete er.

»Nein.«

»Es ist auch besser so. Ich bin zufrieden, wenn meine Söhne Prinzen sind; ich selbst bin zuerst und zuvorderst Soldat und Kapitän.«

Eine Woge der Erleichterung durchflutete sie; eine unausgesprochene Sorge war von ihr genommen. Darnley würde sich nicht wiederholen. Es lag Ironie darin, daß dieser Mann, der sich viel besser dazu eignete, die Krone zu tragen, kein Verlangen danach hatte.

Tage vergingen im Turm, und sie machten sie zur Nacht und die Nächte zum Tag; sie schliefen, wann es ihnen gefiel, aßen, wann sie wollten, liebten einander oder lagen da und plauderten. Sie schufen sich ihren eigenen Rhythmus und formten sich die Stunden nach eigenem Wunsch; Aufgang und Untergang der Sonne hatten wenig damit zu tun. Es war wie ein Traum, und jeder von ihnen tat Dinge, die den anderen überraschten. Maria verblüffte ihn mit ihren Kenntnissen über Waffen und mit ihrem geschickten Kartenspiel, und er überraschte sie mit seiner Liebe zu Dichtung und Musik.

»Ich weiß, du glaubst gern, daß ich all meine Zeit damit verbringe, im Grenzland zu kämpfen oder vor der Küste auf dem Meer zu segeln; die Wahrheit aber, die du zu vergessen beliebst, ist, daß ich in den klassischen Künsten unterwiesen wurde. Ich habe sogar einiges hergebracht, um es dir zu zeigen.« Er deutete auf einen kleinen Stapel Bücher, stolz wie ein kleiner Junge. »Ich wollte, daß du ein bißchen von meiner Bibliothek siehst.«

Sie ging hin und nahm eines der Bücher in die Hand; müßig blätterte sie die Seiten um. »Vergil. Und schau – Aelian über die Schlachtordnung. Ein militärisches Buch! Ich glaube, so etwas brauche ich nötiger als Gedichte.«

»Ein ideales Leben bietet beides. Wie das Leben im Grenzland. Es gibt viel Dichtung im Grenzland, schöne Balladen mit wohlklingenden Sätzen wie: ›Der Wind weht heute sehr, mein Lieb, und Regen bringt der Tag; / Die so wie niemand ich geliebt, im kalten Grab sie lag.‹ Und: ›Willst küssen meine Lippen kalt, doch schmecken sie nach Erde; / Und küßt du meine Lippen kalt, dir bald das Ende werde.‹ Und weiter heißt es dann: ›Dort in jenem Garten grün, sind wir gewandelt viel; / die schönste Blume, die dort stand, ist welk an ihrem Stiel.‹«

Er griff nach seiner Laute. »Ich hätte die Musik dazutun müssen. Es ist nur halb so lebendig ohne die Musik.« Er zupfte an den Saiten, und die runden, süßen Töne erklangen. »›Und wie die Blume ist verwelkt, so welken wohl auch wir. / So gib zufrieden dich, mein Lieb, bis Gott dich ruft von hier.‹« Seine volle Stimme verhallte.

Ein Schauer überlief sie. »Glaubst du, sie werden eine Ballade über uns machen?«

»Das haben sie schon«, sagte er kopfschüttelnd. »So etwas entsteht, ehe die Ereignisse vorüber sind.«

»Sing sie mir vor.« Sie wollte es hören und wollte es zugleich nicht hören.

»Wie du befiehlst. Es ist nicht besonders schmeichelhaft. Es handelt von mir.« Er zupfte die Laute.

»Weh dir, weh dir, falsches Schottland!
Was hast du nur gemacht?
Den würdigsten Prinzen, der je war gebor'n,
Hast aufgehängt bei der Nacht.

Du siehst, wie der Lord Darnley schon zum ›würdigsten Prinzen, der je war gebor'n‹ geworden ist«, sagte er. »So machen sich die Balladen ihre eigene Wahrheit.

Die Königin von Frankreich schrieb einen Brief
Und siegelt ihn mit Herz und Ring,
Worin sie ihn nach Schottland rief:
Soll ihr König sein und Gemahl.

Ein Italiener, der lebte im Schloß,
Beliebter war keiner als er,
Lord David sein Name, und Gunst er genoß
Als der Königin Kammerherr.

Und war der König wohl einmal nicht da,
Saß er auf dem Thron sogleich,
Doch schickte sich dieser Platz nicht für ihn,
Denn er war nicht König im Reich.

Die Lords in Schottland erfaßte der Zorn,
Begannen mit ihm einen Streit
Und stießen ihm, glaubt es mir, in seinen Leib
Zwölf Dolche zur selben Zeit.

Als die Königin den Kammerherrn tot liegen sah,
Sah manche Träne man sie weinen,
Zwölf Monde, so schwor sie, und einen Tag
Will dem König sie sich nicht vereinen.

Die Lords in Schottland erfaßte der Zorn.
›Für Lord David im Blute rot‹,
So haben sie einander wütend geschwor'n,
›Büßt der König mit seinem Tod.‹

So streuten sie Schießpulver in sein Gemach
Und taten's mit Binsen bedecken,
Denn sie wollten noch in selbiger Nacht
Den Verrat am König vollstrecken.

Zu Bette legt sich der edle König,
Zu ruhen, das war sein Verlangen,
Doch kaum hat er geschlafen ein wenig,
Hat alles zu brennen anfangen.

Gleich sprang er auf, und das Fenster zerbrach,
Dreißig Fuß fiel er tief von der Mauer,
Doch unten stand Lord Bothwell auf Wach',
Und lag versteckt auf der Lauer.

›Wen haben wir hier?‹ fragt Lord Bothwell.
›Ich frage dich, gib Antwort schnell!‹

›König Heinrich der Achte mein Onkel war,
Ich bitte dafür um Erbarmen.
Ach, Lord Bothwell, ich kenne Euch ja,
Habt Mitleid mit mir Armem.‹

›Hab' Mitleid mit Euch grad so sehr,
Und grad so viel Erbarmen,
Wie Ihr mit der Königin Kammerherrn,
Da Ihr ihn meuchelt, den Armen.‹

Durch Halle und Tor den König sie führten,
Durch Halle und Tor nahmen sie ihren Lauf,
Und in einen Garten den König sie führten,
Und hängten am Birnbaum ihn auf.«

»Das ist eine Lüge! Lauter Lügen!« rief sie.

»Natürlich sind es Lügen, und ein ziemlich krauses Durcheinander überdies. Erst ist der König ›würdig‹, dann wollen sie ihn umbringen, weil er den Italiener ermordet hat, dann ist er wieder würdig, dann wollen die Lords ihn in die Luft sprengen … eine tolle Phantasie. Darnley wechselt in jeder Strophe seinen Charakter.«

»Aber dich macht man zum Mörder«, sagte sie langsam. »Und sie wußten, daß ich Darnley aus meinem Bett verbannt hatte. Wahrheit windet sich um Lügen und formt einen Zopf. Am Ende sind es keine Lügen mehr.« Sie war erschüttert. »Glaubst du, das alles ist jetzt vorbei? Oder wird es neue Verdrehungen geben, mit denen man die Geschichte weiter ausschmückt?«

»Wenn wir erst verheiratet sind, werden wir stärker sein als all ihre Komplotte und Lügen.«

Sie schaute auf ihren Finger, an dem ein emaillierter Ring blinkte. Langsam zog sie ihn ab und gab ihn Bothwell. »Das ist dein Verlobungsring«, sagte sie.

Er nahm ihn und betrachtete ihn verwirrt. »Er ist mit Gebeinen und Tränen verziert«, sagte er. »Schwarzes Email und Gold. Ist das ein passender Verlobungsring?«

»Es ist der einzige, den ich bei mir habe. Indem du ihn nimmst, versprichst du, mein Schicksal mit mir zu teilen, wie es kommt, unerwartet und vielleicht schmerzlich.«

Er küßte sie und schob den Ring auf seinen kleinen Finger.

Sie ritten langsam zurück nach Edinburgh, herausgerissen aus ihrem geheimen Leben im Turm – das nur zehn kostbare Tage gedauert hatte! –, und schauten dem entgegen, was da kommen mochte.

Huntly, Maitland und Melville waren zehn Tage zuvor freigelassen worden, und die Scheidung war bereits eingeleitet worden. Es würde zwei Scheidungsverfahren geben, ein protestantisches und ein katholisches, um künftigen Einwendungen aus einem der beiden Lager gleich den Wind aus den Segeln zu nehmen. Die protestantische Scheidung basierte auf Bothwells Ehebruch mit Bessie Crawford, die katholische auf der Blutsverwandtschaft zwischen Jean und ihrem Gemahl: Vier Generationen zuvor war ein Earl von Bothwell mit der Tochter eines Earl von Huntly verheiratet gewesen. Das Aufgebot sollte so bald wie möglich beim Pastor der Giles High Kirk bestellt werden; zum Glück war Knox noch in England, so daß sie sich nur mit seinem Stellvertreter auseinandersetzen mußten.

Als sie durch die kleinen Dörfer zogen, säumten Neugierige die Straße, aber sie starrten sie schweigend an. Niemand rief: »Gott segne dieses süße Antlitz!«

Sie mustern mich: ob meine Kleider zerrissen sind, oder ob ich gepeinigt aussehe, dachte Maria. Wenn ich von Blutergüssen übersät wäre, dann wären sie zufrieden.

Aber ihr Trotz geriet immer mehr ins Wanken, je näher sie Edinburgh kamen. Die Blicke des Volkes waren nicht grausam – nur verwirrt ... und enttäuscht. Die Menschen verstanden nicht, was hier vor sich ging. Ihr war zumute, als habe sie sie verraten, denn sie waren offensichtlich verängstigt und unsicher.

Vor ihr ritt Bothwell friedlich dahin. Sie sah Edinburgh am Horizont, sah auch Arthur's Seat, der dort aufragte, strahlend grün vom frischen Maigras. Bothwell zügelte sein Pferd und wartete, bis sie ihn eingeholt hatte.

Er spähte die Straße hinunter. »Ich sehe niemanden«, sagte er. »Aber ich glaube, wir reiten lieber nicht durch Netherbow Port in die Stadt. Wir sollten möglichst nah bei der Burg hineinkommen und uns dann schleunigst dorthin begeben.« Er klang nicht sehr zuversichtlich.

»Wir sollen also in der Burg absteigen?« fragte sie.

»Ja. Ich habe Balfour zu ihrem Hauptmann ernannt, damit wir dort sicher sind.«

»Balfour? Warum um alles in der Welt?« Sie mißtraute diesem Totenschädel.

»Für geleistete Dienste«, sagte Bothwell. »Komm.«

Sie sahen die Ruinen der Gebäude bei Kirk O'Field, als sie auf der südlichen Seite um die Stadtmauer herumritten. Niemand hatte aufgeräumt; die Steine lagen haufenweise umher, und einzelne waren weit außerhalb der Mauer gelandet. Zur Rechten lag der Garten, in dem Darnleys Leiche entdeckt worden war. Maria wandte den Kopf ab, als sie vorüberritten.

Als sie durch West Port in die Stadt gekommen waren, fanden sie die Straßen seltsam verlassen vor. Obgleich nur wenige Leute sie anstarrten, eilten sie hastig hinauf zum Burgtor und in die Sicherheit der Festungsmauern.

In den königlichen Gemächern erwartete sie Maitland. Er war in trübsinniger Erregung; er stützte die verschränkten Arme auf den Tisch und starrte ins Leere. Als sie eintraten, sprang er auf.

Bothwell warf ohne feierliche Umstände seine Handschuhe auf den Tisch. Maria fragte Maitland, wie es ihm gehe.

»Verwirrung und Unordnung allenthalben«, murrte er düster. Er sah sie an, als hasse er sie dafür, daß er dies alles durchmachen und daß er sich zu solchen Aufgaben herablassen müsse. Der arme Bräutigam!

»Die Scheidungsverfahren?« fragte Bothwell, ohne Maria Gelegenheit zu geben, irgend etwas zu sagen.

Maitland verdrehte sie Augen. »Schändlich. Sie haben jede Einzelheit Eures … Treibens mit Mistress Crawford ans Licht gezerrt. Eure Frau hat den Mann verhört, den Ihr als Wache aufgestellt hattet. Er hat sogar erzählt, wie Ihr …« Er verstummte verlegen. Maria wandte sich ab.

»Ist die Scheidung ausgesprochen?« fragte Bothwell. »Mehr will ich gar nicht wissen.«

»Eure Frau –«

»Sie ist also immer noch meine Frau?«

»Nein – Eure ehemalige Frau verlangt, daß Ihr ihr Crichton Castle überlaßt. Sonst gibt sie Euch nicht frei.«

»Sie kann es haben«, sagte Maria mit dünner Stimme.

»Es gehört mir«, sagte Bothwell.

»Sämtliche Liegenschaften gehören letzten Endes mir«, beharrte Maria.

»Da irrst du«, sagte er. »Es liegt in meinem Zuständigkeitsbereich. Aber sie kann es haben. Ich zahle ihr jeden Preis! Oh, was für eine hartnäckige Geschäftsfrau – es ist das zweite Mal, daß ich Bessies wegen bezahlen muß. Als sie das erste Mal davon erfuhr, mußte ich ihr die Ländereien von Nether Hailes mitsamt dem Schloß geben. Jetzt ist es Crichton. Ich habe einen so hohen Preis für ihre Gunst bezahlt, daß Bessie ebensogut Salome sein könnte.« Er klang erbost. »Nun, was noch? Hat dieser Kirchenmann das Aufgebot verkündet?«

»Nein«, sagte Maitland. »Er weigert sich.«

»Was? Bringt ihn her!«

»Und Morton, Argyll und Atholl haben sich in Stirling getroffen. Andere wurden hinzubefohlen.«

»Wer?« Bothwell schlug mit der Faust auf den Tisch. »Wer?« schrie er.

»Mylord, ich weiß es nicht, ich schwöre. Ich weiß nur, daß Atholl nach diesem Treffen im Galopp nach Norden verschwand, Argyll nach Westen und Morton nach Fife.«

»Um eine Armee zusammenzuziehen«, murmelte Bothwell. »So rasch. Schafft mir diesen Priester her!«

Reverend John Craig stand vor Bothwell und der Königin. Sie hatten wenigstens frische Kleider angezogen, und Maria hatte ihren Platz unter dem Staatsbaldachin eingenommen, um den Vorgängen Gewicht und Autorität zu verleihen.

Craig war ein dünner, kahlköpfiger Mann mit scharfgeschnittenen Zügen. Er hatte bemerkenswerte Ähnlichkeit mit Knox – das heißt, Knox hätte so ausgesehen, wenn er glattrasiert gewesen wäre. Flüchtig überlegte Maria, ob es für reformierte Geistliche Vorschrift war, so auszusehen: hager, mit kleinen Augen, blaß und aufrecht.

»Warum habt Ihr unsere bevorstehende Hochzeit nicht bekanntgegeben?« fragte Maria, so sanft sie konnte. »Wir hatten Euch gebeten, es unverzüglich zu tun.«

Craigs Blicke huschten zwischen Bothwell und Maria hin und her, und er trat von einem Fuß auf den anderen. Schließlich sagte er: »Es ist also wahr! Ich wollte es nicht glauben!« Der Abscheu in seinem Ton hätte nicht größer sein können, wenn er einen Hexensabbat mit all seinen Orgien vor sich gesehen hätte. »Werdet Ihr ein entsprechendes Papier unterschreiben und mich von der Verantwortung freisprechen, daß ich über die Sünde hinweggesehen habe?«

»Ja«, erwiderte Bothwell knapp.

»Was für eine Sünde?« wollte Maria wissen. Sie sah, daß Bothwell sie finster anschaute, weil sie dieses Thema weiter verfolgte.

»Was für eine Sünde? Das wagt Ihr zu fragen?« Der Priester war fassungslos. »Die Entführung und Vergewaltigung der Königin, nicht zu reden von Ehebruch, der Komplizenschaft zwischen Euch und Eurer Gemahlin und dem Verdacht des Mordes am König.«

»Meint Ihr mich? Mordverdacht?« fragte Bothwell.

»›Du bist der Mann!‹ sagte Nathan zu König David. Aber Ihr seid schlimmer als König David. Er beging nur Ehebruch mit Bathseba und ermordete ihren Gatten – nur! –, während Ihr Eure Königin entführt, vergewaltigt und erniedrigt habt, ihren Gemahl ermordet und mit einem Dienstmädchen Unzucht getrieben habt!«

Bothwell brüllte auf und griff nach seinem Schwert.

Maria sprang von ihrem Thron auf und hielt seinen Arm fest. »Nicht! Schlagt ihn nicht!« Sie wandte sich an Craig. »Zweifellos wird Euer Herr, der Mr. Knox, nach alledem frohlocken. Es stimmt, es ging traurig zu in Schottland, aber ich will, daß ein neuer Anfang gemacht werde. Es ist mein königlicher Wunsch, daß diese Ehe geschlossen wird. Und ich werde vor dem Parlament erscheinen und alle meine Gründe dafür darlegen, und ich hoffe, daß das Volk dann zufrieden ist.«

»Niemals!« sagte Craig. »Die Sache ist zu weit gegangen. Das Volk hat es satt! Und Gott ist mein Zeuge: Es wird diese Ehe ebenso verabscheuen und hassen wie ich selbst!«

Maria stand im Tolbooth, da, wo Bothwell nur einen Monat zuvor gestanden hatte. Die starren Blicke, die auf sie gerichtet waren, erschienen entweder feindselig oder ausdruckslos. Der Lordkanzler Huntly vereinte beides in seiner Miene. Die Lords, die sich noch in Edinburgh aufhielten, waren alle erschienen, aber verdächtig viele Plätze waren leer. Mehrere Würdenträger der Kirk in ihren trauerfarbenen Gewändern säumten die Wände.

»Ich habe die Absicht«, erklärte Maria, »Euch mit meinen Ansichten über Lord Bothwell bekanntzumachen. Ich war sehr zornig, als er meine Reise unterbrach und mich gegen meinen Willen nach Dunbar brachte. Doch als ich trotz all meiner Bitten um Hilfe keine bekam, sein Benehmen gegen mich aber sanft und gut war, da hörte ich nach und nach auf seine Reden, und ich begann, seine Werbung zu bedenken. Sein Heiratsantrag war ehrlich gemeint und von den Lords und Baronen bereits gebilligt. Er zeigte mir ihre Unterschriften. Auch eingedenk seiner früheren treuen Dienste für die Krone willigte ich ein, seine Gemahlin zu werden.«

Kein einziges Lächeln, nicht einmal eine Andeutung davon, erhellte irgendwo ein Gesicht. Sie saßen über sie zu Gericht und schauten selbstgefällig auf sie herab.

»Und so will ich mich zufriedengeben und ihm und all den Seinen verzeihen, was in diesen zehn Tagen geschehen. Und ich bitte Euch, desgleichen zu tun, mein gutes Volk.« Und bittend hob sie die Hände, obgleich nach dem Gesetz nur ihr königlicher Gnadenerlaß notwendig war.

Mit schweren Schritten kehrte sie zurück in die königlichen Gemächer. Sie hatte die verächtliche Bemerkung wohl gehört: »So wird das schottische Gesetz, das eine Vergewaltigung vergibt, wenn die Frau im nachhinein zustimmt, jetzt dazu benutzt, auch einen Mord zu decken? Sie verbiegt selbst das Gesetz für ihre Wollust!« Es war natürlich ein reformierter Geistlicher gewesen; er hatte sich verlegen abgewandt, als ihm klar geworden war, daß sie ihn gehört hatte.

Aber selbst in ihren eigenen Gemächern fand sie keine Sicherheit. Ihr geliebter französischer Beichtvater, den Lord James nur mit Stirnrunzeln angesehen hatte, erwartete sie.

»Euer Gnaden«, sagte er, »ich muß Euch um die Erlaubnis zur Rückkehr nach Frankreich bitten. Ich kann nicht länger bleiben.«

»Oh, guter Pater Mamerot! Ihr wart doch immer bei mir; verlaßt mich jetzt nicht!« rief sie.

»Ich muß. Mein Oberhirte hat es mir befohlen. Ich kann nicht bleiben.« Er sah ehrlich betrübt aus und schien den Tränen nahe. Er streckte ihr die Arme entgegen und umschlang ihre Schultern.

»Euer Oberhirte? Aber ich bin die Königin.« Ihre Stimme klang dünn und erstickt.

»Der Papst, Madame. Der Papst«, sagte er. »Der Heilige Vater ... der Heilige Vater befiehlt mir, mich von Euch zu trennen, bis Ihr Euer Leben wieder in die rechte Bahn gelenkt habt. Er selbst, sagte er, will bis dahin nichts mehr mit Euch zu tun haben. Er sagt, Ihr seid verdammt!«

Maria schrie auf und sank zu Boden.

In aller Frühe – es war gerade vier Uhr –, nahm Bothwell sie bei der Hand und führte sie in die Kapelle von Holyrood, wo sie von einem protestantischen Geistlichen getraut werden sollten. Kein Priester wollte etwas damit zu tun haben, kein Geistlicher der Kirk; so hatte Bothwell den Bischof von Orkney gewonnen, einen Mann, der dafür bekannt war, daß er sein Herz in der Geldbörse trug.

Der fügsame Earl von Huntly war zugegen, die getreuen Lords Livingston und Fleming und ein paar niedere Adelige. Es gab keine Prozession, keine Musik, keine prächtigen Kostüme. Maria war gezwungen, eine Predigt über sich ergehen zu lassen, in der davon die Rede war, wie Bothwell sein früheres, gottloses Leben bereue. Als sie das Ehegelübde sprach, hatte sie das unbezwingbare Gefühl, das Ganze sei nicht echt.

Dieser Mann ist kein richtiger Priester; er hat keine Autorität. Die Zeremonie ist nicht bindend.

»Nimmst du diesen Mann, den Herzog von Orkney und Lord von Shetland, zu deinem Ehegemahl? Willst du ihn lieben, ehren und bewahren in Krankheit und Gesundheit und nur ihm gehören, solange ihr beide lebt?« intonierte der Bischof.

»Ja, das will ich«, sagte sie, aber ihre Stimme war schwach, und nur Bothwell und der Geistliche hörten es.

Es war so dunkel in der Kapelle, daß sie Bothwells Gesicht nicht sehen konnte. Das alles erschien ihr wie ein mysteriöses Ritual, als gehe sie hier in die Unterwelt ein. Halb rechnete sie damit, daß Zerberus, der dreiköpfige Hund, der den Hades bewachte, neben sich bellen zu hören. Und dann würde Bothwell sich in Pluto verwandeln, den Gott der Schatten und des Todes …

Er nahm ihre Hand und steckte ihr einen Ring an den Finger. Seine eigene Hand war kühl.

»Was Gott verbunden hat, soll der Mensch nicht trennen«, warnte der Bischof. Bothwell wandte sich ihr zu.

Berühre mich nicht, denn sonst kann ich nie mehr von deiner Seite gehen, kann nie mehr hinauf auf die grüne Erde, sondern muß in alle Ewigkeit in lautloser Finsternis wandeln an den flackernden Feuerseen des Hades … Ihr Herz klopfte angstvoll.

Er beugte sich nieder und küßte sie und besiegelte sie so als sein Eigen.

Maria strich mit den Händen über das glänzende Goldbassin. Zu gern fühlte sie Gold unter ihren Fingern; mit seinem Glanz und seiner Glut war es anders als jedes andere Metall. Nie war es kalt wie Stahl oder Eisen; sie hätte schwören können, daß im Herzen des Goldes Wärme bewahrt wurde. Vielleicht war das der wahre Quell seiner magischen Kraft.

Die Juwelen – Saphire, Rubine, Smaragde und Perlen – funkelten am Rand des Beckens. Sie bildeten eine Ranke, an der nur Edelsteine wuchsen. Die Handwerksarbeit war vorzüglich. War es in England angefertigt worden? Oder kam es aus Italien oder Frankreich?

Seufzend goß sie parfümiertes Wasser hinein und ließ dann ein paar Blütenblätter von einem blühenden Apfelzweig hineinfallen, den Madame Rallay hereingebracht hatte. Früher waren Birnenblüten ihr die liebsten gewesen, aber nein, nicht Birne, niemals wieder Birne …

Sie rührte mit den Fingern im Wasser und sah zu, wie die Blütenblätter tanzten und sich drehten. Dieses Becken, ein Taufgeschenk von Königin Elisabeth ... war das erst fünf Monate her? Sie war schockiert von Elisabeths Großzügigkeit gewesen, aber auch gerührt darüber. Es bedeutete, daß Elisabeth sich als wahre Patin des Prinzen gesehen hatte.

Sie wollte es nicht hergeben.

Bothwell hatte ihr berichtet, wie dringend sie Geld brauchten, um die Soldaten zu bezahlen, die sie gegen Aufstände beschützen sollten. Der Kronschatz war leer. Ihr Geld aus Frankreich kam nicht mehr; der Strom war versiegt, obgleich er ihr für alle Zeit versprochen worden war. Es gab Möglichkeiten, diese Klippen zu umschiffen. Verzögerungen. Rechtsanwälte. Austausch von Besitzungen.

»Und du hast so viel vom Kronland weggegeben«, hatte Bothwell gesagt. »Du warst *so* großzügig. Lord James besitzt Ländereien, halb so groß wie die Highlands.«

»Du hast von meiner Großzügigkeit auch profitiert«, hatte sie ihn erinnert.

»Ja. Aber jetzt, fürchte ich, kommt der schwierige Teil. Du wirst deine Juwelen versetzen müssen. Und dieses Taufbecken – es ist aus kostbarem Gold!«

»Das kann ich nicht«, hatte sie gesagt. »Es bedeutet so viel. Es ist mehr als nur ein Taufbecken; es ist ein Treuebund zwischen Elisabeth und mir.«

Er hatte sie traurig angeschaut. »Maria, für uns kann es jetzt nichts weiter sein als dreiunddreißig Unzen Gold, die wir verzweifelt nötig haben.«

Im Geiste hörte sie wieder seine Stimme. Sie neigte das Taufbekken und ließ das Wasser ablaufen, und dann wischte sie es mit einem Leintuch trocken. Wieder berührte sie das Becken liebevoll.

Nein. Sie würde es nicht hergeben. Wenn es erst weg wäre, wäre es für immer weg. Und später, wenn alles sich beruhigt hätte, würde es ihr bitter leidtun. Sie faltete die schützende Samthülle darum und wollte es wieder in seinen Kasten legen, als Bothwell die Tür aufstieß, ohne erst anzuklopfen.

»Wo ist es? Du hast versprochen, es heute morgen dem Goldschmied ausliefern zu lassen. Seit zwei Stunden hält er sein Schmelzfeuer in Gang!!«

»Ich habe es mir anders überlegt. Ich werde dem Schmied die Kohle bezahlen, aber das Becken behalte ich.«

»Womit willst du ihn bezahlen? Das ist es doch gerade: Du kannst nicht einmal mehr einem Goldschmied die Kohlen bezahlen! Jetzt gib das her!« Er nahm ihr das Goldbecken aus der Hand.

»Gib es zurück! Ich befehle es dir!«

»Ha!« Lachend klemmte er es sich unter den Arm.

»Ich bin die Königin!« kreischte sie.

»Nicht ohne Soldaten, nein«, erwiderte er. »Und Soldaten wird es nicht mehr geben, wenn du kein Gold hast, um sie zu bezahlen. Also ... ist dieses Glitzerding dir deinen Thron wert?«

»Bothwell ...« Sie sah über ihn hinaus, sah über die fünftausend Goldstücke hinaus, die das Taufbecken vermutlich erbringen würde. »Kann man einen Thron mit fünftausend Goldstücken bezahlen?«

»Das ist sehr viel mehr als dreißig Silberlinge, und bedenke doch, was man damit kaufen konnte.«

Nie hatte die Hauptstadt schöner ausgesehen, fand Knox, als er sich ihr jetzt zu Pferde näherte. Der Juni war immer die Zeit, da keine Stadt auf Erden – vielleicht mit Ausnahme von Genf – gewinnender aussah, zarter in den Farben, pulsierender. Es war März gewesen, als er sie verlassen hatte, der Monat, in dem die Stadt ihren alljährlichen Tiefpunkt erreichte, und so war es nicht schwer gewesen, ihr den Rücken zu kehren. Aber jetzt ... ah, er war froh, wieder zu Hause zu sein. Und froh war er, dem Ruf zu folgen. Sein Land brauchte ihn wieder; endlich hatte das Blatt sich gewendet, und es schien, daß der Herr doch noch über die böse Jezebel triumphierte, die sie alle zu lange gequält hatte.

Als ich sie so nannte, dachten alle, ich sei grausam. Die Lords sagten: »Oh, Master Knox, Ihr seid so ungnädig. Was schaden ein paar Tänze. Was macht es schon, wenn hier und da eine private Messe gelesen wird? Was schaden Karten und Musik?« Aber ich sah, was sie nicht sahen. Es war mein Vorrecht und mein Leid als Prophet. Sie taten, als *gefiele* mir, was ich sah! Ich sagte, ich sehe Trauer und Schmerz und schwere Bürde – und ich litt unter der Vision und frohlockte nicht!

Aber menschliche Schwäche ist Gelegenheit für Gott. Ich weiß, daß daraus etwas entstehen wird, das seinem Willen gemäß ist. Wenn wir nur den Mut haben, die Hand danach auszustrecken und es zu ergreifen!

Aus dem Chaos kann die Ordnung kommen. Und in Schottland herrscht wieder Chaos, wie ich es vorhergesagt habe. Bothwell mit den starken Armen wird für sein böses Treiben mit Ehren bekränzt. Gerade noch hat die Königin ihn zum Lord von Shetland ernannt! Aber der Psalmendichter sagt: »Erhebe Dich, Du Richter der Welt, und belohne die Stolzen nach ihrem Verdienst. Herr, wie lange sollen die Gottlosen triumphieren? Willst Du denn etwas zu schaffen haben mit dem Thron der Bosheit, deren Gesetz die Freveltat ist?« Und so sammeln sich in diesem Augenblick die Lords der Kongregation und machen sich bereit, die Unterdrückung durch dieses gottlose Paar von sich abzuwerfen.

Sein Haus erwartete ihn, sauber gefegt und aufgeräumt durch einen der getreuen Lords, einen der wenigen, die noch in der Stadt geblieben waren. Es tat gut, hier wieder über die Schwelle zu treten – wie wenn man sein Lieblingshemd anlegte, das frisch gewaschen bereitgelegt war. Es gab viel Arbeit. Er würde sich natürlich mit John Craig besprechen müssen – diesem tapferen Mann! –, und dann mußte er seine Lenden für die bevorstehende Schlacht gürten. Es waren Predigten zu halten, Herzen zu stärken, Schwerter zu schleifen. Die Stunde war gekommen.

»Und als du dich weigertest, das Aufgebot zu verkünden, was sagten sie da?« fragte er John Craig. Sie spazierten durch den kleinen Garten hinter Knox' Haus. Er war nicht gepflegt und in diesem Frühjahr auch nicht bepflanzt worden, und die schmalen Pfade waren von Unkraut überwuchert. Aber Iris und Mohn wuchsen doch, und ihre schlanken Köpfe ragten über das Grün.

»Bothwell hat mich bedroht«, antwortete Craig. »Er griff nach seinem Schwert, aber *sie* fiel ihm in den Arm. Er ist ein aufgeblasener, großmäuliger Flegel.«

»Das weiß ich«, sagte Knox. »Aber er war nicht immer so. Es klingt seltsam, aber ich kenne ihn seit seiner Kindheit; genau gesagt, meine Familie waren Vasallen der Hepburns. Sein Vater, der Verräter, der ihn verließ und ihm beibrachte, was Heimtücke ist, der hat ihn zu dem harten Mann gemacht, den man heute sieht. Als Kind war er freundlich und munter. Er hatte diesen Vater nicht verdient.« Knox schniefte. »Und auch nicht die Frau, die er da bekommt!«

»Ich habe versucht, es aufzuhalten«, sagte Craig. »Aber natürlich haben sie einen anderen gefunden, der sie traute.«

Knox blieb stehen und packte Craig beim Kragen. »Glaubst du, das Volk ist bereit? Kann man sie stürzen?«

»Ich zweifle nicht daran, Sir.«

»Ah. Dann bin ich in der Tat heimgekehrt.«

An diesem Sonntag stieg Knox mit steifen Knien auf die Kanzel von St. Giles. Er fühlte sich in letzter Zeit alt und geschwächt. In seine Gelenke war der Rheumatismus gekrochen, die Augen tränten, und er bemerkte jetzt sogar eine beunruhigende Unfähigkeit, bestimmte Geräusche zu unterscheiden. Es war ihm zuwider, die Leute ständig zu bitten, ihre Worte zu wiederholen, und so hatte er begonnen, einfach zu erraten, was sie sagten, und die Lücken selbst auszufüllen. Immerhin war er zweiundfünfzig Jahre alt. Aber jetzt, da er eine Aufgabe zu erfüllen hatte, war ihm seine Kraft von Gott zurückgegeben worden. Es war, wie Jesaja gesagt hatte: »Die auf den Herrn harren, kriegen neue Kraft, daß sie auffahren mit Flügeln wie Adler, daß sie laufen und nicht matt werden.« Mit einem körperlichen Wohlgefühl, das er seit Jahren nicht mehr verspürt hatte, erklomm er die steile Treppe zur Kanzel; fast war ihm, als könne er zwei Stufen auf einmal hinaufspringen.

Die Kathedrale war voll; Menschen drängten sich in jedem Winkel und hinter jeder Säule. Sie standen in den Nischen, wo früher die Figuren der Heiligen gestanden hatten, und wandten ihm ihre Gesichter zu. Er sah sie an und dankte lautlos dem Himmel. Und jetzt, o Herr, stärke meine Zunge! betete er.

Er umklammerte die Brüstung der Kanzel und begann. »Liebe Brüder und Schwestern, erfüllt von großer Dankbarkeit stehe ich heute wieder vor euch. Seit ich das letzte Mal hier stand, an jenem traurigen Sonntag im März, wenige Tage, bevor der gottlose Diener der Königin, jener Rizzio, erschlagen ward, ist noch mehr Blut in frevelhaften Verbrechen vergossen worden. Endlich aber hat der Herr mich zurückgerufen, und brächte ich damit auch mein Leben in Gefahr – so muß es denn sein. Mein Text soll heute sein aus dem Ersten Buch Samuel, Kapitel fünfzehn, Vers fünfunddreißig, und Kapitel sechzehn, Vers eins:

›Und es gereute den Herrn, daß er Saul zum König über Israel gemacht hatte. Und der Herr sprach zu Samuel: »Wie lange trägst du Leid um Saul, den ich verworfen habe, daß er nicht König sei über Israel? Fülle dein Horn mit Öl und gehe hin: Ich will dich senden zu dem Bethlehemiter Isai; denn unter seinen Söhnen habe ich mir einen König ersehen.«‹«

Knox räusperte sich. Oh, es war so herrlich, seine Macht wiederzuhaben, und sei es nur, um diese Predigt zu halten.

»Genau dies ist nun in unserem Land geschehen. Gott hat das Weib auf dem Thron ganz und gar verstoßen und zurückgewiesen, denn sie hat gesündigt und sich dem Frevel zugewandt. Gott aber hat uns einen neuen König gegeben, den Prinzen James. In seiner Güte hat er das getan, denn er ließ die Dirnenkönigin lange genug leben, um einen Thronerben zu gebären. In seiner Gnade wird er uns nicht dem Grauen eines Bürgerkriegs im Kampf um den Thron überlassen, sondern er hat uns seinen Segen in diesem Prinzen gegeben, der seiner römischen Taufe zum Trotz ein gutes Kind ist, denn er wird aufgezogen und unterwiesen von Lord Erskine, einem getreuen Mitglied der Auserwählten.«

Er seufzte und warf einen Blick zur Sanduhr; es war die, die ihm der verhaßte Darnley dort hingestellt hatte, nachdem er Calvins Stundenglas gestohlen hatte.

Ich hätte es ihm wieder abnehmen sollen, bevor er starb, dachte Knox. Jetzt wird keiner mehr wissen, wo es geblieben ist. Trauer um den Verlust durchströmte ihn.

Es war noch viel Sand übrig. Vielleicht würde er gar nicht die ganze Zeit brauchen, die ihm zur Verfügung stand. Er hatte das Gefühl, er habe schon gesagt, was er sagen wollte. Er konnte jetzt noch über Maria und Bothwell schwadronieren, aber wichtig war, daß man schleunigst die Krönung des Prinzen James in Angriff nahm. Immerhin, es würde nicht schaden, die Leute daran zu erinnern, warum das nötig war.

»Ich erinnere mich an den Tag, da sie nach Schottland kam – ihr auch? Ein übler Nebel lag überall, eine Warnung des Himmels – er umhüllte sie wie einer ihrer französischen Mäntel, klebte an ihr wie einer ihrer französischen Dichter, küßte freizügig ihre Wangen wie einer ihrer Höflinge und ausländischen Spione ...« Jetzt redete er sich langsam warm.

»Und dann verführte sie im Mistbeet ihrer Wollust einen verheirateten Mann und lag bei ihm, und gemeinsam planten sie den Mord an ihrem Gemahl, der vollzogen ward durch Feuer und Rauch. Hernach sicherte man sich eine vorgeschützte Scheidung wider alle Gesetze des Menschen und der Kirche, auf daß sie desto besser in ihrer Sünde schwelgen könnten. Sollen wir das hinnehmen? Sollen wir zulassen, daß unsere Nation so erniedrigt wird und verlacht in den Räten der Welt? Niemand würde eine solche Königin gewähren lassen, würde einer solchen Königin gehorchen oder sie ehren, die doch nichts ist als eine Hure!«

Die Leute starrten ihn an und wurden unruhig.

»Ja, ich sagte, eine *Hure*! Es gibt kein anderes Wort! Es sei denn, ihr bevorzugtet Dirne, Messalina, Hetäre, Metze! Oder hört ihr lieber *Mörderin*? Ich sage, diese Hure mit ihrer Hurerei sollte nicht länger leben dürfen! Verbrennt die Hure! Verbrennt die Hure!«

Die Leute fingen an zu rufen. War es Protest oder Zustimmung? »Verbrennt die Hure ... verbrennt sie!« Es war Zustimmung.

»Das Gesetz des Landes verlangt, daß eine Frau, die ihren Gatten ermordet, verbrannt werde. Und in der Schrift, in Deuteronomium zweiundzwanzig, Vers zweiundzwanzig, heißt es: ›Wenn jemand gefunden wird, der bei einem Weibe schläft, die einen Ehemann hat, so sollen beide sterben, der Mann und das Weib, bei dem er geschlafen hat; und du sollst das Böse von Israel tun.‹

Und dieser Mann, der Earl von Bothwell – von ihm sagt die Schrift in Exodus einundzwanzig, Vers sechzehn: ›Wer einen Menschen stiehlt, es sei, daß er ihn verkauft oder daß man ihn bei ihm findet, der soll des Todes sterben.‹

Und Malachi, Kapitel vier, Vers eins: ›Denn siehe, es kommt ein Tag, der brennen soll wie ein Ofen; da werden alle Verächter und Gottlosen Stroh sein, und der künftige Tag wird sie anzünden, spricht der Herr Zebaoth, und wird ihnen weder Wurzeln noch Zweige lassen.‹

Sünde über Sünde, Frevel über Frevel – sie müssen sterben!« schrie Knox. »Mögen die Hunde ihr Blut auflecken, wie sie aufleckten das Blut des bösen Ahab und fraßen Jezebel!«

»Sie müssen sterben!« wiederholten die Leute, und ihre Stimmen schwollen an und erfüllten das dunkle Kirchenschiff.

Als er sich nachher durch die wogende Menge drängte, zupfte Maitland ihn am Ärmel.

»Die Lords der Kongregation warten zu Stirling«, flüsterte er und bedeckte sein Gesicht. »Sie haben eine Armee.«

Knox starrte ihn an. »Und Ihr, Sir?«

»Ich gehöre dazu. Ich werde mich ihnen anschließen, sobald ich von hier entkommen kann.«

»Dann säumt nicht länger, auf daß man Euch nicht zur Königin zähle und mit ihr verbrenne.« Der Sekretär der Königin schlich sich also davon wie eine Ratte, die ein brennendes Haus verließ. »Wo sind sie jetzt?«

Maitland lachte nervös. »Bei einer Regatta in Leith, zur Feier ihrer Hochzeit.«

Knox gestattete sich ein schmerzliches Auflachen.

Das Wasser funkelte und glitzerte unter den Schiffen auf dem Firth of Forth, wo Bothwell die schottische Flotte versammelt hatte: Galeonen, Karaken und Kauffahrer. Die Schiffe waren aufgetakelt und blitzsauber, und das Flaggschiff war mit Blumengirlanden behängt. Taue, so dick wie ein Männerarm, schlangen sich um Reling und Galionsfigur, und die Segel waren weiß: ein bräutliches Schiff, dem Anlaß entsprechend.

»Du bist verrückt, so viel Geld auszugeben«, sagte Maria, aber sie freute sich nichtsdestominder.

»Es war nicht recht, daß unsere Hochzeit ohne Feier vonstatten ging«, sagte Bothwell, »und ganz ohne Zeremoniell und Extravaganzen. Vor allem verlangt eine Hochzeit doch nach irgendeiner Geste des glücklichen Überschwangs.« Er warf einen Blick auf die beträchtliche Menge, die sich am Ufer versammelt hatte und die Flotille auf dem Wasser anstarrte. »Wir können ihnen doch nicht die Gelegenheit verwehren, unser Glück mit uns zu teilen.«

Der Mann war erstaunlich: diese stählerne Ruhe inmitten von all dem Haß und angesichts des Unwetters, das sich zusammenbraute. War er von heroischer Tapferkeit, oder begriff er einfach nichts?

»Auch uns selbst können wir es nicht verweigern«, fuhr er fort. »Denn wenn wir nicht frohlocken, wer wird es dann für uns tun? Und wozu wäre alles gut gewesen?«

Er begriff es also doch.

»Ach, Bothwell«, sagte sie, »ich weiß nicht, ob ich mit dir so durchs Feuer gehen kann, daß du stolz auf mich bist.«

»Ich habe dich durch andere Feuer gehen sehen«, sagte er. »Wieso, glaubst du, liebe ich dich?«

Liebte er sie deshalb? Es war so verwirrend. Wie kam ein Mann dazu, eine Frau zu lieben, weil sie manchmal wie ein Mann handelte? »Sie sehen so ruhig aus«, sagte sie und deutete auf die Menschenmenge. »Nichts deutet darauf hin, daß sie feindselig sind oder sich gegen uns wenden könnten.«

»Sie sind wegen des Schauspiels gekommen, zum Essen, weil das

Wetter schön ist, weil sie einen Grund haben, nicht zu arbeiten. Wenn es etwas umsonst gibt, wird sich stets eine Menschenmenge sammeln. So ist es immer gewesen, und so wird es immer sein. Es hat nichts zu bedeuten. Nein, dieses Schauspiel war für *uns*. Damit wir etwas haben, woran wir uns immer erinnern können.«

Es schauderte sie. »Wann wird er kommen, dieser Schlag? Wir haben verkauft, was wir können, um die Soldaten zu bezahlen. Wir haben uns so umsichtig benommen, daß selbst Achtzigjährige sich in unserer Gesellschaft gelangweilt hätten. Dennoch sind die Lords nicht wieder zurückgekehrt, wo immer sie sich verstecken mögen.«

»Die Starken schlagen offen zu, die Schwachen müssen sich auf die Lauer legen und abwarten. Im Augenblick ist es schwer zu sagen, wie stark sie wirklich sind. Wir haben Edinburgh Castle und Dunbar, und ich kann meine Grenzlandtruppen zu den Waffen rufen. Dann sind da die Unzähligen, die dir persönlich die Treue halten und dem königlichen Banner der Stuarts folgen werden.«

»Ich frage mich, ob sie unzählig sind oder nur allzu leicht gezählt«, antwortete sie. Früher hatte es auf dem Lande von ihren Anhängern gewimmelt. Aber heute ...?

Die Schiffe gingen in Formation und segelten jetzt in einer Reihe nebeneinander, um ihr seemännisches Geschick vorzuführen. Bothwell war ein würdiger Großadmiral; er hatte seine Flotte in den Jahren seines Kommandos gut ausgebildet.

»Gibt es einen schöneren Anblick als ein Schiff unter vollen Segeln?« fragte er in einem Ton, der zeigte, daß er von der Schönheit berührt war. »›Drei Dinge sind's, die schön für mich, und ein viertes sag' ich nicht: der Weg eines Adlers in der Luft, der Weg einer Schlange auf einem Feld, der Weg eines Schiffes inmitten der See.‹«

»Und was ist das vierte? Du hast gesagt, ein viertes sagst du nicht.«

»Der Dichter sagt, es sind vier. Das vierte ist ›der Weg eines Mannes mit einem Weib‹.« Er sah sie mit jenem festen Blick an, den sie so sehr liebte und der sie nährte wie ein Stück Brot. »Aber das steht in der Bibel, ob du es glaubst oder nicht,«

»Ihr Reformierten kennt die Bibel alle so gut«, sagte sie neidisch.

»Knox ist wieder da.« Bothwell ließ die Worte in der Luft hängen.

Sie wartete.

»Er predigt heute.«

Also sollte es anfangen. Bald. Wenn nicht heute, dann morgen. Oder übermorgen.

Er nahm ihre Hand und hob sie langsam an seinen Mund, um sie zu küssen. Dann hielt er sie fest an seiner Seite, verschränkte ihre Finger mit den seinen.

Holyrood war seltsam still; es wirkte fast verlassen, obgleich die üblichen Kammerdiener, Knechte und Wachen zugegen waren. Aber das Gewimmel von Höflingen, Gesandten, Sekretären und ihrem Anhang fehlte.

»Erinnerst du dich an die Geschichten von leeren, verzauberten Schlössern?« fragte sie. »Es gab immer einen Schatz oder eine schlafende Prinzessin dort. Ich habe mich oft gefragt, wie es wäre, über eine zu stolpern – ob sie inmitten von Spinnweben liegen oder ob alles wunderbar sauber sein würde...«

»Du träumst zuviel. Diese Prinzessin hier kann nicht schlafen, zumindest im Augenblick nicht, denn sonst wird sie gar kein Schloß mehr haben, wenn sie aufwacht.« Er marschierte durch die hallenden Korridore zu den königlichen Gemächern. Die Wache an der Tür nickte ihm knapp zu, schien aber ansonsten im Stehen zu schlafen.

Es dämmerte schon, aber Kerzen oder Fackeln waren nicht angezündet worden. Leise fluchend zündete Bothwell eine Kerze an und stellte sie auf das Fenstersims. Er blickte das Canongate hinauf, das ebenfalls seltsam verlassen war.

»Mir ist unbehaglich«, sagte er. »Ich denke, es wird Zeit, daß wir die Lords herbeizitieren; wir müssen ihnen befehlen, Stirling zu verlassen und vor uns zu erscheinen. Und wir sollten anfangen, eine Armee zusammenzuziehen.«

»Jetzt schon?«

»Es ist spät. Wir hätten es vor zwei Wochen tun sollen. Hoffentlich ist es nicht *zu* spät.«

Ein Schauer lief ihr über den Rücken. Aber so sehr der Krieg ihr auch verhaßt war, sie wußte doch, wie das Ergebnis sein würde. Bothwell hatte noch nie eine Schlacht verloren, und als Feldherr war er der beste im ganzen Land. Lord James, auch ein beachtlicher Soldat, war nicht in Schottland und konnte von keiner der beiden Seiten in Anspruch genommen werden. Wen sonst hatten die Lords? Morton und Home und Lindsay – keiner von denen war besonders bemerkenswert oder schlachterprobt. Kirkcaldy von Grange – ein guter Kämpfer, aber sicher kein Gegner für Bothwell.

Aber Bothwell neben ihr seufzte leise und traurig. »Zum ersten

Mal wird ein neuer Soldat im Felde stehen. Er wird Militärgeschichte machen. In späteren Jahren werden die Studenten sagen: ›Ah, in Schottland kam ein neuer Spieler ins Feld‹ – gerade so, wie wir jetzt die Belagerungsmaschinen studieren, das Katapult und die Arkebuse. Es ist *das Volk* – es sind Knox' Horden, die an Stimme und Gewalt dem Kirkcaldy von Grange, ja, selbst Elisabeth von England gleichkommen. Das *Volk*«, wiederholte er, und seine Stimme klang müde und bitter. »Mit Mistgabeln und Inbrunst und stinkendem Atem, unbeständig wie die Wolken an einem Sommertag, aber stärker als ein Granitblock, der einen Berg herunterrollt – und ebenso besinnungslos. Es wird alles plattwalzen und zermalmen, was sich ihm in den Weg stellt.«

»Dann brauchen wir doch nur beiseitezuspringen. Man wird sie leicht genug sehen und ihnen ausweichen können.«

Er lachte. »Ja, das ist der königliche Geist, den ich liebe.« Er legte den Arm um sie. »Schreibe den Befehl, der unsere Männer zu den Waffen ruft. Laß uns einen eigenen Felsblock zusammenfügen.«

Mit einer Proklamation wurden Earls, Barone, Ritter, Freisassen, Lehnsleute und namhafte Vasallen aufgefordert, sich am 15. Juni bewaffnet und mit Proviant für fünfzehn Tage zu Melrose im Grenzland bei der Königin und ihrem geliebten Gemahl einzufinden. Als Grund wurden Unruhen in Liddesdale angegeben, dem unbändigsten und gefährlichsten Landstrich dort.

Gleichzeitig befahl die Königin die Lords der Kongregation nach Edinburgh. Keiner kam, aber vom sicheren Stirling aus veröffentlichten sie eine Erklärung: Die Männer, die nach Melrose befohlen würden, sollten die Gesetze des Landes außer Kraft setzen und den kleinen Prinzen entführen.

Maria war gezwungen, ein Dementi herauszugeben: »Was Ihren liebsten Sohn angeht: Auf wen soll Ihre Majestät sorgsam achten, wollte Sie ihn vernachlässigen, der Ihr so teuer ist, auf dessen Wohlergehen Ihre ganz besondere Freude fußt und ohne den Ihre Majestät nicht guter Dinge wäre, sondern trostlos Ihr Leben lang?«

Und dann senkte sich Schweigen über Schottland – ein Schweigen, in dem nur noch John Knox' Predigten über Jezebel und ihren Ahab dröhnten.

Eine Woche verging, eine Woche der Ruhe, die doch keine Ruhe war, sondern ein Warten auf Taten. Maria und Bothwell wohnten in den königlichen Gemächern von Holyrood wie Gespenster oder wie die letzten beiden Menschen auf der Erde.

»Eigentlich sollte man sich fühlen wie im Garten Eden, wie bei Adam und Eva«, bemerkte er eines Abends, als sie ihr einsames Mahl beendeten. »Aber es ist ein großer Unterschied zwischen den Ersten und den Letzten. Die einen sind von Hoffnung erfüllt, die anderen von Furcht oder Reue.« Er wischte sich mit einem leinenen Mundtuch die vollen Lippen ab. Es hatte gute Kost gegeben: eine rahmige Suppe mit Austern, einen delikaten Fisch aus dem See von Linlithgow – eine Sorte, die Marie de Guise dort eingesetzt hatte und die es nirgends sonst in Schottland gab –, allerzarteste Blättchen von Löwenzahn und Kresse in einem Salat und schließlich eine Eiercreme mit Rosinen und Walnüssen. Ein leichter Rheinwein hatte gut zu diesem Mahl geschmeckt, und Bothwell schenkte sich jetzt noch ein Glas davon ein, aber er ließ den Wein im Glase kreisen und betrachtete ihn melancholisch, ehe er davon trank. Schließlich stand er auf und legte seine Serviette aus der Hand.

»Pack deine Kleider ein, und auch das, was du noch an Geschmeide hast«, sagte er plötzlich. »Wir müssen Edinburgh verlassen. Sie wollen uns hier überraschen. Oh, sie werden gehorsam herkommen, aber nicht so, wie du sie gerufen hast. Sie sind bereits auf dem Marsch; ich spüre es.«

»Dann wollen wir uns nach Edinburgh Castle zurückziehen. Balfour hat uns die Festung gesichert.«

»Nein. Laß uns ins Grenzland gehen, unsere Armee um uns versammeln und *dann* zurückkehren. Es hat keinen Sinn, sich ohne eine Armee in die Festung einzuschließen; da säßen wir einfach in der Falle. Wir gehen erst nach Borthwick Castle und dann weiter nach Hermitage.«

Am sechsten Juni verließen die Königin und Bothwell Edinburgh, aber in geordneter, beinahe entspannter Weise. Zwölf Truhen mit Marias Eigentum wurden mitgeführt, darunter ein Becken und ein Kessel aus Silber, und bevor sie Holyrood verließen, riefen sie Maitland zu sich und befahlen ihm, ihnen zu folgen. Er lehnte ab: Er werde sich ihnen später zugesellen.

»In der Hölle wird er sich zu uns gesellen«, meinte Bothwell, als sie aufbrachen. »Noch einer hat uns verlassen.« Er straffte sich im Sattel.

Borthwick lag nur zwölf Meilen südlich von Edinburgh, eine mächtige, goldene Steinfestung mit Zwillingstürmen auf einer grasbewachsenen Anhöhe. Wenn man oben auf einem der Türme stand, konnte man Crichton Castle in der Ferne sehen, wo Jean jetzt wohnte. Bothwell stieg mit Maria die schmale Wendeltreppe hinauf; sie mußten die Köpfe einziehen, bis sie in der warmen Junidämmerung auf dem flachen, befestigten Dach standen. Ringsum lagen die Schatten lang und wellig über dem Land. Die Felder im Norden und im Westen waren grün, und die sinkende Sonne ließ die Furchen auf den Äckern aussehen wie die Zähne eines Kammes. Nach Osten und Süden erstreckte sich das Moor, grau und braun und moosig grün: das Fala-Moor und die Moorfoot-Berge, runzlig und verwittert.

»Es lohnt sich, darum zu kämpfen«, sagte Bothwell. »Tu, was immer du tun mußt, um es zu behalten. Und wenn du gezwungen bist, zwischen mir und dem Land zu wählen, dann wähle das Land.«

»So weit wird es nicht kommen.« Die untergehende Sonne umstrahlte sein Gesicht, das geliebte Profil. Hinter ihm glühten Felder und Wiesen. Eine solche Wahl konnte es nicht geben.

»Es könnte leicht sein.« Er drehte sich um und nahm ihre Hände. »Ich werde kämpfen, so gut ich kann, aber Überraschungen gibt es immer. Die Götter überraschen uns gern.« Als er ihren Gesichtsausdruck sah, fügte er hinzu: »Seit ich die militärischen Lehrbücher der Römer studierte, werde ich zum Heiden, sobald ich an einen Feldzug denke. Ich denke an Jupiter, Apollo, Mars – und an all die Streiche, die sie den Sterblichen gern spielen, vor allem auf dem Schlachtfeld.«

»Und wer bist du dann in deiner Phantasie? Marcus Antonius? Caesar? Octavian?« Sie sah ihn in dieser Reihe, wie er seinen Mann stand, was Tapferkeit, Strategie und Kraft anging.

»Keiner von denen. Die Sterblichen in diesem Spiel wechseln; nur die Götter sind immer dieselben. Ich bin immer nur ich selbst.«

Maitland gab das Signal, daß die Luft rein sei, und die Lords der Kongregation strömten nach Edinburgh: Morton, Home, Atholl, Glencairn, Lindsay und der junge Sohn Ruthvens. Lord Erskine ließ den kleinen Prinzen in Stirling zurück und schloß sich ihnen an. Sogar der berüchtigte Kerr von Cessford, den Maria vor Gericht so gütig behandelt hatte, folgte den aufständischen Lords.

Maitland unterbreitete Balfour, der auf Edinburgh Castle saß, ein Angebot: Wenn er sich ihnen anschließe, werde man ihm seine Rolle bei der Ermordung Darnleys verzeihen; die Gerüchte darüber hatten inzwischen ein solches Ausmaß angenommen, daß sich seine Beteiligung daran nicht länger vertuschen ließ. Er war einverstanden. Zusammen schmiedeten er und Maitland eine Vereinbarung; sie legten die Ansicht der Lords dar und stellten fest:

> Sir James Balfour von Pittindrech, Ritter, Führer des königlichen Registers und Befehlshaber über das Kastell von Edinburgh, hat eingedenk der höchst gefährlichen Lage Ihrer königlichen Majestät und der Gefahr, die dem Gemeinwohl daraus erwachsen möchte, mit dem gleichen Eifer wie wir versprochen und gelobt, uns zu helfen und zu unterstützen, sowie auch diejenigen von uns, welche es unternehmen, in dem Kastell von Edinburgh die Ordnung wieder einzurichten zur Förderung aller unserer Unternehmungen, welche bereits ersonnen oder noch ersonnen werden. Vorausgesetzt, daß er unbeschadet seiner Ehre dazu aufgefordert werde, wenn wir in die Stadt Edinburgh einziehen.
>
> Daher schließen wir einen Bund und geloben, ihn zu stützen und zu erhalten und ihn straflos ausgehen zu lassen für alle seine früheren Taten, und ihn zu aller Ehre und Gewinn zu befördern, vor allem aber, ihm weiterhin den Oberbefehl über das Kastell von Edinburgh zu belassen.

Am darauf folgenden Tag, dem 12. Juni, verfaßten die Lords eine eigene Proklamation und ließen sie am Mercat Cross bekanntmachen. Sie erklärten, sie seien entschlossen, »die Befreiung der Allervornehmsten Person der Königin aus Gefangenschaft und Arrest zu bewerkstelligen, nachdem sie nun seit langem von dem Mörder ihres Gemahls so festgehalten, welcher die Regierung ihres Reiches an sich hat gerissen: Sie zu befreien aus Gefangenschaft und Kerker und den Bothwell zu bestrafen sowohl für die grausame Mordtat an König Henry Darnley als auch für die Schändung und Entführung der Königin«.

In Scharen strömten die Männer zu der grausigen Standarte der Lords – das Banner zeigte den toten Darnley, hingestreckt unter einem Baum, und den kleinen Prinzen James, der betete: »Richte und räche Du meine Sache, o Herr!« –, und als es Abend wurde, hatten sie tausend Mann auf ihrer Seite. Lord Home und Morton beschlossen, noch in der Nacht mit einem Kavallerietrupp nach Borthwick zu reiten und Bothwell in der Dunkelheit zu überraschen, so daß ihm der Weg ins Grenzland abgeschnitten wäre. Bei Fackelschein strömten sie zur Stadt hinaus, zwölfhundert Mann stark.

Bothwell lag im Dunkeln, aber er schlief nicht. Maria war neben ihm in dem massigen, wurmzerfressenen Holzbett in der obersten Turmkammer. Sie lag still da, und an ihrem Atem merkte er, daß sie schlief. Er aber konnte nicht; obwohl von draußen nur die beruhigenden Geräusche des Frühsommers kamen – das Wispern der Zweige, Eulenrufe und aus weiter Ferne der Lärm ausgelassener Bauern in einer Schenke an der Landstraße –, erschien die Nacht ihm gefährlich.

Er hörte die Armee, als sie noch weit hinten auf der Straße marschierte, hörte das unverwechselbare Geräusch marschierender Männer und sprang aus dem Bett. Hastig zog er die Kniehose an und spähte aus dem Fenster. Noch war nichts zu sehen. Er kehrte zum Bett zurück und weckte Maria.

»Sie kommen«, sagte er leise. Sie war sofort wach.

»Wo?«

»Ich höre sie hinten auf der Straße. Es klingt nach einer großen Kompanie.«

Auch sie sprang aus dem Bett und lief zum Fenster. Sie sah das Leuchten der Fackeln, die jetzt aufgetaucht waren. Es waren viele.

»Zieh dich an«, sagte Bothwell. »Ich sage dir, was wir tun müssen. Sie wollen mich hier festsetzen. Sie werden den Turm umzingeln. Halte sie auf. Ich verschwinde durch die Seitenpforte.«

Seine Stimme klang scharf und ruhig. Obwohl sie nach dem jähen Aufwachen einen klaren Kopf hatte, fiel es ihr schwer, zu begreifen, was er da sagte.

»Laß sie nicht wissen, daß ich weg bin. Ich gehe nach Black Castle; das ist zwei Meilen von hier in Cakermuir. Aber es ist im Moor versteckt und klein, und sie werden wahrscheinlich nicht wissen, wo es liegt. Ich werde dort auf dich warten. Wenn sie abziehen, kannst du zu mir kommen.«

Die Fackeln kamen näher. »Und wenn sie nicht abziehen? Wenn sie mich gefangennehmen?«

»Das tun sie nicht. Sie können diese Burg hier nicht stürmen. Lord Borthwick wird sie halten. Sie ist uneinnehmbar – außer mit Kanonen, und Kanonen haben sie nicht.«

»Woher weißt du das?«

»Sie bewegen sich zu schnell.« Rasch warf er seinen Mantel über. »Ich muß fort. Laß erst vierundzwanzig Stunden vergehen, ehe du ihnen sagst, daß ich entwichen bin. Aber dann mußt du es ihnen sagen, denn sonst wirst du die Burg nie mehr verlassen können.« Er umarmte sie und drückte sie kurz an sich. Dann ließ er sie los und wandte sich der Treppe zu.

Sie hörte seine Schritte auf den Steinstufen, wie sie immer leiser wurden, und dann sah sie ihn zum Südtor hinausgaloppieren, dem Moor zu. Die Dunkelheit verschluckte ihn.

Gott beschütze dich, betete sie. Aber schon war Lärm im Hof; sie hörte Stimmen, als die Wachen erst debattierten und dann das Feld räumten. Sie stieg die Treppe hinauf zum Dach des Turmes und schaute hinunter auf das Meer von Männern in dunklen Mänteln, das den Turm umwogte wie öliges Wasser.

»Da ist sie!« schrie einer, und ein großes Gebrüll erhob sich. »Kommt herunter! Gebt diesen Metzger heraus, den Ihr Gemahl nennt! Liefert ihn der Gerechtigkeit aus!«

»Der Gerechtigkeit des Volkes!« schrie einer.

»Wer führt euch?« rief Maria. »Wer ist es, der es wagt, seine Königin zu belagern und zu belästigen?« Sicher würde niemand wagen, es zuzugeben. Das hier war nur ein Mob.

»Ich bin es!« rief da Lord Home. »Und ich spreche für alle Lords der Kongregation. Wir schämen uns nicht. Ihr seid diejenige, die sich schämen sollte! Ihr habt Euch zum Spielzeug des ruchlosen und lasterhaften Lord Bothwell machen lassen, der nur die Absicht hat, den Thron vollends an sich zu reißen. Gebt ihn heraus! Liefert ihn der Gerechtigkeit aus!«

Lord Home! Sie war mit ihm geritten, hatte mit ihm zu Tisch gesessen!

»Und ich, der Earl von Morton«, rief eine vertraute Stimme. »Ich bin gezwungen, zur Verteidigung meines Landes die Waffen zu ergreifen. Jeder, der Schottland liebt, muß es tun! Wir können nicht dasitzen und zusehen, wie dieser gottlose Dämon, dieser Mörder und Hexenmeister, seiner ganzen Umgebung Gewalt antut!«

»Königsmörder!« brüllte einer.

»Schmutziger Menschenschänder!«

»Sodomit!«

»Nein, das stimmt nicht!« rief Maria. »Der Earl von Bothwell war als einziger von allen Edlen im Land nicht untreu gegen die Krone, hat sich niemals bestechen lassen und an keinem Mordbündnis teilgehabt. Er ist unschuldig! Ihr selbst habt das alles getan, wessen Ihr ihn jetzt bezichtigt!«

»Keiner von uns hat jemanden vergewaltigt oder entführt, und keiner von uns hat den König ermordet!«

»Er wurde all dieser Verbrechen für unschuldig befunden! Ihr habt ihn selbst für unschuldig an der Ermordung des Königs erklärt, und indem ich ihn heiratete, habe ich ihm jedes Verbrechen gegen meine Person verziehen. Aber wenn Bothwell den König nicht ermordet hat, wer war es dann? Ihr seid es, die Ihr das Blut des Königs an Euren Händen habt!« rief sie.

»Beweist es!« schrie Morton. »Das könnt Ihr nicht! Und wenn Ihr Bothwell nicht aufgebt, gebt Ihr zu, daß Ihr mit ihm zusammen schuldig seid. Wie Knox es sagt!«

»Knox!« erwiderte sie. »Dieser skrupellose Anstifter zu Aufruhr und Mord! Dieser bösartige Verleumder, der sich so gut darauf versteht, durch falsche Anschuldigung zu vernichten, nicht aber darauf, wie man etwas aufbaut. Ja, er hat gegen das Achte Gebot verstoßen: Du sollst kein falsches Zeugnis ablegen. Und wieder und wieder verstößt er dagegen, denn er findet Freude daran, Unruhe zu stiften; was tut es da, wenn seine Reden Lügen sind? Bis das jemand herausfindet, bis da jemand nachforscht, hat er schon wieder ein neues unschuldiges Opfer vernichtet.«

Sie hörte Hufgetrappel; diese Leute waren gut ausgerüstet.

»Jezebel!« schrie jemand.

»Hure!«

»Verbrennt die Hure!«

Sie flüchtete sich vom Turmdach in ihre Kammer zurück. Die ganze Nacht hindurch hörte sie Schreien und Fluchen und das nutzlose Aufklatschen der Kugeln an den dicken Steinmauern der Burg – doch nie das unheilvolle Dröhnen einer Kanone.

Bothwell hatte recht; sie hatten keine Kanonen. Sie konnten die Burg nicht einnehmen.

Sie blieben den ganzen Tag, und bei Licht erkannte sie viele vertraute Gesichter. Zum erstenmal begriff sie die ganze Wucht dessen, was hier geschah. Dies waren die Menschen, die sie von Kindheit an kannte, Menschen, deren Treue ihr immer selbstverständlich gewesen war – Männer wie der freundliche Stallmeister von Stirling, der Händler aus der High Street, der den Zucker für den Palast geliefert hatte, selbst der Böttcher, der beauftragt worden war, Bierfässer für

Holyrood zu machen. Das gemeine Volk hatte sich gegen sie gewandt. Das war etwas anderes als die wankelmütigen Lords, die schon geizig, raffgierig und berechnend auf die Welt gekommen waren.

»Laßt den Feigling erscheinen!« schrien sie. Dann endlich kam jemand auf das Naheliegende.

»Er ist gar nicht mehr hier! Er hat sich noch nie gescheut, sich zu zeigen! Er muß entkommen sein!«

Rasend vor Wut fingen sie an, Steine auf das Schloß zu werfen. Aber sie machten keine Anstalten, abzuziehen. Sie wollten jetzt Beute, und sie gedachten nicht, sich darum betrügen zu lassen.

Sie würde ebenfalls fliehen müssen. Die Menge hatte sich verringert; die Leute waren jetzt alle an der Vorderseite versammelt, und die Rückseite des Turms war unbewacht. Allerdings wurde der Haupteingang, der zum Hof führte, aufmerksam im Auge behalten.

Langsam ging sie zu Bothwells Truhe und öffnete sie. Sie nahm eine von seinen dunkelbraunen ledernen Kniehosen und ein Paar Strümpfe heraus; weiter unten lagen seine Hemden und Jacken. Sie streifte Kleid und Strümpfe ab und behielt nur die Unterwäsche an. Dann zog sie eine von seinen Strumpfhosen an. Sie war rauh und kratzig. Mit zitternden Händen warf sie sich ein weites Leinenhemd über und knöpfte es zu. Die lederne Kniehose anzuziehen war einfacher, und sie war auch das bequemste Kleidungsstück. Aber Stiefel ... Sie brauchte Stiefel. Ihre eigenen würden genügen, und das war gut, denn sie hatte kleinere Füße als er. Sie verzwirbelte ihr Haar und steckte es zu einem Knoten hoch, und dann nahm sie einen von Bothwells Hüten von einem Haken an der Wand und zog ihn tief ins Gesicht. Sah sie jetzt aus wie ein Mann? Es gab hier keinen Spiegel, um sich zu vergewissern. Aber jedenfalls hatte sie weniger Ähnlichkeit mit einer Frau als noch vor zehn Minuten.

Sie würde durch das Fenster fliehen müssen. Über die Treppe kam sie nicht hinaus. Sie schaute hinaus und sah bestürzt, daß die Kammer mindestens fünfzig Fuß hoch über der Erde lag. Vielleicht gab es weiter unten noch einen Raum, durch den sie hinausgelangen könnte. Auf Zehenspitzen schlich sie lautlos die Treppe hinunter. Vom ersten Treppenabsatz aus gelangte sie in den Bankettsaal. Es schien, als atme der leere Raum, und ihre Blicke huschten umher und durchsuchten die dunklen Ecken. Aber es regte sich nichts.

Sie stahl sich zum Fenster. Hier waren es nur noch dreißig Fuß, aber das war immer noch zu hoch. Sie stieg wieder in ihre Kammer hinauf und zerrte das Laken von dem alten Bett herunter. Unten im Bankettsaal knotete sie das eine Ende an einen wuchtigen Stuhl am Fenster, und sie betete darum, daß er nicht umkippen möge, wenn sie an ihm ruckte. Dann warf sie das andere Ende aus dem Fenster und sah befriedigt, daß es nur etwa zehn Fuß über dem Boden baumelte. Sie biß die Zähne zusammen und umklammerte das Laken, und Stück für Stück ließ sie sich hinunter, die Armmuskeln angespannt, um nicht abzurutschen. Langsam seilte sie sich ab; die Beine waren um das Laken geschlungen, und die Arme schmerzten. Endlich war sie am Ende angelangt; sie ließ sich so weit wie möglich hinab und baumelte dann einen Augenblick lang in der Luft, ehe sie losließ und sich die letzten zwölf Fuß hinunterfallen ließ. Hart schlug sie auf und rollte mit angezogenen Beinen zur Seite. Dann stand sie zitternd auf. Sie war unverletzt.

Sie hörte den Lärm auf der anderen Seite des Turmes. Sie hastete über den Rasen an der Rückseite und kletterte über die niedrige Mauer. Dahinter lag der grasbewachsene Abhang, und dahinter wiederum begann das Moor. Aber es war jetzt dunkel geworden, und man sah nichts mehr.

Sie blieb still stehen und lauschte: Irgendwo in der Nähe hörte sie ein Pferd atmen. Sie tat einen Schritt in die Richtung, aus der das Geräusch zu kommen schien, blieb stehen und lauschte wieder. Wenig später hatte sie ein kleines Pferd gefunden, aufgezäumt und mit einem Männersattel versehen.

Lieber Gott, dachte sie, wie kommt das Tier hierher? Hast Du es hier bereitgestellt? Denn ich weiß, selbst wenn Bothwell daran gedacht hätte, wäre es ihm doch unmöglich gewesen. Es sei denn, Gedanken können etwas erschaffen.

Sie sprang in den Sattel; es war kein großer Sprung, denn das Pferd war sehr klein. Sie hatte keine Ahnung, wohin sie reiten sollte, und so lenkte sie das Pferd dorthin, wo sie das Moor vermutete. Das Tier hatte einen sicheren Gang und schien seinen Weg zu kennen.

Bald war das Gebrüll der Männer hinter den Hügeln verklungen. Sie hörte andere Geräusche: kleine Tiere, die im Moor lebten, die Rufe der Nachtvögel, das weiche Tappen der Pferdehufe auf dem Moos, das Kratzen der Dornenbüsche, an denen sie vorbeistreiften. Bald hatten ihre Augen sich an die Dunkelheit gewöhnt; es war nicht stockfinster, denn der Boden pulsierte vom sanften Glimmen Tausender Glühwürmchen. Sie gaben ein gespenstisches Feenlicht, und ihr war fast, als sei dies alles ein Traum.

Sie ritt Hügel hinauf und dann wieder hinunter in kleine Glens, vorbei an Sümpfen, wo seltsame faulige Dünste in der Luft hingen; aber von einer Burg war nirgends etwas zu sehen. Als der Morgen graute, sah sie sich verirrt in einem wilden Gelände voller Heide, Moos und Dornengestrüpp. In ihrem Kopf drehte sich alles, und endlich zügelte sie das Pferd – ein dürrer kleiner Klepper, wie sie jetzt sah – und setzte sich am Rande eines Teiches auf den Boden. Frösche quakten, und Krähen hockten auf den Zweigen verwachsener Bäume und betrachteten sie mit schräggelegten Köpfen, als fänden sie ihren Anblick wunderlich. Sie ließ die Stirn auf die hochgezogenen Knie sinken und fragte sich, was sie jetzt tun sollte.

Eine halbe Stunde hatte sie halb dösend dagesessen, als sie plötzlich etwas hörte. Sie sprang auf und stieg in den Sattel. Das Pferd spitzte die Ohren. Hätte sie doch nur eine Pistole dabei, oder wenigstens einen Dolch. Wenn es die Lords waren, wäre sie wehrlos. Warum hatte sie nicht daran gedacht, eine Waffe mitzunehmen?

Über die Anhöhe kam Bothwell, begleitet von etwa zwanzig Mann. Im Galopp ritt er zu ihr herüber, ohne auf das unebene Terrain zu achten.

»Gott sei Dank!« rief er. »Als du nicht kamst –«

»Du hast vergessen, mir zu sagen, wo Black Castle ist«, sagte sie. »Ich hatte keine Ahnung, in welche Richtung ich reiten mußte. Als du sagtest, es sei bei Cakermuir, dachte ich mir, es müsse irgendwo im Moor liegen, aber –«

»Du gibst einen prächtigen Soldaten ab«, sagte er bewundernd. »Und wie ich sehe, reitest du einen Männersattel.«

»Was sollte ich denn machen? In den Stall zurückgehen und einen anderen Sattel verlangen? Es war ein Wunder, daß überhaupt ein Pferd da war, von einem Sattel ganz zu schweigen.«

»Wo war es denn?«

»Beim hinteren Tor.«

»Vielleicht hat Lord Borthwick es dort für dich hingestellt.« Er riß am Zügel seines Pferdes. »Wie schlimm sieht's denn aus?«

»Sie haben die Burg immer noch umzingelt. Ich habe zwei Boten zu Huntly geschickt, um ihn herbeizurufen, aber ich weiß nicht, ob sie durchgekommen sind.«

»Wahrscheinlich nicht. Es waren über tausend Mann. Komm, laß uns weiter nach Dunbar reiten. Wir nehmen den südlichen Umweg über das Fala-Moor. Wenn wir dort sind, rufen wir Huntly und die Hamiltons.« Erst jetzt lächelte er. »Mein Ritter«, sagte er. »Ich denke, du hast dir deine Sporen wohlverdient. Wie bist du herausgekommen?«

»Ich habe ein Bettlaken festgeknotet und bin durch das Fenster des Bankettsaals hinausgeklettert.«

Er lachte. »Uns kann kein Kerker halten, scheint mir. Ein solches Gefängnis ist noch nicht gebaut. Herz meines Herzens, Gebein meines Gebeins, Geist meines Geistes, uns kann nichts halten.«

Der Weg nach Dunbar über das Moor schien eine Ewigkeit zu dauern. Als Maria hinter Bothwell herritt, kam ihr das alles sehr vertraut vor, als sei es schon einmal geprobt worden: sein Rücken, der sich vor ihr wiegte, das Sausen des Windes im flachen Heidekraut und in den niedrigen Dornenbüschen, der Geruch von Morast und nassem Sumpf ringsumher.

Natürlich, dachte sie. Ich habe das alles ja schon einmal erlebt. Gerade auf einem solchen Ritt fing ich ja an, ihn zu lieben. Oder fing an zu wissen, daß ich ihn liebte. Vor erst acht Monaten.

Unwillkürlich lächelte sie, ein müdes, schiefes Lächeln. Es waren ausgefüllte acht Monate gewesen; niemand konnte in acht Monaten mehr Erfüllung gefunden haben. Aber jetzt war sie müde; sie wollte in Ruhe leben und vielleicht sogar Gelegenheit haben, sich zu langweilen. Aber noch nicht. Erst mußten die Rebellen besiegt werden. Doch sie würde triumphieren, wie sie es bei anderer Gelegenheit auch getan hatte.

Dies ist der vierte Aufstand gegen mich, nachdem Huntly den Anfang gemacht hat, dachte sie. Die Treibjagd auf Lord James, der Mord an Rizzio, und der Mord an Darnley. Wenn ich eine Tabelle machen wollte, welche Lords würden dann wohl bei allen vier Gelegenheiten beteiligt sein? Der Earl von Morton, dieser rothaarige Bär voller Habgier und Frömmigkeit; der Earl von Argyll, auf den sich keine Seite viel zugute halten kann, weil er so wenig tut; Kirkcaldy von Grange, der mir die Hand küßte, als ich landete, und der ein Spion der Engländer ist. Die drei ganz sicher. Maitland und Lord James sind zu gerissen; sie haben sich niemals auf frischer Tat ertappen lassen, außer bei dem Aufstand, der zur Treibjagd führte. Vor allem Lord James überläßt es anderen, seine geheimen und niederträchtigen Geschäfte zu erledigen.

Warum haßten sie mich alle so sehr und wollten meine Regentschaft zerstören? Habe ich je etwas getan, womit ich ihren Haß verdient hätte? Ich habe den Protestanten freie Hand gelassen und niemals versucht, ihnen Steine in den Weg zu legen. Ich habe diese Lords mit Ländereien und Ehren überhäuft. Ich habe Schottland aus jedem Krieg herausgehalten und mich geweigert, den Papst bei seinen Bemühungen zu unterstützen, Schottland durch Todesurteile gegen Ketzer zurückzugewinnen. Ich weiß nicht, was ich noch hätte tun können, oder was man von mir erwartet hat. Ich habe viele Ausgaben der Krone von meiner eigenen Witwenrente bestritten, statt dem Volk neue Steuern abzunehmen.

Steckt hinter allem nur John Knox? Hat er sich zum Ziel gesetzt, mich vom Thron zu stürzen? Aber das kann nicht einmal er. Er muß seiner Heiligen Schrift gehorchen, und die sagt, daß er sich an einem gesalbten König nicht vergreifen darf.

Seufzend trieb sie ihr Pferd voran. Sie war so müde, daß sie glaubte, sie werde jeden Augenblick auf den Hals des Pferdes hinuntersinken. Die Sonne stand noch am Himmel. Sie hatten einen weiten Weg vor sich, und wenn sie da wären, würden sie Pläne schmieden und – höchstwahrscheinlich – Schlachten schlagen müssen. Ihre Truppen würden sich in Melrose versammeln, und es hieß, die Hamiltons und die Gordons würden Verstärkung bringen. Zusammen würden sie ein ehrfurchtgebietendes königliches Heer von mindestens fünftausend, vielleicht sogar zehntausend Mann auf die Beine bringen.

Der Tag würde ihnen gehören. Aber es würde ein sehr langer Tag werden.

Als sie Dunbar endlich erreichten und die mächtigen Mauern der Festung vor ihnen aufragten, da war es, als sei sie heimgekehrt. Dunbar – hierher brachte Bothwell sie immer im Augenblick der Gefahr, und von hier kehrte sie immer siegreich zurück.

Stolpernd ritten sie in den Hof ein, und Bothwell war plötzlich wie von neuem Leben erfüllt. Er stieg ab und postierte seine Wachen an den Toren und Zufahrtswegen, und er hatte es anscheinend nicht besonders eilig, etwas zu essen oder sich in sein Quartier zurückzuziehen. Maria blieb im Sattel und wartete, bis er seine Befehle erteilt hatte; sie sehnte sich danach, abzusteigen, zu essen, sich fallenzulassen. In seinen Kleidern wurde es ihr allmählich ungemütlich; sie waren an den falschen Stellen zu eng und beulten sich dafür, wo sie besser eng gewesen wären. Endlich meinte Bothwell, sie sollten sich nun ins Haus begeben. Diesmal bezogen sie den neueren Flügel, der noch zu Menschengedenken erbaut worden war und sich großer Fenster mit Fensterbänken, einer Holztäfelung und verzierter Decken rühmen konnte.

»Als meine Gemahlin heiße ich dich willkommen in den Gemächern des Lords«, sagte er. »Als Gefangene warst du entsprechend untergebracht.« Er geleitete sie in ein behagliches Gemach mit einem marmornen Kamin, und meinte augenzwinkernd: »Ich weiß allerdings nicht, ob man einen Knaben mit so schmutziger Kleidung hier hereinlassen sollte.«

»Einen schmutzigen Knaben!« Sie schaute an ihren zerfetzten, schlammverschmierten Hosenbeinen hinunter.

Er zog die Nadeln aus ihrem hochgesteckten Haar. »Wenn du aussiehst wie ein Knabe, werde ich dich auch so behandeln.«

»Deine Kleider haben mir gute Dienste getan«, sagte sie. »Aber jetzt wünschte ich, ich könnte sie ablegen.«

»Dann tu's doch.«

»Ich habe keine anderen!« Sie lachte. »Ich mußte alles in Borthwick lassen.«

Plötzlich kam ihr ein düsterer Gedanke. Bei ihrer Flucht hatte sie alles zurückgelassen: ihre Papiere, ihre Juwelen, ihre persönliche Habe. Das alles war jetzt in den Händen der Rebellen. »Unsere Sachen! Sie haben unsere Sachen!«

»Nicht mehr lange«, sagte er. »Und sie werden eine Weile brauchen, um sie zu finden. Aber …« Seine Miene veränderte sich, als die Erkenntnis dämmerte. »Meine Papiere! Meine persönlichen Papiere! Meine Urkunden und Besitztitel, und meine – meine –« Panik ließ seine Stimme immer lauter werden. »Ich habe deine Briefe noch!« platzte er heraus.

»Was für Briefe?«

»Die du mir aus Glasgow geschrieben hast, und die Gedichte …«

Sie schlug beide Hände vor den Mund. »Ich habe dich angewiesen, sie zu verbrennen! In den Briefen selbst habe ich es dir gesagt! Wie konntest du! Wie konntest du sie verwahren!« Ihr Magen wollte sich umdrehen, als sie versuchte, sich zu erinnern, was sie darin geschrieben hatte. Die Beschreibung Darnleys in seiner Krankheit, die ganze bedrohliche Reise nach Glasgow, der ominöse Balfour, ihre Angst, die zärtliche Vertrautheit mit Bothwell könne entdeckt werden, die Notwendigkeit, Darnley zurück nach Edinburgh zu bringen. Ihr war schlecht.

»Ich weiß es auch nicht«, sagte er. »Ich glaube, ich wollte eine Erinnerung an dich haben, wenn wir uns einmal trennen müßten, damit ich mich davon überzeugen könnte, daß es wirklich geschehen war. Ich war sicher, daß du mich wieder verlassen würdest und daß du mit mir spieltest. Ich hätte nie gedacht, daß du mich liebst, wie ich es heute weiß.«

»Sobald wir wieder in Edinburgh sind, müssen sie vernichtet werden! Hörst du? O Gott! Wenn man sie findet – wo hast du sie denn?«

»In der silbernen Kassette, die du mir geschenkt hast. Aus Frankreich. Sie ist in meinen Gemächern in Edinburgh Castle.«

Sie stöhnte. Also nicht einmal eingeschlossen! Und in einem Behältnis, das von außen deutlich erkennen ließ, daß sich darin etwas Kostbares befand! O Gott, was hatte sie getan? Hatte sie sich mit der eigenen Feder hingerichtet? Und er – daß er sie verwahrt hatte! Der Mann, der so intelligent war, der seinen Gegnern im Denken noch stets vorausgewesen war, ein Meister der Strategie – hatte die Tölpelei eines Dorftrottels begangen! »O Gott!« wiederholte sie immer wieder. Sie konnte nur beten, daß man die Briefe nicht finden würde. Gott, sei uns gnädig! Verschone uns!

»Wir müssen sie schnell besiegen«, meinte Bothwell in seinem alten, zuversichtlichen Ton. »Sie müssen aus Edinburgh verjagt werden. Wir müssen zuschlagen, sobald es geht.«

Sie sprang auf und ging im Zimmer auf und ab. Hunger und Erschöpfung waren wie weggeblasen, und ein nervöses Zittern war an ihre Stelle getreten.

Als man ein kräftiges Abendessen hereintrug und auf den Tisch stellte, mußte Bothwell ihr befehlen, sich hinzusetzen und zu essen. »Du bist erschöpft und halb verhungert«, sagte er. »Du mußt dir deine Kraft für die bevorstehende Schlacht erhalten.« Wie ein gestrenger Vater hob er den Deckel von einer Schüssel Hasenpfeffer, deckte einen Teller Pastinaken auf und brach ihr ein Stück Brot ab.

Als sie gegessen hatte, war ihr zumindest nicht mehr so schwindelig, aber die Glieder waren ihr schwer. »Was tun wir jetzt?« fragte sie.

»Schlafen.« Er leerte seinen Becher. »Meinst du nicht, daß wir es verdient haben?«

»Ich meine, was tun wir morgen?«

»Das sage ich dir morgen«, antwortete er. »Wenn du besser zuhören und verstehen kannst. Jetzt müssen wir schlafen.« Es war inzwischen dunkel geworden; er nahm eine Kerze und winkte sie ins Nachbargemach.

Ein wunderschön geschnitztes Bett erwartete sie, mit frischem Linnen bezogen und mit Decken aus feinster, jungfräulicher Wolle. Rosen in einer Vase auf einem kleinen Intarsientisch verströmten ihren schweren Duft. Die Fenster waren offen, und man hörte das Tosen der See draußen.

»Oh«, sagte sie und lehnte sich an das Bett. Bothwell zog ihr die Stiefel aus und streifte ihr wie einem Kind die Jacke über den Kopf. Dann knöpfte er das Hemd auf und schob es ihr von den Schultern, und schließlich befreite er sie von Hose und Strümpfen.

»Was soll ich zum Schlafen anziehen?« fragte sie, und ihre Zunge war schwer von Müdigkeit.

»Gar nichts«, sagte er. »Niemand sieht dich außer mir. Und morgen früh borge ich Frauenkleider für dich.« Er hob sie hoch und legte sie ins Bett; er deckte sie zu, stieg dann selbst hinein und zog die Decke über sie beide.

Sie legte den Kopf an seine Schulter; sie fühlte sich wie mit Drogen betäubt. Bothwell war hier. Sie brauchte keine Angst zu haben. Keine Angst, keine Angst ... Er stand zwischen ihr und allem Unglück.

Am nächsten Morgen waren sie beide hellwach, bevor die Sonne aufging. Bothwells Ruhe vom vergangenen Tag war dahin; er war aufgeregt und hatte es eilig, sich anzuziehen und sich Kenntnis geben zu lassen, welche Mittel ihnen nun zu Gebote standen. Rasch riß er die Fenster auf, um den Wind hereinwehen zu lassen, und dann ließ er Maria allein, um sich mit seinen Leuten in einem der äußeren Gemächer zu beraten. Sie lag nackt im Bett und fühlte sich wie eine Gefangene unter der Decke. Während er fort war, hatte sie Zeit, über die Umstände nachzudenken. Die Lords – wo mochten sie jetzt sein? Ob sie immer noch Borthwick belagerten? Wer gehörte wirklich alles zu ihnen? Und was wichtiger war: Auf wessen Unterstützung konnte die Seite der Krone zählen? Gab es überhaupt noch *irgend jemanden* in Schottland, dessen Treue zur Krone unerschütterlich war? Und wieder dieser sengende Gedanke: Warum mußte es so weit kommen? Und damit einhergehend die verbotene Frage: Was, wenn wir verlieren? Was wird aus uns werden?

Ich muß darüber nachdenken. An wen könnte ich mich hilfesuchend wenden, damit ich den Thron zurückerobern kann? Denn ich würde mich nicht demütig unterwerfen und still ins Exil gehen, mich in ein Kloster zurückziehen wie … wer war es noch gewesen? Irgendein abgesetzter König, eine verstoßene Königin. War es Johanna von Valois? Ich kann nicht nachdenken … Ich würde nach Frankreich gehen. Ja, nach Frankreich. Dort würde man mir helfen, wieder auf den Thron zurückzukehren. Frankreich würde eine Armee schicken, eine Streitmacht. Aber dann würde es gegen England kämpfen müssen – und würde es das willentlich riskieren? Meine Familie, die Guise, haben nicht mehr so viel Macht im Lande wie früher, und Katharina von Medici ist vorsichtig und auf ihren eigenen Nutzen bedacht. Und der kleine König, Karl IX., ist zwar schon siebzehn, steht aber immer noch restlos unter der Fuchtel seiner Mutter. Er hätte überhaupt nichts zu sagen.

Philipp von Spanien? Der ist noch berechnender und schwerfälliger als Katharina von Medici, und überdies hält er sich für einen Vorkämpfer der Kirche; nachdem der Papst mich verdammt hat, würde er keinen Finger rühren und erst recht kein Schwert und keine Arkebuse anfassen, um mir zu meinem Recht zu verhelfen. Nein, Spanien nicht.

Die skandinavischen Länder … Bothwell hat Beziehungen dorthin; er hat Marinedienste für Schweden geleistet. Aber sie sind Protestanten und würden niemals einer katholischen Monarchin auf den Thron helfen. Nicht einmal einer, die bei der Kirche in Ungnade gefallen ist!

Sie lachte nervös. Die Katholiken würden den Bann des Papstes ernst nehmen und sich deshalb weigern, ihr zu helfen; die Protestanten würden es für einen Familienstreit halten und sie weiter als Katholikin und somit als Feindin betrachten.

Außerhalb von Schottland würde sie vielleicht überhaupt keine Hilfe finden. Endgültig nicht.

Und England? Es gab immer noch England – Schottlands Erbfeind, aber die Dinge hatten sich geändert. James war Elisabeths Patenkind, und bis jetzt – auch wenn sie es vielleicht nicht formell zugab – ihr Thronerbe. Und Elisabeth war ihre nahe Verwandte und dazu eine, die königliche Vorrechte sehr ernst nahm. Sie, die selber Aufstände und Rebellen fürchtete, konnte kaum zusehen, wenn eine Gruppe verräterischer Lords in Schottland die Herrschaft an sich riß. Und sie hatte Maria den Ring gegeben, und das bedeutete …

»Ich habe Kleider«, sagte Bothwell und kam mit einem Berg von schwarzem und rotem Stoff im Arm herein. »Ich habe sie von einer Kaufmannsfrau geborgt.« Er hielt sie hoch. »Sie sind zweifellos ein bißchen kurz, denn es gibt im ganzen Land keine Dame, die so groß ist wie du.«

»Das macht nichts«, sagte sie. »Ich bin schon dankbar, daß ich heute kein Knabe mehr zu sein brauche.« Rasch stand sie auf und zog sich hinter einem seidenbestickten Wandschirm in einen Alkoven zurück, um sich anzukleiden. Dabei hörte sie, wie Bothwell auf und ab ging und Selbstgespräche führte.

Petticoat und Rock, schwarz und rot, reichten ihr knapp bis unter die Knie. Ein Mieder war da, ein weißer Rüschenkragen für den Hals und ein paar Bänder, um die Ärmel zuzubinden. Vorsichtig trat sie hinter dem Wandschirm hervor. Der Rocksaum an ihren Knien fühlte sich merkwürdig an.

Bothwell brach in Gelächter aus. »Du siehst aus wie ein Milchmädchen.«

»Mit einem so kurzen Rock fühlt man sich halb nackt«, stellte sie fest. »Wird irgend jemand einer Königin folgen, die so aussieht?«

Bothwell deutete auf ein Frühstückstablett mit Bier, Käse, Erdbeeren und Brot. Er selbst aß im Stehen. »Zu Pferde wirst du königlich genug aussehen«, sagte er zwischen zwei Bissen. »Ich habe French Paris nach Süden geschickt, nach Melrose. Er soll meine Soldaten holen – wie viele es auch sein mögen, die sich inzwischen dort zusammengefunden haben.«

Sie setzte sich und schenkte sich Bier ein; dann aß sie drei von den kleinen wilden Erdbeeren. »Wir haben erst den vierzehnten Juni, und der Tag hat kaum begonnen«, sagte sie. »Deine Soldaten brauchten erst morgen dort zu erscheinen.«

»Möglicherweise können wir noch warten. Das hängt davon ab, auf wie viele andere wir noch zählen können, und wer sich den Lords angeschlossen hat. Freilich, das Beste, worauf wir hoffen können, wäre, daß unsere Truppen vor den ihren einsatzbereit sind.«

In diesem Augenblick kam Geordie Dalgleish herein, Bothwells persönlicher Kammerdiener und Schneider. »Ihr wolltet mich sprechen?« Er war ein plumper, grobgesichtiger Bursche. Aber er sprach mit einer zarten Stimme, die überhaupt nicht zu seinem Äußeren paßte.

»Ja. Ich muß wissen, was aus Huntly geworden ist und aus der Streitmacht der Hamiltons. Sie sollten von Norden und von Westen herkommen. Aber sie kommen nicht. Und gleichzeitig sollten Atholl und Glencairn mit ihren Highlandern auf dem Marsch zu den Lords sein, und zwar in derselben Richtung. Sind sie sich unterwegs begegnet? Oder warum die Verzögerung?«

»Ja. Ich gehe nach Edinburgh«, sagte der Mann.

»Wenn Ihr geht, sagt Balfour, ich befehle ihm, auf die Rebellen zu schießen, wenn sie in Edinburgh Zuflucht nehmen wollen«, sagte Maria plötzlich. »Wir müssen Edinburgh halten, und Balfour muß seine Pflicht als Hauptmann der Burg tun.«

Als er weg war, sagte Maria: »Es ist sicher alles in Ordnung.«

Er sah sie dankbar an. »Du hast einen unerschütterlichen, einen königlichen Mut. Möge er dich in den Stunden, die vor uns liegen, nicht verlassen.« Er deutete auf das Tablett. »Iß jetzt. Vor der Schlacht bekommen wir vielleicht nichts mehr.«

Sie war erschrocken. »So bald? Könnte es so bald sein?«

»Das hängt von den Berichten ab, die wir bekommen.«

French Paris kehrte mit tausend Grenzlandsoldaten zurück, weit weniger, als Bothwell erwartet hatte. Geordie Dalgleish kam bald danach mit verwirrenden Nachrichten: Huntly und die Hamiltons hatten Edinburgh erreicht, aber dort hatten sie haltgemacht, und jetzt stritten sie miteinander über den richtigen Weg nach Dunbar. Ein anderer Bediensteter, William Powrie, meldete, daß Lord Seton und Lord Borthwick sich auf der Straße zwischen Dunbar und Edinburgh bereithielten, um zu ihnen zu stoßen. Als Bothwell noch bei diesen Berichten saß, klopfte es. Draußen vor der Tür stand Edmund Hay, Bothwells Anwalt in Edinburgh.

»Ja, was ist denn?« fragte Bothwell. »Gewiß habt Ihr doch jetzt keine Grundstücksdokumente, die ich unterschreiben soll, oder dergleichen? Ihr Anwälte seid wirklich eine hingebungsvolle Bande – stets bei Euren Geschäften, als wäre nichts weiter. Selbst eine Beerdigung bringt Euch noch etwas ein.«

Hay schwitzte heftig; er begann, sich Luft zuzufächeln. »Verzeiht mir. Es ist heiß – viel zu heiß für die Jahreszeit.«

Das war es tatsächlich, merkte Maria plötzlich. Bis dahin hatte sie gar nicht gemerkt, wie warm der Wind zum Fenster hereinwehte.

»Was gibt es?« fragte Bothwell. »Ihr seid auf dem Weg hierher in Schweiß geraten.«

»Ich bringe eine wichtige, vertrauliche Botschaft von Balfour in Edinburgh Castle. Sie lautet folgendermaßen: Die Rebellen werden ihre Stellung in Edinburgh, wo sie sich jetzt zu sammeln beginnen, nicht halten, wenn sie wissen, daß die Festung das Feuer auf sie eröffnen wird. Aber sie strömen so massenhaft herein, und ihre Zahl wird bald so groß sein, daß Lord Balfour, sollte die königliche Armee noch länger in Dunbar verweilen, genötigt sein wird, sich mit ihnen zu einigen. Er bittet Euch deshalb, nicht länger zu zögern, sondern unverzüglich loszuschlagen und sie sogleich anzugreifen, ehe sie noch stärker werden.«

»So sieht es aus? Sind denn die Highlander schon zu den Lords gestoßen?«

»Nein, Euer Gnaden.«

»Ah!« Er sah Maria an. »Dann müssen wir in der Tat losschlagen. Das Schicksal liefert sie in unsere Hand!«

Balfour saß auf der Mauer von Edinburgh Castle und genoß den Wind. Meistens war es unbehaglich, hier oben zu stehen, denn der Wind war immer kühl, als sei er über Eis gestrichen und erst dann freigekommen. Aber heute war er erfrischend; drückende Hitze lastete auf der Stadt. Neben ihm saß Morton und schwitzte in seinen schweren schwarzen Kleidern, die er immer trug, weil er sich einbildete, daß sie seinen Körpermassen Würde verliehen und ihn ernst und fromm erscheinen ließen.

»Glaubt Ihr, es klappt?« fragte Morton eben. »Glaubt Ihr, Hay wird sie überzeugen?«

»Ich könnte es mir denken. Bothwell wird ja seinem eigenen Anwalt vertrauen. Schließlich – warum sollte er lügen?«

Beide lachten.

»Sie werden aus Dunbar fortgelockt und hierher zurückgebracht. Wir, das heißt, unsere Streitkräfte, werden zwischen ihnen und jedem aus dem Westen oder Norden stehen, der verspätet den Wunsch hat, sich ihnen anzuschließen. Bis es zur Schlacht kommt, werden Atholl und Glencairn mit ihren Highlandern bei uns sein. Einstweilen wollen wir alle guten Bürger aufrufen, sich binnen drei Stunden marschbereit zu halten, um gegen sie zu kämpfen«, sagte Morton.

»Laßt mich den Aufruf aufsetzen«, sagte Balfour. »Ich liebe es, derlei Dinge zu formulieren.«

Und eine Bekanntmachung, die »alle, welche nicht für beteiligt an obgenanntem Verbrechen und Verrat gelten möchten«, dazu aufforderte, »gemeinsam mit den Lords zu den Waffen zu greifen«, wurde am Mercat Cross verlesen. »Wer aber nicht teilnimmt an diesem rechtschaffenen und staatstreuen Unternehmen«, hieß es weiter, »muß Edinburgh binnen vier Stunden verlassen.«

Gegen Mittag verließen die königlichen Truppen Dunbar und begaben sich auf den Marsch nach Westen. Zusätzlich zu den Grenzlandsoldaten waren zweihundert Arkebusiere und sechzig Reiter dabei. Bothwell hatte befohlen, die drei in Messing gegossenen Feldschlangen aus Dunbar mitzunehmen. Unterwegs, angelockt vom rot und gelb wehenden königlichen Banner, kamen noch sechshundert Reiter dazu, außerdem Kleinbauern und Dörfler, die nur mit ihren Ackergeräten bewaffnet waren. Als sie Haddington erreichten, war ihre Streitmacht auf fast zweitausend Mann angewachsen. Gleich hinter Haddington, in Gladsmuir, ließ Maria haltmachen und eine Proklamation verlesen.

»Eine Anzahl von Verschwörern hat unter dem Vorwand, den Prinzen zu retten, ihre verborgene Bosheit zutage treten lassen. In der Absicht, die Königin zu entthronen, so daß sie selbst alles nach ihrem Belieben regieren können, haben sie gegen ihre gesalbte Regentin zu den Waffen gegriffen. Die Königin ist daher aus Not gezwungen, ebenfalls zu den Waffen zu greifen, und Sie setzt Ihre Hoffnung auf die Hilfe aller treuen Untertanen, die hernach mit Land und Besitz der Rebellen entlohnt werden sollen, ein jeder nach seinem Verdienst.«

Die Menge wuchs, und die Reihen der königlichen Armee nahmen zu – aber nicht an Berufssoldaten. Als sie sich Edinburgh näherten, ging die Sonne unter, und der Mob war müde und staubig und mußte rasten.

Bothwell betrachtete sein Heer. »Ich bin zufrieden«, sagte er. »Wir können hier haltmachen. Seton House ist nicht weit. Wir wollen dort übernachten. Und bevor es hell wird, marschieren wir weiter nach Edinburgh und überwältigen sie, ehe sie sich versehen.«

Kirkcaldy von Grange, der sich trotz Schütterhaar und Faltengesicht für einen stattlichen Ritter hielt, genoß es, die Pläne für die bevorstehende Schlacht zu entwerfen. Sollte seine Kavallerie die Flanke übernehmen und dann ins Zentrum der königlichen Truppen vorstoßen, wo sie alles erschlagen, niedertrampeln und in Panik versetzen könnten? Oder sollte er sich geradewegs auf Bothwell stürzen und alle Geringeren ignorieren, wie es die Recken in alten Zeiten getan hatten? Wie wäre die Königin stärker zu demoralisieren? Vor sich hin summend, erwog er eine dritte Möglichkeit. Wenn er die Kavallerie aufteilte …

Jemand zog den Vorhang beiseite. Verärgert blickte Grange auf und runzelte die Stirn. Es war der Neffe eines der Setons.

»Ja!« bellte er. Er verbarg die Holzsoldaten, die er auf dem Tisch umhermanövriert hatte, und verdeckte seine Pläne.

»Sie sind in Seton House. Lord Seton ist dazugekommen und hat ihre Streitmacht auf fast dreitausend Mann vergrößert. Der Großteil kampiert rings um Seton House. Sie wollen morgen früh losmarschieren, nach Möglichkeit schon gegen fünf, um Edinburgh im Handstreich zu nehmen.«

»Woher weiß ich, daß es so ist?« fragte Grange. »Ihr könntet lügen, um uns in die Irre zu führen.«

»Ich kann es nicht beweisen. Aber Ruthven wird für meine Loyalität gegen die Kongregation einstehen. Und Lindsay ebenfalls.«

»Also schön. Ich werde sie kommen lassen.«

Das tat er, und die beiden erkannten den Mann als einen Peter Simmons, der niemals Umgang mit Royalisten gepflogen hatte, sondern schon vor Jahren der Kongregation beigetreten war, der aber in der Nähe von Seton House wohnte.

Bothwell wollte sie also überraschen. Nun, er würde derjenige sein, dem eine Überraschung bevorstand. Grange gab den Befehl, daß die Armee der Lords gegen zwei Uhr früh aus Edinburgh abmarschieren solle, damit sie dem Feind noch im Dunkeln entgegentreten könne, ehe dieser sich in der Verwirrung formiert habe.

In dem Gemach, das man für Maria freigehalten hatte – denn sie war in den vergangenen sechs Jahren häufig zu Gast in Seton House gewesen –, legten Bothwell und Maria sich zur Ruhe. Sie waren erleichtert gewesen, als sie sich mit Lord Seton zusammengeschlossen hatten, und überdies war sie froh, Mary Seton noch einmal zu sehen. Sie war seit Wochen nicht mehr dagewesen. Die übrigen Marys waren seit langem in alle Winde zerstreut, aber Mary Seton war ihr immer noch eine treue Kammerfrau.

Sie hatte nach Luft geschnappt, als sie Maria das erste Mal gesehen hatte. »Oh, Eure Majestät, wie habt Ihr Euch verändert!« platzte sie heraus.

»Es ist viel geschehen, was mich verändern mußte«, erwiderte Maria. Normalerweise hätte sie jetzt genau erforscht, was Seton damit meinte, aber jetzt kümmerte es sie nicht mehr. Sie war erhitzt, schmutzig und hungrig. Sie hatten seit dem Morgen nichts mehr gegessen, und Bothwell machte sich Sorgen, weil er keinen Proviant für seine Truppen hatte.

»Deshalb müssen wir morgen kämpfen. Ich kann sie im Feld nicht versorgen, und eine hungrige Armee kann nicht kämpfen«, sagte er müde. Er ließ sich ins Bett fallen und konnte sich kaum noch rühren.

Maria kletterte zu ihm hinein. Er lag auf der Seite und hatte ihr den Rücken zugewandt. Sie wollte ihren Kopf auf seine Schulter legen und ihm den vom Straßenstaub verkrusteten Nacken massieren. Er seufzte, und sein Seufzen hatte einen verzweifelten Unterton.

»Schlafe«, sagte sie und küßte ihn sanft auf die Wange. »Morgen abend um diese Zeit ist alles entschieden.«

Er antwortete nicht. Schlief er schon? Sie versuchte, sein Gesicht zu sehen. Seine Augen waren geschlossen.

»Dann ist alles vorüber, und unser Leben kann wirklich beginnen«, sagte sie.

Immer noch keine Antwort. Sie drehte sich auf den Rücken und schaute hinauf zur Decke, die sie schon so oft gesehen hatte. Seton House war immer ein Zufluchtsort für sie gewesen, wo sie sich benehmen konnte wie die junge Frau, die sie war, und wo keine haßerfüllten Spitzel lauerten, die jede ihrer natürlichen Handlungen zu etwas Unheimlichem und Bedrohlichem verdrehten. Hier hatte sie Golf gespielt und mit Pfeil und Bogen geschossen, sie war am Meer entlang spaziert, hatte gesungen und sich mit Mary Seton und ihrem Bruder unterhalten, und hier hatte sie sich von ihrem Entsetzen nach dem Mord an Darnley erholt. Die Setons hatten sie stundenlang auf einem Stuhl sitzen und aufs Meer starren lassen, ohne sie in ihren geheimen Gedanken zu stören, aber sie hatten sie stets wissen lassen, daß sie sie nicht verraten würden, wenn sie sich entschließen wollte, sich ihnen anzuvertrauen.

Ich habe gute Freunde hier in Schottland gehabt, dachte sie. Aber sie waren wie ein Wechselmuster, das den Stoff des Lebens bildet: Freund, Verräter, Freund, Verräter ... das ist kein Stoff, in den man sich zum Behagen hüllt. Die Verräter und ihre Dolche sind rauh auf der Haut.

Bothwell stieß einen seltsamen Schrei aus und warf sich heftig auf die andere Seite. Dann murmelte er etwas. Ein Gefühl, das jenseits aller Dankbarkeit oder auch Liebe lag, überflutete sie. Er war ihr Leben: ein Geschenk, an dem sich alle anderen messen lassen mußten.

Er warf sich umher und ließ den Arm auf das Oberbett fallen.

»Sschh«, sagte sie und nahm ihn in die Arme. »Du träumst schlecht.« Sie küßte seine Stirn, die schweißnaß war. Er stöhnte und schüttelte sich, bis er halbwegs wach war.

»Du mußt diese Nachtgespenster verbannen«, sagte sie. »Du bist nicht der Mann, der sich von Geistern ängstigen läßt.«

»Nei, vi kom i fjor«, sagte er mit klarer Stimme.

»Was? Was für eine Sprache ist das?« Sie schüttelte ihn.

»Jeg venter penger fra …« murmelte er und schlug die Augen auf. »Ich habe von Norwegen geträumt – vielleicht war es auch Dänemark, ich weiß es nicht. Ich war ein Pirat, es war Flaute, mein Schiff lag im Hafen, und ich konnte nicht in See stechen.«

»Woher weißt du, daß es Norwegen oder Dänemark war?«

»Man sah es an den Häusern an einem steilen Berghang. Und dann der Geruch – das Meer dort hat einen Geruch, der jener Küste eigentümlich ist«, sagte er.

»Es ist gut, daß du im Geiste so weit fort sein konntest. Und was das Meer angeht – der Geruch kommt hier zum Fenster herein.«

»Ja.« Seine Stimme verklang, und er schlief wieder ein.

Später, in der tiefen Finsternis, da die wahre Grenze zwischen Tag und Nacht gezogen wurde, regte er sich und nahm sie in die Arme. Der Wind hatte sich gelegt, und sogar das Meer schien zwischen Ebbe und Flut den Atem anzuhalten. Sie erwachte und fühlte, wie er sie umschlang, fühlte, wie er sie brauchte vor der Stunde der Abrechnung. Nie hatte sie seine Berührung so unmittelbar, so drängend verspürt. Glücklich wandte sie sich in der Geborgenheit der Finsternis ihm zu, und überschwenglich genoß sie seine Hände und seinen Körper und seine Seele.

Der Morgen graute. Er stahl sich ins Zimmer, erhellte es Stück für Stück, unerbittlich. Bothwell stöhnte und setzte sich auf. »Es ist spät.« Er schwang die Füße über die Bettkante und schüttelte schlaftrunken den Kopf. »Hoffentlich ist es nicht zu spät!«

Sie stand auf und spähte auf die kleine Uhr, die sie auf den Tisch gestellt hatte. Im verwaschenen Licht war sie schwer zu erkennen. »Nein«, sagte sie dann, »es ist erst vier Uhr.«

»Spät, spät«, murmelte er. Er zog sich an und schüttelte unablässig den Kopf, um ihn zu klären.

Um fünf waren sie auf dem Marsch nach Edinburgh; dreitausendfünfhundert Mann trampelten auf dem Weg entlang, und die Reiter und die Feldartillerie auf ihren fahrbaren Lafetten rumpelten neben ihnen her. Neben Maria ritt Mary Seton, die darauf bestanden hatte, sie zu begleiten. Bothwell war bei seinen Soldaten, die trotz der Nachtruhe erschöpft aussahen. Sie hatten wenig gegessen, und es bestand kaum Aussicht darauf, daß sie unterwegs etwas bekommen würden.

Bothwell gedachte, geradewegs nach Edinburgh zu marschieren und die Rebellen dort anzugreifen, während Balfour sie von oben beschoß, um sie herauszutreiben. Die Festung in der Hand der Königin war das Bollwerk, das ihren Erfolg sicherstellte, wie schon nach dem Mord an Rizzio.

Aber als sie sich der Stadt näherten, sah er zu seinem Entsetzen, daß die Rebellen einen Hügel vor der Stadtmauer besetzt hatten und sie dort erwarteten. Sie waren auf dem Hang in Stellung gegangen, so daß jeder Soldat, der dort bergauf stürmte, ein leichtes Ziel wäre.

»Verrat!« sagte Bothwell. »Jemand hat ihnen unseren Plan verraten, und sie haben mit unserem frühzeitigen Anmarsch gerechnet..« Er zügelte sein Pferd und galoppierte dann zu Maria hinüber. »Sie kannten unseren Plan«, rief er. »Jemand hat sie von unserem Vorgehen unterrichtet, und jetzt haben sie sich eingegraben und versperren uns den Weg.«

Überraschung durchzuckte sie, gefolgt von Zorn und Abscheu. »Gibt es denn keinen, dem wir vertrauen können?« Wer konnte es gewesen sein? Sie hatten keinen zweiten Feldherrn in ihren Reihen, nur Bothwell. Es mußte also ein einfacher Soldat gewesen sein, einer aus dem Volke, der ihnen bis dahin treu ergeben gewesen war.

»Offenbar nicht«, sagte er. »Jetzt müssen wir auf dem Hügel gegenüber Stellung beziehen.« Er deutete auf die Anhöhe jenseits des kleinen Baches, der zwischen den beiden Hügeln floß. »Weißt du, wie diese Gegend heißt? Die Lords haben sie gut ausgewählt, wenn man ihre Vorliebe für Allegorien und Omen bedenkt.«

»Es ist ... es ist Musselburgh. Pinkie Clough«, sagte sie langsam.

»Der Ort jener Schlacht, die es notwendig machte, dich als Kind nach Frankreich zu senden«, sagte er. »Ich erinnere mich gut. Ich war damals zwölf, und ich brannte darauf, eine echte Schlacht zu sehen. Ich habe zugeschaut, aber nicht mitgekämpft. Oh, wäre es damals anders gegangen – wer kann sagen, wo wir heute wären? Cecil war da, auf Seiten der Engländer, und er entging um Haaresbreite einer Kanonenkugel. Hätte sie ihn getötet und nicht den Mann neben ihm, hätte die Geschichte einen anderen Verlauf genommen. Der alte Huntly wurde gefangengenommen und nach England geschafft – höchstwahrscheinlich hat er dort das Handwerk des Verräters erlernt, nachdem er das englische Gold genommen hatte. Die Engländer mähten uns nieder – zehntausend fielen auf diesem Hang.«

Die schrägen Strahlen der frühen Morgensonne beschienen die taunassen grünen Wiesen und überzogen sie mit einem irisierenden Schimmer. Die Rebellen saßen in aller Ruhe da und frühstückten.

»Der Schwarze Samstag«, sagte Maria.

»Ja. Und weil wir den Engländern nicht widerstehen konnten, mußten wir uns an Frankreich verkaufen. Und du warst ein Teil dieses Handels.« Er schwenkte den Arm über das Feld. »Und wärest du nicht nach Frankreich gegangen –«

»Das hat doch keinen Sinn. Hätte einer nicht das getan, was er getan hat, wäre sein Leben anders geworden«, sagte sie. »Wärest du nicht zum Schatzamt gekommen, ständen wir heute nicht hier und müßten kämpfen. Also laß uns kämpfen, denn wir *waren* dort, wenn auch ohne Absicht.« Sie hob den Kopf. »Mit Absicht oder nicht, ich akzeptiere alles, was ich getan habe, und alles, was ich je tun werde.«

Ein Grinsen breitete sich auf seinem Gesicht aus, und zum erstenmal an diesem Morgen entspannten sich seine Züge. »Dann laß uns kämpfen, und mag das Schicksal den Rest entscheiden.« Er salutierte und kehrte zu seinen Männern zurück.

Maria und Mary Seton begaben sich zum Fuße des gegenüberliegenden Hügels, weit hinter die Frontlinie. Bothwell verteilte seine Soldaten über den ganzen Hang bis zum Gipfel hinauf; auf halber Höhe postierte er die Messingkanonen, damit sie auf jeden feuern könnten, der den Hügel heraufstürmte. Die zweihundert Arkebusiere gingen am Fuße des Hügels in Stellung, die sechshundert Reiter verteilten sich auf die Reihen, die Grenzlandsoldaten sicherten die Flanken und die Frontlinie, und die restlichen zweitausend – schlecht bewaffnete, unausgebildete Bauern aus den Dörfern – füllten die Lükken aus.

Das königliche Banner wurde in Marias Nähe aufgepflanzt; rot und gelb flatterte der Löwe in dem trockenen Wind, der zum nahem Meer wehte. Die übrigen Soldaten kämpften unter dem Andreaskreuz.

Bothwell kam zu ihr zurückgeritten; er war ganz verändert, forsch und vor lauter Energie vibrierend. Er deutete zu den Rebellen hinüber und starrte sie über die zweihundert Yards hinweg an. »Die Lage ist folgende«, sagte er beinahe genüßlich. »Zahlenmäßig ist es ausgeglichen – aber sie haben mehr ausgebildete Kavallerie und bessere Waffen. Dafür wiederum haben sie zu viele Führer. Sie werden kein klares Kommando zustandebringen.«

Sie schaute zu den einzelnen Soldatengruppen hinüber; jede trug eine andersfarbige Livree. Aber das Herz wurde ihr schwer, als sie sah, daß die Highlander gekommen waren und sich um die Earls von Atholl und Glencairn versammelt hatten. Und es schienen Tausende von Reitern zu sein.

»Die Earls von Morton und Home befehligen die Kavallerie«, sagte er. »Es sind dieselben, die uns in Borthwick belagerten.«

»Erskine«, sagte sie traurig und zeigte auf ihn; sie erkannte ihn trotz der Entfernung. »Der Hüter meines Sohnes. Sogar er wendet sich gegen mich.«

»Er wendet sich nicht, er war immer gegen dich.«

Es schmerzte sehr. Er war ein Freund gewesen, einer, den sie seit der Kindheit kannte.

»›Selbst mein enger Freund, dem ich vertraut, er, der mit mir mein Brot geteilt, erhebet nun den Stiefel wider mich‹«, sagte sie.

»In Schottland gilt das für ungefähr jeden«, erwiderte er. »Schau, da vorn ist der junge Lord Ruthven, der Sohn des Hexenmeisters, und da ist auch Lord Lindsay. Rizzios Mörder sind wieder beisammen. Aber abgesehen von Kirkcaldy von Grange ist kein nennenswerter oder erfahrener Feldherr unter ihnen. Lord James wäre derjenige, den wir zu fürchten hätten.«

»Vielleicht *ist* er ja da.«

»Nein. Ich weiß aus zuverlässiger Quelle, daß er in der Normandie ist und auf ein Signal wartet. Er kommt erst herüber, wenn er sich sicher glaubt – und ich gedenke dafür zu sorgen, daß es nie mehr der Fall ist. Hoffentlich schmecken ihm die französischen Kutteln à la Caen, denn vielleicht wird er sie bis an sein Lebensende essen müssen!«

»Dieses Banner!« rief sie, als sie die häßliche weiße Seidenfahne erblickte, auf der Darnley und der kleine James mit seinem Gebet »Richte und räche Du meine Sache, o Herr!« abgebildet waren.

»Kümmere dich nicht darum. Damit soll uns nur der Kampfesmut genommen werden. Wenn es vorbei ist, werde ich das Ding zerschneiden und mein Pferd damit schmücken.«

»Wo bleibt Huntly?« fragte sie. »Und Hamilton mit seinen Leuten? Warum kommen sie nicht?«

»Die beste Taktik wäre es, den Kampf hinauszuzögern in der Hoffnung, daß sie bald kommen und uns verstärken«, meinte er. »Aber es wird schwierig, wenn man zu lange zögert: Die Männer bekommen Hunger, sie langweilen sich und desertieren.«

»Desertieren?«

»Die Möglichkeit besteht«, sagte Bothwell. »Unsere Armee besteht schließlich zum größten Teil nicht aus ausgebildeten Soldaten, sondern aus Bauern, die sich auf dem Marsch einfach angeschlossen haben. Die können auch wieder nach Hause gehen, und wir könnten es kaum als Desertion bezeichnen.«

Allmählich wurde klar, wie schwierig ihre Lage war. Die beiden Armeen waren zahlenmäßig gleich, aber den königlichen Soldaten fehlte es an Waffen, Essen und Hingabe. In der heißen Sonne würden sie zusammenschmelzen, im Kampf vielleicht zusammenbrechen. Untätigkeit wäre tödlich, aber loszuschlagen wäre ebenfalls ein Glücksspiel.

»Ich werde die Männer nach Süden verlagern und sehen, daß wir einen Geländevorteil bekommen«, sagte Bothwell und blinzelte hinüber zu den Rebellentruppen.

Maria sah, daß sich dort etwas bewegte. Offensichtlich hatten sie die gleiche Absicht.

Bothwell ritt davon, und Maria merkte, daß sie zitterte. Ihr Pferd schnaubte und scharrte mit den Hufen.

»Warten ist eine Marter«, sagte sie zu Mary Seton, die so ernst auf ihrem Pferd saß, daß es schon trostlos aussah. »Von allem, was ich je zu tun habe, fällt mir das Warten am schwersten.«

»Es ist gegen Eure Natur«, sagte Seton. »Ach, Majestät, warum habt Ihr –?«

»Still! Kein Wort mehr«, befahl Maria. »Du hast nicht das Recht, diese Frage zu stellen.«

Sie wandte sich wieder den Männern auf der anderen Seite zu. Einige von ihnen spritzten sich kaltes Wasser ins Gesicht, füllten ihre Helme und tranken. Es wurde heißer, aber ihre Leute konnten nicht nah genug an den Bach gelangen, um sich dort zu erfrischen. Plötzlich war sie ganz mutlos. Die Hitze, die nicht zur Jahreszeit passen wollte, schien selbst ein Feind zu sein, der sich den Reihen ihrer Gegner angeschlossen hatte.

Die Sonne stieg höher, und niemand rührte sich. Die beiden Armeen schauten einander an, aber da jede ihren Hügel beherrschte, wollte keine ihren Vorteil aufgeben, indem sie die andere angriff. Wenn man nach Edinburgh hinüberblickte, sah man nirgends eine Staubwolke, die Huntlys oder Hamiltons Ankunft angekündigt hätte.

Bothwell kam herangeritten. Er schwitzte in seinen ledernen Kleidern und unter seinem Helm. »Niemand rührt sich!« erklärte er verachtungsvoll. »Eine Schlacht, in der niemand sich rührt!« Nichts bewegte sich außer der flimmernden Hitze, die in Wellenlinien zum Himmel strebte.

»Sie wollen, daß wir angreifen«, sagte sie. »Gib ihnen nicht, was sie wollen.«

Er schaute sie belustigt an. »Ich glaube, du würdest einen guten General abgeben. Befiehlst du mir also, stillzuhalten?«

»Nein. Ich vertraue deinem Urteil. Was mich angeht, so würde ich ihnen noch in diesem Augenblick entgegenreiten und meine beiden Pistolen abschießen.«

»Schau«, sagte Bothwell, »da hat sich jemand aus der Front gelöst!«

Etwa fünzig Reiter, die schützend einen weiteren in ihre Mitte genommen hatten, kamen drüben den Hang herunter. Spritzend durchquerten sie den kleinen Bach und kamen entschlossen auf das königliche Banner zugesprengt.

»Du mußt auf sie schießen!« rief Maria. »Laß sie nicht erst in Reichweite herankommen!«

»Nein, sie haben eine weiße Fahne. Sie wollen unterhandeln.« Bothwell gab seinem Pferd die Sporen und befahl einigen Reitersoldaten, den Feinden entgegenzureiten. Etwa dreißig Mann ritten los und bildeten eine Eskorte für den Unterhändler und seine Leute.

»Philibert du Croc!« Maria verschlug es den Atem. Es war der französische Botschafter, der kleine Mann, der sich geweigert hatte, bei ihrer Hochzeit zugegen zu sein.

»Eure Majestät!« rief er und salutierte. Als sie nickte, stieg er vom Pferd und kam auf sie zu. Er verbeugte sich, und dann küßte er ihr die Hand und neigte dabei den runden, flauschhaarigen Kopf. Lächelnd richtete er sich wieder auf.

»Herrje! Welche Pein würde es Eurer Schwiegermutter und dem König von Frankreich bereiten, Euch in solcher Lage zu sehen!« sagte er. »Und die Lords der Kongregation, die mich hergeschickt haben, versichern Euch, daß sie Eure demütigen und gehorsamen Diener sind.«

Maria lachte unwillkürlich schrill auf. »Und auf diese Weise zeigen sie es mir?«

»Madame«, flüsterte er, »sie sagen, wenn Ihr Euch von diesem Elenden zurückzieht, der Euch gefangenhält, dann werden sie Euch als ihre Königin anerkennen und Euch auf den Knien dienen – als Eure demütigsten und allergehorsamsten Untertanen.«

»Den ›Elenden‹ nennen sie ihn?« Jetzt lachte sie schallend. »Sie haben doch eine Petition unterschrieben, in der sie mich drängten, ihn zu heiraten! Sie haben ihn für aller Verbrechen unschuldig erklärt, und jetzt wenden sie sich gegen ihn? Aber wenn sie bereit sind, ihre Pflicht anzuerkennen und *mich* um Vergebung zu bitten, dann werde ich ihnen Vergebung gewähren und sie mit offenen Armen aufnehmen.«

Bothwell kam heran und drängte sich zu ihnen hindurch. Er streckte du Croc die Hand entgegen, doch dieser übersah sie.

»So!« sagte Bothwell so laut, daß es über den ganzen Hügel hallte. »Was haben die Lords jetzt vor? Was wollen sie?«

Du Croc räusperte sich und antwortete selbst ebenso laut. »Ich habe soeben mit ihnen gesprochen, und sie versichern mir, sie seien demütige und gehorsame Diener der Königin.« Er näherte sich Bothwell und fügte mit sehr leiser Stimme hinzu: »Aber Euch sind sie todfeind.«

Bothwell sah ihn verächtlich an. »Sie haben mir schon manches versichert«, rief er mit weithin hallender Stimme. »Was habe ich ihnen je getan? Ich habe niemals jemandes Verdruß erregen wollen, sondern mich stets bemüht, allen zu Gefallen zu sein. So sprechen sie nur, weil sie mich um diese Gunst beneiden.« Er drehte sich langsam einmal, zweimal um sich selbst, hob den Kopf und sprach zu den Heerscharen, aber auch zu Maria persönlich. »Aber Fortuna ist frei für jeden, der sie gewinnen kann – und es ist nicht einer unter ihnen« – er deutete auf den gegenüberliegenden Hügel – »der sich nicht wünschte, an meiner Stelle zu sein!« Er nahm Marias Hand.

Du Croc glotzte ihn an.

»Um der Liebe Gottes willen«, sagte Bothwell plötzlich, »um die Pein der Königin zu beenden, und um das Blutvergießen zu vermeiden, das sonst bevorsteht, sollen die Lords einen Mann erwählen, und ich will allein gegen ihn kämpfen. Soll der Tag auf diese Weise entschieden werden. Denn meine Sache ist so gerecht, daß Gott ganz sicher zu meinen Gunsten entscheiden wird!«

»Und sein Kampf ist der deine!« rief Maria wild.

Eine Schar Männer rückte auf der Seite der Lords vor; sie überquerten den Bach und hielten ihre Speere bereit.

»Seht!« rief Bothwell. »Sie rücken an! Nun, wenn Ihr dem Beispiel jenes Mannes folgen wollt, der versuchte, zwischen Scipio und Hannibal zu vermitteln, als sich ihre beiden Armeen kampfbereit gegenüberstanden, so erinnert Euch, daß er einen Beobachtungsposten bezog, wo er den tapfersten Zeitvertreib verfolgen konnte, den er je gesehen. Wenn Ihr desgleichen tun wollt, so verspreche ich Euch einen wackeren Kampf!«

Du Croc schüttelte den Kopf. »Ich habe keine Lust, mir ein Gemetzel anzuschauen. Aber Ihr seid ein großer Heerführer, wenn Ihr mit solcher Zuversicht sprecht, wenn Ihr Euch doch Eurer Männer nicht allzu sicher sein könnt. Ich werde den Lords Euren Wunsch nach einem Zweikampf übermitteln.« Der alte Botschafter wandte sich ab, stieg auf sein Pferd und ritt langsam zurück zur anderen Seite.

Als er nicht zurückkam, stieg Bothwell auf sein Schlachtroß und ritt hinunter zum Bach.

»Ich fordere jeden, der würdigen Ranges ist, mir im Zweikampf entgegenzutreten!« rief er. Er ritt am Ufer auf und ab, und sein Pferd tänzelte nervös. Endlich sah Maria, daß jemand vortrat. Es war James Murray von Purdovis.

Bothwell kehrte zum Lager zurück und verlangte seine Rüstung. Das Metall war glühend heiß, und er keuchte, bevor er den Harnisch vollständig angelegt hatte. Bäche von Schweiß liefen ihm übers Gesicht.

»Murray von Purdovis ist deiner nicht würdig«, sagte Maria. »Du darfst nicht gegen ihn kämpfen. Es muß einer sein, der dir gleichrangig ist.«

»Sie haben keinen, der mir gleichrangig wäre«, erwiderte er. »Der einzige andere schottische Herzog wäre der schwache alte Châtelherault, der nach der Treibjagd ins französische Exil ging. Und – alle Titel beiseite – es gibt keinen Titel, der dem des Gemahls der Königin ebenbürtig wäre!«

Indessen wurde doch eine zweite Herausforderung ausgesprochen, und diesmal entsandten die Lords den Earl von Morton als ihren Kämpfer.

»Ja! Durchbohre ihn, Verräter, der er ist, und sieh, ob er Blut im Leibe hat!« sagte sie.

Bothwell griff nach einer Wasserflasche und trank sie aus. Er trug seine Rüstung jetzt seit über einer Stunde. Fast zwölf Stunden der Anspannung und der Kampfbereitschaft waren verstrichen, ohne daß etwas geschehen war. Er hatte den ganzen Tag nichts gegessen. Er war nicht schwach, aber er fühlte sich, als sei dies alles ein Traum.

Man sah, daß es nicht Morton war, der im anderen Lager seine Rüstung anlegte, sondern Lindsay. Morton hatte seine Pflicht auf einen jüngeren Mann übertragen. Jetzt bückte er sich und gürtete sich ein Schwert um. Es mußte das geheiligte »Bell-the-Cat« sein, jenes uralte Schwert, das mit beinahe magischen Eigenschaften versehen war.

»Ach, laßt ihn doch kommen!« rief Bothwell und reckte die Arme in den Himmel; er sehnte sich danach, daß endlich etwas geschehe. Aber im feindlichen Lager rührte sich noch immer nichts. Bothwell nahm Marias Hand und küßte sie.

»Ich gehe jetzt«, sagte er.

Sie wollte ihn festhalten, ihn am Gehen hindern, aber er war so finster entschlossen, daß das nicht möglich gewesen wäre. So sah sie ihm nach, wie er den Hang hinunter zu der bezeichneten Stelle ging. Tausende von Männern schauten zu. Aber Lindsay kam nicht.

Plötzlich sah sie, daß die Lords vorzurücken begannen; festen und entschlossenen Schritts marschierten sie unter ihrem schimmernden Banner. Die Sonne stand tief am Himmel; der Tag ging seinem Ende zu. Kirkcaldy von Grange in blinkender Rüstung führte seine Kavallerie in einer flankierenden Bewegung wie zur Umarmung um die königlichen Truppen herum.

Das königliche Heer brach auseinander und zerschmolz. Den ganzen Nachmittag über hatten die Reihen sich schon gelichtet; die müden, hungrigen Männer hatten das Warten satt bekommen. Jetzt hasteten alle davon. Brüllend gab Kirkcaldy seinem Pferd die Sporen und zückte das Schwert.

Bothwell drehte sich um und lief zu seinen Leuten hinauf; schnell erteilte er ein paar Befehle. Dann kam er zu Maria geritten.

»Es ist zu spät«, sagte er. »Der Tag ist verloren. Wir haben zu lange gewartet – auf eine Verstärkung, die nicht kam.« Er lächelte unstet. »So geht es zu Ende. Für heute.«

»Gott! Nein! Nein!« Sie umklammerte seinen glatten, stahlumhüllten Arm und versuchte, ihm in die Augen zu schauen, um festzustellen, was er in Wirklichkeit von ihr wollte; aber der Schatten des Helms verdunkelte sie. »Kannst du denn nichts tun?«

»Mit den Leuten, die ich jetzt habe, kann ich nicht gewinnen. Wir ziehen uns nach Dunbar zurück.«

»Aber dann gibt es ein Massaker!« rief Maria, denn sie sah, wie die angreifende Armee den Hang heraufstürmte. »Halt!« schrie sie und galoppierte in die Mitte ihres verbliebenen Heeres. »Halt!« Die Rebellentruppen blieben gehorsam stehen. »Ihr mögt Euren Befehlshabern sagen, daß ich mit ihnen sprechen und die Bedingungen erörtern will«, sagte sie mit klarer und kräftiger Stimme.

Bothwell kam an ihre Seite. »Vertraue ihnen nicht. Wir sollten uns lieber zurückziehen. Das ist das einzig Kluge. In Dunbar können wir uns neu formieren.«

»Nein. Sie sagen, sie seien mir treu ergeben. Dann werden sie uns nichts tun.«

»Sie werden mich umbringen, und dir werden sie auch etwas Furchtbares antun.«

»Sie haben meinen Sohn als Geisel«, gab sie zu bedenken.

»Das ist schade, aber es ist kein Grund, dich ebenfalls von ihnen gefangennehmen zu lassen!«

Sie schauten hinüber zur anderen Seite, wo eine Gruppe von Männern diskutierend beieinanderstand.

»Jetzt! Laß uns jetzt fliehen!« Seine Stimme wurde vor Ungeduld immer lauter. »Verstehst du denn nicht?«

»Es ist besser, sich für eine Weile zu verstellen und sie zurückzugewinnen«, meinte sie.

»Diese Männer sind nicht Darnley, und sie sind nicht in dich verschossen. Sie hassen dich. Es ist nicht noch einmal das gleiche wie bei Rizzio. Maria, Geliebte, wenn du dich irrst, dann verlierst du alles! Kannst du das riskieren? Kannst du ihren Worten vertrauen, wo du doch weißt, daß sie dich belogen haben von dem Tag an, da du deinen Fuß auf schottischen Boden setztest, und dich aus tiefstem Herzen hassen? Fliehe jetzt, solange du noch Gelegenheit hast. Gib niemals freiwillig deine Freiheit auf. Niemals!«

Ein Trupp Männer kam den Hang herauf, angeführt von Kirkcaldy von Grange. Er hatte den Helm abgenommen, trug aber seine Rüstung noch. Maria blieb stehen und erwartete ihn.

»Allergnädigste Königin«, sagte er und verbeugte sich, »ich beteuere unsere Gefolgschaftstreue gegen Euch, und Euch allein. Wir wollen Euch dienen, aber nur, wenn Ihr ein freies Wesen seid und nicht länger im Bann des Earl von Bothwell.«

Sie erlaubte ihm nicht, ihre Hand zu küssen, sondern richtete sich auf und verschränkte die Hände vor der Brust. »Welche Sicherheiten könnt Ihr mir für meinen Gemahl, den Earl, zusagen?«

»Gar keine«, antwortete er. »Sie sind entschlossen, ihn zu töten, wenn sie ihn bekommen.«

»Ah«, sagte sie. »Die mit ihm gegessen, die auf sein Wohl getrunken, die sein Fortkommen gebilligt haben ... Ich muß auf sicherem Geleit für ihn bestehen.«

»Dann, Sir«, sagte er und wandte sich an Bothwell, »zieht Ihr am besten unverzüglich ab. Ich kann Euch sicheres Geleit nur zusagen, bis Ihr dieses Feld hinter Euch gelassen habt. Aber wenn Ihr jetzt abzieht, könnt Ihr ein gutes Stück an Dunbar herankommen, bevor die Königin bei den Lords ist.«

Bothwell schnaubte verächtlich. »Die Schlacht von Carberry Hill, in der kein einziger Schuß abgefeuert wurde«, sagte er. »Und das hier ist jetzt Euer Sieg?«

»Wir haben die Königin, Sir. Ob Ihr nun hierbleibt oder nicht, ist Eure Sache.«

»Rette dich!« sagte Maria.

»Rette *du* dich!« versetzte Bothwell. »Wenn du mit ihm gehst, bist du verloren.«

»Lügner!« fauchte Kirkcaldy. »Sucht ja nicht, die Königin gegen ihr eigenes kluges Urteil zu überreden!«

»Ein Wort unter vier Augen mit meiner Gemahlin, wenn Ihr gestattet«, sagte Bothwell.

Er zog Maria beiseite. »Maria, ich kann nicht mit mir selbst weiterleben, wenn ich als dein Gemahl und Beschützer dich diesen Verrätern überlasse.«

Sie sah ihn an. Er war erschöpft von der vergangenen Woche – von der Flucht aus Borthwick Castle, den hastigen Vorbereitungen in Dunbar, den Bemühungen, eine Armee auszuheben, dem langen Marsch nach Carberry Hill. Wie ein Tier hatte er in seiner Rüstung geschmort, während er vergebens darauf gewartet hatte, daß jemand sich seiner Herausforderung zum Zweikampf stellte; mit angespannten Nerven hatte er den ganzen Tag darauf gewartet, seine Soldaten in eine Schlacht zu führen, die nie gekommen war. Das Herz wollte ihr zerreißen, wenn sie ihn anschaute.

»Und ich kann nicht mit mir selbst weiterleben, wenn dir etwas zustoßen sollte«, antwortete sie schließlich. »Sie werden dich töten. Ich kann das nicht zulassen. Ich muß ihre Bedingungen annehmen und mich ergeben, denn mir werden sie nichts tun. Sie werden ihrer gesalbten Königin kein Haar krümmen.«

»Oh, du bist so blind!« rief er.

»Ich liebe dich«, sagte sie. »Ich kann nicht ohne dich leben. Aber wir müssen uns einstweilen trennen – bis die Gefahr vorbei ist. Wenn ich sie wieder auf meine Seite gebracht habe, werde ich nach dir schicken. Bis dahin bringe dich in Sicherheit, ich bitte ich. Ich muß wissen, daß du auf mich wartest.«

Er umarmte sie. »Wenn sie mich für vogelfrei erklären oder wegen des Mordes an Darnley verurteilen wollen, dann benutze dies.« Er drückte ihr ein Papier in die schweißfeuchte Hand. »Es ist der Bond, den sie auf Craigmillar unterschrieben haben. Sie sind alle schuldig. Dieses Papier wird sie überführen, wenn es dazu kommen sollte. Hüte es wohl. Es beweist, was für Schurken sie sind.«

Sie klammerte sich an ihn, umfaßte seine Schultern, vergrub das Gesicht an seinem Hals. »Mein Leben, meine Liebe, mein Lord, ich kann nicht – kann nicht –« Panisch begann sie ihn zu küssen.

Langsam löste er ihre Arme von seinem Hals. »Ihr Heer steht zum Töten bereit, wenn wir nicht Schluß machen.« Er küßte sie, fest und traurig. »Lebewohl, Frau. Und denke immer daran, daß du meine treue Gemahlin bist, wie du es vor Gott versprochen hast.«

»Was – du zweifelst an mir?« Sie war verletzt. Sie wollte ihn zurückrufen, ihn noch einmal umarmen, ihn küssen, bis er sich wieder erwärmte. »Bothwell …«

Er war schon ein paar Schritte gegangen und nickte Kirkcaldy spöttisch zu. »Erlaubt, daß ich mein Pferd besteige«, sagte er.

Maria stürzte ihm nach und umarmte ihn so unerwartet, daß er fast sein Gleichgewicht verloren hätte. »Mein liebes Herz, ich werde dich nie verlassen und niemals aufhören, dich zu lieben, und ich werde immer auf dich warten!«

Er sah sie an, als wolle er sich ihr Bild für alle Zeit einprägen. »Nichts kann uns trennen«, sagte er schließlich. »Ich liebe dich, Weib meines Herzens.« Dann ging er davon und stieg rasch auf sein Pferd. Mit einer kurzen Abschiedsgeste raffte er die Zügel zusammen und gab dem Tier die Sporen, und mit drei Dienern galoppierte er davon. Maria sah ihm nach und wollte sich nicht von der Stelle rühren, bis er auf der Straße nach Dunbar verschwunden war.

Einen Augenblick lang stand sie noch da und betrachtete die leere Straße, als wolle sie damit seine Sicherheit besiegeln. Dann wandte sie sich wieder an Kirkcaldy, der in gespielter Ehrerbietigkeit dastand, den Helm unter dem Arm.

»Mylord von Grange«, sagte sie, »ich gebe mich in Eure Hand gemäß den Bedingungen, die Ihr mir im Namen der Lords dargelegt habt.« Sie streckte ihm die Hand entgegen; er beugte das Knie und küßte sie. Dann erhob er sich und half ihr auf das Pferd, das man herübergeführt hatte. Er selbst bestieg sein schwarzes Schlachtroß und ritt vor ihr her den Hang hinunter, um die glänzende, nutzlose Feldhaubitze herum. Sie ritt an den verwirrten, müden Gesichtern ihrer Soldaten vorbei und versuchte, ihnen Trost und Beruhigung zuteil werden zu lassen, indem sie ihnen zulächelte und sie mit ermutigenden Dankesworten entließ.

Ihr Pferd durchquerte spritzend den schmalen Bachlauf, und unvermittelt sah sie sich den feindseligen Gesichtern des gegnerischen Heeres gegenüber. Die Männer funkelten sie an und begannen sogar, in beleidigendem Ton zu murren.

Kirkcaldy geleitete sie zu Morton, der mit verschränkten Armen dastand und wartete. Als sie abstieg und zwischen den Männern hindurchging, war ihr bewußt, daß sie sie anstarrten und über ihr kurzes, geborgtes Kleid kicherten, das jetzt fleckig und staubig war. Sie hielt den Kopf hoch erhoben und den Blick fest auf den finsteren Morton gerichtet. Neben ihm standen der Earl von Atholl, Ruthven und Lindsay. Flüchtig dachte sie, daß der junge Ruthven ebenfalls wie ein Hexenmeister aussah, wenn auch ansehnlicher mit seiner lohbraunen Erscheinung.

»Mylord«, begann sie, »ich bin nicht etwa aus Angst um mein Leben zu Euch gekommen, oder weil ich an meinem Sieg gezweifelt hätte, wäre es denn zum Schlimmsten gekommen – sondern um nicht Christenblut zu vergießen; daher also bin ich zu Euch gekommen im Vertrauen auf Euer Versprechen, mich zu achten und mir den Gehorsam zu erweisen, der Eurer geborenen Königin und rechtmäßigen Herrscherin zukommt.«

Morton mit seinem schwerfällig schlurfenden Gang trat vor und beugte das Knie. »Dies, Madam, ist der Ort, an dem Euer Gnaden stehen sollten, und hier sind wir bereit, Euch zu verteidigen und Euch ebenso treu zu gehorchen, wie die Edlen dieses Reiches Euren Ahnen nur je gehorchten.«

»Verbrennt sie! Verbrennt die Mörderin!« schrie einer der Männer, die in der Nähe standen. »Tötet sie; sie ist nicht wert zu leben!«

Maria gefror das Blut in den Adern. Das hier war keine gesichtslose Menge; es waren Männer, die so nah standen, daß sie ihr Gesicht sehen konnten, daß sie vortreten und sie eigenhändig ermorden konnten. Und wie nannten sie sie? Mörderin? Glaubten sie das denn wirklich? Sie drückte das Papier, das Bothwell ihr gegeben hatte, fester an den Busen. Welche Namen mochten daraufstehen? Wenn sie erst allein wäre, würde sie nachsehen. Aber der Haß dieser Männer, die Bösartigkeit ihres Tons …

»Was ist Eure Absicht?« fragte sie Morton mit weithin hallender Stimme. »Wenn Euch nach meinem Blut verlangt, so nehmt es. Ich bin hier, um es Euch anzubieten. Ihr braucht nicht länger zu warten, und es ist nicht nötig, erst den Earl von Bothwell zu suchen, um Rache zu nehmen.« So stand sie da und forderte sie heraus, sie zu ergreifen und zu binden. Und ebenso forderte sie die Soldaten heraus, vorzutreten und sie zu erstechen.

Als niemand sich rührte, erkannte Maria, daß sie immer noch zögerten, sich an ihrer Person zu vergreifen, und ein verzweifelter Plan entstand in ihr. Die Hamiltons … dort auf der Straße schien sich etwas zu bewegen. Waren sie unterwegs?

»Meine guten Lords, laßt mich gehen und die Hamiltons begrüßen. Ich will ihnen danken für ihr Bemühen um meinetwillen und sie wieder fortschicken.«

Ein hämisches Grinsen überzog Lord Lindsays Gesicht. »Solch königliche Höflichkeit ist nicht erforderlich«, meinte er.

»Ich wünsche es aber«, versetzte sie, doch zu ihrer Bestürzung wandte sich keiner gegen Lindsay und sagte, er habe keine Befugnis, zu bestimmen, was sie tun und was sie nicht tun dürfe. Sie wollte sich abwenden und einfach ihr Pferd besteigen, doch da packte der junge Ruthven sie bei den Armen.

»Nein«, sagte er entschlossen. »Ihr werdet nirgendwo hingehen, wenn wir es nicht sagen.«

Er hatte Hand an sie gelegt! Beschwörend schaute sie die anderen an, doch niemand schaltete sich ein. Ruthven wandte sie gewaltsam wieder um.

Dann kamen Atholl und Morton mit dem Darnley-Banner heran und stellten sich rechts und links von ihr auf. »Was soll das, Mylord Morton?« fragte sie und bemühte sich, in festem, verachtungsvollem Ton zu sprechen und sich ihren Schrecken nicht anmerken zu lassen. »Ich höre, all dies« – sie deutete auf die Armee – »diene dazu, Gerechtigkeit gegen die Mörder des Königs zu üben. Ich höre überdies, daß Ihr unter jenen ein Rädelsführer seid.« Sie war sicher, daß sein Name als erster auf der Liste stand, die sie verborgen bei sich trug.

Er warf nur den Kopf in den Nacken. »Kommt, Madam. Es wird allmählich spät.« Ruthven drehte sie wieder um und schob sie zu ihrem Pferd. Langsam machten sie sich auf den Rückweg nach Edinburgh.

Vor ihr ritten Atholl und Morton; sie hielten ihr Banner zwischen sich wie einen Bogen, unter dem Maria reiten mußte. Zwei Totschläger hatten sie in die Mitte genommen, ein gewisser Master Drumlanrig und der berüchtigte Kerr von Fawdonside, der sie während des Mordes an Rizzio zu erschießen gedroht hatte. Die Tatsache, daß er deshalb aus Schottland verbannt worden war, schien die Lords nicht zu kümmern; offensichtlich war er in ihrer Mitte willkommen.

Im Reiten lehnte Kerr sich herüber und zischte: »Mörderin!« Sie versuchte gar nicht erst, ihm zu antworten; sie wußte, daß er selbst ein Mörder war. Als sie ihn ignorierte, wurde er lauter: »Ehebrecherin!« Sie blickte starr geradeaus. »Hure!« Seine Stimme hob sich zu einem Gebrüll. »Hure! Schlampe! Wälzt Euch in Bothwells Bett, während sein Weib und Euer Mann zuschauen! Schlampe! Mit Stallburschen, Knechten und Wachsoldaten befriedigt Ihr Eure Wollust!«

»Die hat Bothwell sich auch genommen! Die Welt weiß, er ist ein Sodomit!« Drumlanrig stimme jetzt mit ein.

Maria zwang sich, nicht auf diese obszönen und albernen Vorwürfe zu hören. Sie waren wie kleine Jungen, die versuchten, sich immer neue unanständige Wörter einfallen zu lassen. *Päderasten. Leichenschänder. Onanisten.*

Ihre Ungerührtheit versetzte die beiden in Raserei, und sie schrien immer lauter: »Hure! Mörderin!« Die Soldaten, die sie begleiteten, nahmen die Rufe auf und fügten hinzu: »Verbrennt sie! Tötet sie! Sie ist nicht würdig zu leben!«

Der Klang ihrer Stimmen – hungrig, gierig, durchdringend – weckte die Angst in ihr. Sie waren wie hechelnde Hunde, die an ihren Leinen zerrten und ihr am liebsten an die Kehle gesprungen wären. Sie waren ein mörderischer Mob.

Morton und Atholl ritten vor ihr dahin und unternahmen keine Anstalten, die Soldaten zur Ruhe zu bringen, und ihr Stillschweigen war Ermutigung. Nur Kirkcaldy hob drohend sein Schwert, um sie im Zaum zu halten. Sie näherten sich Edinburgh, und die Stadtbürger kamen ihnen entgegen; neugierig standen sie am Straßenrand. Es war dunkel, aber man hatte Fackeln entzündet, und die Leute konnten sie gut sehen, als sie vorüberzogen.

Die Gesichter, die zu Maria aufblickten, waren feindselig. »Ehebrecherin!« kreischten sie, und jetzt waren es Frauenstimmen.

Frauen! Nicht rauhe Soldaten, die dafür bezahlt wurden, daß sie die Ideen ihrer Befehlshaber nachplapperten, sondern gewöhnliche Frauen aus der Stadt. Sie haßten sie!

»Ehebrecherin!« kreischten sie. »Verbrennt die Hure!«

Die Kavalkade zog durch das Stadttor und die High Street hinauf. Inzwischen war die Menge groß, und Neugierige füllten jedes Fenster. Ein höhnisches Johlen ertönte vom Dach eines Hauses, gefolgt von Übelkeit erregendem Klatschen, als ein Nachtgeschirr ausgeleert wurde. Der Inhalt verfehlte Maria um Haaresbreite und landete vor ihr auf dem Pflaster. Exkremente spritzten auf und besudelten ihr Pferd und ihre nackten Beine.

»Hure!« Die Menge geriet immer mehr in Erregung und drängte herab, und hämische Mäuler schleuderten ihr Flüche entgegen. Speichel flog durch die Luft und besprühte ihre Beine, Hände, Wangen. Ihr Pferd erschrak und tat einen Satz; fast hätte es sie abgeworfen. Aber sie wollte nicht zwischen die Menschen stürzen; sie würden sie in Stücke reißen.

Sie würden ihre eigene Königin mit bloßen Händen ermorden.

In ihrer Erschütterung merkte sie nicht, daß sie auf halber Strecke haltmachten.

»Herunter!« sagte Morton. »Hier seid Ihr sicherer.« Er zerrte an ihrem Arm, und hastig zog man sie in ein befestigtes Haus neben dem Tolbooth. Sie erkannte es: Verbrecher, die auf ihren Prozeß warteten, wurden hier oft untergebracht, wenn das Tolbooth voll war.

Die Lords drängten sich hinein, schlugen die Tür zu und sperrten den johlenden, gewalttätigen Mob aus. Sogar Morton sah erleichtert aus, als er ihm entronnen war, wenngleich er gewöhnlich keine Gefühle erkennen ließ. Er nahm den breitrandigen Hut ab und fächelte sich Luft zu. Sein Gesicht war gerötet, und zusammen mit seinen roten Haaren gab es ihm ein feuriges Aussehen.

»So«, sagte er. »Wir werden hier speisen, als Gäste des Provosten, dem dieses Haus gehört.« Er forderte sie nicht auf, sich zu ihnen zu gesellen, und sie hätte es auch nicht getan.

»Ich werde nach Holyrood zurückkehren, wenn der Mob sich zerstreut hat«, sagte sie. Holyrood – erst zehn Tage war es her, daß sie und Bothwell dort weggeritten waren. »Einstweilen holt mir Mary Seton; sie soll mich bedienen.«

Ruthven lachte. »Ihr werdet nicht nach Holyrood zurückkehren. Ihr werdet in unserer Gesellschaft verweilen. Und was Eure Mary Seton angeht, so hat man sie in Carberry Hill zurückgelassen; dort mag sie selbst für sich sorgen.«

»Was denn – bin ich eine Gefangene? Ich werde nach Holyrood zurückgehen, und wer wird es mir verbieten?« Sie schaute von einem zum andern.

»Ihr seid dort nicht sicher«, sagte Morton schließlich. »Hört sie Euch an da draußen!«

»Ja, ich höre sie. Ich höre, wozu Ihr sie aufgepeitscht habt!«

»Nein, Madam, das habe ich nicht getan. Sie sprechen aus eigenem Antrieb; wären wir nicht, würden sie hier einbrechen und Euch herausholen.«

»Ohh!« Sie wandte sich ab und stieg die Treppe hinauf, um ihnen zu entrinnen, die sich so selbstgefällig in der Diele versammelten.

Oben war ein Schlafgemach für sie bereit; sie hatten dies also alles im voraus geplant. Sie ließ sich auf das Bett sinken und streckte sich aus, den Blick zur Decke gewandt. Ihr Herz schlug wie eine Trommel; sie konnte es fühlen. Ihr Beine baumelten unter dem kurzen Kleid hervor.

Verbrennt sie, tötet sie, ersäuft sie. Die Worte wehten herauf von der Straße, wo sich noch immer der Pöbel drängte.

Sie konnte nicht denken. Sie konnte kaum fühlen. So lange hatte ihr Körper laufen, springen, reiten, kämpfen müssen, fast ohne Lenkung durch Herz oder Verstand. Sie hatte keine Zeit gehabt, die beiden zusammenzubringen, als sie und Bothwell geflüchtet und gerannt waren, um den Ereignissen vorauszubleiben

Bothwell. Er war fort, inzwischen sicher wohlbehalten in Dunbar. Ihr Herz strebte zu ihm; hoffentlich schlummerte er in einem sicheren Bett. Er würde einen Weg finden, die Königstreuen zusammenzutrommeln und die Rebellen zu vertreiben. Noch war nicht alles verloren. Es gab noch die Hamiltons, Huntly und seine Gordons, das Grenzland.

Aber das Volk. Diese Blicke. Dieser Haß ...

In ihrem Kopf drehte sich alles. Sie hatte einen rasenden Hunger, aber zugleich war ihr übel. Das Bett schien im Zimmer zu kreisen.

Zitternd stand sie auf und ging zum Fenster. Unten auf der Straße spannte sich das anstößige Darnley-Banner. Kaum hatte man sie erblickt, fing das erregte Volk an zu schreien. In diesem Augenblick sah sie Maitland, der eilig dem Haus zustrebte.

»Mein guter Maitland!« rief sie und streckte die Arme hinaus.

Der Mob begann erbost zu singen. Maitland zog sich den Hut tief über die Augen und tat, als habe er sie nicht gesehen und gehört. Dann konnte sie ihn nicht mehr sehen.

Sie taumelte zurück zum Bett und warf sich nieder. Wieder begann das Zimmer sich zu drehen. Da flog die Tür auf – ohne daß man höflich geklopft hätte –, und als sie aufblickte, standen zwei riesenhafte Wachsoldaten mit verschränkten Armen im Zimmer. Sie grüßten nicht und baten auch nicht um Erlaubnis, einzutreten.

Ich bin eine Gefangene, dachte sie. Bothwell hatte recht.

Sie sehnte sich schmerzlich danach, bei ihm zu sein. Solange die Soldaten da waren, wäre ihr nicht einmal der Trost der Tränen vergönnt. Sie drehte sich auf den Bauch und fühlte, wie das verborgene Papier unter ihrem Gewicht leise knisterte. Es war einstweilen alles, was sie noch von Bothwell hatte. Das, und das Kind, das sie im Leib zu tragen glaubte und von dem sie ihm noch nicht erzählt hatte, weil er sonst darauf bestanden hätte, bei ihr zu bleiben.

Sie fand nur alptraumhafte Ruhe in dieser Nacht; der rote Schein von Hunderten von Fackeln erhellte die Wände des Zimmers, die Soldaten atmeten geräuschvoll und scharrten mit den Füßen, und sie hatte Magenschmerzen. Zuvor hatte sie noch gehört, wie die Lords unten geschmaust und wie sie sich dann zerstreut hatten. Aber ein Entkommen war unmöglich. Immer wenn sie sich nur umdrehte, sprangen die Soldaten aufmerksam hoch.

Die Stunden verstrichen nur langsam, und ihr wurde immer schwindliger. Geister wehten ins Zimmer: Rizzios Gestalt zog an ihr vorüber, und Darnley – mattes Gelächter hallte hinter ihm drein. Ein Mann, der aussah wie ihr Vater auf den Porträts, und der lachende Duc de Guise. Auch Franz kam, und er schleifte ein totes Pony hinter sich her – vielleicht war es auch nur eine Pferdehaut.

Wer hätte gedacht, daß ich so viele Tote kenne? staunte sie. So viele Tote ... und Verräter und anderes Häßliche ... Sie weinte lautlos, überwältigt von all der Last, die sie umgab und sie schwer hinabzog in kalte, ölige Tiefen, in denen sie keine Luft mehr bekam.

War es Morgen? War das die Bedeutung des Sonnenscheins? Wo waren die Soldaten? Sie stemmte sich aus dem Bett und schleppte sich zum Fenster. Das Sonnenlicht wurde von den Schieferschindeln unter ihrem Fenster zurückgeworfen und tat ihr in den Augen weh.

Der Mob war immer noch da. Bei ihrem Anblick erhob sich ein Tumult. Sie streckte die Arme aus dem Fenster und rief ihnen zu.

»Helft mir! Helft mir! O ihr guten Leute, befreit mich doch!« Der Anblick der vielen Menschen bereitete ihr unerträgliche Qualen. Sie zerrte an ihrem Mieder und riß es auf. Ihre Haare, verfilzt und ungeflochten, hingen aus dem Fenster.

»Oooohhh!« Die Gaffer schnappten nach Luft. Sie sah aus wie eine Erscheinung, wie eine Wahnsinnige.

»Entweder erschlagt mich mit eigener Hand, oder befreit mich von der Grausamkeit der falschen Verräter, die mich hier gefangenhalten!«

Gemurmel ging durch den Mob, und einige schrien: »Rettet sie! Rettet sie!« Ein anderer Teil aber entrollte von neuem das Darnley-Banner und schwenkte es vor ihren Augen. Wieder andere schrien: »Weg damit!« und stürzten sich auf das Banner, um es von seinen Stangen zu reißen.

»Helft mir! Helft mir!« schrie sie mit gespenstischer Stimme.

Der Alarm von Edinburgh ertönte und rief alle Bürger zu den Waffen.

Rauhe Hände packten sie bei den Schultern und rissen sie vom Fenster weg. Es war Morton.

»Kaum gehen die Soldaten nach unten zum Essen, schlagt Ihr Alarm!« stellte er fest, und dann starrte er sie an.

Einen Augenblick lang verstand sie nicht. Aber plötzlich erkannte sie, daß ihr Mieder vollständig offenstand, so daß ihre Brüste vor seinem forschenden Blick entblößt waren. Wie war das geschehen? Wieso war ihr Mieder aufgerissen?

»Und Ihr wundert Euch, daß die Leute Euch eine Hure nennen?« Seine Stimme troff von Abscheu. »Wenn Ihr Euch nackt vor ihren Augen zeigt. Erwartet dann auch nicht den Respekt, der einer Königin gebührt!« Seine Schadenfreude war unübersehbar.

Dann fiel sein Blick auf ein Stück Papier, das auf dem Boden lag. »Was ist das?« fragte er eifrig.

Das Papier! Das Papier war aus ihrem Mieder gefallen! Als sie es in ihrer Raserei aufgerissen hatte, hatte sie das Papier vergessen. Aber da hatte sie alles vergessen. Sie stürzte sich darauf, um es aufzuheben, warf sich auf den Boden und bedeckte es, ehe Morton es erhaschen konnte.

»Gebt das her!« befahl er.

Sie starrte auf seine Stiefelspitze. Er zog den Fuß zurück, als wolle er ihr ins Gesicht treten. Aber sie rührte sich nicht.

»Gebt das her!« Er bückte sich und zog sie hoch. Sie zerknüllte das Papier und umklammerte es mit geballter Faust. Er packte ihre Hand und versuchte, die Finger aufzubiegen.

»Es ist mein Papier, mein königliches Eigentum, und ich verbiete Euch, es mir wegzunehmen oder auch nur anzuschauen!« sagte sie.

Er lachte. »Welche Majestät! Welch ehrfurchtgebietende Gegenwart! Aber damit ist es jetzt aus! Gebt es mir.«

»Nein.«

Er nahm ihre Faust in beide Hände und drückte sie mit gewaltiger Kraft, als wolle er eine Walnußschale knacken. Sie spürte, wie die Knochen ihrer Hand nachgaben. Er wollte sie verkrüppeln! Es war ihre rechte Hand, die Hand, mit der sie schrieb …

»Da!« Er bog ihre Finger auf und zog das Papier heraus, das jetzt zerfetzt und beinahe unleserlich war.

Höhnisch faltete er es auseinander und las. »Es lohnt sich nicht, dafür Eure Hand einzubüßen«, sagte er leichthin. »Hier steht nichts von Bedeutung.«

»Außer daß Ihr und andere einen Bond zu Ermordung meines Gemahls unterzeichnet habt!«

»Ach ja? Wer sagt das? Bothwell? Das paßt zu ihm, einen Bond zu fälschen. Er ist voll von falschen Bonds wie dem, den er in Ainslie's Taverne alle zu unterschreiben zwang – nachdem er sie mit etwas Wein und zweihundert Soldaten überredet hatte!« Langsam und mit Bedacht zerriß er das Papier und ließ die Fetzen zu Boden flattern. »Ich denke, es ist Zeit, daß Ihr etwas Nahrung zu Euch nehmt. Der Hunger hat Euch den Verstand verdreht. Ich werde etwas heraufschicken. Und dann wünscht Sekretär Maitland Euch zu sprechen.«

Als er gegangen war, fiel Maria auf die Knie und sammelte die Papierfetzen wieder ein. Vielleicht könnte sie sie später wieder zusammenfügen. Und was noch wichtiger war, vielleicht könnte sie es selbst lesen, um die Wahrheit zu kennen.

Beschämt suchte sie ihre entblößten Brüste zu bedecken. Wieso hatte sie ihre Kleider zerrissen? Sie konnte sich nicht erinnern. Verlor sie denn tatsächlich den Verstand?

Wenig später erschien ein Soldat mit einem Tablett. Sie hatte sich mit einem Laken verhüllt, und langsam aß sie Früchte und Brot vom Teller. Sie hatte keinen Appetit, aber wenn sie wirklich so verwirrt gewesen war, daß sie ihre Kleider zerrissen hatte, dann mußte sie Nahrung zu sich nehmen. Danach legte sie sich hin und versuchte zu ruhen.

Als sie aufblickte, sah sie Maitland am Fuße des Bettes stehen. Die Soldaten waren nicht mehr da. Das Tablett war auch fort. Sie fühlte sich benommen. Offenbar hatte sie geschlafen. Mühsam setzte sie sich auf.

»Mein guter Sekretär«, sagte sie. »Wie ich sehe, erkennt Ihr mich heute.«

Er zog es vor, die Anspielung zu ignorieren. »Ich bedaure, Euren Schlaf zu stören. Aber die Lords haben mich ersucht, Euch zu fragen, ob Ihr Bothwell verlassen wollt. Wenn Ihr es tut, sind sie bereit, Euch wieder in Amt und Würden einzusetzen.«

»Mich wiedereinzusetzen?« fragte sie. »Bin ich denn abgesetzt? Rechtmäßig, meine ich? Aber Ihr könnt Ihnen sagen: Nein. Ich werde den Earl von Bothwell, meinen mir angetrauten Gemahl, nicht verlassen.«

Maitland war schmerzlich berührt. »Teure Madam, ich kenne Euch schon so lange; ja, durch meine Frau, die Euch seit Kindertagen vertraut ist, glaube ich Euch schon immer zu kennen. Bitte – ich beschwöre Euch – seht ihn doch, wie er ist. Da die Scheidung von seiner ersten Frau durch arglistige Täuschung erlangt wurde, ist sie zweifellos illegal – wenigstens ließe sich der Nachweis erbringen. Ihr braucht Euch nicht länger an ihn zu klammern. Ihr könntet befreit werden. Ihr seid jetzt in Sicherheit.«

In Sicherheit! Wo draußen der Mob heulte? Im Gewahrsam der räuberischen Lords und von ihnen unterworfen? Unwillkürlich mußte sie lachen, leise und verzweifelt.

»Nein«, sagte sie. »Er ist mein Mann, und ich werde ihn nicht verlassen. Gern ließe ich mich mit ihm in einem Boot aussetzen, ließe mich mit ihm treiben, wohin der Wind uns führen möchte, um dort unser Glück zu versuchen.«

Er sah betrübt aus. »Es ist also, wie ich befürchtete. Ihr müßt der Wahrheit über ihn ins Auge sehen. Ich sage Euch, er hat Briefe an seine erste Frau geschrieben, in denen er ihr erzählt, er betrachte Euch nur als Konkubine.« Als sie nicht sprach, fügte er hinzu: »Er hat sie auf Crichton Castle besucht und dort auch weiterhin das Bett mit ihr geteilt.«

Sie lachte auf. »Das ist eine Lüge!«

»Ihr wollt ihn also nicht verlassen?«

»Niemals. Und solltet Ihr einen praktischen Grund brauchen, den Ihr diesem Rat von Schakalen, die sich Lords nennen, überbringen könnt, so sagt ihnen, ich sei schwanger. Und ich werde niemals freiwillig zulassen, daß dieses Kind als Bastard bezeichnet wird – wie der Lord James!«

Noch immer heulte der Mob draußen. Maitland sah sie traurig an. »Dann, fürchte ich, müssen wir Euch angesichts des Volkszornes vor seiner Wut beschützen. Und solltet Ihr Euren Verstand und Eure Kraft nicht wiederfinden, so könnte es sich als nötig erweisen, die schwere Bürde zu erleichtern, die Ihr tragt. Wie ich sehe, ist die Krone zu gewichtig für diesen schlanken Hals.«

Am Abend inszenierten sie ihren feierlichen Umzug nach Holyrood. Morton und Atholl eskortierten sie zur Rechten und zur Linken, begleitet von einer Garde von dreihundert Fußsoldaten. Hinter ihnen marschierten die Lords und noch einmal zwölfhundert Soldaten. Ihrer Majestät wurde alle gebührende Ehrfurcht zuteil, und die Menge war es zufrieden; im Laufe des Tages war die Sympathie des Volkes zu ihr umgeschwenkt, und jetzt schrie man nach ihrer Freilassung oder Errettung. Als die Leute sahen, daß sie respektvoll behandelt wurde und in Freiheit zu ihrem Schloß zurückkehren konnte, da zerstreuten sie sich und gingen nach Hause.

In Holyrood sah Maria sich endlich wieder mit ihren Damen vereint: Mary Seton, Mary Livingston Sempill, die gekommen waren, um bei ihr zu sein, Madame Rallay und zwei neuere, aber nicht minder getreue Damen, die an die Stelle der entschwundenen Marys getreten waren: Jane Kennedy und Marie Courcelles. Sie führten sie nach oben in ihre Gemächer und halfen ihr beim Umkleiden. Das Abendessen wurde aufgetragen, und endlich hatte Maria wieder Appetit und konnte ohne Angst unter Freunden essen.

Es war mitten in der Nacht, als sie sie weckten. »Macht Euch bereit«, sagten sie, und es waren nicht die Stimmen ihrer Kammerfrauen, sondern die von Lord Lindsay und Lord Ruthven.

»Warum? Was soll das?« Sie hielt ihre Bettdecke fest.

»Wir müssen auf eine Reise gehen. Zieht Euch an.«

Sie schaute sich um. Die Damen waren nirgends zu sehen. »Wohin? Warum?«

»Das dürfen wir nicht sagen.«

»Also gut.« Sie stieg aus dem Bett. »Erlaubt Ihr, daß ich mich unbeobachtet ankleide?«

Sie nickten und verschwanden, oder so schien es doch.

Es war wie ein Traum. Oder wie etwas, das schon einmal passiert war, vor langer Zeit. Man hatte sie aufgeweckt und ihr gesagt, sie solle sich bereit machen, und man werde sie an einen geheimen Ort bringen ...

Rasch zog sie ihre festesten Kleider an und wählte ihre Reitstiefel. Da war ein rauher Reitmantel, rostbraun, den würde sie brauchen. Ja, es war wirklich wie etwas, das schon eimal geschehen war ... Ihre Kammerfrauen ... sie mußte mit ihnen sprechen, mußte eine Nachricht bei ihnen zurücklassen. Sie hatte ein paar Zeilen für Bothwell geschrieben, ihm kurz berichtet, was sich zugetragen hatte, und ihn ihrer Treue versichert.

»Laßt uns gehen«, rief Ruthven von der Tür her.

»Ich komme«, sagte sie.

Im äußeren Gemach blieb sie noch einmal stehen. Da waren ihre Damen; man hatte ihnen befohlen, hier zu warten. Sie ging zu ihnen, und Ruthven traf keine Anstalten, sie daran zu hindern.

»Bringt eine Botschaft zu Balfour in der Burg«, trug sie Mary Seton auf. »Ganz gleich, wohin man mich bringt, er soll mir treu bleiben und die Burg keinesfalls an die Lords ausliefern. Ich werde ihm später Nachricht zukommen lassen, Bothwell in Dunbar ebenfalls.« Sie gab ihnen den Brief. Einen Umschlag hatte sie nicht. Mochten sie ihn nur lesen. Sie liebte Bothwell, und daran war kein schändliches Geheimnis.

»Kommt.« Lindsay klang ungeduldig. Lindsay, der stolze junge Lord, der daran zu denken gewagt hatte, er könne ihren Gemahl im Zweikampf besiegen.

Sie drückte Madame Rallay zum Abschied die Hände, wandte sich ab und ging zur Tür.

Als sie die Treppe hinuntergegangen und in den Hof hinausgetreten waren, schob man sie zur Rückseite des Schlosses. Hier hatte sie schon einmal geduckt gekauert, um sich zu verstecken, als sie vor eben diesen Männern oder ihren Vätern geflohen war, nachdem sie Rizzio ermordet hatten. Damals hatten Bothwell und Huntly auf sie gewartet, aber jetzt war niemand hier.

»Aufsitzen«, befahl Lindsay, der ältere und rauhere der beiden. Er riß am Zaumzeug eines fremden Pferdes und führte es herüber, damit sie in den Sattel steigen konnte. Dann schwang er sich auf sein eigenes Tier und winkte dem jungen Ruthven. Eine Schar Bewaffneter erschien – scheinbar aus dem Nichts –, und auf ein Zeichen hin trabte alles los.

Es ging die Straße zum Wasser hinunter, aber statt nach Leith wandten sie sich dort nach links und ritten nach Queensferry hinab. Am Kai wartete ein Schiff, und sie gingen mitsamt ihren Pferden rasch an Bord. Die Überfahrt verlief ohne große Schwierigkeiten, und als sie am anderen Ufer an Land gingen, rechnete Maria damit, daß sie nun nach Stirling reiten würden. Sie hatte schon erwartet, daß man sie nach Stirling bringen würde, in die mächtige Festung, die den Lords auch gut als Hauptquartier dienen konnte. So war sie überrascht, als sie geradewegs nach Dunfermline weiterritten und nicht haltmachten.

Im Dunkeln trappelten sie durch die kleine Stadt und am anderen Ende wieder hinaus und weiter ins offene Land. In der milden Sommerluft – auch jetzt war es noch warm – hörte sie die Nachtigallen in den Wäldern singen. Als sie nach Blairadam Forest kamen, übernahm Lindsay die Führung; er schien sich hier gut auszukennen. Hier in der verhangenen Finsternis gab es andere Geräusche: die scharfen Schreie der Eulen, das Fauchen einer Katze, das Geheul eines wilden Hundes irgendwo im Unterholz, der sich über die Störung ärgerte.

Als sie am anderen Ende aus dem Wald herauskamen, wurde es im Osten hell; ein weißer Perlglanz erwachte am Horizont. Vor dem hellen Streifen sah Maria die verschwommenen Umrisse von Benarty Hill, und links erhoben sich die dunklen Lomond Hills. Sie hörte Gänse schreien, und plötzlich wußte sie, wohin sie kam: nach Lochleven Castle.

Natürlich! Es war eine starke Festung auf einer Insel inmitten eines tiefen und oft sturmgepeitschten Lochs; wichtiger aber war, daß hier Lord James' Mutter mit ihrer beträchtlichen Brut unköniglicher Abkunft wohnte. Lady Douglas hatte sieben Töchter und drei Söhne neben ihrem geliebten Lord James. Lindsay war mit einer dieser Töchter verheiratet, und die erste Gemahlin des älteren Ruthven war ebenfalls eine Douglas gewesen. Ihre Gefangenschaft würde eine Familienangelegenheit in einem massiven Familiengefängnis werden, und alle Kerkermeister waren einander treu verbunden.

Sie sah jetzt die weite, glatte Fläche des Sees, an den Rändern bärtig von Ried und Rohrkolben, und sie hörte die Gänse, die dort nisteten. Sie war hier schon bei anderer Gelegenheit gewesen; sie und Lord Darnley hatten kurz nach der Hochzeit einige Zeit hier verbracht, sie waren in der Umgebung auf die Jagd gegangen und abends mit dem Ruderboot zu ihrem Inseldomizil zurückgekehrt. Damals war es ihr traumhaft, vollkommen, abgeschieden vorgekommen – der wahrgewordene Traum eines Liebespaars. Sie hatte sogar eigene Gemächer mit königlicher Einrichtung ausgestattet.

Ein bitteres Lachen entschlüpfte ihr, und Ruthven fuhr herum, um zu sehen, was sie so erheiternd fand.

Meine Suite erwartet mich, dachte sie. Aus der Traumzuflucht der Braut ist nun der Traum eines Kerkermeisters geworden.

Sie schwenkten eine Laterne dreimal hin und her, und ein Licht antwortete auf der Insel, etwa eine Meile weit entfernt. Sie stiegen in das kleine Ruderboot, und zwei von Lindsays Männern übernahmen das Rudern; ihre dick bemuskelten Arme ließen es mühelos erscheinen. In kürzester Zeit brachten sie die Überfahrt hinter sich, und Sir William, Lord James' Halbbruder und Hüter des Kastells, erwartete sie am Landungssteg. Als der Bug des kleinen Bootes sich durch das Schilf pflügte, flatterten ein paar aufgeschreckte Vögel hoch. Das Wasser plätscherte fast bis an den Fuß der dicken, hohen Festungsmauer.

»Willkommen«, sagte Sir William keuchend und verneigte sich. Er war kränklich, erinnerte Maria sich; immer mußte er nach Arzneien für seine Brust und gegen einen unablässigen Husten schikken. Obgleich er ungefähr genauso alt war wie Lord James, hatte er nichts von dessen robuster Kraft. Dies aber wurde ausgeglichen durch die ehrfurchtgebietende Mutter, Lady Douglas, die ebenfalls dort stand.

Maria war ihr schon begegnet, und obgleich die Lady stets höflich gewesen war und sich bemüht hatte, Maria den Aufenthalt in Lochleven angenehm zu machen, so war doch immer ein unerklärter Kampf zwischen den beiden Frauen gewesen – beide schön, die eine in den besten Jahren, die andere schon darüber hinaus. Jetzt lächelte die Lady und begrüßte Lindsay, ihren Schwiegersohn.

»Wir haben den Befehl, sie in Haft zu nehmen«, erklärte Lindsay laut. »Unterzeichnet von Morton, der als Oberhaupt der Lords handelt, solange Lord James abwesend ist.«

Sir William nahm das Papier mit zittriger Hand und hielt es vor sich, um es im trüben Licht zu lesen. Dann faltete er es zusammen und wollte es einstecken, aber Maria sagte: »Kann es verlesen werden? Ich habe das Recht, zu wissen, was es enthält.«

»Oh … ja. Hier steht: ›Besagter Lord William Douglas soll sie aufnehmen in Lochleven und soll Ihre Majestät dortselbst sicher verwahren. So soll sie dort einbehalten und vor Schaden bewahrt werden, bis sie einwilligt, sich zu trennen von ihrem vorgeblichen Gemahl, dem Earl von Bothwell, dem bösen Schänder und grausamen Mörder, der danach trachtet, den Prinzen, das unschuldige Kind, zu unterdrücken und zu vernichten, wie er es schon mit seinem Vater getan, und so durch Tyrannei und grausame Taten die königliche Krone und die Oberherrschaft im Reiche an sich zu reißen.‹«

Sie lachte. »Ihr selbst habt den Prinzen in sicherer Verwahrung auf Stirling Castle, und wenn von grausamen Mörder die Rede ist – nun, Mylords Lindsay und Ruthven, ich selbst sah die Messer in Euren Händen, als Rizzio ermordet wurde. Wie ich mich entsinne, habe ich Euch und Morton dieses Verbrechen verziehen, als Ihr *mir* ausgeliefert wart.«

Ruthven trat vor und nahm sie beim Ellbogen. »Genug davon. Das war, bevor die Zaubertränke des Earl von Bothwell Euch den Verstand verdrehten.«

Wieder lachte sie, jetzt aber verzweifelt.

»Seht Ihr?« sagte Ruthven. »Wir müssen sie an einen Ort bringen, wo sie sich ausruhen kann.«

»Ja, ja«, sagte Sir William und ging voraus.

Als sie durch das befestigte Tor getreten waren, sah Maria, daß man sie nicht in ihre gewohnten Gemächer in dem viereckigen Turm brachte, sondern quer über den grünen Innenhof zu einem runden Turm, der schräg gegenüber in der südöstlichen Ecke stand. Lady Douglas schloß die dicke Bohlentür auf und winkte ihnen, einzutreten.

Drinnen war es dunkel und muffig. Die Kammer im Erdgeschoß war auf das einfachste eingerichtet: ein roher Tisch, drei Schemel, zwei altmodische Kerzen in mächtigen schmiedeeisernen Haltern.

»Das Bett ist oben«, sagte Lady Douglas.

Maria hielt sich an einem Seil fest und zog sich langsam die Wendeltreppe hoch. Richtig, ein asketisches Bett stand einsam in einer Ecke. Das Licht war schlecht, und nicht einmal eine Binsenstreu lag auf dem Boden. Hinter ihr hielt Lady Douglas eine Kerze hoch.

»Ehrt Ihr so Eure Gäste?« fragte Maria, aber ihre Stimme war leise. Wo waren ihre Wandbehänge, ihr Ebenholzsofa? Wahrscheinlich gestohlen. Diese kleine Turmkammer war schlichter eingerichtet als die in Dunbar Castle, wo Bothwell sie hingebracht hatte. Und da war es anders gewesen, ganz anders, weil *er* da gewesen war, und wo er war, da war für sie gesorgt.

Lady Douglas schlug verlegen die Augen nieder. Plötzlich kam noch jemand von der Treppe herein. Es war ein junger Mann, etwa so alt wie Maria; seine großen blauen Augen waren von stachligen schwarzen Wimpern umrahmt.

»Sie sagen, Ihr könnt zwei Eurer Kammerfrauen kommen lassen«, sagte er. »Und einen Arzt oder Sekretär.«

»Das ist Geordie, mein jüngster Sohn«, sagte Lady Douglas.

Einer von ihnen. Noch ein Feind. Aber er sah gut aus mit seinem dunkel gewellten Haar und seiner gesunden Gesichtsfarbe. Wie verschieden die Mitglieder dieser Familie doch aussahen.

Maria verspürte große Erleichterung. »Dann sagt ihnen, ich möchte Mary Seton und« – nicht Mary Livingston Sempill, denn die hatte Familienpflichten zu erfüllen – »und Jane Kennedy. Und Claud Nau, meinen Sekretär.«

»Gern, Eure Majestät«, sagte er in singendem Ton. Wollte er sich über sie lustig machen? Aber sie war zu müde und zu betrübt, um sich darüber noch den Kopf zu zerbrechen.

Sie ließ sich auf das kleine Bett sinken und legte die Füße hoch. Alles schien sich zu drehen, und der mittlere Deckenbalken war die Achse eines riesigen Rades. Draußen plätscherte das Wasser gegen die Steine des Turmes; feuchter Geruch stieg ihr in die Nase. Im Erdgeschoß würde alles schimmelig und klamm sein. Ein passender Ort für eine Gefangene. Wie auf hoher See.

Auf See … auf See mit Bothwell … Sie fiel in tiefen Schlaf.

Bothwell saß in seinem Gemach in Dunbar und stützte den Kopf auf beide Hände. Es war mitten in der Nacht. Er hätte tief und fest schlafen müssen, denn in seinem ganzen Leben war er noch nicht so müde gewesen wie in dieser Nacht. Aber er war so gepeinigt, daß er sich nicht niederlegen konnte.

Er hatte versagt. Er hatte eine Schlacht verloren, ohne daß ein einziger Schlag geführt worden war. An diese eine Möglichkeit hatte er nie gedacht. Er war bereit gewesen, zu sterben, aber nicht, sich so davonzuschleichen. Und Maria – was mußte sie denken? Oh, sie war geistesgegenwärtig und tapfer, und sie würde sich nicht einschüchtern lassen. Aber jetzt war sie unter Feinden, und wahrscheinlich war kein einziger von ihnen empfänglich für ihr Flehen oder selbst für eine Bestechung. Würden sie ihr Wort halten? Er kannte sie gut, und er kannte auch die Antwort auf diese Frage.

Bestechung wäre gar nicht mehr möglich, denn die Lords hatten jetzt alles in ihrer Gewalt. Maria brauchte ihre Erlaubnis, wenn sie auch nur ihre eigene Habe zu sich holen wollte. Nur wenn das Volk sich erhöbe und ihre Freilassung forderte … Aber nein, das Volk war entschieden gegen sie, aufgepeitscht von Knox und seinesgleichen. Knox forderte ihren Tod und erklärte, nicht einmal diese Strafe sei streng genug: Sie müsse von den Hunden gefressen werden wie Jezebel. Der sanfte, gütige Knox zeigte allen, wie groß die Liebe des Herrn war.

Was war nur aus Huntly und Hamilton geworden? Warum waren sie nicht gekommen?

Ich kann noch Streitkräfte zusammenziehen, wenn ich mich beeile, dachte er. Es gibt immer noch viele, die der Königin treu ergeben sind. Dann können wir Edinburgh stürmen und sie zurückholen.

Edinburgh. Dort haben sie alles in der Hand, alles außer der Burg. Die hält Balfour für uns.

Ich brauche mein persönliches Eigentum aus meinen Gemächern dort, meine Besitztitel und Urkunden, das Patent, mit dem ich zum Herzog von Orkney und Lord von Shetland ernannt werde, den Heiratsvertrag, mein Silber und meine Juwelen …

Er schenkte sich einen Becher Wein ein und stürzte ihn herunter. Aber davon wurde ihm nicht wohler; seine Gedanken vernebelten sich noch mehr. Einen Augenblick lang durchströmte ihn Angst, aber das verging gleich wieder. Er ließ Geordie Dalgleish kommen und befahl ihm, nach Edinburgh zu gehen und die Papiere und persönlichen Dinge aus den alten Gemächern zu holen.

Morton ließ sich den Bart stutzen. Er hatte ihn ziemlich buschig wachsen lassen, und seine Geliebte beschwerte sich darüber. Sie wühlte gern die Finger hinein, aber jetzt, sagte sie, war eine Dornenhecke daraus geworden. Weiber! Sie waren so voreingenommen in solchen Dingen, so rasch mit ihrer Kritik bei der Hand. Aber wenn es sie glücklich machte und willfähriger im Bett, war der Handel ihm recht.

Der Barbier schnippelte ihm unter dem Kinn herum und versuchte, ihn auszufragen, ohne daß es allzu auffällig wurde. »Ein schöner Tag heute, Mylord, nicht wahr? Der Juni so heiß dieses Jahr, und Ihr müßt in dieser Sonne kämpfen. Die Schlacht – oh, man hört, es war gar keine Schlacht: Man habe sich nur angestarrt, bis einer die Augen niederschlug. Und die Königin – die Leute waren höchst unfreundlich zu ihr, als sie nach Edinburgh zurückritt. Man hört, sie habe an Kirk O'Field vorbei gemußt. Wie bestürzend. Sie *war* bestürzt, ich weiß es.«

»Ach ja?« sagte Morton. »Habt Ihr sie gesehen?«

»Nein, ich war nicht da«, gab der Mann zu.

»Aha.« Morton tat, als habe er die Frage des Mannes nicht verstanden.

Der Barbier drückte Mortons Kinn hoch und begann, behutsam dort zu rasieren, wo die Barthaare sich immer im Kragen verfingen. Es würde angenehm sein, sie los zu sein. Morton entspannte sich.

»Ist die Königin …?«

»In Sicherheit. Sie ruht sich aus«, versicherte Morton ihm geheimnisvoll.

Kleine rote Löckchen lagen ringsumher auf dem Boden. Der Mann holte Besen und Kehrschaufel herbei und fegte alles auf. »Damit keine Hexe sie in die Finger kriegt«, versuchte er zu scherzen.

Morton lächelte nicht. Es trieben zu viele Hexen ihr Unwesen, und man konnte nicht vorsichtig genug sein. Wieso sagte der Mann so etwas? Arbeitete er für eine?

»Der Grund des Nor'Loch ist mit Hexen übersät«, bemerkte er vielsagend.

Der Barbier riß schwungvoll das Tuch herunter, das er Morton um die Schultern drapiert hatte. »So«, sagte er und fuhr lockernd mit den Fingern durch den gekürzten, ausgedünnten Bart. »Wie gefällt es Euch?«

Morton kämmte mit den Fingern hindurch. »Fühlt sich dünn an. Gerade richtig für den Sommer.« Er wühlte in seiner Börse und bezahlte den Mann wie gewohnt. Er konnte es nicht erwarten, ihn und seine Fragen endlich loszuwerden.

Im Augenblick war es besser, wenn nicht allzu viele Fragen gestellt wurden. Nicht, solange nicht alles erledigt war. Es war so schnell gegangen, daß sie erst einmal Zeit zum Nachdenken brauchten.

Morton kehrte in seine Gemächer zurück, um sich seine Kleider für diesen sonnigen, schönen Tag auszusuchen. Meist trug er Schwarz, aber heute hatte er Lust auf etwas Buntes. Aber nein – er hatte alles Rote, Gelbe und Purpurne aus seinen Schränken verbannt, als er Lord der Kongregation geworden war. Heute wünschte er sich, er hätte wenigstens ein oder zwei Stücke behalten – für einen jener seltenen Junitage, da der Geist sich in die Lüfte emporschwang und man sich wünschte, noch einmal jung und frei zu sein.

Heimlich besaß er wohl noch ein scharlachrotes Nachthemd, das er trug, wenn er sich mit Mistress Cullen traf, während ihr Gemahl, der Hauptmann, auf Reisen war … Bei dem Gedanken an Mistress Cullen erwachte seine Erregung. Zugleich lachte er bei sich. Es hatte solchen Spaß gemacht, sich über Bothwells und der Königin Ehebruch moralisch zu empören und zu verlangen, daß sie dafür bestraft würden.

Dieser Hauptmann wurde allmählich lästig. Er war zu oft zu Hause. Vielleicht wurde es Zeit, daß die Lords der Kongregation ihn auf eine Mission nach außerhalb schickten. Vielleicht war es sogar möglich, daß der Hauptmann ein Verräter war und sein Leben verwirkt hatte.

Morton zog eine bestickte Jacke hervor; kleine, scharlachrote Blüten waren darauf, wenn auch auf einem schlichten, erdfarbenen Hintergrund. Er zog sie an und stellte befriedigt fest, daß sein Bart den gestärkten Kragen nur noch streifte.

Plötzlich klopfte es an der Tür. »Lord Morton!« rief eine aufgeregte Stimme, und Archibald Douglas kam herein. Seine Augen funkelten. »Man hat etwas gefunden! Einen wahren Schatz für uns … Balfour hat Bothwells Diener ertappt, wie er versuchte, in der Burg in Bothwells Gemächer einzudringen. Er ist geflohen, aber wir haben ihn eingeholt.«

»Und? Wer war's denn?«

»Geordie Dalgleish, sein Schneider. Er wollte Bothwells Kleider holen – behauptete er wenigstens. Aber eine behagliche Nacht im Tolbooth hat ihn anderen Sinnes werden lassen. Vielleicht war es auch der Anblick der Daumenschrauben … oder der Spanischen Stiefel … oder der Eisernen Jungfrau …«

Archibald bekam einen verträumten Blick; er fand großes Ergötzen an Grausamkeiten und freute sich am Erfindungsreichtum der Foltergeräte, deren jedes mit einer besonderen Eigenschaft für ein bestimmtes Körperteil eingerichtet war.

»Und?« drängte Morton.

Archibald riß sich aus seinen Tagträumen. »Er führte uns zu einem kleinen Haus in der Potterow vor der Mauer, und dort gab er uns dies.« Archibald holte eine prächtige Silberkassette hervor, die mit ineinander verschlungenen *F*-Initialen verziert war. Ehrfürchtig stellte er sie hin.

»Ja, was ist denn das?« Morton beugte sich über die verschlossene Schatulle und betrachtete sie eingehend.

»Offenbar etwas, das dem Lord Bothwell sehr kostbar ist. In einem anderen Kasten bewahrte er die königlichen Patente auf, die ihn zum Herzog ernennen, sowie diverse Landbesitzurkunden und Erbteile von seinem Vater. Ich denke, es muß etwas Wertvolles sein, denn sonst hätte er nicht das Leben seines Dieners aufs Spiel gesetzt, um es in die Hände zu bekommen.«

»Er wußte ja nicht, daß er sein Leben aufs Spiel setzte«, gab Morton zu bedenken. »Erinnert Euch: Er weiß nicht, daß Lord Balfour auf unsere Seite übergewechselt ist. Zweifellos hat er angenommen, Dalgleish könne ungehindert kommen und gehen.« Morton drehte die Kassette um. Man hörte, wie sich darin etwas bewegte; es schien Papier zu sein. Juwelen waren es jedenfalls nicht, denn die hätte er klimpern gehört.

»Brecht sie auf!« sagte Archibald.

»Nein«, sagte Morton. »Vielleicht wäre es klüger, eine kleine Zeremonie zu veranstalten, bei der wir das Schloß vor Zeugen aufbrechen und den Inhalt ordnungsgemäß verzeichnen. Vor unseren eigenen Zeugen natürlich. Geht und sagt den Lords, sie sollen sich so rasch wie möglich hier einfinden.«

Während er wartete, trug Morton die silberne Kassette in den ersten Stock und stellte sie auf einen Marmortisch. Dann schritt er im Raum auf und ab und spähte unruhig zum Fenster hinaus. Der Mob des vergangenen Tages war fort, und Edinburgh sah wieder aus wie immer. Es war richtig gewesen, die Königin fortzubringen. Jetzt konnte niemand sie anrühren, weder der Pöbel, noch ihr rettender Ritter Bothwell. Sie konnte bleiben, wo sie war, bis man entschieden hatte, was zu tun sei, und bis Lord James wieder da war, um bei dieser Entscheidung behilflich zu sein. Bothwell würde man schleunigst hinrichten müssen, um ihn zum Schweigen zu bringen. Auch wenn das Papier mit den Namen, das er törichterweise der Königin überlassen hatte, vernichtet war, wußte er genug über die Mörder des Königs, um die Position der Lords mit ihrer unschuldigen Empörung zu untergraben.

Morton ging auf und ab. Er liebte sein Stadthaus, liebte alles daran, von den Sonnenstrahlen, die schräg in die oberen Räume fielen, bis zu den Einlegearbeiten in der Holztäfelung der Halle unten. Er war wirklich gesegnet.

Am Nachmittag hatten sich elf der Lords der Kongregation um den Marmortisch versammelt. Natürlich war Maitland anwesend, und drei Earls: Atholl, Mar und Glencairn. Die Lords Home, Sempill – Lustys Schwiegervater – und Sanquhar schauten zu, außerdem Master Graham, der Laird von Tullibarden und Andrew Douglas. Die silberne Schatulle blinkte wie eine kleine Truhe auf dem Tisch, und so war sie auch geformt.

Morton probierte mehrere Schlüssel aus, die er sich von einem Schlosser in Edinburgh beschafft hatte, aber keiner davon öffnete das Schloß; es schien im Ausland verfertigt worden zu sein. Also griff er zu Hammer und Feile und brach die Kassette auf. Dabei verbog er den Deckel ein wenig, aber das hinderte ihn nicht daran, ihn aufzuklappen und einen Stoß zusammengefalteter Papiere und Briefe zu offenbaren.

»Ah!« sagte er. »Dokumente. Wollen sehen, was für welche.« Rasch machte er sich daran, sie zu entfalten. Enttäuscht klappte sein Unterkiefer herunter.

»Ein langes französisches Gedicht«, stellte er fest; er legte es beiseite und nahm das nächste.

»Ein Brief. Auf Französisch. Es geht um ... irgend etwas mit einem Diener.« Ach den Brief legte er beiseite.

»Jetzt das hier ...« Wieder ein französischer Brief. Er überflog ihn. Er war noch langweiliger als der erste und enthielt klassische Anspielungen auf Medea.

Liebesbriefe. Seine Begeisterung verflog; er kam sich töricht vor, weil er die Lords hergerufen hatte, um ihnen einen Stapel Liebesbriefe zu zeigen.

Er nahm das nächste Blatt zur Hand. Hier wurde, ebenfalls in französischer Sprache, der Earl von Lennox erwähnt. Es ging um sein Gefolge.

Das nächste Dokument erwies sich als Ehekontrakt; er datierte vom 5. April 1567, und Maria versprach darin, Bothwell zu heiraten. Natürlich war auch er in Französisch verfaßt. Nun, kein Wunder, daß Bothwell ihn aufbewahrt hatte. Es war eine rechtskräftig dokumentierte Absichtserklärung der Königin.

»Wie lautete das Datum?« fragte Maitland.

»Fünfter April«, antwortete er, und dann ging ihm ein Licht auf. »Drei Wochen vor der ›Entführung‹! Das beweist, daß sie nur gespielt war! Er und die Königin hatten alles geplant! Sie steckten miteinander unter einer Decke!«

Eifrig zog er den nächsten Brief heraus. Jetzt sprangen ihm die Sätze ins Auge. ›Und sodann predigte er mir, es sei ein töricht Unterfangen, und ich könne Dich in Ehren niemals heiraten, da Du mich fortschlepptest, derweil Du doch verheiratet.‹« Er sah die Lords an.

Er raffte einen anderen Brief an sich, einen sehr langen diesmal, der mehrere Bögen ausfüllte. Sein Gesicht wurde erst weiß, dann rot, und er stammelte vor Aufregung.

»Oh! Dieser Brief – ein seltsamer Alptraum, fiebrig und voller Aufwallungen und Zuckungen, aber er – er beweist – o Gott …!«

»Lest schon vor«, sagte Maitland.

»Ich kann nicht. Er ist zu lang! Aber Ihr könnt ihn alle lesen; achtet nur darauf, daß Ihr ihn nicht beschädigt oder verschmiert. Da steht – oh, hört nur: ›Ach! Ich habe noch niemals jemanden betrogen, doch unterwerfe ich mich ganz Deinem Willen: Sende Du mir Nachricht, was ich tun soll, und was immer mit mir geschehen soll, ich will Dir gehorchen. Kurz, ich habe erfahren, daß er Verdacht geschöpft hat, und doch vertraut er meinem Wort.‹«

Maitland schnaubte. »Das hat gar nichts zu bedeuten. Kein Name wird genannt. Übrigens – ist denn irgend etwas datiert, adressiert, unterschrieben?«

»Nein«, gab Morton zu.

»Wenn Ihr einen ehebrecherischen Liebesbrief zu schreiben hättet, würdet Ihr ihn unterschreiben?« fragte der Earl von Atholl.

»Nein«, sagte Morton, der schon viele geschrieben hatte. »Aber hier ist noch mehr. Und der König wird erwähnt. ›Der König hat nach Joachim gesandt und ihn gefragt, weshalb ich nicht in seiner Nähe wohne.‹«

»Alles zu vage«, befand Erskine. »Das kann sich auf alles mögliche beziehen. Es könnte von einem Diener geschrieben sein.«

»Aber das hier nicht!« sagte Morton triumphierend. »›Doch um sein Vertrauen zu gewinnen, muß ich ihm nun etwas vorspielen. Als er mich bat, ihm zu versprechen, daß wir, so er wieder genesen, das Bett miteinander teilen, stellte ich mich daher, als glaubte ich seinen schönen Beteuerungen, und sagte ihm, wenn er bis dahin nicht anderen Sinnes werde, wolle ich es wohl zufrieden sein.‹«

»Und?« fragte Erskine. »Das beweist nur, daß es die Königin geschrieben hat.«

»Und warum sollte sie Bothwell so etwas schreiben? Darum: ›Gern schreibe ich Dir, wenn die anderen Leute schlafen, da ich nicht tun kann wie sie: Denn all mein Verlangen liegt in Deinen Armen, mein liebes Leben, und ich beschwöre Gott, Er möge Dich bewahren vor allem Bösen.‹«

»So waren sie ein Liebespaar; und wie es scheint, betrachtet sie Gott als eine Art himmlischen Kuppler«, stellte Glencairn fest. »Amüsant, aber das hat sowieso jeder vermutet.«

»*Vermutet* und *bewiesen* ist nicht dasselbe! Das hier beweist, daß sie schon vor Darnleys Tod ein Liebespaar waren! Und das sie aus geheimen Beweggründen nach Glasgow reiste. Deshalb hat sie ihn zurückgeholt. Es war ein Plan!«

»Es scheint in der Tat darauf hinauszulaufen«, räumte Atholl ein. Er streckte die Hand aus, um sich eines der Dokumente geben zu lassen.

Die Lords verbrachten den Rest des Nachmittags damit, in den Briefen zu lesen, und sie lasen sich geeignete Stellen mit großem Genuß vor, als hätten sie hier verborgene Schätze entdeckt.

»›Da ich nun den Ort verlassen, wo ich mein Herz gelassen, kann man sich leicht denken, welches meine Verfassung war ...‹«

»›Doch fürchte nicht, denn es wird so bleiben bis zum Tode ...‹«

»›Dir zu gefallen, geliebtes Leben, schone ich nicht meine Ehre, noch mein Gewissen und scheue nicht Gefahr noch Größe, das glaube mir unbesorgt und achte nicht der Deutungen deines falschen Schwagers; schenke ihm, ich bitte Dich, keinen Glauben vor der, welche Dich treuer liebt als irgendeine je zuvor oder künftig.‹«

Die Männer lachten. »Es klingt wie ein liebeskrankes Kind«, meinte Lord Home. »Andererseits, Bothwell schien solche Leidenschaft ja in jeder weiblichen Brust zu entfachen. Woher wissen wir, daß diese Briefe allesamt von der Königin stammen? Er hat viele erobert, und es würde zu ihm passen, alle ihre Briefe aufzubewahren und sich an ihnen zu delektieren. Oder er ließ sie draußen liegen, um diejenige, die er gerade hatte, eifersüchtig zu machen. Ich vermute, das war ihr eigentlicher Zweck.«

»Nun, was immer ihr eigentlicher Zweck für den Earl gewesen sein mag, für uns dienen sie einem ganz anderen. Hiermit, ihr Herren, können wir rechtfertigen, daß die Königin weiter in Haft bleibt.«

»Oh, hört Euch das hier nur an. Das kann nicht die Königin gewesen sein, die diesen Brief geschrieben hat; der Ton ist doch zu unterwürfig und winselnd: ›Gott vergebe Dir und schenke Dir, meinem einzigen Freund, das Glück und den Wohlstand, den Deine demütige und treue Liebesdienerin Dir wünscht, welche hofft, binnen kurzem Dir noch etwas anderes zu sein zum Lohn für meine Pein. Noch habe ich kein Wort gesagt, und es ist sehr spät; obgleich ich niemals müde werden möchte, Dir zu schreiben, will ich doch jetzt schließen, nachdem ich Deine Hände geküßt.‹ Das war wahrscheinlich diese Norwegerin, die ihm hierher gefolgt ist und sich vernachlässigt um ihn herumtrieb«, sagte Erskine und lachte.

»Meine Herren, ich denke, es ist von größter Wichtigkeit, daß wir die Welt von diesen empörenden Beweisen wissen lassen – in der Königin höchsteigener Handschrift noch dazu: daß sie und Bothwell sich verschworen haben, den unschuldigen König zu ermorden«, erklärte Morton streng. »Sind wir uns einig?«

Alle nickten feierlich.

Als die meisten gegangen waren, blieben Maitland und Archibald noch zurück. Maitland legte Morton vertraulich den Arm um die Schultern. »Laßt uns nicht vergessen, daß wir es waren, die den Tod des Königs planten – daß wir es zumindest erwogen haben. Man könnte es leicht vergessen, und dann könnte es geschehen, daß uns unsere Geschichten und unsere Beweise durcheinandergeraten.«

»Mag sein, daß wir das Papier unterzeichnet haben, mag sein, daß wir uns zu Whittingham getroffen haben, aber die Wahrheit ist: Wir haben den König nicht ermordet«, beharrte Morton halsstarrig.

»Nun«, versetzte Maitland, »dann frage ich mich, wer es war. Ich meine, wer war es *wirklich*?«

Die Lords marschierten in feierlicher Prozession durch das Canongate hinunter, und ihre jauchzenden Herzen standen im Gegensatz zu ihren langen Gesichtern. Sie waren unterwegs zu den königlichen Gemächern auf Holyrood, um sie zu säubern, um sie auszuräumen. Die Regentschaft der Königin war vorüber.

Sie waren zu sechst: Maitland, Morton, Erskine, Atholl, Glencairn und Douglas. Es hatte sich herumgesprochen, und bald folgte ihnen eine Menschenmenge in der Hoffnung darauf, daß das eine oder andere für sie abfallen oder daß an diesem strahlenden Junitag zumindest ein wenig Unterhaltung zustande kommen werde. Seit die Kirk die Maifeiern, die Robin-Hood-Spiele und die ausgelassenen Jahrmärkte, die an den Festtagen stattfanden, verboten hatte, lechzte das Volk nach fröhlichem Treiben.

Als die Lords den Palast betraten, blieb die Menge hinter ihnen zurück; sie ermunterten die Leute indessen, im Hof zu warten. Drinnen stiegen die Lords die breite Treppe hinauf und begannen fröhlich, den verschiedenen Schauplätzen von Gewalt oder Erniedrigung ihre Aufwartung zu machen und so einen protestantischen Kreuzweg zu schaffen. »Seht, hier ist die Truhe, auf der Rizzios Leichnam lag, nachdem er entkleidet worden war.« »Und dies ist der Treppenabsatz, wo sie ihn hinunterwarfen.« »In diesem Raum brachte John Knox die Königin zum Weinen.« »Hier ermahnte er die albernen Marys ob ihrer Eitelkeit.« »Dort traf Rizzio der erste Messerstich.« »Und schaut, über diese Treppe kam Darnley herauf!«

Die drei Räume, die Marias Privatgemächer gewesen waren, standen leer, aber alles war noch an seinem Platz. In der kleinen Kammer stand der Eßtisch (»der umgestoßen wurde und die Königin am Bauch traf»), blank poliert und kahl bis auf zwei Kerzenleuchter. Ihr Bett war gemacht; die grün-gelbe Seidendecke mit den grünseidenen Fransen hing säuberlich bis auf den Boden. Auf dem kleinen Pult mit den Elfenbein- und Perlmuttintarsien standen eine verschlossene Schreibkommode und eine elfenbeinerne Dose für Federn und Tinte. An der Seite stand eine mit grünem Samt bedeckte Silberschatulle. Alles war sauber geordnet, und ohne nachzusehen, wußten sie, daß der Inhalt der Schatulle wohlsortiert und von scharlachroten Bändern umschlungen sein würde.

An einer Wand hing ein Kruzifix; darunter stand eine Kniebank, flankiert von zwei Kerzen, und in der Nähe sah man ein kleines, gerahmtes Bildnis der Heiligen Jungfrau.

Große, mit Nägeln beschlagene Truhen standen an einer anderen Wand; sie waren verschlossen. Zwei kleinere Schränke waren auch noch da, mit Blumen und Vögeln bemalt, und auf dem einen lag ein Spiegel.

Die Männer schauten sich schweigend um. Die Gewohnheit ließ sie die Stimmen dämpfen, sich ehrfürchtig benehmen und darauf achten, wie sie standen und wie sie die Hüte hielten. Marias Anwesenheit erfüllte den Raum; einen Augenblick lang erschien es unmöglich, daß sie nicht da sein sollte. Dann ging ihnen die Erkenntnis auf, daß sie nicht da war, und das wirkte bizarr und unnatürlich.

All dies gehörte ihnen; sie konnten damit tun, was sie wollten.

Alles.

Glencairn handelte als erster. Er stürzte sich auf den kleinen Sekretär, der mit der Geschichte von Amor und Psyche bemalt war, und drehte an den Türgriffen. Als die Türen sich nicht öffnen ließen, hob er das ganze Schränkchen über den Kopf und schmetterte es zu Boden. »Französisch!« sagte er. »So etwas hat die französische Hure natürlich mitgebracht!«

Maitland verzog das Gesicht. »Deshalb braucht man es nicht zu zerstören.«

»Laßt sehen, was drin ist!« Glencairn bückte sich und versuchte, die Schubladen herauszuziehen. Als sie sich immer noch nicht öffnen wollten, trat er mit seinen genagelten Stiefeln dagegen, daß das feine Holz zersplitterte. »Ah!« Er kippte alles aus. Ein Berg von Papieren und Briefen fiel heraus.

»Französischer Mist!« rief er. »Seht, alles auf Französisch!«

»Ja, Glencairn, so ist es üblich, wenn man mit Franzosen korrespondiert«, sagte Maitland. »Die meisten Leute können Französisch lesen«, fügte er spitz hinzu, wohl wissend, daß Glencairn es nicht konnte. Er hob die Briefe auf und überflog sie.

»Das hier ist die Abschrift eines Briefes an Katharina von Medici, dieser hier ging an ihre Patentochter, die kleine Marie d'Elbœuf, dieser hier an ihre Tante, die Äbtissin –«

Glencairn riß andere Papiere heraus. »Aber ist hier es – ihre Geheimschriften! Seht sie Euch an!« Seine Stimme hob sich in echter Verblüffung. »Hier müssen an die sechzig Codes sein!«

Maitland packte eine Handvoll der Papiere. »Das also war Rizzios Arbeit. Er hat das alles übersetzt. Eine langweilige, mühselige Arbeit. Kein Wunder, daß er ihr gefehlt hat. Es gab sonst niemanden, der die nötige Geduld gehabt hätte. Ich jedenfalls hätte sie nicht. All diese Geheimschriften haben wir nicht benutzt, als ich noch ihr erster Sekretär war.«

»Was ich gern wissen möchte: Weshalb ist es überhaupt nötig, Geheimschriften zu benutzen?« knurrte Morton. »Ich meine, nur Spione und Leute, die unter der Hand agieren, müssen zu einer Chiffre greifen.« Er schlurfte im Zimmer umher, und auf seinem Gesicht lag ein Ausdruck des Abscheus; hier und da hielt er inne und befingerte Gobelins und die Samtdecke auf einem Tisch. Diese Stickereien würden gut in seine Halle passen.

»Sie hätte diese Codes für ihre Briefe an Bothwell benutzen sollen!« krähte Glencairn. »Wo waren sie nur, als sie sie brauchte?«

»Oh, in der Leidenschaft hat sie sie vergessen«, lachte Atholl. »Oder könnt Ihr Euch vorstellen, wie Ihr schreibt: ›Mein Herz, mein Blut, meine Seele, meine Sorge, Du hast versprochen, daß wir die ganze Nacht nach unserem Belieben beieinander sein sollen‹, und dabei denken müßt: ›Wollen sehen – da schreibe ich also eine 2 für ein p und ein a für ein r‹, und so weiter?«

Die Männer johlten vor Lachen, und Atholl ließ sich auf das Bett fallen. Er packte ein Kissen und umarmte es leidenschaftlich. Dann wälzte er sich darüber und begann das Kissen zu rammeln, während er im Falsett schrie: »Oh, Mylord Bothwell, oh, hört auf, hört auf, oh, oh, hört nicht auf, hört nicht auf ...«

»Wo, glaubt Ihr, ist es das erste Mal passiert?« fragte Erskine plötzlich. »War es hier?«

»Dieses Gemach hat das Böse im Übermaß gesehen; also war es vielleicht hier«, sagte Maitland. »Ich kann mir nicht helfen – ich denke, es war ein Unglückstag, da sie das erste Mal den Fuß hier herein setzte. Fast, als habe es sie ins Unheil hineingezogen und das alles erst angestiftet.«

Morton faltete einen Gobelin ordentlich zusammen und legte ihn beiseite, um ihn nachher mitzunehmen. »Ach, kommt. Ihr könnt doch nicht glauben, sie hätte nur Falkland Palace oder Edinburgh Castle zu ihrer Hauptresidenz machen müssen, und alles wäre anders gekommen!«

»Ich weiß nicht, was ich glauben soll. Ich weiß nur, daß den Ereignissen, die sich hier zugetragen haben, etwas Überwältigendes eignet.« Maitland wandte sich zum Fenster und blickte auf den Hof hinaus. Das Volk wartete noch draußen und hoffte darauf, daß irgend etwas Aufregendes geschehen möge. »Hier hat sie der Musik gelauscht, die das Volk für sie machte, als sie gerade angekommen war.« Er schüttelte den Kopf. »Mir scheint, sie hat sich *bemüht*.«

»Die Wollust war ihr Untergang«, erklärte Morton selbstgerecht.

»So einfach ist es nicht.« Maitland funkelte ihn an. »Eine Trauungszeremonie hat die Wollust in eine rechtmäßige Ehe verwandelt. Wenn die Wollust allein einen Menschen zunichte machen könnte, dann wäre keiner unter uns, der nicht ebenfalls in Lochleven säße.«

»Nur Lord James wäre dann noch frei!« rief Mar und bemühte sich, die übermütige Stimmung zurückzugewinnen, die Maitland zu verderben drohte.

»Nicht einmal Knox könnte dann entkommen«, stimmte Atholl

ein. »Er plagt sein junges Weib ohne Ende, wie ich höre. Und als er auf Freiersfüßen wandelte, putzte er sich selbst heraus wie eine französische Hure!«

»Seht!« Morton brach die verschlossenen Schubladen der bemalten Truhen auf und nahm Schmuckschatullen heraus, die ebenfalls verschlossen waren. Er erbrach die Schlösser und kippte den Inhalt auf die samtene Tischdecke.

Alles war da: ihr persönliches Geschmeide, ihre Uhren, Ringe, Broschen und Halsketten, ihre Erbstücke – der »Great Harry« und die schwarzen Perlen. In ehrfürchtigem Staunen schlang Morton die Perlenkette um seine Pranken und hielt sie hoch. Sie war so lang, daß er die Arme so weit ausstrecken mußte, wie er konnte, um sie ganz vor sich zu halten.

»Ich weiß noch, wie sie sie trug. Gott, wie kostbar sie ihr war!« sagte Erskine.

»Und jetzt gehört sie uns. Besser gesagt, Schottland.« Morton leckte sich die Lippen. »Stellt Euch vor, wieviel Geld man dafür bekommen wird.«

Plötzlich hatte Maitland eine Idee. »Ich weiß jemanden, der Perlen noch mehr liebt als unsere eigene Königin«, sagte er. »Die Königin von England! Ich wette, sie wird gut dafür bezahlen. Wir müssen sie ihr anbieten.«

»Brecht das hier auf!« schrie Douglas und riß den Samt von einer geschwungenen Silberkassette. Eifrig machte Morton sich mit Hammer und Meißel ans Werk. Der Deckel sprang auf.

Kleine, in Seide gewickelte Päckchen waren darin. Morton hatte Mühe, mit so kleinen Dingen zu hantieren. Endlich gelang es ihm, die Seide von einem der Päckchen abzuwickeln, und eine Miniatur fiel heraus. Sie fiel auf den Boden und zersprang, bevor er sie fangen konnte. Erbost sammelte er die Stücke auf und versuchte, sie zusammenzufügen. »Anscheinend ist es eine Miniatur von König Franz«, stellte er fest.

Die übrigen erwiesen sich als Miniaturen, die ihre französische Familie, Darnley und Elisabeth zeigten. Die Porträts Darnleys und Elisabeths riefen verlegenes Schweigen hervor.

»Wieso hat sie die behalten?« fragte Glencairn.

»Sie ist verschlagen«, sagte Morton. »Ihr seht, es ist keines von Bothwell dabei.« Er steckte die Miniaturen in die Tasche und kehrte zu dem Tisch mit den Juwelen zurück.

Während Morton gierig die Juwelen begaffte, leerten die übrigen systematisch alle Schubladen und Truhen. Da rollte Glencairn plötzlich mit den Augen.

»Die Papistenkapelle!« schrie er. »Sie muß zerstört werden.«

»Jawohl!« rief Douglas. »Herz und Seele ihres Frevels! Die Papistenkapelle! Die wir an jenem ersten Sonntag schon zerstören wollten!« Zusammen stürzten sie hinaus und rannten den Korridor hinunter zur Kapelle.

Sie bogen um eine Ecke und da war sie; die Tür stand offen, und sie gab sich nicht einmal den Anschein, etwas anderes zu sein, hatte nicht einmal die Schamhaftigkeit, sich zu bedeken, sondern prunkte offen wie die Hure Babylon! Mit einem Aufschrei stürmten die beiden Männer hinein, rissen die Wandbehänge herunter, stürzten den Altar um, öffneten das Tabernakel, in dem die heiligen Hostien verwahrt wurden, und verstreuten sie auf dem Boden. Dann hatte Glencairn eine Idee. Er raffte eine Handvoll davon zusammen und warf sie zum Fenster hinaus in die wartende Menge. Die Menschen stürzten sich johlend darauf, fingen das heilige Brot aus der Luft, bewarfen einander damit.

»Weg mit diesem Frevel!« rief Douglas und trat gegen den holzgeschnitzten Altarsockel. Glencairn riß die Schnitzereien herunter, zerschmetterte die Heiligenfiguren und zerbrach die Glasfenster. Im Handumdrehen war die ganze Kapelle ein Trümmerhaufen.

»Knox wäre stolz!« befand Douglas. »Er hat immer gesagt: ›Haut um den Baum, sonst kehren die Vögel zurück und nisten erneut in seinen Ästen.‹ Nun, dieser Baum ist umgehauen!«

Die anderen vier Männer erwarteten sie im Eingang zu den Privatgemächern, beladen mit Stickereien, Juwelen, Silber, Gemälden und Wandbehängen. »Nehmt Euch, was Ihr haben wollt, und laßt uns gehen«, sagten sie zu den Kapellenzerstörern.

In Maitlands Beutebündel steckte das elfenbeinerne Kruzifix, das an der Wand gehangen hatte. Er gedachte es Maria nach Lochleven zu schicken. Es war alt und aus Frankreich; zweifellos war es für sie von persönlicher Bedeutung.

»Morton, Ihr habt doch vor, der Königin ihre Miniaturen zu schicken, oder nicht?« sagte er. »Sie sind nichts wert, und ich kann mir nicht vorstellen, daß es Euch Vergnügen macht, ein Abbild des Lord Darnley zu betrachten.«

Morton funkelte ihn an. Als nächstes würde Maitland verlangen, daß er die Rubinschildkröte herausrückte – sofern er gesehen hatte, wie er sie einsteckte. »Selbstverständlich«, sagte er empört.

Es schien, als wollte Maria nicht wieder erwachen. Die Meeresträume mit Bothwell gingen in andere Träume über, Träume von Stirling Castle und einem Mann, der halb Lord James und halb Darnley war, Träume von dem wilden Wind dort und von Ponyrennen in alten Zeiten. Lord Lindsays Frau wachte über sie, bis zwei Tage später ihre Bediensteten mit Bündeln von Kleidern und Gebetbüchern und Arzneien über den See gerudert kamen.

»So ist sie, seit sie herkam«, sagte Lady Lindsay leise und zeigte ihnen die Königin, die immer noch im Bett lag. »Sie hat nicht gegessen und ist nicht aufgestanden.« Sie klang ehrlich besorgt.

Mary Seton trat ans Bett und schaute stumm auf ihre Herrin hinunter, die sie im Laufe vieler Jahre schon unter so vielen Umständen gesehen hatte. Sie sah, wie weiß, beinahe blutleer, das Gesicht der Königin war und wie still sie lag. Sie schien in einem Zustand zu sein, der tiefer war als der Schlaf.

Seton kniete neben dem Bett nieder und nahm Marias Hand. Sie war kalt. Sie drückte sie und versuchte, ein wenig Wärme hineinzubringen. Sie strich das wirre Haar zurück und massierte ihr die Schläfen.

»Majestät, wir sind gekommen, um Euch zu helfen.«

Maria ließ nicht erkennen, daß sie etwas gehört hatte, und ihre Augen blieben fest geschlossen.

»Es ist so klamm hier drinnen«, sagte Seton, »und alles fühlt sich kalt an, obwohl draußen die warme Sonne scheint. Können wir bitte ein Feuer haben?«

Lady Lindsay nickte. »Ihr könnt auch zu essen bekommen, was Ihr wollt; wir haben ihr Brühe und Brot und Suppe angeboten, aber sie wollte nichts. Meine Mutter sagt, sie habe ein Gelübde abgelegt, keine Speise anzurühren, solange sie nicht mit ihrem Gemahl vereint sei, aber das sind Geschichten. Sie *hat* wohl im Schlaf seinen Namen gerufen, aber sie ißt nicht, weil sie krank ist. Als man sie herbrachte, hatte sie schon tagelang kein normales Leben mehr geführt, und so etwas fordert seinen Tribut.«

Lady Lindsay ging hinaus, um nach Holz zu fragen, und Seton wandte sich an Jane Kennedy und Claud Nau. »Vielleicht ist es eine Gnade, daß sie vorläufig nichts hören oder denken kann. Sie hat schon zuviel gehört.«

Die treuen Diener hielten das Feuer in Gang, um die Kälte in Schach zu halten, und pflichtgetreu boten sie ihrer Herrin alle paar

Stunden etwas zu essen, wenn sie aufzuwachen schien. In der Zwischenzeit wanderten sie in den Kammern umher, packten die wenigen Dinge aus, die sie mitgebracht hatten, und versuchten, die Gemächer so behaglich wie möglich zu machen. Seton hängte das Kruzifix auf, das Maitland ihr stillschweigend mitgegeben hatte.

Tage vergingen, Tage, in denen Nachrichten von draußen wie kreisende Wasservögel über den See flogen. Die Lords hatten einen von Bothwells Dienern festgenommen, als er Bothwells Schätze und Papiere an sich bringen wollte; der kühne Recke hatte ihn geradewegs ins Nest der Feinde geschickt, wie eine Möwe, die zwischen die Fische stößt. Es waren belastende Papiere; sie belasteten vor allem die Königin. Bothwell war unterdessen noch immer auf freiem Fuß – die Lords hatten wenigstens dieses Versprechen, das sie der Königin gegeben hatten, gehalten und ihm nichts getan –, und er versuchte jetzt, noch einmal eine Armee aufzustellen, um die Königin zu retten. Er war ins Grenzland und in den Westen gezogen, redete mit den Hamiltons und mit anderen.

Und dann, plötzlich, setzten die Lords ein Kopfgeld von tausend Kronen auf ihn aus, angestiftet von Knox und der Kirk; dieser hatte es für schändlich befunden, daß der Schurke ungestraft umherziehen dürfe. Ein paar Tage später erließen sie die Aufforderung an ihn, am 22. Juli im Tolbooth zu erscheinen und sich gegen eine dreifache Anklage zu verteidigen – wegen der Ermordung des Königs, und weil er die Königin entführt und sie schließlich zu einer unrechtmäßigen Ehe gezwungen habe; komme er nicht, werde er geächtet und gehe all seiner Titel und Besitztümer verlustig. Um diese Zeit hatte er Dunbar verlassen und war unterwegs in den Norden, wo er noch immer versuchte, Truppen auszuheben.

Die Franzosen taten kund, daß sie daran interessiert seien, den kleinen Prinzen in ihre Obhut zu nehmen, und die Engländer ebenso; beide behaupteten, dies sei ihre Pflicht als Taufpaten des Knaben.

Alles das flüsterte man sich in der Turmstube zu, außer Hörweite der Königin. Keine Botschaft von Bothwell durchdrang die dicken Mauern, die seine gefangene Frau umgaben.

Als Maria schließlich nach und nach wieder zu Bewußtsein kam, sah sie das vertraute Kruzifix an der Wand; es schwebte vor dem grauen Mauerwerk. Der Gekreuzigte schien die Arme nach ihr auszustrekken und ihr zu sagen, daß sie daheim und in Sicherheit sei. Sie schloß die Augen wieder und ließ sich treiben; sie wartete darauf, daß sie an jenen Ort zurücksank, an den sie inzwischen gehörte. Aber sie sank nicht mehr, sondern trieb unter der Oberfläche dahin; es war, als wolle die Tiefe sie nicht mehr haben. Sie hörte Stimmen, nicht die wehenden Stimmen aus ihren Träumen, sondern wirkliche Stimmen: gedämpft, zart, beharrlich.

»Ich glaube, das Boot kommt zurück ...«

»Wir müssen dieses Tuch flicken lassen ...« Eine sanfte Frauenstimme.

Die Stimmen klangen vertraut, aber keine war *seine*; er war nicht in der Nähe. Es gab sonst niemanden, mit dem sie sprechen wollte. Sie hielt die Augen geschlossen und lag still da, und sie betete darum, zurückkehren zu dürfen in diese Tiefen, die wie samtene Kissen waren; dort stellte niemand Ansprüche, dort verging keine Zeit, dort gab es nichts zu erkennen.

»Sie atmet anders«, sagte eine Stimme. Die Person stand unmittelbar neben ihr. Ehe Maria sich versah, wurde ihr Kopf mit einem zusätzlichen Kissen hochgedrückt, und weitere aufgeregte Stimmen umgaben sie.

»Die Farbe! Sie hat ihre Farbe wieder!«

Sie bogen ihr den Kopf nach vorn, um ihr noch ein Kissen unterzuschieben, und es tat weh. Ihr Hals war empfindlich und schmerzte. Sie stöhnte auf.

Sofort waren Hände da, die ihr das Gesicht mit nassen Tüchern betupften, und jemand fing an, ihr die Handgelenke zu massieren. Es war so unangenehm, daß sie nicht mehr anders konnte: Sie schlug die Augen auf. Das Licht tat ihr weh.

»Sie ist wach!« rief Mary Seton. »Oh, Majestät! Nein, schließt die Augen nicht wieder, ich bitte Euch! Nein, nein!«

Es erforderte Marias ganze Kraft, sie offenzuhalten. Sie wollte Seton anlächeln, doch ihr Mund gehorchte nicht.

Als nächstes beugte sich Claud Nau über sie. »Oh, Dank sei Gott und allen Heiligen!« rief er. Er winkte mit großer Hast und rief: »Suppe! Suppe!«

Wenige Augenblicke später hatten sie sie im Bett aufgesetzt, und Seton löffelte ihr Suppe in den Mund. Sie schmeckte faul, und fast hätte sie gewürgt; sie mußte sich zwingen, sie herunterzuschlucken.

Erschöpft von der Anstrengung ließ sie sich zurücksinken und schloß wieder die Augen; sie schlief ein, aber diesmal war es eine andere Art Schlaf, und als sie ein paar Stunden später wieder aufwachte, setzte sie sich mühsam selbst auf.

Wieder bekam sie Suppe, und diesmal schluckte sie sie ohne Schwierigkeiten und trank auch ein wenig verdünnten Wein. Dann schlief sie die Nacht hindurch, und am nächsten Morgen wußte sie, daß ihr der Rückweg in ihre Traumzuflucht irgendwie versperrt war. Sie erwachte wie immer und rief mit krächzender Stimme nach Seton. Seton war sofort da.

»Ich bin so schwach«, sagte Maria und hob eine Hand. Sie sah, wie dünn ihr Arm war, und die Anstrengung beim Hochhalten tat weh. Sogar das Sprechen schien übermenschliche Kraft zu erfordern.

»Ihr habt zwei Wochen lang dagelegen, ohne zu essen und fast ohne Euch zu bewegen«, sagte Seton.

»Zwei Wochen? Ich bin immer noch in Lochleven?«

»Ja, Mylady. Was glaubtet Ihr denn?«

»Ich weiß es nicht.« Maria fing an zu weinen. »Aber ich dachte, es wäre ein freundlicher Ort.«

»Ihr habt Freunde hier«, versicherte Seton ihr.

»Aber ich bin immer noch eine Gefangene, nicht wahr?«

»Ja, das seid Ihr.«

Jetzt flutete alles zurück wie eine schwarze Woge. »Die Lords … Bothwell. Was ist mit Bothwell?«

Die Bediensteten schauten einander an. Schließlich sagte Seton: »Es gibt keine Nachricht von Bothwell, Mylady.«

»Kein Wort … kein Brief …?«

»Nichts, was bis hierher durchgedrungen wäre. Wir werden streng bewacht.«

»Ah.« Maria seufzte nur noch matt. »Dann hat es keinen Sinn.«

Ein paar Tage später stand Maria auf, kleidete sich an und aß wieder normal. Aber das alles tat sie wie in Trance. Ihr Gesicht war eine Maske, und ihre Augen waren ohne Leben. Stundenlang saß sie da, ohne ein Wort zu sprechen, und sie versuchte nicht, Briefe zu schreiben oder von ihren Gefängniswärtern Zugeständnisse zu erlangen. Sie betete stumm vor ihrem Kruzifix, und einmal fragte sie mit tonloser Stimme, wie es hergekommen sei. Seton erzählte, daß Maitland es für sie beschafft habe; sie sagte nichts von der Zerstörung der Kapelle, die sich bei derselben Gelegenheit ereignet hatte.

Einmal zog Nau sich einen Stuhl heran, nahm ihre Hände in

seine und berichtete ihr so behutsam wie möglich von den Gerüchten, denen zufolge Lord James heimgerufen worden war; außerdem, munkelte man, hätten ihre Feinde irgendwelche Beweise gegen sie, mit denen man sie womöglich zwingen könnte, abzudanken.

»Abdanken?« murmelte sie. »Auf meinen Thron verzichten? Also hatte Bothwell recht. Das war die ganze Zeit ihre Absicht.«

»Eure Majestät, könnt Ihr Euch auf irgend etwas besinnen, das sich in Bothwells Besitz befunden hat und das den Lords zu diesem Zweck dienlich sein könnte?« drängte er.

»Ja«, sagte sie mit schiefem Lächeln. »Ich habe ihm Liebesbriefe geschrieben und ihn gebeten, sie zu vernichten. Aber er hat sie behalten. Ich nehme an, die werden sie auf irgendeine Weise benutzen, sie werden bestimmte Sätze herauspflücken und sie auf ihre Art deuten. Aber das kümmert mich nicht«, sagte sie.

»Wollt Ihr unter keinen Umständen in Erwägung ziehen, Bothwell zu verlassen und in eine Scheidung einzuwilligen? Sie behaupten immer noch, sie werden Euch wieder auf den Thron setzen, wenn Ihr es tut. Bothwells Fall ist jetzt hoffnungslos; er ist in Verruf, und bald wird man ihn ächten. Aber Ihr könnt Euch noch retten, und Euren Thron dazu.

»Niemals!« erwiderte sie so heftig, wie sie noch nichts gesagt hatte, seit sie vor Tagen aus ihrem Schlummer erwacht war. »Niemals! Ich trage sein Kind im Leib, und ich werde niemals zulassen, daß dieses Kind als Bastard gebrandmarkt werde und daß wir alle drei in Unehre geraten.«

»Bothwells Stern ist untergegangen«, beharrte Nau.

»Um so mehr Grund für mich, seine Frau, ihm treu zu bleiben. Und das werde ich tun, bis zu meinem Tod.«

Tot fühlte sie sich jetzt schon, eingehüllt in einen Mantel aus Mattigkeit und tiefer Trauer. Es war ein Mantel, den sie nicht ablegen konnte, und soviel sie auch schlief, so gesund sie auch aß, er ließ sich dadurch nicht entfernen. Im Wachen und im Schlafen lastete er auf ihr, manchmal unter Schmerzen und manchmal in der eher beängstigenden Abwesenheit allen Gefühls.

Ich habe nichts, dachte sie. Vierundzwanzig Jahre lang war ich Königin, doch stürbe ich in dieser Nacht im Schlaf, es gäbe nichts, was man über mich in die Chroniken schreiben könnte. Ich war anderthalb Jahre lang Königin von Frankreich, aber als Franz starb, ging das alles dahin, und heute erinnert Frankreich sich meiner nicht mehr. Seit sechs Jahren regiere ich jetzt hier in Schottland, und wenn es auch keinen Krieg mit dem Ausland gegeben hat, so haben doch die Edlen niemals Frieden untereinander geschlossen. Meine Regierungszeit war eine Kette von Komplotten, gefolgt von Gnadenerlassen, die ich gewährte. Meine Ehen sind allesamt auf die eine oder andere Art gescheitert. Es ist mir nicht gelungen, Elisabeths Anerkennung als ihre Nachfolgerin zu gewinnen. Die Katholiken im Ausland haben sich gegen mich gewandt, weil ich mit den Ketzern in Schottland nicht streng genug umgegangen bin, und die Ketzer in Schottland hassen mich schon, weil ich katholisch bin.

Ich habe versagt.

Als sie diese melancholische Aufzählung einmal begonnen hatte, schüttete sie ihr Herz dem Kruzifix aus, aber es blieb ebenso versteinert und regungslos wie die Lords. Sie dachte daran, wie es einst die Wand in der Abtei von St. Pierre geziert und wie sie davor gebetet hatte, als sie Zuflucht bei ihrer Tante gesucht hatte und zu der Entscheidung gelangt war, daß ihre Bestimmung in Schottland liege.

Die Abtei. So süß, so verlockend war es dort gewesen, und sie hatte sich versucht gefühlt, für immer da zu bleiben. Aber nein – sie hatte geglaubt, sie sei nach Schottland berufen, und Gott wolle, daß sie dort ihre Pflicht tue.

Gott. Ich habe auch vor Gott versagt, dachte sie verzweifelt. Ich habe mir geschmeichelt, ein geistliches Leben zu führen. Statt dessen aber habe ich auf eine Weise gelebt, die den Menschen Anlaß gab, mich Hure zu nennen und mich sogar als Mörderin zu verdächtigen.

Das Kruzifix bot kein Erbarmen, wie es dort an der Wand hing; der gekreuzigte Jesus starrte sie mit kalten Augen an.

Man erlaubte ihr, im engen Bezirk der Insel spazierenzugehen, stets von einer Wache begleitet. Die Burg selbst füllte den größten Teil des Landes über dem Wasser aus; übrig blieb nur ein kleiner, umfriedeter Garten. So stand sie dann an der niedrigen Gartenmauer und schaute über das Wasser hinweg zu dem Städtchen Kinross. Es hieß, William Wallace habe die Strecke schwimmend zurückgelegt, in Leder gekleidet, das Schwert um den Hals gehängt. Aber sie war keine Schwimmerin und konnte nicht darauf hoffen, je auf diese Weise zu entkommen. Müßig fragte sie sich, ob der See im Winter zufrieren mochte, aber vermutlich tat er es nicht, denn sonst hätte die Insel nicht so vorzügliche Dienste als Gefängnis leisten können. Aber schon die Vorstellung, zu Fuß hinüberzugehen, schien in diesem Augenblick ein Ding der Unmöglichkeit zu sein. Alles kam ihr so vor, und sie hatte auch keine Freude an den tanzenden Schmetterlingen im Schilf oder am irisierend glänzenden Grün der Stockenten oder an den dümpelnden Entenküken, die ihren Müttern folgten.

»Die Wasserlilien werden bald aufblühen«, sagte Lord Ruthven, der an diesem Tag ihr Hüter war.

»Das ist mir gleich«, sagte sie, und so war es auch. Sollten sie nur aufblühen, sich in der Sonne spreizen, das Parfüm Kleopatras verströmen – es war nicht wichtig. Ebensogut hätten sie schleimiges, wucherndes Unkraut sein können.

»Man hat mir gesagt, Ihr hättet Blumen gern«, sagte er.

»Wer hat Euch das gesagt?« fragte sie. »Euer seliger Vater?«

»Mary Seton hat es erzählt.« Er lächelte.

Er bemühte sich, bezaubernd zu sein. Offenbar wollte er etwas. Wie bedauerlich für ihn, daß es sinnlos war. Nicht einmal die Natur konnte sie noch bezaubern.

»Mary Seton würde niemals mit Euch über die Dinge reden, die ich liebe und die ich nicht liebe.« Sie seufzte. Schon dieses Gespräch war ermüdend.

»Da irrt Ihr Euch. Sie ist ganz erpicht darauf, über Euch zu sprechen. Wir wollen ja, daß Ihr wieder genest.«

Maria griff in ihre kleine Tuchtasche, nahm ein paar Brotkrumen heraus und warf sie den Enten zu. Sie kamen langsam herbeigeschwommen, um nachzusehen, was es da gab, und dabei machten sie leise Geräusche, mehr gurgelnd als quakend. Dann schnappten sie nach dem Futter, raschelten mit dem Gefieder und schüttelten die Schwänze.

»Aha.« Mein Herz wird nie genesen, dachte sie. Es wird gefühllos bleiben, ohne Wünsche, ohne Freuden, ohne Willen.

»Wenn Ihr Ihr selbst seid, dann seid Ihr wahrhaft eine Königin«, stellte er fest.

Sie sah ihn an. Was für eine wunderliche Bemerkung. Er hielt den Blick gesenkt, als wolle er nicht, daß sie ihm in die Augen schaute. Er hatte lange Wimpern, die im Sonnenschein glänzten, und seine Augenbrauen hatten genau die gleiche Farbe. Sein Haupthaar war dunkler. Eigentlich sah er ziemlich einnehmend aus.

»Eine Königin, die abgesetzt werden soll«, entgegnete sie. »Ich habe gehört, Ihr – die Lords wollen, daß ich abdanke.«

»Einige wollen es«, sagte er. »Aber wenn Ihr frei wäret –«

Sie lachte leise. »Ah! Wenn ich frei wäre!«

Was würde ich tun, wenn ich frei wäre? dachte sie. Ich fürchte, ich hätte nicht die Kraft, irgend etwas zu tun. Ich habe meine Kräfte aufgebraucht. Mir bleibt nichts als ein Leben im Kloster oder als Invalide. Zu mehr tauge ich nicht. Die Welt erscheint mir so unappetitlich wie ein Teller mit Schweinefutter.

»Ich könnte Euch frei machen«, flüsterte er; er stand ihr jetzt wirklich zu nah.

»Was?«

»Ich habe es in meiner Macht, Euch die Freiheit zu geben. Ihr braucht nichts weiter zu tun, als Euch mir hinzugeben.« Er hob den Blick und schaute ihr in die Augen.

Er scherzte nicht. Heilige Mutter Gottes, er meinte es ernst! Ehe sie sich versah, lachte sie laut.

»Pst!« zischte er erschrocken und warf einen Blick zur Burg hinüber, voller Angst, daß jemand etwas gehört haben könnte. Sie lachte immer noch. »Ist das so erheiternd? Ihr könnt in mein Bett kommen; in *meinen* Gemächern ist keine Wache. Ich will Euch haben!«

Sie mußten sie tatsächlich für eine Hure halten. Daß dieser Mann erwartete, sie werde sich ihm hingeben, verheiratet, schwanger ... Und in diesem Augenblick erkannte sie, daß sie noch tiefer gefallen war, als sie sich selbst in den Augenblicken größter Verzweiflung vorgestellt hatte.

»Ich bin verheiratet«, sagte sie schließlich.

»Was tut das schon?« erwiderte er. »Ihr wart auch verheiratet, als Ihr Bothwell in Euer Bett ließt.«

Sie holte aus und schlug ihn auf die glatte Wange. »Ihr seid verkommen und dreckig!«

»Wir haben Beweise gegen Euch und Bothwell. Wie Ihr mit ihm angebandelt habt, als Ihr noch verheiratet wart, und wie Ihr ihn dazu brachtet, Euch von Eurem Gemahl zu befreien!«

»Lügen! Niemals habe ich –«

Ruthven lächelte, und es war ein Siegerlächeln. »Ich kann Euch Freuden versprechen«, sagte er. »Und danach die Freiheit.«

»Das Versprechen eines konföderierten Lords ist nichts wert. Ich habe mich Euch allen ergeben, weil Ihr mir versprochen habt, mir zu gehorchen und zu dienen, und statt dessen habt Ihr mich eingesperrt.«

»Einer ganzen Gruppe von Menschen darf man niemals vertrauen. Aber hier ist es etwas anderes – eine Vereinbarung zwischen

Euch und mir. Ein privater Pakt.« Seine Stimme klang ihr geschmeidig ins Ohr.

Beschämt stand sie da. Tiefer kann ich nicht sinken, dachte sie; größer könnte die Erniedrigung nicht sein, wenn ich meine Abdankung unterschriebe. Es ist eine größere Demütigung als der Ritt durch Edinburgh, wo die Leute mich anspuckten. Solche Augenblicke sind eine öffentliche Tragödie, aber sie sind auch groß. Das hier ist klein, schmierig, häßlich und – wie sagte er? – privat.

Er entnahm ihrem Schweigen, daß sie sein Angebot in Erwägung zog. »Ich sagte schon, ich will Euch haben. Ihr laßt mein Blut entbrennen. Ich will solche Höhen des Genusses schmecken, daß ich keines gewöhnlichen Todes mehr sterbe.«

»Wenn es in meiner Macht stände«, sagte sie schließlich, »würdet Ihr gewiß keines gewöhnlichen Todes sterben.«

»Dann gewährt Ihr mir meine Bitte?« keuchte er. »Ich kann meiner Freude über diese Antwort keinen Ausdruck geben!« Er wollte ihre Hand ergreifen und sie küssen.

»Ach, auch wenn ich dafür sorgen wollte, daß Euer Tod nicht der eines gewöhnlichen Verbrechers wäre, sondern der eines Frevlers und Verräters, so habe ich doch nicht die Macht, es auszuführen. So kann ich es mir nur vorstellen und vor meinem geistigen Auge sehen, wie Ihr gepfählt und gevierteilt werdet.«

Erbost über sein Mißverständnis sprang er zurück. »Nun denn, wenn Ihr töricht genug seid, mein Angebot zurückzuweisen, wenn Ihr meine Liebe in Haß verwandelt, dann mögt Ihr hier verrotten! Und das werdet Ihr!« Er packte ihren Kopf mit beiden Händen und drehte ihn um, und seine Hände waren stark und zögerten nicht. »Schaut hinaus über den See. Das Wasser ist tief und kalt. Nicht lange, und es wird einen unglückseligen Unfall geben, da Ihr versucht zu entfliehen, wie es bekanntlich Eure Gewohnheit ist. Oder man bringt Euch in eine Festung tief im Hochland, und dort bleibt Ihr für den Rest Eures Lebens. Eine lebende Tote, so nennen es glaube ich die poetisch Gesonnenen.«

»Haben sie Euch ausgewählt, weil sie mich solch lasterhaften Vorschlägen aussetzen wollten? Die anderen hätten es mit ihrer Redlichkeit wohl nicht vereinbaren können, und dabei ist ihre Redlichkeit wohl kaum der Rede wert.«

Er packte sie beim Arm und verdrehte ihn, daß sie sich umwandte. »Es wird Zeit, daß Ihr in Euren Turm zurückkehrt. Bis wir dort sind, habt Ihr Zeit, es Euch anders zu überlegen. Danach ist es zu spät.« Er führte sie auf die Burgmauer zu. »Bildet Euch nicht ein, daß Bothwell Euch je noch einmal zu Hilfe kommen kann oder daß Euer Kind in der Thronfolge stehen könnte. Wenn Ihr mein Angebot deshalb ablehnt, schlage ich Euch vor, daß Ihr es Euch noch einmal überlegt.«

»Das ist nicht der Grund«, erwiderte sie. »Gäbe es keinen Bothwell und kein Kind, so wäre meine Antwort die gleiche. Ihr schmeichelt Euch, wenn Ihr etwas anderes glaubt.«

»Wenn Ihr glaubt, es werde noch andere Angebote geben – oder bessere –, dann schmeichelt *Ihr* Euch, Mylady.«

»Gottlob wird es keine anderen geben!« versetzte sie. »Denn diese Beleidigung ist so groß, daß ich sie nicht zweimal ertragen könnte.«

In ihre Kammer zurückgekehrt, wagte sie nicht, Seton oder sonst jemandem zu erzählen, was sich eben zwischen ihr und Ruthven zugetragen hatte. Es hätte die Schmach noch größer gemacht, wenn jemand davon gewußt hätte. Das Kruzifix starrte stumm auf sie herab, während sie schweigend ihr Abendbrot verzehrte, eine Mahlzeit, die ganz ohne Geschmack war. Nichts schmeckte ihr mehr.

Nach dem Essen versuchte sie zu sticken. Man hatte ihr ein paar Handarbeitssachen aus Holyrood gebracht, dazu Garn und Stickrahmen. Aber ihre Augen waren müde, und es fiel ihr schwer, klar zu sehen. Alles in ihrem Muster erinnerte sie an den demütigenden Zwischenfall. Die Löwenmähne in dem Bild, das sie stickte, hatte die Farbe von Ruthvens Haar, und das Grün des Hintergrundes war das Grün der Entenfedern.

Es kostete ihre ganze Kraft, die Nadel durch das dicke Linnen zu ziehen, auf dem das Muster vorgezeichnet war. Diese Lethargie, diese Kraftlosigkeit, bewirkte, daß sie sich sehr alt fühlte.

Während sie einen besonders langen braunen Faden verarbeitete, geschah es, daß sie einen stechenden Schmerz im Unterleib verspürte. Er war gleich wieder vorbei, aber ein paar Minuten später kam er noch einmal, und diesmal breitete er sich über ihren Bauch aus und ließ sich Zeit, ehe er wiederum verschwand. Bevor Mary Seton die letzte Strophe des Liedes gesungen hatte, das sie mit dem ersten Stechen begonnen hatte, fühlte sie den Schmerz zum drittenmal. Und jetzt erkannte sie den furchtbaren, vertrauten Gast. Es waren Wehenschmerzen.

»Nein!« Sie sprang hoch und ließ die Handarbeit fallen. Sie betastete ihren Bauch, als erwarte sie, dort etwas zu entdecken.

Mary Seton hörte auf mit der Musik und blickte auf.

»Ich fürchte …« Maria setzte sich wieder. »Nein, vielleicht doch nicht. Macht der Fisch, den wir zum Abendbrot hatten, Magenbeschwerden?«

Seton schüttelte den Kopf.

Da fühlte Maria den Schmerz von neuem. »Es ist das Kind!« rief sie. »Der Arzt soll kommen!« Als sie Setons Gesichtsausdruck sah, fügte sie hinzu: »Es muß doch hier einen geben, für die Familie Douglas! Es ist mir gleich, wer er ist, solange er etwas von Geburtshilfe versteht! Oh!« Sie stand auf und taumelte die Treppe hinauf zu ihrer Schlafkammer.

Dort warf sie sich auf das schmale Bett und wartete mit angehaltenem Atem; mit ihrer ganzen Willenkraft versuchte sie, den Schmerz zu unterdrücken. Im Handumdrehen war all ihre lähmende Mattigkeit von ihr abgefallen, und sie wußte, daß es doch noch etwas gab, das sie wollte und woran ihr etwas lag: Bothwells Kind. Sie durfte es nicht verlieren!

Der Burgarzt, der in Lochleven schon manches Kind in die Welt geholt hatte, war bald da. Sie mußte sich entkleiden, und er tastete ihren Leib nach empfindlichen Stellen ab.

»Oh, bitte, rettet mein Kind!« flehte sie weinend. Es waren die ersten Tränen, die sie auf der Insel vergoß.

Er wühlte in einem Kasten, den er mitgebracht hatte, und murmelte vor sich hin. »Ein Gemisch aus starkem Wein, Stechapfel und englischem Belladonna könnte vielleicht helfen. Aber das ist gefährlich, denn es ist schwierig, die richtige Dosis zu finden. Zu wenig, und es hilft nicht; zu viel, und Ihr seid vergiftet.«

»Ich will es trotzdem versuchen«, sagte sie.

Er holte zwei kleine Fläschchen hervor und schickte nach starkem Wein. Auf dem kleinen Tisch in der Mitte des Zimmers maß er sorgfältig die Kräuter ab und verrührte sie in einen Becher rauhen französischen Weines. Maria sah, wie er den Inhalt im Becher kreisen ließ und wie er den Becher gegen die Kerze hielt, und während sie zusah, kam und ging der Schmerz noch zweimal.

Er verdünnte die Mixtur ein wenig und brachte sie ihr dann. Sie trank; es schmeckte bitter und scharf.

»Jetzt schließt die Augen«, sagte er. »Versucht möglichst still und ruhig zu bleiben.«

Sie hörte, wie er im Zimmer umherging, Dinge ordnete und vorbereitete. Eine Wiege würde man nicht brauchen; wenn das Kind zur

Welt käme, könnte es nicht leben. Sie hörte das weiche Klatschen, mit dem Stoff zusammengefaltet wurde; das mußte das Linnen sein, das sie benutzten, um den Blutfluß zu dämmen und die Wunden zu versorgen, die bei einer Geburt aufreißen konnten. Sie hörte auch das Scheppern von kupfernen Töpfen, die abgetrocknet und beiseitegestellt wurden; der eine würde warmes Wasser enthalten, mit dem anderen würde man das Blut auffangen, das hervorsprudeln würde.

Lieber Gott, betete sie, laß nichts davon notwendig sein. Laß es kein Blut geben und keine Geburt, laß keine Verbände und kein Wasser nötig sein. Ich weiß, ich habe versagt vor Dir. Ich bitte um Vergebung. Aber laß Du mich nicht im Stich, gib mich nicht auf …

Der Trank begann zu wirken; sie fühlte sich benommen und schwindelig. Aber der Schmerz hielt unvermindert an und kam sogar immer häufiger. Sie hörte, wie der Arzt in enttäuschtem und erregtem Ton sagte: »Jetzt müssen wir uns bereitmachen!«, und sie fühlte, wie ihr der kalte Rand eines Kupferbeckens untergeschoben wurde.

»Preßt!« sagte er, aber sie gehorchte nicht, sondern bemühte sich wild weinend, die Form zurückzuhalten, während sie doch fühlte, daß sie sich aus ihrem Innern lösen wollte. Sie bewegte sich abwärts, obwohl Maria sich nach Kräften bemühte, es zu verhindern. Sie spannte die Muskeln, so fest sie konnte, und kreischte in verzweifeltem Gebet. Aber die Geburt nahm unerbittlich ihren Fortgang, und ein kleiner, blutiger, glitschiger Klumpen glitt dem Arzt in die Hände. Rasch folgte ihm ein zweiter, während Maria sich weinend wand.

»Zwillinge!« sagte der Arzt überrascht. Die winzigen Wesen waren so früh gekommen, daß sie nicht zum Leben geschaffen waren. Er wusch sie behutsam ab und sah, daß sie männlich waren. Dann wickelte er sie in weichen Flanell, während Maria nach ihnen rief. Mary Seton stand neben ihr, hielt ihre Hand und versuchte sie zu beruhigen.

»Ihr wißt, daß es Frühgeburten sind«, sagte er und bemühte sich, das rauhe Wort so mild wie möglich klingen zu lassen.

»Ich will sie sehen!« weinte sie.

»Es ist aber nicht ratsam –« begann der Arzt, doch Seton nickte.

»Zeigt sie ihr nur. Nichts kann sie mehr verletzen als das, was schon geschehen ist.«

Widerstrebend trug er das Tuch herüber, in dem sie lagen, und ließ Maria hineinschauen. Dumpf starrte sie sie an, und dann streckte sie eine zitternde Hand aus und berührte erst das eine, dann das andere. Sie schloß die Augen und ließ sich auf das Kissen zurückfallen. Der Arzt brachte die Frühgeburten hinaus.

»Ihr werdet sie begraben, oder?« fragte Seton ihn. »Vernichtet sie nicht einfach, sondern gebt ihnen ein ehrenvolles Begräbnis.«

Der Arzt nickte. »Wenn Ihr es wünscht ...« Er warf einen Blick zur Königin hinüber. »Ich fürchte, sie wird lange brauchen, um sich wieder ganz zu erholen. Laßt sie ruhen. Und ruft mich, wenn es den Anschein hat, daß etwas nicht in Ordnung ist.«

Der Arzt hatte gerade sein Glas Wein vor dem Schlafengehen getrunken, als Seton ihn holen kam. »Da kommt viel Blut«, sagte sie. »Es fing plötzlich an, und jetzt hört es nicht mehr auf.« Eilig lief er über den Burghof und in den runden Turm. Als er hereinkam, war das Bett von Blut durchtränkt, und immer mehr schoß hervor. Er arbeitete, so schnell er konnte, legte ihre Füße hoch, verstopfte den Ort, aus dem das Blut quoll, mit sauberen Tüchern und gab ihr einen Trunk aus getrockneter Schafgarbe und Odermennig, wiederum mit Wein vermischt. Aber es ging auf Mitternacht, als das Blut schließlich an der Quelle zu versiegen begann und der sprudelnde Strom allmählich aufhörte. Da war Maria so weiß und geschwächt, daß sie sich kaum noch regen konnte. Er fürchtete, die Drogen könnten sie in ihrem schwachen Zustand überwältigen, so daß sie bewußtlos werden und möglicherweise sterben könnte.

Als der Morgen graute, trieb sie zwischen Bewußtsein und Ohnmacht hin und her, und ihre Lider schlossen sich flatternd, so sehr sie sich auch bemühte, sie offen zu halten. Der Kampf war überwältigend und sinnlos. Die Kinder waren fort, Bothwell war fort ... doch seltsamerweise wehrte sie sich dagegen, sich über den Rand der Finsternis gleiten zu lassen, hinab in die weiche, freundliche Dunkelheit, die sie lockte. Sie wollte – endlich und doch noch – leben.

Den ganzen Tag lag Maria da und sah zu, wie das Sonnenlicht von einem Fenster zum nächsten wanderte, während die Sonne über den Himmel zog. Seton brachte ihr Suppe und feines Weißbrot mit Rotwein, um das Blut zu ersetzen, das sie verloren hatte. Sie lag schlaff wie ein Seidentuch, das man über einen Stuhl drapiert hatte, und sie fühlte sich genauso durchscheinend.

Mein Kind – nein, meine *Kinder* werden niemals sein, dachte sie.

Wie seltsam, an Kinder zu denken statt an ein Kind. Jungen. Sie wären Prinzen geworden, und wenn sie nur die Hälfte von Bothwells Kraft und Mut gehabt hätten, dann wären sie in die Annalen Schottlands eingegangen. Dahin. Und jetzt ... vielleicht werden wir nie mehr ein Kind haben, nie mehr, dachte sie, und Trauer, stechend wie Wehenschmerzen, durchfuhr sie.

Bothwell, Bothwell ... wo bist du? Ich dachte immer, ich könnte meine Gedanken in die Ferne senden, und du könntest sie dann hören. Aber jetzt weiß ich nicht einmal, wo du bist.

Ich bin gänzlich und vollständig allein. Noch nie bin ich ganz allein gewesen. Immer war jemand da, ein Mann, auf den ich mich verlassen konnte. Meine Onkel in Frankreich. Lord James. Rizzio. Dann Bothwell. Ich habe sie immer befragt, mich von ihnen leiten lassen. Nie war ich auf mich ganz allein angewiesen, hatte ich nur mich als Quell allen Wissens.

Wäre sie nicht so geschwächt gewesen, dann wäre dieser Gedanke noch furchtbarer, aufwühlender gewesen. Aber so war er nur ein kleiner Teil ihres unermeßlichen Verlustes.

Am nächsten Tag äußerte der Arzt sich zufrieden mit ihrer Genesung. Die Blutungen hatten aufgehört, und sie hatte etwas essen können, wenngleich sie noch keinen rechten Appetit zeigte.

»Gebt ihr weiter Wein, und seht, ob Ihr nicht ein wenig gehacktes Fleisch in ihre Suppe tun könnt«, trug er Seton auf, die zur obersten Krankenpflegerin geworden war. »Und gewährt ihr absolute Ruhe – keine Störungen.«

Nau, der gerade aus dem Fenster schaute, sagte plötzlich: »Das könnte schwierig werden. Da kommt ein Boot, und es sitzen weder Waschfrauen noch Wachen darin, noch ein Mitglied des Haushalts vom Festland.« Der Laird unterhielt nämlich noch ein großes Landhaus am Ufer, der Insel gegenüber.

Jane Kennedy trat zu ihm ans Fenster. Sie war stolz auf ihre Fähigkeit, weit zu blicken; sie sagte immer, sie sei mit den Augen eines Raubvogels zur Welt gekommen. »Das ist Melville«, sagte sie. »Und er sieht düster aus. Er trägt eine große Ledertasche bei sich.«

Maria stöhnte und richtete sich mühsam auf. »Wir müssen ihn hereinlassen, wenn er kommt. *Falls* er herkommt. Vielleicht will er auch nur mit Douglas und den übrigen Kerkermeistern sprechen.« Mit dem unsäglichen Ruthven etwa, und mit dem bösartigen, blutrünstigen Lindsay.

Das Boot landete, und sie sahen, wie Melville ausstieg und auf dem Burggelände verschwand. Kurz vor Sonnenuntergang ertönte das erwartete Klopfen an Marias Tür. Man ließ ihn ein und führte ihn die Treppe herauf; Maria lag im Bett und konnte nicht aufstehen.

Sie war unerwartet froh, ihn zu sehen; in diesem Nest des Hasses erschien er wie ein treuer Freund. »Lieber Melville«, sagte sie und streckte ihm die Hand entgegen.

Er kniete nieder und küßte ihr die Hand. »Eure Majestät«, sagte er in gequältem Ton, »es betrübt mich, Euch in diesem Zustand zu sehen.«

»Oh, das Schlimmste ist vorüber«, beruhigte sie ihn. »Es kann nur besser werden, und das tut es von Stunde zu Stunde. Ich hatte eine Fehlgeburt, und die war schwierig. Aber mein guter Arzt hier versichert mir, ich werde wieder vollständig genesen – am Körper, wenn auch nicht am Herzen.«

»Eure Majestät, darf ich vielleicht unter vier Augen mit Euch sprechen?« Er sah sich unter den Dienern um.

»Aber ja.« Maria wartete, während die Leute schweigend hinausgingen und sich über die Wendeltreppe nach unten in den öffentlichen Raum begaben. »Mein lieber Freund, was ist denn?« fragte sie dann. »Ihr seht betrübt aus. Ist es … ist es wirklich so schrecklich?« Sie atmete tief ein. »Ich bin bereit, es zu hören, was immer Ihr mir zu überbringen habt.« Und zu ihrer Überraschung war sie es tatsächlich.

»Eure Majestät, ich will ehrlich sein. Man hat mich hergeschickt, damit ich Euch überrede, darin einzuwilligen, daß der junge James zum König gekrönt wird.«

Sie atmete aus. »Ich soll abdanken, meint Ihr? Sagt es offen.«

»Ja.« Das eine Wort hing in der Luft. Dann fügte er hinzu. »Laßt mich erklären –«

»Ja, Erklärungen finden sich immer. Aber die Geschichte erinnert sich nie an die Erklärungen, so machtvoll sie auch sein mögen. Nur die blanken Fakten ragen aus ihr hervor, aller Erklärungen entkleidet. Doch, bitte, sagt es *mir*. Ich möchte es wissen.« Sie schob die Hände unter die Schenkel und zog sich hoch, bis sie saß. Schmerz durchzuckte sie.

Er blieb knien. »Auch für mich ist es schmerzlich. Ich bin, wie Ihr es wolltet, nach England gereist und habe mit Elisabeth gesprochen. Sie war empört über Euer Verhalten nach dem Tode Darnleys, und sie hatte einen deutlichen Brief dazu geschrieben. Aber daß die Lords Euch einkerkerten, hat sie anderen Sinnes werden lassen. Sofort stand sie auf Eurer Seite; sie meinte, was immer Ihr getan hättet, Eure Untertanen hätten nicht das Recht, Euch einzusperren oder über Euch zu Gericht zu sitzen: Sie schuldeten Euch Gehorsam, und nur Gott habe über Euch zu richten. Sie war bereit, Euch eine Armee zu Hilfe zu schicken. Aber dann ...«

»Aha. Es gibt doch immer ein ›aber dann‹. Bitte erhebt Euch und nehmt Platz. Der Bericht ist so schon unbehaglich genug, ohne daß Ihr Eure Knie auf dem kalten Steinboden verschleißt.«

Steifbeinig erhob er sich von den Knien und holte sich einen Schemel ans Bett. Er brauchte eine ganze Weile, um seine Kniehosen zu glätten und sich zurechtzusetzen, bevor er fortfuhr. Dann holte er Luft und stürzte sich von neuem in seinen Bericht. »Aber dann sagten die Lords, sie würden Euch töten, wenn ein englischer Soldat einen Fuß nach Schottland setzen sollte. Sie haben Euch als Geisel genommen. Elisabeth war gezwungen, von ihrem Vorhaben abzulassen; sie hat nun Throckmorton als Botschafter nach Norden geschickt, damit er mit den Lords verhandelt und mit Euch redet. Die Lords weigern sich aber, ihn nach Lochleven kommen zu lassen. Sie haben ihn im ungewissen warten lassen, aber schließlich haben sie gesagt, er darf Euch nicht besuchen. Indessen hat er mir diesen Brief von Elisabeth an Euch mitgegeben.«

Er nestelte an seiner Schwertscheide herum und zog aus ihren Tiefen ein zusammengefaltetes Stück Papier hervor. »Hier«, sagte er. »Ich habe ihn unter Lebensgefahr versteckt.«

Sie nahm den Brief und überflog ihn rasch. Dann reichte sie ihn Melville, damit er ihn auch lesen konnte.

> Es ist mein schwesterlicher Rat, daß Ihr nicht diejenigen reizt, welche Eure Majestät in ihrer Gewalt haben, indem Ihr das einzige Zugeständnis verweigert, welches Euch das Leben retten könnte. Nichts von dem, was unter gegenwärtigen Umständen geschieht, kann seine Gültigkeit behalten, wenn Ihr Eure Freiheit wiederhabt.

»Aber wie soll ich meine Freiheit wiedergewinnen, wenn niemand da ist, der mich befreit? Die englische Armee kann nicht kommen, und Bothwell – was hört man von Bothwell? Wo ist er?« Ihre Stimme wurde drängend.

»Madam, nach dem, was ich höre, ist er zu seinem Onkel nach Spynie geflohen; aber dieser Balfour, der ihn verraten hat –«

»Balfour hat ihn verraten?« Sie war erschrocken. »Wann ist das passiert?«

»Nun, er hat sich vor der Schlacht von Carberry Hill auf die Seite der Lords geschlagen.«

»Dann war seine Botschaft an uns ... dann war sie falsch, und er wollte uns nur nach Edinburgh locken! Es war eine Falle!« So war es also nicht das Schicksal gewesen, das sie vernichtet hatte, sondern ganz menschliche Schurkerei.

Melville wußte nicht, wovon sie sprach. »Balfour hat Bothwells Diener dabei ertappt, daß er bestimmte Papiere und Wertsachen, die Bothwell gehörten, aus der Burg schaffen wollte. Die Lords haben sie an sich genommen ... auch Eure Briefe an Bothwell; sie behaupten, sie belasteten Euch im Zusammenhang mit dem Mord am König. Die anderen Papiere haben sie vernichtet – diejenigen, die Bothwell behalten hatte, weil sie die Lords belasteten. Dann hat Balfours Sippe Bothwell in Spynie in Bedrängnis gebracht und versucht, ihn zu töten. Statt dessen hat er *sie* getötet, aber vertrieben wurde er doch. Jetzt hat er das Festland verlassen und ist auf den Orkneys, wo er versucht, eine Flotte zusammenzubringen. Er will Piratenkönig werden, mit einem schwimmenden Königreich, so scheint es, bemannt mit Freibeutern, Kaufleuten und Glücksrittern. Eine ganz neue Idee. Er behauptet, sein Titel als Herzog von Orkney, die Rechte seiner Ahnen und sein ererbter Titel als Admiral von Schottland gewähren ihm dieses Privileg.«

Sie lächelte. Bothwell war auf dem Meer, und dort gehörte er hin. Und vielleicht würde es ihm gelingen, vielleicht würde er wirklich die Vorherrschaft auf See für sich erringen. Er war so wagemutig und so einfallsreich ... Der Verlust seiner Kinder überkam sie von neuem.

Als Melville sie lächeln sah, fuhr er fort: »Kirkcaldy von Grange hat ihm Schiffe hinterhergeschickt; sie sollen ihn fassen, tot oder lebendig. Bothwell hat fünf Schiffe mit dreihundert Mann, aber Kirkcaldy hat acht, mit Kanonen und vierhundert Arkebusieren an Bord. Ihr Auftrag ist, ›die Übeltäter mit Feuer, Schwert und allerlei Feindseligkeit zu verfolgen‹. Es wird ein Kampf bis zum Tode werden, Mylady.«

Ein Schauder überlief sie. »Aber es wird Kirkcaldys Tod sein«, sagte sie. Bothwell konnte nicht sterben.

»Wollt Ihr nicht hören, was die Lords über *Euch* bekanntgegeben haben?« fragte er sanft. »Sie sagen, Ihr müßt auf die Krone verzichten, um Euer Leben und Eure Ehre zu retten. Tut Ihr es nicht, so wollen sie wegen dreier Verbrechen Anklage gegen Euch erheben, und sie wollen die Bothwell-Briefe, die sie in ihre Hände gebracht haben, als Beweismittel verwenden. Es sind …« Er öffnete seine Tasche und wühlte darin herum, bis er schließlich ein Papier zutage förderte. »Es sind folgende Verbrechen: Tyrannei – wegen Bruchs oder Mißachtung allgemeiner Gesetze des Reiches –, dann der Mord am König und schließlich Unzucht mit Bothwell *und anderen*, wie bewiesen durch Eure eigene Handschrift sowie durch hinreichende Zeugen.«

»Also zeichnen sie mich jetzt als Tyrannen vom Schlage eines Nero und als Orgienmätresse wie Messalina? Mit ihrer Phantasie stellen sie noch Rabelais in den Schatten.«

»Ihr habt Freunde«, sagte er und gab ihr einen Türkisring »Der ist von den Earls von Argyll und Huntly und von Hamilton. Maitland ist ein heimlicher Verbündeter. Sie unterstützen Euch, aber jetzt flehen sie Euch an, Euch zu retten. Die Lords des Geheimen Rates – wie der innere Zirkel Eurer Feinde sich jetzt nennt – haben beschlossen, Euch das Leben zu nehmen, entweder heimlich oder durch einen Scheinprozeß, den sie unter sich veranstalten wollen. Ihr müßt tun, was sie sagen. Nichts, was Ihr gezwungen oder im Gefängnis unterschreibt, ist verbindlich. Ihr könnt es widerrufen, sobald Ihr frei seid. Aber um frei zu sein, müßt Ihr leben.«

»Ja. Ich muß leben.«

»Knox hat eine Fastenwoche ausgerufen, und täglich predigt er dem Volk, wenn Ihr nicht sterbt, werde Gott eine Pest über Schottland kommen lassen. Er drängt die Lords voran und macht es ihnen leichter, dies alles zu tun. Zwingt sie also nicht.«

»Ich kann nicht unterschreiben. Ich will als Königin von Schottland sterben.«

»Eure Majestät, als diese *werdet* Ihr sterben.«

»Dann soll es so sein.« Sie biß die Zähne zusammen.

Melville nahm ihre Hand und drückte sie. »Ich bitte Euch, erwägt es sorgsam!«

»Ich werde nichts unterschreiben.«

Sie hatte sich nach Melvilles Abschied kaum zurücksinken lassen, als die Tür wieder aufflog. Das Holz krachte gegen die Mauer, und sie schrak hoch und umklammerte ihre Bettdecke. In der Tür ragte Lord Lindsay. Er kam zum Bett marschiert.

»Ihr wollt also nicht unterschreiben?« Er schwenkte Papiere, *die*

Papiere. »Ich sage, Ihr unterschreibt, und zwar sofort, und danach macht Ihr uns keine Schwierigkeiten mehr!« Er warf die Papiere auf den Tisch, auf dem der Arzt seine Medizin abgestellt hatte.

»Soll ich meine Hand zu einer absichtlichen Fälschung leihen und nur, um den Ehrgeiz meines Adels zu befriedigen, das mir von Gott anvertraute Amt meinem Sohn übergeben, der erst ein Jahr alt ist und unfähig, das Land zu regieren? Nein!«

»Ihr seid es, die unfähig ist, das Land zu regieren; selbst ein Säugling könnte es besser! Und jetzt, Madam, sage ich Euch« – er packte sie bei der Schulter und riß sie im Bett hoch – »wenn Ihr nicht unterschreibt, werdet Ihr zwischen Matratze und Kissen erstickt und dann am Bettpfosten aufgehängt. Es wird aussehen, als hättet Ihr Selbstmord begangen, und dann bekommt Ihr nicht einmal ein christliches Begräbnis. Schade!« Er griff nach ihrer Hand und zog sie aus dem Bett, daß sie schwer auf den Boden schlug. Er schleifte sie zum Tisch, zerrte sie hoch und setzte sie auf den Schemel.

Er zog seinen Dolch und strich mit dem Finger an der Klinge entlang. Dann leckte er sie ab und drückte die Spitze sanft gegen ihre linke Brust. »Wenn Ihr diese Dokumente nicht selbst unterschreibt, tue ich es in Eurem Namen und mit Eurem Herzblut. Jawohl, ich stoße zu und drehe die Klinge ein wenig, und dann tauche ich die Feder in das kochend heiße Blut, das hervorquillt, und unterschreibe mit Eurem Namen – ›Marie R.‹. Und wenn Ihr tot seid, schneide ich Euch in Stücke, werfe Euch in den See und füttere die berühmten Forellen von Lochleven mit Euch.« Er grinste. »Ich würde es gern tun. Hoffentlich macht Ihr es notwendig.«

Seine Augen glitzerten wie wollüstig.

»Nein. Ich unterschreibe nicht.«

Er brüllte vor Wut auf und ritzte ein kleines X in die Haut über ihrem Herzen. »Kommt herein!« schrie er. »Es ist Zeit!«

Melville, Ruthven und der junge George Douglas kamen von der Treppe, wo sie gewartet hatten, herein und brachten offizielle Notare mit. Lindsay ließ sein Messer vor Marias Augen auf und ab zucken.

»Die Hure will nicht unterschreiben!« kreischte er. »Aber wir werden sie zwingen, nicht wahr?« Er packte Marias Arm, als wolle er ihr die Knochen brechen, und zerkratzte ihr die Haut mit seinen rauhen Fingernägeln. Er drückte ihr eine Schreibfeder in die Hand, bedeckte ihre ganze Hand mit der seinen und schrieb dann die Worte *Marie R.* auf drei verschiedene Dokumente, ohne daß sie eines davon zuvor lesen durfte.

»So!« Er warf die Feder hin, nahm die Papiere und blies über die Tinte, um sie zu trocknen. »Es ist getan!« Triumphierend rollte er die Bögen zusammen.

»Die Siegel fehlen«, sagte sie mit leiser Stimme.

»Die sind leicht genug beschafft«, versetzte er. »Aber vielen Dank, daß Ihr mich erinnert.« Er verneigte sich spöttisch. *»Eure Majestät.* Doch nein, damit ist jetzt Schluß. Wie heißt Ihr jetzt? Lady Bothwell?«

»Ich bin Eure gesalbte Königin, und daran kann nichts etwas ändern. Nichts, nichts!«

»Bald gibt es zwei gesalbte Herrscher in Schottland«, sagte er. »Wenn Ihr passende Gewänder finden könnt, lassen wir Euch vielleicht bei der Krönung dabei sein. Würde Euch das gefallen? Ihr habt ja Feste und Feierlichkeiten stets geliebt, nicht wahr? Genug Geld habt Ihr immerhin dafür verschwendet. Es wird natürlich eine protestantische Zeremonie sein. Deshalb, seht Ihr, waren die Tausende Pfund für die katholische Taufe wirklich reine Verschwendung.«

»Es kann keine zwei gesalbten Herrscher geben, und das wißt Ihr auch.«

»Nicht? Und was ist mit Saul und David? Saul hat seine Aufgabe ebenso schlecht erfüllt wie Ihr, und so befahl Gott selbst, daß er abgelöst werde, und zwar noch zu Lebzeiten. Ihr lebt auch noch – aber wie lange?« Summend stieg er die Treppe hinunter, die zusammengerollten Papiere unter dem Arm.

Melville folgte gesenkten Blicks. Ruthven konnte ihr nicht in die Augen schauen, und George Douglas sah beschämt aus. Die beiden Notare gingen als letzte.

Nicholas Throckmorton hatte in seinem Quartier in Edinburgh wenig zu tun. Er war vor fast einem Monat eingetroffen, nachdem er eilig in den Norden gereist war, überzeugt, daß die Lords sich durch Elisabeths Drohungen und Versprechungen umstimmen lassen würden, und eifrig darauf bedacht, sie zu beschwichtigen. Er hatte erwartet, mit Maria sprechen zu dürfen und ihre Freilassung aushandeln zu können. Aber statt dessen hatte man ihm verboten, sie zu sehen oder ihr auch nur Briefe zu schicken. Die Lords waren nicht versöhnlich gestimmt, und Elisabeths Wünsche schienen ihnen gleichgültig zu sein. Als er ihnen in einer Anwandlung von Wagemut mitgeteilt hatte, daß Elisabeth sie bestrafen werde, sollten sie Maria auch nur ein Haar krümmen, da hatten sie die Achseln gezuckt und gemeint, das wäre bedauerlich, aber Schottland werde jeden englischen Raubzug überleben, wie es das schon früher getan habe.

Er stützte den Kopf auf die Hand. Was konnte er tun, wenn es nichts gab, was die Schotten fürchteten oder von England haben wollten?

Er griff zu Feder und Tinte und begann einen neuen Brief an Königin Elisabeth. Das Schreiben gab ihm das Gefühl, nicht völlig nutzlos für sie zu sein. Er wollte die gefährliche Stimmung einfangen, die hier herrschte, den beinahe skrupellosen Trotz gegen Schicksal und Sitte.

Das Volk befreite sich aus moralischen Gründen von seiner Monarchin. Das gemeine Volk hing nicht der hübschen Theorie Elisabeths an, derzufolge es »nicht der göttlichen Ordnung entspricht, daß Fürst und Herrscher sich ihnen unterwerfe, die kraft Natur und Gesetz ihm unterworfen sind«. Es war im Gegenteil zu dem schokkierenden Schluß gekommen, daß »die Königin ebensowenig das Recht oder die Freiheit hat, einen Mord oder Ehebruch zu begehen, wie jede andere Privatperson, weder durch Gottes Recht noch durch die Gesetze des Landes«. Der Souverän stand nicht länger über dem Gesetz – nicht in Schottland.

Die Lords hatten die Herrschaft an sich gerissen – sie und der kreischende Knox. Sie hatten Bothwell für vogelfrei erklärt, einen Preis auf seinen Kopf ausgesetzt und Soldaten in den Norden geschickt, um ihn gefangenzunehmen. Die Anhänger der Königin hatten keinen Führer, und sie waren hoffnungslos desorganisiert und demoralisiert. Die Lords behaupteten, es sei ihnen gelungen, die Königin zur Abdankung zu bewegen; sie habe eingewilligt, den Prinzen krönen und einen Regenten ernennen zu lassen. Auch habe sie die Hoffnung auf einen Erben von Bothwell aufgeben müssen.

> Man muß fürchten, daß diese Tragödie mit der Person der Königin ihr Ende nehmen wird, wie sie mit der Person des Italieners David und dem Gemahl der Königin begann. Ich glaube, ich habe ihr Leben vorläufig retten können, aber wie es weitergehen wird, ist unsicher …

So schrieb er, als er schwere Schritte auf der Treppe hörte. Er stand auf und riß die Tür auf. Draußen standen Lord Lindsay und Maitland und wollten gerade anklopfen. Hinter ihnen drängten sich andere.

»Ihr erspart uns die Mühe, Sir«, sagte Lindsay mit entwaffnendem Lächeln. Selbstgefällig wartete er darauf, daß man ihn hereinbat.

»Bitte tretet doch ein«, sagte Throckmorton; er war froh, daß er die Umsicht gehabt hatte, den Brief zuzudecken.

»Wir haben die Ehre, Euch zur Krönung unseres neuen Königs einzuladen«, sagte Glencairn. »Sie wird in zwei Tagen zu Stirling stattfinden.

»Dann habt Ihr die Königin gesehen?« fragte Throckmorton.

»Die Tochter unseres verstorbenen Königs meint Ihr? Die Mutter des Königs?« fragte Lindsay.

»So, wie der Papst auch der Bischof von Rom ist, denke ich«, sagte Throckmorton. »Ich meine die edle Dame, die in Lochleven gefangensitzt. Wie Ihr sie nennt, ändert nichts an dem, was sie *ist.*«

»Ganz recht.« Lindsay lachte wie über einen Spaß, den er allein kannte. »Sie hat die Papiere unterschrieben, und wir haben das Staatssiegel nachher angebracht. Oh, die arme Lady trug so schwer an ihren Sorgen, daß sie einfach nicht anders konnte. Der Verlust ihres teuren Bothwell ...« Er platzte schier vor Lachen und machte dabei Geräusche wie vom hinteren Ende einer Kuh.

Maitland funkelte ihn an. »Die genaue Formulierung ihrer Erklärung lautet wie folgt«, begann er, und dabei zog er ein Dokument hervor, um es in geschmeidigem Ton vorzulesen:

> »Da Wir nach langen und unerträglichen Schmerzen und Mühen, die Wir auf uns genommen seit Unserer Ankunft in Unserem Reiche, dessen Regierung Wir übernommen und dessen Vasallen Wir in Frieden haben leben lassen, dadurch nicht nur an Geist, Körper und Sinnen gepeinigt, sondern endlich auch insgesamt dessen so überdrüssig geworden, sind Wir mit Unseren Fähigkeiten und den Kräften Unseres Körpers nicht länger imstande, selbiges zu erdulden. Daher, und da nichts auf Erden geruhsamer und glücklicher könnte sein, als noch zu Lebzeiten Unseren lieben Sohn, den geborenen Prinzen dieses Unseres Reiches, mit der Königswürde ausgestattet zu sehen, wie ihm die königliche Krone auf das Haupt gesetzt, haben Wir aus eigenem freien Willen und besonderem Antrieb aufgegeben und entsagt der Regierung, Führung und Herrschaft über dieses Unser Reich Schottland mitsamt seinen Vasallen und Untertanen, und zwar zugunsten unseres obgenannten Sohnes.«

Jetzt hätte Throckmorton gelacht, wäre es nicht unziemlich gewesen. »Die Sprache klingt nicht wie die Ihrer Majestät«, stellte er schließlich fest.

»Ihr meint ›Ihrer Gnaden‹«, korrigierte Lindsay. »Gäbe es einen besseren Beweis dafür, daß sie nicht mehr sie selbst ist? Indessen wird sie vielleicht gesund genug sein, um teilzunehmen, wie Ihr es hoffentlich auch tun werdet.«

»Wer sonst wird noch da sein?« wollte Throckmorton wissen.

»Oh, alle Lords von Schottland.«

»Namen.«

»Wir haben noch nicht alle in Kenntnis gesetzt«, sagte Maitland.

»Nun, dann nennt mir diejenigen, die Ihr in Kenntnis gesetzt *habt*.«

»Morton, Atholl, Erskine, Glencairn, Lord Home, Ruthven, Sanquhar.«

»Kaum die Mehrheit der führenden Lords. Was ist mit Huntly, Argyll, Hamilton?«

Maitland hüstelte. »Ich hatte Schwierigkeiten bei der Zustellung der Einladung an sie, denn sie befinden sich nicht in diesem Teil des Landes.«

»Kommt, Sir – Eure Antwort!« drängte Lindsay.

»Meine Antwort muß lauten: Nein. Ich vertrete die Königin von England, die über diese Vorgänge äußerst verstimmt ist und sich weigern wird, James als König anzuerkennen. Meine Teilnahme an einer solchen Zeremonie würde den Eindruck erwecken, sie hätte ihren Beifall.«

»Ihr wußtet vorher, daß Ihr ablehnen würdet; Ihr wolltet nur, daß wir die Namen und die Erklärungen vorlesen, damit Ihr sie denen weitermelden könnt, die Euch bezahlen! Spitzel!« fauchte Lindsay.

»Was für ein bezauberndes Benehmen. Habt Ihr damit auch die Königin zur Unterschrift bewogen? Wenn Ihr den Abgesandten eines Nachbarlandes in dieser Weise behandelt, kann ich mir vorstellen, wie Ihr mit jemandem umgeht, der Euch auf Gnade oder Ungnade ausgeliefert ist«, sagte Throckmorton in seinem bedächtigen Tonfall. Er sah Lindsay und seine halbgeschlossenen Augen an. Was für ein häßlicher Kerl.

»Kommt. Wir haben noch mit anderen zu sprechen.« Maitland zog Lindsay am Ärmel und lächelte Throckmorton vergebungheischend zu. »Guten Tag, Sir.«

Throckmorton schloß leise die Tür hinter ihnen und wandte sich wieder seinem Brief zu.

Alle hier warten auf die Rückkehr des designierten Regenten, Lord James. Die Lords des Geheimen Rates sind davon überzeugt, daß er ihnen, ist er erst hier, die Last von ihren Schultern nehmen wird. Die Freunde der Königin hoffen, ihr Bruder werde gütig sein und sie freilassen, sobald er die Macht fest in der Hand habe. Aber niemand weiß, was er wirklich beabsichtigt oder wie er das Diadem der Regentschaft tragen wird. Ich fürchte aber, daß er finden wird, es passe ihm so gut, daß er es niemals freiwillig seinem Neffen überlassen wird.

Am 29. Juni 1567, genau zwei Jahre nach der Hochzeit seiner Eltern, wurde der kleine James Stuart in einer Prozession aus seiner Kinderstube in Stirling geholt, um zum neuen König der Schotten und Herrscher der Inseln gekrönt zu werden. Die klägliche Reihe der Männer – nur vier Earls, sieben Barone und ein Geistlicher – zog vorbei an der königlichen Kapelle zu Stirling, wo die papistische Taufe stattgefunden hatte, und trug die königlichen Insignien in die protestantische Kirche am Tor der Burg. Eine Anzahl Bewaffneter bewachte sämtliche Zugänge zum Festungsgelände.

John Knox wartete drinnen. Er war hastig hinzugerufen worden, damit er bei dieser hastig inszenierten Zeremonie die Predigt halte, und hastig hatte er zugesagt. Dies war ein wunderbarer Augenblick, von dem er oft geträumt, aber dessen Festsetzung er der Hand des Herrn überlassen hatte. Die katholische Hure war fort, und nie wieder würde es eine Krönung nach altem Ritus geben. Dies war ein glorreicher neuer Anfang, und das alles nur, weil sie vor vielen Jahren voll Gottvertrauen den Weg begonnen hatten.

Hier kamen sie, *seine* Lords der Kongregation: der Earl von Morton mit den flammend roten Haaren, Erskine mit dem langen Gesicht, der hübsche Ruthven. Sie trugen das Kind zum Altar, wo der Thron es erwartete, und dann versammelten sie sich auf den Stufen.

Lord Lindsay entrollte eine Deklaration und begann, sie mit laut hallender Stimme vorzulesen.

»Ich schwöre vor den Augen Gottes und der hier versammelten Gemeinde, daß die Königin, unsere Herrscherin, freiwillig und ohne Zwang ihre königliche Amtswürde an ihren Sohn, den Prinzen, abgetreten sowie die Regierung des Reiches an mehrere Personen, welche in ihrer Regentschaftsurkunde aufgeführt, überantwortet hat.«

Der Justizschreiber, Sir John Bellenden, trug eine riesige Bibel herbei und schlug sie auf. Der Earl von Morton legte seine fette Linke darauf und hielt die andere Hand hoch, und dann sprach er in Prinz James' Namen den Krönungseid. Der für jeden Zweck brauchbare Bischof von Orkney – der Bothwell und Maria vermählt hatte, als niemand sonst es hatte tun wollen – salbte den Prinzen mit dem heiligen Öl. Der Earl von Atholl trat vor und setzte dem Kind die Krone auf den Kopf.

Jetzt war es Zeit, Zeit für seine Botschaft. Knox stieg langsam auf die Kanzel. Seine Knie waren jetzt selbst mitten im Sommer ziemlich steif. Hoffentlich hatte er unter Gottes Anleitung den richtigen Text ausgewählt.

»Dieser Tag, da wir unseren ersten protestantischen Souverän begrüßen, ist der Tag, um den wir alle gebetet haben. Gewiß hat Gott den Knaben für uns wohlbewahrt, ihn beschützt in all dem Schrekken und Aufruhr in unserem Land. Gerade so tat Er es für Sein auserwähltes Volk Israel, indem Er ihm einen König aus der Linie Davids bewahrte. Denn die Geschichte, wie sie uns in der Zweiten Chronik, Kapitel zweiundzwanzig, überliefert ist, geht so:

›Da aber Athalja, die Mutter Ahasjas, sah, daß ihr Sohn tot war, machte sie sich auf und brachte um alle vom königlichen Geschlecht im Hause Juda.

Aber die Königstochter nahm Joas, und stahl ihn unter den Kindern des Königs, die getötet wurden, und tat ihn mit seiner Amme in die Bettkammer.

Und er war bei ihnen im Hause Gottes versteckt sechs Jahre, solange Athalja Königin war im Lande.

Aber im siebenten Jahr machte die ganze Gemeinde einen Bund im Hause Gottes mit dem König. Und er sprach zu ihnen: »Siehe, des Königs Sohn soll König sein, wie der Herr geredet hat über die Kinder Davids.«

Und Jojada, der Priester, gab den Obersten über hundert die Spieße und Schilde und Waffen des Königs David, die im Hause Gottes waren, und stellte alles Volk, einen jeglichen mit seiner Waffe in der Hand, von dem rechten Winkel des Hauses bis zum linken Winkel, zum Altar und zum Hause hin, um den König her.

Und sie brachten des Königs Sohn hervor und setzten ihm die

Krone auf und gaben ihm das Zeugnis. Und Jojada samt seinen Söhnen salbten ihn und sprachen: »Glück zu dem König.«

Da aber Athalja hörte das Geschrei des Volks, das zulief und den König lobte, ging sie zum Volk im Hause des Herrn.

Und sie sah, und siehe, der König stand an seiner Stätte im Eingang und die Obersten und die Drommeten um den König; und alles Volk des Landes war fröhlich; und man blies Drommeten, und die Sänger mit allerlei Saitenspiel sangen Lob. Da zerriß sie ihre Kleider und rief: »Aufruhr, Aufruhr!«

Aber Jojada, der Priester, machte sich heraus mit den Obersten über hundert, die über das Heer waren, und sprach zu ihnen: »Führet sie zwischen den Reihen hinaus; und wer ihr nachfolgt, den soll man mit dem Schwert töten! Denn der Priester hatte befohlen, man sollte sie nicht töten im Hause des Herrn.«

Und sie machten ihr Raum zu beiden Seiten; und da sie kam zum Eingang des Roßtors am Hause des Königs, töteten sie sie daselbst.

Da ging alles Volk ins Haus Baals und brachen es ab, und seine Altäre und Bilder zerbrachen sie und erwürgten den Priester Baals vor den Altären.

Und alles Volk des Landes war fröhlich, und die Stadt war still, aber Athalja war mit dem Schwert erwürgt.‹«

Knox holte tief Luft. Hoffentlich hatten sie bei dieser langen Lesung zugehört, die so gut zu den Ereignissen paßte. Alle starrten ihn an. Der kleine König auf seinem Thron war eingeschlafen.

»Ihr nun, meine guten Freunde, seid wie die treuen Priester des Tempels und wie die Gemeinde, die das Land von den Baalspriestern und von der bösen Königin reinigte. Hier vor Euch seht Ihr Euren König, der wundersam bewahrt wurde, wie es dem Joas geschah. Und wie Joas, der, wie die Schrift uns sagt, den Tempel wiederherstellte, welchen die Baalsanbeter entweiht hatten, so wird dieser junge König James den wahren Glauben hier im Land wiederherstellen.« Knox schwieg und räusperte sich. »Athalja – wer war das?« Natürlich sollte das jedermann wissen. »Sie war die Tochter der Jezebel! Jawohl, die böse Jezebel! Und auch wir haben eine Jezebel in unserem Land! Und gewiß sollte man auch sie erschlagen, damit Ruhe einkehrt im Lande! Ich sage, mögen die Hunde ihr Blut trinken!«

Die anwesende Gemeinde rutschte auf ihren Bänken herum. »Nachdem wir so weit gekommen sind, sollten wir vor der letzten

Notwendigkeit nicht zurückscheuen. Man soll sie erschlagen, aber nicht im Hause des Herrn! Und so überlasse ich es Euch, dies auszuführen.«

Knox sah wohl, daß Morton die Stirn runzelte. Die Lords zeigten sich seltsam widerstrebend, da es nun darum ging, die Sache zu ihrem logischen Ende zu bringen. Eine Jezebel und eine Athalja, mochten sie noch so erbärmlich und flehentlich wirken, wenn sie einem ausgeliefert waren, würden immer wieder aufstehen, um zu kämpfen und sich zu rächen, wenn man sie nicht restlos ausrottete. Wie konnte er ihnen klarmachen, wie dringend nötig es also war?

»Ich beschwöre Euch, schont niemanden, wenn Gott anderes verlangt. Bedenkt, daß Abraham bereit war, den Isaak zu opfern, ohne eine Frage zu stellen!«

Nach einem Schlußgebet kletterte er von der Kanzel herab. Die Peers stellten sich vor das schlafende Kind auf dem Thron, beugten die Knie und erwiesen ihm, einer nach dem anderen, die Ehre. Dann wurde der Titel »Hoher und Mächtiger Fürst James VI. von Schottland und den Inseln« unter Fanfarenklängen vor der Kirchtür verkündet.

Maria saß in einer Fensternische im unteren Gemach ihrer Turmwohnung. Das Fenster war ungefähr acht Fuß hoch über dem Boden, ein Erker, der sich aus dem Turm wölbte wie ein großer, dicker Bauch. Von diesem Platz aus konnte sie über den See zu den anderen kleinen Inseln hinüberschauen; auf einer davon standen die Ruinen eines alten Klosters. Die Bäume waren dicht belaubt und raschelten im kräftigen Wind, und wie zum Spaß nahmen sie ihr immer wieder die Sicht.

So saß sie schon seit zwei Tagen, wenn es hell war, mit dem Rükken zur Kammer und starrte aus dem Fenster. Es war, als könne sie, indem sie ganz still saß, ihre Gedanken daran hindern, zu der Szene in ihrer Schlafkammer zurückzukehren. Wenn sie sich einfach gar nicht bewegte, sondern sich darauf konzentrierte, ihren Geist von allen Gedanken zu befreien, dann würde sie keinen Schmerz mehr fühlen. Das ging bei körperlichen Verletzungen, und die hatte sie ja auch.

Immer wenn ein Gedanke an Lindsay und die Dokumente sich in ihren Kopf stehlen wollte, löschte sie ihn aus. Aber da waren noch die Spuren der Schrammen an ihrem Arm, wo er sie gepackt hatte, und wenn sie sie auch mit einem Tuch bedeckte, so schmerzten sie doch.

Ich lebe noch, dachte sie und kam sich vor wie eine Lügnerin, als ihr Mund die Worte formte. Aber *warum* fühlte sie sich wie tot?

Weil du ein Königreich verloren hast, antwortete ihr Verstand forsch, und einen Ehemann und alle deine Kinder – geborene wie ungeborene, und alles in kürzester Frist. Aber die Wahrheit ist, daß du nicht tot bist, sondern betäubt.

Deine Worte sind ermüdende Worte, nichts weiter, antwortete sie sich selbst. Du langweilst mich und überzeugst mich nicht. Ich habe nicht das Verlangen, je wieder etwas anderes zu tun, als hier zu sitzen.

Glaub mir, du wirst dich von diesem Stuhl erheben und finden, daß es immer noch Freude in der Welt gibt und daß so etwas wie die letzte Schlacht nicht existiert.

Sie lächelte über die Belehrungen ihres vernünftigen, weltlichen Ich. Aber sie nutzten nichts. Sag das Marcus Antonius nach der Seeschlacht von Actium, sag es Richard III. nach Bosworth Field. Manche Schlachten sind endgültig; in einigen Fällen wissen wir es sofort, in anderen erst viel später. Ich habe alles verloren, laß es dir gesagt sein.

Bothwell lebt noch, Lord James kommt zurück, der Prinz ist noch nicht gekrönt, und Elisabeth von England hat sich als deine Freundin erwiesen; sie hat als einzige von allen Herrschern in dieser dunklen Stunde für dich Partei ergriffen. Wie kannst du sagen, du hast »alles verloren«? Du weißt selbst, daß die Papiere, die du unterschrieben hast, nichts gelten, denn du hast sie unter Zwang unterschrieben.

Ja. Bothwell lebt noch … Bei diesem Gedanken regte sich ihr Herz wieder ein wenig. Vielleicht war doch noch Hoffnung. Wo Leben ist, da ist auch Hoffnung, sagten langweilige Schwätzer. Aber ein Körnchen Wahrheit war darin.

Welches Datum war heute? Seit sie hier war, achtete sie nicht mehr auf die Zeit. Sie und Bothwell hatten sich am 15. Juni getrennt, und in der folgenden Nacht, am 16. Juni, hatte man sie hierher gebracht. Und dann war sie krank gewesen … wie lange?

»Welches Datum haben wir?« fragte sie so leise, daß Mary Seton sie kaum hören konnte.

Aber bei dem kleinsten Laut von ihrer Herrin sprang Seton durch das Zimmer herbei. »Was?« fragte sie atemlos. Die Königin sprach!

»Ich habe gefragt, ob du weißt, welches Datum wir haben«, wiederholte sie wispernd.

»Ja – den neunundzwanzigsten Juni.« Sollte sie auch das Jahr nennen?

Der 29. Juni. Der Tag ihrer Hochzeit mit Darnley. Es war unglaublich, daß seitdem erst zwei Jahre vergangen waren. Selbst die Zeit in Frankreich schien irgendwie näher zu liegen.

Sie nickte und tätschelte Setons Arm. »Die tanzenden Blätter bilden ein fein verschlungenes Muster«, sagte sie. »Vielleicht solltest du es zeichnen, und dann könnten wir danach einen Gobelin sticken. Siehst du, das dunkle Grün der Eichenblätter mit ihren runden Rändern wirkt zusammen mit dem Hellgrün der ovalen, dünnen Birkenblätter überaus zart und ungewöhnlich.«

»Ja. Ich nehme ein Stück Kohle und ein Taschentuch dazu.« Als Seton sah, daß ihre Herrin sie verwundert anschaute, fügte sie hinzu: »Federn, Tinte und Papier dürfen wir hier nicht haben.«

»Ohh!« Sie wollten also verhindern, daß sie irgend etwas schrieb, mit Ausnahme ihrer Unterschrift auf der Abdankungsurkunde! Überhaupt keine Briefe? Wie konnte es sein, daß eine Königin nicht mit der Welt korrespondierte?

Wie sollte sie irgend jemanden von ihrer Lage in Kenntnis setzen?

Ein beklemmendes Gefühl überkam sie, als spanne sich eine Hand um ihre Brust. Daß man ihr die Möglichkeit raubte, zu denen zu sprechen, die außer Hörweite waren ... Sie fühlte sich stumm, hilflos und stumm.

»Ich verstehe«, sagte sie schließlich.

Aber was tat das schon? Sie war tot, so gut wie im Grab. Diese steinerne Kammer war nichts als eine Gruft. Tote schrieben keine Briefe, und gehörte sie nicht zu ihnen? Hatte sie es nicht gerade gesagt?

Aber irgendwie war es noch einmal etwas anderes, gar keine Wahl zu haben, nicht schreiben zu *können*, wenn sie es wollte. Das erweckte ein wildes, brennendes Verlangen danach, es zu tun. Und Bothwell – wenn sie keinen Weg fand, ihm zu schreiben, bedeutete es, daß sie nie wieder mit ihm sprechen würde, in keiner Form.

Ein helles Funkeln zog ihren Blick auf sich. Es schien zu springen und zu flackern, und während sie hinschaute, wurde es größer. Ein Feuer. Jemand hatte ein Feuer angezündet, in der Nähe des Bootsstegs.

Es wuchs und wuchs, bis große, wallende Rauchwolken aufstiegen, die den Blick auf den See vernebelten. Dann hörte sie dort Leute lachen und jubeln.

Ein Freudenfeuer. Weshalb?

Sie erschrak, als oben auf der Mauer die Kanonen abgefeuert wurden. Es dröhnte so laut, daß der Fußboden bebte. Entsetzt sprang sie auf. Wurden sie angegriffen?

Die Kanonen feuerten weiter, eine nach der anderen. Ein Salut.

»George Douglas soll kommen«, sagte sie zu Mary Seton. »Frag ihn, was das zu bedeuten hat.« Sie hätte die Wache fragen können, aber diese verdrießlichen Flegel würden sich einen Spaß daraus machen, so zu tun, als hätten sie die Frage nicht verstanden. George hatte sich freundlich gezeigt; als einziger von allen in der Burg machte er sich nie über sie lustig. Und er war ein hübscher junger Mann, wenn es ihm auch ein bißchen an Weltgewandtheit fehlte.

Flink wie eine Gartenschlange huschte ihr ein Gedanke durch den Kopf: Vielleicht würde George mir Papier und Tinte bringen. Sogleich empfand sie Beschämung. Aber die Erkenntnis, wie streng ihre Gefangenschaft tatsächlich war, gepaart mit der Einsicht, daß sie keine Möglichkeit hatte, mit irgendeiner Hilfe von außen etwas dagegen zu unternehmen, brachte sie in Wut. Wenn sie mich so behandeln, wie kann man mir dann verdenken, wenn ich jede verfügbare Waffe benutze, um mir zu helfen? Sie haben mir alles genommen. Mir bleibt nichts als die Sympathie, die ich in einem Herzen entfachen kann. Und wenn ich meinen Freunden außerhalb der Burg nicht schreiben kann, dann muß ich Freunde im Innern gewinnen.

Interessante Gedanken für eine Tote, sagte ihr Verstand belustigt. Ich sagte ja, du wirst dich noch vom Stuhl erheben, meine Teure.

George Douglas stand in der Tür und sah verlegen aus. Er hatte sehr helle Haut, Augen von der Farbe wilder Hyazinthen und welliges schwarzes Haar. Das war gut; sie hatte eine Abneigung gegen den rothaarigen Typus, der im Douglas-Clan auch vertreten war, aber das lag wahrscheinlich daran, daß er sie an Morton erinnerte, der dafür beispielhaft war.

»Ja?« sagte er.

»Master Douglas«, sagte sie und schlang ein Schultertuch um sich, »aus welchem Grund schießen die Kanonen Salut? Und warum hat man ein Freudenfeuer angezündet?«

»Ich – ich – das soll mein Vater Euch erzählen!« sprudelte er hervor und wurde noch blasser. Und bevor sie ihn aufhalten konnte, war er zur Tür hinausgestürzt, und sie stand allein mitten im Zimmer.

Sie wartete, und ihr Unbehagen wuchs. Endlich kam der Laird William Douglas mit einem Spazierstock herein.

»Guter Sir«, sagte sie und bemühte sich um einen freundlichen Ton, »weshalb feuert Ihr einen Kanonensalut? Und warum das Freudenfeuer?«

Er schaute sie blinzelnd an. Was für ein kraftloser, dürftiger kleiner Mann. Er wirkte älter als seine vierunddreißig Jahre und aus sprödem Holz geschnitzt, anders als sein kräftiger Halbbruder Lord James. Es war, als habe James alles gute Material aus dem Leib ihrer Mutter für sich beansprucht und für William gerade genug zurückgelassen, daß ein menschliches Wesen hatte entstehen können.

William hustete; dann zog er ein Taschentuch hervor und prustete geräuschvoll hinein. Er steckte es wieder weg, stützte sich auf seinen Stock und sagte: »Wir feiern heute ein glorreiches Ereignis für unsere Familie. Das Glück der Douglas hat den Zenit erklommen. Denn wir haben einen neuen König in Schottland, und mein Bruder, der Lord James, wird Regent sein.«

Ein kalter Schauer durchrieselte sie, dem warmen Julitag zum Trotz. »Heute?«

»Seit nicht einmal zwei Stunden, Mylady.«

»Oooh!« Es war wie ein körperlicher Schlag, und sie fiel auf die Knie. »Oh! O Himmel, erbarme dich!« rief sie, und dann schüttelte sie ein mächtiges Schluchzen.

Vor wenigen Augenblicken hatte sie nicht geahnt, daß sie immer noch etwas zu verlieren hatte.

Die nächsten Tage vergingen ruhig. Nachdem sechs Wochen lang ein Ereignis auf das andere gefolgt war wie Spielzeuge, die ein Kind an einer Schnur hinter sich her zog, eines immer schrecklicher und verletzender als das vorige, war es ein seltsames Gefühl, daß nun gar nichts mehr geschah. An manchen Tagen weinte Maria, an anderen lag sie im Bett und ruhte, manchmal ging sie spazieren, dann wieder betete sie, und zuweilen las sie. Nach und nach, und ohne daß sie es merkte, ordneten sich die Tage wieder; sie lag nicht mehr nächtelang wach und verdöste den ganzen Tag. Sie wußte wieder, welcher Tag gerade war, wußte sogar, welcher Heilige gefeiert wurde, obgleich man keinen Priester zu ihr ließ. Sie begann an der Stickerei zu arbeiten, die sie zusammen mit Seton entworfen hatte. Gelegentlich schmeckte ihr das Essen wieder, und ab und zu trank sie zuviel Wein.

Man ließ sie wieder in den viereckigen Turm auf der anderen Seite des Hofes ziehen, in ihre alten Gemächer, die sie in glücklicheren Tagen bewohnt hatte. Ihre Wandbehänge mit den zehn Jagdszenen in grüner und gelber Seide wurden aufgehängt, und in dem Monat, den sie im anderen Turm verbracht hatte, waren die Wände frisch verputzt worden. Hier gab es große Kamine und ein Ostfenster, das früher einmal als katholische Andachtsnische gedient hatte. Man holte die alte Madonna hervor (die man fortgeräumt hatte, nachdem die Familie streng protestantisch geworden war) und stellte sie dort wieder auf, und Maria hängte ihr Kruzifix daneben.

In mancher Hinsicht fehlte ihr die Abgeschiedenheit des runden Turmes, denn jetzt war sie dem Rest der Familie Douglas unangenehm nah, und sie konnten sie sehr viel aufmerksamer beobachten. Sie nahm an, daß man sie deshalb hatte umziehen lassen. Andererseits konnte auch sie die Leute nun im Auge behalten und sie studieren, um ihre Gewohnheiten und Schwächen kennenzulernen; und oft sah sie George Douglas im Vorübergehen. Immer gelang es ihr, ihm unter gesenkten Lidern einen Blick zuzuwerfen. Sie ertappte ihn oft dabei, daß er sie anstarrte, und jedesmal errötete er dann heftig.

George war ein Mann, der mindestens zweihundert Jahre früher hätte zur Welt kommen, vielleicht sogar am Hofe König Arthurs hätte dienen sollen. Sie kannte niemanden außer ihm und Bothwell, der ehrlich daran geglaubt hätte, daß Streitigkeiten im Zweikampf geregelt werden könnten. Er und Bothwell … vielleicht waren sie einander in mancher Hinsicht ähnlich. Vielleicht war Bothwell als sehr junger Mann wie George gewesen – bevor sein Vater ihn gelehrt hatte, daß die Welt ein häßlicher Ort sei, wo es wahren Rittern nicht gut erging. Bothwell …

Oft saß sie da und träumte von Bothwell, und sie fragte sich, wo er sein mochte und was draußen geschah. Verstohlenen Gesprächen der Familie entnahm sie, daß Kirkcaldy ihn bei seinem Feldzug nach Norden noch nicht gestellt hatte. Einmal hörte sie, wie Lindsay darüber redete, was sie mit ihm tun würden, wenn sie ihn erst hätten, aber sogar der Laird sagte: »Ihr könnt das Fell des Bären nicht verteilen, solange Ihr ihn nicht erlegt habt.«

Ruthven verschwand plötzlich von der Insel; man hatte ihn abberufen. Lindsay murrte, er werde vielleicht das gleiche tun müssen, wenn es ihm damit gelingen könne, dieser verhaßten Pflicht enthoben zu werden. Aber warum Ruthven weg war, wußte sie nicht. Sie war froh, ihm nicht mehr begegnen zu müssen, auch wenn er nach jenem furchtbaren Nachmittag überraschend freundlich zu ihr gewesen war. Vielleicht hatte er sich doch geschämt wie ein normaler Mensch.

Sie hatte George dazu bewegen können, ihr Tinte und Feder zu beschaffen, aber noch hatte sie niemanden gefunden, der ihre Briefe befördert hätte. Aber das würde sich mit der Zeit finden, dachte sie. Einstweilen war es gut, wenigstens wieder schreiben zu können; sie fühlte sich damit stärker. Sie hatte bemerkt, daß George die Gewohnheit hatte, für verlorene Werte einzutreten – Klöster, die Kreuzzüge, Troja, Karthago und Konstantinopel, das alles faszinierte ihn. Vielleicht war sie in seinen Augen ebenso verloren und deshalb verlockend.

Lord James war wieder in Schottland, hörte sie. Er war in aller Ruhe durch England heraufgekommen, hatte sich mit Elisabeth und mit Cecil beraten und war schließlich in Edinburgh eingetroffen. Sie wußte, daß er nach Lochleven kommen würde, und sie war dankbar, daß sie zwei Wochen Gelegenheit gehabt hatte, sich auszuruhen und zu erholen, bevor sie ihm gegenüberträte. Er mußte sehen, daß sie wieder sie selbst war: ruhig, gesund und bei klarem Verstand. Wenn er das begriffen hätte, würde er dafür sorgen müssen, daß behoben wurde, was die Lords in seiner Abwesenheit getan hatten. Er würde das Amt des Regenten nicht annehmen, sondern empfehlen, daß man ihr die Krone zurückgebe … wenn …

Es gab immer ein Wenn. Das Wenn würde darin bestehen, daß sie ihn zu ihrem Cecil machte, ihrem obersten Ratgeber. Damit wäre sie einverstanden. In diesem Augenblick schien es ein geringer Preis zu sein. Und war er es nicht auch am Anfang gewesen, vor Darnley? Er und sie hatten gut zusammen regiert. Fast kam ihr jene Zeit jetzt idyllisch vor, als sie keine anderen Sorgen gehabt hatten als die Revolte des alten Huntly.

Sie mußte beinahe lachen, als sie sich daran erinnerte. Ja, sie hatte überhaupt keine Probleme gehabt, keine nennenswerten jedenfalls – vier Jahre lang! Mein größtes Problem bestand darin, Elisabeth zu bedrängen, mich als ihre Erbin anzuerkennen, und mich zu entscheiden, wen ich heiraten, welchem ausländischen Fürsten ich den Vorzug geben sollte. Und natürlich war da auch Knox gewesen, aber der war mehr wie eine brummende Fliege oder wie ein

Krokodil, das von ferne nach ihr schnappte. Ach, ich wußte ja nicht, in welchem Paradies ich damals lebte!

Ich werde James mit meiner wiedergewonnenen Gesundheit und Vernunft beeindrucken; ich werde ihn überreden, mich zu befreien und mich wieder auf den Thron zu setzen, und zum Lohn dafür soll er an meiner Seite sein.

Es war Mariä Himmelfahrt, der 15. August. Solange Maria sich erinnern konnte, hatte sie diesen Tag irgendwie begangen; in Frankreich war es ein Feiertag gewesen. Hier in Lochleven gab es keine Möglichkeit, ihn in aller Form zu feiern, und so kniete sie im dunstigen Morgengrauen vor dem Bildnis der Jungfrau Maria in der Andachtsnische nieder. Nicht einmal im Geiste sprach sie mit der Gottesmutter; sie ließ sich einfach vom Frieden ihrer Anwesenheit umfluten. Sie hatte gebetet, bis sie keine Worte mehr hatte, und jetzt wollte sie schweigend ruhen. Dem Blick der Augen ihres Kruzifixes fühlte sie sich noch immer nicht gewachsen.

Sie hörte das Plätschern des Wassers an der Burgmauer, hörte das dunkel rumorende Quaken der Frösche. Sie riefen die ganze Nacht hindurch, und ihr Chor erinnerte sie daran, daß jedes Lebewesen seiner Liebe frönte. Sie hatte den Gesang beruhigend gefunden; ihre Gesellschafterinnen allerdings – eine Tochter und eine Enkelin der Lady Douglas –, die in ihr Schlafgemach abgeordnet waren, beklagten sich über den Lärm.

Die Damen schliefen weiter und schnarchten leise. Marias eigene Kammerfrauen mußte im Stockwerk darüber schlafen, wo auch Nau sein Quartier hatte.

Ein wenig Ungestörtheit hier in der perlgrauen Dämmerung, das war alles, worauf Maria hoffen konnte. Tag und Nacht umgab man sie mit Aufmerksamkeit. Diese Ungestörtheit, das Privileg, unbeobachtet niederknien zu dürfen, war lindernd wie Aloe-Balsam.

Nach einigen Augenblicken, als sie sich lauschend vergewissert hatte, daß die Frauen immer noch schliefen, holte sie das Papier hervor, auf dem sie, wann immer sie die seltene Gelegenheit dazu hatte, einen Brief an Bothwell verfaßte. Wie er ihn bekommen sollte, wußte sie nicht, aber wenn sich plötzlich die Möglichkeit eröffnen sollte, ihn abzuschicken, dann wäre er bereits geschrieben. Sie schrieb schnell und mit einer Geräuschlosigkeit, die sie gründlich geübt hatte.

Mein liebstes Herz, meine Seele, es ist nun fast zwei Monate her, seit ich Dein Gesicht gesehen, und nie dachte ich, daß ich dies könnte ertragen. Mein Jammer ist so groß, und ich dachte nie, daß des Menschen Seele derlei möchte leiden. Mit Dir habe ich den besten Teil meiner selbst verloren, aber die beständige Angst um Deine Sicherheit hat gewöhnliches Verlangen und wilde Sehnsucht und Wehmut in eine furchtbare Tortur verwandelt. Sie sprechen von dir auf das widerwärtigste und quälen mich, indem sie mir vorenthalten, was sie wissen über Deinen Aufenthalt und Dein Befinden …

Ein Seufzen und Rascheln im Nachbarzimmer ließ Maria rasch zu ihrem Betstuhl zurückeilen. Als Euphemia Douglas aus dem Schlafgemach kam, sah sie die Königin der Schotten dort knien, die Hände gefaltet, die Augen im Gebet geschlossen.

Der Rest des Tages verging, wie alle Tage dort vergingen, erfüllt von kleinen, harmlosen und nichtigen Unternehmungen.

Maria spazierte – von ihren Kerkerwachen begleitet – am Wasser entlang, trieb ein wenig Bogenschießen und tanzte sogar auf der Schloßwiese, während der Fiedler der Burg »The Bride of Loch Lomond« spielte. Dann saß sie mit ihren beiden Damen im Schatten einer Eiche und spielte Karten, und sie lud die Soldaten der Garnison ein, mitzuspielen. Ein paar der freundlicheren taten es, und so saßen sie zusammen im Gras und spielten Triumph, bis die Schatten lang wurden.

Die Bewohner der Burg pflegten getrennt von Maria zu speisen; ihr wurde das Essen in ihren Gemächern serviert, und als nun die Zeit des Abendbrots heranrückte, beendete Maria das Kartenspiel und schickte sich an, in ihren Turm zurückzukehren. Da sah sie ein Boot voller Leute, das Kurs auf den westlichen Landungssteg genommen hatte.

»Jane! Wer ist das?« fragte sie.

Jane Kennedy überschattete ihre Augen und spähte angestrengt hinaus. »Es ist Lindsay«, sagte sie schließlich, und Maria schauderte es. Es war angenehm ohne ihn gewesen; er war vor ein paar Tagen nach Edinburgh gereist, um sich von seinen Herren neue Anweisungen geben zu lassen »Und Morton. Ich erkenne sein rotes Haar.«

Morton! Dann war es eine Delegation. Was konnten sie jetzt wieder wollen? Sie hatte ihnen doch alles gegeben. Alles … bis auf ihr Leben.

»Und Lord James!« Jane faßte sie beim Ärmel. »Und Atholl – er sitzt hinten.«

Lord James! Endlich war er gekommen – aber mit Morton und Atholl. Was hatte das zu bedeuten?

Maria ging zum Burgtor hinunter und wartete, daß es sich öffnete. Sie bedauerte, daß sie keine Gelegenheit gehabt hatte, sich zu kämmen und zu frisieren. Ohne ihre Perücken fühlte sie sich zu sehr wie eine gewöhnliche Frau und zu wenig wie eine Königin. Nur Perücken verhalfen einem zu Bergen von Haar, die nach einer Krone verlangten.

Die Torflügel öffneten sich knarrend, und die vier Männer kamen herein, Lord James an der Spitze. Er sah sie sofort, aber nicht die Andeutung eines Lächelns milderte seine steinerne Miene. Statt dessen nickte er ruckartig wie eine Marionette mit steifen Drähten. »Euer Gnaden«, sagte er.

»Willkommen, Euer Gnaden«, sagte jemand, aber die Worte richteten sich an Lord James, nicht an sie. Noch nie hatte sie gehört, daß er so angeredet wurde; es war ein Titel für Königskinder und hochrangige Prälaten.

»Ich danke Euch«, sagte er und nahm die Ehrung entgegen. »Ihr seht gut aus«, sagte er schließlich zu Maria, aber dabei starrte er sie an wie ein kleiner Junge, der eine Schlange auf seinem Weg gefunden hat.

»Ihr ebenfalls«, antwortete sie. »Der Aufenthalt auf dem Kontinent muß Euch gut bekommen sein.« Sie hatte nicht sarkastisch klingen wollen, tat es aber doch. Ihr war aufgefallen, wie ausgeruht und wohlbehalten er aussah. In allen entscheidenden Augenblicken des Schreckens hatte er durch Abwesenheit geglänzt, und jetzt sah man es ihm an.

Morton, Atholl und Lindsay kamen herbei und flankierten ihn, als solle sie nur wagen, sie anzugreifen. Fast schien es, als hätten sie Angst vor ihr.

»Kommt«, sagte Maria. »Ich freue mich darauf, mit Euch zu sprechen, lieber Bruder.« Sie wandte sich ab und ging vor ihm her zum Turm und die Treppe hinauf. Zu ihrem Verdruß kamen die anderen drei mit und blieben mit James im Hauptgemach stehen. Sie warf ihm flehentliche Blicke zu, aber er ignorierte sie und traf keine Anstalten, die anderen wegzuschicken. Lindsay trug sein gewohntes hämisches Grinsen zur Schau, und Morton war ihr zuwider. Sie ertrug seinen Anblick nicht. Atholl war eine Null.

»Meine teure Schwester«, sagte Lord James und räusperte sich, »ich sehe hier, daß gut für Euch gesorgt wird.« Sein Blick wanderte im Raum umher.

»Gut gesorgt? Ich habe kaum Kleider hier – und nichts von der Ausstattung, die einer Königin zukommt: keinen Staatsbaldachin, ja, nicht einmal ein Staatstuch.«

Er sah sie unverwandt an; noch immer zeigte er nicht die Spur eines Lächelns, noch immer blieb er eigentümlich regungslos wie eine Wachsfigur. »Ich werde Euch Kleider schicken lassen«, sagte er. »Und was die königliche Ausstattung angeht, so besteht dafür keine Notwendigkeit mehr.«

»Wenn es in der Tat möglich ist, daß ich von meinem Amt zurücktrete, wie Ihr« – sie funkelte Lindsay an – »behauptet, dann gibt es auch keinen Grund mehr, mich gefangenzuhalten. Hält man mich aber als Königin gefangen, so sollte man mir auch den Rahmen einer Königin gewähren. Ihr könnt nicht beides haben.«

»Der Fall ist äußerst beschwerlich«, sagte Lord James. »Zwar habt Ihr auf Eure Krone verzichtet, aber es gibt abergläubische Menschen, die dabei leicht in Verwirrung geraten könnten.«

»Gewiß zählt Ihr doch nicht dazu, und auch nicht Eure Mutter und Eure Familie.«

Je mehr sie redete, desto ferner war er ihr, bis ihr fast zumute war, als sei er im Ausland gestorben und durch ein Faksimile aus italienischem Stein ersetzt worden, welches die Farbe von Fleisch besaß und das – außer bei genauer Betrachtung – für einen Menschen gehalten werden konnte. War der wahre Lord James etwa in Venedig an einem Fieber gestorben? Hatte man eine vorzügliche Kopie nach Schottland geschickt?

Lord James. Sie versuchte sich zu erinnern, wie er eigentlich als Kind gewesen war. Hatte er gelacht, gesungen, getobt? Wann hatte sich diese schleichende Kälte in sein Herz gestohlen und alle Wärme daraus vertrieben?

»… und daher wollen wir uns nun zurückziehen«, sagte er eben, als die Küchenmägde mit dem Abendbrot hereinkamen.

»Nein!« sagte sie. »Bitte, speist zu Abend mit mir, Bruder.«

»Nein. Ich esse mit den Lords im Speiseraum.«

»Ich weiß noch, wie Ihr mir mit gebeugtem Knie bei Tisch gedient und mir mein Mundtuch gereicht habt«, sagte sie leise. »Es war nicht unter Eurer Würde. Und heute wollt Ihr nicht einmal bei mir sitzen.«

Er sah die Lords an. »Erlaubt Ihr, daß ich bleibe?« fragte er. Erst als sie nickten, gestattete er sich, Platz zu nehmen.

Die Tür schloß sich dröhnend. Die Lords waren gegangen. Sie hörte ihre schweren Schritte auf der Steintreppe. Jetzt konnte James frei sprechen.

»Ja?« sagte er – kälter als das Wasser des Sees. Mit grauen Augen schaute er sie an.

»James!« sagte sie. »Was sprichst du so künstlich zu mir? Das bist nicht du, sondern irgendein Hochstapler. Es sei denn, der andere James wäre bis jetzt ein Hochstapler gewesen.«

»Wie könnt Ihr es wagen, von Hochstaplern zu sprechen!« fauchte er und schleuderte seinen Hut auf den Boden. Und sogleich fügte sein Gesicht sich in die Falten und Flächen, an denen man ein menschliches Wesen erkennt. »Ihr, die Ihr die Kunst der Heuchelei zu höchster Vollendung getrieben habt! Ihr, die Ihr jedermann täuscht!«

Es war seltsam, ihn so wütend zu sehen. »Lieber James –« Sie berührte seinen Arm, doch angeekelt schüttelte er ihre Hand von sich ab.

»Ihr wolltet mit mir allein sein, um mich nach Eurem Willen zu verbiegen. Aber Ihr überschätzt Euren Charme. Ich bin dagegen gefeit! Als wir Kinder waren und Ihr ein hübsches kleines, lachendes Mädchen, das auf seinem Pony ritt und Verstecken spielte, da liebte ich Euch. Aber Frankreich hat Euch verändert; als Ihr von dort zurückkamt, wart Ihr durchtränkt von der Kunst des Lügens und Betrügens. Knox hatte ganz recht! Nach jener ersten Unterredung sagte er: ›In ihr entdeckte ich solch listige Gewandtheit, wie ich sie in diesem Alter noch nirgends gesehen, und wohnt in ihr nicht ein stolzer Sinn und ein verschlagener Geist, so läßt mein Urteil mich im Stich.‹ Ich aber konnte das nicht erkennen; ich war blind.«

Maria hörte entsetzt, wie er die Wahrheit verdrehte. »Nein, du warst nicht blind, sondern habgierig. Solange du mein oberster Minister sein konntest, hätte es dich nicht gestört, wenn ich Caligula gewesen wäre! Du warst immer ehrgeizig, James, und zu gern hättest du eine Krone getragen! *Ich* war diejenige, die blind war.«

Hüte deine Zunge, ermahnte sie sich. Dies ist nicht die Art, wie man sich bei ihm einschmeichelt oder sein Vertrauen gewinnt. Er ist deine einzige Hoffnung, wenn du die Freiheit wiederhaben willst.

»... George«, sagte er eben.

»Was?«

»Ich sagte, Ihr seid die Schlange geblieben, die Ihr immer wart. Ihr habt versucht, meinen Bruder George in Euch verliebt zu machen, damit Ihr fliehen könnt, und Lord Ruthven habt Ihr derart entbrennen lassen, daß er seines Dienstes hier enthoben werden mußte!«

»Was? Hat er das etwa behauptet?«

»Er hat gar nichts behauptet. Es genügte, wie er aussah und sich benahm. Wie ein liebeskranker Erpel –«

»Ich will dir sagen, was sich wirklich zugetragen hat mit dem feinen Lord Ruthven!«

»Ich will Eure Lügen nicht hören! Zweifellos wollt Ihr versuchen, einen Satyr aus ihm zu machen, wollt mir weismachen, Ihr hättet ihn in keiner Weise ermuntert. Aber nichts, was Ihr sagen könnt, hat noch Gewicht. Nicht jetzt, nachdem diese Briefe ans Licht gekommen sind!«

»Ich verstehe nicht ...«

»Die Briefe, die Ihr an Lord Bothwell geschrieben habt. In denen Ihr offenlegt, daß Ihr ein Liebespaar wart, und daß Ihr nach Glasgow gereist seid, um Euren Gemahl nach Edinburgh zurückzuholen, damit Bothwell ihn dort töten konnte!« James stapfte im Zimmer auf und ab und sprach mit lauter Stimme.

»Ich will ehrlich zu dir sein«, sagte sie. »Ich liebte Lord Bothwell in der Tat, und nach Glasgow reiste ich aus ganz privaten Gründen. Aber Bothwell wollte es nicht; er versuchte, mich daran zu hindern. Ich sollte nicht in die Nähe des Königs gehen, weil er doch krank war. Ich aber bestand darauf. Und – auch wenn ich das Andenken der Toten nicht besudeln will – es war der König, der *mich* nach Kirk O'Field lockte, um mich dort zu ermorden. *Er* hat diesen Ort auserwählt, und *er* hat den Keller mit Schießpulver vollgepackt. Es schmerzte mich, daß er nach seinem eigenen Plan sterben mußte. Aber ich wäre so falsch, wie du mich zeichnest, wenn ich behaupten wollte, ich wünschte an seiner Stelle gewesen zu sein – so sehr andere mich dorthin gewünscht haben mögen!«

»Ihr habt das Haus unseres Vaters entehrt«, sagte James und überging alles, was sie gesagt hatte. »Euer Benehmen seit dem Mord wirft Schande auf Euch selbst, auf den Thron und auf ganz Schottland. Jeder ehrliche Mensch hätte eine Untersuchung des Mordes veranlaßt und nichts verheimlicht.«

»Hätte ich die Sache zu genau untersucht, wäre es für manchen Lord sehr unbehaglich geworden. Denn sie sind ebenfalls darin verwickelt. Ich weiß, daß es einen Bond gab, den König zu ermorden. Bothwell hat ihn mir gezeigt. Dein Name stand darauf, ebenso Morton und Argyll und Huntly und Maitland – all die feinen Lords des Geheimen Rates.«

»Wo ist er? Hat Bothwell ihn?« fragte er scharf.

»Bothwell hat ihn mir gegeben, als wir uns trennten. Morton hat ihn zerrissen.«

»Ah.« James lächelte.

»Aber die Schuldigen wissen, wer sie sind! Und –«

»Und deshalb sind sie nicht sicher, solange Ihr lebt«, sagte James sanft. »Sie werden danach trachten, Euch zu töten. Ja, sie trachten bereits danach.«

Maria war sprachlos.

»Aber ich werde es nicht zulassen«, sagte er. »Solange ich Regent bin, kann ich dies zur Bedingung meines Amtes machen. Sollte indessen jemand anders Regent werden ...« Er ließ den Satz bedrohlich in der Schwebe.

»Und werden die edlen Lords dir gehorchen? Es gibt ein altes schottisches Sprichwort: ›Wer die Treue nicht hält, wo er sie schuldet, hält sie erst recht nicht, wo er sie nicht schuldet.‹ Ich bin die wahre Tochter des Königs und eine gesalbte Königin; du bist sein mindergeborener Sohn. Wenn sie sich gegen mich erheben –«

»Madam, ich werde Eure Fehler nicht begehen!«

»Nein, aber du wirst andere begehen. Und jetzt wird das Volk immer weniger nachsichtig gegen Fehler sein – wie ein heikles Weib, das jede Speise glaubt zurückweisen zu müssen, wenn sie nicht vollkommen ist, obwohl es zu Anfang auch ganz gewöhnliche Kost recht gut vertrug.« Seine Miene zeigte Unbehagen. Jetzt war es Zeit, nachzusetzen. »Es ist nicht zu spät. Man kann alles wiederherstellen. Ich habe viel gelernt, und auch ich werde diese Fehler nicht noch einmal begehen. Zusammen können wir –«

Er sah sie ungläubig an. »Versteht Ihr denn nicht? Das Volk schreit nach Eurem Tod. Wir können es nur mit Mühe zurückhalten; deshalb seid Ihr hier, umgeben von Wasser und dadurch geschützt. Ich kann für Euer Leben einstehen, aber nicht für Eure Freiheit. Und gäbe man Euch die Königswürde zurück – was wäre mit Bothwell? Niemand wird ihn hinnehmen, doch Ihr wollt ihn nicht lassen. Nein, es gibt keine Hoffnung. Für Euch ist alles vorüber.«

»James!« Schluchzend warf sie sich ihm an die Brust. Sie war hart und unnachgiebig. »Ich bin noch keine fünfundzwanzig –«

Seine Arme hingen schwer herab. Er versuchte nicht, sie zu halten oder zu trösten.

»James, was ist mit Bothwell?« fragte sie schluchzend.

»Immer wieder Bothwell!« Er stieß sie von sich. »Ihr lechzt weiter nach dem Gift, das Euch getötet hat. Also gut – mag es Euch gefallen, zu hören, daß ich eine Flotte nach den Orkneys geschickt habe, um ihn aus seinem Versteck zu treiben. Die Offiziere an Bord sind ermächtigt, an Ort und Stelle über ihn zu Gericht zu sitzen. Das bedeutet, teure Schwester, daß er kurzerhand verurteilt und hingerichtet werden wird. Dann werden sie seinen Kopf und seine Arme und Beine herschicken – wie sie Köpfe und Glieder seiner Leute hergeschickt haben, die sie schon ergriffen haben. Dalgleish, Powrie, Hay und Hepburn zieren die Tore von Leith, Haddington und Jedburgh – das heißt, gewisse Teile von ihnen zieren sie.«

Sie funkelte ihn wutentbrannt an. »Also hat man sie zum Schweigen gebracht, bevor sie die Lords belasten konnten. Ich vermute, das ist auch der Zweck eines in der Ferne durchgeführten Prozesses gegen Bothwell.«

»Endlich entwickelt Ihr politischen Scharfsinn«, stellte er fest. »Nur schade, daß es zu spät geschieht.«

»Darf ich dich an etwas erinnern, das sogar dein Bruder, der Laird, gesagt hat? ›Du kannst das Fell des Bären nicht verteilen, solange du ihn nicht hast.‹«

James lächelte. »Ich verstehe nichts von Bären. Aber Bothwells Flaggschiff heißt *Pelican*, und wir werden den Vogel zwingen, den Fisch aus seinem Schnabel auszuspucken, sei getrost.«

Bothwell schaute über des glitzernde Wasser des Bressay Sound hinaus, wo seine kleine Flotte vor Anker lag. Er hatte acht Schiffe unter seinem Befehl; fünf hatte er als Admiral von Schottland gehabt; ein weiteres war unterwegs zu Lord James gewesen, beladen mit Lebensmitteln und Waffen, als er und seine Männer es im Cromarty Firth gekapert und erobert hatten. Die Tatsache, daß es unterwegs nach St. Andrews gewesen war, um Lord James und seine Leute zu versorgen, hatte die Prise um so erfreulicher werden lassen. Der Admiral hatte den ersten Schlag in dieser persönlichen Schlacht geführt.

Als nächstes hatte Bothwell ein Handelsschiff entdeckt und gemietet. Das letzte Schiff, das er dazugewonnen hatte, war ein prächtiger, mit Kanonen bewaffneter Zweimaster, die *Pelican*, die er von einem hanseatischen Kaufmann in einer Handelsstation tief im Süden von Shetland gemietet hatte. Er war von der Orkneys heruntergekommen und hatte das Schiff im Vorüberfahren gesehen, als es mit Fischen beladen wurde, und es war ihm ins Auge gefallen.

Er hatte sich überstürzt von den Orkneys zurückziehen müssen. Es war dort nicht so gelaufen, wie er es geplant hatte. Zwar war er Herzog von Orkney und ein Nachkomme des ersten Earl von Orkney, aber einer der Brüder Balfour war Sheriff der Inseln und und hielt die königlichen Kastelle von Kirkwall und Noltland. Als Gilbert Balfour auf ihn geschossen und sich geweigert hatte, ihn in die Festung zu lassen, da wußte er plötzlich, warum der Balfour in Edinburgh ihm in jener Nacht des vierzehnten Juni die dringende Botschaft geschickt und ihn gedrängt hatte, Dunbar zu verlassen. Die Balfours waren also schon lange vor Carberry Hill zu den Lords übergeschwenkt. Im selben Augenblick, als er den Schiffen den Befehl zum Weitersegeln gab, erkannte er, was dies für Geordie Dalgleish bedeutete, den er so zuversichtlich in die Burg entsandt hatte, damit er ihm seine Papiere und Wertsachen holte. Er hatte ihn geradewegs ins Nest der Viper geschickt.

Die Schiffe pflügten sich durch die wogende rauhe See. So hoch im Norden war es immer kalt, und oft lag Nebel über dem Wasser. Die nördlichsten Inseln der Orkneys lagen fünfzig Meilen weit entfernt von der Nordspitze Schottlands, und noch einmal sechzig Meilen weiter begannen die Shetlands.

Es war enttäuschend und beunruhigend, daß man ihn von den Orkneys vertrieb. Er hatte die Inseln immer geliebt, ihre abwechslungsreiche Landschaft und die Menschen, die eine seltsame Sprache namens Norn sprachen und die zu ihren alten Königen Wikinger wie Jarl Thorfinn, den Mächtigen, zählten. Aber davon abgesehen war ihm, als sei er aufs offene Meer hinausgetrieben worden, weg von Schottland.

Bei seinen Bemühungen, Truppen zur Befreiung der Königin auszuheben, hatte er wenig Glück gehabt. Anfangs hatte er sich noch ganz ungehindert umherbewegen können, und etliche Lords, die Hamiltons in Linlithgow etwa und Fleming in Dumbarton, hatten sich für Verfechter der königlichen Sache erklärt. Aber als er nordwärts nach Strathbogie gezogen war, um mit Huntly zu sprechen, da hatte sein ehemaliger Schwager sein wahres Gesicht gezeigt. Er hatte sich gegen Bothwell gewandt, als Jean Gordon heimgekehrt war und schlecht von ihm gesprochen hatte. Huntly war nicht länger der liebenswürdige Verbündete, sondern der empörte Bruder einer betrogenen Schwester.

Selbst im Palast seines Onkels, des Bischofs, zu Spynie hoch oben im Norden, hatten seine Feinde es vermocht, die Dinge gegen ihn zu wenden. Die unehelichen Söhne des Bischofs hatten sich miteinander verschworen, um ihn zu ermorden; zwar hatte er statt dessen sie getötet, aber natürlich konnte er danach nicht bleiben. Hier war ihm zum ersten Mal der Gedanke gekommen, seine Macht auf dem Meer zu konzentrieren, da es schien, daß es auf dem Festland keinen sicheren Ort mehr für ihn gab – trotz den mehr als fünfzig Namen, die er für die Sache der Königin hatte gewinnen können, darunter Seton, Livingston, Kerr, Ormiston und Langdon.

Mit Knox' Rückkehr, der Abdankung der Königin und ihrer strengen Haft sowie schließlich seiner eigenen Verfemung hatte sich die Waage immer mehr zu seinen Ungunsten geneigt, und immer mehr Leute wandten sich von der Sache der Königin ab und schlossen ihren eigenen Frieden mit den Lords. Seine Diener John Blackadder und John Hepburn von Bolton, die er mit Briefen an seine Freunde nach Dunbar geschickt hatte, wurden gefaßt, gefoltert und hingerichtet. Indem die Lords ihn ächteten, verboten sie jedermann, gleich welchen Standes oder Ranges, »den Earl in ihren Häusern zu versorgen oder ihn auszustatten mit Männern, Waffen, Schiffen, Booten oder anderer Ausrüstung zu Wasser oder zu Lande«, und bei Zuwiderhandlungen werde jeder als »sein Komplize an jenem schrecklichen Mord« betrachtet werden.

Immerhin hatte er noch seine acht Schiffe und eine Truppe guter Kämpfer, und vor ihm lagen die Shetlands als Stützpunkt. Und wenn es dort auch nicht gutginge, gab es immer noch Schweden oder Dänemark oder Frankreich. Er könnte sich über das offene Meer dorthin wenden.

Auf den Shetlands hatte man ihn willkommen geheißen, und der Lord dort, Oliver Sinclair, hatte ihn als Verwandten geehrt, denn Bothwells Mutter war Lady Agnes Sinclair gewesen. Anscheinend waren die traurigen Nachrichten über ihn noch nicht so weit nach Norden vorgedrungen, und ohnedies dachten die Leute gern, sie seien nicht verpflichtet, irgendwelchen Anordnungen aus Edinburgh Folge zu leisten. Die Shetlands und die Orkneys waren bis 1468 norwegisch gewesen; dann waren sie als Teil der Mitgift für die Gemahlin James' III. an Schottland gegangen, und die Einwohner hatten sich eigentlich nie als Schotten gefühlt. Auch hier sprach man Norn, und auf beiden Inselgruppen standen noch die alten Langhäuser der Wikinger. Die Menschen waren größer als auf dem Festland, und mehr als dort hatten blaue Augen. Ihr Leben war innig verwoben mit der See.

Bothwell hatte seine Schiffe vor Anker gehen und seine Männer die Insel durchstreifen lassen können; er hatte sich mit Proviant und Wasser versorgt und die Schiffe für einen Kampf oder eine längere Seereise ausgerüstet. Seinen eigenen vertrauten Boten war es gelungen, nach Süden durchzuschlüpfen und ihm ein paar ebenso notwendige wie schmerzliche Dokumente zu bringen: die Proklamation, die ihn zum Herzog von Orkney und Lord der Shetlands ernannte, den Befehl der Lords, ihn zur Strecke zu bringen, die Proklamation, mit der er geächtet worden war – und einen Brief von Maria.

Er war in seine Kajüte hinuntergegangen und hatte die Tür hinter sich geschlossen, ehe er den Brief öffnete. Seine Finger zitterten; er konnte kaum glauben, daß es ihr gelungen sein sollte, einen Brief zu schreiben und hinauszuschmuggeln, und daß er den Weg hier herauf in seine Hände gefunden hatte. Es war fast wie eine Erscheinung, wie jene falschen Bilder, heraufbeschworen von dunklen Geistern, um die Menschen zu narren und sie ins Unheil zu führen. *Ihre* Handschrift, früher etwas so Alltägliches und jetzt so kostbar … Er erbrach das Siegel.

> Mein liebstes Herz, meine Seele, es ist nun fast zwei Monate her, seit ich Dein Gesicht gesehen, und nie dachte ich, daß ich dies ertragen könnte. Mein Jammer ist so groß …

Die Lords hatten sie verraten. Sie hatten alle ihre Versprechen gebrochen, die sie bei Carberry Hill gegeben hatten – wie er es vorausgesagt hatte.

Maria, Maria! rief er bei sich. Ich hätte dich an jenem Tag wirklich entführen und nach Dunbar bringen sollen.

Er las weiter, verschlang jede Einzelheit über ihr Leben hinter Schloß und Riegel in Lochleven. Es klang alles so öde, so seelentötend. Niemand konnte sie dort stützen – außer Mary Seton und ein paar anderen aus ihrem alten Haushalt, und die Insel war offenbar fluchtsicher. Nicht, daß es einen Ort gäbe, der wirklich fluchtsicher ist, erinnerte er sich. Und sie muß dort irgend jemanden haben, der Mitleid mit ihr hat und sie unterstützt, denn sonst hätte der Brief niemals herauskommen können. Wer konnte es sein? Sie sagte es nicht, und das war klug.

Er sehnte sich danach, sie zu berühren, mit ihr zu sprechen, selbst wenn ein Gitter sie getrennt hätte.

Wir haben das nicht verdient! dachte er. Daß man mich jagt wie ein wildes Tier, und daß man sie einsperrt wie den wahnsinnigen Earl von Arran. Man soll mich tatsächlich hetzen wie einen Wolf; so steht es in der Ächtungsproklamation. Nun gut – sie sollen sehen, daß dieser Wolf noch starke Zähne hat. Ich werde ihr Fleisch zerreißen.

Er faltete den Brief zusammen, steckte ihn aber nicht zu den anderen Dokumenten in seine Ledertasche, denn er wußte, er würde ihn noch viele Male lesen, ehe er sich erlauben würde, ihn wegzutun. Sein Herz war schwerer als sein zweihändiges Schwert. Er versuchte sich einzureden, daß das Band zwischen ihnen noch immer stark sei, aber in Wahrheit fragte er sich, ob er sie wohl jemals wiedersehen würde.

Er stemmte sich aus der engen, schlecht beleuchteten Kajüte hoch und kletterte an Deck. Die *Pelican* hatte nur zwei Masten und war kein Kriegsschiff, aber zumindest war sie mit Kanonen bestückt, um gegen Piratenüberfälle geschützt zu sein. Es waren keine teuren Messingkanonen, sondern billigere aus Eisen, darunter Lukengeschütze, aber auch Schleudern und Schrotkanonen, daneben Pistolen und Arkebusen, die er selbst für die Soldaten beschafft hatte.

Die *Pelican* wiegte sich träge in der Dünung, wo sie vor Anker lag. Jetzt, gegen Ende August, war die See relativ ruhig. Aber das konnte sich jeden Augenblick ändern, und Riffe und Untiefen waren jederzeit tückisch, auch im Sommer. Der Archipel der Shetlands umfaßte mehr als hundert Inseln, und viele davon waren nichts als spitze, dunkle Klippen, die danach gierten, einem Schiff den Rumpf aufzureißen. Er war froh, daß es ihm gelungen war, eine Handvoll einheimische Matrosen aufzutreiben, die sich in ihren Heimatgewässern gut auskannten.

Die großen Leintuchsegel waren gerefft und mit verschlungenen Seilmustern vertäut; sie warteten nur auf die Gelegenheit, sich zu öffnen und mit Wind zu füllen. Vorläufig aber wurden Tonnen mit

Süßwasser gefüllt und an Bord geschafft, und die Männer waren über die Hauptinsel ausgeschwärmt, um sich zu ertüchtigen und um Proviant zu beschaffen. Nicht, daß es auf dieser öden Felseninsel Nahrung im Überfluß gegeben hätte; anders als auf den Orkneys gab es hier wenig Ackerland, und die Menschen lebten hauptsächlich vom Fischfang.

Wenn einer Lust zum Wandern hatte, dann würde er dieses leere, schroffe Land ansprechend finden. Bothwell fand gerade diese rauhe Härte anrührend, und in den ersten paar Tage war er unter dem Himmel umhergezogen, der hier endlos war, und er hatte dem Meer gelauscht und den Vögeln zugesehen, die in den Felsenklippen nisteten, die zerklüftet und schwarz aus dem Wasser ragten. Die Einsamkeit gefiel ihm; er war in letzter Zeit zuviel unter Menschen gewesen. Manchmal erhaschte er einen Blick auf eine Herde dunkler kleiner Wildpferdchen, aber sie wahrten immer ihren Abstand, als hätten auch sie genug vom Menschen und seinem Treiben. Der Wind pfiff ihm um die Ohren, und Bothwell, der Hüte haßte, verstand, weshalb die Shetlander diese anschmiegsamen Wollmützen trugen.

Er warf einen Blick zur Sonne. Es mußte bald Mittag sein – Zeit, daß er seine Verabredung einhielt und sich zum Mittagessen mit seinem Vetter Sinclair in dessen Herrenhaus am Meer traf. Der Mann gefiel ihm; es machte Spaß, sich über ihre nichtsnutzigen Vorfahren zu unterhalten, und es machte Spaß, von dem Leben auf den Inseln zu hören. Und jeden Tag wußte sein Vetter Neues und Interessantes vorzuschlagen, das Bothwell sich anschauen könnte: ein wunderliches, uraltes rundes Steinhaus, St. Ninian's Isle und die Ruinen der Einsiedelei, einen Strand, an dem sich Seehunde sonnten.

Heute versprach es wieder so zu werden. Er machte es sich am Tisch bequem, bereit, ein wenig Wein zu trinken, und Sinclair, der Vergnügen daran fand, ihm seltene Importe zu kredenzen, lächelte ihn an.

»Guter Vetter«, sagte er und hob die Karaffe, um hellen Wein einzuschenken, »heute habe ich einen starken, süßen Wein aus Zypern.« Er kostete davon und nickte dann. »Er hat lange gebraucht für die Reise hierher, aber er ist nicht verdorben. Die Venezianer mit ihren Galeeren kommen doch schnell voran.«

Bothwell nippte an seinem Glas und schaute über das Wasser hinaus zu seinen Schiffen. Vier lagen hier vor Anker, vier in einem Hafen auf der anderen Seite der Insel. Die Sonne schien heute in wolkenloser Pracht, und ihr Glanz auf dem Wasser war atemberaubend. Die Schiffe waren wie eingemeißelt in das tiefe Blau von See und Himmel, ein Blau, so dunkel und satt, daß einem der Himmel anderswo matt und wäßrig erschien.

»Du denkst an deine Kapitäne und Männer?« fragte Sinclair.

»Ja. Ich habe mich gefragt, was sie heute morgen getrieben haben. Hoffentlich haben sie keine Unruhe in der Stadt gestiftet. Die Matrosen habe ich an Bord behalten; die sind meistens am schlimmsten.«

Sinclair lachte. »Man versteht schon, weshalb Galeerenruderer für gewöhnlich angekettet werden.«

»Ja.« Ein warmes Gefühl durchströmte ihn, als er daran dachte, daß die Balfours vor Jahren auf den Galeeren gedient hatten. Diese doppelzüngigen Verräter. Sie waren schon immer Lügner und Betrüger gewesen.

Die Diener brachten eben Makrelen und Austern herein, als Bothwell plötzlich aus dem Augenwinkel eine Bewegung auf dem Meer sah. Sogleich legte er das Messer hin und lief zum Fenster.

Acht Schiffe kamen schnell auf die seinen zu, die dort vor Anker lagen. Er reckte den Hals, um besser sehen zu können.

»Was gibt's denn?« fragte Sinclair.

»Sie sind da«, sagte Bothwell. »Meine Leute!« Unversehens erkannte er die furchtbare Lage. »Die Soldaten sind alle an Land! Es ist niemand da, der kämpfen könnte!« Er warf sein Mundtuch auf den Tisch und stürmte aus dem Haus. Sinclair folgte ihm.

Oben auf einer Klippe mit Blick über den Hafen blieben sie stehen. Die Schiffe der Lords kamen immer näher, und plötzlich setzten alle vier Schiffe im Hafen die Segel, kappten die Ankertaue und ergriffen die Flucht.

»Sie haben beschlossen, nicht zu warten, bis man sie entert«, sagte Bothwell beifällig. »Aber meine ganze Truppe ist immer noch an Land.«

Und sie sahen, wie die Jagd begann. Bothwell beobachtete, wie das größte Schiff der Lords, die *Unicorn*, hitzig die Verfolgung aufnahm. Offensichtlich fühlte es sich als Anführer und betrachtete es als seine Aufgabe, ihn über den Haufen zu fahren. Kirkcaldy und sein Erzfeind William Murray von Tullibardine – der Mann, der die Plakat-Kampagne gegen ihn begonnen hatte – mußten an Bord sein. Kirkcaldy von Grange, dieser verlogene, miese, falsche Bastard! Und Tullibardine, der sich von den Lords dafür hatte bezahlen lassen, daß er ihm den Mord in die Schuhe schob!

Wäre ich doch an Bord, dachte er. Ein Handgemenge mit euch wäre mir willkommen, und ich würde euch die Kehlen durchschneiden, was immer sonst geschehen möchte.

Wie die Dinge aber lagen, mußte er hilflos zuschauen, wie die Schiffe nach Norden aus dem Bressay Sound hinausfuhren.

Eines seiner Schiffe war langsam. Sie hatten ihm schon den Spitznamen »Schildkröte« gegeben, denn es blieb immer zurück und war außerstande, der Geschwindigkeit der anderen mitzuhalten. Jetzt hatte die *Unicorn* es sich zum Opfer auserkoren; sie lag dicht hinter ihm und holte von Sekunde zu Sekunde weiter auf.

Der Kapitän der *Schildkröte* konnte einen kleinen Vorsprung halten. Plötzlich aber sah es aus, als habe er die Gewalt über das Schiff verloren, denn Bothwell sah, daß die *Schildkröte* in ein Gewässer trieb, das milchig weiß vom Gischt verborgener Riffe war. Sie hielt geradewegs auf die Brecher zu – eine tapfere, scheinbar selbstmörderische Geste. Dann aber schoß das Schiff, das knapp mit dem Kiel über die Felsen strich, hoch und durch schäumenden Gischt hinaus in tiefere Wasser.

Die schwere *Unicorn* hatte keine Zeit mehr, den Kurs zu ändern, und sie folgte der *Schildkröte* in ihrem Kielwasser; von seinem Ausguck sah Bothwell, wie das Schiff ruckartig erbebte. Es war auf ein Riff gelaufen und legte sich zur Seite. Dutzende von Matrosen und Soldaten wurden über Bord geschleudert und flogen wie kleine Stäubchen ins Wasser. Ein Boot wurde herabgelassen, und im Handumdrehen war es voller Menschen. Jemand sprang vom Deck der *Unicorn* hinein, und das Boot drehte sich und wäre fast gesunken. Und dann konnten Bothwell und Sinclair zusehen, wie die *Unicorn* im brodelnden Wasser unterging. Bothwell heulte vor Entzücken.

»Das hat er absichtlich gemacht«, sagte Sinclair. »Der Kapitän dieses plumpen Schiffes kennt seinen Tiefgang, und die Gewässer rings um die Felsen sind ihm Zoll für Zoll vertraut, möchte ich wetten.« Er lachte. »Was für eine seemännische Heldentat!«

Die übrigen Verfolger mußten haltmachen und ihre Kameraden retten, und Bothwells Schiffe verschwanden hinter dem Horizont.

»Sie werden vor Unst vor Anker gehen und dort auf dich warten«, meinte Sinclair. »Das ist die nördlichste der Inseln. Hol deine Männer zusammen und marschiert nach Norden. Hier, ich gebe euch Pferde.« Er schlug Bothwell auf den Rücken. »Schade, daß wir unser Mahl unterbrechen mußten. Ich sehe, du wirst heute keine Zeit mehr haben, dir die Seehunde anzuschauen.«

Bothwell stieg hastig auf ein Pferd und galoppierte in die Stadt. Er wußte, wo er die meisten seiner Männer finden würde; sie würden sich weitere Pferde borgen müssen, um rechtzeitig über die Insel zu kommen. Schon war das Boot der *Unicorn* auf dem Weg zum Strand, und Kirkcaldy würde seine Suche fortsetzen. Er mußte gemerkt haben, daß Bothwell nicht an Bord der *Schildkröte* gewesen war.

Bothwell fand etwa hundert Mann in der Stadt, und da er der oberste Lord der Insel war und die Befugnis dazu hatte, beschlagnahmte er fast alle Pferde in der Stadt. Man führte sie heraus, stämmige, struppige Tiere, und sogar eine Anzahl winziger Ponies. Alles, was vier Beine hatte und einen Mann tragen konnte, war ihm recht, und wenn es Maultiere oder Esel waren.

»Nach Norden!« rief er und ordnete seine Männer zur Kolonne, und eilig brachen sie auf ins Innere der Insel. Sie ritten, so schnell es auf dem unebenen Gelände ging, durch eine faltige, grüne Landschaft, übersät von Felsen. Zwanzig Meilen weit eilten sie unter dem seltsamen, weiten, wolkenlosen Himmel dahin, bis sie die Insel durchquert hatten. Unvermittelt endete das Land, und sie starrten zwei Meilen weit über offenes Wasser hinweg zur nächsten Insel, nach Yell.

Wo waren die Boote, die Sinclair versprochen hatte? Bothwell stieg vom Pferd und kletterte zum Ufer hinunter. Er sah ein paar Fischerboote und winkte ihnen. Langsam – quälend langsam – ruderten sie heran.

»Wir müssen übersetzen!« rief er und deutete auf seine Truppe. Die Fischerboote dümpelten auf dem Wasser. Dann ruderte eines davon, um eine Landzunge herum.

Bothwell fühlte, wie sein Puls jagte. Wie sollte er da hinüberkommen? Das Meer war so aufgewühlt, daß an Schwimmen gar nicht zu denken war; die Entfernung war auch zu groß, selbst wenn das Wasser nicht betäubend kalt gewesen wäre. Das würden weder die Pferde noch die Männer überleben. Er war seltsam besorgt um die geborgten Pferde.

Verdammt! Sollten sie hier in die Falle gehen wie die Fische in den Netzen, die von den Fischern dort unten an Bord gezogen wurden? Kirkcaldy mußte ihnen dicht auf den Fersen sein.

Da erschien das Fischerboot wieder, begleitet von sechs größeren Booten. Langsam kamen sie näher, und Bothwell sprach ein stummes Dankgebet.

»Gegen ein Entgelt setzen wir Euch über«, sagte der Kapitän eines der Boote. Er nannte einen unerhörten Preis. Bothwell feilschte kurz; teils hoffte er, einen besseren Handel abzuschließen, zumindest aber wollte er nicht den Eindruck hinterlassen, daß er ein rettungsloser Dummkopf sei, aber immer wieder warf er Blicke über die Schulter. Kirkcaldy konnte jeden Augenblick über die Anhöhe kommen.

»Abgemacht!« rief er schließlich. »Laßt uns an Bord gehen!«

Die Männer wurden auf eines der Boote geschickt, und die übrigen, die flacher und schwerer waren, nahmen die Pferde an Bord. Doch immer nur wenige konnten gleichzeitig übergesetzt werden. Drei Überfahrten waren nötig, bis alle auf Yell an Land gegangen waren.

»Los!« schrie Bothwell und gab seinem Pferd die Sporen, und wieder ritten sie weiter nach Norden, durch ein Land, das so einsam aussah, als habe sogar Gott es vergessen. Schwarze Felsen, braune, nackte Erde, ein grüner Schimmer von Moos und Farn – und der Wind, selbst wie ein Lebewesen: ein heulender, pfeifender, reißender Wind, der Eis im Maul hatte. Jetzt, am späten Nachmittag, erschienen weiße, flauschige Wolken und jagten über den Himmel, um zu zeigen, wie schnell der Wind daherwehte.

Sie ritten zwölf Meilen weit durch eine kalte, steinige Einöde und kam dann wieder an eine Meerenge, den Bluemull Sound. Er war sehr viel weniger breit als der Yell Sound, und Bothwell erwog, es darauf ankommen zu lassen und hinüberzuschwimmen, aber in der Nähe waren fünf Boote, die auch bereit waren, sie überzusetzen – wiederum gegen ein hohes Entgelt.

Dann landeten sie am steinigen Strand von Unst. Es wurde Nacht, aber sie wagten nicht, Feuer zu machen, da sie fürchteten, Kirkcaldy damit ihren Aufenthalt zu verraten. So kauerten sie sich am Strand zusammen, deckten sich mit ihren Mänteln zu und versuchten zu schlafen. Der Wind wehte so wütend, daß er durch den Stoff drang, und das Krachen der Brandung auf den Klippen hielt sie wach. Als der Morgen graute, schüttelten sie sich Sand und Kieselsteine aus den Mänteln und schickten sich an, die Insel abzusuchen.

Am Vormittag hatten sie die Schiffe gefunden; sie ankerten in einer geschützten Bucht. Bothwell signalisierte mit wehendem Mantel, und wenig später war ein Boot unterwegs.

»Gott sei Dank«, sagten Bothwell und die Männer im Boot einstimmig.

»Sehr geistesgegenwärtig«, sagte Bothwell zu dem Kapitän der

Schildkröte, als er wohlbehalten an Bord war. »Gewandtere Seemannskunst sah ich nie. Ich habe vom Ufer aus zugeschaut.«

»Als ich das fette Schiff sah, sagte ich mir: Sie verdient, daß man sie abwrackt«, meinte der Kapitän. »Dieser Bischof, den sie an Bord hatten, der Euch den Prozeß machen und das Urteil sprechen soll – er war es, der über Bord sprang und fast das Rettungsboot verfehlt hätte. Ich wünschte ja, er wäre untergegangen wie sein Schiff.«

»Das wünschte ich ebenso wie Ihr – nein, mehr noch, denn dieser Wetterhahn ist just der Kirchenmann, der mich mit der Königin vermählt hat. Was für ein widerlicher Verräter«, sagte Bothwell. »Die übrigen Schiffe sind zurückgeblieben; sie hatten große Mühe, alle Mann zu retten und sich neu zu formieren.«

»Aber bald werden sie hier sein«, sagte der Kapitän. »Wir haben nur ein paar Stunden Vorsprung. Was habt Ihr vor?«

»Nun, zu kämpfen natürlich«, sagte Bothwell. »Was sonst?«

»Sie haben mehr Männer und mehr Schiffe.«

»Da werden sie nur um so frecher sein. Wenn Ihr glaubt, ich will kampflos fliehen, oder wenn das Euer Wunsch ist, dann gebe ich Euch jetzt frei. Ich will keine Zaghaften an meiner Seite, und Ihr habt bereits einen mächtigen Streich für uns geführt. Ihr mögt Euch also guten Gewissens entfernen.«

»Nein, ich bleibe. Aber wir haben nur wenige Stunden Zeit für die Vorbereitungen.«

»Dann soll es sein.«

Bothwell zählte seine Leute und merkte, daß ein großes Kontingent noch auf dem Mainland war. Er schickte sein Schatzschiff aus, das sein Silber, seine Juwelen, seine Rüstung und seine persönliche Habe an Bord hatte; es sollte nach Scalloway an der Westseite der Insel segeln und die Zurückgelassenen abholen.

Früh am nächsten Morgen kam das erste der feindlichen Schiffe über den Horizont. Es war so dunstiges Wetter, daß es ziemlich nah herangekommen war, ehe Bothwell oder seine Kapitäne es entdeckten.

»Der Feind! Der Feind! Alarm!« schrien die Matrosen. Die Kanonen wurden geladen, die Soldaten bemannten die Decks und standen Schulter an Schulter, die Arkebusen im Anschlag. Pechfackeln, die im Nahkampf angezündet und auf die feindlichen Schiffe geworfen werden sollten, lagen griffbereit, ebenso Langbogen und Enterhaken für den Fall, daß es zum Kampf Bord an Bord und Mann gegen Mann kommen sollte.

Sie kappten die Ankertrossen und segelten aus der Bucht hinaus, damit man ihnen nicht den Weg abschneiden oder sie auf den Strand treiben konnte. Der pfeifende Wind füllte die Segel, kaum daß sie gesetzt waren, und die Kapitäne nahmen Kurs auf das offene Meer.

Die sieben Schiffe der Lords nahmen die Verfolgung auf und feuerten ihre weittragenden Messingkanonen ab. Aber sie waren noch zu weit weg, und die Kanonenkugeln fielen harmlos ins Wasser.

Die *Schildkröte* machte ihrem Namen wieder alle Ehre und blieb hinter den anderen zurück. Wenig später hatten Kirkcaldys Männer sie geentert. Jetzt hatte Bothwell nur noch zwei Schiffe, und er wünschte, der Kapitän der *Schildkröte* hätte sich nicht für den Kampf entschieden. Hoffentlich würde Kirkcaldy sich barmherzig zeigen, aber Barmherzigkeit war offenbar keine ausgeprägte Eigenschaft unter den Lords.

Die Kanonenschüsse trafen ihre Schiffe, zerrissen die Segel und durchlöcherten sie und schlugen dumpf ins Holz der Flanken. Bothwell befahl, zurückzuschießen, und die Geschütze der *Pelican* donnerten los und trafen Flanken und Decks der *Primrose*, der *James* und der *Robert*, und Schrot hagelte auf die Köpfe der Besatzungen an Deck. Die vier kleineren Schiffe fielen zurück, bis sie wieder außer Schußweite waren – wie sittsame Jungfern.

Ein Feuerball landete an Deck und wuchs zu einer reinen Flammenkugel. Die Soldaten flüchteten, aber bei einigen hatte die Kleidung Feuer gefangen, und sie mußte sich an Deck wälzen oder mit Wasser übergossen werden. In der Verwirrung hörten sie auf zu schießen, und die *Primrose* mit Tullibardine an Bord – Bothwell konnte ihn an Deck erkennen – konnte näherkommen und das Feuer mit ihren Nahkampfwaffen eröffnen. Ein Kugelregen ging auf sie nieder, trieb Bothwells Männer auseinander und machte ihre Verteidigung ein zweites Mal zunichte.

Bothwell stürzte zu einer der Kanonen, lud sie und feuerte selbst. Er zielte auf die Wasserlinie an Tullibardines Schiff, um es zu versenken, aber das Leck, das in der Flanke klaffte, lag über dem Wasser.

So ging der Kampf weiter, und die ganze Zeit bewegten sich die Schiffe auf das offene Meer hinaus. Das Ufer versank im Dunst und war schließlich nicht mehr zu sehen. Die Schiffe kämpften, und Kugelsalven landeten auf den Decks und schlugen Löcher in die Rümpfe. Die Segel der *Robert* standen in Flammen, und das Steuerruder war beschädigt, so daß sie sich drehte wie ein Rad im Wasser.

Da ertönte ein grausig krachendes Splittern: Eine Kanonenkugel hatte den Großmast der *Pelican* getroffen und abgerissen. Wie ein stattlicher Baum neigte der hohe Mast sich langsam und kippte majestätisch auf das Deck, verheddert in Stags und Takelage. Jetzt hatte das Schiff nur noch einen Mast.

Tullibardine kam heran. Seine Matrosen standen mit Enterhaken bereit.

»Ergib dich!« schrie Tullibardine. »Ergib dich, Bothwell, du Pirat, du Mörder!«

»Vorher fährst du zur Hölle!« antwortete Bothwell und schoß mit einer Arkebuse auf Tullibardine. Die Kugel fuhr durch seinen Hut, daß er davonflog.

»Verdammt!« schrie Bothwell. Drei Zoll tiefer, und Tullibardines Hirn wäre davongeflogen.

Eine Salve von Schüssen knallte, und acht von Bothwells Männern fielen.

Bothwell schoß noch einmal. »Gebt die Kanone nicht auf!« schrie er, aber die Männer wichen im Feuerhagel zurück.

»Ich habe dich!« schrie Tullibardine und zielte auf Bothwell, aber vor lauter Aufregung schoß er meilenweit vorbei.

Der Himmel verdunkelte sich, als habe ein Tintenfisch jäh eine dicke Wolke Tinte losgelassen. Die Sonne verschwand, und an ihrer statt erhob sich ein heulender Wind aus Südwesten. Die erste Bö war so stark, daß die *Pelican* sich auf die Seite legte und mehrere Männer über Bord geschleudert wurden. Der *Primrose* erging es nicht anders, und der Umstand, daß bei dem feindlichen Schiff noch alle Segel unbeschädigt waren, erwies sich nun tatsächlich als hinderlich, denn der Wind erfaßte sie jetzt mit Macht. Fast wäre das Schiff gekentert, und es krängte so weit, daß Wasser durch das Leck, das Bothwell in die Seite geschossen hatte, hineinströmte. Von oben prasselte der Regen herab, als sei ein gewaltiger Kessel ausgekippt worden.

Die Schiffe liefen jetzt vor dem Wind, und die *Pelican*, die leichter und wendiger war, ließ Tullibardine bald hinter sich. Bothwells zweites Schiff lag nicht weit zurück, und beide Schiffe flogen nordwärts. Tullibardine verfolgte sie sechzig Meilen weit ins offene Meer, bevor er schließlich abdrehte.

Bothwell fand kaum noch Halt auf dem schlüpfrigen Deck des schwankenden Schiffes, und die Wellen zu beiden Seiten türmten sich zu Bergen. Er klammerte sich an die Reling und sah, wie Tonnen von Wasser über das Deck hereinstürzten. Die Wellenberge hoben und senkten sich. Dunkel und bedrohlich zogen sie das Schiff in sich hinein. Sie sahen grausig vertraut aus; es waren die Berge der Hölle, die den dämonischen Liebhaber in den Untergang zogen; in einem Grenzland-Lied war davon die Rede, das er gut kannte, und das er Maria vorgesungen hatte. *Dies sind die Berge der Hölle, mein Lieb, und wir beide müssen hinein.* Sie holten ihn heim. Doch er hielt sich an der Reling fest und rief dem Kapitän zu: »Haltet den Kurs!« Die ganze Nacht hindurch schossen sie in die hungrigen Wogen hinein und wieder hinaus.

In der Finsternis gab ihnen das Tosen der Wellen und das steile Auf und Ab des Schiffes – manchmal stand das Deck fast senkrecht empor – das Gefühl, sie würden tatsächlich in den Schlund der Hölle gestürzt. Die Matrosen kämpften mit den Segeln des verbliebenen Mastes, und es fiel ihnen nicht schwer, an die Geschichten von dem riesigen Kraken zu glauben, der diese Gewässer heimsuchte, wie die alten norwegischen Seeleute schworen – eine riesige, mit Fangarmen bewehrte Bestie, die jählings auftauchte und ein ganzes Schiff samt Mast und Segeln verschluckte. Die eisigen Arme der See umschlangen das Deck, peitschten ihnen ins Gesicht und fühlten sich an wie die schleimigen Arme des Ungeheuers.

Der verbliebene Mast knarrte und ächzte und zerrte an seiner Verankerung. Der Steuermann und sein Maat rangen mit dem Ruder, das bockte wie ein Maultier und sich kaum noch beherrschen ließ. Ruder brachen nicht selten, und sie hatten kein zweites an Bord. Die Männer weinten und beteten; sie gedachten all ihrer Sünden und flehten um eine letzte Chance. Vom zweiten Schiff war nichts zu sehen, und man konnte nicht sagen, ob es ihnen folgte oder vom Kurs abgekommen oder ob es gar gesunken war ... oder ob der Krake es verschlungen hatte.

Der Sturm tobte die ganze Nacht und bis zum Mittag des nächsten Tages; als die Sonne unterging, hatte er ein wenig nachgelassen. Die riesigen Wellen glätteten sich, und man konnte wieder über sie hinwegsehen, aber da wurde es dunkel, und sie konnten sich nicht orientieren. Nach den Sternen zu urteilen, waren sie in nord-nordwestlicher Richtung gefahren – oder getrieben worden.

Als der nächste Morgen graute, sichtete Bothwell Land in der Ferne. Es war dunstverhangen und bläulich weiß, und es ragte sehr hoch auf. Schneebedeckte Berge reichten fast bis ans Wasser.

»Norwegen«, flüsterte er. Ja, das mußte es sein.

Und plötzlich fiel ihm jener seltsame Traum von Norwegen ein, den er geträumt und in dem er tatsächlich Norwegisch gesprochen hatte. Ein Omen? Es ließ ihn frösteln, aber gleichzeitig ließ es die norwegische Küste wie ein freundlicher, verlockender Ort erscheinen. Ich war ja schon da, in meinem Traum, dachte er. Also habe ich nichts zu fürchten.

Der Kapitän kam auf wackligen Beinen heran. Er lehnte sich mit hängenden Armen über die Reling.

»Sechsunddreißig Stunden Kampf«, sagte er. »Ich hoffe, so etwas muß ich nie wieder durchmachen.« Seine Stimme war nur noch ein Flüstern.

»Wo sind wir?« fragte Bothwell. »Könnt Ihr es feststellen, wenn die Sonne herauskommt?«

»Ja«, sagte der Kapitän. »Das Astrolabium wird uns genau sagen, wie weit wir gekommen sind. Aber daß dies Norwegen ist, weiß ich schon; kein anderes Land hat solche Berge. Island oder Dänemark ist es jedenfalls nicht. Die Spitze der Shetlands liegt gut zweihundert Meilen von der norwegischen Küste entfernt; also, denke ich, haben wir unsere Feinde weit hinter uns gelassen. Seht!« Er wies nach Steuerbord, wo die Umrisse eines anderen Schiffes auf und ab glitten. »Das zweite Schiff ist noch bei uns! Gott hat uns beide sicher durchkommen lassen!«

»Dank sei Ihm«, sagte Bothwell. Er schaute über das verwüstete Deck; es war vom Feuer verbrannt, von Löchern zernarbt, übersät mit zerrissenen Tauen und Fetzen von Segeltuch. Überall lagen umgestürzte Tonnen und Trümmerbrocken. Der Mast stand schief, aber er hielt. »Wir werden es im Hafen ausbessern müssen. Aber was soll's? Wir sind frei! Wir haben gewonnen!« Er umarmte den Kapitän. »Wir sind frei!«

Maria stand am Bootssteg und wartete darauf, daß George Douglas zurückkam. Sie wußte, er freute sich, wenn er sie hier sah, eingehüllt in einen ihrer Kapuzenmäntel, und sie hatte damit einen Grund, am Ufer zu stehen, ohne ihre Bewacher zu beunruhigen. Sie schaute gern auf das Wasser, wenn der aufkommende Wind die Oberfläche kräuselte, deren Farbe sich immer wieder änderte, wenn sich Wolken oder Sonnenschein darin spiegelten. Jetzt, da der Herbst schon weit fortgeschritten war, lag an manchen Tagen wirbelnder Nebel über dem ganzen See, und es war, als verschwinde ein Traum in einem Traum.

Mit der Zeit waren ihre Bewacher nachlässiger geworden, aber sie durfte sich noch immer nicht allein außerhalb der Burgmauern bewegen. Am Landungssteg ließ man sie nur stehen, weil man sie dort vom Tor aus im Auge behalten konnte.

Der Tagesablauf war starr und unveränderlich. Soldaten – es waren ungefähr sechzig in der Garnison auf der Insel – bewachten die Mauern und das eine Tor. Sie verließen ihren Posten nur in der kurzen Stunde des Abendessens, zu dem sie sich alle in die Halle begaben; dann wurde das Tor verschlossen, und die Schlüssel lagen beim Essen neben Sir Williams Teller. So waren sie nie außer Sicht.

Maria und ihr Gefolge wohnten weiter in dem viereckigen Turm, und zwei Damen der Familie Douglas schliefen bei ihnen in den Gemächern. Soweit man wußte, schrieb Maria keine Briefe und bekam auch keine, und die einzigen Neuigkeiten, die sie erfuhr, waren die, die Lord James zu berichten erlaubte. In Wahrheit aber war der junge George, empört über die Behandlung, die man ihr zukommen ließ, ihr Bindeglied zur Außenwelt. Um sicherzugehen, schrieb sie nur sehr wenige Briefe, aber er hielt sie mit Nachrichten aus Edinburgh und von anderswo auf dem laufenden.

Der liebe George! Manchmal dachte sie, das Schicksal müsse ihn hergeschickt haben, denn eine andere Erklärung gab es für ihn nicht. Er war alles das, was Darnley in ihrer Einbildung gewesen war: tapfer, ehrlich, unschuldig. Und jetzt war er ihr einziger Trost; er brachte ihr Neuigkeiten und behandelte sie wie jemanden, der es wert war, geliebt und geachtet zu werden, wo alle Welt sie als Hure und Mörderin gebrandmarkt und sie ohne Prozeß verurteilt hatte.

Sie bemühte sich, ein prekäres Gleichgewicht zu bewahren: Sie zeigte ihm, daß sie seine Anwesenheit zutiefst zu schätzen wußte, ohne ihn in seiner Zuneigung allzusehr zu ermutigen. Sie wußte jetzt so viel mehr als früher; Bothwell hatte sie ihre eigenen Sehnsüchte erkennen gelehrt, und in diesem neuen Dasein war es schwer, sie verborgen zu halten. Sie war nicht mehr die Jungfrau, die fröhlich mit Chastelard tanzte und sich dann über seine Reaktionen wunderte, nicht mehr die unbekümmerte Königin, die sich gern an andere anlehnte, ihnen Geheimnisse zuraunte, sich wärmte, nicht mehr die nonchalante Frau, die nächtelang allein mit Rizzio zusammensaß, ohne sich etwas dabei zu denken. Damals war ihr Körper ein harmloses Ding gewesen, neutral und leicht außer acht gelassen;

jetzt aber erschien er ihr wie eine gefährliche Kreatur, die sprechen konnte, ohne daß sie selbst es wußte, und anderen ohne ihre Erlaubnis Dinge sagen konnte, die sie selbst ihnen nicht sagen wollte. Vielleicht hatte er schon immer so gesprochen, und andere hatten es gehört, auch wenn sie selbst dafür taub gewesen war.

Nachts lag sie oft wach und durchlebte noch einmal die Zeiten, da sie in Bothwells Armen gelegen hatte, und sie versuchte, sich an jede Einzelheit zu erinnern. Dann erwachte ein heißer, drängender Schmerz, und sie geriet in Panik, wenn sie sich nicht genau an alles entsinnen konnte. Sie hatte Träume, in denen er zu ihr kam, Träume, in denen ihr Beisammensein bis in die kleinsten, explosiven Details neugeschaffen wurde. Dann erwachte sie staunend und mit rasendem Herzen, glänzend von Schweiß am ganzen Leib, und setzte sich atemlos auf. Und dann hörte sie das Schnarchen der Douglas-Frauen, roch das Wasser des Sees und weinte vor Enttäuschung.

Während sie gesundete, wurde Bothwell in ihrem Herzen immer stärker, statt zu verblassen, wie ihre Feinde erwartet hatten. Ihnen gegenüber sprach sie nie von ihm, teils weil sie seinen Namen nicht entweihen wollte, indem sie ihn vor ihnen entblößte, teils auch, um sie irrezuführen. Wenn sie dachten, sie habe ihn aufgegeben, würden sie ihn vielleicht nicht weiter verfolgen.

Aber wo war er? Sie hatte nichts mehr gehört, seit Lord James sie mit dem Geschwader der Schiffe verhöhnt hatte, das er ausgesandt hatte, um Bothwell bei den Orkneys zu fangen. Wo, wo, wo war er?

Eine Zeitlang erstürmte er in ihren Träumen die Mauern der Burg und ruderte mit ihr davon. Aber seit einiger Zeit war ihr jetzt klar, daß sie selbst die Flucht zuwege bringen und dann zu ihm gehen mußte. Und daher George Douglas, ihre einzige matte Hoffnung auf ein Entrinnen. Zugleich lagen er und seine Sicherheit ihr am Herzen; sie wollte nicht auch ihn noch in Not bringen. Schon beobachtete seine Familie ihn nach Lord James' Warnung aufmerksamer.

Das Boot kam näher; sie sah, wie es auf dem Wasser schaukelte. George war auf Wunsch seines Vaters nach Edinburgh gereist, um sich dort mit seinem erlauchten älteren Bruder, dem Regenten, zu besprechen. Hoffentlich hatte er lange genug bleiben können, um auch mit dem französischen oder dem englischen Botschafter zu reden.

Das Boot machte am Steg fest, und Maria gestattete sich, ein Weilchen zu warten, ehe sie George begrüßte; die Soldaten schauten zu und würden es merken, wenn einer von ihnen beiden allzuviel

Eifer oder Freundlichkeit zeigte. So nickte er ihr nur zu und wisperte: »Bei der Eiche«, als er an ihr vorbei zum Tor ging. Pflichtschuldig würde er seinen Eltern Bericht erstatten und längere Zeit bei ihnen verweilen und Wein trinken, und Maria würde er erst später sehen können. »Die Eiche«, das war ein großer Baum neben dem runden Turm – genau genommen außerhalb der Mauern. Die Wache aber kümmerte es nicht, weil dort so wenig Platz war und weil es keinen Bootssteg gab, so daß die Flucht hier unmöglich war.

Es dämmerte, ehe George mit Maria an seiner Seite zum Tor schlenderte und in großspurigem Ton zu dem Wächter sagte: »Es ist schon gut, Jock.« Sie gingen hinaus. Langsam wanderten sie um die Burg herum und hielten sich dicht an der Mauer – denn das Wasser war keine drei Schritt von ihnen entfernt –, bis sie schließlich an dem großen Felsblock angekommen waren, der unter der Eiche lag. Das Wasser gluckerte bis zum Fuße des Felsens, aber man konnte auf dem runden Buckel sitzen und war abgeschirmt durch die wuchtigen Äste des Baumes, die inzwischen mit gelbem Laub bedeckt waren, das knisternd abfiel.

»So, George, berichtet mir rasch!« sagte sie. »Ist Lord James wohlauf?« Ich wünschte, er wäre es nicht, dachte sie, aber ich darf Georges Loyalität nicht zu sehr strapazieren, denn sie sind ja Brüder.

Er sah sie mit seinem offenen Lächeln an. »Ja. Als Regent blüht er auf.«

»Das Amt hat er lange genug begehrt«, sagte sie, ehe sie die Worte zurückhalten konnte. »Zweifellos hat er viele Tage dafür geübt.«

»In Wahrheit ist alles ruhig. Die Stadt erholt sich, die Lords ebenfalls. Ich habe gehört, im Dezember wollen sie das Parlament einberufen, um ihre Argumente öffentlich bekanntzumachen. Einstweilen aber rührt sich niemand. Sogar Knox ist ganz ungewohnt still geworden.«

»Es hat seine Kräfte aufgezehrt, die Hysterie aufzupeitschen, die nötig war, um mich vom Thron zu stoßen. Selbst Volksverhetzer brauchen manchmal Ruhe.« Sie blickte zu George hinüber, auf sein sauberes, junges Profil, während er mit schmalen Augen über den See schaute. Oh, warum hatte Darnley nicht wirklich so gewesen sein können? »Aber was ist mit meinem Sohn? Was ist mit James?«

»Er schlummert zu Stirling; allen Berichten zufolge ist er gesund und fängt schon an zu sprechen.«

»Ach, das arme Kind«, sagte sie. »Welche Worte sie ihm wohl

beibringen werden?« *Mutter*, *Mörderin* und *Ehebrecherin* standen wahrscheinlich hoch auf ihrer Liste – höher als *Ente* und *Stuhl* und *Käse*. Ach, wenn doch nur – sie unterbrach sich in ihren Gedanken. »Haben die Regierungen des Auslands ihn als König anerkannt?«

George schüttelt den Kopf. »Königin Elisabeth weigert sich, sehr zu Jamies Ärger.« Er benutzte den familiären Kosenamen für den strengen Regenten.

Maria lachte entzückt. »Damit hat er nicht gerechnet!«

»Nein, und sie ist störrisch. Die Franzosen räuspern sich und hüsteln viel, aber sie putzen Jamie nicht herunter, wie die englische Königin es tut. Bei Gott, sie hat Mut!«

»Ja.« Ja, den hatte sie. Aber sie war so unberechenbar. Sie hatte die Lords stets unterstützt, und doch weigerte sie sich jetzt, sie anzuerkennen. Maria dachte an Elisabeths Ring und wünschte, sie hätte ihn jetzt hier. Aber er war in Edinburgh, wo sie ihn bei ihrer Flucht zurückgelassen hatte.

»Wenn ich fliehen wollte«, sagte sie beiläufig, »was, glaubt Ihr, würde sie tun?« Und was wirst *du* tun, wenn du diese Überlegung hörst? Fast hielt sie den Atem an, während sie auf seine Antwort wartete.

»Nun, ich denke, sie würde Euch unterstützen und Euch wieder zu Eurem Thron verhelfen«, sagte er. Er schaute ihr in die Augen, so wild, daß sie den Blick nicht abwenden oder senken konnte. »Aber zunächst müßtet Ihr natürlich frei sein. Und das wäre schwierig. Ihr brauchtet einen Vertrauten, jemanden, dem Ihr vertrauen könntet.«

Der Augenblick war gekommen. Wenn sie sich irrte, wäre es das Ende. Aber wenn sie recht hatte, war dies der Augenblick, zu sprechen.

»Ich glaube, den habe ich. Oder nicht?«

Er zögerte, wie um sich zu stählen. »Ja«, sagte er schließlich. »Ich will tun, was ich kann.« Sogleich faßte er ihre Hand, als wolle er sie zur Vorsicht mahnen. »Aber ich bin nur ein einziger; man bewacht mich aufmerksam – und ich bin nicht kampferfahren. Ich bin kein Bothwell –«

»Es gibt nur einen Bothwell«, sagte sie, und was sie meinte, war klar. Sie war so erleichtert und erregt darüber, daß George sich offen auf ihre Seite stellte, daß es ihr ein Greuel war, sich so unmittelbar danach für neuen Schmerz zu öffnen, aber sie mußte danach fragen. »Gibt es ... hat man irgendwelche Nachricht von ihm?«

»Ja.«

Das eine Wort hing in der Luft, und es war, als schwelle das Plätschern des Wassers an und werde immer lauter ringsumher.

Furchtbare, kalte Angst packte sie. »Welche?«

»Es ist ihm gelungen, Grange und Jamies Schiffen zu entkommen. Es kam zu einer langen Seeschlacht, und gerade als sein Ende besiegelt zu sein schien, zog von Südwesten ein wütender Sturm auf. Jetzt sagen sie, dies sei der Beweis für seine Hexenkünste: Er habe den Sturm mit schwarzer Magie heraufbeschworen.«

»Und das glauben sie wirklich?«

»Sie fürchten ihn. Deshalb trösten sie sich damit, daß sie behaupten, er stehe mit dem Übernatürlichen im Bunde.«

»Er ist also entkommen?« Nur darauf kam es an.

»Für eine Weile.«

»Wie meint Ihr das?«

»Er wurde nach Norwegen abgetrieben, und dort konnte er unversehrt landen. Aber als er dort war, bekam er Schwierigkeiten mit den Behörden. Sie haben ihn als Gefangenen nach Kopenhagen geschafft.«

»Oh!« rief sie. »Wann? Warum?«

»Ich weiß nicht, warum. Es war am letzten Tag des September. Und nun, da Lord James weiß, wo er sich aufhält, wirkt er geschäftig darauf hin, daß man ihn ausliefert oder aber in Dänemark hinrichtet. Man muß König Frederick zugutehalten, daß er beides abgelehnt hat. Aber er hält ihn weiter gefangen. Ich vermute, daß er ein Lösegeld für ihn herausschlagen will.«

Sie unterdrückte einen Aufschrei, indem sie sich die Faust an den Mund drückte. »O Gott!« Wenn ich nur irgend etwas hätte! Aber man hat mir alles genommen – meine Juwelen, mein Silber, sogar meine Kleider!« Sie mußte sich etwas einfallen lassen. »Glaubt Ihr, wenn ich an den König appelliere, könnt Ihr einen Brief von mir übermitteln?«

»Das würde bekannt werden, teure Lady. König Frederick würde ihn veröffentlichen. Dann wüßte man auch, wer ihn überbracht hat, und ich würde von der Insel entfernt.«

Sie fühlte, wie Panik in ihr aufstieg. »Aber ich muß ihm helfen!«

»Es gibt keine Möglichkeit«,sagte George traurig.

»Gibt es niemanden, der ihm hilft?« rief sie. »Keine gütige Seele, der ich es vergelten könnte?«

»Nur die Königin von England oder Frankreich könnte das, und beide würden es nicht tun.«

»Eine größere Marter kann es nicht geben«, sagte sie schließlich. »Dem Menschen, den man liebt, nicht helfen zu können. Einfach dazusitzen und ihn leiden zu sehen.«

»Ja«, sagte George und schaute sie an.

Die Blätter fielen von den Bäumen und ließen nackte, krumme Äste zurück, und Schilf und Ried verwelkten. Eine schmale Eiskruste, wie zartes Brot, bildete sich an den Rändern der Insel, aber wie Maria vermutet hatte, fror der See nicht zu.

Bei dem kalten, scheußlichen Wetter fuhr nur selten ein Boot zwischen der Insel und dem Ufer hin und her. Die Waschfrauen unternahmen die Überfahrt allwöchentlich, holten das schmutzige Linnen und brachten sauberes; Fischer lieferten ihren Fang, aber jede andere Geschäftigkeit kam zum Erliegen. Der Laird schlurfte mit traurigen, tränenden Augen umher und hustete unaufhörlich. Sonst pflegte er die Inselburg den Winter über zu verlassen und in seinem Herrenhaus auf dem Festland zu wohnen, aber wegen seines königlichen Gastes war er jetzt ebenfalls hier gefangen. Lady Douglas kümmerte sich fürsorglich um ihn und warf Maria vorwurfsvolle Blicke zu.

Ihr braucht mich nicht so anzusehen, als hätte ich die Schuld daran, Madam, dachte Maria. Ich ließe Euch mit Vergnügen gehen, wäre ich nur selber frei.

Sie und ihre Damen arbeiteten im trüben Kerzenschein an ihrer Stickerei; sie kauerten in ihrer Turmstube und hatten stets ein Feuer im Kamin. Die Tage zogen sich endlos hin, lange, fahle Tage, an denen nichts geschah, an denen die aufregendste Beschäftigung darin bestand, die beiden Rottöne von zwei verschiedenen Fäden zusammenzufügen.

Manchmal saßen sie und George auch allein vor dem Feuer; sie stickte, und er reparierte Waffen und schliff Schwerter.

»Erzählt mir eine Geschichte, George«, sagte sie dann, und er lächelte und erzählte ihr von den Reisen des Odysseus oder vom Untergang Trojas. Sein Gesicht wurde träumerisch, seine Stimme langsam, während der Schneeregen gegen die Fenster prasselte und er Geschichten erzählte, die sich in staubigen, windigen Ebenen oder auf hoher See zugetragen hatten. Mary Seton und Nau kamen manchmal dazu, zogen sich ein Kissen heran und lauschten. George konnte Geschichten erzählen, wie Rizzio gesungen hatte.

Es half ihnen, die Tage zu vertreiben – dunkle, kalte Tage mit kriechender Feuchtigkeit und bitterem Nebel. Von Bothwell hörte man nichts.

Es wurde März, bevor sie einen Plan schmieden konnten. Weihnachten war gekommen und gegangen, und danach ein ödes Dreikönigsfest, an dem es für Maria nichts zu feiern gab. Die Lords hatten ihre Drohung wahrgemacht und ihre Gründe für ihr Handeln bekanntgegeben. Sie versuchten nicht länger, den Anschein zu erwecken, als hätten sie gehandelt, um Maria vor Bothwell zu »retten« (oder, besser gesagt, vor ihrer eigenen wahnsinnigen Leidenschaft für ihn – je nachdem, auf welche offizielle Version der Geschichte sie sich gerade beriefen); jetzt gingen sie dazu über, sie mit ihm zusammen als Mörderin zu brandmarken. Sie veröffentlichten die belastenden Briefe und behaupteten, diese bewiesen, daß sie den Mord an ihrem Gatten geplant und als Lockvogel ihn auf Anweisung ihres Geliebten Bothwell nach Edinburgh geholt habe. Lord James, der gewissenhafte Regent, schickte einen Herold nach Lochleven, der ihr den Erlaß des Geheimen Rates verlas und sie davon in Kenntnis setzte, daß Lord Bothwell seinen Besitz verwirkt habe, und daß Maitland und Morton Teile davon empfangen hätten.

Der golden und scharlachrot prangende Heroldsrock flatterte, und das Löwenbanner im Bug des Bootes war ein leuchtend bunter Farbfleck im stumpfen Grau, als der Herold eintraf. Er stellte sich auf und las:

»... daß sie zu den Waffen gegriffen und die Königin am fünfzehnten Tag des vergangenen Juni leibhaftig festgenommen und selbige sie in dem Haus am Ort Lochleven in Gefangenschaft festgehalten, und ebenso alles, was sie gesagt und getan seit dem zehnten Tag des Februar im letzten Jahr, da der verstorbene König Henry, rechtmäßiger Ehegemahl der Königin, schändlich und grausig ermordet, sei alles nur Schuld obgenannter Königin, wie durch etliche ihrer persönlichen Briefe, geschrieben und unterzeichnet von eigener Hand und gesandt an James Earl von Bothwell, den hauptsächlich Ausführenden des besagten grausigen Mordes, ebenso vor der Begehung desselben wie auch hernach, und durch ihre gottlose und ehrlose Vermählung mit ihm ohne Zweifel feststeht, daß sie eingeweiht und beteiligt an Planung und Durchführung erwähnten Mordes an dem König, ihrem rechtmäßigen Ehegemahl, begangen durch obgenannten James Earl von Bothwell, seine Komplizen und Spießgesellen, und sie verdiene daher zu Recht, was immer wegen besagter Sache unternommen oder noch gegen sie verwendet werden wird.«

Als der Herold seines Amtes gewaltet hatte, stieg er wieder in das Boot und wurde davongerudert, und die Bewohner der Burg standen am Landungssteg und schauten ihm nach.

Seitdem hatte Maria in ihrer Verzweiflung alle ihre Bemühungen bei der Suche nach einem Fluchtweg verdoppelt, und dabei versuchte sie ständig, sich zu benehmen wie eine friedfertige, gebrochene Frau – die es nicht ertrug, allzu aufmerksam beobachtet zu werden.

Es gab niemanden außer George, der Pläne dafür schmiedete, wenngleich noch ein auf irgendeine Weise Verwandter (konnte es sein, daß auch der Laird seinen Bastard hatte?) namens Willie Douglas womöglich dazugewonnen werden könnte. Er schien ganz nach seinem Belieben zu kommen und zu gehen, und die Familie betrachtete ihn immer noch als Kind, obwohl er schon fast fünfzehn war.

Der erste Plan, den George ihr vortrug, war der, daß er eine Gruppe von Königstreuen auf dem Festland zusammenbringen wollte, die das große Boot des Laird kapern sollten, wenn es am Landhaus vertäut liege, um dann zur Burg herüberzurudern und sie bei Nacht und von innen unterstützt durch George zu erstürmen. Leider aber bekam der Laird auf irgendeine Weise Wind von einem möglichen Komplott unbekannter Personen und ließ das große Boot an die Kette legen. Sein nächster Vorschlag war, er wolle sich mit seinen Leuten – ebendenselben Königintreuen – in den Klosterruinen auf der einsamen St. Serf's Island im See auf die Lauer legen. Maria solle sodann den Laird dazu bewegen, daß er ihr die Erlaubnis gab, auf der Insel auf die Falkenjagd zu gehen; bei der Ankunft werde man den Laird und seine Dienerschaft überwältigen und Maria in die Freiheit bringen.

Aber dabei waren zu viele andere notwendig; überdies mußte zweimal über den See gerudert werden – einmal nach St. Serf's Island und einmal zum Festland. Irgendwann meinte George, es sei womöglich leichter, Maria einfach in eine Kiste zu legen, diese zuzunageln und sie ganz unschuldig nach Kinross transportieren zu lassen.

»Nein, das ist dummes Zeug«, wandte der junge Willie ein. »Es ist immer besser, sich auf seine eigenen zwei Füße zu verlassen. Laß die Königin hinausspazieren, verkleidet. Das ist sicherer.« Er hatte die seltsame Angewohnheit, mit dem Kopf zu rucken, wenn er redete; es ließ ihn töricht aussehen, was er aber nicht war.

»Ja«, hatte George nachdenklich gesagt. »Vielleicht könnte sie mit einer der Dienerinnen die Kleider tauschen. Aber wie sollte sie dann hinauskommen? Das Tor ist immer bewacht, außer wenn die Soldaten essen, also abends zwischen halb acht und neun, aber dann ist es abgeschlossen.« George hatte gemerkt, daß er immer öfter an die Königin denken mußte: an ihre leise, vertrauliche Stimme, ihre schlanken, zarten Hände. Sie begann auch in seine Träume einzudringen und gab ihm dort Dinge, an die er bei Tageslicht nicht zu denken wagte.

»Sie könnte aus dem Erkerfenster im runden Turm springen«, schlug Willie vor. »Dort sind es nur acht Fuß bis zum Boden.«

Aber als Mary Seton es versuchsweise tat, verletzte sie sich am Bein. Unter dem Fenster waren Felsen mit Spalten und klaffenden Ritzen, die keinen sicheren Halt boten.

Als George eines Tages gegen Ende Februar am Landungssteg saß, sah er, wie das Boot mit den Waschfrauen herankam. Sie machten ihren allwöchentlichen Besuch, und mitten im Boot standen Körbe mit sauberem Linnen. Vier Ruderer stemmten sich auf dem rauhen grauen Wasser in die Riemen.

Die Waschfrauen! Es waren drei, und sie trugen unförmige dunkle Mäntel; ihre Gesichter waren reizlos und fast ohne Farbe. Unter den Mänteln sah George die schweren, fleckigen Holzschuhe. Sie sahen monumental aus, dunkel, dräuend, wie die drei Moiren, als sie jetzt langsam den Pfad zur Burg heraufgestapft kamen und mit großartiger, schwerfälliger Würde ihre Körbe balancierten. Unversehens hastete George ihnen nach; er fühlte den starken Drang, ihnen in die Gesichter zu schauen, um zu sehen, ob sie – oh, seltsamer Gedanke! – tatsächlich Ähnlichkeit mit Klotho, Lachesis und Atropos hatten. War eine Klotho dabei – die die hellen Fäden der Jugend spann? Denn sie hatte sicher auch den der Königin in der Hand.

Die Frauen drehte sich um und funkelten ihn an, und er kam sich töricht vor. Schon wieder hatte er gewöhnliche Menschen und Situationen mit mythischer Größe erfüllt. Er nickte ihnen knapp zu und wandte sich ab.

Aber sein Herz raste. So würde es gehen! Maria konnte sich verkleiden und einfach mit ihnen hinausgehen; sie brauchte nur ihr Antlitz zu verbergen. Das dürfte leicht sein, denn sie trugen ja diese weiten Mäntel. Man würde es machen müssen, solange es noch kalt war.

Er bestach die Wäscherinnen, und die drei Schicksalsgöttinnen nahmen das Geld nur allzu menschlich an. Auf Marias Anweisung hin schickte er Nachrichten an John Beaton, einen Verwandten Mary Beatons aus einer unerschütterlich loyalen Familie, die Maria in Holyrood gedient hatte, an Lord Seton und an den Laird von Riccarton, einen von Bothwells Getreuen. Sie sollten sich mit Bewaffneten in einem Bergtal bei Kinross versammeln und auf das Signal warten, daß die Flucht erfolgreich verlaufen sei. Dann werde man sich in eine Festung der Hamiltons begeben.

»Alles hängt davon ab, daß Ihr unbemerkt vom Turm durch das Tor und zum Boot hinunter gehen könnt«, sagte George. »Seht nur zu, daß Ihr meinen Schwestern entkommt.«

Die beiden jüngsten Douglas-Töchter, vierzehn und fünfzehn Jahre alt, hatten den Auftrag, Maria »Gesellschaft zu leisten«, und in Aufsässigkeit gegen die Eltern hatten sie sich einfallen lassen, sie nunmehr anzubeten; infolgedessen aber beobachteten sie zu Marias heimlicher Verzweiflung jede einzelne ihrer Bewegungen.

Sie lachte. »Das wird das schwierigste sein. Ich habe gemerkt, daß sie mich sogar dann beobachten, wenn sie glauben, ich schlafe.«

»Ich kann es ihnen nicht verdenken«, bemerkte George.

Sie verspürte ein warnendes Beben in sich. Sie wagte nicht, ihn anzusehen, um ihn in seiner aufblühenden Zuneigung nicht noch weiter zu ermutigen. Gleichwohl war sie gerührt – und geschmeichelt.

»Es ist anstrengend, als Göttin betrachtet zu werden«, sagte sie schließlich. »Es ist nicht annähernd so vergnüglich, wie man sich vorstellen möchte.« So, dachte sie. Ich habe ihn gewarnt.

»Wenn die Waschfrauen um drei Uhr zurückfahren, werde ich versuchen, meine Schwestern abzulenken oder ihnen irgendeine Aufgabe geben, zum Beispiel … zum Beispiel, die Fäden und Stopfarbeiten zu sortieren, und das müssen sie um diese Zeit tun«, sagte George hastig, und da wußte sie, daß sie ihn jetzt wieder gefahrlos anschauen konnte.

Er sah sehr gut aus, so gut, daß er in der Familie als der »hübsche

Geordie« bekannt war. Sie fragte sich, warum er nicht verheiratet oder wenigstens schon verlobt war. Jedenfalls kam er aus einer reichen Familie, die hoch angesehen und ehrgeizig war. Er selbst war redegewandt, gebildet und sportlich. Ob er fromm war? Sich für Gott aufhob? Aber nein, das taten die Protestanten ja nicht. Man brauchte sich nur Knox anzusehen!

»Worüber lächelt Ihr?« Er beobachtete sie ebenso aufmerksam wie seine Schwestern.

»Ich habe mich gerade gefragt, ob Ihr wohl den heimlichen Wunsch hegt, Mönch zu werden«, sagte sie scherzhaft.

»Meint Ihr, daß ich fromm bin, oder daß ich abstinent bin?«

Er war so ernst, wie es nur ganz junge Männer sein konnten. Sie wartete mit der Antwort. »Beides«, sagte sie schließlich.

»Ich hebe mich nicht aus religiösen Gründen auf, wenn es das ist, was Ihr meint.« Er klang gekränkt. »Aus gar keinem Grunde außer dem, daß noch keine meiner Liebe würdig war.« Seine tiefblauen Augen schienen in seinem Gesicht hell zu leuchten.

»Ah, dann wollt Ihr also doch jemanden anbeten«, sagte sie und lächelte sanft. »Hütet Euch vor dergleichen in der Liebe.«

»Wie Ihr vermutlich nur zu gut wißt«, sagte er in verletztem Ton und fing dann gleich an, sich zu entschuldigen.

Sie fiel ihm ins Wort. »Jawohl, wie ich selbst nur allzu gut weiß«, sagte sie. »Ihr habt die Wahrheit gesagt.«

Sie einigten sich auf den 25. Mai. Maria betete, daß kein Sturm kommen und daß keines der Mädchen oder gar sie selbst krank werden möge. Laß nichts geschehen, das es uns verdürbe, betete sie zu Gott.

Als seien ihre Gebete erhört worden, war der 25. Mai genauso, wie sie es sich gewünscht hatte: Es war trüb und bedeckt, so daß niemand sich gern draußen herumtreiben würde; gegen Mittag würden die Leute müde werden und sich schlafen legen. Aber das Wetter war nicht so schlecht, daß die Waschfrauen ihre Überfahrt verschieben würden.

Den ganzen Tag über mußte sie sich zwingen, langsam zu gehen, langsam zu essen; sie durfte sich nicht den Anschein geben, als habe sie einen Grund, schnell oder leichtfüßig einherzugehen. Von ihren eigenen Bediensteten durfte nur Mary Seton etwas wissen. Später würden sie noch Zeit genug haben, alles zu erfahren, wenn der Plan sich verwirklichen ließe; bis dahin aber, das hatte sie gelernt, konnte jeder, der etwas wußte, sie unabsichtlich verraten.

Frei sein! Würde sie morgen um diese Zeit als freie Königin inmitten ihrer Untertanen reiten? Zwei Jahre waren jetzt seit dem Mord an Rizzio vergangen, und in dieser Zeit war sie dreimal von jemandem gefangengehalten worden, die unbestimmte Gefangenschaft durch Drohungen und Gerüchte und Krankheiten nicht gerechnet. Damit sollte nun Schluß sein!

Sie speisten ruhig zu Mittag, und Maria zwang sich, die gekochte Forelle zu essen. Sie hatte diese Spezialität von Lochleven satt, denn sie verband sich für sie mit ihrer Gefangenschaft. Nie wieder werde ich Forelle essen, gelobte sie sich, wenn ich nur freikomme.

Unter ihrem Bett lag der schäbige Mantel, in den sie sich hüllen, und ein langes Tuch, daß sie sich übers Gesicht ziehen würde. Als das Geschirr abgeräumt wurde, erschien George in der Tür und rief seine Schwestern

»Arabella! Meggie! Ihr werdet in der Nähstube gebraucht.«

Das war das Zeichen! Widerstrebend standen die Mädchen auf und gingen hinaus; vorher sagten sie noch zu Maria: »Denkt daran, Ihr habt versprochen, uns nachher bei der Zeichnung für den nächsten Teil unseres Musters zu helfen.«

Maria schaute aus dem Fenster und sah die drei Waschfrauen zur Burg heraufkommen. Sie wußte, daß sie nur ungefähr eine halbe Stunde brauchten, um ihre Leintücher abzuliefern und die Wäsche für die nächste Woche einzusammeln. Sie mußte ihre Hände verstekken, damit die andern nicht sahen, wie sie zitterten. Wie sollte sie die nächste Viertelstunde überstehen?

Sie entschuldigte sich, ging in ihre Schlafkammer und setzte sich auf ihr Bett, und sie faltete die Hände, um sich zu beruhigen. Sie betete einen Rosenkranz und sagte dann mehrere Gebete auf Lateinisch auf. Schließlich wußte sie, daß die Zeit gekommen sein mußte. Sie sank auf die Knie, zog den Mantel hervor und legte ihn an. Dann ging sie, so leise sie konnte, durch das Hauptgemach und die Treppe hinunter. Sie blieb nirgends stehen und gab niemandem Gelegenheit, sie zu bemerken.

Sie verließ den Turm und ging über die Wiese, die jetzt stumpf, braun und verfilzt war. Die Soldaten lehnten an der Mauer und waren zu gelangweilt, um sich miteinander zu unterhalten. Ein paar hatten sogar die Köpfe auf die Arme gelegt und schliefen. Andere reinigten ihre Büchsen.

Das Tor stand offen. Zwei der Waschfrauen waren schon fast beim Boot. Welch ein Glück, daß die dritte offensichtlich trödelte. Maria ging zum Boot hinunter und schleppte ein Bündel Bettlaken. Schweigend nahmen sie ihre Plätze im Boot ein. Maria nickte den beiden andern kurz zu, hielt aber den Kopf gesenkt und das Gesicht unter der Kapuze verborgen. Sie zog den Schal hoch, um ihren Mund zu verhüllen.

Jetzt waren die Ruderer bereit, abzulegen. Wo war die vierte Frau? George mußte sie bestochen haben, damit sie zurückblieb – natürlich! –, denn sonst hätten die Männer ihren zusätzlichen Fahrgast ja bemerkt.

Quälend langsam banden die Männer das Boot los und stießen ab. Ein Fußbreit klaffte zwischen ihnen und dem Steg, dann zwei, dann drei … und dann verbreiterte sich das Wasser immer mehr, und sie schossen voran, als die Männer sich in die Riemen legten.

Frei! Frei! Die verhaßte Insel war fünfzig Fuß weit entfernt, dann siebzig. Die Mauern der Burg wurden kleiner, wirkten zwergenhaft neben den Bäumen, die sie umstanden. Schaukelnd nahm das Boot seinen Weg über das Wasser.

»Oh, seht doch!« rief einer der Männer da. »Ist das eine Neue?«

»Sieh mal her!«

Maria blickte unverwandt auf den Boden des Bootes und zog die Schultern hoch, ohne auf die Männer zu achten.

»Mal sehen!« sagte eine Stimme, und plötzlich schaukelte das Boot heftig. Einer der Männer hatte aufgehört zu rudern und beugte sich vor, um ihr das Tuch vom Gesicht zu reißen.

»Ich wette, sie ist 'ne Hübsche, und vielleicht will sie 'n Mann.« Er zerrte an ihrem Tuch. »Komm schon, ich will nur mal sehen!«

Maria riß ihm das Tuch aus der Hand und nestelte daran, um es wieder zu richten. Im Wind verhedderten sich ihre Finger darin, und sie mußte sie herauswinden.

Plötzlich hörte sie einen leisen, erschrockenen Aufschrei von dem Mann.

»Das ist – Ihr seid keine Wäscherin. Seht euch die Hände an!« rief er und packte ihre Hände, und dann drehte er sie hin und her und betrachtete sie wie exotische Geschmeide. »So weiß, und so schlanke Finger, und die Haut ist auch zu weich; die war noch nie im Waschwasser!«

Sie fing an, sich zu wehren, um ihm ihre Hände zu entreißen, und dann stand sie auf. Das Boot schaukelte wie verrückt. Sie entzog sich ihm, aber da riß der Wind ihr die Kapuze vom Kopf. Die Männer hörten auf zu rudern und starrten sie an.

»Jawohl, ich bin die Königin!« sagte sie. »Und ich befehle euch, weiterzurudern. Rudert mich ans Ufer!«

Die Männer rührten sich nicht. Schließlich sagte einer: »Madam, das wagen wir nicht.«

»Ich bin die Königin!« rief sie. »Ihr könnt nicht wagen, mir ungehorsam zu sein! Rudert, sage ich!«

»Wir dürfen nicht«, sagte der Mann. »Der Laird würde uns furchtbar bestrafen, uns und unsere Familien.«

»Ich werde euch belohnen.«

»Madam, wir sind hier zu Hause. Wir möchten hier nicht in Ungnade fallen.« Der Mann – offenbar der Eigentümer des Bootes – wandte sich den anderen Männern zu. »Wenden«, sagte er. »Wir fahren zur Insel zurück.«

»Nein! Nein!« Konnte sie sie nicht aufhalten? Gab es nichts, womit sie sie überreden konnte? »Ihr guten Männer, habt doch Mitleid mit mir! Ihr seid meine einzige Hoffnung!«

»Wir dienen dem Laird und seiner Familie seit Generationen, und wir werden nichts tun, was ihn gefährdete«, beharrte der Mann. »Er war gut zu uns und verdient, daß wir ihm treu sind.«

Maria brach in Tränen aus, als das Boot umschwenkte und die Insel wieder größer wurde. »Bitte, bitte!« weinte sie. Sie konnte es nicht ertragen, wieder dorthin zurückzukehren.

»Wir haben nicht den Wunsch, Euch Ungemach zuzufügen«, sagte der Mann. »Wir werden dem Laird nichts davon sagen. Niemand wird je etwas erfahren. Wenn wir gelandet sind, geht Ihr ruhig hinein und schickt die Frau heraus, die zurückgeblieben ist. Wir werden so tun, als habe sie etwas vergessen.«

Maria sah zu, wie das Boot an die Insel heranfuhr und wieder festgemacht wurde. Vor ihr ragte die häßliche Mauer mit dem Tor auf. Wie betäubt stieg sie aus dem Boot und ging langsam zurück in ihr Gefängnis. Die gähnenden Wachen blickten kaum auf. Es war in der Tat eine vollkommen fehlerlos ausgeführte Flucht gewesen. Das machte alles nur noch schmerzlicher.

Als sie über die Wiese zurückging und ihren Mantel zusammenknüllte, damit er niemandem Anlaß zu Fragen bot, kam George aus dem Anbau, wo die Soldaten aßen. Er blieb stocksteif stehen und starrte sie an, und er wurde noch bleicher als sonst. Sie ging an ihm vorbei, ohne auf ihn zu achten, und Tränen stiegen ihr in die Augen.

Als sie allein in ihrer Kammer war, warf sie sich auf das Bett. Sie würde so tun, als schlafe sie; sie könnte es nicht ertragen, mit jemandem zu sprechen oder zu versuchen, ihre Tränen im Zaum zu halten. Wenn sie das Gesicht ins Kissen drückte und das Haar ringsherum fallenließe, wäre sie ungestört in ihrer Trauer.

Gescheitert! Sie konnte es kaum glauben. Noch nie war sie bei einem Fluchtversuch gescheitert, und es war völlig klar gewesen, daß dieser ebenso erfolgreich sein würde. Wie hatte Bothwell gesagt? *Kein Gefängnis kann uns halten.* Und so hatte es auch ausgesehen. Aber jetzt war er im Gewahrsam des dänischen Königs, und sie war auf dieser Insel gefangen. Für immer? Wollten sie sie für immer hier festhalten? Die Lords hatten nichts gesagt, was auf ihre endgültigen Pläne hätte schließen lassen.

Sie war so betäubt von der greifbaren Nähe der Flucht, daß sie ganz matt war. Alle waren dem Laird so treu ergeben. Nur George wagte, seinen Unwillen zu erregen. Aber George brauchte Verbündete, und die waren offenbar nicht leicht zu finden. Wer hatte denn den ersten Plan verraten, als sie das Boot stehlen wollten?

Jetzt hatte sie wirklich Angst. Was, wenn sie niemals fliehen könnte? Was dann?

»Meine teuerste Königin.« George kniete an ihrem Bett. »Was ... was ist geschehen?«

»Ach, George!« Sie setzte sich auf und strich das Haar zurück. »Sie haben meine Hände gesehen!« Sie streckte sie aus, und er nahm eine. »Da wußten sie, daß ich keine Wäscherin bin. Und sie bestanden darauf, mich zurückzubringen, obwohl ich ihnen befahl, mich ans Ufer zu rudern. Es scheint, ihre Treue gilt zuerst dem Laird und dann der Königin.«

»Ach.« Es schien ihm das Herz zu brechen. »Und Ihr wart schon halb drüben! Ich hab's gesehen.« Er liebkoste ihre Hand, sie zog sie weg.

»Nie war ich so enttäuscht.«

»Wir werden es wieder versuchen. Es muß sich ein neuer Plan finden. Diesmal werden wir selbst für Ruderer sorgen.«

Sie konnte nicht anders – sie mußte leise lachen. »Und wer soll das sein? Die Männer der Garnison?«

»Ich werde jemanden finden«, sagte er störrisch. »Vielleicht können Eure Leute –«

»George, ich denke, ich sollte Euch etwas geben, das als Zeichen zwischen uns dienen kann, falls es einmal schwierig werden sollte, uns miteinander zu verständigen, was ja leicht geschehen kann. Es ist schon ein Wunder, daß jetzt niemand hier ist.« Sie löste einen ihrer Perlenohrringe. »Ein Ohrring ist leicht verloren, leicht gefunden; und wenn Ihr diesen hier je zu mir zurückbringt, dann werde ich wissen, daß es bedeutet: ›Ich habe Eure Botschaft erhalten‹ oder ›Es ist alles bereit.‹ Kurz, es bedeutet: ›Ja.‹« Sie legte ihm den Ohrring in die Hand.

Am nächsten Tag war George nirgends zu sehen. Am Tag darauf auch nicht. Endlich, am dritten Tag, fragte sie Lady Douglas nach ihm.

»Mein Sohn ist von der Insel abbefohlen worden, Madam, und zwar wegen seiner allzu großen Vertraulichkeit mit *Euch*. Mehreren Leuten ist aufgefallen, daß er sich – wie soll ich es sagen – vom Stuartschen Charme hat gefangennehmen lassen. Ich selbst weiß ja, wie schwer es ist, ihm zu widerstehen.« Sie lächelte verschmitzt.

»Welch ein Glück für Schottland, daß Ihr ihm nicht widerstanden habt«, versetzte Maria. »Sonst gäbe es jetzt, in der Stunde der Not, keinen Regenten.« War es ihr gelungen, den Sarkasmus nicht durchklingen zu lassen? Aber was war mit George? »Doch die Geschichte wiederholt sich nicht. Ich weiß nicht, wovon Ihr sprecht, was George angeht.«

»Er hat sich in seiner Phantasie in Euch verliebt, und Ihr habt ihn dabei ermutigt«, sagte Lady Douglas, »ein Umstand, der bei seinem Halbbruder Lord James große Bestürzung hervorgerufen hat. Indessen, als Mutter muß ich an *alle* meine Kinder und an ihre Zukunft denken …« Sie zog die Brauen hoch, und wieder überzog ein verschmitztes Lächeln das alte Gesicht. »Ich will nur das Beste für George«, endete sie mit gespielter Demut.

»Genau wie ich, Lady Douglas. Ich habe ihn sehr gern« – sie ließ den Satz verführerisch im Raum schweben – »und empfinde ihn als einen überaus angenehmen Gesellschafter. Aber ich ahnte nicht, daß er tiefere Gefühle für mich hegen könnte. Dies erfordert doch einiges Überlegen, einiges Nachsinnen … Einstweilen ist es besser, wenn er nicht hier ist, bis man zu einem Schluß gekommen ist und irgendeinen Weg gefunden hat, um … Hmmm … Ihr seid sehr klug!«

Lady Douglas lächelte. Der Glücksstern des Douglas-Clan würde vielleicht noch höher steigen.

Der März mit seinem häßlichen grauen Himmel und dem beständigen Nebel und Regen wich dem April. Maria und ihr Haushalt bemühten sich, die Fastenzeit einzuhalten, und in ihrer niedergeschlagenen Stimmung war es leicht, alle Heiterkeit beiseitezulassen und lange Gesichter aufzusetzen. Nur Mary Seton wußte von dem gescheiterten Fluchtversuch; alle aber wußten, daß George wegen seiner Zuneigung zur Königin verbannt worden war. Anscheinend sollte jeder, der in dem Verdacht stand, Maria Interesse oder Mitleid entgegenzubringen, von der Insel entfernt werden. Erst Ruthven, jetzt George.

Es gelang Maria, einen Brief nach Frankreich auf den Weg zu bringen. Sie schrieb an Katharina von Medici.

> Unter größten Schwierigkeiten ist es mir gelungen, einen getreuen Diener zu senden, um das Ausmaß meines Jammers darzulegen und Euch zu beschwören, Mitleid mit mir zu haben, insofern als der Regent, Lord James, mir im Vertrauen hat mitteilen lassen, daß der König, Euer Sohn, gesonnen ist, Frieden mit den französischen Hugenotten zu schließen, und daß eine der Bedingungen des Vertrages die ist, daß er mir keine Hilfe zukommen lasse. Dies kann ich nicht glauben, denn neben Gott habe ich mein ganzes Vertrauen auf den König und auf Euch gesetzt, wie der Überbringer dieses Briefes Euch bestätigen kann. Ich bitte Euch, schenkt ihm Glauben, als wäre ich es selbst, denn mehr wage ich nicht zu schreiben und will nur noch Gott anflehen, Er möge Euch in Seiner heiligen Obhut bewahren.
>
> Aus meinem Gefängnis an diesem letzten Tag des März.

Die Schüler Calvins! Erst hatten sie Schottland bekehrt und ruiniert, und jetzt hatten sie das gleiche mit Frankreich vor. In Schottland bezeichneten sie sich als Kirk, in Frankreich als Hugenotten. In Frankreich, hieß es, zählten sie in die Tausende, und sie waren organisiert wie eine Armee. Welle um Welle war die Gewalt durch Frankreich geflutet, als die katholische Kirche und die Hugenotten um die Vorherrschaft kämpften. Hugenotten hatte den Duc de Guise und den Constable Montmorency ermordet, und sie waren so mächtig geworden, daß Katharina von Medici sich um die Einigung mit ihnen bemühen mußte.

Überall wurden die Fronten abgesteckt. Die Holländer – ebenfalls Protestanten – rebellierten gegen die spanische Herrschaft. In Spanien versuchte die Inquisition, alle Protestanten auszurotten, die sich in ihrer Mitte verbargen. An die Stelle der früheren, milderen Reformatoren und der lässigen katholischen Kirche, gegen die sie gekämpft hatten, waren auf beiden Seiten Unbeugsame getreten. Das Konzil von Trient, das erst fünf Jahre zuvor zu Ende gegangen war, hatte den streitbaren Beschluß gefaßt, daß es mit den Protestanten keine Einigung geben könne. Alles, was die Protestanten in Frage gestellt hatten – die Beichte bei einem Priester, das Beten zu den Heiligen, die Unanfechtbarkeit des Papstes –, wurde bekräftigt und als unabdingbar für die Erlösung bezeichnet. Ein Katholik konnte nicht einmal an einem protestantischen Gottesdienst teilnehmen, ohne seine unsterbliche Seele in Gefahr zu bringen. Das Schlachtfeld war eröffnet, die Trompeten ertönten. Auf protestantischer Seite standen wie bei einem dörflichen Ballspiel die skandinavischen Länder, England, Schottland und die Niederlande, auf katholischer Italien, Portugal und Spanien. Und in der Mitte gespalten waren Deutschland und Frankreich.

Und wenn man sich vorstellt, daß es mein Unglück ist, in dieser Falle zu sitzen, dachte Maria. Mein Schicksal ist abhängig von den Handlungen religiöser Eiferer – ich, die ich doch immer Toleranz geübt habe!

Sie hätte gelacht, wäre das Ganze nicht von so schmerzlicher Ironie gewesen.

Von Bothwells Geschick war keine weitere Kunde gekommen. Sie wußte nur, daß er nach Kopenhagen geschafft worden war. Die Lords hatten versucht, König Frederick zu überzeugen, daß Bothwell der Gerechtigkeit ausgeliefert werden müsse, aber Frederick hatte Bothwell weiter festgehalten. Aus welchem Grund? Soweit sie wußte, war kein Lösegeld verlangt worden, und niemand hatte ihre Vertreter – den Erzbischof von Glasgow, ihren vertrauten Botschafter in Frankreich – mit irgendwelchen Forderungen konfrontiert. Wieso konnte Bothwell nicht entkommen oder seinen Gefängniswärtern die Freiheit abschwatzen? Sie hatte einen Brief an König Frederick geschrieben und gegen Bothwells Auslieferung protestiert; kurz vor Georges Verbannung hatte sie ihn noch hinausschmuggeln können, aber sie wußte nicht, ob er je angekommen war. Auch an Bothwell schrieb sie, ließ ihre aufgestauten Gefühle auf das Papier strömen und bat ihn, guten Mutes zu sein. Von ihrem eigenen Leid schrieb sie wenig; sie wollte ihm nicht noch mehr Schmerz bereiten, als er ohnehin schon erfuhr. Ob dieser Brief allerdings den Empfänger erreichte, wußte sie noch weniger.

George hatte ihr erzählt, Bothwell habe Dänemark, Gerüchten zufolge, die Orkneys und die Shetlands im Tausch gegen seine Freilassung angeboten; Frederick habe zwar Interesse gezeigt, sei sich aber Bothwells Titeln zum Trotz darüber im klaren gewesen, daß die Lords diese Übereignung nicht anerkennen würden. Vielleicht wurde Bothwell deshalb festgehalten – vielleicht wollte Frederick ihnen für die Inseln Bothwell persönlich anbieten.

Mitte April, kurz vor der Karwoche, zeigte der kleine Willie, wie erfindungsreich er war: Es gelang ihm, Maria zwei kostbare Briefe zu überbringen. Der eine war die Abschrift eines Briefes, den Bothwell an Karl IX. geschrieben hatte – so werfen wir uns ihm also beide bettelnd vor die Füße! dachte Maria –, der andere war an sie gerichtet.

»Es heißt, sein Gefängnis sei nicht so trostlos wie das Eure«, flüsterte Willie, als sie zusammen durch den kleinen Küchengarten spazierten. Ein paar Soldaten waren hierher zur Arbeit abkommandiert worden; sie gruben den Boden um, ehe gepflanzt werden konnte. »Er wurde nach Malmö in Schweden verlegt, in eine Burg dort – in das Zimmer, in dem auch Christian II. von Dänemark untergebracht war, ein abgesetzter Tyrann. Es ist ein großes Gewölbezimmer, so sagt man, und liegt im Erdgeschoß. Sie haben eigens Gitter vor den Fenstern angebracht, um es für Bothwell vorzubereiten.«

Also wußten sie, wie geschickt er immer wieder geflohen war! Sie verlor ein wenig den Mut.

Willie gab ihr die beiden Briefe, und sie verbarg sie rasch im Ärmel. Die Soldaten schien ins Umgraben vertieft zu sein, aber zweifellos beobachteten sie sie aufmerksam. Sie würde warten müssen, bis sie in ihrem Ankleidezimmer war, ehe sie sie lesen könnte.

»Ich vermisse George«, sagte sie so laut, daß man es hören konnte.

»Ja«, sagte Willie. »Ich habe gehört, er will nach Frankreich. Er sagt, hier kann er sein Glück nicht machen, und wenn er schon verbannt wird, dann will er auch gleich ins Ausland, um wenigstens etwas Neues zu sehen.«

»Oh!« Sie erschrak. Sollte sie George also auch noch verlieren! Dann aber sah sie, daß Willie ihr kaum merklich zuzwinkerte.

»Seine Eltern werden traurig sein«, meinte Willie. »Aber so sind junge Männer eben.«

An diesem Abend schützte sie Magenschmerzen und Übelkeit vor, wodurch sie genötigt sei, ungewöhnlich lange Zeit in ihrer Ankleidekammer im Turm zuzubringen. Die sie umschwärmenden jungen Mädchen sorgten sich um so mehr um ihre Gesundheit und wollten ihr kalte Kompressen bringen und ihr die Stirn streicheln. Vielleicht, sagte sie, aber erst, wenn die heftigsten der reinigenden Anfälle vorüber seien. Einstweilen sollten sie wegbleiben, denn sie biete keinen schönen Anblick.

Im matten Schein einer einzelnen Kerze und unter mancherlei falschem Stöhnen und Würgen faltete Maria die Briefe auseinander.

An Seine Allerchristlichste Majestät Karl IX. von Frankreich.

Sire:

Ich habe Schottland verlassen, um dem König von Dänemark das große und handfeste Unrecht zu Gehör zu geben, welches der Königin von Schottland, seiner nahen Verwandten, und mir insbesondere geschehen. Indem ich gedachte, hernach mit allem Eifer Eure Majestät aufzusuchen, warf mich aber ein Sturm an die Küste Norwegens, und von dort kam ich nach Dänemark. Hier fand ich Monsieur de Dancay, Euren Botschafter, dem ich von meinen Angelegenheiten umfassend Bericht erstattete, worauf ich ihn bat, Euch mit Eilboten in Kenntnis zu setzen, was er versprach. Ich zweifle nicht, daß er sein Versprechen ausführt, und beschwöre Eure Majestät in aller Demut, des guten Willens, Euch zu dienen, den ich mein Lebtag gehabt, zu gedenken, und daß ich diesen Gang will weitergehen. Möge es Euch gefallen, mich mit einer Antwort zu beehren, wie Ihr sie einem geben möchtet, der keine Hoffnung hat außer in Eure Majestät und in Gott.

Sire, ich gebe mich in aller Demut Eurer Barmherzigkeit anheim und bete zum Allmächtigen Gott, daß Er Euch ein glückliches und langes Leben möge gewähren. Aus Copenhagen, den zwölften November.

Euer überaus demütiger und gehorsamer Diener

James, Herzog von Orkney

Vom zwölften November schon! Nichts war geschehen, nichts hatte Frankreich unternommen. Der Brief mit seiner würdevollen Bitte hatte ihm nichts eingetragen.

Sie gab einen langen, leisen Leidenslaut von sich, der nicht gespielt war. Die ganze Welt kehrte ihnen den Rücken zu. Und Frederick, fiel ihr plötzlich ein, war einer von Elisabeths früheren Freiern.

England würde er Gehör schenken. Sie öffnete den anderen Brief mit zitternden Händen.

Meine liebste Gemahlin –

Ich schreibe dies, wie Du mir einst geschrieben, fast als spräche ich mit mir selbst, denn ich weiß nicht, ob Du es jemals sehen wirst, aber schreibe ich Dir, ist es ebenso, als schriebe ich mir. Denn wir sind eins. Ich fühle es nun stärker denn je und mehr auch, denn da wir zusammen waren.

Also sind wir beide im Gefängnis und werden gegen unseren Willen festgehalten. Deines ist schlimmer als meines, Geliebte, denn Deine Kerkermeister sind Deine Feinde, derweil die meinen nichts gegen mich haben. In Bergen hielt man mich um örtlicher Angelegenheiten willen fest, und hier bin ich eine Schachfigur im politischen Spiel. Ich hoffe, ich werde sie am Ende überzeugen können, daß es keinen Sinn hat, mich festzuhalten. Niemand wird ein Lösegeld für mich zahlen, und ich bin nur noch von geringer politischer Bedeutung. Mein einziger Nutzen – und es schmerzt mich, daß ich darin scheiterte – bestand darin, Dir Hilfe zu gewinnen.

Wenn es Dir je in irgendeiner Weise dienlich sein sollte, nicht länger mein Weib zu sein, so schlage diesen Weg nur immer ein. Vielleicht ist es alles, was ich Dir zukommen lassen kann. Aber wisse, daß es ein politisches Geschenk ist, das ich Dir übereigne, und nichts, was ich im Herzen jemals anerkennen werde, wo Du doch immer mein Weib sein wirst.

Sei stark, und liebe mich stets, wie ich Dich liebe.

James

Sie beugte sich über den kleinen Sitz in der Kammer und überließ sich ihrem stürmischen Schluchzen.

Die Karwoche begann mit einem regnerischen Palmsonntag. Da es auf der Insel keinen Priester gab, war es auch nicht möglich, die heiligen Tage feierlich zu begehen. Lady Douglas hatte den grausigen Einfall gehabt, man könne John Knox einladen, herzukommen und ihnen zu predigen – ein Vorschlag, dessen Durchführung sich zum Glück als unmöglich erwies, da Knox unpäßlich war.

So mußte Maria selbst Mittel und Wege finden, die Feiertage zu ehren. Sie hatte ihre Andachtsbücher und ihr Stundenbuch, und sie befahl ihrem Haushalt, morgens und abends Stillschweigen zu bewahren und zu fasten, und diejenigen, die ihres Glaubens waren, mußten sich in Gebet und Andacht zu ihr gesellen.

Die Insel trug jetzt einen frischen grünen Schimmer, so hell, daß alles zu vibrieren schien. Jeder Zweig war von durchscheinendem grünem Dunst überzogen, und jeder Baum hatte sein eigenes Grün, und wo die Sonne morgens und abends durch Büsche und Bäume schien, war alles von zartem grünen Glanz durchflutet.

Die traurige Liturgie von Verrat, Abschied, Marter und Tod umschloß Maria. Nie waren ihr diese Ereignisse so nah, so allgegenwärtig erschienen. Der Spion Judas, der mit Jesus gelebt und ihn auf das vertraulichste gekannt hatte und der ihn für Geld verraten hatte: *Lord James*. Der wackere, tapfere, aber am Ende hilflose Petrus: *Bothwell*. Das Volk, das »Hosianna!« gerufen und seine Mäntel auf der Straße ausgebreitet und das sechs Tage später nach seiner Kreuzigung geschrien hatte: *die Lords und der Mob in Edinburgh, wie sie schrien: »Gebt uns Barrabas!« und »Verbrennt die Hure!«* Die frommen Anführer, die die Gerechtesten hätten sein müssen und statt dessen den Mord planten. Kaiphas, der Hohepriester, der meinte, es sei tunlich, daß einer für das Volk sterbe: *John Knox*. Der Hohe Rat: *die Lords der Kongregation*. Die römischen Beamten, die unparteiisch sein sollten, sich aber auf die Seite des Pöbels stellten: *die Franzosen und die Engländer*.

Der Abschied von den Aposteln: wie Maria sich auf jenem windigen Schlachtfeld von Bothwell verabschiedet und ihm nachgesehen hatte, als er davongaloppierte. *Mehr könnte ich euch sagen, doch könntet ihr es jetzt noch nicht ertragen. Jetzt kommt der Fürst dieser Welt. Was zieht ihr gegen mich wie gegen einen Dieb mit Schwertern und mit Knütteln, mich zu ergreifen? Was habt ihr diesem Manne vorzuwerfen? Wäre er nicht ein Missetäter, so hätten wir ihn nicht in deine Hände geliefert.*

Und alle zerstreut: *Sehet, die Stunde kommt, ja, sie ist gekommen, da ihr zerstreut sein werdet, ein jeder für sich, und mich allein lasset.* Die Hamiltons, die nicht gekommen waren, die Gordons, die nicht gekommen waren, die Grenzlandtruppen bei Carberry Hill, die in der Nachmittagshitze zerronnen waren. Ja, ihre Kräfte waren weit zertreut, versteckten sich oder hatten ihren Frieden mit den Lords geschlossen.

Doch in all den Stunden, die sie, kniend vor dem Kruzifix, im

Gebet verbrachte, wußte sie endlich, was die kalten Augen der Gestalt am Kreuz ihr sagten: *Wäre er nicht ein Missetäter, so hätten wir ihn nicht in deine Hände geliefert.* Sie war nicht unschuldig. Sie hatte Bothwell geliebt und ihn in ihr Bett gelassen, und sie hatte sich im Grunde ihres Herzens gewünscht, von Darnley befreit zu sein. Daß jemand dieses Murmeln tief in ihrem Innern vernommen und ihren Wunsch ausgeführt hatte, mußte sie jetzt auf sich nehmen. Die Tatsache, daß Darnley geplant hatte, sie zu ermorden, hob ihre eigene Sünde nicht auf, denn im Herzen hatte sie ihn schon lange vorher gehaßt.

O lieber Gott, betete sie zu Anfang der Woche, erbarme Dich meiner in meinem Leid. Erlöse mich von meinen Feinden und befreie mich. Aber als das Ende der Woche kam, betete sie einfach: O Herr, erbarme Dich meiner, einer Sünderin.

Ostern kam in glorreicher Pracht, ein strahlender, funkelnder Tag, der die Zweige schüttelte und sie schwanken und wanken ließ. Von Westen her wehte ein warmer Wind über die Insel, befrachtet mit der Verheißung des Sommers und mit einer Milde, die noch kommen sollte. Der Laird gab einen Festschmaus in der Halle, und die Soldaten der Garnison steckten sich Löwenzahn in die Knopflöcher und spielten Handball auf der Wiese. Die Douglas-Mädchen zogen ihre parfümierten Handschuhe an und vertilgten beim Mahle mehr, als sie sollten, von dem gedämpften Mandelpudding und den kandierten Veilchen in Sirup. Am Spätnachmittag genoß die ganze Burg den Frühlingstag; man ging spazieren, sang und spielte auf dem frisch gesprossenen Gras. Lady Douglas und Maria nahmen sich bei den Händen und tanzten miteinander. Lord Lindsays hochschwangere Frau saß mit Mary Seton im Gras, und die beiden applaudierten. Der Wind hob Maria den Hut vom Kopf, und der flinke Willie lief ihm nach und fing ihn wieder ein, ehe er ins Wasser flog.

Der April nahm seinen Lauf und wuchs dem Mai entgegen. Ein Jahr war vergangen, seit Bothwell sein wagemutiges Spiel begonnen und sie nach Dunbar entführt hatte, um ihre Heirat akzeptabel zu machen. Schon die Düfte in der Luft – von Maiglöckchen und Weißdorn – ließen die Erinnerung daran so lebendig wiedererstehen, daß sie Nacht für Nacht von ihm träumte. In diesen Träumen war seine Anwesenheit von einem anderen, schwindelerregenden Gefühl überlagert und durchtränkt: Freiheit. In Freiheit hatten sie sich geliebt, waren geritten und gegangen, und sie hatten es nicht gewußt, wie die Fische sich des Wassers, in dem sie schwimmen, nicht bewußt sind, mögen sie auch nach Luft schnappen und zappeln, wenn sie herausgenommen werden.

Sie sehnte sich schmerzlich nach der Freiheit. In ein Zimmer gehen zu können, ohne bewacht und beobachtet zu werden. Sich hinlegen zu können, ohne eine Erlaubnis zu brauchen. Die Gesichter, die sie um sich hatte, den Ausblick, den sie Tag für Tag sah, wechseln zu können. Nur in ihren Träumen war sie frei, und dann war das Aufwachen schmerzhaft.

Die Frau des Lairds legte sich ins Kindbett, und die alte Lady Douglas mußte für sie sorgen, und unversehens war Maria weniger streng bewacht als zuvor. Schon diese Augen, diese Anwesenheit nicht mehr um sich zu haben – es war, als habe man ihr Ketten abgenommen. Die junge Mutter und die Großmutter wohnten vorläufig in den Gemächern im runden Turm

Maria schrieb an Königin Elisabeth und hoffte, daß sich eine Gelegenheit ergeben werde, den Brief hinausschmuggeln zu lassen. Willie würde es irgendwie zuwege bringen.

Madame, meine gute Schwester –

Die lange Dauer meiner öden Gefangenschaft und das Unrecht, das ich empfangen von denjenigen, denen ich so viele Wohltaten habe angedeihen lassen, sind mir weniger verdrießlich als meine Ohnmacht, Euch mit den Umständen meiner mißlichen Lage vertraut zu machen, und mit den Kränkungen, die mir auf verschiedene Weise widerfahren. Vielleicht geruht Ihr Euch zu erinnern, daß Ihr mir mehrere Male sagtet, Ihr würdet, »so Ihr den Ring empfinget, den Ihr mir gabt, mir jederzeit in der Not zu Hilfe kommen«. Ihr wißt, daß Lord James alles beschlagnahmt hat, was ich besitze. Melville, den ich schon oft heimlich nach diesem Ring als meinem kostbarsten Kleinod gesandt, sagt mir, er wage nicht, ihn mir zu geben. Daher beschwöre ich Euch, habt Mitleid mit Eurer guten Schwester und Cousine, und ich glaube, Ihr habt auf der Welt keine Verwandte, deren Zuneigung zu Euch größer wäre. Auch solltet Ihr die Bedeutung des Exempels erwägen, welches da wider mich statuiert wird.

Ich bitte Euch inständig, gebt acht, daß niemand erfahre, daß ich Euch geschrieben habe, denn dann würde man mich schlechter behandeln als bisher. Sie brüsten sich damit, daß ihre Freunde an Eurem Hofe ihnen alles berichten, was Ihr sagt und tut.

Gott bewahre Euch vor allem Mißgeschick und schenke mir Geduld und Seine Gnade, damit ich Euch eines Tages selbst von meiner Schmach berichten kann, und dann will ich Euch mehr sagen, als ich jetzt zu schreiben wage, was sich für Euch als ein beträchtlicher Nutzen erweisen möchte.

Eure Euch verbundene und innig zugetane gute Schwester und Cousine,

Maria R.

Aus meinem Gefängnis zu Lochleven.

Sie faltete den Brief zusammen und versteckte ihn in ihrem Gebetbuch. Ihre Andachtsschriften hatten sie bisher noch nicht durchsucht – als wäre alles Katholische unberührbar.

Am letzten Tag des April spielte das Wetter den ganzen Tag seine Streiche. Maria erwachte bei einem prasselnden Regen, der die Steine des Turms zu durchtränken schien. Sie hörte das Wasser, wie es tröpfelnd und rieselnd durch die Ritzen der alten Mauern quoll. Draußen konnte der Boden nichts mehr aufnehmen, und der grasbewachsene Hof war von Pfützen bedeckt. Aber gegen Mittag zogen die Wolken ab; sie jagten über den Himmel wie mythologische Jungfrauen mit gerafften Röcken, von Satyrn verfolgt. Ein blauer Himmel blieb zurück.

Die Sonne wurde kräftiger; sie funkelte in Pfützen und an tropfenden Blättern; eine Stunde lang lag allenthalben warmer Dunst, und dann hatte sie alles getrocknet. Nachdem die Blumen getrunken hatten, öffneten sie sich in strahlenden Farben und tanzten in der Frühlingsluft.

Der duftende, warme Dunst berauschte die Sinne. Kein Wunder, wenn man glaubt, daß heute nacht die Hexen herauskommen, in der Walpurgisnacht, dachte Maria. Der erste Mai und die Nacht davor – magisch und mächtig. Sie mußte über sich selbst lächeln. Ehe ich nach Schottland kam, dachte sie, hatte ich von Walpurgis nie gehört. Aber heute weiß ich mehr über Hexen, als ich jemals wissen wollte.

Ein Boot kam. Alle drehten sich um und wollten sehen, wer darin saß, und Marias Herz tat einen Satz, als sie George erkannte. Er fing an zu winken, und die Wache schickte sich an, das Tor zu öffnen.

George! Das hatte etwas zu bedeuten! Maria bemühte sich, nicht allzu aufgeregt zu erscheinen, als sie mit den anderen wartete, bis George durch das Tor kam. Er sah sie nicht an, sondern begrüßte liebevoll seinen Vater.

»George«, sagte der Laird, »du siehst gut aus, aber du weißt, daß du hier nicht –«

»Mein Gewissen ließ nicht zu, daß ich nach Frankreich reise, ohne mich in aller Form zu verabschieden sagte er. »Ich bleibe nicht lange. Wo ist meine Mutter?«

»Ich hole sie. Sie wird sich freuen, dich zu sehen.«

George verbeugte sich, und während er sich scheinbar umschaute, um sich unterdessen zu unterhalten, sah er Maria in die Augen. Er nickte kaum merklich. Dann schaute er weg.

Lady Douglas eilte ihrem Sohn entgegen, und sie umarmten einander. Sie legte den Arm um seine Schultern, und zusammen spazierten sie über die Wiese davon.

Hatte er ihr ein Zeichen geben wollen? Würden sie keine Gelegenheit haben, miteinander zu sprechen? Maria beschloß, draußen zu warten; hoffentlich würden sie George noch einmal sehen, wenn er wieder wegfuhr.

Aber George wurde von seinen Eltern zum Boot begleitet; er konnte nichts weiter tun, als sich höflich in ihre Richtung zu verneigen.

Am Abend, nach dem Essen, lungerte Willie im Hof herum, trat gegen einen Ball und summte vor sich hin. Maria kam die Treppe herunter und schlenderte beiläufig zu ihm hinüber. Er hielt den Kopf gesenkt und zielte mit seinem Ball auf einen einzelnen Stein am Fuße der Mauer; er traf ihn bei drei von vier Versuchen.

»Sehr gut«, sagte Maria leise, und Willie blickte auf und grinste. Er bückte sich, hob den Ball auf und klemmte ihn unter den Arm. Zusammen gingen sie zum Tor, das in der Abenddämmerung noch offenstand.

»Nur für ein paar Minuten«, warnte eine der Wachen. »Bald gehen wir zum Essen, und dann schließen wir das Tor ab.«

Willie und Maria spazierten hinunter zum Wasser. Die Sonne war untergegangen, und der Himmel war von grellrosa Wolken überzogen, die sich im See spiegelten.

»Heute nacht gibt's keine Freudenfeuer für die Hexen«, bemerkte Willie. »Aber im Hochland werden sie lodern; daran zweifle ich nicht. Hier unten sind wir zu zivilisiert.« Er lachte.

»Morgen ist der erste Mai«, sagte Maria. »Habt ihr … feiert ihr ihn hier?«

Der erste Mai mit Darnley, beim Blumenpflücken. Der erste Mai mit Bothwell, eingeschlossen im Turm zu Dunbar. Der erste Mai in Frankreich, zu Pferde über Land, als junge Witwe. Wie es scheint, ist der erste Mai immer wieder ein Wendepunkt in meinem Leben.

»Dieses Jahr schon«, sagte er. »Ich bin der Abt des Unfugs. Und alle müssen genau das tun, was ich sage. Sie müssen mir folgen und meinen Befehlen gehorchen.«

»Guten Abend«, sagte eine Stimme bei den Booten, die in der Nähe vertäut waren.

Maria erschrak. Sie hatte nicht gemerkt, daß jemand da war. Aber Willie hatte es gewußt. Deshalb hatte er so formell und distanziert geklungen. »Guten Abend, Sir«, antwortete er jetzt.

Ein Soldat kam in der herabsinkenden Dämmerung auf sie zu. »Wollte nur die Boote sichern«, erklärte er vielsagend.

»Gut«, sagte Willie.

Der Mann verschwand durch das Tor.

»Wir haben ihn herausgetrieben«, meinte Willie. »Gut. Jetzt sind wir allein, für zwei, drei Augenblicke. Hört zu: Alles ist bereit für Eure Flucht. Deshalb ist George gekommen. Er geht nicht nach Frankreich; er brauchte einen Vorwand, um sich hier in der Gegend sehen zu lassen.«

Das Tor knarrte. Die Soldaten schickten sich an, es zu schließen. »Kommt herein!« rief jemand.

»Wir kommen«, sagte Maria.

»Während der Feiern zum ersten Mai werde ich dem Laird die Schlüssel stehlen, beim Abendessen. Wenn ich sie habe, gebe ich Euch ein Zeichen. Wartet verkleidet im Turm und haltet Euch fluchtbereit. Tut genau, was ich sage.«

Obwohl sie so langsam gingen, wie sie nur konnten, waren sie jetzt fast am Tor. »Ich werde ihre Boote unbrauchbar machen. Wir fliehen in einem. Bringt niemanden mit. Sagt niemandem etwas. Ich werde – guten Abend, Soldat.« Er grüßte die Wache. »Schlaft gut, Majestät.«

Im Morgengrauen lag Maria wach; sie hörte, wie die Vögel zu zwitschern begannen, ehe es hell wurde. So war der Tag also gekommen. Sie wagte nicht, darüber nachzudenken, denn dann würde sie so aufgeregt werden, daß sie den ganzen Plan verriete. Am besten, sie dachte überhaupt nicht daran. Aber als sie aufstand, schaute sie sich unwillkürlich in der Turmkammer um und fragte sich, ob sie nun die letzte Nacht darin verbracht hatte. Ich bete zu Gott, daß ich nie wieder hier aufwachen werde, dachte sie.

Wieder einmal legte sie ihre schäbigen Kleider zurecht; hoffentlich klebte nicht noch das Pech vom letzten gescheiterten Versuch daran. Die Damen Douglas waren nicht da, und das machte ihr die Vorbereitungen viel leichter. Sie raffte ein paar ihrer Habseligkeiten zusammen und stopfte sie unauffällig in ein Bündel, das sie, sollte sich die Gelegenheit bieten, an sich raffen und mitnehmen könnte.

Jetzt mußte sie den Tag überstehen. Noch nie war ihr ein gewöhnlicher Tag so lang erschienen. Erst kamen die Morgengebete, die sie und ihr Haushalt stets zu sprechen pflegten, dann das Frühstück, dann das Sticken, dann ein Spaziergang.

Heute herrschte emsiges Treiben, denn die Große Halle wurde für das Festmahl bereitgemacht. Dekorationen – bunte Fahnen und Schärpen – wurden an Mauern und Bäume gehängt. Musikanten probten auf der Wiese im Sonnenschein, und sie tranken schon Bier. Man hatte eine Menge Bier herbeigeschafft, und schon gegen Mittag bedienten sich die Soldaten. Maria betete, daß es bis zum entscheidenden Augenblick reichen möge. Welche Ironie, wenn es so zeitig ausginge, daß die Soldaten wieder nüchtern wären, gerade als sie versuchte, zu fliehen.

»Jetzt folgt mir!« Willie kam in einem bunten Atlasmantel herausparadiert; ein hoher, spitzer Hut wie der eines Zauberers saß auf seinem Kopf. Jetzt kroch er auf allen vieren, und die Leute, die ihm folgten, mußten es ihm nachmachen. Dann sprang er wieder auf und drehte sich im Kreis, und alle taten desgleichen.

»Du da!« Er deutete auf einen Soldaten, der auf der Mauer stand. »Stell dich auf den Kopf!«

»Was?« Der Soldat schaute sich um. »Hier oben?«

»Ja, natürlich, wenn du es wagst!« sagte Willie. »Es sind nur zehn Fuß bis zur Erde. Den Schädel wirst du dir schon nicht spalten!«

Der Soldat – eigentlich ein Knabe, nicht viel älter als Willie – versuchte vorsichtig, zu tun, wie ihm geheißen, aber er kippte um und mußte sich an den Steinen festkrallen, um nicht ganz herunterzufallen.

»Ah, schade! Jetzt mußt du bestraft werden!« rief Willie, und alles lachte. »Du sollst Mistress Meggie bis zum Abendessen auf dem Rücken herumschleppen.«

Immer mehr Leute hatten sich der Reihe hinter Willie angeschlossen und folgten ihm lachend und schreiend umher.

Das Spiel ging den ganzen Nachmittag so weiter, und Willie erschöpfte sich darin, immer neue Aufgaben und Belohnungen und Strafen zu ersinnen. Die Leute betranken sich immer mehr, und wunderbarerweise ging das Ale nicht aus. Wie hatte Willie das alles nur bezahlt?

Maria scherte aus der Reihe aus. Ihre Seite schmerzte. Eine Weile stand sie da, die Arme um den Brustkorb geschlungen, und hoffte, daß der Schmerz nachlassen werde. Sie durfte jetzt nicht krank werden, nein, das durfte nicht geschehen!

Eine der Dienerinnen aus der Burg, ein junges Mädchen, kam zu ihr und gab ihr den Perlohrring. Maria starrte ihn wortlos an.

»Majestät, George Douglas schickt ihn Euch. Er sagt, einer der anderen Diener habe ihn gefunden und versucht, ihn zu verkaufen; er aber habe ihn als den Euren erkannt und befohlen, daß man ihn Euch zurückgebe. Gehört er wirklich Euch?«

»Ja«, sagte Maria. »Ich habe ihn vor einiger Zeit verloren. Vielen Dank.«

Das Mädchen machte einen Knicks. »Es ist mir eine Ehre, ihn zurückzubringen, Madam.«

Das Zeichen! Es war also alles bereit! Maria war schwindelig vor Aufregung, und die Schmerzen in der Seite waren wie weggeblasen.

»Ich bin so müde von all dem«, sagte sie. »Ich muß mich vor dem Essen ausruhen.« Sie kehrte in die Turmgemächer zurück, die – noch ein Wunder – wie ausgestorben lagen. Rasch zog sie ihr Dienstbotenkleid unter das ihre und wechselte die Schuhe. Dann legte sie sich hin und versuchte, sich zu beruhigen.

Eine Stunde später kam sie wieder heraus. Die Feiernden waren nirgends zu sehen, aber man konnte sie hören. Offenbar hatten sie sich in die Große Halle zurückgezogen, wo sie trinken und singen konnten.

Lady Douglas ging im Hof auf und ab. Maria erschrak, und sie hätte sich eilig in ihr Zimmer zurückgezogen, aber sie war schon entdeckt. Also mußte sich sich lächelnd zu Lady Douglas hinüberbegeben; hoffentlich würde man unter dem Rock nicht ihre Schuhe sehen.

»Einen frohen ersten Mai wünsche ich Euch«, sagte Lady Douglas. »Habt Ihr je solche Narretei gesehen?« Sie klang nicht unbekümmert.

»Für mich ist jede Abweichung vom Alltagstrott eine Freude in diesem Gefängnis«, sagte Maria.

»Gefängnis, ja. Arabella wird von Träumen geplagt, in denen ein großer Rabe Euch über das Wasser davonträgt. Sie hat geträumt, daß Willie den Raben hergebracht habe.«

Arabella! Das törichte Mädchen, das so vernarrt in sie war!

»Sie war zutiefst verstört. Anscheinend will sie Euch um keinen Preis verlieren«, sagte Lady Douglas.

»Ich habe sie auch sehr gern«, sagte Maria vorsichtig. »Und ihr Traum wird wohl kaum wahr werden. Ich bin zu schwer für einen Raben.« Sie kicherte – hoffentlich albern.

»Vielleicht brauchte man einen ganzen Schwarm von Raben. Aber, Madam, ich bitte Euch, denkt an meine Familie. Wir wären ruiniert, wenn Ihr entfliehen wolltet. Die Lords würden denken – was ist das?« Sie deutete zum Festland hinüber, wo sich etwas bewegte.

Ein Trupp Reiter! Maria sah sie deutlich in der Gegend von Kinross.

»Eure Familie!« wiederholte Maria und beantwortete den ersten, aber nicht den zweiten Satz. »Ihr meint wohl Euern Liebling, Lord James! Gibt es sonst nichts, was Euch kümmert? Ihr habt zehn andere Kinder! Wieso habt Ihr nur ihn in Euerm Herzen? Er ist grausam und raffgierig – wußtet Ihr, daß er, als ich auf dem Sterbebett lag und er glaubte, ich könne ihn nicht sehen, anfing, meine Juwelen zu zählen? *Das* ist Euer Lieblingssohn! Seht Ihr nicht, was Ihr da zur Welt gebracht habt?«

»Lord James ist ein zutiefst frommer Mann, der stets zuvordest die Interessen Schottlands im Sinn hat!« Lady Douglas' Gesicht verfinsterte sich, und sie schaute nicht mehr zum Festland hinüber. Die Reiter waren verschwunden.

»Lord James und *seine* Interessen sind das, was *er* zuvorderst im Sinn hat! Und, Madam, überlegt Euch einmal, wie es sich mit der Ehre Eurer Familie verträgt, seine Marionetten und Diener zu sein!« Sie wagte nicht, Lady Douglas zum Land hinüberschauen zu lassen; nur solche Sticheleien gegen James würden sie soweit ablenken, daß sie vergaß, was sie gesehen hatte.

»Wie könnt Ihr es wagen, so zu sprechen?« Lady Douglas griff sie an wie eine Tigermutter und begann mit einer Aufzählung von Marias Sünden und Unzulänglichkeiten.

Maria hörte zu und tat schockiert und gekränkt, und die ganze Zeit stand sie dem Festland zugewandt, um sicherzugehen, daß ihre Gegnerin nicht in die Richtung schauen konnte.

Wie es seine Gewohnheit war, brachte der Laird das Abendessen zu Maria in den Turm, wo sie ihre Mahlzeiten einnahm. Auch heute gab es davon keine Ausnahme; mit einer Papiermütze, die Willie ihm auf den Kopf gestülpt hatte, und rülpsend vom Bier, schlurfte der Herr der Insel herein und stellte ihr ein Frühlingsmahl auf den Tisch: gebratenes Lamm, Spinattorte, gebackenen Butterpudding und ein leicht bitter schmeckendes Getränk, einen »Frühlingskrafttrunk»: frische grüne Blätter von Odermennig und Saft von wilder Kresse, mit neuem Ale vermischt.

»Ich hoffe, es wird munden«, sagte er.

»Ja, das wird es sicher.« Maria lächelte ihn an.

Ich werde es nicht bedauern, von hier wegzukommen, dachte sie. Aber der Laird war immer freundlich und harmlos. Es fällt schwer, sich diesen selbstverleugnerischen, untüchtigen Mann als Gefängniswärter vorzustellen. Ist Willie wirklich sein unehelicher Sohn? Welche Geschichte verbirgt sich dahinter?

Der Laird begann in ihrem Zimmer auf und ab zu gehen, als habe er keine Lust, sich zurückzuziehen. Einen Augenblick lang blieb er stehen und betrachtete das Kruzifix an der Wand neben der Andachtsnische im Fenster mit traurigem Blick. Plötzlich fuhr er auf, denn er hatte vor dem Fenster etwas gesehen.

»Ehh!« sagte er. »Was macht dieser dumme Willie da?«

Maria stand auf und kam zum Fenster. Willie bückte sich zwischen zwei Boote, die am Ufer lagen. Anscheinend machte er sie unbrauchbar, wie er gesagt hatte. In den Festlichkeiten war eine Pause eingetreten, und man würde ihn erst nachher wieder in der Großen Halle erwarten.

»Dieser Bengel!« rief der Laird. »Nichts als Unsinn im Kopf!« Er wollte der Wache draußen zuwinken, damit jemand sich darum kümmerte.

»Oh!« Maria legte eine Hand an die Stirn und stöhnte. Dann schwankte sie und fiel auf die Knie.

Verwirrt wandte sich der Laird vom Fenster ab und beugte sich über sie. »Was ist?«

»Mir ist so schwindelig. Es überkommt mich manchmal so.« Sie lehnte sich an ihn. »Ich bitte Euch, helft mir zu meinem Sofa.«

Seufzend schob ihr der Laird den Arm unter die Achsel und half der Schwankenden zu ihrer Couch. »So«, sagte er, und dann richtete er sich auf und wollte sich wieder dem Fenster zuwenden.

»Würdet Ihr bitte so gut sein?« fragte sie mit dünner Stimme.

»Süßer Wein aus Sizilien oder Zypern hilft mir, wenn ich diese Anfälle habe. Hättet Ihr wohl zufällig – könntet Ihr mir ... oh, ich will versuchen, nicht ohnmächtig zu werden!« Sie rollte den Kopf hin und her.

Verstimmt mußte der Laird losziehen und das Gewünschte selbst beschaffen, denn es waren keine Dienstboten zugegen. Als er zurückkam, war Willie nicht mehr bei den Booten.

Während des Mai-Banketts bestand der Laird darauf, so zu sitzen, daß er ungehindert durch das Fenster zum Festland hinüberschauen konnte, falls dort etwas nicht stimmen sollte. Willie führte den Vorsitz bei Tisch und schenkte Wein im Überfluß aus. Allmählich waren alle benebelt.

Vor dem Laird, neben seinem Teller, lagen die Schlüssel zum Tor und zur Burg – wie jeden Abend, wenn das Tor abgeschlossen war. Es waren fünf an der Zahl, von einer Kette zusammengehalten.

Willie stand neben ihm und hielt eine riesige Flasche Wein im Arm.

»Wein, Sir?« fragte er.

»Nein – nicht mehr.« Allmählich begann alles zu verschwimmen. »Äh – was für eine Sorte ist das?«

»Es ist der Rheinwein, Sir. Der beste, den wir haben. Besser als das Zeug, das Ihr vorhin getrunken habt.«

»Ahemm. Also gut.« Der Laird hielt seinen Becher hoch, und seine Hand schwankte ein wenig.

»Oh, das ist aber schwer! Verzeihung!« Willie ächzte und warf sein Mundtuch auf den Tisch, um die Flasche anders unterzufassen, während er einschenkte. Der Wein gurgelte wie eine glückliche Kröte im Liebesfrühling.

Der Laird merkte es nicht, aber als Willie sein Mundtuch wieder vom Tisch nahm, war auch der Schlüsselbund weg.

Maria schaute in banger Aufregung aus dem Fenster und sah, wie Willie aus der Halle trat und eilig über die Wiese kam. Er hob die Hand und nickte.

Maria zog ihren Rock aus, so daß der Dienerinnenrock zutagekam; sie legte ihren Dienstbotenmantel an und lief die Treppe hinunter. Sie hatte auch die Kapuze hochgeschlagen.

»Ich habe den Schlüssel«, sagte Willie. »Schnell! Aber nicht rennen!«

Eilig gingen sie nebeneinander her. Maria war sicher, daß ihr dunkler, wehender Mantel, der überhaupt nicht zu diesem Maienabend paßte, Aufmerksamkeit erregen würde. Ihr Herz pochte so heftig, daß sie sich jetzt wirklich einer Ohnmacht nahe fühlte.

Willie zog die Schlüssel aus dem Ärmel und schob einen davon in das Torschloß. Er paßte nicht. Er versuchte es mit einem anderen. Der schien zu passen, ließ sich dann aber nicht drehen. Maria wagte nicht, sich auch nur umzuschauen, um zu sehen, ob ihnen jemand gefolgt war; sie fürchtete, jemand könnte sie erkennen.

Willie probierte den nächsten Schlüssel und bemühte sich, die nervösen Hände ruhig zu halten. Der Schlüssel glitt ins Schloß, und dann hörte man, wie der Riegel zurückglitt. Willie zog den Schlüssel heraus und öffnete das Tor gerade so weit, daß sie sich hindurchschieben konnten. Dann drückte er es so lautlos wie möglich wieder zu und verschloß es von außen.

»So! Jetzt sind *sie* gefangen!«

Für einen Augenblick drückten sie sich in den Schatten der Mauer, um sich zu vergewissern, daß ihnen niemand folgte. Aber es war alles still. Sie stahlen sich zu einem der Boote hinüber, und Maria legte sich darin auf den Boden.

»Die übrigen sind unbrauchbar?« flüsterte sie.

»Ja. Ich habe Löcher hineingemacht.«

»Ich glaube, der Laird hat dich gesehen. Aber ich habe versucht, ihn abzulenken.«

Willie stieß das Boot vom Ufer ab und watete bis zu den Hüften ins Wasser; dann kletterte er herein. Er packte die Ruder und fing an zu rudern. Das Boot löste sich aus dem Schilf am Ufer und schwamm hinaus ins offene Wasser.

Willies Arm blitzte naß, als er die Schlüssel ins Wasser warf. Sie fielen ins Schilf und gingen fast lautlos unter. »Sollen sie danach tauchen«, meinte er.

Maria setzte sich vorsichtig auf. Das Ufer wich zusehens zurück. Aber sie war weiter draußen gewesen, als die Männer sie beim ersten Versuch entdeckt hatten. Impulsiv ergriff sie das zweite Paar Ruder und begann, mitzurudern. Alles – solange sie nur weiterkämen!

Willie lachte. »Das ist nicht notwendig«, sagte er.

»O doch!« sagte sie. »Ich muß an meiner Flucht mitwirken! Ich bin ja nicht alt, krank oder hilflos – im Gegenteil, nie habe ich mich stärker gefühlt!« Und noch während sie dies sagte, wurde ihr klar, daß die Ruhe und das Essen in Lochleven, auch wenn sie beides nur gezwungenermaßen genossen hatte – das alte Maß von Tatkraft und Wohlbefinden wiederhergestellt hatten. Sie war wieder die sportliche und zupackende Königin, die sie bei der »Treibjagd« gewesen war. Sie zog an den Rudern und stemmte sich dagegen.

Es wurde dunkel. Am Ufer schien sich etwas zu bewegen. Wer mochte da warten? War es George? Im blaugrauen Nebel, der über dem See aufstieg, konnte sie kaum etwas erkennen. Sie wühlte nach dem Schleier, den sie mitgebracht hatte, dem verabredeten Zeichen: Sie sollte ihren weißen Schleier schwenken.

Er flatterte in der Luft, und die roten Troddeln schnalzten. Auf und ab, auf und ab. George und seine Männer sahen es, ebenso der Laird und die Gesellschaft in der Burg, die hilflos hinter den Kerkermauern der Burg saßen und zuschauten. Maria hörte jetzt zorniges Geschrei auf der Insel.

Sie erreichten den Landungssteg in Kinross, und da war George, blaß und angespannt. Er streckte ihr die Arme entgegen, und sie kletterte aus dem Boot. Dann legte sie ihm den Schleier um die Schultern und sagte leise: »Ich danke Euch.«

»Euer Diener, Sir«, sagte Willie und verbeugte sich spöttisch.

»Wer ist sonst noch hier?« fragte Maria.

John Beaton aus der getreuen Familie Beaton drängte sich auf sie zu. Er führte einen Trupp von etwa zwanzig Männern zu Pferde. »Geborgt aus den Stallungen des Lairds hier auf dem Festland«, sagte er, und alles lachte. Der junge John Sempill, Mary Livingstons Ehemann, stand neben ihm.

»Lord Seton wartet verborgen im Glen, mit fünfzig Mann«, sagte George. »Und der Laird Hepburn von Riccarton ist bei ihm.«

Laird Riccarton! Bothwells Freund und Verwandter!

»Laßt uns abziehen, und zwar schnell! Könnt Ihr reiten?«

»Natürlich!« Maria bestieg ein muskulöses Pferd, das man ihr brachte.

Der ganze Trupp galoppierte davon.

Die Nachtluft war mild. Irgendwie fühlte sie sich hier auf dem Festland anders an als auf der Insel. Die Luft, der Duft, alles war anders.

Frei. Ich bin frei. Das Gefühl war so eigenartig, daß sie es kaum verstand.

Auf einer Lichtung nicht weit von der Stadt trafen sie Lord Seton und seine Leute sowie den Laird Riccarton.

»Lieber Lord Seton!« Sie war entzückt, all diese Leute zu sehen.

Freunde anstelle von Feinden. So lange war sie nicht mehr unter Freunden gewesen. Sie umarmten einander.

Dann der Laird von Riccarton. »Lieber Freund«, sagte sie. Sein bloßer Anblick ließ Bothwell wieder Wirklichkeit werden. »Bitte – benachrichtigt meinen Gemahl und sagt ihm, daß ich frei bin! Er muß zu mir kommen!«

»Ich will gleich zur Küste reiten«, sagte er. »Dann bin ich morgen da. Es gibt viele Schiffe dort, die einen Brief schnell übers Meer tragen.«

Maria und ihre Leute ritten im Galopp um Kinross herum und nahmen dann die Straße nach Süden. Es ging den gleichen Elendsweg zurück, den sie genommen hatten, als sie mit Lindsay und Ruthven als Gefangene nach Lochleven gekommen war. Jede Wendung des Pfades rief eine spezielle Erinnerung an jene grauenhafte Zeit in ihr wach: der tiefhängende Ast, von dem sie gehofft hatte, er werde Lindsay vom Pferd stoßen; die scharfe Biegung, in der sie fast selbst abgeworfen worden wäre. Jetzt waren es die ganz gewöhnlichen Eigenschaften eines beliebigen Reitweges, nichts, was sie sonst auch nur bemerkt hätte.

Vor ihr ritt Lord George Seton in zügigem, gleichmäßigem Tempo. Was für ein Freund er doch war! In den bedrohlichsten Augenblicken war er stets zur Stelle gewesen, und schon bei ihrer Flucht aus Holyrood hatte er ihr geholfen. Drüben in Lochleven verhörten sie jetzt vermutlich seine Schwester. Was für ein Gegensatz bestand doch zwischen diesem getreuen Geschwisterpaar und ihrem eigenen Bruder Lord James!

»Steigen wir in Seton House ab?« fragte sie ihn, als sie am Wegesrand haltmachten, um sich mit Brot und Wein zu erfrischen.

»Nein«, sagte er. »Ich denke, wir sollten noch weiter reiten. Lord Claud Hamilton wird uns in Queensferry erwarten, wenn wir den Forth überquert haben. Von dort aus können wir nach Niddry, meiner anderen Burg, um dort zu rasten.« Es war so dunkel, daß er ihr Gesicht nicht mehr sehen konnte, aber er konnte sich denken, daß sie verblüfft dreinschaute. »Eure Flucht ist geplant und gut vorbereitet worden. Viele von denen, die sich der Sache Eures Bruders angeschlossen hatten, haben inzwischen Zeit zum Nachdenken gehabt.

Seine Regentschaft behagt den Adeligen nicht annähernd so gut, wie man sich das gedacht hatte; etliche haben beschlossen, zu Euch zurückzukehren. Die Hamiltons treten mit ihrer ganzen Streitmacht für Euch ein; der Earl von Argyll, unstet, wie er ist, hat sich auch wieder auf unsere Seite geschlagen, Eglinton und Cassillis desgleichen. Der Westen Schottlands war Euch immer treu, und die Lords dort, Herris und Maxwell, warten in ihren Territorien.«

Also wandten sich die Leute gegen Lord James! Jetzt hatte er gesehen, wie leicht es war, ihnen zu gefallen, bevor man an die Macht kam, und wie schwer es einem nachher wurde. Selbst der beste Herrscher war nie so beliebt wie vor seiner Thronbesteigung.

Sie setzten die Reise fort und überquerten den Forth auf mehreren Fährschiffen, die dort bereitlagen. In South Queensferry begrüßte sie Lord Hamilton mit fünfzig Clansmännern, beritten und bewaffnet.

»Eure Majestät!« rief er. »Mit großer Freude sehe ich Euch!« Seine Männer hoben ihre Waffen und salutierten.

In den kleinen Dörfern, durch die der Weg nach Niddry sie führte, kamen die Leute aus den Häusern und jubelten ihr zu. Überall begrüßte man sie auf das freundlichste; niemand spuckte, niemand beschimpfte sie, niemand schrie, sie solle verbrannt werden. Hatte das Volk ihr vergeben? Solchen Beifall hatte sie vor Darnleys Tod zuletzt vernommen. Vielleicht hatten sie ihr vergeben, vielleicht sogar alles vergessen. Wenn nur ihr Haß gegen sie vergessen war!

Es war Mitternacht, als sie Niddry erreichten, Setons Burg ein paar Meilen weit südlich des Forth. Hier stiegen sie ab.

»Kommt, Majestät«, sagte Lord Seton. Sie strömten in den Hof und in die bereitstehenden Gemächer. »Alles ist bereit«, sagte er, und Maria betrat eine ordentliche, gut eingerichtete Kammer. Sie war nicht größer als die in Lochleven, aber die Freiheit ließ sie zehnmal so groß erscheinen.

»Ich danke Euch von ganzem Herzen«, sagte Maria und legte ihm die Hand auf die Schulter.

Als sie endlich allein in ihrem Gemach war, schaute sie sich benommen um. Eine lange Zeit war vergangen, seit sie in ihrer Turmstube in Lochleven aufgestanden war. Und ihr Gebet war erhört worden: Nie wieder würde sie dort schlafengehen müssen.

Sie war so müde, daß sie sich nur noch ihres schäbigen Rocks und Mieders entledigen konnte, und dankbar dafür, daß sie endlich ganz allein sein durfte; sie stieg ins Bett und versank sofort in einen tiefen, festen Schlaf, wie sie ihn seit zehn Monaten nicht mehr gefunden hatte.

Als sie erwachte, fühlte sie, daß etwas Bedeutsames geschehen sei, aber einen Augenblick lang konnte sie sich nicht erinnern, was es gewesen war. Dieses Bett – es war ungewohnt. Die dunklen Ecken des Raumes verbargen seine wahre Größe. Sie stieg aus dem hohen, holzgeschnitzten Möbel und tastete sich zu einem Fenster. Im Osten wurde es hell. Sie sah Land. Land – kein Wasser. Keine Insel. Nichts als sanftes Grün ringsum. Dann brach alles wieder über sie herein – sie war frei! Dies war Lord Setons Burg.

Wie spät war es? Sie hatte keine Uhr, aber das matte Licht ließ vermuten, daß der Morgen graute. Es konnte noch keine fünf Uhr sein. Noch niemand würde auf sein. Sie ging wieder ins Bett und zwang sich, zu warten.

Später, als sie sich, immer noch allein, in seliger Ungestörtheit, ankleidete, hörte sie Geräusche draußen vor dem Fenster. Sie schaute hinaus, und dort, wo zuvor nur grünes, welliges Land gewesen war, wimmelte jetzt eine große Schar von Leuten. Sie waren mit Piken und Knüppeln bewaffnet, und als sie am Fenster erschien, ließ einer der Anführer eben ein Horn ertönen, und ein anderer stimmte mit dem Dudelsack ein.

Über die Maßen aufgeregt, stürzte sie aus dem Zimmer; das lange Haar wehte ungekämmt hinter ihr her, als sie in den Hof hinausgelaufen kam. Lord Seton war ihr gefolgt und versuchte, sie aufzuhalten, aber sie lief ihm davon und eilte dem Heer entgegen. Als die Männer sie sahen, senkte sich ein ehrfürchtiges Schweigen auf sie herab. Dann schrie jemand: »Gott segne die Königin!« und aus tausend Kehlen erscholl der Ruf: »Ja!«

Tränen ließen Farben und Gesichter vor ihren Augen verschwimmen. Sie schüttelte den Kopf, um klarer zu sehen, und breitete die Arme aus. »Meine guten Leute! Wahrlich, ich bin gesegnet, wieder unter euch zu sein!«

Als sie sie vor sich sahen, mit langem, wehendem Haar und nur nachlässig bekleidet, waren sie von Rührung überwältigt. Ohne Zweifel war sie die schönste Königin der Welt, und wie glücklich konnten sie sich preisen, daß sie *ihre* Königin war. Künftige Generationen würden sie beneiden; ihre Söhne und Töchter würden sie bitten, wieder und wieder genau zu schildern, wie sie an diesem

Morgen ausgesehen hatte. »Wir würden sterben für Euch!« riefen sie.

»Ich will nicht, daß jemand stirbt«, antwortete sie. »Soll mein Bruder sich nur ergeben und abtreten. Und jetzt, da ihr eure Gefolgschaftstreue gezeigt habt, wird er es tun. Den Willen des Volkes kann er nicht ignorieren.«

Oh, wie leicht war es gewesen, eingemauert in Lochleven zu glauben, sie sei ungeliebt und unerwünscht. Das Gefängnis hielt die Wirklichkeit fern – und darauf hatte ihr Bruder Lord James sich verlassen.

Maria setzte sich – wieder in geborgten Gewändern – mit ihren Adeligen an den Ratstisch. Nach jener ersten Nacht hatten sie Niddry wieder verlassen und waren nach Westen, nach Dumbarton, gezogen. Die mächtige Festung an der Küste war als einzige noch in königstreuen Händen; Lord Fleming, Marys Bruder, hatte sie gehalten. Die übrigen Burgen mitsamt ihren Arsenalen – Stirling, Edinburgh und Dunbar – hatte Lord James in seiner Gewalt. Der Westen aber war immer noch überwiegend katholisch und königstreu, und so war es strategisch vernünftig, sich in diese Gegend zu begeben. Hier hofften sie innehalten und einen Sammelpunkt für die übrigen Loyalisten vorbereiten zu können, die sich ihnen anschließen wollten. Die Hamiltons, dieser riesige Clan, der neben den Stewarts in der Thronfolge stand, waren erzürnt darüber, daß Lord James die Regentschaft übernommen hatte, ohne sie an der Beute zu beteiligen. Sie bildeten jetzt den Kern der Loyalisten und hatten die Absicht, den Emporkömmlingen die Macht wieder zu entreißen. Ihr Gebiet begann unmittelbar südlich von Glasgow, und so zog Maria sich mit ihrem Gefolge auf die Burg der Hamiltons zurück und machte sie zu ihrem Hauptquartier. Hier konnten sich die Königintreuen sammeln, denn sie wußten, daß das sichere Dumbarton nur zwölf Meilen weit entfernt war. Im Notfall konnte man von dort aus überall hin – wie Maria als Kind von dort nach Frankreich gefahren war.

An dem langen Tisch saßen jetzt neun Earls, neun Bischöfe, achtzehn Lords und zahlreiche Lairds von niederem Rang. Maria erhob sich, endlich wieder als Königin unter ihren Edlen.

»Mylords«, begann sie. »Ich habe den Wunsch, meine unter Zwang ausgesprochene Abdankung feierlich zu widerrufen, und Ihr sollt dabei meine Zeugen sein. Dies werden wir sodann öffentlich bekanntgeben. Ich schwöre bei meiner unsterblichen Seele – und werde am furchtbaren Tag des Jüngsten Gerichts darüber Rechenschaft ablegen –, daß meine Unterschrift unter den Dokumenten und Urkunden, die zu Lochleven verfertigt wurden, durch Gewalt und Drohungen gegen mein Leben erlangt wurden. Dafür habe ich Zeugen: George Douglas und Melville.« Sie nickte den beiden zu, die unten, fast am Ende des Tisches, saßen.

»Wahrlich, so ist es!« sagte George mit zitternder Stimme. »Lord Lindsay hat gedroht, sie zu töten – er wolle sie in Stücke schneiden und an die Fische verfüttern, sagte er!«

»Ich kann die Tatsache bestätigen, daß Ihre Majestät erst da zur Unterschrift bereit war, als ich ihr gesagt hatte, daß die Königin von England ihr rate, auf diese Weise ihr Leben zu retten, wohl wissend, daß nichts, was unter solchen Umständen zustandekommt, verbindlich sein kann«, fügte Melville hinzu. Er war geradewegs aus Edinburgh gekommen, als man ihn gerufen hatte, und hatte zwei Dinge mitgebracht, nach denen Maria sehnlichst verlangt hatte: Elisabeths Ring und die Pferde aus ihrem eigenen Stall.

»Mylords, ich verleihe uns hiermit den rechtlichen Stand eines Parlaments, und nun ist es notwendig, daß wir uns drängenden Geschäften widmen.« Maria nickte dem Erzbischof von St. Andrews zu, dem gerissenen John Hamilton. »Der Erzbischof und ich haben eine Erklärung, den Regenten betreffend, verfaßt, die wir Euch zu ratifizieren bitten.«

Der Erzbischof erhob sich und las mit dröhnender Stimme. »›Wir erklären hiermit, daß Unsere falsche Abdankung, erpreßt durch Drohungen gegen Unser Leben, ganz und gar null und nichtig ist, und daß Wir sind Maria, durch Gottes Gnaden die unzweifelhafte und rechtmäßige Erbin der schottischen Königskrone, die Wir ererbt in der unabänderlichen, gerechten Linie, nach Recht und Gesetz dazu gewählt und gekrönt, inthronisiert und geweiht.‹«

Alle am Tisch nickten murmelnd.

Sodann begann der Erzbischof, die Verbrechen, die Lord James begangen habe, in allen Einzelheiten aufzuführen, und er brandmarkte ihn als »bestialischen Verräter und Bastard, gezeugt in schändlichem Ehebruch«, und seine Partei beschrieb er als »schamlose Schlachter, Höllenhunde, blutige Tyrannen, gemeine Mörder und Halsabschneider, denen kein Fürst, ja, nicht einmal der barbarische Türke, für die Morde, die sie begangen, Vergebung oder Schonung möchte gewähren«.

Die Männer lachten voller Unbehagen. Die Königin konnte also nie mehr Frieden mit ihrem Bruder schließen. Sie hatte sich unwiderruflich gegen ihn gewandt; er hatte sie einmal zu oft verraten.

»Und jetzt, meine guten Lords«, sagte sie, »hört Euch bitte an, welche Erkenntnisse wir über unsere Widersacher gewonnen haben.«

Lord Seton stand auf. »Der Regent war in Glasgow zu einem Gerichtstag, als ihn die Kunde erreichte, daß Ihre Majestät vor etlichen Tagen entflohen sei, und er war schmerzlich erstaunt!«

Die Versammlung lachte.

»Er war allein bis auf eine Leibwache und meinte, er solle sich vielleicht lieber nach Stirling zurückziehen, da die Gegend hier der Königin so zugetan ist. Offenbar ist er dann aber zu dem Schluß gekommen, es sei wohl besser, hier die Stellung zu halten, statt sich beim Rückzug sehen zu lassen. Infolge dessen hat er hier ein Lager aufgeschlagen und Soldaten heranbefohlen. Er verlangt« – er entfaltete ein Papier –, »daß die Person des Königs geschützt und die Ruhe wiederhergestellt werde.«

Maria lachte verachtungsvoll. »Und wie wird sein Befehl befolgt?«

»Kirkcaldy bringt Arkebusiere aus Edinburgh, und Erskine kommt mit Kanonen aus Stirling. Und dann ist da noch Morton mit seinen Lanzenträgern, die zum Kampfe eilen.«

»Wie viele?«

»Bis jetzt ungefähr zweitausend. Wenn Lindsay, Ruthven und Glencairn kommen, werden es vielleicht dreitausend.«

»Ha!« Der Earl von Argyll schnaufte geringschätzig. »Meine Highlander allein zählen fast zweitausend. Nehmt die Hamiltons dazu und – wir haben über fünftausend Mann!«

Jäh packte sie die Angst mit kalter Hand. Ihre Armee war größer. Aber sie hatte keinen Führer. Da war kein Bothwell und niemand, der ihm vergleichbar gewesen wäre. Ohne Bothwell, der ihnen entgegentrat, wurden Kirkcaldy und Lord James und Morton zu furchterregenden Gegnern. Was nur gut war, wurde in Abwesenheit des Hervorragenden selbst hervorragend.

»Und wer wird meine Armee führen?« fragte sie. »Wer ist mein General?«

»Ich«, sagte Argyll. »Ich habe die meisten Männer dazugetan.« Hamilton machte ein finsteres Gesicht.

»Teuerste Königin«, sagte Lord Herries plötzlich. »Ihr solltet wissen, daß es nur zwei Möglichkeiten für Euch gibt, auf den Thron zurückzukehren und die Macht zu übernehmen: entweder durch Beschluß des Parlaments oder durch eine Schlacht. Ihr habt zu wählen.«

Maria blickte am Tisch entlang in die Gesichter ihrer Anhänger: George Douglas mit seinen hübschen Zügen und seiner zähneknirschenden Hingabe, Lord Seton mit seinem schlichten, ehrlichen Antlitz, Lord Livingston mit seiner ruhigen Tapferkeit.

Bothwells Gesicht fehlte hier, und es würde immer fehlen. Aber die anderen hatten bereits viel geopfert, und sie würden sie nicht im Stich lassen.

»Wir wollen es mit der Schlacht versuchen!« rief sie, und Zielstrebigkeit und Entschlossenheit durchfluteten sie und schwemmten alles Zaudern hinweg.

In den nächsten Tagen strömten immer neue Männer zu ihren Fahnen; mehr als hundert mindere Lords brachten ihre Vasallen, Pächter und Hausdiener als Soldaten zu ihrer Armee. Huntly hatte sein Schicksal überraschenderweise an ihres geknüpft und ließ seine Truppen aus dem Hochland herunterkommen. Aber sintflutartige Regenfälle hatten die Bäche anschwellen lassen, so daß sie unüberwindlich geworden waren.

»Ich zweifle nicht daran, daß Lord James angreifen will, bevor Huntly hier sein kann«, sagte sie zu George. »Aber selbst ohne ihn sind wir stärker.«

»Mein Vater hat sich *ihnen* angeschlossen«, sagte George. »Gestern ist er mit seinen Leuten gekommen.«

»Meine Güte, wie tüchtig doch Spitzel sind«, sagte Maria leichthin, aber im Grunde ihres Herzens war sie beunruhigt. Wie konnten solche Erkenntnisse so freizügig zwischen den Armeen hin und her gehen? Aber sie wußte, daß man George vertrauen konnte. »Aber ich bin froh, daß er noch in der Lage ist, zu kämpfen – falls das vernünftig ist.«

»Ja«, sagte George leise. Der Laird hatte versucht, sich zu erstechen, als er die Flucht der Königin entdeckt hatte; er hatte sich schmerzlich entehrt gefühlt. Aber seine Diener hatten ihn gehindert, und jetzt war das Bedürfnis vergangen. »Diese Schuld bleibt mir erspart … am Tode meines Vaters beteiligt zu sein.«

»Es hat schon zu viele Tote gegeben in Schottland«, sagte Maria und drehte Elisabeths Ring an ihrem Finger. Ihn dort zu tragen gab ihr ein Gefühl der Sicherheit. Ich habe die Möglichkeit, übers Meer nach Frankreich zu entkommen, sollte es nötig werden – oder nach England über Land, wenn alles andere scheitert, dachte sie. Sie fragte sich, ob Elisabeth ihren letzten Brief und danach die Neuigkeit von ihrer Flucht erhalten hatte. Bis jetzt hatte sie aus England keine Nachricht.

»Da ist das Problem des Soldes«, sagte George eben. »Lord James hat das Geld, das Silber und die Juwelen der Krone, und wir haben nichts. Wie wollen wir diese Truppen bezahlen?«

»Mit Versprechen«, sagte sie. »Wenn ich meinen Thron erst einmal wiederhabe –«

»Versprechen können sie nicht essen«, sagte George.

»Dann muß man mir Proviant und Munition eben schenken«, meinte Maria. »Diejenigen, die mich unterstützen, werden sich einstweilen mildtätig zeigen müssen.«

»Da verlangt Ihr einen hohen Preis«, sagte er. »Nicht jeder wird ihn zahlen wollen.«

»Nicht jeder, nein. Es gibt wenige wie Euch, George – die bereit wären, sich gegen das zu stellen, was in ihrem besten Interesse wäre, und sich gegen ihr eigen Fleisch und Blut zu wenden. Armer George. Nun kämpft Ihr gegen den Vater *und* gegen den älteren Bruder.«

»Ich kann nicht anders«, sagte er. »Aber andere vielleicht doch.«

»Ihr könnt nicht anders?«

»Ihr wißt nur zu gut, was ich meine. Bitte zwingt mich nicht, die Worte auszusprechen.«

Maria schickte eine Proklamation an James, der sein Lager nur wenige Meilen weit entfernt aufgeschlagen hatte, und gab ihm bekannt, daß sie ihre Abdankung widerrufe und Anspruch auf den Thron erhebe; er möge ihr im Namen der Barmherzigkeit sein Einverständnis geben und sich gehorsam fügen. Seine Antwort bestand darin, daß er die Proklamation zerriß und den Boten in Ketten legen ließ.

Am 13. Mai, nur elf Tage nach Marias Flucht aus Lochleven, kam es zur Schlacht. Marias Streitkräfte waren selbst ohne Huntly auf sechstausend Mann angewachsen; James dagegen hatte nur dreitausend. In aller Frühe gab ihr Feldherr Argyll den Befehl zum Marsch nach Westen, um Glasgow herum, um James bei seiner Festung zu Burgh Muir zu attackieren. Maria, begleitet von Willie Douglas und Mary Seton – der betrübte Laird hatte ihr erlaubt, ihrer Herrin zu folgen –, bezog Position auf einem nahe gelegenen Hügel, wo sie das Land ringsum überblicken konnte. Sie sah, wie ihre Armee mit Lord Claud Hamilton und seinen Clansleuten als Vorhut auf das Städtchen Langside zuritt; Argyll folgte mit der Hauptmacht der Truppe ein kleines Stück weit dahinter.

Plötzlich sah man Farben und Bewegung; Lord James zog heran! Sie konnte nicht alles verfolgen, aber später stellte sich heraus, daß James jeweils zwei Mann auf ein Pferd gesetzt und sein ganzes Heer so im Handumdrehen in eine ideale Stellung am Rande von Langside gebracht hatte, statt ihr in der offenen Ebene entgegenzutreten. In einem tollkühnen Manöver stationierte Kirkcaldy Arkebusiere in den Gärten und Gassen längs der Hauptstraße von Langside, während Morton und James den Hauptteil der Truppen unter ihrem Kommando am Langside Hill in Stellung gehen ließen.

Die Vorhut der Hamiltons zog jetzt in Langside ein; ihr Fortkommen wurde verlangsamt, weil die enge Hauptstraße sie behinderte. Dann fielen Schüsse; verborgene Schützen feuerten von allen Seiten, und große Verwirrung brach aus. Leichen türmten sich übereinander, als alle versuchten zu fliehen. Die Arkebusiere schossen sie ab wie beim Scheibenschießen, und die Männer gerieten in Panik.

Argylls Highland-Soldaten hinter ihnen blieben ratlos stehen und konnten nicht in die Stadt, die wie ein Flaschenhals vor ihnen verstopft war. Sie hörten das Gewehrfeuer und die Schreie und wandten sich fragend an ihren Befehlshaber. In diesem Augenblick erhob sich ein durchdringendes Gebrüll; Lord Herries führte eine Attacke bergauf gegen Lord James.

Da ertönte ein Weinen und Klagen und wurde immer lauter. Die Highlander wandten sich zur Flucht, ihre Reihen lösten sich auf, sie rannten in die andere Richtung!

Maria schaute nach Langside Hill hinüber, und zu ihrem Entsetzen sah sie unter einer ausgedehnten Hecke eine Wiege stehen, und darüber flatterte das inzwischen wohlbekannte Banner mit dem knienden Prinzen. Die Lords hatten den kleinen James auf das Schlachtfeld mitgebracht!

Wut und Haß erfüllten sie. Wie konnten sie sein Leben derart in Gefahr bringen!

Vielleicht kümmerte es sie nicht, wenn er unterging; vielleicht war es sogar ihre Absicht. »Wir haben ihn im Kampfe verloren«, könnten sie dann betrübt verkünden und dem Bastard Lord James die Krone aufs Haupt setzen.

Mit einem Racheschrei gab sie ihrem Pferd die Sporen und galoppierte pistolenschwenkend den Hang hinunter.

»Schlagt sie, schlagt die gottlosen Rebellen!« schrie sie und stürzte sich ins Getümmel. Fast hätten flüchtende Highlander sie über den Haufen gerannt.

»Wo ist euer Hauptmann?« rief sie, als sie Argylls Pferd ohne seinen Reiter erblickte. Aber niemand antwortete; alle hasteten davon. Dann sah sie ein Bündel zu Füßen des Pferdes liegen; das treue Tier stand darüber und verhinderte, daß es zertrampelt wurde.

Arylls Diener kniete neben ihm und rieb seinem Herrn das Gesicht. »Ein Schlaganfall«, sagte er mit tränenüberströmtem Gesicht. »Er stürzte, als wir gerade angreifen wollten.«

Ein Schlaganfall! Wie konnte er ihn jetzt ereilen? Hätte Gott nicht noch eine oder zwei Stunden warten können?

»Haßt Du mich denn?« schrie sie zum Himmel. Staubwolken wehten ringsum, als die Männer flohen. Sie wandte sich ihnen zu und rief: »Steht! Steht und kämpft! Der Tag ist unser!«

Ein Hagel von Pfeilen prasselte auf sie herab, und der nächste Offizier nahm ihren Ruf auf. »Kämpft! Formiert euch!«

»Halt's Maul, du hast nichts zu sagen!« rief einer der anderen, sein Vetter.

Die beiden Männer saßen auf ihren Pferden und stritten sich, während links und rechts die Pfeile herabregneten.

»Memme!« schrie der eine. »Laßt ihn doch und folgt mir!«

»Der hat doch keine Ausbildung! Ein Student ist er, ein verweichlichter Bücherwurm ...«

»Halt's Maul!«

Es gab neuen Tumult, und Maria sah, wie Lord Herries eine zweite Attacke nach Langside Hill hinaufführte. Aber ohne machtvolle Verstärkung hinter sich konnte er sich nicht halten, und Lord James trieb ihn zurück.

Maria zügelte ihr Pferd, und mit zwei Pistolen im Anschlag floh sie durch die Seitenstraßen von Langside; fast hoffte sie darauf, einen Arkebusier zu finden, der sich in den Bäumen versteckte. Bei Gott, ich werde ihn erschießen! dachte sie. Die Hauptstraße war übersät von Leichen.

Sie galoppierte zu ihrem Hügel zurück und fand dort Lord Livingston, George und Willie und Lord Herries' Sohn. »Kommt«, sagten sie, und sie merkte, daß man sie vom Schlachtfeld fortbringen wollte. »Es ziemt sich nicht –«

»Es ziemt sich nicht, daß ich mit eigenen Augen sehe, was geschehen ist? Sie wollen nicht kämpfen!« kreischte sie. »Argyll ist gefallen, und seine Highlander fliehen –«

Als sie den Gipfel der Anhöhe erreichte, sah sie, wie Mortons Lanzenträger gegen die wenigen verbliebenen Hamiltons vorrückten, die am anderen Ende aus der Hauptstraße kamen. Nahkampf brach aus, und Entsetzensschreie, die beinahe unmenschlich klangen, erfüllten die Luft.

Lord Herries kam im Galopp herauf; sein Pferd war schweißüberströmt. »Der Tag ist verloren!« rief er. »Wir müssen fliehen!«

»Verloren?«

»Ja. Schnell, sonst nimmt man Euch wieder gefangen!« Er riß an ihrem Zaumzeug.

Wieder gefangen. Dann war alles vergebens. Es war aus – nach weniger als einer Stunde. Ein Leben in einer Stunde.

»Wo kann ich denn in Ehren hin?«

»Laßt uns nach Dumbarton gehen. Dort können wir Kräfte sammeln, nach Frankreich um Hilfe schicken.« Er winkte ihr, und sie folgte ihm den Hang hinunter. Unten blitzten die Lanzen und Dolche, mit denen Mortons Männer ihren Opfern den Garaus machten. »Schaut nicht hin!«

Aber sie schaute doch hin. Sie sah zu, wie hilflose Männer sich wanden und zuckten und dann schreiend starben.

Nach wenigen Augenblicken waren sie am Schlachtfeld vorbei und ritten dann der Küste zu, nach Dumbarton. Sie würden über Felder galoppieren müssen, die jetzt für die Aussaat vorbereitet wurden. Aber die Truppen verfolgten sie nicht. Weit hinter ihnen kamen George und Willie.

Unverhofft sprangen auf dem Feld zwei Männer auf und schwenkten Sensen und Hacken.

»Hier kommst du nicht vorbei, Hure!« schrien sie, und sie kamen herbeigerannt und schlugen mit ihren Klingen nach Marias Pferd, daß es sich aufbäumte und zurücksprang.

Die Augen der Männer waren haßerfüllt, und sie zielten und schlugen wie Kinder, die im Spiel einen Treffer anbringen wollen. »Pack sie!« zischte einer höhnisch.

Das Land gehörte dem Earl von Lennox! Natürlich!

Sie riß ihr Pferd herum und flüchtete in die entgegengesetzte Richtung. Der Weg nach Dumbarton war versperrt, und es bestand keine Hoffnung, es zu erreichen. Durch Glasgow konnten sie nicht, denn diese Stadt stand geschlossen hinter Lord James; den breiten Firth of Clyde konnten sie nicht überqueren, und wo der Fluß schmaler war, konnten sie auch nicht übersetzen, denn dort war Lennoxsches Territorium. Ihre Feinde umgaben ihre einzige Festung mit einem lebendigen Zaun.

Sie und Lord Herries ritten Willie und George entgegen. »Wir können nicht nach Dumbarton«, sagte Maria atemlos.

»Wir müssen uns nach Süden durchschlagen«, sagte Herries. »Da geht es durch die wilden Berge und Moore von Galloway. Aber ich kenne die Pässe, und unsere Verfolger nicht. Man muß dort geboren sein, um sich zurechtzufinden, und gottlob sind alle unsere Leute in der Gegend immer noch loyal. Kommt. Traut Ihr Euch diese Reise zu?« Dabei sah er nicht nur Maria an, sondern auch George, Willie, Lord Livingston und seinen eigenen Sohn, der sie inzwischen eingeholt hatte.

»Mit Gottes Hilfe«, sagte Maria, und die andern nickten.

»Dann los!« Herries gab seinem Pferd die Sporen und führte sie an, über die Felder fort nach Süden.

Es stimmte, was er gesagt hatte: Als die sanfte Landschaft im Tal des River Doon – die jetzt in voller Blüte stand; weiße Veilchen sprenkelten sternengleich die Uferböschungen, und wilde Pflaumenblüten verströmten ihren Duft – mit ihren Hirten, Schafherden und neugeborenen Lämmern hinter ihnen zurückblieb, gerieten sie in wildes, ungezähmtes Bergland mit rauschenden, schäumenden Bächen und felsigen Wasserfällen. Die Landschaft änderte sich; an die Stelle des üppigen Grüns in der gut bewässerten Talebene traten die braunen, von Moos und Heide bewachsenen Schründe des Hochlandes. Der Himmel war gewaltig und brütete über ihnen mit düster dahinjagenden Wolken, die ihre Schatten über Senken und Anhöhen warfen. Am Nachmittag waren die Wolken zusammengewachsen und wurden von unten her schwarz; feiner Dunst senkte sich herab und legte sich auf alles ringsum, und er durchfeuchtete sie, ohne daß es regnete. Der Boden wurde noch tückischer.

Auch flacheres Gelände war gefährlich, denn Sumpflöcher verbargen sich unter Heidekraut und Ried, daß man ihre Gefährlichkeit nicht sah. Sie folgten den Pässen und Pfaden des Glenkens, des Glen zu beiden Seiten des kalten River Ken, der einem zehn Meilen langen See entgegenströmte.

Maria sah das alles, ohne es zu sehen. Sie hatte dergleichen schon öfter gesehen, immer wieder: So oft hatte sie sich im Leben in wahnwitzigem Ritt in Sicherheit bringen müssen, meist in der Nacht und mit ihren Verfolgern dicht hinter sich. Auf ihren Ritten durch das Grenzland war sie durch gefährliche Moore und Pässe gekommen, und einmal war sie sogar in den Sumpf gefallen. Aber das alles war doch anders gewesen. Immer war Bothwell dagewesen, anwesend auf die eine oder andere Weise. Und nie war dieses Gefühl der Endgültigkeit gewesen, eines letzten, verzweifelten Kopfsprungs. Immer hatte sie ein Ziel gehabt: Inchmahome, Dunbar, Hermitage Castle, Kinross. Jetzt hatte sie keine Ahnung mehr, wohin sie sich wenden sollte, und wohin sie auch käme, es wäre kein Ziel, sondern ein Unterschlupf – und sie eine Bittstellerin.

Sie ritten am Westufer des River Ken dahin, langsamer jetzt, denn sie waren erschöpft. Lord Herries meinte, sie näherten sich der Mündung des großen Sees. Der Nebel wurde zu Regen, und sie plagten sich weiter. Plötzlich zügelte Herries sein Pferd und deutete über einen kleineren See hinweg.

Sie hielt an und versuchte, durch Zwielicht und Regen zu sehen, worauf er zeigte. Mit Mühe erkannte sie die Umrisse einer Burg am Ufer des Sees.

»Earlstoun Castle«, sagte Herries. »Es hat Lord Bothwell gehört.«

Hat Lord Bothwell gehört! Hat ihm gehört! Nicht: Es gehört ihm …

»Vielleicht könnten wir dort um Aufnahme bitten. Ich weiß nicht, wer es jetzt hat – vielleicht ist es immer noch in den Händen seiner loyalen Diener.«

Tränen stiegen ihr in die Augen, aber sie drängte sie zornig zurück. Bothwell hatte dieses Schloß nie erwähnt; offenbar hatte es unter seinen Vorlieben keine große Rolle gespielt. Und vielleicht, vielleicht, war es seine Art, auf magische Weise auch jetzt wieder für sie zu sorgen, wie er es immer getan hatte.

»Ja«, sagte sie. »Laßt uns hinreiten.«

Sie ritten um den See herum auf die alte Burg zu. Drinnen war kein Licht zu sehen.

»Es hat den Sinclairs gehört«, sagte Herries. »Lord Bothwells Mutter.«

Aber wer wohnte jetzt darin? Bothwells Mutter lebte in Morham. Als sie näher kamen, sahen sie, daß der Hof im Schlamm versank und menschenleer war.

Sie hielten im Schlamm des Hofes an und drängten sich im prasselnden Regen aneinander. Schließlich stieg Lord Herries ab und stapfte durch den Matsch zur Eingangstreppe. Er schüttelte den Dreck von seinen Stiefeln und stieg langsam die Stufen hinauf. Bevor er an der Tür angelangt war, war Maria mit gerafften Röcken vom Pferd gesprungen. Er wartete vor der Tür – einer massiven, zernarbten Holztür, nach altmodischer Handwerkskunst gefertigt. Sie mußte noch aus der Zeit von Robert Bruce stammen.

Maria holte aus und klopfte an. Das Geräusch war sehr leise; das nasse Holz wirkte dämpfend. Sie klopfte noch einmal, fester jetzt. Sie hörten das Echo drinnen. Aber keine Hunde bellten, keine Diener riefen. Erst jetzt wurde ihr bewußt, wie totenstill die ganze Burg war: kein Pferd rumorte, kein Hahn krähte, keine Kuh muhte. Und keines Menschen Stimme war zu hören.

Die Burg war verlassen und verschlossen.

In panischer Hast hämmerte sie an die Tür. Es mußte doch jemand da sein! Es *mußte*!

Die Burg gehörte *Bothwell*, Bothwell, ihrem Beschützer …

»Liefere du mich nicht meinen Feinden aus!« flehte sie ihn an.

Lord Herries sah sie erstaunt an. Dann begriff er. »Kommt, Majestät.« Er schlug ihr die Kapuze hoch. Ihr Haar war naß, und das Wasser rann ihr übers Gesicht.

»Du mußt doch hier sein!« Maria legte das Gesicht an die Tür und flüsterte diese Worte. Aber die tote Burg blieb finster und stumm. Wie ein Kind schluchzte sie am nassen Holz.

Er ist fort, und es ist alles aus. Nur noch den Tod und das Nichts gibt es dort drinnen, und hier draußen, und ringsumher, jetzt und immerdar.

»Vielleicht können wir hier im Hof ein Lager aufschlagen, wenn es Euch gefällt«, meinte Lord Herries.

Sie machte ein entsetztes Gesicht. »Nein! Laßt uns fortgehen von hier!« Sie eilte die Treppe hinunter und über den Hof, ohne sich darum zu kümmern, daß ihre Röcke durch den Schlamm schleiften. Sie sprang in den Sattel. »Kommt, wir reiten!«

George versuchte, einen Blick ihrer verzweifelten, geröteten Augen zu erhaschen, aber sie sah an ihm vorbei und trieb ihr Pferd in die Finsternis wie eine Wahnsinnige.

Am Ufer von Ken Loch, sechzig Meilen weit vom Schlachtfeld entfernt, rutschte Maria endlich vom Pferd und erlaubte den Männern, ein Lager aufzuschlagen.

Sie rasteten knappe drei Stunden, bevor die Sonne aufging und sich bemühte, durch den hartnäckigen Nebel zu scheinen. Sie hatten nichts zu essen bei sich, und trinken konnten sie nur das Wasser aus dem See, das eiskalt war.

»Wir folgen dem River Dee«, sagte Herries und zeigte auf den Wasserlauf, der aus dem Loch Ken floß – ein mäandernder Pfad voll Schilf und Wasserlilien.

Sie brachen auf, nicht ausgeruht, aber doch in der Lage, weiterzureiten. Die Ufer des Dee waren freundlich, der Boden schwammig weich; die Höhen und Klüfte der Wildnis blieben hinter ihnen zurück, und sie erreichten das Tal des Tarff.

Bei Tongland spannte sich eine schmale Holzbrücke, erbaut in den Zeiten des Bruce, über die schmalste Stelle des Flusses. Sie trabten hinüber, und dann ließ Herries sie haltmachen.

»Zerstört sie!« befahl er den Männern. »Das wird unsere Verfolger aufhalten – denn die gibt es ohne Zweifel!«

»Können wir dieses Überbleibsel alter Zeiten nicht verschonen?« fragte Maria müde. Sollte denn alles zerschlagen und zerstört werden?

»Nein«, sagte Herries.

George, Willie und Livingston stiegen ab und hieben mit ihren Schwertern auf die Brücke ein.

Schwindelig irrte Maria davon. Sie hörte das Dröhnen und Splittern des Holzes, aber es war wie im Traum. Ich muß etwas zu essen finden, dachte sie, und sie schämte sich, daß sie es vor den anderen brauchte.

Vor ihr in den Feldern stand eine kleine Bauernkate, aus trokkenen Steinen erbaut und mit winzigen Fenstern erhellt. Aus dem Loch im Rieddach kam Rauch. Langsam und ein wenig unsicher ging sie auf die Tür zu; sie lehnte sich an den Rahmen und fragte mit matter Stimme: »Ist jemand da?« Sie roch das Feuer.

Eine alte Frau, nicht unähnlich der, die Bothwell an jenem längst vergangenen Tag im Moor besucht hatte, kam schlurfend heraus und starrte Maria an.

»Bitte – hast du etwas zu essen?« fragte Maria.

»Nein«, sagte die Frau. Ihre Stimme war so brüchig, daß es klang, als sei sie am Halse verletzt. »Nein, das habe ich nicht.« Sie rieb sich den Magen und sah dabei gar nicht unfreundlich aus.

»Gar nichts?« Wie konnte es sein, daß es unter ihren Untertanen welche gab, die nichts zu essen hatten? Sie dachte an die dünne Brühe, die jene anderen Leute gehabt hatten.

»Komm herein«, sagte die Frau. »Du siehst schrecklich aus.« Sie winkte Maria herein und brachte einen Schemel. Maria setzte sich und sah sich in dem schlichten Stübchen um. Die Frau öffnete einen Schrank und mischte irgend etwas zusammen; dann kippte sie es in einen Kessel und rührte, wie es schien, eine Ewigkeit lang über dem glühenden Feuer darin herum. Endlich wandte sie sich zu Maria um, gab ihr eine Schale und kippte den Inhalt des Kessels hinein.

»Hier«, sagte sie und brachte noch einen Krug Milch.

Hafergrütze. Es war Hafergrütze. Maria goß Milch hinein und nahm einen Löffel. Die Milch war sauer.

»Mehr habe ich nicht«, sagte die Frau.

Maria schaute sich um; tatsächlich stand in dem Schrank nichts als ein kleiner Sack Hafermehl. Sie nickte dankbar und aß die ganze Schale leer.

»Willst du noch mehr?« fragte die Frau sanft, obgleich damit ihr gesamter Vorrat aufgezehrt wäre.

Maria war sprachlos über so viel Großzügigkeit. Für diese Frau war sie eine Fremde, und eine kränklich aussehende noch dazu. »Es war gut von dir, mir zu geben, was du mir gegeben hast«, sagte sie. »Ich bin dir dankbar.«

In diesem Augenblick kam Herries hereingestürmt. »Eure Majestät!« rief er. »Warum habt Ihr uns nicht gesagt –« Er brach ab, als die Frau ihn entsetzt anstarrte.

»Ja«, sagte Maria zu ihr, »ich bin die Königin.«

Die Frau murmelte etwas und hätte sich vor Schreck fast bekreuzigt.

»Ich stehe unter dem Schutz meiner guten Diener hier«, sagte Maria. »Aber nie werde ich bessere Diener finden als das gemeine Volk in meinem Land – wie dich. Du hast mir heute einen großen Dienst erwiesen, weit größer, als du dir vorstellen kannst. Was möchtest du zum Lohn? Sprich es aus, und es ist dein.«

»Nein – ich will keinen Lohn«, sagte die Frau.

»Eben darum sollst du welchen bekommen«, sagte Maria. »Bitte sag's mir. Und rasch, ich kann nicht länger bleiben.«

»Nun, ich – ich wünschte, diese Hütte wäre mein, und das Land, auf dem sie steht«, sagte die Frau. »Unsere Familie ist hier seit Generationen Pächter.«

»Guter Lord Herries, Ihr seid der Lord in dieser Gegend. Kann sie es bekommen?«

»Natürlich«, antwortete er. »Von ganzem Herzen gern will ich es ihr gewähren.«

Als Maria bei der zerstörten Brücke wieder zu ihren Begleitern stieß, überkam sie plötzlich ein seltsames Verlangen. »Gebt mir Euren Dolch«, befahl sie George. Erstaunt gehorchte er.

Sie band ihr Haar los und breitete es über ihre Schultern. Es reichte ihr fast bis auf die Hüften. »Ich bitte Euch, schneidet es ab«, sagte sie und gab ihm den Dolch zurück. »Ich kann es nicht selbst.«

»Nein, Majestät! Das dürft Ihr nicht!« sagte Willie.

»Ich wünsche es«, beharrte sie. »Tut, was ich sage!«

»Aber – warum?« Georges Stimme bebte vor Schmerz.

»Wir werden verfolgt. Ich weiß jetzt, daß ich mich vielleicht im Volke verstecken kann, aber nicht, wenn ich aussehe wie die Königin. An meiner Größe kann ich nichts ändern, aber bei meinem Haar geht es schon.«

»Euer Haar ist wunderschön! Ihr dürft es nicht vernichten!« widersprach George.

»Wieso ist dieses Haar besser als diese Brücke? Die Brücke wächst nicht nach, das Haar wohl. Ich befehle Euch – schneidet es ab!«

Betrübt gehorchte George und säbelte den dicht gewellten Mantel herunter, der eines der prächtigsten Attribute ihrer Schönheit war. Sie nahm die abgeschnittenen Haare, schob sie unter die zersplitterten Holzplanken der Brücke und bedeckte sie sorgfältig. Mit seltsam resigniertem Blick stieg sie in den Sattel.

Siehe alle unsere Opfer, dachte sie. *Siehe, wie wir unser Kostbarstes opfern.*

»Wir reiten nach Terregles, wo ich zu Hause bin«, sagte Herries. »Aber wir müssen, fürchte ich, einen Umweg nehmen, um Mortons Zwingburgen zu umgehen, Castle Douglas und Threave Castle.«

»Das macht nichts«, sagte Maria, und es war ihr ernst. Ohne sich noch einmal umzuschauen, wandte sie sich nach Osten.

In dieser Nacht schliefen sie im freien Feld, und als es hell wurde, ritten sie weiter. Aber sie erregten allzuviel Neugier unter den Bauern und Dorfbewohnern in dieser dichter besiedelten Gegend, und so beschlossen sie, tagsüber zu rasten und nur noch nachts zu reiten.

Terregles House, in der Nähe von Dumfries gelegen, erwies sich als gastlich; in Lord Herries' Burg waren sie endlich hinter verschlossenen Toren, und es gab zu essen. Herries fand heraus, daß es in der Gegend tatsächlich von Verfolgern wimmelte, und er erfuhr zudem, daß der Erzbischof von St. Andrews und andere Überlebende der königlichen Streitmacht sich weiter südwärts nach Dundrennan Abbey am Solway Firth geflüchtet hatten.

»Dort werden wir gefahrlos hingehen können«, sagte er. »Mein Sohn ist der Kommendator des Klosters. Laßt uns hier ausruhen, und dann schließen wir uns den andern an.«

»Ja«, sagte Maria. »Und was immer sie für Neuigkeiten haben, ich werde sie ertragen müssen.«

Am nebligen Morgen des 15. Mai kamen sie nach Dundrennan – auf den Tag genau ein Jahr nach Marias Vermählung mit Bothwell. Das alte Zisterzienserkloster war im Unterschied zu seinen Schwesterklöstern im östlichen Grenzland noch unzerstört. Hierher waren die marodierenden englischen Truppen nicht gekommen, und die gewölbten Kreuzgänge und das wunderschöne Heiligtum schlummerten ungestört im sattgrünen Tal.

Hier in den Armen der Vergangenheit fühlte Maria sich sicher. Aber im Gegensatz zum Konvent ihrer Tante Renée, wo sie in einer Zeit anderer Bedrängnis Trost gesucht hatte, war dies eine religiöse Reliquie. Mönche gab es nicht mehr; das Kloster war säkularisiert und gehörte zu den Besitzungen des Lord Herries. Als die Lords es ihm verliehen hatten, war der Befehl ergangen, Kreuzgänge und Kirche zu zerstören, aber das hatte er nicht getan – aus Gründen, die Maria nicht kannte, für die sie aber nichtsdestominder dankbar war.

Lord Herries' Sohn Edward hieß sie willkommen, und wenig später saßen sie bei einem kräftigen Abendessen. Die Flüchtlinge aßen hastig und ließen keinen einzigen Bissen unberührt. Einfacher Lammfleischeintopf und Brotpudding erschienen ihnen wie eine wunderbare Speise.

Danach kamen die übrigen hier Versammelten zu ihnen. Lord Claud Hamilton hatte bittere Neuigkeiten: Es hatte mehr als hundert Tote gegeben, überwiegend Hamiltons, die bei dem Hinterhalt in den Straßen von Langside am schlimmsten davongekommen waren. Über dreihundert von den Soldaten der Königin waren gefangengenommen worden, darunter auch Lord Seton, der überdies schwer verwundet war.

George Seton! Maria konnte es kaum fassen, daß der tapfere Seton in Gefangenschaft geraten sein sollte. »Oh, mein Schicksal trieft von Blut«, sagte sie schließlich.

Der Laird von Lochinvar war gekommen, und wieder einmal mußte sie sich – diesmal von ihm – Kleider borgen. Lord Boyd, der dem Gemetzel entronnen war, hatte sich nach Dundrennan flüchten können, ebenso Lord Fleming, der Dumbarton Castle sicher in den Händen seines Stellvertreters zurückgelassen hatte. Es war eine klägliche Versammlug von Verbannten und Mutlosen.

»Heute nachmittag werden wir uns beraten«, sagte Maria. »Im alten Kapitelhaus. Alle müssen dabei sein, nicht nur die Lords.«

Das Licht fiel schräg durch die Fenster mit ihren zierlich verschlungenen Steinfassungen, verziert mit Fleurs-de-Lys und Blattwerk, und erhellte einen Raum von außergewöhnlicher Schönheit. Hier im Kapitelhaus hatten sich die Mönche jeden Tag zur Lesung aus den Ordensregeln versammeln müssen; der Stuhl des Abtes befand sich unter dem mittleren Fenster, und entlang der Wände erstreckten sich geschnitzte Bänke für die übrigen Mönche. Maria nahm auf dem Stuhl des Abtes Platz.

So sind wir nun hier versammelt, dachte sie – die letzten Überreste meiner Macht und meiner Stellung, in den äußersten Winkel Schottlands getrieben, in Lumpen gehüllt.

Und doch war sie niemals auf irgend jemanden stolzer gewesen, hatte sie sich niemals so geliebt gefühlt wie in dieser kleinen Schar ihrer letzten getreuen Anhänger.

»Meine guten Leute«, sagte sie. »Ich bin betrübt über das, was in Langside geschehen ist, ich trauere um die Gefallenen, und ich danke Gott dafür, daß er Euch in Seiner Gnade verschont und hierher geführt hat. Doch jetzt muß ich mich mit Euch beraten. Was soll geschehen? Welchen Rat könnt Ihr mir geben? Sprecht ganz offen.«

Lord Herries erhob sich als erster und ergriff das Wort. »Teuerste Königin, diese Schlacht ist nicht entscheidend. Ihr müßt abwarten und Eure Kräfte sammeln, um erneut zu kämpfen. Was mich betrifft, so kann ich Euch versprechen, daß Ihr unter meinem Schutz hier in diesem Bezirk mindestens vierzig Tage lang sicher sein werdet. Diese Zeit dürfte ausreichen, um uns neu zu formieren und unserer Streitmacht auch die Gordons einzuverleiben.«

Lord Claud Hamilton stand ebenfalls auf. »Ich muß nur hinzufügen, daß Ihr Euch in eine stärkere Festung zurückziehen solltet. In eine, die einer Belagerung möglicherweise standhalten könnte. Ansonsten stimme ich mit Lord Herries überein.«

Maria war sich bewußt, daß die Blicke aller an den Wänden ringsum auf sie gerichtet waren. Sie starrten ihr kurzes Haar an. Sie fuhr sich mit der Hand durch den Schopf, und das borstige Gefühl mißfiel ihr. Wahrscheinlich sah sie sehr häßlich aus. Sie hatte gar nicht erst in einen Spiegel geschaut. »Wie kann ich hier auf dem Lande bleiben, wenn man kaum weiß, wer loyal geblieben ist?«

Lord Livingston meldete sich. »Majestät, es wäre besser, Ihr ginget nach Frankreich. Dort könntet Ihr ungestört Eure Kräfte sammeln. In Frankreich habt Ihr Besitzungen und Einkünfte als Königinwitwe; Ihr habt Verwandte dort und seid immer noch die Schwägerin des Königs, der Euch stets zugetan war.«

»Niemals!« rief Maria. »Ich kann nicht als landloser Flüchtling dorthin zurückkehren, wo ich einst als Königin herrschte! Diese Schmach wäre zu groß!«

»Aber Majestät«, wandte George ein, »Ihr liebt doch die französische Landschaft, die Sprache, die Menschen. Ihr würdet rasch neuen Mut fassen, und –«

»Sprecht nicht weiter! Ich will nichts davon hören!«

Alle starrten sie ehrlich erschrocken an. Frankreich war eine Konstante in jedem Plan gewesen, die allerletzte Sicherung, ein selbstverständlicher Zufluchtsort. Einige der Männer waren bereits so vorausschauend gewesen, die notwendigen Vorkehrungen zu treffen, damit sie die Königin dorthin begleiten könnten – für alle Fälle.

»Aber dann – was kann es sonst noch geben?« fragte George mit leiser Stimme. »Ihr wollt nicht bleiben, und Ihr wollt nicht gehen. Doch eins von beiden müßt Ihr tun.«

»Ich werde nach England gehen«, erklärte sie. »Das ist die Lösung.«

»Eure Majestät, nein!« rief Herries. »Nein, auf keinen Fall! Wie könnt Ihr daran auch nur denken!«

»Es wundert mich, daß keiner von *Euch* je daran gedacht hat. Es liegt so nahe. England hat mich während meiner Gefangenschaft als einziges Land unterstützt. Elisabeth hat den Lords gedroht, und ich glaube, nur das hat mir das Leben gerettet. Sie hat sich geweigert, die Regierung des Regenten anzuerkennen oder James als König zu bezeichnen. Sie ist meine Blutsverwandte und mir durch die Bande der Ehre verbunden.«

»Ihr seid nicht sicher in England!« sagte Livingston.. »Habt Ihr vergessen, daß James I. dort fünfundzwanzig Jahre lang gefangengehalten wurde? Habt Ihr vergessen, daß Euer eigener Vater es für gefährlich hielt, dort hinzugehen? Den Engländern ist nicht zu trauen!«

»Elisabeth ist nicht Edward I. und nicht Heinrich VIII. Sie ist eine

Frau wie ich und wurde einst selbst widerrechtlich gefangengehalten. Sie hat sich als Freundin in der Zeit meiner Not erwiesen. Ich muß meiner tiefen Überzeugung vertrauen, die mir sagt, daß dies der richtige Weg ist.«

»Mit Verlaub, Majestät, aber mit den gleichen Worten habt Ihr einmal über Euren Entschluß gesprochen, den Lord Darnley zu heiraten! Gefühle sind nicht Tatsachen!« platzte Lord Fleming heraus.

»Eure Sorge rührt mich, aber letzten Endes muß ich selbst für mich entscheiden.«

»Dann müssen wir Euch bitten, ein Dokument zu unterschreiben, in dem wir von der Verantwortung für diese Entscheidung entbunden werden, und in dem festgehalten ist, daß wir Euch davon abgeraten haben!« rief George.

»Nun, wenn Ihr es wünscht«, erwiderte sie überrascht. »Es gibt da noch etwas, das vielleicht schwer zu erklären ist. England und Schottland – die Wahrheit ist, daß die beiden eines Tages unter der Herrschaft meines Sohnes James vereint sein werden. Ich weiß es, und Elisabeth weiß es. Es ist ja nicht so, als wären wir noch zwei verschiedene Länder.«

Maria betrachtete den Sonnenuntergang über den Wassern des Solway Firth, der Schottland und England trennte, ein breiter Keil, der schmaler und schmaler wurde und vierzig Meilen weiter östlich schließlich zusammenkam, nicht weit von der Stelle, wo die Armee ihres Vaters im Solway-Moor eine so vernichtende Niederlage erfahren hatte.

Das hat ihn umgebracht, sagt man, dachte sie. Nun, dort will ich nicht hinübergehen. Ich werde über das Wasser fahren. Die Ankunft zu Schiff hat mir immer Glück gebracht.

Ihr war, als könne sie weit drüben jenseits des Wassers Land sehen. »Ist das England?« fragte sie Lord Herries, der neben ihr auf der Anhöhe stand und auf das Wasser hinausblickte.

»Nein. Heute könnt Ihr es nicht sehen. Dazu muß es außergewöhnlich klar sein. Hier an dieser Stelle trennen uns ungefähr zwanzig Meilen offenen Wassers. Ich glaube, was Ihr da seht, sind purpurne Wolken.«

»Oh.« Sie war enttäuscht. »Guter Lord Herries, wollt Ihr mir bitte den notwendigen Brief mitgeben, wer immer ihn bekommen muß? Welcher Beamte, welcher Lord regiert diese Gegend?«

»Lowther ist der stellvertretende Gouverneur von Carlisle; an ihn muß ich also schreiben.« Er klang bedrückt. »Der Herzog von Norfolk ist der höchste Edelmann im Norden, aber es gibt auch ein paar mindere, die Earls von Northumberland und Westmoreland etwa, die stark pro-katholisch sind und Euch sicher mit Freuden aufnehmen werden.«

»Ihr klingt so traurig«, sagte sie. »Bitte seid es nicht. Ich habe Anleitung empfangen; ich weiß, was ich tue, ist richtig.«

Die Sonne war untergegangen, und das Wasser war von tiefem Burgunderrot. Neben ihnen sprudelte in rauschendem Lauf der Abbey Burn vorüber und zum Firth hinunter.

»Manchmal führen uns böse Geister in die Irre«, sagte er. »Der Satan kann gefällige Gestalt annehmen und uns als Engel des Lichts erscheinen. Ich nehme an, das bedeutet, daß er die Macht hat, uns zu täuschen und uns glauben zu machen, unsere Impulse seien von Gott eingegeben, nicht von den Dämonen.«

»Ich gehe im Namen des Friedens«, sagte Maria. »Gewiß könnt Ihr doch nicht behaupten, der Frieden sei etwas, was der Teufel erstrebt.«

Herries schüttelte den Kopf. »Ich behaupte nicht, so viel über den Teufel zu wissen wie mancher andere, aber ich glaube er ist da, und er ist öfter unter uns, als wir es erkennen.«

»Bitte schreibt mir noch vor morgen diesen Brief«, sagte Maria entschlossen.

Jetzt, nach mancherlei weiterem Streiten und Flehen ihrer Begleiter, war sie endlich allein, und sie betrat die leere Abteikirche. Sie hatte ihren Willen durchgesetzt, und die Männer hatten sich pflichtschuldig zur Ruhe begeben, so daß sie nun umherspazieren und mit sich selbst zu Rate gehen konnte. Die mächtigen steinernen Säulen im stillen Kirchenschiff waren wie Bäume aus Menschenhand, und die Bögen schwangen sich empor und verloren sich in der Dunkelheit. Es roch schimmelig und feucht wie nach Moos. Die Abteikirche war wie alle alten, noch erhaltenen Kirchenbauten in Schottland in schlechtem Zustand. Teile der Mauern waren eingefallen, und das Dach war nicht dicht. Das erkannte sie an den Wasserflecken und dem schwachen, süßen Geruch von nassem Stein.

Der Halbmond stand am Himmel und spendete gerade genug Licht, so daß sie in verschwommenen Umrissen den Altar erkennen konnte, die Nischen und das verrottete Holzgitter, das einst den Bereich der Mönche von dem der Laienbrüder getrennt hatte. Zisterzienser. Die weißen Mönche. Fast war ihr, als könne sie die geisterhaften Gestalten sehen, wie sie zwischen den Säulen und durch das Kirchenschiff dahinschwebten. Schatten nur, heraufbeschworen aus einem Feenreich. Aus einer Zeit vor all diesen Religionskriegen und dem Haß.

Oh, ihr sanften Mönche ... Gern hätte sie die Hände nach ihnen ausgestreckt, aber es war klar, daß sie verschwinden würden. Sie waren natürlich nicht wirklich da, und das wußte sie.

Es sind nur meine verwirrten, übermüdeten Sinne, die mich im Mondlicht Gestalten sehen lassen. Hätte ich wirklich die Gabe des »Sehens«, dann sähe ich ja sehr viel mehr als das: Dann könnte ich die Zukunft voraussagen, aber sie ist dunkel und verschleiert für mich.

Sie ging durch das Südportal hinaus und gelangte in den Kreuzgang, jene gewölbten Steinarkaden, in denen die Mönche bei schlechtem Wetter gewandelt waren. Das Mondlicht überglänzte den grasbewachsenen Innenhof und färbte ihn silbern. Jeder Säulenbogen warf einen scharfen schwarzen Schatten über den silbrigen Boden, und das Ganze bildete ein kontrastreiches Muster wie die schwarzweißen Fliesen zu Chenonceau.

Chenonceau. So viele Geister heute nacht!

Durch die Öffnungen der Arkaden sah sie den Mönchsfriedhof hinter der Kirche; die schlichten Grabsteine standen dort wie die geheimnisvollen Steinkreise im nördlichen Schottland und in der Bretagne, wo ein versunkenes Volk angeblich magische Riten vollzogen hatte.

Vorüberziehende Wolken bedeckten den Mond für einen Augenblick und gaben ihn dann wieder frei. Geisterhafte Galeonen. Bothwell nannte sie immer so, erinnerte sie sich – Geistergaleonen. Er sagte, es seien die Geister von Seeleuten, die dazu verdammt seien, in alle Ewigkeit durch den Himmel zu fahren, immerdar vor dem Wind.

Bothwell, immer Seemann: zuerst und zuvorderst ein Mann des Meeres.

Ich kann kein Wasser sehen, ohne an dich zu denken, dachte sie. Vielleicht will ich deshalb übers Wasser nach England – als wärest du ein Wassergott und könntest mir dadurch günstig sein. Oh, mein Gemahl, wo bist du jetzt? Heute nacht vor Jahresfrist hatten wir unsere Hochzeitsnacht.

Der Obstgarten der Abtei stand in fedrig weißer Blüte. Die Reihen der Bäume standen wie schlanke junge Mädchen in Spitzengewändern, die auf den Tanz warteten. Ein Meer von zarten, fernen Düften stieg von ihnen auf, ein Duft nach Jugend, nicht übermächtig, aber schwindelerregend in seiner süßen Verheißung. Die toten Mönche schlummerten weiter.

Wo bist du? fragte sie und fühlte stechende Trauer. Siehst du heute nacht den gleichen Mond wie ich?

Sollte ich nach England gehen? Du bist der einzige, dessen Meinung ich wirklich wissen möchte. Du bist der einzige, der mich aufhalten kann. Wenn es stimmt, daß Seelen über Land und Meer sprechen können, dann sprich heute nacht zu mir und sag mir, was ich tun soll. Sprich zu mir in einem Traum oder in meinen Gedanken, und ich werde gehorchen. Sprich, mein geliebter Gemahl.

Sie tauchte die Feder in die Tinte und begann mit ihrem Brief.

Dundrennan, den 15. Mai 1568

An die Hohe und Mächtige Fürstin Elisabeth –

Ihr kennt wohl, geliebte Schwester, den größten Teil meines Mißgeschicks, doch was mich veranlaßt, Euch heute zu schreiben, hat sich erst kürzlich begeben und kann Euch daher noch nicht zu Ohren gekommen sein. Ich muß Euch deshalb, so kurz es geht, Kenntnis geben davon, daß einige meiner Untertanen, in die ich das größte Vertrauen gesetzt und die ich zu höchsten Ehren erhoben habe, die Waffen wider mich ergriffen und mich auf das unwürdigste behandelt haben. Auf unerwartetem Wege hat mich der Allmächtige, welcher in allen Dingen waltet, befreit aus der grausamen Gefangenschaft, die ich ertrug.

Aber ich habe seitdem eine Schlacht verloren, in der die meisten derer, die ihre aufrichtige Treue zu mir bewahrt hatten, vor meinen Augen fielen. Ich bin nun gezwungen, fortzugehen aus meinem Königreich, und in solche Not getrieben, daß ich außer Gott nur Eure Güte habe, auf die ich hoffen kann. Ich bitte Euch daher, teuerste Schwester, daß man mich vor Euch führen möge, damit ich Euch mit all meinen Angelegenheiten vertraut machen kann.

Einstweilen bitte ich Gott, er möge Euch alle himmlischen Segnungen gewähren, mir aber Geduld und Trost, welch letzteren ich durch Eure Hilfe zu erlangen hoffe.

Zur Erinnerung an die Gründe dafür, daß ich mich an England wende, sende ich seiner Königin dieses Zeichen zurück, nämlich das Juwel der Verheißung ihrer Freundschaft und Hilfe.

Eure Euch liebende Schwester

M.R.

Zögernd zog sie den diamantenen Freundschaftsring vom Finger. Es war Zeit, ihn abzuschicken. Zeit, das Versprechen einzufordern.

Die Sonne ging auf, als Maria den Brief endlich versiegelte. Im Schlaf hatte sie keine Botschaften, keine Eindrücke empfangen. Bothwell hatte sie nicht besucht. Ihre Träume waren bedeutungslos gewesen, und sie konnte sich kaum daran erinnern. Sie hatte um einen Entschluß gebetet, aber endlich war klar geworden, daß sie handeln mußte, wie sie begonnen hatte.

Es war die Bestimmung Englands und Schottlands, unter ihrem Sohn James vereint zu werden, und so würde diese Bestimmung untermauert werden, und den Vorbehalten und dem Mißtrauen gegen ihre eigenen Hoffnungen auf die Krone wäre ein Ende gemacht. Wenn Elisabeth sie aufnähme, wäre das gleichbedeutend mit ihrer Anerkennung James' als Thronfolger.

In England kann ich in Sicherheit leben und meine Untertanen ohne Umstände empfangen. Wenn ich nach England gehe, beweise ich Elisabeth damit auch, daß mir nichts daran liegt, Ausländer wie die Franzosen auf unsere Insel zu bringen. Ich habe ihnen England vorgezogen.

Sie schickte den Brief zusammen mit dem Schreiben an Lowther auf den Weg. Sie würden einige Tage brauchen, um ihr Ziel zu erreichen, und wie lange es dauern würde, bis eine Antwort käme, wußte man nicht. Maria stand an dem kleinen Pier an der Mündung des Abbey Burn; von hier aus hatten die Mönche in alten Zeiten ihren Handel mit England und Irland getrieben. Sie schaute dem Boot nach, wie es auf das offene Wasser hinausglitt. Auf den Weiden ringsum grasten Kühe, und die Vögel sangen.

Plötzlich ergriff sie das Verlangen, gar nicht mehr zu warten. Es überkam sie so vollständig und so überwältigend, daß es ihr wie eine übernatürliche Botschaft erschien, eine, die sie ganz und gar in ihrer Gewalt hatte.

Geh jetzt, drängte es sie. *Warte nicht auf Antwort. Warten ist gefährlich. Überraschung ist das stärkste Element. Wenn du schon da bist, dann müssen sie es dir erlauben. Denn schließlich – hast du dir überlegt, was du tust, wenn sie dich zurückweisen? Sei du die Herrin. Du entscheidest, wo du hingehst, und sie sollen sich dieser Entscheidung anpassen. Dein Instinkt hat dich noch nie getäuscht. Und dein Instinkt sagt: Geh. Geh sofort.*

»Wann ist die nächste Flut?« fragte sie Herries in aller Ruhe. Ein Boot konnte nur bei Flut auslaufen, denn bei Ebbe traten weite, bloße Schlickflächen zutage.

»Um drei Uhr«, sagte er.

»Beschafft mir ein Boot«, sagte sie. »Ich möchte noch heute nachmittag hinüber.«

Herries starrte sie an, als habe sie den Verstand verloren. »Nein!«

»Mir ist klar geworden, daß es so richtig ist. Ich weiß es. Gehorcht mir, denn so muß es sein.«

Sie gingen am Abbey Burn entlang, der zwei Meilen weit zwischen Eschen und Erlen dahinplätscherte, dem Solway zu. Alle schwiegen, als gingen sie zu einem Begräbnis. Nur Maria war leichten Herzens.

Fast zwanzig Leute hatten darauf bestanden, sie zu begleiten, entschlossen, sie zu beschützen und ihr Schicksal mit ihr zu teilen: George und Willie natürlich, aber auch Lord Livingston, Lord Fleming, Lord Claud Hamilton, Lord Boyd und Lord Herries mit ihrem Gefolge.

Lord Herries hatte ein gewöhnliches Fischerboot beschafft, das sonst für den Transport von Kohle und Kalk über den Solway benutzt wurde, und es erwartete sie jetzt am Pier. Es war ein schäbig aussehendes Schiff, fleckig und vom Wetter mitgenommen. Maria betrachtete es wortlos, und dann wandte sie sich um und schaute noch einmal über die Felder hinweg zur Abtei, deren Silhouette sich vor dem Himmel erhob. Ohne den Abschied von Schottland weiter hinauszuzögern, stieg sie ins Boot.

»Kommt!« Sie winkte ihrem Gefolge. Einer nach dem andern kamen sie den Pier entlang und gingen wortlos an Bord. Das Boot war sehr voll; es lag tief im Wasser.

Die Zurückbleibenden standen verloren am Ufer und auf dem Steg. Plötzlich watete der Erzbischof von St. Andrews ins Wasser und umklammerte die Bordwand.

»Geht nicht!« sagte er mit wildem Nachdruck. »Gute Lady, ich flehe Euch an! Ich beschwöre Euch! Es ist eine Torheit! Unglück erwartet Euch!«

Maria lachte voller Unbehagen. Sie stieß den Bootsmann an; er sollte ablegen. »Ihr verderbt Euch doch Eure Kleider!« sagte sie.

Das Boot setzte sich in Bewegung; der starke Wellengang im Zusammenfluß von Bach und offenem Gewässer zog es hinaus. Der Erzbischof aber ließ nicht los; er versuchte, das abtreibende Boot aufzuhalten. Die Strömung jedoch war stärker, und er wurde vom Boot mitgezogen.

»Halt! Halt, bevor es zu spät ist!« Seine Fingerknöchel wurden weiß; so fest klammerte er sich an die Bordwand.

»Lebt wohl, mein lieber Erzbischof«, rief Maria. »Ich werde bald wieder in Schottland sein, denn meine Cousine wird mir zu meinem Thron verhelfen. In wenigen Wochen sehen wir uns wieder. Aber jetzt, ich bitte Euch, ruiniert doch Eure Kleider nicht!«

Der Erzbischof stand inzwischen bis zur Brust im Wasser. »Was kümmern mich meine Kleider!« rief er, aber da entglitt das Boot seinem Griff und trieb seewärts. Er konnte nicht schwimmen, und so blieb er in der kalten Strömung stehen und schaute dem Boot nach, bis es draußen auf dem Forth außer Sicht geriet.

Die See, die in dieser Gegend gefährlich sein konnte, war an diesem Tage ruhig und einladend. Ein freundlicher Wind trieb sie im Verein mit der Strömung auf England zu. Alle Omen waren günstig. Maria schaute noch einmal zu den Gestaden Schottlands zurück, die hinter ihnen versanken.

»Nach England woll'n wir fahren, und zwar fröhlich!« rief sie lauter als nötig.

Die Überfahrt dauerte vier Stunden. Am Abend gegen sieben liefen sie in den Hafen eines kleinen Fischerdorfs namens Workington ein. Als sie das Boot auf den Strand zogen, bemerkte Maria, wie ungewöhnlich die Kiesel hier am Ufer waren: Sie waren allesamt eiförmig und unterschiedlich groß, und sie prangten in allen Regenbogenfarben, hellblau, cremig weiß und bräunlich rosa. Sie starrte sie an, als sei dies der Beweis, daß England tatsächlich anders als Schottland sei. Als sie aus dem Boot kletterte, stolperte sie und fiel auf Hände und Knie, so daß sie die Steine aus nächster Nähe sah. Ihre Faust schloß sich um eine Handvoll.

»Dieses Omen bedeutet nicht, daß sie stolpert«, verkündete Herries laut, »sondern daß sie gekommen ist, um England in Besitz zu nehmen!«

Verlegenes Schweigen trat ein. Fischer kamen neugierig herbei.

»Nein, das stimmt nicht!« widersprach Maria. »Ich komme nicht, um England in Besitz zu nehmen, sondern nur, damit ich wiederbekomme, was mir in Schottland rechtmäßig gehört.« Wie konnte Herries so etwas sagen? Wenn man es nun Elisabeth berichtete?

Immer mehr Menschen versammelten sich am Strand. Es war Sonntagabend, und nach einem Tag der Muße genossen die Leute einen der ersten warmen Frühlingsabende. Es war unbedingt nötig, daß sie sich bekanntmachten.

»Wo wohnt Sir Henry Curwen, der Lord dieser Stadt?« fragte Herries. »Ich bringe hier eine Erbin aus Schottland, die wir mit seinem Sohn zu vermählen hoffen. Ich bitte Euch, zeigt mir den Weg zu seinem Haus, ihr guten Leute.«

Die Fischer besprachen sich für einen Augenblick. »Er wohnt in Workington Hall, östlich der Stadt. Hier, wir zeigen's Euch.«

Währenddessen sah Maria sich unablässig um; sie hoffte, etwas Ungewöhnliches oder für ihre Entscheidung Symbolisches zu entdecken. Aber es war ein gewöhnliches kleines Fischerdorf mit einem gewöhnlichen Landungssteg. Der Frühlingsabend war ein gewöhnlicher Abend. Alle Vorzeichen und Warnungen und Beschwörungen wirkten in diesem Augenblick wie eine schreckliche Verschwendung.

England. Ich habe nach England übergesetzt. Dies ist englischer Boden. Ich sollte mich fühlen wie Caesar, als er den Rubikon überschritt. Aber ich fühle ... überhaupt nichts.

Sir Henry Curwen – ein alter Bekannter Herries' – war in London, aber seine Familie hieß die Flüchtlinge willkommen. In der Sicherheit des Hauses gab Maria sich zu erkennen, und zu ihrer Erleichterung stellte sie fest, daß die Familie katholisch war und vor Bewunderung für sie beinahe bebte. Sie wurde warmherzig begrüßt, emsig umschwärmt, gespeist und angestarrt. Sie fragte Herries, ob es irgendein Zeichen des Dankes gebe, das sie ihnen geben könne; er hatte nur einen achatnen Trinkbecher, den er aus Dundrennan mitgebracht hatte, aber der wurde in Empfang genommen, als sei er eine heilige Reliquie.

Auf eine solche Vergötterung war Maria nicht vorbereitet gewesen. Wieso behandelte man sie wie ein Idol? Von allen Überraschungen, die ihr in den letzten Wochen widerfahren waren, hatte sie diese am allerwenigsten erwartet. Aber es gab ihr Auftrieb, und sie bekam das Gefühl, es werde noch alles gut werden.

An diesem Abend bat sie um Papier und Feder. Von Ehrfurcht erfüllt, brachte Lady Curwen ihr das feinste Papier, das sie hatten, weiß wie Sahne, und sie bestand darauf, daß sie ein ledergebundenes Buch mit leeren Seiten annehme.

»Ihr mögt es benutzen, zur Erinnerung an uns. Mein Cousin, ein frommer Sohn der Kirche – *unserer* Kirche –, hat das Leder selbst gegerbt und geprägt.«

»Ich danke Euch.«

»Oh, es ist uns ein Vergnügen, eine Freude! Könntet Ihr nur wissen – ach, wäre Sir Henry nur hier! Wir sind Eure größten Bewunderer!« Sie ging rückwärts hinaus, und ihr Kopf nickte auf und ab wie eine Kinderwippe.

Maria hatte fast vergessen, wie es war, derart uneingeschränkte Bewunderung zu erfahren. Aber jetzt schien dies mit ihrem wahren Ich ebenso wenig zu tun zu haben wie zuvor die Flüche gegen sie. Beides richtete sich auf ein Symbol, und die Person im Innern dieses Symbols ging umher und atmete und schlief wie in einer Rüstung.

Jetzt mußte Elisabeth in aller Form von ihrer Ankunft unterrichtet werden. Dankbar strich sie das gute Papier vor sich glatt. Schluß mit Taschentüchern und Kohlestiften.

Langsam begann sie zu schreiben. Sie würde Elisabeth alles erklären. Sie begann sehr früh, bei Rizzio, und je mehr sie berichtete, desto länger wurde der Brief. Ihr war, als stehe sie bereits vor Elisabeth, als höre Elisabeth die Worte wie durch mitfühlende Magie.

BUCH

III

Königin von England

1568-1587

Elisabeth saß vor einem offenen Fenster in Greenwich und versuchte, zwei Dinge gleichzeitig zu tun. Ihre Ratgeber behaupteten, tatsächlich sei sie in der Lage, viererlei zugleich zu tun – sie könne jemandem zuhören, einen Brief schreiben, Pläne schmieden und selber reden. Sie förderte sie in diesem Glauben, weil er sie in ihren Augen um so furchterregender machte; sie waren wie kleine Kinder, die wirklich glaubten, daß ihre Mutter »Augen im Hinterkopf« habe und sehen konnte, wie sie am Zucker naschten. Heute aber fiel es ihr schwer, auch nur zwei Dinge gleichzeitig zu tun: durchs Fenster zu ihren Schiffen hinauszuschauen, die auf der Themse vor Anker lagen, und einen Brief an ihre bemerkenswerte Cousine, die schottische Königin zu schreiben. Ein sanfter Wind wehte ins Zimmer, und der Geruch des Wassers war einladend. Nur eine Königin konnte auf den Gedanken kommen, an einem so prächtigen Frühlingstag im Zimmer zu sitzen. Jeder normale Mensch würde draußen sein, die köstliche Wärme der Maisonne genießen und die frisch umgegrabene Erde riechen. Nun, sobald sie mit diesem Brief fertig wäre ... Sie würde die Barke herumkommen lassen, und dann würde sie mit Robert auf den Fluß hinaus fahren. Sie würden die Hände ins Wasser hängen lassen und singen. Gesang klang besser im Freien – noch die banalsten Verse wirkten da süß und originell.

Sie seufzte. Nun, was diesen Brief anging ...

Die Schottenkönigin war von Lochleven entkommen! Wieder eines ihrer waghalsigen Abenteuer, wie es schien. Man konnte nicht anders, man mußte sie bewundern. Sie besaß Mut und Hartnäckigkeit, und immer schien sie Sympathisanten zu finden, sogar unter ihren Gefängniswärtern. Sonderbar. Sie hatte sich ihre Ratgeber zu Feinden und ihre Kerkermeister zu Freunden gemacht. Aber was hatte es zu bedeuten, daß Maria auf freiem Fuße war? Konnte sie den Regenten vertreiben? Konnte die Salbung ihres Sohnes ungeschehen gemacht werden? Gottlob hatte Elisabeth mit ihrer üblichen Methode des Hinauszögerns »versäumt«, den neuen König anzuerkennen. So konnte sie sich jetzt leisten, abzuwarten und zu sehen, wie die Dinge sich entwickelten.

Sie schelten mich dafür, alle – Cecil und Robert und Norfolk, dachte sie. Für meine Vorsicht, für mein Abwarten. Aber in der Hälfte aller Fälle leistet es mir ebenso gute Dienste wie die Tat.

Der Wind füllte die Segel der Boote dort unten. Es wurde Zeit, die Sache zu erledigen. Sie strich das Papier glatt und begann.

Madam,

Ich habe soeben Euren Brief aus Lochleven erhalten, aber noch vor seiner Ankunft kam die Kunde von Eurer Befreiung und rechtzeitigen Flucht. Wir müssen Gott danken, daß Er in Seiner Gnade geruht hat, Eure Gebete zu erhören. Ich frohlocke ob Eurer Freiheit, und mögen Untertanen, die ihren wahren Fürsten zu binden trachten, an diesem Exempel erkennen, daß der Himmel derlei mißbilligt. Es ist zu bedauern, daß Eure Liebe zu einem, der ein unwürdiger Raufbold war, Euch Euren Stand und Ehre hat vergessen lassen, so daß Ihr viele Eurer Freunde verlort.

Ich, als Eure Verwandte und schwesterliche Königin, will alles tun, was in meiner Macht steht, um Euch wieder zu Eurem Thron zu verhelfen, aber nur, wenn Ihr Euch in meine Obhut geben und nicht mit den Franzosen verhandeln wollt, um sie etwa auf schottischem Boden einzusetzen. Laßt Euch auch nicht einfallen, im Geheimen mit ihnen zu tändeln, ohne daß ich es weiß: Wer zwei Sehnen am Bogen hat, schießt vielleicht fester, aber nur selten schießt er gerade.

Eure zuverlässige Cousine und Schwester
Elisabeth R.

So. War diese Warnung nachdrücklich genug? Die Franzosen durften keinen Fuß – oder diese geprägten Stiefel, die sie so liebten, auf schottischen Boden setzen. Indessen würden die Lords auch nicht einfach demütig beiseite treten. Es würde wieder Bürgerkrieg geben in Schottland.

Es schauderte sie. Bürgerkrieg in Schottland. Bürgerkrieg in Frankreich. Bürgerkrieg drohte jetzt auch in den Niederlanden, da die Holländer sich gegen Spanien erhoben.

Ich werde alles tun, um einen Bürgerkrieg hier in England zu verhindern, dachte sie. Dazu ist mir jedes Mittel recht: Täuschung und Versprechung, Ausflüchte und Drohungen, Kompromisse und Opfer. Es darf hier keinen Bürgerkrieg geben. Wenn die Nachwelt mir sonst nichts Gutes nachsagen kann, so soll es mir genügen, wenn es heißt: »Es war Frieden im Land, solange sie herrschte.«

Jetzt konnte sie hinausgehen und frische Luft schöpfen. Ihr war immer seltsam unbehaglich zumute, wenn sie mit der Schottenkönigin zu tun hatte, als sei da etwas, das sie übersehen hatte. Jetzt lag diese unangenehme Aufgabe hinter ihr – für den Augenblick.

Gerade als sie sich erhob und hinausgehen wollte, klopfte es drängend an die Tür. Es war ein Bote mit zwei Briefen in derselben Handschrift. Um Vergebung heischend, hielt er sie ihr entgegen.

Sie nahm sie. Der eine war klobig, der andere dünn. Sie öffnete den klobigen zuerst. Ein Ring fiel heraus, mit einem herzförmigen Diamanten, der von einer Hand gehalten wurde. Er gehörte zu einem zweiten, ebenso geformten. Was bedeutete das?

Der Brief war von der Schottenkönigin. Er kam aus Dundrennan. Elisabeth setzte sich und las ihn aufmerksam. Dann atmete sie aus, um sich zu beruhigen.

Maria bat um Erlaubnis, in England Zuflucht zu suchen! Sie hatte sich mit den Streitkräften des Regenten bei Glasgow in eine Schlacht verwickelt und war vernichtend geschlagen worden. Jetzt war sie auf der Flucht und bat ihre königliche Schwester um Aufnahme – kraft dieses Diamantringes.

Elisabeth drehte den Ring in ihren Fingern und starrte ihn an. Sie konnte sich überhaupt nicht erinnern, daß sie ihn ihr geschickt hatte. Und wenn, dann war es doch nur ein Symbol gewesen, das man nicht ernst nehmen konnte – wie all die Porträts und Miniaturen und anderen Dinge, die unter Königen routinemäßig ausgetauscht wurden. Gewiß … gewiß setzte Maria doch in so etwas nicht ihr Vertrauen? Nein. So naiv konnte niemand sein. Die Schottenkönigin spielte nur ein abgründiges Spiel.

Sie konnte nicht herkommen! Das war undenkbar! Gleichwohl, wenn sie nach Frankreich ginge, wäre das schlecht für England. Sie würde ihre französischen Verwandten dazu aufstacheln, in Schottland Schwierigkeiten zu machen. Nach Spanien … nein, das war unmöglich. O Gott! Am besten ging sie nach … ja, wohin?

Sie riß den zweiten Brief auf, und während sie ihn überflog, fühlte sie, wie das Blut aus ihrem Gesicht wich, bis es ganz kalt war.

Maria war schon hier! Diese Frau – sie hatte gar nicht mehr auf eine Antwort gewartet, sondern war gleich gekommen, wie es ihre anmaßende Art war! Nie denkt sie an mich, und in welche Lage sie mich damit bringt! dachte sie erbost. Wie kann sie es wagen? Sie verabscheute sich selbst, weil sie nur Zorn und kein Mitgefühl empfand, und sie zwang sich, den Brief noch einmal zu lesen, langsamer diesmal.

> … Angesichts dessen, und bewegt durch die unmäßige Bosheit meiner Feinde, traten meine Leute ihnen ungeordnet entgegen, so daß sie, obgleich sie zweimal so viele, doch in einen so großen

Nachteil kamen, daß Gott sie in große Verwirrung geraten ließ, so daß etliche gefangen und getötet wurden. Die Verfolgung wurde sogleich unterbrochen, um mich auf meinem Wege nach Dumbarton einzufangen; sie postierten Leute in allen Himmelsrichtungen, die mich entweder töten oder gefangennehmen sollten.

Aber Gott in Seiner unendlichen Güte hat mich errettet, und ich entkam zu meinem Lord Herries, der, wie auch andere Gentlemen, mit mir in Euer Land gekommen. Ich bin sicher, daß Ihr, wenn Ihr von der Grausamkeit meiner Feinde hört und wie sie mich behandelt haben, gemäß Eurer gütigen Natur und dem Vertrauen, das ich in Euch setze, mich nicht nur zur Sicherung meines Lebens bei Euch aufnehmen, sondern mich in meinem gerechten Kampf unterstützen und mir helfen werdet, und ich werde andere Fürsten ersuchen, desgleichen zu tun.

Ich bitte Euch, mich so schnell wie möglich holen zu lassen, denn ich bin in einem nicht nur für eine Königin, sondern für jede gewöhnliche Frau jämmerlichen Zustand. Ich habe nichts mehr auf der Welt als das, was ich am Leibe trug, als ich die Flucht unternahm und am ersten Tage sechzig Meilen über Land ritt; ich habe auch seitdem nicht gewagt weiterzureisen außer bei Nacht, wie ich hoffe, Euch berichten zu können, wenn es Euch gefällt, Mitleid mit meinem grenzenlosen Mißgeschick zu haben, worauf ich vertraue. Ich will es mir aber versagen, darüber zu klagen, um Euch nicht lästig zu werden. Ich bete zu Gott, er möge Euch eine glückliche Gesundheit und ein langes Leben gewähren, und mir Geduld und jenen Trost, den ich von Euch zu erlangen hoffe, der ich Euch meine demütigsten Empfehlungen übersende.

Eure ganz getreue und liebende Schwester und Cousine und entflohene Gefangene,

Maria R.

Wo war sie jetzt? Elisabeth sah, daß der Brief in Workington geschrieben war. Das war ein Küstenstädtchen in der Nähe von Carlisle. Maria mußte zu Schiff gekommen sein. Plötzlich sah sie alles vor sich: die zerzauste Königin, eine hastige Ratssitzung, und wie sie nicht mehr wußte, wohin sich wenden ... wie jemand, der nackt aus einem brennenden Haus in den Schnee hinausrennt, um dort zu erfrieren. Sie mußte den Verstand verloren haben. Oder ihr Mut und ihr Erfindungsreichtum hatten sie am Ende doch noch verlassen. Alles hatte eine Grenze – wie die Erfinder der Streckbank und der Eisernen Jungfrau nur zu gut wußten. Maria hatte so lange in einem Alptraum gelebt, daß es ihr den Verstand geraubt hatte.

Ich muß nach ihr schicken, dachte Elisabeth. Ja, ich muß. Die Barmherzigkeit allein erfordert es schon. Ich darf ihre Qualen nicht noch vergrößern. Aber natürlich werde ich diese außergewöhnlichen Neuigkeiten zunächst dem Staatsrat unterbreiten müssen. Sie müssen unterrichtet werden.

Der Rat war nicht erfreut, an diesem herrlichen Maientag ins Haus befohlen zu werden. Hin und wieder flog eine Biene zum Fenster herein, summte verwirrt umher und fand schließlich taumelnd wieder den Weg ins Freie. Die Ratsherren beneideten die Bienen. Sie selbst mußten, erlesen gewandet, so lange sitzen bleiben, wie ihre Herrin und Königin es verlangte. Und heute machte sie einen erregten Eindruck.

»Meine lieben Berater«, begann sie und warf eigens einen Blick zu Cecil hinüber, »an unserer nördlichen Grenze hat sich eine Sache von großer Bedeutung zugetragen. Ja, ich will es Euch nicht vorenthalten: Die Schottenkönigin hat sich nach England geflüchtet.« Sie wartete, um sicherzugehen, daß alle verstanden hatten. »In diesem Augenblick befindet sie sich in Carlisle, wo der stellvertretende Gouverneur, Sir Richard Lowther, sie in seinen Gewahrsam genommen hat. Sie liefert sich unserer Barmherzigkeit aus und möchte zu uns kommen.«

Die Männer sahen einander an; jeder tat, als sei sein Nachbar besonderer Erkenntnisse teilhaftig. Nur Cecil, Elisabeths oberster Ratgeber und Vertrauter von Anfang an, blickte ungerührt und starr vor sich hin.

»Sie wartet auf eine Antwort. Soll ich sie kommen lassen?« fragte Elisabeth.

»Warum will sie kommen?« fragte Robert Dudley.

»Um mir alles zu erklären, sagt sie, damit ich von der Rechtschaffenheit ihrer Sache überzeugt sei und ihr helfe, den Thron zurückzugewinnen.«

»Und was ist Eure eigene weise Meinung dazu?« fragte Cecil und befingerte seinen gespaltenen Bart.

»Daß ich sie herkommen lassen sollte«, sagte Elisabeth. »Die arme Frau. Sie ist in großer Not.«

»Ah«, sagte er.

Elisabeth sah den Herzog von Norfolk an. »Und was sagt Ihr, als der erste Edelmann Englands und größte Grundherr im ganzen Land?«

Der Herzog, ein dreißig Jahre alter Veteran aus drei Ehen, machte ein erschrockenes Gesicht. »Ich sage – ich sage – daß Ihr sie sorgfältig prüfen müßt, bevor Ihr sie zu Euch kommen laßt. Schaut sie nicht gleich selbst an; laßt jemand anderen es vorher tun. Ich habe gehört, daß sie die Macht hat, andere zu bezaubern und in ihre Gewalt zu bringen.«

Elisabeth lachte. »Wir sollten also ein paar Opfer nach Norden schicken und sehen, was aus ihnen wird? Vielleicht sollten sie rückwärts zu ihr hineingehen und einen Spiegel hochhalten, um sie anzuschauen! Wollt Ihr das übernehmen?«

»N-nein, Majestät.« Er schluckte heftig, und sein Adamsapfel hob sich spitz an seinem langen, hageren Hals.

»Wenn ich sie kommen lasse, wo soll sie dann wohnen?« fragte Elisabeth. »Soll ich ihr ein Schloß bereitmachen lassen?«

»Nein, Majestät. Das wäre zu großzügig. Überdies würdet Ihr sie damit implizit als Eure Erbin anerkennen«, meinte Robert Dudley.

»Oh. Dann soll ich ihr Gemächer in einem meiner eigenen Schlösser geben?«

»Das solltet Ihr auch nicht tun!« sagte Sir Francis Knollys, ein angeheiratete Onkel Elisabeths und führender Protestant. »Sie sollte keinen Zutritt zu Eurer erhabenen Person gewährt bekommen, ehe sie sich … dessen würdig erwiesen hat. Damit meine ich, sie muß der Verbrechen freigesprochen sein, derentwegen sie aus ihrem Land vertrieben wurde, und zwar nicht durch ein so himmelschreiendes Unrecht wie den gespielten Prozeß, dem der Earl von Bothwell sich unterzogen hat. Dieser Prozeß war ein schändlicher Betrug, der seine Schuld nur bestätigte!« Sein Gesicht war rot vor Erregung und Abscheu.

»Da muß ich protestieren«, sagte der Earl von Sussex, der Schwager des Herzogs von Norfolk und ein Mann, dessen katholische Neigungen bekannt waren. »Unsere allergnädigste Königin ist kein Richter. Sie hat selbst gesagt, sie habe nicht den Wunsch, Fenster in die Seelen der Menschen zu schneiden.«

Der junge Christopher Hatton wandte sein hübsches Gesicht der Königin zu. »Ich selbst habe die schottische Königin gesehen, als ich die Ehre hatte, unsere Allerglorreichste Majestät bei der Taufe zu

Edinburgh zu vertreten. Ich erkläre Euch hiermit, daß sie ein überaus vornehmes Geschöpf ist und mit allen Ehren behandelt werden muß. Wir wollen uns nicht als ebenso bösartig erweisen wie ihre Lords in Schottland. Wir sind *Engländer*, und wir sind stolz auf unsere Gesetze und unser Recht und auf unsere Ritterlichkeit.«

Elisabeth seufzte. »Ach, ich weiß nicht, was ich tun soll! Mein Herz fliegt ihr in Barmherzigkeit zu, aber mein Rat warnt mich vor der Schlange!«

Endlich ergriff Cecil das Wort. »Es wäre vielleicht das Beste, wenn Ihr sie in Gewahrsam behalten könntet, während Ihr die nötigen Vorkehrungen für ihre Sicherheit trefft. Wir wissen, daß es zur Zeit keinen Ort gibt, wohin sie gehen könnte. Sie nach Frankreich gehen zu lassen – wo sie möglicherweise ihren Anspruch auf *Euren* Thron erneuert, den sie ja dort schon einmal erhoben hat –, wäre nicht klug. Spanien könnte diese Ansprüche ebenfalls wiederauferstehen lassen. Und schließlich: Wir wissen wohl, daß man sie sofort hinrichten würde, wollte sie nach Schottland zurückkehren. Die einzige Möglichkeit für sie, nach Schottland zurückzugehen – und das ist der einzige Ort, der für sie in Frage kommt –, besteht darin, daß sie und die Lords zu irgendeiner Einigung gelangen. Vielleicht könntet Ihr Euch bereitfinden, den König anzuerkennen, wenn sie dafür erlauben, daß Maria in seinem Namen neben ihm regiert? Aber man würde Zeit brauchen, alles das in die Wege zu leiten ...« Er hob die Hände in einer Gebärde feiner Hilflosigkeit.

»Ja ...« Elisabeth dachte schweigend einen Moment lang nach. »Vielleicht könntet Ihr, Knollys, als mein Vertreter nach Carlisle gehen. Wie ich höre, ist der Earl von Northumberland bereits zu ihr geeilt und hat versucht, sie kurzerhand nach Alnwick zu bringen, wo er sein Schloß hat. Lowther und er hätten sich beinahe geprügelt. Die Katholiken, heißt es, strömen ihr in Scharen zu, sie bringen ihr Blumen und huldigen ihr ... in dieser Gegend hatten sie immer schon eine Vorliebe für die alten Zeiten und die alte Religion. Ja, Knollys – Ihr sollt zu ihr gehen, zu meiner lieben Schwester, und sollt ihr sagen, daß ich sie in ihrem derzeitigen Zustand nicht empfangen kann.«

Knollys machte ein ratloses Gesicht. »Aber – aber – habt Ihr denn sonst nichts, was ich ihr sagen könnte? Soll ich sie denn gehen lassen, wohin sie will?«

»Selbstverständlich nicht!«

»Aber – wenn wir sie nicht aufnehmen können, wenn wir ihr

nichts zu bieten haben, dann muß sie ihr Glück doch anderswo suchen.«

»Aber wir *haben* ihr ja etwas anzubieten«, sagte Cecil. »Wir werden als Mittler eintreten und darauf bestehen, daß die aufständischen Lords sich vor uns rechtfertigen. Wenn sie keinen überzeugenden Beweis dafür erbringen können, daß ihr Handeln erforderlich war, dann werden wir Königin Maria wieder auf den Thron bringen.« Er nickte weise.

»Und wenn sie den Beweis erbringen?« beharrte Knollys.

»Dann werden wir eine Möglichkeit finden, ihnen zu erlauben, die Macht zu behalten, vorausgesetzt, Königin Maria kann sicher nach Schottland zurückkehren.«

»Es wird Eure Aufgabe sein, Königin Maria davon zu überzeugen, daß sie ihren Platz in Schottland wiederbekommen wird, was immer sich herausstellen mag«, sagte Elisabeth.

»Wird sie damit zufrieden sein? Oder trachtet sie nach mehr? Vielleicht ist sie ganz froh, Schottland hinter sich zu lassen und eine größere Bühne zu betreten, wo die Perspektive sehr viel weiter ist«, sagte Walsingham, ein düsterer junger Mann, Cecils engster Vertrauter und rechte Hand.

»Ich bezweifle, daß sie solche Ambitionen hat; die sind wahrscheinlich zu Kirk O'Field in die Luft geflogen«, sagte Elisabeth.

»Ambitionen sterben nicht so leicht«, antwortete Walsingham unbeirrt. »Es kann sein, daß Schottland ihr bald wie ein Alptraum erscheint, in den sie nie zurückkehren will, während England ihrem Appetit sehr zusagen wird.«

»Dann dürfen wir nicht daran mitwirken, sie zur Verzweiflung zu treiben. Knollys, Ihr werdet sie trösten und sie Unserer liebevollen Fürsorge versichern. Mein einziger Wunsch ist es, die Gegensätze zwischen ihr und ihren Untertanen zu versöhnen.«

»Wann soll ich reisen?« fragte Knollys resigniert.

»Natürlich so bald wie möglich«, antwortete Elisabeth. »Morgen. Und denkt daran, einen Spiegel mitzunehmen.«

Die Ratsherren gingen nacheinander hinaus, und nur Cecil blieb zurück. Er hatte als einziger im Rat schon von Marias Ankunft gewußt, und so hatte er Zeit gehabt, ein Memorandum dazu zu verfassen. Seine Memoranden, in denen er immer in geordneter Form alles Für und Wider einer Frage gegeneinander abwog, waren berühmt. Jetzt zog er es aus dem Mantel.

»Ah, mein lieber Cecil, darauf habe ich schon gewartet.« Elisabeth nahm das Papier. »Habt Ihr Euch lange damit geplagt?«

»Die ganze Nacht, Eure Majestät. Ich muß gestehen, diese Angelegenheit macht mich tief besorgt.«

»Euer Walsingham scheint das Schlimmste zu befürchten.«

»Er ist ... auf der Hut, Majestät.«

»O Cecil, was soll ich denn nur tun?« platzte sie plötzlich heraus. »Noch nie habe ich in einer solchen Klemme gesteckt.«

Cecil mußte unwillkürlich lächeln. »Ihr habt schon sehr viel schlimmer in der Klemme gesteckt, wenn Euer eigenes Leben auf dem Spiel stand. Stets habt Ihr mit Umsicht und Weisheit gehandelt; ich zweifle nicht daran, daß Ihr es auch diesmal tun werdet. Denkt immer daran, daß Ihr es mit zwei Personen in einer zu tun habt. Da ist einmal Maria, eine gesalbte Königin, die verfolgt und von ihrem Thron verjagt wurde, ein gekröntes Haupt, das kein Kissen mehr hat, auf das es sich betten kann. Diese Frau hat ihren Gemahl verloren, ihren Sohn, ihren Thron, ihr Land. Sie ist aus Fleisch und Blut wie Ihr; sie zittert, wenn sie friert, und sie wird krank, wenn sie nichts zu essen bekommt. Sie erregt Mitleid. Die andere Maria ist ein politisches Geschöpf, ein Werkzeug der Katholiken, die es nicht kümmern würde, wenn sie aus Holz wäre und grünes Blut in den Adern hätte, solange sie nur als ihre Galionsfigur dienen könnte. Diese Frau ist Eure Todfeindin. Sie ruft Respekt und Angst hervor. Die eine nun mit Güte und die andere mit Wachsamkeit zu behandeln, während sie beide im selben Körper leben, das ist ein Ding der Unmöglichkeit.«

»Warum mußte sie nur herkommen!« rief Elisabeth.

»Ihr solltet dankbar sein, daß sie nicht in Frankreich ist«, erwiderte Cecil. »Ihr könnt das zu Eurem Vorteil ausnutzen.«

»Oh, laßt mich allein!« sagte Elisabeth. »Laßt mich Eure Pros und Kontras studieren!«

Als er gegangen war, faltete sie das Papier auseinander und starrte es an. Cecils säuberliche Handschrift bedeckte die Seite.

PRO REGINA SCOTORUM:

1. daß sie aus freien Stücken nach England gekommen ist, im Vertrauen auf die Hilfe der Königin Elisabeth;

2. daß sie unrechtmäßig verurteilt wurde; denn ihre Untertanen haben sie gefangengenommen und eingekerkert, sie des Mordes an ihrem Gemahl beschuldigt und ihr die Erlaubnis ver-

weigert, sich persönlich oder durch einen Advokaten vor dem Parlament zu rechtfertigen, welches sie verurteilt hat;

3. daß sie eine Königin ist, die niemandem untertan und durch kein Gesetz verpflichtet ist, sich vor ihren Untertanen zu verantworten;

4. daß sie anbietet, sich in Anwesenheit der Königin Elisabeth zu entlasten.

CON REGINA SCOTORUM:

1. daß sie den Mord an ihrem Gemahl veranlaßte, den sie zum König eingesetzt hatte, so daß er eine öffentliche Person war und über ihr stand. Deshalb mußten ihre Untertanen den Täter suchen und bestrafen;

2. sie beschützte Bothwell, den Anführer der Mörder, und verteidigte ihn, so daß er die Gerechtigkeit besiegen konnte;

3. sie beschaffte ihm den Freispruch durch eine juristische Formalität;

4. sie veranlaßte die Scheidung von seiner rechtmäßigen Ehegemahlin;

5. sie gab vor, gewaltsam von ihm entführt worden zu sein, und heiratete ihn dann und verstärkte damit seine Macht so sehr, daß keiner ihrer Edelleute an ihrer Seite zu verbleiben wagte;

6. Bothwell hielt sie gewaltsam fest, doch als ihre Edelleute versuchten, sie zu befreien, weigerte sie sich, von ihm zu lassen, und verhalf ihm zur Flucht.

Es möchte scheinen, daß Ihre Majestät, Königin Elisabeth, ihr weder helfen und ihr eine Audienz gewähren, noch sie wieder einsetzen oder auch dulden kann, daß sie vor einem Prozeß wieder abreise.

Es mußte also einen Prozeß geben. Eine andere Möglichkeit gab es nicht. Elisabeth hatte das Gefühl, daß der ganze Frieden in ihrem Land, den sie zehn Jahre lang so sorgfältig gehegt hatte, plötzlich in Gefahr geraten war. Die Schottenkönigin war gekommen und hatte Drachenzähne in ihrem Reich gesät.

Maria wartete, bis Mary Seton schließlich eingeschlafen war, ehe sie sich erhob und zum Fenster ging. Verträumt blieb sie dort stehen und schaute über die Hügel und Täler der freundlichen Landschaft hinaus. Wenn man bedenkt, daß ich mich so sehr dagegen gewehrt habe, herzukommen, dachte sie. Ich wollte nicht weg von Carlisle; ich habe mich geweigert, zu gehen, wenn man mich nicht in Ketten legte. Alles war so verwirrend. Elisabeths unverständliches Benehmen – daß sie Lord Herries zwei Wochen warten ließ, ehe sie sich dazu herbeiließ, ihn auch nur zu empfangen, oder daß sie Lord Fleming verbot, nach Frankreich zu fahren. Die häßlichen, abgetragenen Kleider, die sie mir schickte – Knollys versuchte ja, so zu tun, als seien sie für meine Zofen bestimmt. Und dann ihre Weigerung, mich zu empfangen, solange ich nicht von jeglichem Verdacht aller Schuld an dem Mord geläutert sei. Inzwischen aber habe ich begriffen, daß sie mir meinen Thron zurückgeben will, doch dazu muß sie vorher klarstellen, daß sie unparteiisch ist – denn sonst werden die Lords sich nicht mit ihr einlassen. Wie schlau sie ist! Sie hat Lord James dazu gebracht, sich mit einer Anhörung einverstanden zu erklären.

Ein warmer Wind, schwer vom Duft des Geißblatts, wehte in kleinen Böen ins Zimmer. Dieses Schloß, Bolton Castle, war von der Grenzstadt Carlisle aus noch fünfzig Meilen weiter nach England hinein gelegen, und seit Mitte Juli wohnte sie hier. Es stand auf einem Höhenrücken im westlichen Teil Yorkshires. Elisabeth hatte gesagt, der Umzug sei nötig, damit Maria näher bei ihr sei. Aber sie war immer noch zweihundert Meilen weit weg. Wozu also das Ganze?

Bolton war an sich durchaus angenehm gelegen – ein sehr hohes Schloß mit vier durch Kurtinenmauern verbundenen Türmen und einem freien Innenplatz. Der gepflasterte Hof wurde durch ein schwer befestigtes Torhaus gesichert. Marias Zimmerflucht – vier Räume alles in allem, befand sich im zweiten, obersten Stockwerk. Das Bemerkenswerte an Bolton war, daß seine Mauern wie eine Honigwabe von Röhren durchzogen waren, durch welche die Wärme von den Kaminen in alle Räume befördert wurde – nicht, daß es im Sommer darauf angekommen wäre. Aber im Winter ... oh, im Winter würden sie ja nicht mehr hier sein. Sie würde keine Gelegenheit haben, diese Art der Heizung mit den gekachelten Zimmeröfen in Fontainebleau zu vergleichen, die sie aus Kindertagen in Erinnerung hatte.

Sie lehnte sich aus dem Fenster und atmete tief. Sie fühlte sich völlig wiederhergestellt und ruhig, und täglich erstarkten ihre Lebensgeister. Sie brannte auf ihre Anhörung, damit sie endlich jemandem die Wahrheit vortragen könnte, der kein Schotte war, dessen Meinung aber für die Schotten maßgeblich sein würde.

Auf Zehenspitzen durchquerte sie das Zimmer. Sie hatten ihr eine geräumige Suite gegeben, obgleich sie von sämtlichen Nachbarn Möbel hatten ausborgen müssen, um sie ordentlich einzurichten. Noch das kleinste Zimmer, ihr Schlafgemach, war so groß, daß sie mit einem klappbaren Wandschirm an einem Ende eine Ecke ganz für sich abteilen konnte; am anderen Ende schlief Mary Seton. Seton und weiteres Gefolge in beträchtlicher Zahl hatten zu ihr kommen dürfen, und Lady Douglas hatte ihr all ihre Habe nachgeschickt, die sie bei der überstürzten Flucht hatte zurücklassen müssen. Sogar einen freundlichen Brief hatte sie dazugelegt. Nun, als ehemalige Mätresse eines Königs war Lady Douglas mit den Bosheiten des Schicksals vertraut. Sie mochte eine Gefangene verloren haben, aber ihr Sohn George hatte vielleicht eine königliche Gemahlin gewonnen, sollte sich das Schicksal in diese Richtung wenden wollen – und Maria wußte, daß ihre Hintergedanken darauf zielten. Sie war wider Willen amüsiert über diese wendige alte Dame, die stets mit vorausschauendem Blick an die nächste Runde dachte.

Sie war jetzt sicher, daß Seton schlief, und wollte sie nicht stören; sie schlich sich in das angrenzende Tageszimmer, das ein paar Stufen tiefer lag, zündete auf ihrem Schreibpult eine Kerze an und holte das Tagebuch mit den leeren Seiten hervor, das die Familie Curwen ihr geschenkt hatte. Es war ihr so ungewohnt, schreiben zu können, was sie wollte und wann sie wollte, daß sie fast ein bißchen übergeschnappt war. Noch nie war sie nur von Freunden umgeben gewesen; alle hier teilten das Exil mit ihr, und zwar jeder für sich zu einem hohen Preis, und keiner von ihnen würde je etwas, das sie schrieb, gegen sie verwenden.

Sie hatte schon Gedichte geschrieben und sich gern eingebildet, ein Talent dazu zu haben – Brantôme hatte es wenigstens gesagt. Im Delirium ihrer Liebe zu Bothwell hatte sie Gedichte an ihn geschrieben, keine sehr guten, da sie sich nicht die Zeit genommen hatte, über Metaphern und Bilder nachzudenken, nicht einmal über eine originelle Wortwahl. Aber an einem Essay, einer Sprachskizze, hatte sie sich nie versucht. Ihre Briefe, von den Liebesbriefen abgesehen, waren alle politisch.

Sie klappte das Buch auf. Der letzte Eintrag war vom 1. August 1568.

Die Landschaft hier – sie heißt Wensleydale – ist sanft gewellt, von tiefem, tiefem Grün, ganz anders als in Schottland. Wir sind mitten im Lande, weit weg vom Meer, und es ist kein Salz in der Luft. Es ist eine jener Gegenden, wo die Einwohner ihr ganzes Leben verbringen können, ohne von rohen Störungen geplagt zu werden. Kühe muhen, und Melkerinnen gehen bei Sonnenaufgang und Sonnenuntergang die Pfade entlang und schwingen ihre Eimer.

Ich gewöhne mich allmählich immer mehr ein – mein neuer »Gastgeber«, Lord Scrope, gibt sich alle Mühe, mir gefällig zu sein. Lady Scrope dient mir als Kammerfrau und erzählt mir flüsternd vom Zauber ihres Bruders, des Herzogs von Norfolk. Aber der war schon dreimal verheiratet! Natürlich könnte man von mir das gleiche sagen. Seltsam, aber es klingt schlimmer, wenn man es auf jemand anderen anwendet. Man hört »drei Frauen«, und der erste Gedanke ist: Da hätte ich keine Lust, die vierte zu sein! Sie macht – selbstverständlich zarte – Andeutungen darüber, daß der Herzog dringend eine Gemahlin braucht, und daß Elisabeth erfreut wäre, wollte ich ihn in Betracht ziehen.

Wenn Elisabeth so erfreut darüber wäre, warum muß man mir dann flüsternd davon erzählen?

Jetzt strich sie die Seite glatt und schrieb weiter.

20. August 1568. So viele Veränderungen in drei Wochen! Wir richten uns allmählich ein. Ich schreibe an Elisabeth, und sie antwortet mir. Die Lords haben sich bereit erklärt, sich einer Anhörung zu fügen! So bald also werde ich Lord James ins Gesicht anklagen können, und Morton mit seinem scheußlichen roten Bart, und Maitland … Laut und klar werde ich sprechen und der ganzen Welt sagen, was sie sind. Ich werde von der Konferenz zu Craigmillar berichten, auf der *sie* vorschlugen, Darnley zu beseitigen. Oh, daß ich es endlich alles erzählen kann! Die Brust will mir bersten von dem, was ich zu enthüllen habe!

Ich glaube, es war Cecil, der Elisabeth daran hinderte, offener für mich Partei zu ergreifen. Der französische und ebenso der spanische Botschafter in London halten mich auf dem laufenden.

Ich weiß hier mehr, als ich jemals in Schottland wußte. Hier gibt es keinen Lord James, der die Botschaften an mich abfängt. Aber in Carlisle war es noch besser. Das Haus hier ist so abgeschieden; niemand kommt je vorbei. Wie ein Geheimnis liegt es in diesem grünen Tal.

Die Familie Scrope hat immer Sympathie für die katholische Sache gehabt. Sie ergriffen Partei für die Rebellen der »Pilgerfahrt der Gnade« gegen Heinrich VIII. vor dreißig Jahren, und sie haben dafür bezahlt. Auf meinem Stockwerk gibt es eine ausgezeichnete Kapelle, die der erste Lord Scrope als Totengedenkkapelle einbauen ließ, damit die Mönche hier für das Seelenheil Richards II. beten konnten. Ach, heute betet hier kein Mönch mehr, und die Seele Richards II. muß im Fegefeuer allein für sich kämpfen. Aber ich selbst gehe dorthin, um zu beten, und niemand verbietet es mir.

Ich habe erfahren, daß viele Familien dem alten Glauben zugetan sind; schließlich ist es ja auch erst zehn Jahre her, daß ganz England katholisch war. Die Erinnerung währt lange. Die großen Familien im Norden, die Earls von Northumberland und Westmoreland, sind beinahe offen katholisch. Northumberland hat mir offen seine Sympathie ausgesprochen und mir mehrere Andachtsgegenstände unseres Glaubens geschickt. Und der Herzog von Norfolk ist zwar dem Namen nach Protestant, aber er hat eine katholische Frau und einen Sohn, der ebenfalls in diese Richtung neigt. Hier bin ich unter Freunden, wenngleich einige sich deutlicher als andere dazu bekennen. Der Earl von Northumberland hat mir heimlich etliche Botschaften geschickt: Er sei auf meiner Seite und werde zu mir stehen, was immer geschehe, und er könne, wenn nötig, auch andere dazugewinnen.

Ich werde nicht so gut bewacht, wie Lord James es sich bestimmt wünschen würde. Es gibt wohl eine Garnison hier, im Südostturm. Aber meine Gemächer liegen nach Westen, auf das offene Land hinaus – fünfzig Fuß hoch, doch man könnte mich an einem Seil hinunterlassen. Ich könnte fliehen, wenn ich Pferde hätte. Aber wenn ich versuchen wollte zu fliehen, würde es aussehen, als wollte ich der Anhörung entgehen. Nein, hier bin ich mächtiger, so ohnmächtig ich auch erscheinen mag – solange ich ja nicht einmal ein Pferd mein eigen nennen kann. Ich muß warten – auch wenn es gerade das ist, was mir und meiner Natur am meisten gegen den Strich geht, genau wie früher bei

Bothwell. Wir werden beide auf eine harte Probe gestellt, ja, bestraft …

Ich habe gehört, daß Bothwell am Neujahrstag eine Audienz bei König Frederick gewährt worden ist; aber freigelassen haben sie ihn nicht. Er hat sich erbötig gemacht, die Orkney- und die Shetland-Inseln im Tausch gegen seine Freiheit an Norwegen abzutreten, aber damit hat er die gegenteilige Wirkung erzielt: Frederick war noch fester entschlossen, ihn in Gewahrsam zu behalten und mit den Lords über die Inseln zu verhandeln. Lord James hat erklärt, Bothwell sei in Schottland ein überführter Verbrecher und müsse ausgeliefert werden. Frederick beklagte die Tatsache, daß der Transport eines so listenreichen, wichtigen Staatsgefangenen ein ganzes Geschwader von Schiffen erfordere, das er aber leider, leider im Augenblick nicht erübrigen könne. Lord James hat sich daraufhin erboten, einen Henker nach Dänemark zu entsenden, um Frederick zu entlasten. Frederick – dem klar sein dürfte, was für ein Schurke James ist – hat dieses freundliche Angebot abgelehnt. So ist Bothwell weiter in Sicherheit, und allen Berichten zufolge lebt er ganz behaglich im Hause des Gouverneurs in Malmö. Warum kann er nicht fliehen? Ich muß Genaueres über sein Quartier in Erfahrung bringen. Offenbar wird er streng bewacht, denn ich habe seit Monaten keinen Brief mehr von ihm bekommen – seit er in Malmö ist, genau betrachtet. Er *muß* also streng bewacht werden … Ob er von meinen Briefen welche bekommen hat? Der Gedanke, sie könnten ihn nicht erreicht haben, wäre unerträglich.

Wenn ich meinen Thron wiederhabe – ja, dann wird Frederick ihn freilassen und ihn auf einem vergoldeten Kriegsschiff nach Hause bringen, überhäuft mit Entschädigungen und Entschuldigungen für solche Mißhandlung! Und das alles wird uns vorkommen wie ein böser Traum; und nachts werden wir lachen über unsere Gefängnisse, und wie wir sie ertragen haben … Lochleven und Bergen und Carlisle und Kopenhagen und Bolton und Malmö. Natürlich hat er meine Kerkermeister gekannt – er kennt ja den Laird von Lochleven und Lady Douglas. Aber Sir Francis Knollys, Elisabeths Vizekanzler, kennt er nicht. Diesen reizenden, ewig leidenden Gentleman. Er liebt seine Königin innig – und zwar, das spüre ich, nicht nur, weil seine Frau aus der Familie Anna Boleyns stammt und deshalb mit ihr verwandt ist. Er *liebt* die Königin auf eine Weise, wie ich es noch nie gesehen habe, nicht in Frankreich, nicht in Schottland. Er verehrt sie, was seltsam ist, weil er doch soviel älter ist. Ich habe versucht, ihn dazu zu bringen, daß er einen Scherz über sie macht, aber obwohl er viele lustige Geschichten über sie erzählt, macht er niemals Witze über ihren – oh, es ist sehr schwer zu erklären ... über ihren verdrossenen Humor ohne Scherze.

Und Lord Scrope: so gesittet. Steif, wie ausgestopft – fast wie ein Kapaun, der mit Datteln und Austern gefüllt ist. Sein Hals ist eigentümlich dick und rund; wenn er den Kopf dreht, muß er auch die Schultern wenden. Aber auch er ist freundlich. Ich habe freundliche Bewacher in einem freundlichen Land, verglichen mit den Bestien, die sich Menschen nennen, versteckt in ihren Burgen in den windigen Schründen von Schottland.

Zu viele Adjektive, sagte sie sich, als sie den letzten Satz noch einmal überlas. Aber Schottland schien viele, viele Adjektive zu verlangen. Also ließ sie es, wie es war.

8. September 1568. Das Fest der Geburt der Seligen Jungfrau. Ich bin früh aufgestanden und habe eine Weile in der Kapelle gebetet. Einen Priester gewährt man mir nicht. Als ich um einen bat, sagte man: »Es gibt in England keine Priester mehr.« Was für ein Urteil sprechen sie mit einer solchen Feststellung über sich selbst! Statt dessen hat Knollys mir einen reformierten Geistlichen gebracht, der versuchen sollte, mich zu bekehren. Er »unterweist« mich täglich im anglikanischen Glauben, und das gefällt Knollys. Ich möchte ihnen gefällig sein, wo immer ich kann. Aber dann gehe ich und bete meinen Rosenkranz, und ich bitte Unsere Liebe Frau um Vergebung.

Man redet weiterhin davon, daß Norfolk mein Gemahl werden könnte. Man versichert mir, daß zahlreiche mächtige Leute bei Hofe für eine solche Verbindung wären – Leute wie Robert Dudley zum Beispiel, und die Earls von Arundel und Pembroke und Throckmorton, mein alter Freund, der Botschafter. Anscheinend finden sie, er könne auf Dauer mein »Bewacher« sein: ein einwandfreier Engländer, der mich an der Kette hält. (Das hat Ähnlichkeit mit Elisabeths altem Vorschlag, ich solle ihren Liebling Dudley heiraten. Er ist immer noch unverheiratet, aber anscheinend hat sie keine Lust mehr, dieses Angebot noch einmal zu machen.) Auf diese Weise, meinen sie, können sie mich als Thronfolgerin in der Hinterhand behalten.

Wieso denkt kein Mensch daran, daß ich verheiratet *bin?* Und da nennen sie *mich* illoyal und mein Gedächtnis schockierend kurz! Es war bereits die Rede davon, mich mit einem Hamilton zu vermählen, mit dem gerade verwitweten (zum drittenmal – oh, wie alt wir werden) Philipp von Spanien, mit George Douglas, mit Norfolk, und dann hat mir heute – oh, ich hätte fast laut losgelacht – der alte Sir Francis Knollys seinen Neffen angeboten, George Carey! Wenn sie mich wirklich für eine Mörderin halten, dann sind ihr eigener Ehrgeiz und ihr Zynismus wahrhaft schändlich! Selbst Machiavelli würde bei soviel Opportunismus erröten!

29. September 1568. Das Fest des Hl. Michael und Aller Engel.

Oh, ich kann kaum die Feder halten, und nur mit letzter Kraft konnte ich den Abend erwarten, um endlich allein zu sein. Anschreien wollte ich Knollys beim Essen: *Ihr habt es die ganze Zeit gewußt!*

Ich darf nicht zu der Anhörung erscheinen! Ich muß durch Stellvertreter sprechen! Und wie können die wirklich meine Worte sprechen? Sie sind nicht ich! Ich hatte geglaubt, ich könnte endlich meinen Verrätern gegenübertreten. Aber nein! *Sie* dürfen persönlich erscheinen – und was für Personen! Lord James, Morton, Maitland, und dieser überragende Inbegriff der Rechtschaffenheit, Lord Lindsay! Mich aber hält man hier fest, vierzig Meilen weit von York, wo die Anhörung stattfinden wird.

Elisabeth selbst wird auch nicht dort sein. Sie entsendet den Herzog von Norfolk, Sir Ralph Sadler (der mein Feind war, als ich in der Wiege lag), und den Earl von Sussex, ihren Großkämmerer, einen Schottenhasser, wenn es je einen gegeben hat. Ich habe gehört, er habe Elisabeth erzählt, sein Großvater habe ihn gelehrt, niemals einem Schotten oder einem Franzosen zu trauen. Von den dreien hält nur Norfolk mich nicht für eine Schurkin.

Und so muß ich jetzt Beauftragte finden, die für mich auftreten können – als ob das jemand wirklich könnte!

Aber noch schlimmer ist die entsetzliche Nachricht, daß Elisabeth den Lords erlauben wird, die »Kassettenbriefe« bei der

Anhörung als Beweismaterial vorzulegen. Mir jedoch geben sie nicht einmal Gelegenheit, sie anzusehen! Ich werde nicht einmal genau wissen, was sie eigentlich enthalten. Sind es die Briefe und Gedichte, die ich an Elisabeth geschrieben habe? Oder sind es manipulierte Abschriften davon? Oder komplette Fälschungen? Wie kann ich darauf reagieren, wenn ich nicht einmal weiß, was es ist?

Ich würde meine eigenen Worte erkennen, auch wenn sie in einer fremden Handschrift abgeschrieben und übersetzt wurden. Gewiß, reißt man diese Worte aus ihrem Zusammenhang (oder, schlimmer noch, setzt man sie in einen *neuen* Zusammenhang), dann kann ich in ihrem Lichte schuldig erscheinen. Aber ich habe Darnley *nicht* ermordet. Viele andere waren daran beteiligt, und sie haben versucht, Bothwell hernach zu belasten – die Plakate, das zurückgelassene Faß, seine Gestalt, die in jener Nacht in den Straßen von Edinburgh gesehen wurde. Aber das waren die Lords selbst, die das getan haben – eben diejenigen, die jetzt diese Briefe vorlegen.

O Gott, ich bin verraten!

Die Männer traten feierlich in den Saal zu York – durch einen sonderbaren Zufall war es derselbe, der von Heinrich VIII. 1541 für ein geplantes Zusammentreffen mit James V. neu eingerichtet worden war. Der schottische König war zu diesem Treffen aus Angst vor einer Entführung nicht erschienen; jetzt sollte über das Schicksal seiner gefangenen Tochter dort entschieden werden. Sie ließen sich auf den langen Bänken nieder, raschelten mit ihren Papieren und bemühten sich, grimmig und entschlossen auszusehen. Aber bald begann man zu lächeln; diese Männer kannten einander seit langem, und sie fühlten sich wohl miteinander.

»Sadler! Wie geht's Eurer Tochter – der, die sich in den Kopf gesetzt hatte, einen Geistlichen zu heiraten?« fragte Lord James. Sadler war schon seit langer Zeit mit schottischen Angelegenheiten befaßt.

»Nun, ich danke. Und was macht Eure liebe Gemahlin? Ah, da ist ja Lord Boyd!«

Es gab manche Diskussionen über das korrekte Verfahren und darüber, welches Beweismaterial zugelassen werden solle. Marias Beauftragte präsentierten ein »Buch der Klagen« gegen Lord James und seine Partei. Lord James gab sich unschlüssig, was sein eigenes

Material anging; dann holte er die silberne Kassette hervor und stellte sie ehrfürchtig auf den Tisch. Aber er weigerte sich, sie zu öffnen, sondern ließ lediglich Morton beschreiben, wie er in ihren Besitz gekommen war. So stand sie da, eine quälende Verlockung.

Spät am Abend schraken die Mitglieder der englischen Delegation auf, als es an ihre Zimmertüren klopfte. Es war Maitland, der mit leiser Stimme fragte, ob einer von ihnen daran interessiert sei, die Briefe aus der Kassette zu begutachten – inoffiziell, selbstverständlich? Alle sagten ja, und Maitland brachte ihnen Abschriften. Die Männer steckten bei Kerzenlicht die Köpfe zusammen, lasen und schnalzten mit der Zunge.

»Sie sind überaus scheußlich und blutrünstig«, murmelte Norfolk. »Frevelhaft und abscheulich.« Und begierig las er weiter.

Am Tage, während man gerade die Rechtmäßigkeit der Regentschaft Lord James' und die Thronfolgerechte der Hamiltons, die damit außer Kraft gesetzt worden waren, erörterte, zupfte Maitland Norfolk am Ärmel und schlug vor, einen kleinen Ausritt zu unternehmen.

»Yorkshire ist ein prächtiger Landstrich«, sagte Maitland. Er hoffte, Norfolk werde mitkommen. Und mehr noch, er hoffte, Norfolk werde sich anhören, was er vorzuschlagen hatte.

Maitland war klar, daß es Zeit wurde, die »Kassettenbriefe« in die richtige Perspektive zu rücken; hoffentlich gab es eine Möglichkeit, dies mit Zartgefühl zu tun, ohne die übrigen Lords glattweg als Lügner zu bezeichnen. Was sie selbstverständlich waren. Maitland hatte sie in den letzten zwei Jahren nur allzu gut kennengelernt, und was er herausgefunden hatte, betrübte ihn.

So gern ich glauben möchte, dachte er, ich sei abgehärtet gegen die Unzulänglichkeiten der Menschen, ich muß doch jetzt erkennen, daß ich ein größerer Idealist bin, als ich immer dachte. Die Lords haben alle Versprechungen gebrochen, die sie der Königin gegeben haben, und gezeigt, daß sie moralisch schlechter sind als die Königin, was immer sie für Sünden des Fleisches begangen haben mag. Ist man nicht der Ansicht, daß Christus mit Sünden dieser Art sehr viel milder ins Gericht ging als mit den Sünden des Stolzes und der Habgier?

»In der Tat, so ist es, und um diese Jahreszeit ist es hier sogar beinahe freundlich«, sagte Norfolk. Anscheinend war er nur zu gern bereit zu einem kleinen Ausflug.

So ritten sie hinaus, ließen die hohen Stadtmauern hinter sich und lenkten ihre Pferde am River Ouse entlang; sie hatten vor, auf die Falkenjagd zu gehen. Das Wetter, der Tag war blau und golden, eignete sich vorzüglich für ein solches Unternehmen. So ließen sie die Vögel aufsteigen. Es kümmerte sie wenig, ob sie etwas fingen; sie freuten sich einfach daran, sie in den Lüften kreisen zu sehen.

»Wie hart es für diese Vögel sein muß, gefangen auf ihren Stangen zu bleiben«, meinte Maitland. Dabei beobachtete er den Herzog. Aber dessen Gesicht blieb ausdruckslos und ließ nicht erkennen, daß er verstanden hatte. Der Herzog war dafür bekannt, daß er nur wenig mehr Gespür besaß als die Ochsen seiner Bauern.

»Ja. Sie sind schwer auszubilden«, sagte er, und seine dicken Lippen bewegten sich langsam.

»Denkt Euch nur, um wieviel schmerzlicher es für einen Steinadler sein muß, wenn man ihn aus dem Himmel holt und in die Gefangenschaft des Menschen zwingt.«

»Zum Glück gibt es davon nicht so viele, denn nur ein König darf mit einem Adler jagen. Wir übrigen – selbst die Herzöge – müssen uns mit Habichten oder Falken begnügen. Sogar ein Herzog wie ich, der mehr Land hat als mancher König!« Er nickte. »In meinem Besitz sind über sechshundert Quadratmeilen, wißt Ihr, und manchmal fühle ich mich mehr wie ein König, als mancher König sich fühlen kann.«

Die Falken waren so weit weggeflogen, daß sie nur noch schwarze Punkte im strahlend blauen Himmel waren. Der Wind ließ das Laub der Bäume unten am Flußufer rascheln; es klang, wie wenn Schreiber ihr Papier einsammelten.

»Vielleicht könntet Ihr einer werden –« Nein, das war zu direkt. »Lieber Norfolk, als größter Edelmann von England habt Ihr sicher viel Zeit damit zugebracht, über die Zukunft des Landes nachzusinnen, in dem Eure Ahnen so einflußreich waren.« Maitland hüstelte. »Ich selbst habe seit langem eine Vision: daß England und Schottland vereinigt werden. Nicht mit dem Schwert, das in vergangenen Zeiten Tyrannen zu schwingen suchten, sondern mit friedlichen Mitteln. Es ist ja völlig klar, daß eine Union der Kronen im Interesse beider Länder ist!«

»Als vereinigtes Königreich, das von Dover bis zu den Shetlands reicht – ja, das wäre ein starkes Land«, pflichtete der Herzog bei.

»Auf andere Weise werden wir uns unmöglich halten können. Ich sage es Euch offen: Jetzt, da Gewehre den Langbogen überflüssig gemacht haben, sind wir Frankreich gegenüber schwer im Nachteil; das Land ist größer, die Bevölkerung zahlreicher. Als kleine Nation sind wir verwundbar. Mein Traum ist es, uns so stark wie möglich zu sehen.«

Zwei Jäger kamen zu Fuß vorbei; ihre Hunde tollten vor ihnen her und plantschten durch das Wasser. Die beiden nahmen ihre Mützen ab und nickten Maitland und dem Herzog zu.

Der Blick des Herzogs wanderte umher. Er hatte immer noch nicht angebissen.

»Laßt mich noch einmal offen sprechen«, sagte Maitland beharrlich. »Wenn Ihr die Königin der Schotten heiraten wolltet, wären alle diese dornigen Fragen erledigt.«

»Was für dornige Fragen?«

»Die Thronfolge. Elisabeths Widerwille gegen das Heiraten. Marias offensichtliche Unfähigkeit, Schottland allein zu regieren. Der Skandal für die Krone.« Er schwieg für einen Moment. »Soll ich ganz deutlich werden? Königin Elisabeth wird wahrscheinlich keinen Erben haben; sie ist bereits fünfunddreißig und zeigt keinerlei Neigung, sich zu verheiraten. Die nächste protestantische Thronfolgerin war Catherine Grey, aber sie ist kürzlich verstorben. Eine katholische Königin wird das englische Volk nicht akzeptieren, nicht Maria Stuart und auch keine andere. Aber wäre sie mit einem englischen Protestanten verheiratet, würde sich das Volk zufriedengeben; tatsächlich würde es ihren Katholizismus gleichsam verdünnen. Versteht Ihr?«

»Jjjaa …« sagte Norfolk schließlich.

»Ihr Sohn James ist nicht katholisch und könnte daher den Thron erben. Oder jedes andere Kind, das Ihr miteinander bekommt. Die Lords der Kongregation werden sie nie wieder in Schottland regieren lassen; ja, wie könnten sie auch? Ihre Regierung bestand aus unablässigem Tumult und Aufruhr, und wenn sie frei wäre, würde sie nur Bothwell wieder kommen lassen, und den können die Lords nicht hinnehmen. In Eure Obhut entlassen jedoch …«

»Aber sie ist eine Mörderin!« wandte Norfolk ein. »Ich habe keine Lust, mit einer Mörderin zu leben!«

»Woher wißt Ihr, daß sie eine Mörderin ist?«

»Wegen jener Briefe! Sie waren frevelhaft und abscheulich! Und in Eurer Anklageschrift, die Buchanan verfaßte, schildert Ihr, wie sie sich mit Bothwell an ihrem Leibe versündigt. Nein, ein solches Weib könnte ich niemals anrühren!«

»Ach, diese Briefe …« Maitland lachte. »Lord Morton schwört, man habe sie aufgefunden, wie er es geschildert hat, aber in Wahrheit können wir gar nicht wissen, was er da wirklich gefunden hat. Er hatte mehr als ein Jahr Zeit, um den Inhalt der Kassette zu präparieren. Die Zuverlässigkeit der Briefe ist so groß wie Mortons Ehrlichkeit.«

Der Herzog begann an der Innenseite seiner Unterlippe zu nagen. »Also nicht sehr groß.«

»Das ist noch untertrieben. Ich weiß, daß die Kassette auch noch andere Briefe enthielt, die Morton uns damals nicht zu zeigen geruhte, bei denen es sich aber höchstwahrscheinlich um Liebesbriefe von dieser Throndsen handelte.«

»Von welcher Throndsen?« Wußte Norfolk denn gar nichts?

»Sie war Bothwells frühere norwegische Mätresse, die genießen konnte, wovon jede verstoßene Geliebte auf der Welt nur träumen kann: vollständige Rache«, erklärte er.

»Wie denn? Hat sie ihm die Syphilis angehängt?«

Mein Gott, Norfolk war dumm! »Natürlich nicht«, sagte Maitland sorgfältig. »In diesem Fall hätte ihr Glück den Makel gehabt, daß sie selbst von jener Krankheit befallen wäre. Nein, die Fakten handelten als ihre Rächerinnen. Zuerst trieb der Westwind Bothwell an die Küste Norwegens, und dann fügten sich die Ereignisse so, daß Bothwell sich in Bergen einer Untersuchung des norwegischen Vizekönigs Erik Rosenkrantz unterwerfen mußte, bevor er die Erlaubnis zur Weiterreise erhielt. Dieser Beamte aber ist zufällig Anna Throndsens Vetter. Und als der Hof jedermann, der eine Beschwerde gegen Bothwell zu erheben oder eine Schuld von ihm einzutreiben hatte, vorzutreten aufforderte – ja, gerade als Bothwell sich in Sicherheit wähnte, erschien Anna! Anna erschien, und seine Hoffnung auf Freiheit war dahin.«

»Mein Gott!« Norfolk war verblüfft.

»Denn Annas Anhörung verzögerte seine Abreise lange genug, daß noch andere Fragen gestellt werden konnten, ehe er entschlüpfen konnte. Man schickte ihn zur weiteren Befragung nach Dänemark. Und jetzt schmachtet er in Malmö im Gefängnis, solange es dem dänischen König gefällt.«

»Deshalb also ist Bothwell in Haft! So haben sie ihn erwischt!«

»Das Schicksal, Norfolk, das Schicksal. Seine Taten haben ihn verfolgt, und es gab kein Entkommen. So hat Anna ihm in Skandinavien und noch einmal in Schottland geschadet. Denn Bothwell hat ihre Briefe gerade für eine solche Gelegenheit aufgehoben – zweifellos als Beweis dafür, wie launisch und anspruchsvoll sie war: für den Fall, daß man jemals in Frage stellen sollte, wie er sie behandelt hatte. Und dann sind sie seinen Feinden in die Hände gefallen, Morton und den anderen. Macht Euch selbst einen Reim darauf.«

»Ah.«

»Bedenkt nur stets: Alle Kassettenbriefe sind mehrmals abgeschrieben worden. Was Ihr gesehen habt, waren nicht die Originale. Es wäre ein leichtes gewesen, ein paar Sätze der Throndsen mit einzuflechten, und auch ein paar von Mortons eigenen Ideen.«

Er hielt inne, um Atem zu holen. Er war nicht völlig sicher, daß es sich so abgespielt hatte, aber alles deutete darauf hin. Die Ausdrucksweise in den Briefen, die die Lords von sich aus vorlegten, war allzu unterschiedlich; der Stil wechselte kraß von einem Absatz zum nächsten, und bestimmte Ausdrücke und Empfindungen paßten überhaupt nicht zum Temperament der Königin, wie Maitland es kannte. Sie war leidenschaftlich, sie war impulsiv, und der Himmel wußte, sie konnte stürmisch und zornig sein, aber sie wimmerte und winselte nicht, und sie erniedrigte sich niemals.

Norfolk machte ein verwirrtes Gesicht. »Aber …«

»Und selbst wenn die Königin eine Mörderin wäre, so wäre sie es für eine gerechte Sache«, fuhr Maitland fort. »Sie hatte Lord Darnley geliebt und ihn mit Ehren überhäuft; er aber dankte es ihr mit Untreue und öffentlichem Trunk. Von keiner mutigen Frau könnte man erwarten, daß sie derlei demütig erträgt! Oder glaubt Ihr, Königin Elisabeth würde es auch nur einen Augenblick lang hinnehmen?«

Der Herzog lachte. »Nein, wahrhaftig nicht!«

»Denkt darüber nach, Norfolk. Denkt an den Dienst, den Ihr den beiden Ländern erweisen, und an den Seelenfrieden, den Ihr Eurer eigenen Königin spenden würdet – und gebt der anderen die ersehnte Freiheit! Dann hätte sie auch endlich einen Gemahl, der ihrer vornehmen Person würdig wäre.«

Nach ihrem üblichen kargen Abendbrot verbrachte Elisabeth einige Zeit mit der Lektüre der römischen Geschichte, bevor sie Cecil zu sich rief. Geschichte fand sie immer beruhigend; sie erinnerte sie daran, daß man die gegenwärtige Geschichte am besten meisterte, indem man sich dessen, was vorging, bewußt war, und indem man stets sorgfältig nachdachte, ehe man handelte.

Sie streckte die Beine vor dem duftenden Feuer aus, das warm und lautlos brannte, und verlor sich in ihrem Buch. Nur widerstrebend legte sie es schließlich beiseite und rief nach Cecil.

Cecil erschien sofort und überreichte ihr mit leisem Lächeln ein Geschenk. »Zum Neuen Jahr, Majestät«, sagte er.

»Ah ja. Das Jahr des Herrn fünfzehnhundertneunundsechzig«, sagte sie. »Darf ich es gleich öffnen? Ich brauche etwas, das mich aufmuntert. Ich fühle mich sonst allzu verzagt.«

»Oh, durchaus. Dies ist ja nicht das formelle Geschenk, das ich Euch bei der Hofzeremonie überreichen werde, sondern etwas zu Eurer persönlichen Verwendung.« Cecil tappte mit der flachen Hand auf das Päckchen. »Ich wäre höchst erfreut, wenn Ihr es öffnen wolltet.«

»Dann danke ich Euch.« Sie wickelte es aus und fand eine längliche Schachtel mit einem Umschlag daran. »Ihr habt Verse geschrieben«, stellte sie erfreut und überrascht fest.

»In der Tat – da jedermann bei Hofe es nun tut, dachte ich, ich will mich auch einmal daran versuchen.«

Elisabeth überflog sie. »Gut gemacht. Ich glaube, Ihr werdet von Tag zu Tag jünger. Nur die Jugend versteht etwas von Gedichten. Nun« – sie öffnete die lange Schachtel –, »was mag das sein? Ah« – sie nahm einen auf das feinste gearbeiteten Fächer heraus. Die einzelnen Lamellen waren zu arabesken Mustern geschnitten, und die Seidenbespannung war mit feinen Rosen und Lilien bemalt; zur Hälfte bestand der Fächer aus reiner Spitze. »Aber Cecil!« Sie war ehrlich gerührt.

»Ich weiß, Ihr liebt Fächer, und Ihr leidet unter der Hitze.«

Sie lachte auf. »Aber Cecil – es ist doch noch Dezember!«

»Nun, wir planen gern im voraus.«

»Das stimmt«, sagte Elisabeth, und ihr Lächeln schwand. »Ich habe Gerüchte vernommen«, sagte sie plötzlich. »Gerüchte über die Earls von Westmoreland und Northumberland. Deshalb habe ich sie der Kommission beigegeben – um zu sehen, ob sie sich verraten.«

»Was für Gerüchte?«

»Sie sollen sich mit der Schottenkönigin verschwören ... zu welchem Ende, das weiß ich nicht genau. Ich fürchte aber, es geht um mehr als nur um ihre Flucht. Ich glaube, es handelt sich um ein weiteres Unternehmen vom Schlage der ›Pilgerfahrt der Gnade‹. Ihr wißt, der Norden hat sich immer an die alten Bräuche geklammert. Er ist sehr verschlossen und in sich gekehrt. Die Familien Northumberland und Westmoreland sind ja fast wie Monarchen in der Sicherheit ihrer Domänen. Ich hoffe nur, das alles führt nicht zum Hochverrat. Die Schottenkönigin verführt sie also!«

»Majestät, ich habe Euch gewarnt, und Knollys hat Euch ebenfalls gewarnt: Sie ist eine Gefahr. Knollys hat sogar gesagt, es werde unmöglich sein, sie festzuhalten; sie selbst habe ihm gesagt, wenn man sie nicht freilasse, werde sie sich als berechtigt betrachten, zu jedem beliebigen Mittel zu greifen, um sich selbst zu befreien. Sie hat geglaubt, nach der Anhörung würdet Ihr sie wieder auf ihren Thron setzen, und so hat sie geduldig gewartet und keine offenen Maßnahmen ergriffen. Aber das werdet Ihr ja nicht tun, oder? Laßt uns offen sprechen.«

»Schlagt gegen den Wandteppich, Cecil, und schaut auch über das Fensterbrett«, sagte Elisabeth. Als er aufstehen wollte, streckte sie den Arm aus und ließ ihn innehalten. »Nein, laßt es gut sein. Selbst wenn Ihr niemanden findet, könnten unsere Worte, so glaube ich, immer noch belauscht werden. Ich werde mein Urteil nicht im voraus verkünden. Aber ich kann Euch sagen, daß die Dinge nicht den Verlauf genommen haben, auf den ich gehofft hatte. Diese Konferenz erledigt nichts. Lennox schreit immer noch nach Rache – wie ein lästiger Papagei. Knollys fleht darum, von diesem Dienst entbunden zu werden, und Lord Scrope ebenfalls. Man munkelt, der Herzog von Norfolk spiele mit dem Gedanken an eine Beteiligung an dem, was die beiden Earls aus dem Norden planen. Und Lord James fürchtet, daß ihm durch seine lange Abwesenheit die Zügel in Schottland aus der Hand gleiten könnten.«

»Ich bin widerstrebend zu dem Schluß gekommen, daß wir eine dauerhaftere Unterbringung für Maria finden müssen. Man muß sie außer Gefahr bringen.«

»Gefahr für sie, oder Gefahr für Euch?«

»Für uns beide.« Elisabeth lächelte zuckersüß. »Sie kann nicht im Norden bleiben. Bolton ist zu nah bei den Earls von Northumberland und Westmoreland. Und diese behelfsmäßigen Arrangements müssen verbessert werden. Ich werde jemanden suchen, der bereit ist, auf längere Sicht ihr … Gastgeber zu sein. Jemanden, der reich genug ist, um viele Residenzen zu besitzen, unter denen man wählen kann, und der sie mit königlichem Komfort beherbergen kann. Jemanden, der in beträchtlichem Abstand sowohl von London als auch vom Norden lebt. Jemanden, der verheiratet ist und gefeit gegen … gegen ihren Charme. Fast hätte ich gesagt, ›gegen ihre Ränke‹. Jemanden, der Protestant ist und keine sehnsüchtigen Neigungen zur alten Religion hegt. Aber wo werde ich einen solchen Lord finden?«

»Ihr stellt viele Bedingungen. Aber ohne Zweifel wird sich jemand anbieten.« Er sah sie konsterniert an. »Aber, bitte, Eure Majestät, könnt Ihr nicht mir – als Eurem obersten Minister, der Eure Gedanken kennen muß, um sie auszuführen – könnt Ihr mir nicht sagen, was Ihr in Wirklichkeit für die Königin der Schotten empfindet?«

Elisabeth dachte so lange nach, daß Cecil schon glaubte, sie wolle nicht antworten. Schließlich aber sagte sie: »Ich weiß es nicht.« Ihre Stimme war leise. »Es kommt wirklich darauf an, wie sie sich von jetzt an verhält. Ich kann nicht urteilen über das, was bisher vor sich ging. Es ist zu verworren und widersprüchlich, und das meiste haben ihre Feinde zusammengetragen. Aber jetzt kann sie einen neuen Anfang machen. Sie kann sich dafür entscheiden, umsichtig und loyal zu leben, und mit der Zeit ... nun, mit der Zeit rächt sich so manches. Die Zeit kann ihr Freund sein. Die Zeit ist in diesem Fall wahrscheinlich der beste Freund, den sie noch hat. Sollte sie sich indessen an falsche Freunde wenden, an Philipp, an englische Verräter, dann ... aber das ist ihre Wahl.«

Am 10. Januar 1569 gab Elisabeth ihre Einschätzung der Anhörung bekannt. Cecil erhob sich und ersuchte alle Beauftragten, ebenfalls aufzustehen, während er las, »daß, ebenso wie sich nichts wider den Regenten und seine Regierung ergeben hat, was gegen ihre Ehre und Gefolgschaftspflicht verstoßen könnte, andererseits auch in allem, was sie bisher gesehen, nichts Hinreichendes von ihnen vorgelegt oder gezeigt worden ist wider ihre Herrscherin, wodurch die Königin von England eine schlechte Meinung von Ihrer Schwester erlangen oder übernehmen möchte«.

Lord James konnte in Freiheit nach Schottland zurückkehren und bekam sogar noch ein Darlehen von fünftausend Pfund. Königin Maria blieb weiter in Gewahrsam.

Maria wurde geschüttelt und gerüttelt, als ihr Pferd sich mühsam über ausgefahrene Straßen – wenn man sie so überhaupt nennen konnte – durch die eisige Landschaft zwischen Bolton und Tutbury voranbewegte. Gleich nach dem Ende der Konferenz hatte sie unvermittelt einen Befehl von Elisabeth erhalten: Sie und ihr Haushalt – der mit sofortiger Wirkung auf die Hälfte reduziert wurde – habe sich unverzüglich einhundert Meilen weiter nach Süden und in den Gewahrsam des Earl und der Gräfin von Shrewsbury zu begeben. Keine Versprechungen, keine Erklärungen, keine Entschuldigungen. Nur diesen Befehl.

Maria hatte sich gewehrt; sie hatte es abgelehnt, in diesem gefährlich kalten Winter auf die Reise zu gehen. Aber es hatte nichts genützt. Ihre Majestät, die Königin von England, hatte entschieden, daß sie reisen müsse, und so mußte sie reisen.

Jetzt erwies diese Reise sich als gerade so beschwerlich, wie sie es befürchtet hatte, und schlimmer. Der Januarwind fegte unerbittlich über das Land, das längst hingestreckt unter einer schweren Schneedecke lag. Nach dem ersten Reisetag war sie krank geworden, aber sie hatte weiterreiten können. Lady Livingston war es so schlecht gegangen, daß sie sie nach einer Rast – in Rotherham – hatten zurücklassen müssen. Auf dem ganzen Weg war Maria so niedergeschlagen über die Nachricht vom Ende der Konferenz, daß sie sich zwingen mußte, überhaupt einen Blick auf die Landschaft zu werfen.

Aber schließlich werde ich dazu vielleicht nie wieder Gelegenheit finden. Dies ist *England*, das Land, das ich so unbedingt sehen wollte, daß ich darauf bestand, herzukommen, obwohl meine besten Freunde mir davon abrieten, dachte sie. Dies ist *Elisabeth*, meine königliche Schwester, die versprochen hat, mir in der Not zu helfen. Sie hat mir so sehr geholfen, daß sie mich dazu gebracht hat, meine Einwilligung zu einer Anhörung zu geben, die meinen Untertanen erlaubte, sich vor mir zu rechtfertigen, so daß ich wieder auf meinen Thron zurückkehren könnte; in der Folge aber wurden meine sogenannten Sünden in aller Öffentlichkeit erörtert, doch ich bekam nicht die Erlaubnis, mich zu verteidigen – obwohl sie zur Bedingung macht, daß ich mich von allem Verdacht »läutern« müsse, ehe sie sich dazu herablassen kann, mich zu empfangen. Ich muß mich entlasten, darf aber nicht sprechen! Ah, das ist alles so offensichtlich! Und so soll ich weiter eine Gefangene bleiben, während mein Bruder fröhlich nach Schottland zurückkehrt, mit englischem Geld in der Tasche!

Und warum konnte sie mich nicht auch freilassen? Weil sie mir immer noch zu helfen gedenkt, behauptet sie. O ihr heiligen Engel, hat man je eine so verschlungene Logik vernommen?

Sie zogen durch Yorkshire hinunter und folgten dabei dem Lauf des River Ure. Diese Gegend war zertrampelt von der »Pilgerschaft der Gnade«; vierzigtausend Bauern hatten sich erhoben, um gegen den religiösen Wandel zu protestieren. Noch immer sah man deutlich, wogegen sie protestiert hatten, in den Ruinengerippen des zerstörten Zisterzienserklosters Fountains Abbey. Als die Sonne unterging, zog ihre kleine Schar langsam an den Trümmern der Abteikirche vorbei. Grellweiß wie ein Skelett ragten sie aus der ebenfalls weißen Landschaft; diese Ruine war das Werk Heinrichs VIII., des großen Zerstörers und Reformators.

Für kurze Zeit hatten die Rebellen hier das Heft in der Hand gehabt, ehe sie verraten worden waren. Heinrich VIII. hatte sie durch Täuschungen dazu gebracht, die Waffen niederzulegen und einen ihrer Führer nach London zu schicken. Und dann hat er ihn ermordet, dachte Maria. Einem Tudor zu vertrauen, das ist höchst unklug, das weiß ich jetzt. Hätte ich es doch früher gewußt. Ich hätte nie erwartet, Heinrich VIII. im Busen eines Weibes zu finden. Um so törichter war ich.

Sie verbrachten eine Nacht in Ripon und die nächste in Wetherby. Am folgenden Tag sollten sie nach Pontefract Castle kommen, am südlichsten Ende von Yorkshire. Es wurde spät hell, und so war es schon nach zehn, als sie endlich im Sattel saßen und bereit zum Aufbruch waren. Immer noch war alles von einem bläulich grauen Licht durchdrungen, so daß es schwer war, die Risse und das Glatteis auf dem Weg zu erkennen. Nur wenige andere Reisende waren unterwegs, und England sah genauso trostlos und leer aus wie manche Gegenden der schottischen Moore. Maria war tief in Gedanken versunken, als eine Schar Bettler aus einer Hecke am Straßenrand hervorgehumpelt kam und um Almosen bat. Quiekend wie Mäuse umdrängten sie die Pferde und hielten ihre kleinen Kinder in die Höhe. »Speise, Almosen, wenn Ihr ein Erbarmen habt!« Ihre Füße steckten nicht in Schuhen oder Stiefeln, sondern waren mit Lumpen umwickelt, und ihre bloßen Hände waren schwarz von Schmutz. Sie sahen aus wie Hexen.

Auch ich bin eine Bettlerin hier, dachte sie plötzlich erschrocken.

Ich mußte mir Kleider borgen; ich war fast so nackt wie sie, als ich nach England kam.

»Einen Augenblick«, rief sie und zügelte ihr Pferd. Sie wühlte in ihrer Börse nach ein paar Münzen. Lord Scrope würde sich darüber ärgern – sollte er. »Ich bitte Euch, wartet.« Sie drehte sich um und gab ihrer Wache ein Zeichen. »Hier.« Sie drückte einem Mann eine Münze in die rauhe Hand. Er hielt sich an ihrem Sattel fest, und sie versuchte, seine Finger wegzuschieben. »Das ist alles, was ich erübrigen kann«, sagte sie.

Der Mann rieb die Münze und biß dann darauf. Seine Zähne waren überraschend gesund. Er sah ihr in die Augen, und sein Mund formte die Worte: »Ich bin Hameling.«

Hameling! Einer der Vasallen des Earl von Northumberland. Natürlich! Jetzt erkannte sie ihn auch.

»Weiter hier!« rief Lord Scrope.

Rasch zog Maria einen emaillierten Goldring vom Finger und gab ihn dem Mann. »Bittet den Earl, sich an sein Versprechen zu erinnern und mir zu helfen«, sagte sie und schob ihn weg. »Jetzt hebe dich weg!« sagte sie laut.

Als er davonstapfte, zwinkerte er ihr noch einmal zu.

Ihr Herz hüpfte vor Aufregung, als sie durch den grau verwaschenen Wintertag weiterritten. Sie war nicht allein; sie war nicht vergessen.

Pontefract Castle mit seinen düsteren Erinnerungen an einen Königsmord – hier hatte man Richard II. verschmachten lassen – ragte vor ihnen auf und verschluckte sie dann in der Dämmerung. Zwischen seinen vor Kälte tröpfelnden Mauern versuchte Maria zu schlafen. Ihr Gefolge, das jetzt auf nur noch dreißig Personen verringert war, rollte sich auf behelfsmäßigen Betten zusammen.

Northumberland. Northumberland war ihrer Sache freundlich gesonnen. Das bedeutete, daß sein Freund Westmoreland wahrscheinlich auf seiner Seite stand. Die beiden Earls waren – als Vertreter Elisabeths – bei der Konferenz zugegen gewesen. Daß sie sich von der vorurteilsbefrachteten Anhörung nicht hatten umstimmen lassen, war ein Wunder. Und Westmorelands Frau war Norfolks Schwester. Ein festes Tuch aus Familienbindungen wurde hier gewoben – ein Tuch, das ihr vielleicht bei einer Flucht als schützender Mantel dienen könnte. Und mit diesen Gedanken schlief sie so gut wie seit Wochen nicht mehr.

Langsam zogen sie hinunter durch Derbyshire, eine kleine Grafschaft, die im Herzen von England lag wie der Kern einer Pflaume. Seine Hügel waren sanft, und es schien von Bächen und Tälern durchzogen zu sein; etliche Wälder bedeckten ferne Berge, schwarze Flecken im weißen Schnee. Es stand in dem Ruf, eine sehr grüne, reiche Grafschaft zu sein, aber in dieser toten Jahreszeit konnte Maria davon nichts erkennen. Der Earl von Shrewsbury, ihr neuer »Gastgeber«, hatte den größten Teil seiner Besitzungen hier; an zweien kamen sie vorbei: Wingfield Manor und Chatsworth. Aber obwohl dies zwei neue Schlösser waren, hatte die Königin verfügt, daß sie ihren Wohnsitz auf Tutbury Castle nehmen sollten, weiter südlich an der Grenze zwischen Derbyshire und Staffordshire.

Maria hatte sich nach Tutbury erkundigt und erfahren, daß man dort einen prächtigen Blick über die Felder der Umgebung und den River Dove habe; außerdem gebe es Wild im Überfluß im benachbarten Needwood Forest, den man auch mit Robin Hood verband. John von Gaunt hatte hier seine Sängerfeste abgehalten und die Gegend so, wie Scrope ihr versicherte, zur »Essenz von Merrie England« gemacht.

»Ah ja, Merrie England«, hatte sie gesagt. »War es das, was ich sehen wollte, als ich herkam? In der Tat ist es ja legendär – wie die Moden Frankreichs und die Wildnis Schottlands.« Als Kind hatte sie staunend an König Arthur gedacht, an Robin Hood, Richard Löwenherz, die Bogenschützen, das Julholz und Merlin, den Zauberer. Jetzt sollte sie also ein Quartier beziehen, das ihr all das in Erinnerung rief. Neugierig war sie auch auf den Earl von Shrewsbury; sie hatte dem verschlossenen Lord Scrope nur wenig über ihn entlocken können. Der Earl war sehr reich. Der Earl war jung verheiratet, aber zum zweitenmal. Seine Frau war fast so reich wie er und acht Jahre älter. Ein Bestandteil ihres Ehevertrags war es gewesen, daß sie ihre Söhne und Töchter miteinander vermählt hatten, um den Reichtum in der Familie zu halten. Der Earl war Protestant, verfolgte die Katholiken in seiner Grafschaft aber nur sehr nachlässig. Infolgedessen waren Derbyshire und das benachbarte Lancastershire reich an katholischen Familien.

»Aber wie *ist* er?« hatte Maria gefragt.

»Farblos«, hatte Lord Scrope schließlich bekannt.

»Und wie ist seine Frau?«

»Farbig. Ihren eigenen Farben hat sie die hinzugefügt, die sie ihren drei früheren Ehemännern ausgesaugt hat.«

Sie sahen Tutbury am Horizont, lange bevor sie es erreichten, schon als sie auf den Zusammenfluß der Flüsse Trent und Dove zuritten. Von Türmen und Mauern starrend, stand es auf einer Rotsandsteinklippe über den Ufern des Dove, und im Licht der Sonne, die dahinter unterging, sah es aus wie ein zerklüfteter Hundezahn. Maria überlief ein Schauer, als sie es erblickte. Merrie England? Das war alles andere. Es war ein Gefängnis.

Ein Gefängnis. Ich bin eine Gefangene, dachte sie. Eine echte Gefangene, und das Gefängnis ist nicht minder schlimm als Lochleven.

Einen Augenblick lang stellte sie sich vor, wie sie jäh ihr Pferd herumriß und davongaloppierte. Ich kann hier nicht lammfromm meinen Einzug halten! dachte sie. Aber gleich war ihr klar, daß sie nirgends hinreiten konnte; sie hatte hier keine freundlichen Untertanen, die sie verstecken und beschützen würden. Sie war im Herzen des Feindeslandes, wo es keinen Schutz für sie gab. Sie wußte nicht einmal, in welche Richtung sie sich wenden könnte.

Nein, so geht es nicht! ermahnte sie sich streng. Du wirst nicht hinausreiten und dich in Hütten verkriechen und auf der Erde schlafen, wie du es auf der Flucht von Langside getan hast. Es gibt Adelige, auf die du hoffen kannst. Hast du Norfolk so schnell vergessen? Northumberland? Sogar Philipp von Spanien? Es ist gut möglich, daß er in England einfällt, weil Elisabeth seine verirrten Goldschiffe gekapert hat. Ich bin nicht allein. Ich bin nicht allein!

Sie begannen den Aufstieg zur Burg und schlängelten sich den steilen Pfad hinauf. Der Gipfel lag mehr als hundert Fuß hoch, und sie mußten über eine Zugbrücke einen breiten, ausgetrockneten Graben überqueren und durch ein furchteinflößendes Torhaus reiten – einen anderen Zugang zu dieser Burg gab es nicht. Endlich waren sie auf dem Gelände der Festung; Maria erfuhr später, daß es drei Morgen umfaßt. Starke Mauern umgaben es auf drei Seiten; auf der vierten war keine Mauer nötig, denn hier ging es hundert Fuß tief senkrecht hinunter zum Tal. Zwei Wachttürme schützten die dicken Mauern.

Der Innenhof lag öde da; nur wenige Fackeln brannten und warfen gespenstische, zuckende Schatten über den gefrorenen Boden. Steif stieg Lord Scrope vom Pferd und erklärte: »Ich werde unsere Ankunft melden.« Sein Tonfall verriet, daß er die bange Sorge hegte, Shrewsbury habe sie vielleicht gar nicht erwartet.

Maria und ihr Gefolge warteten; sie klopften die Hälse ihrer

Pferde und versprachen ihnen beruhigend, sie würden bald in den Stall geführt werden. Endlich kehrte Scrope zurück und brachte noch jemanden mit.

»Königin Maria«, sagte er. »Darf ich Euch George Talbot vorstellen, den Earl von Shrewsbury?«

George. Das war immer ein glückbringender Name für mich, dachte sie. Hoffentlich ist es jetzt auch so. »Ich bin erfreut«, sagte sie.

Shrewsbury nahm ihre Hand und küßte sie. Erst dann sah er sie an.

Sie sah einen Mann von etwa vierzig Jahren mit einem langen, trübseligen Gesicht, schütterem Haar und einem ergrauenden Bart. Seine Augen blickten, als hätten sie manche Treulosigkeit gesehen, manche Melancholie erlebt.

»Meine Gräfin und ich, wir heißen Euch willkommen«, sagte er traurig.

Marias Haushalt sollte im südlichen, zweistöckigen Gebäudetrakt untergebracht werden. Als sie über die Schwelle trat, war der erste Eindruck ein überwältigender Schimmelgeruch, der noch stärker wurde, als sie tatsächlich drinnen stand. In der Wachstube roch und tropfte es wie in einer Grotte. Eine durchdringende Kälte erfaßte sie.

»Willkommen, Eure Majestät«, sagte eine leise, aber kraftvolle Stimme. Eine Frau war aus der benachbarten Kammer gekommen und trat Maria entgegen. »Ich bin Bess, Gräfin von Shrewsbury.«

Marias erster Gedanke war, jemand habe Königin Elisabeth genommen und einen Mühlstein über sie hinweggerollt, um sie auszuwalzen und alle ihre Züge zu verbreitern. Die Frau sah aus wie die Königin mit ihrem hellen rötlichen Haar, der langen, schmalen Nase und den verkniffenen kleinen Lippen. Aber ihr Antlitz und ihre ganze Gestalt waren viereckig. Alles an ihr war viereckig, vom Kopf über die Augen bis zu den Schultern und Händen, ja, erstaunlicherweise sogar die Fingernägel. Unter ihrem schweren Wollgewand lugten viereckige Schuhe hervor, die viereckige Füße umhüllten.

»Ich hoffe, Ihr werdet es hier behaglich finden«, sagte sie jetzt. »Wir haben um Wandbehänge nach Sheffield geschickt und in London Möbel bestellt. Die Räume hier sind in schlechtem – in sehr schlechtem – Zustand. Wir halten uns hier nie auf, und die Botschaft der Königin kam wirklich arg zur Unzeit!« Sie klang, als würde sie der Königin am liebsten eins hinter die blöden Löffel geben.

»Ich bin sicher, es wird gehen«, antwortete Maria.

»Da seid nicht so sicher! Es ist höchst unzivilisiert! Die Gebäude sind vor über zweihundert Jahren errichtet worden, und seitdem ist hier nichts mehr gemacht worden. Aber«, fuhr sie schnaubend fort, »wir tun, was wir können!« Sie wandte sich an ihren Gemahl. »George, gibt es noch keine Nachricht über die sieben gefütterten Wandbehänge mit der Geschichte von Herkules? Ich habe letzten Montag danach geschickt. *Du* hast gesagt, sie kommen aus Wingfield. Nun?«

»Ich habe gehört, sie sind in Derby. Eins der Maultiere ist lahm.«

»Deine Ausreden sind lahm!« schimpfte sie. Dann sagte sie zu Maria: »Ich werde Euch in Eure Gemächer führen, Madam.«

4. März 1569. Tutbury Castle, Staffordshire. Was habe ich getan, daß ich eine solche Bestrafung verdiene? Dieses »Schloß« ist nicht geeignet als Behausung für Judas oder Brutus, und doch muß ich es ertragen. Es steht auf seinem Felsen, den Elementen ausgesetzt; die Winde fegen darüber hin und pfeifen durch den baufälligen Südtrakt, in dem sie mich untergebracht haben. Das Quartier ist noch schlimmer, als es mir vorkam, als ich es das erste Mal roch. Der Schimmel war ja delikat, verglichen mit dem Gestank der Abtritte, die nirgends hin abfließen können und somit unter uns schwären. Giftige Dünste durchdringen jede Kammer. Wenn man Parfüm trägt, um den Gestank zu überlagern, besteht die einzige Wirkung darin, daß das Parfüm sich mit dem Latrinengeruch vermischt und selber ekelhaft wird.

Man hat mir gesagt, auf Tutbury habe man »einen Blick über die Felder«, aber hier gibt es überhaupt keine Felder, sondern nur Sumpf und Morast. Als es taute, entließ das Eis auch dort tödliche Dämpfe, und der grausame Wind weht sie hier herauf und vergiftet die frische Luft von draußen ebenso, wie es die Abtritte mit der Luft im Hause tun. Meine Kleider riechen, als hätte ich mich im Schleim der Verwesung gewälzt.

Diese Burg mit dem einen steilen Pfad, der sich von dem kleinen Dorf dahinter heraufschlängelt, und ihrem Torhaus ist so streng bewacht, daß ich mit niemandem habe Korrespondenz führen können, von Elisabeth abgesehen. Immer wieder bitte ich sie, mich zu ihr kommen und von Angesicht zu Angesicht mit ihr sprechen zu lassen, oder aber mich freizulassen, damit ich mein Glück anderswo suchen kann. Doch sie antwortet nur mit Ausflüchten. Oh, wie kann ich das ertragen?

Ich weiß nicht, was in Schottland vorgeht und wie sich meine Bundesgenossen dort befinden. Ich weiß nichts von Bothwells Schicksal. Ich weiß nicht, was auf dem Kontinent geschieht, was meine Verwandten in Frankreich tun, und ob Philipp auf die englische Provokation reagiert hat. Kurz, man hält mich in einem dunklen Kerker!

Ich habe einen geheimen Code für Norfolk abgesprochen. Der spanische Botschafter ist »30«. Ich bin »40«. Northumberland ist »20«, und Westmoreland ist »10«. Ich habe manchen Aufwand treiben müssen, um ihnen Nachrichten zukommen zu lassen. Sie können mir nichts schicken, und ich kann nur dann etwas absenden, wenn mein getreuer Lord Herries oder der kürzlich eingetroffene John Leslie, der Bischof von Ross, Briefe an Elisabeth überbringen. Dann können sie auch Botschaften an die anderen hinausschmuggeln. Aber manchmal werden sie durchsucht, und es ist schwer, sich Verstecke auszudenken, an die meine Gegner nicht schon gedacht haben. Man sagt, dieser Francis Walsingham, Cecils Stellvertreter, sei ein Meisterspion, und er habe überall seine eigenen Spitzel. So kennt er alle Kunstgriffe und ist selbst höchst erfindungsreich. Er ist es, der hinter den anderen waltet wie ein Schatten, und letzten Endes ist er es, den ich jedesmal überlisten muß, wenn ich eine Nachricht hinausbringen will.

Wie unterhaltsam Katharina von Medici dies alles finden würde! So geringschätzig pflegte sie zuzusehen, wenn ich in Kindertagen in Frankreich versuchte, mich am Spiel der Intrigen zu beteiligen. Aber wie ein Mann mit schwachen Armen das Holzhacken lernen muß, wenn er ein Feuer anzünden will, so mußte ich mich selbst in all diesen Dingen unterweisen, von denen ich lieber gar nichts wüßte.

Leslie sagt, die Dinge seien in Bewegung, und Norfolk schwenke allmählich um. Ich muß etwas unternehmen, um seine Entschlossenheit zu stärken! Natürlich habe ich nicht das Verlangen, ihn zu heiraten, aber darum geht es nicht. Ich muß frei sein, um ihn zu heiraten, und wenn ich frei bin, habe ich die Wahl. Ich muß dem Papst die Petition unterbreiten, er möge meine Ehe mit Bothwell auflösen, damit alles aufrichtig wirkt. Natürlich ist das sinnlos, denn ich wurde nicht nach katholischem Ritus mit Bothwell vermählt. Aber gleichviel – überzeugend wird es aussehen. Und es wird mir Gelegenheit geben, offen an Bothwell zu schreiben, um ihn zu unterrichten. Wenn ich nur mit ihm sprechen kann, und wäre es auch auf dem Papier ...

Ich habe jetzt auch einen Priester in meinem Haushalt; er firmiert unter dem Namen Sir John Morton und spielt den Kammerdiener. Shrewsbury weiß genau Bescheid, aber er schaut darüber hinweg, und das ist freundlich von ihm. Nachdem Knollys abgereist war, haben sie aufgehört, mich den Bekehrungsversuchen des anglikanischen Priesters zu unterziehen. Mortons Anwesenheit gibt mir Kraft und die Gelegenheit, meinen eigenen Glauben zu praktizieren, wenn auch im geheimen.

Ich muß jetzt schließen. Meine Finger tun weh. Seit ich hier bin, sind meine Gelenke geschwollen und steif. Mein Arzt sagt, es sei Rheuma. Aber ich bin doch erst sechsundzwanzig!

Maria legte die Feder hin und schraubte das Tintenfaß zu. Die Tinte war dick von der Kälte. Sie klappte das Buch zu und schlug es in den falschen Umschlag ein, den sie angefertigt hatte, damit es aussah wie ein Rechnungsbuch, und dann legte sie es auf einen Stapel anderer Rechnungsbücher. Als sie aufstand und sich den Rock glattstrich, war ihr nur allzu bewußt, wie steif ihre Finger waren.

Sie kniete für einen Augenblick vor ihrem Kruzifix nieder – Lady Douglas hatte es freundlicherweise von Lochleven heruntergeschickt – und betete.

»Himmlischer Vater«, flüsterte sie, »bitte erbarme Dich meiner, Deines Kindes. Du wirst mir doch nicht für allezeit zürnen. In Deiner Heiligen Schrift heißt es: ›Er bewahret nicht für alle Zeit Seinen Zorn, denn Er hat Gefallen an der Barmherzigkeit.‹ Ich weiß, manchmal willst Du, daß wir leiden ... ist es vielleicht das, und nicht Strafe und Zorn? Ich erinnere mich an etwas, das der Kardinal sagte, vor langer Zeit in Frankreich ... über das Leiden als etwas, das um seiner selbst willen erforderlich sei. Aber ich habe nicht wirklich zugehört; ich war jung und glücklich. Was war es noch? Das Leiden soll uns Gehorsam lehren, glaube ich, sagte er. Aber dann zeige mir, was ich tun soll, und ich will gehorchen!«

Sie stand auf und merkte, daß auch ihre Knie empfindlich geworden waren. Der Rheumatismus hatte auch sie befallen. Furcht durchschauerte sie. Will Gott mich auch in meinem Körper heimsuchen, und nicht nur in meinem Geist, dachte sie in panischem Schrecken.

Sie verließ die Kammer und begab sich hinaus in das langgestreckte Gemach, das als Halle und als Salon zugleich diente; eine getäfelte Wand trennte das eine vom anderen. Jeder Bereich hatte einen eigenen Kamin, der aber zum Heizen jämmerlich unzureichend war. Bess saß bereits auf einer Bank vor dem Feuer; sie trug einen großen Wollschal um die Schultern. Eifrig blickte sie auf, als Maria hereinkam.

Seit drei Wochen half Maria ihr jetzt dabei, Wandbehänge und Stickereien für ihr neues Schloß zu Chatsworth zu entwerfen. Bess hatte es von ihrem zweiten Mann, William Cavendish, geerbt, dem Vater ihrer ganzen Kinderbrut, und sie stellte es jetzt ohne die Hilfe ihres derzeitigen Gatten fertig; ihn nannte sie, einigermaßen unhöflich, immer nur »George«. Aber sie war wie ein Kind versessen darauf, sich mit Maria in Geschmacksfragen zu beraten, denn Maria hatte in allen großen Châteaux Frankreichs gelebt; sie hatte mit eigenen Augen die Wandmalereien in Fontainebleau gesehen, die Marmorsäulen in St.-Germain-en-Laye, die Gemälde von Primaticcio, die Diane de Poitiers in Chenonceau besessen hatte, die Geheimschränke zu Blois. Zu ihrem Entzücken hatte Maria nach ihren Büchern mit den Stickmustern geschickt, die in Frankreich große Mode waren – oder noch 1560 gewesen waren. Da waren die *Devises Héroïques* von Claud Paradin und *La Nature et Diversité des Poissons* von Pierre Belon. Darin fanden sich passende Motti und Fabeln sowie Holzschnitte von Tieren, die man für Stickereien verwenden konnte.

Bess konnte nicht gut genug Französisch lesen, um die Texte zu verstehen, die dazugehörten, und deshalb war sie hier auf Maria angewiesen.

Jetzt hielt Bess ein Stück Leinen hoch, an dem sie arbeitete. »Ich habe mit dem zerbrochenen Spiegel angefangen!« verkündete sie freudig.

Maria lächelte. Sie war überrascht, wie schnell Bess Fortschritte machte; sie arbeitete hier so stürmisch, wie sie es in allen Dingen tat, und trieb ihre Sache voran wie eine rasende Wagenlenkerin.

»Ausgezeichnet!« sagte Maria. »Das wird ein passender Tribut an Sir William werden.«

»Ah! Wenn er es nur sehen könnte!« Seufzend strich Bess mit ihren breiten Fingern darüber hin.

»Aber er sieht es, Madame«, sagte Maria. »Er sieht es vom Himmel aus.«

»Hmmm ... ja, das natürlich, aber –« Bess beugte sich wieder über das Bild, das sie und Maria zum Gedenken an Sir William entworfen hatten, den Erblasser von Chatsworth. Trotz der Tatsache, daß seine Witwe sich inzwischen von zwei Ehegatten hatte trösten lassen, zeigte das Bild die Trauer in vollem Schwange. Tränen regneten auf gebrannten Kalk hinunter, und ringsum prangte das Motto *Die Tränen bezeugen, daß die gelöschte Flamme noch lebt* – auf Lateinisch selbstverständlich, um dem Ganzen mehr Würde zu verleihen. Ein Kranz aus Trauersymbolen umgab dieses Bild: ein Handschuh, das Symbol der Treue, entzweigeschnitten; ineinander verdrehte Kordeln, zerrissen; ein zerbrochener Spiegel; drei zerbrochene Trauringe (sie standen für Bess' dreifache Witwenschaft); eine gerissene Kette.

»Er wird vom Himmel herabschauen und stolz sein«, sagte Maria. Sie klappte ihren Korb auf und nahm ihre eigene Arbeit heraus. Sie sah ganz unschuldig aus – eine Geisterhand senkte sich mit einer Heckensichel vom Himmel herab und schnitt Äste von einem Baum, umschnörkelt von dem Motto *Tugend blüht durch Wunden*. Maria hatte Bess erzählt, dies spiegele ihren eigenen, zunehmenden Glauben wieder, sie werde gezüchtigt, um durch Leiden zu wachsen. Das Bild trug ihr Zeichen, ihre Initialen, mit denen Franz' verschlungen. So hatten sie geseufzt und mit gedämpfter Stimme von ihren geliebten, verstorbenen Ehemännern gesprochen, und dabei waren ihre Nadeln wie Glühwürmchen durch das Leintuch geflirrt.

Aber das Bild, das Maria stickte, war dazu gedacht, zu einem Kissen für Norfolk vernäht zu werden. Ihm sollten die Symbole eine ganz andere Botschaft übermitteln und Anstoß zum Handeln geben: Der unfruchtbare Ast war Elisabeth, derjenige hingegen, der Früchte tragen würde, war sie selbst – und er. Wie sie es ihm schicken sollte, wußte sie noch nicht. Aber irgendwie würde es schon gelingen, da war sie sicher.

Nach einer Stunde fiel Bess plötzlich ein, daß sie mit »George« über das Futter für die Pferde sprechen mußte, und sie stopfte ihre Handarbeit in den Korb und ging. Maria stickte pflichtbewußt und gesenkten Blicks weiter, bis sie sicher war, daß Bess wirklich fort war. Dann stand sie so unauffällig wie möglich auf – ihre Knie schmerzten noch immer – und schickte einen ihrer Diener nach George Douglas. Sie hatte einen Entschluß gefaßt.

George kam unverzüglich, und er sah erleichtert aus. Seit sie auf Tutbury waren, hatte er kaum noch Gelegenheit, mit ihr allein zu sein. Sie lächelte ihm zu und stieg auf die Estrade, um sich auf den Stuhl unter ihrem Staatstuch zu setzen.

»So sprecht Ihr also heute als Königin mit mir, und ich muß zu Euren Füßen stehen?« fragte er.

»Ich muß unter meinem Staatstuche sitzen, weil ich sonst mit der Zeit vergesse, was ich bin, und mich nur noch als arme Gefangene sehe.«

»Auf dem Tuch steht Euer Motto, *En Ma Fin Est Mon Commencement*. Ich frage mich schon lange, weshalb Ihr Euch dafür entschieden habt: In meinem Ende ist mein Anfang. Dies ist doch gewiß nicht Euer Ende ... oder seht Ihr es so?«

Er war ihr so ergeben, so aufrichtig. »Nein, so sehe ich es wahrlich nicht. Auf dem Tuch ist auch der Phönix abgebildet, der sich aus der Asche erhebt – versteht Ihr es jetzt?«

»Ja.«

George war in all den Monaten bei ihr geblieben, und er hatte offensichtlich die feste Absicht, bei ihr zu bleiben bis zum »Ende«. Sie wußte, daß er sie begehrte, aber gleichzeitig betete er sie an. Es hatte auch Zeiten gegeben, da sie sich von ihm verlockt gefühlt hatte, verlockt durch seine männliche Schönheit und ihrem eigenen aufgezwungenen Zölibat, und sie hatte gedacht: Womit sonst könnte ich ihn belohnen? und: Was könnte es schaden, wenn ich mir ein wenig Freude verschaffe in diesem Gefängnis, in dem ich nun einmal sein muß? Es wäre ein Akt der Barmherzigkeit und der Gnade. Aber ihre Achtung vor ihm hatte sie gehindert. Wäre er weniger edel, weniger rein gewesen – mehr wie der Opportunist Ruthven oder selbst der praktische Maitland ... Aber dann hätte sie auch kein Verlangen nach ihm gehabt. Gerade in seiner Anständigkeit und seiner Lauterkeit lag ja seine Anziehungskraft.

»George, ich brauche Eure Hilfe«, sagte sie. »Gott weiß, ich habe auf meine Freilassung gewartet und gehofft, aber meine Gefangenschaft will kein Ende nehmen. Ich muß jemanden nach Frankreich entsenden, der mit meinen Verwandten, den Guise, sprechen und sich um meine Besitzungen kümmern soll. Ich habe ein Anrecht auf mein Einkommen als Königinwitwe, aber seit meiner Flucht aus Schottland kommt nichts mehr. Ich brauche jemanden, dem ich vertrauen kann. Wollt Ihr gehen?«

»Ich will Euch nicht verlassen!« sagte er.

Es würde schwierig werden. »Ihr habt mir so gute Dienste geleistet. Jetzt seht Ihr, daß ich weitere Hilfe brauche. Es ist das gleiche wie damals, als Ihr Pferde und Männer beschafftet, um meine Flucht aus Kinross sicherzustellen. Diesmal ist es nur weiter, das ist alles. Ihr könnt mithelfen, in Frankreich Truppen auszuheben. Eure Arbeit für mich ist noch nicht getan.«

»Wenn das Meer zwischen uns liegt, kann ich nicht selbst mithelfen, für Euch zu kämpfen. In Eurem Gefolge sind keine Bewaffneten.«

Oh, er war so hübsch – kein Wunder, daß man ihn »Pretty Georgie« nannte. Sie hatte gesehen, daß Shrewsburys Bedienstete, männliche wie weibliche, ihm schöne Augen machten. Jetzt winkte sie ihn zu sich herauf.

»Lieber George«, sagte sie, »ich sehe schon, ich muß es Euch befehlen. Gut, daß ich unter meinem Staatstuch sitze.« Sie streckte die Arme nach ihm aus, nahm sein Gesicht in beide Hände und zog es zu sich herunter. Sie küßte ihn einmal und ließ ihre Lippen auf den seinen verweilen.

Er erbebte und wich zurück.

»Das ist mein Befehl«, sagte sie leise. »Ihr sollt auf diese Mission gehen. Und wenn Ihr, solange Ihr dort seid, einer Französin begegnet, die Euer Gefallen findet, so schließt, ich bitte Euch, eine ehrbare Ehe mit ihr. Ihr habt Euer Geschick vertan, indem Ihr dem meinen gefolgt seid; jetzt schicke ich Euch nach Frankreich, damit Ihr den Schaden so gut wie möglich ausbessert.«

»Ich will aber keine andere!« platzte er heraus. »Es kann niemals eine andere geben!«

»Dann bürdet Ihr mir eine Schuld auf, deren Last ich nicht verdiene. Ihr wißt, ich bin verheiratet, und wenn Ihr um einer verheirateten Frau willen mit Absicht jegliche Gelegenheit, Euer Glück und eine Familie zu gewinnen, in den Wind schlagt, dann ist das grausam gegen mich. Gegen mich, die Ihr zu lieben behauptet!«

»Wenn ich Euch also liebe, soll ich eine andere heiraten?« sagte er. »Eine merkwürdige Liebe!«

»Wenn Ihr älter werdet, werdet Ihr noch Merkwürdigeres entdekken. Frankreich wird Euch gut tun; man wird Euch dort in der Liebe ausbilden.« Gern hätte sie gesagt: *Nichts von all dem meine ich ernst; laßt uns einander umarmen und dabei Freude finden. Vielleicht ist es alles, was wir beide je bekommen werden.*

»Aber in einer perversen Liebe!« schnaubte er. »Liebe, bei der ein König die Farben seiner Mätresse trägt und seine Königin in aller Öffentlichkeit mit Schande überhäuft!«

Sie lachte leise. »Höchstwahrscheinlich bevorzugt Ihr dann die brennende, reine Liebe eines Königs wie Heinrichs VIII.? Eine Liebe, die keine andere neben sich bestehen läßt?«

Georges eisblaue Augen starrten sie unverwandt an. »In der Tat. Er war wenigstens ehrlich.«

»Dann ist Ehrlichkeit der Charakterzug, den Ihr vor allen anderen schätzt?«

Er nickte ernsthaft.

Ah, dann geh, dachte sie. Oh, George. Du wirst mir fehlen – du nimmst meine Jugend mit. Du mein Ritter von der Ehrlichkeit.

Als er gegangen war, blieb sie verzweifelt sitzen. Ihre Intrigen und Geheimzeichen und Stickereien schienen plötzlich allen Reiz verloren zu haben. Es war so viel Arbeit.

Es wäre sehr viel leichter, völlig ehrlich zu sein, dachte sie. Man sagt, der Lohn der Sünde sei der Tod. Aber der Lohn der Ehrlichkeit wäre meine lebenslange Gefangenschaft. Weil andere Menschen nicht ehrlich sind. Das Feuer muß man mit Feuer bekämpfen. Oder sterben. Allen meinen Bestrebungen, gnädig und gerecht zu handeln, ist in Schottland mit Verrat begegnet worden, und sie haben mich letzten Endes hierher gebracht.

15. Mai 1569. Dieser ominöse Jahrestag: zwei Jahre, seit Bothwell und ich Mann und Frau wurden, ein Jahr seit der Schlacht bei Langside. Morgen bin ich ein Jahr in England – und habe Elisabeth noch immer nicht gesehen!

George war in meinem Namen in Frankreich tätig, und ich kann hoffen, bald wieder mein Einkommen zu beziehen. Ohne Geld kann ich ja nichts tun, ich kann nicht einmal meine Diener bezahlen, sondern muß leben von dem, was Elisabeth mir gewährt.

In Schottland – oh, wie schmerzlich, und wie perfide! – sind Borthwick und Rothes zu Lord James übergelaufen. Dort bleiben mir jetzt nur noch Dumbarton Castle und ein paar versprengte Adelige, die sich weigern, vor meinem Bruder das Knie zu beugen.

Philipp von Spanien hat Elisabeth ihre feindselige Politik vergolten, indem er alle englischen Schiffe und Waren in den Niederlanden beschlagnahmt hat; und so hat Elisabeth ihrerseits alle

Spanier in England verhaftet. Das bedeutet, daß der spanische Botschafter in London unter Hausarrest steht, und von meinem Standpunkt aus wird es damit um so schwieriger, Botschaften zu versenden und zu empfangen. Ein gewisser Roberto Ridolfi, ein florentinischer Bankier, hat für mich Briefe zwischen dem Botschafter und John Leslie hin und her befördert.

Die Franzosen haben sich nicht so hilfreich gezeigt, wie ich gehofft hatte, denn Elisabeth verhandelt mit ihnen über eine Ehe mit Karl IX. – der siebzehn Jahre jünger ist als sie! Hat ihre Verstellungskunst keine Grenzen? Als nächstes wird sie sich den kleinen Henri vornehmen – oder das kleine Kind, das zweiundzwanzig Jahre jünger ist als sie!

Man munkelt, der Norden sei in Bewegung geraten, und meine Hoffnungen auf Rettung sind nicht unbegründet. Auf, ihr Geister des Kriegs – treibt sie zur Tat!

Norfolk und ich haben endlich einen Weg gefunden, gefahrlos miteinander in Verbindung zu treten. Ich habe ihm das Kissen mit meiner Botschaft geschickt. Er hat mir einen Diamanten bringen lassen, den ich nun am Halse trage, verborgen unter meinen Kleidern, wie ich ihm versprechen mußte. Ich schreibe ihm Briefe und unterschreibe sie sogar mit den Worten: »Die Eure, treu bis in den Tod.«

Gott verzeihe mir.

Die Pferde hielten vor dem mächtigen, mit Nägeln beschlagenen Portal der Kathedrale zu Durham. Westmoreland wandte sich um und rief: »Absitzen! Wir werden nicht in das Haus Gottes reiten wie Barbaren!«

Dreihundert Mann stiegen hinter ihm von den Pferden, und die Sättel knarrten. Northumberland umfaßte seinen Arm und sagte: »Auf diesen Tag haben wir lange gewartet, Bruder!« Seine Augen leuchteten.

Jeder packte den Türgriff eines bronzenen Flügels – so groß wie eine Servierplatte –, und zusammen zogen sie das Portal auf. Vor ihnen erstreckte sich einladend das lange Kirchenschiff. Das Licht der Morgensonne flutete durch das Fenster über dem Altar. Massive Steinsäulen, einem mächtigen, schweigenden Wald gleich, bildeten einen Tunnel zu diesem Licht. Sie waren starke Wächter, die hier auf Posten standen, wie sie es schon seit Jahrhunderten taten.

»Ehrfürchtig, meine Freunde!« rief Westmoreland. Er wandte sich dem Licht zu und marschierte darauf zu, und seine Armee folgte ihm. Zusammen mit Northumberland ging er den über dreihundert Fuß langen Mittelgang hinunter.

Wo der Hochaltar gestanden hatte, war jetzt nur noch ein kahler Abendmahlstisch. Dahinter ragte hoch die zierlich gemeißelte, weiße Altarwand; die Nischen darin waren leer wie blinde Augenhöhlen.

»Trockne Deine Tränen, selige Jungfrau«, rief Northumberland. »Wir werden Dir das Augenlicht wiedergeben!« Er blieb neben dem Kommunionstisch stehen, und Westmoreland stellte sich auf die andere Seite. »Hebt an!« befahl er, und gemeinsam kippten sie den Tisch um. Er polterte schwer zur Seite, und seine breiten Beine ragten in die Höhe wie bei einem gestolperten Kind. »Los!« wies er die Männer an. »Zerhackt ihn!«

Mit wildem Aufschrei stürzten sich die Männer aus dem Nordland darauf; sie hoben ihre Schwerter und schlugen auf den Tisch ein. Das Dröhnen der Schwerter und Beile hallte dumpf durch die steinerne Leere der Kathedrale.

»Und hier ist dieser Frevel, die Protestantische Bibel und das Allgemeine Gebetbuch! Sammelt sie ein, ihr Kerle, wo immer ihr sie findet; tragt sie nach draußen und verbrennt sie!« rief Northumberland. »Laßt uns diesen Ort säubern!«

»Und wenn ihr fertig seid, werden wir ihn wieder weihen und die Messe feiern!« sagte Westmoreland. »Pater Wright wird sie mit Freuden zelebrieren!« Er grub seine Finger in die Schulter eines gefangenen Priesters. »Aber nicht nur für uns! Laßt uns die Bürger der Stadt dazuholen! Jawohl, treibt sie nur alle zusammen!«

Vor einem behelfsmäßigen Altar hob Pater Wright die Hostie und feierte nach zehn Jahren die erste Messe in einer vollbesetzten Kathedrale. Die Menschen fielen auf die Knie und baten um Vergebung, da sie gesündigt hatten, indem sie die Ketzerei ertragen hatten. Anglikanische Priester aus der Gegend kamen dazu und beteten um Vergebung, da sie doch gegen ihr Gewissen gehandelt hatten. Weihrauch stieg empor, verbotene Rosenkränze klapperten, und der Klang lateinischer Gesänge hallte süß durch die Luft.

»Und lasset uns beten für unseren Heiligen Vater, den Papst, und für seine ganze Kirche, und für unsere oberste Herrin, Maria Stuart von Schottland, Frankreich und England«, schloß Northumberland. »Gott segne sie und verhelfe ihr zur Herrschaft über uns!«

»Amen!« riefen die Leute.

Elisabeth packte Robert Dudley bei den Schultern, kaum daß er ihr Staatsgemach in Windsor betreten hatte. Ob ihres jähen Überfalls hätte er fast das Gleichgewicht verloren.

»Was gibt es Neues? Wo sind sie jetzt?« bellte sie.

»Madam, nach den letzten Meldungen, die ich erhalten habe, ließen sie in Durham in der Kathedrale eine Messe zelebrieren, nachdem sie die protestantische Einrichtung hinausgeworfen hatten. Sie zündeten vor der Kathedrale ein großes Feuer an und warfen alles hinein, was ihren Anstoß erregte. Northumberland und Westmoreland trieben die Bürger zur Raserei, indem sie ihnen erzählten, die Frau des Bischofs dort habe das alte Taufbecken gestohlen und als Spülbottich in ihre Küche gestellt, und mit den Grabsteinen der Mönche habe sie in ihrem Stadthaus den Fußboden gepflastert.« Er strich sich über die Schultern, wo Elisabeth den Samt in Unordnung gebracht hatte.

»Wie viele sind es?«

»In Durham ungefähr dreihundert.«

»Pah!« sagte sie. »Dreihundert!«

»Aber insgesamt vielleicht tausend – zu Fuß und schlecht bewaffnet, mit Mistgabeln und Schaufeln, wißt Ihr – und dann noch einmal fünfzehnhundert Berittene, bewaffnet und gefährlich. In Hartlepool gibt es eine zweite Gruppe, wißt Ihr.«

»Zweitausendfünfhundert also.« Ihr Ton war schneidend. »Und Sussex wartet auf Verstärkung. Er wagt nicht, sich auf die Einheimischen zu verlassen; wir sind uns ihrer Loyalität nicht sicher. Hunsdon muß mit seinen Truppen nach Norden marschieren.«

»Ich bin auch marschbereit!« sagte er.

»Ja, ich weiß, Robin. Aber Euch will ich hier bei mir haben, in diesem – Gefängnis!« Mit weiter Gebärde umfaßte sie den Raum. »Es ist mir ein Greuel, mich gezwungenermaßen hierher nach Windsor zurückzuziehen, als wäre ich feige! Mich hinter Steinmauern zu verstecken!«

»Ihr seid aber nicht feige. Ihr habt das Herz einer Löwin!«

»Ja, Robin. Ich weiß es, und Ihr wißt es. Aber wissen *sie* es? Und weiß *sie* es?« Sie schaute sich mit schmalen Augen um. »Wie nah sind sie an Tutbury herangekommen?«

»Weiter südwärts als bis Tadcaster sind sie noch nicht vorgedrungen. Den River Ouse haben sie nicht überquert. Und der fließt siebzig Meilen weit nördlich von Tutbury. Inzwischen sind sie wieder in Durham, hundertdreißig Meilen weit im Norden. Sie haben sich zurückgezogen.«

»Ich will, daß sie weiter nach Süden gebracht wird!« fauchte sie. »Sie dürfen sie nicht in die Hände bekommen!«

»Teuerste Lady, die Möglichkeit besteht nicht! Da braucht Ihr Euch keine Sorgen zu machen.« Er versuchte ihren Blick auf sich zu lenken und sie zum Lächeln zu bringen.

»Sie wollen sie retten! Das ist Teil ihres Plans!« Ihre Lippen waren so fest zusammengepreßt, daß sich kein Lächeln hervorlocken ließ. »Versucht nicht, mir zu sagen, was ich tun soll!«

»Nein, Madam. Niemals.« Fügsam senkte er den Kopf.

»Sie haben eine Proklamation erlassen, als sie das erste Mal durch Durham marschierten: Sie gedächten festzustellen, ›wem durch bloßes Recht die wahre Thronfolge zustehe‹. Spielt das nicht herunter! Natürlich haben sie vor, sie zu befreien!«

»Aber die Unterstützung für sie schmilzt dahin. Sie haben keine große Schar von Anhängern gefunden, als sie nach Süden zu marschieren versuchten; es scheint, die Katholiken sind bessere Engländer denn Katholiken, zumindest südlich des Ouse. In dieser Hinsicht braucht Ihr Euch keine Sorgen zu machen.«

»Und was ist mit den Spaniern? Walsingham hat herausgefunden, daß sie versucht haben, mit Philipps General in den Niederlanden, diesem brutalen Alba, zu vereinbaren, daß er seine Truppen herüberbringt.« Sie warf ihm einen nervösen, triumphierenden Blick zu.

»Ja, und die Rebellen haben sogar Hartlepool erobert, um ihm einen Ort zur Verfügung zu stellen, wo er landen kann. Aber er hat nichts unternommen. Und er wird auch nichts unternehmen. Er ist ein intelligenter, gerissener Mann, der nicht Unterstützung und Sympathien heraufbeschwört, wo keine existieren.« Er versuchte noch einmal, ihre Hände zu ergreifen. »Die spanische Bedrohung ist ein Phantom.«

Sie schnaubte. »Mit zehntausend Mann, die in den Niederlanden sitzen, unmittelbar vor unserer Haustür?«

»Zwischen uns ist Wasser.«

»Ah ja. Wasser. Der Ärmelkanal.« Sie seufzte und versuchte zu lächeln. »Vielleicht habt Ihr ja recht, Robert. Ich zittere ganz ohne Grund. Schließlich sitzt Norfolk sicher im Tower.«

Robert lachte. »Marias in Treue verschworener Ritter. Ein feines Schauspiel – verkriecht sich in sein Haus auf seinen Ländereien. Mögen alle Eure Feinde solche kühnen Vorkämpfer haben!«

Elisabeth schüttelte den Kopf. »Wenn man bedenkt, daß meine Feinde meine Verwandten sind ...!«

Die Rebellen warteten vergeblich darauf, daß ihre Reihen sich mit aufgestörten Katholiken füllten. Aber die englischen Katholiken blieben merkwürdig untätig: Sie standen da und schauten zu, ohne etwas zu unternehmen. Lord Dacre, Norfolks Schwiegersohn, führte eine Attacke gegen Elisabeths Truppen unter Lord Hunsdon und wurde vernichtend geschlagen. Als der Winter hereinbrach, flohen die Rebellen nach Norden, über den alten Römerwall hinaus und nach Schottland, in die Wildnis von Liddesdale.

Lord James, erpicht auf eine Gelegenheit, Elisabeth zu beeindrucken, machte Jagd auf sie und versuchte, sie festzunehmen. Aber es war alte Grenzlandtradition, daß man Flüchtlingen Zuflucht bot, und so war es schwer, sie zu finden; gefangennehmen konnte er nur den Earl von Northumberland. Der Earl von Westmoreland und Northumberlands Frau, die kriegerischer war als die Männer, entkamen ins Ausland und setzten sich in die Niederlande ab. So waren die Bürger Northumberlands und Yorkshires dem Zorn Elisabeths ausgeliefert, denn sie konnten nirgendwohin fliehen.

Zu Hunderten wurden sie in Städten und Dörfern hingerichtet, und überall erscholl der Ruf: »So vergehen alle Feinde der Königin!« Zur Warnung ließ man die Gehenkten an den Galgen hängen. Tausend Leichen schaukelten im eisigen Januarwind knarrend an ihren Ketten, und fleischlose Münder schienen zu wispern: »Verraten ... wir wurden verraten.«

15. März 1570. Es ist alles aus. Northumberland und Westmoreland haben sich erhoben und versucht, das Volk aufzurütteln, auf daß es den alten Glauben von neuem verkünde. Aber ihr Aufstand wurde grausam niedergeschlagen. Töricht war meine Hoffnung auf Rettung; jeden Tag habe ich gewartet, ob dies der Tag meiner Erlösung sei. Aber nein. Es gibt keine Erlösung.

Heute war Shrewsbury bei mir; sein langes Gesicht war noch länger als sonst. Fast flüsterte er, als er sagte: »Es gibt traurige Nachrichten. Euer Bruder ist tot.«

»Mein Bruder?« Meine er etwa Lord James? Ganz gewiß, denn von meinen anderen Brüdern wußte er ja nichts. Dennoch – ganz gewiß nicht.

»Er wurde in Linlithgow erschossen«, sagte Shrewsbury. »Wie es scheint, lauerte ein Feind, ein königstreuer Hamilton, in einem Zimmer in einem oberen Stockwerk, wo er die Hauptstraße überblicken konnte, und schoß auf den Regenten, als er durchgeritten kam.«

»James – tot?« Ein furchtbares Beben durchzitterte mich. James war doch derjenige, der immer in Sicherheit war, derjenige, der die Morde lenkte. Wenn man James ermorden konnte, dann ...

»Er starb wenige Stunden später«, berichtete Shrewsbury. »Es gab keine Hoffnung.« Er schwieg einen Augenblick lang. »Ein trauriger Tag für Schottland.«

»Immer neue Morde! Wird es niemals aufhören?« rief ich. »Und wer regiert jetzt?«

Plötzlich erkannte ich, daß sich in diesem Augenblick in Schottland alles geändert hatte. Wer *würde* regieren?

»Königin Elisabeth versucht, sie dazu zu überreden, daß sie den Earl von Lennox an James' Stelle zum Regenten ernennen.«

Lennox! Das war unwahrscheinlich. »Dazu ist eine Menge Überredungskunst nötig«, sagte ich.

»Und die zweite traurige Nachricht – wenngleich sie vielleicht für *Euch* nicht traurig ist: Der Papst hat eine Bulle erlassen und Königin Elisabeth in aller Form exkommuniziert. Offensichtlich glaubt der dumme, schlecht beratene Mann, damit hilft er den englischen Katholiken und gibt ihren Herzen den Mut, einen neuerlichen Anschlag auf Elisabeths Thron zu unternehmen!« Mit verächtlichem Schnauben reichte er mir ein Papier. »Lest nur selbst!«

Ich las *Regnans in excelsis*. Die Bulle sprach der »Dienerin des Bösen« das angemaßte Recht auf den Thron von England ab und entband alle ihre katholischen Untertanen von der Gefolgschaftstreue gegen sie.

»Adel, Untertanen und alle Menschen in besagtem Reiche sowie alle anderen, die ihr unter gleichwelchen Bedingungen verpflichtet, sind befreit von ihrem Eid und von aller Art Pflicht, Treue und Gehorsam. Wir heißen diese Menschen und befehlen überdies und machen es zur Pflicht einem jeden, den Edlen, den Untertanen, dem Volke und allen anderen, daß sie nicht wagen sollen, einem ihrer Befehle, Gesetze oder Geheiße zu folgen, und belegen mit nämlichem Fluche jene, die dem zuwiderhandeln.«

»Das ist nicht klug.« Gerade so viel erlaubte ich mir, vorsichtig zu sagen. Aber das ist es tatsächlich nicht. Mir ist klar, daß Seine Heiligkeit Pius V. darauf brennt, die Fronten zwischen den beiden Religionen abzustecken; aber im Geiste lebt er bereits in himmlischen Gefilden und gibt zu wenig auf irdische Erwägungen. Wäre diese Bulle vor dem Aufstand des Nordens veröffentlicht worden, dann hätte sie vielleicht eine gewisse Wirkung gehabt. Jetzt aber wird sie die Katholiken nur weiterer Not und Verdächtigung aussetzen. Vor Jahren hat sein Vorgänger, Paul IV., Elisabeth bereits als Ketzerin gebrandmarkt und mich als rechtmäßige Inhaberin des Thrones anerkannt, aber er hat ihre Untertanen nicht derart unverblümt aufgefordert, sie abzusetzen. Für Elisabeth ist dies ein Schlag ins Gesicht; das andere war ein sanftes Drohen mit dem Finger.

»Die Klugheit wohnt nicht in Rom!« erklärte Shrewsbury selbstgerecht.

Als er gegangen war, betete ich lange vor meinem Kruzifix. Ich betete für James – auch wenn ich wußte, daß dieses Gebet nicht von der Art war, die ihm gefiel! Aber jeder muß auf seine eigene Weise beten. Ich schloß die Augen und dachte an meinen Bruder, wie er vor langer Zeit gewesen war, und ich zog den Schleier über die Gegenwart.

»Schenke ihm die ewige Ruhe«, bat ich.

Aber jetzt, da der Schrecken verflogen ist und ich mich ein paar Stunden erholen konnte, frage ich mich doch unwillkürlich, ist vielleicht der Weg jetzt frei für meine Rückkehr nach Schottland? Könnte es sein, daß die Lords mich heimrufen? Ohne Lord James an ihrer Spitze sind sie vielleicht freundlicher. Und vielleicht werden sie, wie schon einmal, feststellen, daß sie ihre Königin brauchen.

Maria hielt die Zügel so fest, wie ihre steifen Finger es zuließen, als sie ihr Pferd durch das Tor von Chatsworth hinaus und auf den Weg zur nächsten Station ihrer Gefangenschaft lenkte: nach Sheffield Castle. Während des Nördlichen Aufstands hatte man sie sicherheitshalber fünfunddreißig Meilen weiter südwärts nach Coventry verlegt. Nach der Flucht der Earls und dem Zusammenbruch des Aufstands war sie wieder fünfzig Meilen weit nach Norden gebracht worden, in eines von Shrewsburys Schlössern: nach Chatsworth. Und jetzt, im November 1570, ein Jahr nach dem Aufstand, sollte sie mit ihrem Gefolge wiederum fünfzehn Meilen an einen Ort weiterziehen, wo der Earl zwei Residenzen besaß: das Schloß und ein Landhaus, etwa eine Meile weit entfernt. Zwischen diesen beiden nun konnte man sie hin und her befördern, wenn das eine oder andere gereinigt werden mußte.

Allmählich hatte sich in ihrem Gefolge so etwas wie Beständigkeit entwickelt. Sie hatte ihren Arzt Bourgoing, einen Chirurgen, einen Apotheker, einen Seidensticker, ihren Schneider Balthazzar, Hausdiener, Kammerzofen wie die getreue Mary Seton und Madame Rallay, Jane Kennedy und Marie Courcelles als Ersatz für die verlorenen Marys, und Sekretäre wie Claud Nau, und das Ganze wurde beaufsichtigt von John Beaton, ihrem Haushofmeister. Sie hatte ihren verkleideten Priester. Sie hatte Bastian Pages, der für Unterhaltung sorgte, soweit es unter den Umständen möglich war. Sie hatte acht Küchenmägde, einen Kutscher und drei Stallknechte. Leider durfte sie aber nirgendwo hinreisen. Ein paar ihrer Anhänger, wie Lord Boyd und Lord Claud Hamilton, waren nach Schottland zurückgegangen, aber sie hatte immer noch Willie Douglas, John Leslie und die Livingstons.

Zwischen ihr und den Shrewsburys wuchs langsam jene seltsame Halbfreundschaft, wie sie zwischen Bewacher und Geisel bisweilen entsteht; sie tauschten Geschenke und Artigkeiten aus, sie zogen einander hier und da ins Vertrauen oder berichteten über neutrale Personen, und die kleinen Dinge ihres Alltags verflochten sich mehr und mehr ineinander. Bess und Maria beschäftigten sich zusammen mit der Ausgestaltung und Einrichtung der Besitztümer, die Bess gehörten, und Maria schrieb sogar nach Frankreich um Stickmuster und Garne; aber Shrewsbury mußte die Briefe lesen, ehe sie befördert werden durften. Maria war es nicht gelungen, in Shrewsburys Haushalt Bundesgenossen zu finden, wie sie es in Lochleven vermocht hatte; die einzigen treuen Freunde in ihren Diensten waren diejenigen, die sie selbst mitgebracht hatte.

Sie wurden beobachtet, aber dennoch hatte Maria Mittel und Wege finden können, Korrespondenzen abzuschicken und zu empfangen. Norfolk war im Sommer aus dem Tower entlassen und unter Hausarrest gestellt worden, nachdem er schriftlich hatte geloben müssen, von jeglicher Verbindung mit Maria sowie von allen Heiratsplänen abzulassen. Sofort aber hatte er sein Gelöbnis gebrochen, und von neuem gingen geheime Briefe zwischen ihnen hin und her, versteckt in Paketen mit Nähseide und Lebensmitteln, geschrieben mit Orangensaft, der unsichtbar blieb, bis man ihn über eine Kerzenflamme hielt.

Aber das Scheitern des Aufstandes im heimischen England bedeutete, daß es ohne Hilfe von außen – entweder aus Frankreich oder aus Spanien – keine Rettung für sie geben konnte. Sämtliche Rebellen in England waren dermaßen streng bestraft worden, daß es hier nach menschlichem Ermessen keine Hoffnung auf Erlösung mehr gab. Deshalb war sie gezwungen gewesen, über einen päpstlichen Agenten, den Bankier Ridolfi, Verhandlungen mit den Spaniern aufzunehmen. Die Exkommunikation Elisabeths und die Bulle, mit welcher der Papst ihr den Thron aberkannte, hatte die Engländer durch die Bank zu rasendem Haß auf den Papst und alle Ausländer aufgestachelt. Ridolfi, der ursprünglich als eine Art finanzielles Wunderkind mit Philipp nach England gekommen war, war später als Hofberater für Leute wie Cecil persönlich geblieben; nach dem Nördlichen Aufstand hatte Walsingham ihn durchleuchtet, aber er hatte die Überprüfung bestanden. Gleichwohl waren die Zeiten riskant für jegliche ausländische Einmischung.

Unterdessen schrumpfte ihre Partei in Schottland immer weiter zusammen. Dumbarton Castle unter Lord Fleming und den Hamiltons hielt stand, und in einem überraschenden Schachzug hatte ein reumütiger Maitland – nicht umsonst nannte man ihn »das Chamäleon«, dachte Maria – Kirkcaldy von der Partei der Lords abwerben und für sich gewinnen können; zusammen hatten sie Edinburgh Castle übernommen, das sie jetzt, in einer regelrechten Kehrtwendung, für Maria hielten. Aber der Mord an Lord James hatte nicht dazu beigetragen, Maria die Rückkehr zu ermöglichen.

Oh, ich dachte, vielleicht würden sie ja nachgeben, die Lords, klagte sie. Ich dachte immer, Lord James sei mein Hauptfeind in Schottland. Aber nein, es gibt noch viele geringere. Und Elisabeth –

Elisabeth hat sie überredet, den Earl von Lennox als Regenten zu akzeptieren! Sie ist entschlossen, mich hier eingesperrt zu behalten. Warum nur?

Lennox als Regent. Das Schicksal wäre nicht das Schicksal, wenn es keine Überraschungen bärge. Aber Lennox!

So traurig Maria auch war, ein Gutes hatte die Sache doch: Zum ersten Mal würde der kleine James tagtäglich in der Gesellschaft eines Verwandten sein. Der arme Junge – vier Jahre war er jetzt alt, war von jedermann als Waise behandelt worden. Ich hoffe nur, daß Lennox das Herz seines Enkels nicht gegen mich vergiftet, dachte Maria. Ich weiß, er kann nichts Gutes über mich sagen, denn er haßt mich, aber wenn Gott Erbarmen mit mir haben will, dann wird Er Lennox daran hindern, Böses über mich zu reden.

Der kleine James. Sie hatte ihm ein Pony und einen Sattel geschickt, und dazu einen Brief, in dem sie ihm sagte, wie sehr sie ihn liebte; aber sie hatte keine Antwort bekommen. Hatte er das Geschenk und den Brief überhaupt bekommen? Würde sie es jemals wissen?

Schwerfällig zogen sie durch den Nebel des ausgehenden November, an Baslow Edge vorbei und dann über das Totley Moor, auf dem verstreute Flecken von Gold und Grün lagen. Eine Patina von purpurnem Heidekraut milderte die Farben und mischte sich mit dem Grau, das überall wirbelte. Auch der Himmel war grau, aber tröstend wie eine Umarmung. Die Ähnlichkeit mit den Mooren von Schottland war groß genug, um Erinnerungen zu wecken, aber die Landschaft hier war zahmer, freundlicher. Hier konnte man nicht weit genug reiten, um wirklich allein zu sein.

Für sie war das Moor in alle Ewigkeit jener Ritt mit Bothwell.

Sie zogen in das geschützte Tal des River Don hinunter, der dort in einer großen, trägen Schleife, geformt wie ein U, dahinfloß. An der unteren Biegung des U erhob sich ein Hügel, gekrönt von der Burg, zu der sie unterwegs waren; ebenfalls dort mündete der viel kleinere River Sheaf in den Don. Das Gelände zu beiden Seiten wurde flacher, und Shrewsbury kam an Marias Seite getrabt und deutete zur einen Seite.

»Die Wiese dort ist der Versammlungsplatz«, erklärte er. »Jedes Jahr am Osterdienstag inspiziere ich hier die Miliz der Stadt. Und auf der anderen Straßenseite ist das Feld für die Bogenschützen.« Eine weite, flache, braune Ebene lag erstarrt in der toten Jahreszeit.

»Das Bogenschießen wird hier also noch gepflegt?« fragte Maria. Wie unmodern, dachte sie, wo heutzutage doch Pistolen und Messer allen Schaden anrichten. Ein Pistolenschuß aus dem Fenster, ein Messerstich in den Rücken. Und natürlich Gift im Becher. Bogenschießen: edel und altmodisch.

»Aber natürlich!« Shrewsbury lachte. »Sind wir nicht in der Nähe von Sherwood Forest? Und wenn die ganze Welt Pfeil und Bogen aufgibt, wir sind verpflichtet, hier weiter dabei zu bleiben – denn sonst wird Robin Hoods Geist uns heimsuchen.«

»Ich fürchte, es wird ein Spiel für Kinder oder ein Sport für junge Männer daraus werden.«

»Niemals!« erwiderte Shrewsbury entschlossen.

Sie überquerten eine steinerne Brücke, auf der eine alte Kapelle stand; Maria sah, daß man jetzt Wolle darin lagerte. Unten am Ufer sah sie den Tauchschemel, auf dem Tratschweiber ins Wasser getunkt wurden. Ein zweifaches Zeichen der protestantischen Religion: jeder hatte sich um seine eigenen Angelegenheiten zu kümmern, und heilige Gebäude verwandte man zu weltlichem Nutzen.

Die Gruppe ritt den gewundenen Karrenweg hinauf, der am Turnierplatz und den Bastionen der Burg entlangführte. Oben angekommen, bogen sie um die Ecke und ritten auf der Zugbrücke über den Wassergraben. So gelangten sie in den abweisenden Bereich zwischen zwei Bastionstürmen. Nebel umwölkte sie.

Maria merkte, wie der Mut sie verließ. Von allen Orten, wo sie untergebracht worden war, hatte dieser die größte Ähnlichkeit mit einer Festung. Vielleicht lag es an der vereinten Wirkung ihrer Lage im Herzen Englands, des Wassergrabens und des Hügels, der hohen Mauern und des inneren und äußeren Hofes, aber diese Burg sah aus wie die geballte Eisenfaust eines Ritters in voller Rüstung. Der Gedanke, sie könnte etwas anderes sein als eine Gefangene, ließ sich hier nicht aufrechterhalten; nur eine Gefangene konnte in einem solchen Kerker wohnen.

»Ja, was für eine … reizende Behausung«, sagte sie matt.

Ihre Gemächer befanden sich auf der nordöstlichen Seite; hier hatte man einen Blick auf die weite Schleife des Don und über die Gärten der Burg und den Bogenschießplatz bis hinüber zu dem Wildpark, in dem das Landschloß lag. Mächtige Eichen standen hier und dort im Wildpark; ihre Stämme sahen aus der Ferne aus wie Fässer. Ihr eigenes Privatgemach war groß; es hatte zwei Kamine und eine

Decke, die so hoch war, daß auch große Leute sich nicht den Kopf stießen. Sie versuchte, ihre Umgebung persönlich zu gestalten, mit Wandbehängen und Stickereien und mit Miniaturen ihrer Verwandten: Franz, Darnley, der kleine James, Katharina von Medici, die Gräfin Lennox und Elisabeth. Sie stellte alle auf einen kleinen Sandelholztisch, den man aus Schottland heruntergebracht hatte.

Eine Miniatur von Bothwell hatte sie nicht; die einzige, die es gab, war während seiner Flitterwochen mit Lady Jean gemalt worden, und die hatte sie behalten. Maria nahm an, daß sie sie ganz unten in eine alte Kiste geworfen oder sogar zerstört hatte, und das tat ihr im Herzen weh. Aber so gern sie sie gehabt hätte, sie konnte ihn vor ihrem geistigen Auge so vollkommen sehen, daß sie sich mit dem Gedanken tröstete, ein gemaltes Bildnis könne dasjenige in ihrer Phantasie in mancher Hinsicht nur beschädigen und eintrüben.

Sie besaß einen kleinen, tragbaren Altar, den sie in einem Alkoven in ihrem Privatgemach aufstellte; sie war dankbar dafür, daß sie es so offen tun konnte.

Sie hatte auch einen Globus und etliche Landkarten, die ihr von Edinburgh heruntergeschickt worden waren, und sie verbrachte viele Stunden damit, sie zu studieren, und in ihrer Phantasie flog sie davon in jene Länder, die hier nur gemalte Kurven und Linien waren. Paris war ein Name und ein brauner Punkt, auf der Landkarte nicht anders als Lyon oder Calais; der Zauber lag nicht auf dem Papier. Mit ihren Bediensteten spielte sie ein Spiel, in dem sie Städten und Flüssen ihre Namen gaben, wie um sich selbst zu quälen. Rom und der Tiber, Athen und Jerusalem … all die Orte, zu denen sie niemals reisen würden. Besser gesagt, zu denen Maria nicht reisen konnte: Alle anderen konnten ja gehen, wohin sie wollten; ihre Gefangenschaft war eine freiwillige.

Freiwilliges Leiden war etwas ganz anderes als unfreiwilliges, dachte Maria. In gewissem Sinne war es edler, weil man es nicht ertragen mußte; aber in einem anderen war es auch milder, denn es lag in der Macht des Menschen, nicht in Gottes Hand, ihm ein Ende zu machen. Es war eine Übung für den Willen, nicht für die Demut.

Niemand zeigte die Neigung, sie zu verlassen. Sie wünschte sich, daß diejenigen, die einer anderen Berufung zu folgen hatten, dies tun möchten, ehe es zu spät wäre. Die liebe Mary Seton – sollte sie denn unverheiratet bleiben, nur weil sie sich für dieses Exil entschieden hatte?

Bei mir ist es anders, dachte Maria. Ich habe die Ehe erlebt und ein Kind bekommen, und wenn ich jetzt im Zölibat leben muß, so läßt sich das nicht ändern. Aber Mary Seton – wer wird für sie da sein? Einen englischen Protestanten wird sie wahrscheinlich nicht wollen, und in meinem Gefolge von Verbannten gibt es keinen Mann, der in Frage käme. Ich will aber nicht für ihre Einsamkeit verantwortlich sein – oder ist auch das ein Bestandteil meiner Strafe?

5. Dezember 1570. Franz' Todestag. Meine Strafe. Warum geht sie nur immer weiter? Bald werde ich achtundzwanzig, und seit vier Jahren bin ich in Gefangenschaft. Dann habe ich halb soviel Zeit in Haft und Strafe verbracht, wie ich insgesamt in Schottland war. Und ein Ende ist nicht in Sicht. Die Tage dehnen sich zu einer langen Straße des immer Gleichen, so weit des Menschen Auge blicken kann. Wer kann mich retten?

Ich versuche das Leiden zu ertragen – das körperliche mit den merkwürdigen Schmerzanfällen in meinen Gelenken, das seelische mit der Verantwortung für das, was Schottland und meinen Anhängern geschehen ist, und das geistliche mit der Schuld an meinen persönlichen Sünden. In meinem innersten Herzen weiß ich, daß das Leiden dazu dient, die Seele zu läutern. Aber wie lange noch, o Herr? »Und der Herr zürnte ihm und lieferte ihn seinen Peinigern aus, auf daß er alles bezahle, was er schuldig war.« Ich habe bezahlt, ich bezahle immer noch, und ich werde weiter bezahlen. Aber wie lange noch? Oder soll meine Strafe währen, bis ich aufhöre zu schreien: »Wie lange?« Bis ich aufhöre, die Tage zu zählen und mit den Flügeln an die Käfiggitter zu schlagen?

An Marias Geburtstag, am 8. Dezember, schickten Shrewsbury und Bess das neue Mündel des Earls zur Feier des Tages mit einem Schloß aus Zuckerwerk hinauf in Marias Gemächer. Das Schloß war an einer Seite offen, so daß man die Zimmer sehen konnte, die der Zuckerbäcker mit peinlicher Sorgfalt geformt hatte. Auf kleinen Truhen waren winzige Namensschilder, und darin befanden sich Goldmünzen für Marias Bedienstete. Bess hatte sogar einige der Gobelins nachgemalt, die sie und Maria zusammen angefertigt hatten, und an die Zuckerwände gehängt. Sie hatten auch Shrewsburys Musikanten hinaufgeschickt, um die wenigen zu ergänzen, die zu Marias Gefolge zählten, und bald klangen muntere Tanzlieder durch den dunklen Dezembernachmittag.

Tatsächlich fühlte Maria sich äußerst unwohl; ihre Gelenke waren an diesem Tag besonders geschwollen und gerötet, und sie wurde von immer wiederkehrenden Kopfschmerzen geplagt. Aber sie hatte ihr bestes Kleid angezogen und sich von Seton das Haar – das wieder bis auf die Schultern gewachsen war – mit einer Perücke auffrisieren lassen.

»Ach je, Mylady«, hatte Seton gesagt, »Euer Haar ist nicht mehr so dicht und üppig wie früher.«

Und der Rest des Satzes schwebte in der Luft: ... *und ich fürchte, es wird nie wieder so sein, und auch das ist etwas, das in Schottland zurückgelassen wurde. Ein unwiederbringliches Opfer.*

»Dann setze mir die Perücke auf, die mit dem roten Ton«, sagte Maria. »Ich kann von Glück sagen, daß ich dich und deine Hilfe habe! Es heißt, Elisabeths eigenes Haar habe noch kein Mensch gesehen, weil sie immer Perücken trage.«

Maria sah, wie ihr Haar unter der Perücke verschwand, genau wie der Diamant von Norfolk, den sie stets am Halse trug, unter ihren Kleidern verborgen war. Norfolk ... ihre letzte Hoffnung. Seit einer Weile hatte sie keine Nachricht mehr von ihm; die Burg wurde streng bewacht.

Shrewsbury und Bess waren für kurze Zeit zu ihnen gekommen und hatten Geschenke gebracht: eine Elfenbeinschatulle und ein Vergrößerungsglas mit einem Ebenholzgriff. Dann hatte Shrewsbury den Jungen vorgestellt, der das Zuckerschloß heraufgetragen hatte und seitdem stumm dastand und sie anstarrte.

»Das ist mein neues Mündel, Anthony Babington«, sagte Shrewsbury. »Er kommt aus einer alten Nachbarfamilie, und sein Vater war ein guter Freund von mir. Es würde mich freuen, wenn Ihr ihm erlauben wolltet, Euch als Euer Page zu dienen«, fuhr er fort. »Ich könnte mir keinen größeren Trost für den Verlust eines Vaters vorstellen als den Eintritt in den Haushalt einer Königin.«

»Und was sagst du dazu?« Maria sah den Jungen an. Er war ein schlanker Knabe mit heller Haut und schwarzem Haar. Er lächelte nicht.

»Es würde mir gefallen«, sagte er leise. Noch immer lächelte er nicht.

»Wie alt bist du?« fragte sie.

»Elf«, antwortete er.

Elf. Dieses seltsame, geheimnisvolle Alter zwischen Kindheit und Mannesreife. Seine mandelförmigen Augen waren gesenkt.

»Elf … Kannst du Latein? Hast du Geschichte studiert?«

»Ein wenig.« Jetzt bogen seine Lippen sich doch zu einem leisen Lächeln.

»Also gut. Du wirst einen halben Tag bedienen und einen halben Tag studieren. Wir werden uns bemühen, den Unterricht nicht allzu schwer zu machen.«

Shrewsbury schüttelte den Kopf. »Für ihn kann es niemals zu schwer werden. Er ist ein brillianter Bursche – zumindest wenn es um das Studium der Bücher geht. Versucht es nur mit ihm.«

Neujahrstag 1571. Ein neues Jahr … eine leere Seite, und angeblich steht es in meiner Macht, mein Schicksal darauf zu schreiben. Schicksal? Ist das Schicksal eine Frau in London? Ich schreibe fortgesetzt an Königin Elisabeth, doch es ist vergebliche Mühe. Sie gibt mir die Schuld am Aufstand des Nordens und an der Exkommunikation. Jetzt schreibt sie mir nicht mehr mit eigener Hand, sondern bedient sich eines Sekretärs.

Cecil war im Herbst hier. Ich bin ihm persönlich begegnet, dem berühmten Mann, meinem Gegenspieler. Er wollte mir gewisse Vorschläge unterbreiten, die vielleicht dazu führen könnten, daß ich wieder den schottischen Thron besteigen kann, aber sie waren derart verdrießlich, daß er offensichtlich nur gekommen war, damit er nachher sagen könnte, er habe es versucht und ich sei nur unvernünftig. Einer lautete, Prinz James solle als Geisel nach England kommen. Andere gingen dahin, daß ich endlich den Vertrag von Edinburgh ratifizieren, meinem Rechtsanspruch auf die englische Thronfolge entsagen und keine Ehe mehr ohne Genehmigung Elisabeths und der schottischen Lords schließen solle.

Er war ein freundlicher Mann. Die Begegnung mit ihm hat mir Spaß gemacht. Er wirkte so nachdenklich, so aufgeschlossen. Ich hätte mich sogar zu dem Irrglauben verleitet lassen, daß er mich mag, wenn ich nicht erfahren hätte, daß er darum gebeten hatte, von der Aufgabe dieses Besuchs bei mir entbunden zu werden, und in eine höchst genehme Krankheit verfallen war; außerdem hatte er von mir behauptet, ich biete »gezuckerte Unterhaltung, um die Männer anzulocken«. Ich bot ihm nichts Gezuckertes, als er nach Sheffield kam, aber ich bemühte mich doch, ihm gegenüber das Benehmen zu zeigen, das ich selbst gern von anderen erfahren möchte. Von hier aus wollte er weiter nach Buxton, einem Ort in der Nähe, in dem es heilende Thermalbäder gibt; anscheinend plagt ihn die Gicht. Ich würde gern selbst einmal hingehen, wenn die Schmerzen in meinen Gelenken nicht nachlassen. Aber natürlich darf ich nirgendwohin ohne schriftliche Erlaubnis von Königin Elisabeth.

Davon, daß ich mich vor ihr zu »läutern« hätte, ist nicht mehr die Rede; offenbar hat man dieses Spiel nunmehr dem Müllhaufen überantwortet, was nur beweist, daß es niemals mehr war als ein Spiel, ein Vorwand, mich nicht empfangen zu müssen.

Warum will sie mich nicht sehen? Ich meine, was ist der wahre Grund? Es kann keinen geben. Barmherzigkeit wie Staatskunst würden verlangen, daß sie es tut. Sie hat sich mit den aufständischen Lords getroffen, mit denen sie nicht einmal blutsverwandt ist und die auch keine gesalbten Könige sind. Sie hat sich mit Piraten und Schurken getroffen, mit abtrünnigen Priestern und Renegaten, mit bekannten Mördern wie Lennox – der in den Kriegen von 1547, ehe Frieden war zwischen England und Schottland, die kleinen Kinder ermordete, die seine Geiseln waren. Mein Lord Herries, der damals erst sieben Jahre alt war, blieb als einziger verschont. Es heißt, er habe schreckliche Träume und könne es nicht ertragen, nachts allein zu sein. Aber Elisabeth trifft sich mit Lennox! Und sie hat ihn zum Regenten von Schottland gemacht, während sie mich in Gefangenschaft schmachten läßt!

Sie haßt mich. Sie hat mich immer gehaßt. Eine andere Erklärung kann es nicht geben. Lennox schreit täglich nach meiner Auslieferung und Hinrichtung.

15. März 1571. Endlich, nach so vielen Monaten der geheimen Briefe und Botschaften und Verhandlungen, stehen alle Pläne fest. Ridolfi ist es gelungen, den Herzog von Norfolk zum Unterschreiben eines Briefes zu bewegen, in dem er sich bereit erklärt, katholisch zu werden. Das war nötig, bevor der Herzog von Alba oder Philipp sich überreden ließen, sich um meine Befreiung zu bemühen. Es widerstrebte ihnen verständlicherweise, sich an einem Plan zu beteiligen, der einen Protestanten in die Reihe der englischen Thronfolger befördert oder der mich zur Ehe mit einem Protestanten nötigt. Jetzt wird Ridolfi sich einschiffen und

nach Brüssel reisen, um Alba alles das persönlich darzulegen, bevor er dann nach Rom und nach Spanien fährt. Bischof Leslies Diener, Charles Bailley, erwartet ihn auf dem Kontinent; er wird Briefe nach England bringen, an mich, an Leslie und an Norfolk. Und nun sei Gott mit ihm!

Maria beendete eben einen Brief an Norfolk, den sie mit kostbarem Orangensaft schrieb. »… unter dieser Bedingung nahm ich den Diamanten, den Ihr mir gesendet durch Mylord Boyd und den ich unsichtbar am Halse trage, bis daß ich ihn seinem und meinem Eigentümer zurückgebe. Ich spreche kühn zu Euch, denn Ihr habt mich in allem frei wählen lassen. Laßt mich eine trostreiche Antwort empfangen …«

Plötzlich merkte sie, daß jemand in einer Ecke des Zimmers stand und kaum atmete. Sie fühlte die menschliche Gegenwart und schob ein leeres Blatt über den Geheimbrief.

»Wer ist da?« fragte sie.

»Nur ich«, sagte die dünne, unverkennbare Stimme des jungen Anthony Babington.

Er trat aus dem Schatten hervor und kam zu ihr, und sein hübsches, glattes Gesicht war völlig ohne Ausdruck. In all den Wochen, die er nun ihrem Haushalt angehörte, hatte sie ihn nicht ein einziges Mal lächeln sehen. Starren oft. Lächeln nie.

»Anthony, ich wußte nicht, daß du hier bist. Hast du jetzt Dienst?« Der kleine Junge war eine eigentümliche Erscheinung; in mancher Hinsicht wirkte er älter als elf, weil er so ernsthaft und angespannt war. Freunde oder Spielgefährten hatte er bis jetzt nicht.

»Ja, ich soll die grünen Tücher von den Tischen nehmen, sie hinaustragen und ausschütteln.«

»Dann tu's nur.«

Aber Anthony wandte sich nicht seiner Arbeit zu, sondern kam statt dessen zu ihrem Schreibpult und schaute auf das Papier.

Ich wünschte, er würde weggehen, dachte Maria, damit ich diesen Brief fertigschreiben kann. Bald wird der ganze Haushalt wieder hier sein; da sie ja die Burg nicht verlassen dürfen, bleiben sie nie lange weg.

Er betrachtete weiter beharrlich ihren Schreibtisch und stellte schließlich fest: »Ihr schreibt einen Geheimbrief.« Er wies auf den kleinen Becher Orangensaft. »Der Geruch verrät Euch.«

Jetzt wird er es Shrewsbury erzählen, dachte Maria. Wie kann ich ihn überreden, es nicht zu tun?

»Ich weiß etwas Besseres als Orangensaft«, sagte er. »Etwas, das ich Euch zeigen könnte.«

»Wieso?« fragte sie verblüfft. »Ich brauche keine geheimen Briefe zu schreiben. Ich habe nur – geübt. Für den Fall, daß es einmal nötig ist.«

»Dann müßt Ihr mit meiner Methode üben.« Er sah sie unter seinem Haarschopf hinweg an, der ein dunkles Dach über seiner Stirn bildete.

»Nein, denn wenn Shrewsbury sähe, daß ich so etwas tue, dann würde er den Verdacht haben, ich führte Böses im Schilde. Alle Geheimnisse gelten für böse, weißt du. Sie lächelte ihn an und bemühte sich, diesen Augenblick zu einem Spiel zu machen, damit er ihn nachher vergessen würde. Jetzt war er eine Gefahr für sie.

»Dann werden wir zusammen böse sein«, sagte er, und seine Lippen krümmten sich zur Andeutung eines Lächelns. »Es geht so – Ihr müßt Alaun nehmen. Orangensaft und Zitronensaft haben den Nachteil, daß das Papier, auf dem damit geschrieben wurde, vernichtet werden muß, wenn man es einmal der Hitze ausgesetzt und gelesen hat. Alaun ist ebenfalls unsichtbar, und man sieht es nur, wenn man das Papier oder den Stoff anfeuchtet und erwärmt, aber wenn es trocknet, verschwindet es wieder. Man braucht sich also nicht darum zu kümmern, daß es vernichtet wird. Und man kann die verschiedensten Dinge als Träger für seine Botschaften verwenden.«

Sie starrte diesen kenntnisreichen kleinen Jungen an; aber irgendwie kamen ihr solche Kenntnisse teuflisch vor. »Woher weißt du das?«

»Wie der gute Shrewsbury sagte, ich habe vieles aus Büchern gelernt«, antwortete er. »Aber ich habe Euch noch nicht das ganze Rezept gesagt. Es fehlt noch etwas.«

»Und was willst du dafür haben?«

»Ich will einen Rosenkranz, den der Papst gesegnet hat«, antwortete er sofort. »Ich habe Euch sagen hören, Ihr hättet mehr als einen. Ich wünsche mir inständig einen für mich.«

Er war also katholisch! »Wenn du mir versprichst, daß du ihn hütest wie einen Schatz – denn es ist unmöglich, daß so etwas noch einmal in dieses Land kommt«, sagte sie. Oder er gab sich als Katholik aus, um ihr Vertrauen zu gewinnen. Oder er war ein Ketzer, der einen heiligen Gegenstand entweihen wollte.

Oder er betätigte sich in Hexenkünsten und brauchte ihn für gottlose Zwecke …

»Ihr braucht nichts zu fürchten«, sagte er, als habe er ihre Gedanken gelesen. Er wartete, und sie begriff, daß er den Rosenkranz auf der Stelle haben wollte.

Sie ging zu der Truhe, in der sie ein paar ihrer persönlichen Habseligkeiten aufbewahrte, und holte einen aus Elfenbein geschnitzten Rosenkranz hervor, den der Heilige Vater gesegnet hatte. Sie brachte ihn her und legte ihn in die ausgestreckte Hand.

Er betrachtete ihn so aufmerksam wie ein seltenes Juwel. Dann schloß er die Hand darum. »Also gut, hier ist nun der Rest des Rezepts«, sagte er rasch. »Ihr müßt das Alaun vierundzwanzig Stunden, bevor Ihr es benutzen wollt, in etwas klarem Wasser auflösen. Dann könnt Ihr auf weißem Papier, weißem Leinen oder weißem Taft schreiben. Die Schrift bleibt unsichtbar, bis man den Brief in einem Wasserbecken anfeuchtet und gegen etwas Heißes hält. Die Schrift wird weiß erscheinen und lesbar bleiben, bis das Papier trocken ist. Man kann einen kleinen Schnitt oder Knick anbringen, um den Stoff oder das Papier kenntlich zu machen, auf dem sich die Schrift befindet. So kann man den Brief noch einmal lesen, wenn es nötig ist.«

»Hast du es schon ausprobiert?«

»Schon oft«, antwortete er.

»Und woher soll ich Alaun bekommen? Der Wunsch nach Orangen ist leichter zu erklären.«

»Ich kann Euch welches bringen. *Mich* lassen sie hinaus, denn ich bin hier geboren und nur ein Kind.« Er grinste, und jetzt sah er aus wie ein Kobold.

Charles Bailley trat von dem Schiff aus Flandern auf den Kai in Dover. Der Frühlingswind zerrte an seinen Kleidern, und er mußte die Hände kräftig an die Brust drücken, um die Tasche zu sichern, die er dort unter dem Hemd trug. Auf den Docks wimmelte es von Menschen, und hoch oben sah er die Festung und die winzigen Gestalten, die auf die Schiffe hinunterblickten, wenn sie in den Hafen einliefen.

Eilig begab er sich zum Kutschenplatz, um sich auf den Weg nach London zu machen, als ihn plötzlich starke Arme packten und von der Straße zerrten.

»Das ist er!« sagte jemand.

»Durchsucht ihn!« Hände gruben sich unter sein Hemd und rissen die Tasche auf. Eine Faustvoll Briefe wurde herausgezerrt.

»Nein!« Er wollte sie an sich reißen. »Wer seid Ihr? Mit welchem Recht –?«

»Befehl von Walsingham«, sagte einer. »Walsingham. Von dem habt Ihr gehört? Cecil? Habt Ihr von *dem* gehört?«

»Mit welchem Recht –?«

»Der Königin von England! Habt Ihr von *der* gehört?«

»Also haben wir sie jetzt?« fragte Elisabeth. »Alle?« Francis Walsingham deutete auf die Papiere auf dem Tisch, der sich über die ganze Länge seines Zimmers erstreckte. Sie waren säuberlich geordnet, und ein jedes war durch ein kleines Schild gekennzeichnet. »Ihr müßt *hier* anfangen, Majestät«, sagte er und schob sie sanft nach links. »Die ersten liegen hier.«

Auf dem ersten Schild stand das Datum »Oktober 1568«.

»Wie Ihr seht, schrieb sie schon da dem spanischen Botschafter so provokante Sätze wie ›Sagt Eurem Herrn, wenn er mir hilft, werde ich in drei Monaten Königin von England sein, und dann wird man im ganzen Lande die Messe lesen‹«, sagte Walsingham. »Das war während der Anhörung.«

Elisabeth nahm den Brief in die Hand und las ihn. »Ja, ich sehe es.« Ihr Stimme klang düster. »Meine teure Cousine. Und kurz danach schickte sie mir eine Stickerei als Geschenk zum neuen Jahr. Natürlich weiß ich besser als jeder andere, daß Gefangene jedem gegenüber alle möglichen Zusagen und Versprechungen abgeben.«

Walsingham warf ihr einen Blick zu. Verschwendetes Mitgefühl! »Als nächstes – der Ehevertrag mit Norfolk.« Er deutete auf ein Papier, das vom August 1569 datierte.

»Hmm.« Elisabeth studierte es. »So also sieht ein Ehevertrag aus! Gebe Gott, daß *ich* niemals einen unterzeichnen muß! Ach, der arme gute Karl IX.! Ich war gezwungen, seinen Antrag zurückzuweisen. Jetzt heißt es, er ist bereits vermählt. Nach so kurzer Zeit – wie kann man da seinen Liebesbeteuerungen Glauben schenken? Aber hier – Norfolk und Maria ...!« Sie ließ das Papier fallen, als wäre es eine Schlange. »Meine lieben Verwandten alle beide.«

»Nun, Madam, hier sind die Briefe vom November 1569, die Korrespondenz mit Northumberland und Westmoreland. Und jetzt unser Meisterstück: die Briefe, die Bailley bei sich trug!«

»Und worum genau geht es bei dieser Sache mit Bailley?« Einen Namen vergaß Elisabeth nie, aber das wichtigste war sein Zusammenhang mit der Schottenkönigin.

»Er wurde angeworben, um Maria und Norfolk Botschaften vom Kontinent zu übermitteln. Ridolfi – Ihr erinnert Euch an diesen Bankier Ridolfi – war ihr Agent in diesem Komplott; er sollte Philipp als Helfer gewinnen: Philipp sollte in England einfallen, Euch absetzen und Maria befreien. Und diese Briefe, oh« – seine Stimme hob sich vor Aufregung um eine Oktave –, »sie verschaffen uns das Bindeglied, das wir brauchen! Bailley ist ein Diener Leslies, und der ist Marias oberster Ratgeber. Aber einige der Briefe sind verschlüsselt und an ›30‹ und ›40‹ adressiert. Vermutlich handelt es sich um Adelige hierzulande. Aber keine Angst, das finden wir schon heraus. Ich habe mir die Freiheit genommen, Leslie zu verhaften. Ich hoffe, Ihr habt keine Einwände.«

Elisabeth merkte, daß sie beinahe zitterte. Diese mysteriösen Lords, »30« und »40« … wer konnten sie sein? Wer waren die Verräter?

Bin ich denn ringsum von Verrätern umzingelt? Wessen kann ich noch sicher sein? fragte sie sich.

Bailley knirschte mit den Zähnen, als sie ihn über eine steile, feuchtkalte Wendeltreppe in das Kellerverlies des White Tower hinunterführten, des ältesten Teils im Londoner Tower. Die oberen Räume im White Tower beherbergten einen Bankettsaal und eine freundliche Steinkapelle, in der Könige und Königinnen aufgebahrt gewesen waren, aber im Bauch der Erde war ein Raum, der nie das Tageslicht gesehen hatte und keinen Augenblick Menschenglück. Der Gestank von Nässe und Ungeziefer war überwältigend, als er über die Schwelle trat. Die flackernden Fackeln in ihren Haltern offenbarten, daß jede Wand mit Folterwerkzeugen bedeckt war: Skeffingtons Fußzwingen, Daumenschrauben, Ketten, Hand- und Fußfesseln. In der Mitte stand ein riesengroßes Streckbett.

»Nein!« rief Bailley. »Nein!« Er versuchte, sich loszureißen. »Ich habe kein Verbrechen begangen! Ihr habt kein Recht –!«

»Immer wieder die alte Leier von unserem Recht!« sagte der Wärter. »Nicht unser Recht steht hier in Frage, sondern dein Wissen. Ich bitte dich, teile dieses Wissen mit uns, und du wirst das Streckbett niemals kennenlernen.«

Bailley starrte die sagenumwobene Maschine von Grauen fasziniert an. Es war ein rechteckiger Holzrahmen von etwa sechs Fuß Länge, der auf ungefähr drei Fuß hohen Beinen stand. Die Beine waren in den Fußboden eingelassen und so befestigt. An Kopf- und Fußende des Rahmens befanden sich zwei Rollen, die mit Kurbeln gedreht werden konnten. Von den Rollen baumelten vier Seile, jeweils eins für jedes Glied des Folteropfers.

»Nein!« Bailley wurde niedergestoßen und dann rücklings mitten in den Rahmen gelegt und festgehalten, während zwei der Wachen seine Knöchel und Handgelenke an die Maschine fesselten. Dann traten sie zurück und begannen die Winden zu drehen, so daß Bailley hochgehoben und gestreckt wurde, bis er wie ein Laken über dem Rahmen schwebte. In seinen Gelenken ächzte und knackte es, als sein Gewicht daran zog.

»Das ist eine gesunde Streckung«, sagte einer der Männer. »Es kann fast ein angenehmes Gefühl sein. Und jetzt kannst du wahrheitsgetreu sagen, daß du auf dem Streckbett warst. Aber um alle Mißhelligkeiten zu vermeiden, solltest du uns jetzt ... alles erzählen. Doch wir wollen warten, bis unser Vorgesetzter dir alles erklärt. Ah! Hier ist unser geschätzter Foltermeister.«

Ein gut gekleideter Mann erschien im Eingang der Kammer und trat mit forschem Schritt an das Streckbett. Das Parfüm seiner Handschuhe war für Bailley der obszöne Teil der Tortur.

»Mein Freund, ich sehe, Ihr habt Euch bereits mit einem Gerät bekanntgemacht, auf das wir alle hier im Tower zu recht stolz sind«, sagte er seidig. »Der Rahmen aus feinstem Eichenholz, seine Länge, die *Festigkeit* des ganzen ... dergleichen gibt es nicht noch einmal im Land. Diese tragbaren Dinger« – er machte eine wegwerfende Handbewegung –, »freilich, wenn man keinen Platz hat, können sie in gewisser Weise ganz dienlich sein. Aber Ihre Majestät hat gnädigerweise die Räumlichkeiten zur Verfügung gestellt, die dem Streckbett zur Ausschöpfung all seiner Möglichkeiten verhilft.«

Bailley starrte den Mann an. Wie wurde man Foltermeister? War es ein Talent, das schon in der Kindheit seinen Anfang nahm? Mußte man besonders geschickt darin sein, lebendigen Fröschen die Beine auszureißen, Kätzchen zu ertränken, kleinen Hunden die Schwänze abzuschneiden?

»Ich will Euch erklären, wie es geht«, sagte der Foltermeister.

»Wir werden die Winden straffer drehen, und mit jeder halben Drehung werdet Ihr ein bißchen länger. Ja, wir können Euch einen Fuß länger machen, als Gott es getan hat!« Er lachte laut und schlug sich auf den Schenkel. »Aber die Gelenke protestieren. Sie wollen nicht gestreckt werden, die widerspenstigen Dinger! Sie brechen und reißen auseinander – es ist immer wieder eine Überraschung, festzustellen, wer halsstarriger ist: der Geist, der sein Wissen für sich behalten will, oder die Sehnen, die sich an die Knochen klammern. Daher kommt es, daß diese Arbeit niemals gleichförmig wird.« Er schwieg einen Augenblick. »Dies ist Eure letzte Chance. Sagt uns alles: das Ausmaß der Verschwörung, was die Spanier und der Papst gesagt haben, und was die Chiffren und Codes bedeuten.«

»Nein.«

Der Foltermeister nickte, und vier Wachen, einer an jeder Ecke, begannen die Winden zu drehen. Bailleys Körper schnellte hoch und bebte, als er in der Waagerechten aufgespannt wurde, und die Rollen wurden durch Sperrklinken und eiserne Riegel in der gespannten Position gehalten. Dann wurden die Winden um eine weitere halbe Drehung weitergekurbelt, und seine Schultern ächzten. Es gab einen Ruck, als die eine ausgekugelt wurde. Der Körper sackte ein wenig, aber das Nachlassen der Spannung wurde durch eine weitere halbe Drehung der Winde rasch ausgeglichen.

Er schrie. Seine Schulter brannte wie Feuer, und der Schmerz glühte durch seine Brust.

»Also. Sagt es uns.«

Bailley würgte und stammelte. Plötzlich rissen die Bänder in seiner Hüfte. Er wurde ohnmächtig.

»Übergießt ihn mit Wasser«, sagte der Foltermeister angewidert. »Es lohnt sich ja kaum, den zu foltern, so weich ist er!«

John Leslie, der Bischof von Ross, wurde in die Kammer gestoßen. Er starrte die ausgestreckte Gestalt Bailleys auf dem Streckbett an.

»Es wird schon früh genug frei«, sagte der Foltermeister. »Ihr braucht nicht lange zu warten!« Er nickte der Wache zu, und die Männer lösten die Seile. Bailley fiel dumpf auf den Boden. Sie schleiften ihn davon, und Leslie sah den unnatürlichen Winkel der Fußgelenke. Der Körper holperte und hüpfte, als zwei der Wachen ihn auf dem Boden hinauszogen.

»Ich rede, ich rede! Nein, rührt mich nicht an!« weinte Leslie. »Was wollt Ihr denn wissen? Die Briefe? Ich sage Euch alles. Die

Königin der Schotten? Sie ist böse – sie verdient den edlen Herzog von Norfolk nicht als Gemahl. Sie hat den Franzosenkönig Franz vergiftet, sie hat Darnley ermordet, und was Bothwell angeht – den wollte sie auch ermorden! Ja, sie hat ihn zu Carberry Hill ins Feld geführt, damit er dort falle!« Leslie fiel zu Boden und kauerte dort wie ein Häuflein Elend; er streckte die Hand empor, um vermutete Schläge abzuwehren.

»Seht, was für einen beherzten Diener die Königin der Schotten hat«, höhnte der Foltermeister. »Möge sie stets von solchen Dienern umgeben sein.« Er warf einen Blick auf den zitternden Leslie und schüttelte den Kopf. »Er ist unseres edlen Instruments nicht würdig!«

»Wieder neue Erkenntnisse?« fragte Elisabeth müde, als Walsingham mit Papieren unter dem Arm in ihr Staatsgemach geeilt kam. »Ich bin gar nicht sicher, daß ich noch mehr wissen will. Doch nein, Unwissenheit ist immer schlimmer als Schmerz. Ich bitte Euch also: Sprecht!« Sie hatte Kopfschmerzen; seit drei Tagen war ihr jetzt übel. Bestimmt war der Karpfen schlecht gewesen, den sie am vergangenen Freitag gegessen hatte.

»Ihr werdet frohlocken über diese Neuigkeit, Eure Majestät«, sagte Walsingham. »Dumbarton Castle ist gefallen! In einem Überraschungsangriff haben die Lords die Festung gewinnen können! Nur Lord Fleming ist entkommen, indem er über die Felsen hinunterkletterte. Alle übrigen sind gefangen ... mit Ausnahme von Erzbischof Hamilton. Den haben sie aufgehängt, in seinem Priestergewand.«

»Wer hat das gewagt?« fragte Elisabeth. »Ohne Prozeß?«

»Der Earl von Lennox hat die Hinrichtung befohlen. Jetzt behauptet er, der Erzbischof habe seinen Sohn Darnley ermordet.«

»Hier auf der Konferenz hat er geschworen, es war Bothwell. Er kann doch nicht beides haben! Oh, was ist nur die Wahrheit dort oben? *Kümmert* die Wahrheit überhaupt noch irgend jemanden?« Sie war den Tränen nahe.

»Majestät«, sagte Walsingham, »ich dachte, Ihr würdet Euch freuen.«

»Mich freuen? Weil dort oben immer wieder gemordet und gelogen wird? Dummkopf!« Sie warf mit ihrem Fächer nach ihm. Den konnte sie sowieso nicht leiden; er kam aus Spanien.

Walsingham duckte sich. »Wir arbeiten schwer für Euch«, erklärte er selbstgerecht. »Ist es unsere Schuld, daß die Welt ein Ort der Verkommenheit und der Treulosigkeit ist? Leslie hat seine Königin verraten, und er hat uns das Ausmaß des Komplotts bekanntgemacht. Und jetzt sind wir auf ein weiteres Bindeglied gestoßen: Norfolk schickt Geld an die Partei der Königin in Schottland. Es ist französisches Geld, Kronen und Franken, und stammt geradewegs aus ihrer Witwenrente.«

»Ja, und?« fauchte Elisabeth aufgebracht. »Was erwartet Ihr denn, wie sie ihr Geld ausgeben soll? Soll sie den Earl von Lennox unterstützen?« Sie goß Wasser aus einem Krug in eine flache Schüssel, tauchte ihr Taschentuch hinein und betupfte sich damit die Schläfen.

»Mir ist es gleich, wie sie ihr Geld ausgibt; aber Norfolks Diener, die das Gold zu überbringen hatten, haben ihn gleichfalls verraten.«

Elisabeth ließ sich auf einen Stuhl fallen. »Ich bitte Euch, erzählt mir von etwas anderem, nicht immer nur von Verrat. Gibt es denn nirgends mehr Loyalität?« Die Übelkeit wurde immer schlimmer.

»Nur Euch gegenüber«, sagte er. »Cecil und ich, Robert Dudley, Hatton, Sussex – *wir* sind loyal! Und wir haben die wenigen entlarvt, die es nicht sind. Seid Ihr bereit? Die ›40‹ in den Geheimschriften stand für die Schottenkönigin selbst, und die ›30‹ war der spanische Botschafter. Und wenn Ihr es bezweifelt: Die Korrespondenz, die in Dumbarton beschlagnahmt wurde, offenbart das Ausmaß der Verhandlungen, die Maria mit Alba, dem Papst und Spanien führte.«

»Was ist mit Norfolk?« fragte sie matt.

»Er hatte seinen Dienern befohlen, alle seine Geheimbriefe von Maria zu vernichten, aber sie versteckten sie statt dessen nur und führten uns hin. Sie lagen unter Bodenmatten verborgen, und die Geheimschriften steckten in den Dachpfannen. Der Herzog«, verkündete er langsam, »ist des Hochverrats schuldig.«

»Wird es denn hier einen Prozeß geben?« fragte sie. »Oder erwartet man, daß ich vorgehe wie die Schotten: ohne ein Gerichtsverfahren?«

»In England gibt es immer einen Prozeß«, sagte Walsingham stolz.

»Selbst wenn das Urteil schon im voraus bekannt ist«, sagte Elisabeth. »Ich erinnere mich, wie ich einmal einen Bericht über den Prozeß gegen einen Abt las: ›Man führte ihn davon, um ihm den Prozeß zu machen und ihn hinzurichten.‹ Wir wollen diesem Beispiel nicht folgen. Wir wollen das Beweismaterial ehrlich prüfen, bevor wir ein Urteil verkünden.«

Walsingham sah sie verblüfft an. »Damit sich die Sache möglichst lange hinzieht?«

Regen und Graupel im Mai, das war selbst für Schottland ein ungewöhnliches Wetter. Noch im April hatte es Eis und Schnee gegeben, und erst im Mai waren die ersten Blüten erschienen und prompt erfroren, einige davon noch in der Knospe. Jede Seite sah darin ein schlechtes Omen für die andere: Die King's Men, wie die Partei des Regenten jetzt genannt wurde, erklärten, solange das Land entzweit sei, werde der Himmel weinen; die Queen's Men behaupteten, der Himmel bedecke sein Antlitz vor dem Anblick der Verräter.

Nach dem Fall von Dumbarton Castle konnten die King's Men ihre ganze Aufmerksamkeit der Festung in Edinburgh zuwenden; noch immer hielten Maitland und Kirkcaldy von Grange die Burg. Diese bedeutendste aller Festungen beherrschte die Hauptstadt; hier wurden die Königsinsignien aufbewahrt, und hier befanden sich das zentrale Artilleriearsenal und das Registerhaus für die Akten des Reiches. Tag für Tag feuerten die Queen's Men Kanonenkugeln auf die Stadt, und als die Lords im Canongate eine Parlamentssitzung abhalten wollten, mußten sie auf Händen und Knien umherkriechen, um dem Feuer auszuweichen. Ihre Feinde verspotteten diese Zusammenkunft – in welcher der Besitz derjenigen, die Maria immer noch die Treue hielten, beschlagnahmt werden sollte – wegen dieser Haltung als das »kriechende Parlament«.

Da Marias Anhänger Edinburgh beherrschten, hielten sie im folgenden Monat selbst eine Parlamentssitzung ab, und zwar im Tolbooth, dem traditionellen Versammlungsort. Die Königsinsignien wurden vom Kastell heruntergebracht, um der Sitzung größeres Gewicht zu verleihen, aber sie war doch nicht so gut besucht wie das »kriechende Parlament«, das kurz zuvor stattgefunden hatte. Die Hamiltons, Huntly und Lord Herries waren zugegen, aber im Sommer – der ebenso kalt war wie der Frühling – liefen Cassillis, Eglinton und der bis dahin stets loyale Lord Boyd zu den Lords über.

Im August berief Regent Lennox eine Parlamentssitzung in Stirling ein.

Die Große Halle wurde für diesen Anlaß bereitgemacht. Obwohl in der Staatskasse nur wenig Geld war, befahl Lennox, man solle alles aufbieten, was man für ein paar Pennies an Gepränge bekommen könne. Die Fußböden wurden geschrubbt, die Kamine gesäubert, die Bänke gewachst. Blumen von den Feldern wurden zu Girlanden geflochten und an den Wänden und um die Türen drapiert. Eine Imitation der königlichen Insignien wurde angefertigt, und in aller Eile nähte man neue Gewänder für den fünfjährigen König James.

An dem Tag, da er in Hermelin und Samt gekleidet wurde, sah der Knabe seinen Großvater an und sagte ernst: »Ich werde die Sitzung eröffnen.« Seine Stimme war leise, und er sprach dumpf und monoton.

Lennox nickte. Er warf verstohlen einen prüfenden Blick auf den Jungen, als dieser die nachgemachte Krone bewunderte. Der Kopf des Kindes war zu dick für den Körper, und schlaffe Säcke hingen unter den traurigen Augen. Er glich weder seinem Vater, der in Gold und Elfenbein gestrahlt hatte, noch seiner funkelnd eleganten Mutter. Und um die Wahrheit zu sagen, er ähnelte nicht einmal dem dunklen kleinen Rizzio. Woher kam er nur? Er war wie ein Wechselbalg. Doch gleichviel – der Titel des Königs würde genügen, um all seine Unzulänglichkeiten zu überdecken.

Fanfaren erklangen, als Krone, Zepter und Schwert auf drei Samtkissen in die Halle getragen wurden, gefolgt vom kleinen James, der feierlichen und gemessenen Schritts einherging, und seinem Großvater. James erklomm seinen Thron, und Lennox nahm seinen Platz unter ihm ein. Die Lords und Abgeordneten setzten sich, nachdem der kranke Knox mit zittriger Stimme einen Segen verlesen hatte.

Plötzlich rief James, der zur Decke geblickt und dort eine kleine Öffnung entdeckt hatte, laut vernehmlich: »Das Parlament hat ein Loch!«

Die ganze Versammlung, Knox nicht ausgenommen, durchfuhr ein Schreck. Das Kind war ein Prophet!

»›Aus dem Munde der jungen Kinder und Säuglinge hast Du eine Macht zugerichtet‹«, flüsterte Knox.

Kirkcaldy und seine Mannen näherten sich dem Felsen von Stirling. Schweigend ritten sie dahin, Pistolen und Schwerter griffbereit. Diese Lords gedachten also, mit gefälschten Königsinsignien ein Parlament abzuhalten! Glaubten sie sich hier etwa sicher? Bildeten sie sich eitel ein, der einzige Ort, wo sie unwürdige Haltung annehmen mußten, sei in Reichweite der Kanonen von Edinburgh Castle? Wie töricht! Ihre Feinde hatten Arme, Beine und Pferde, und sie waren nicht auf Edinburgh beschränkt.

Sie ritten den gewundenen Weg zur Burgmauer hinauf, und ein Sympathisant der Königin ließ sie durch das Seitentor ein, wie es vereinbart worden war. Dann schwärmten die Männer aus, wobei sie vorsichtig in alle Richtungen Ausschau hielten. Der obere Hof lag verlassen; das Parlament befand sich offenbar noch in der Sitzung.

Das Hufgetrappel drang bis in die Große Halle. Die Männer sprangen von ihren Bänken auf. Sie rissen die Türen auf und wagten sich ins Freie, und nervös schauten sie sich um.

»Auf sie!« schrie Kirkcaldy aufjauchzend. »Rache für die Hamiltons!« Er stürzte sich auf einen entsetzten Laird und trieb ihn vor sich her, als er Eglinton erblickte, der aus der Halle kam. »Alter Freund!« schrie er. »Komm doch wieder zu uns!« Er packte den Mann und ließ ihn seitlich von seinem Pferd baumeln. Eglinton wand sich und versuchte, sich loszureißen.

Kirkcaldys Leute jagten die Parlamentarier, wie ein Bauer seine Hühner über den Hof jagt. Da kamen Lennox und der kleine König aus dem Gebäude.

»Halt!« rief Lennox. »Ich befehle Euch, ergebt Euch!«

Ein Hauptmann Calder, einer von Kirkcaldys regulären Soldaten, drehte sich im Sattel um und schoß auf Lennox. Der Regent fiel zu Boden und schnappte nach Luft. Blut spritzte auf und traf den König.

Kirkcaldy ließ Eglinton fallen und rief: »Zurück! Zurück!« Er galoppierte auf das offene Tor zu. Seine Männer folgten ihm, und zurück blieben Tote, im Hof verstreut, und Lennox, der keuchend an seinem blutigen Wams zerrte.

Lennox starb wenige Stunden später. Bevor er sich ins Haus bringen ließ, hatte er sich nach dem König erkundigt. »Ist er unversehrt?« hatte er geflüstert. Als Knox genickt hatte, hatte Lennox leise gesagt: »Wenn das Kind wohlauf ist, dann ist alles gut.«

John Erskine, der Earl von Mar, wurde zum neuen Regenten ernannt; wiederum machte niemand den Vorschlag, Maria auf den Thron zurückzuholen. Die King's Men fuhren fort, das Land im Namen von König James zu regieren und auf Edinburgh Castle einzustürmen, wo Maitland und Kirkcaldy sich festgesetzt hatten. Die englische Regierung beklagte Gewalttätigkeit und Instabilität, verhandelte aber weiter mit dem Ziel, den Earl von Northumberland ausgeliefert zu bekommen, um ihn der Gerechtigkeit zuzuführen. Die Gemahlin des Earls schrieb aus den Niederlanden und bot zu seinem Schutz die Zahlung eines Bestechungsgeldes an, aber die Engländer überboten sie um zweitausend Pfund, und der Earl wurde von Lochleven geholt und ihnen ausgehändigt.

Im Spätherbst 1571 war das Beweismaterial zur Ridolfi-Verschwörung und Norfolks Beteiligung daran vollständig. Der spanische Botschafter, Don Gerau de Spes, ein grausamer Kreuzritter im Kampf für den Aufstand der Katholiken, wurde aus England ausgewiesen; der lästige Spanier wurde nach Dover eskortiert und dort zwangsweise eingeschifft.

Der Prozeß gegen Norfolk begann im Januar 1572. Er gab zu, von der Verschwörung gewußt zu haben, bestritt aber seine Beteiligung daran und behauptete, er habe niemals versucht, seine beträchtlichen Mittel für einen Aufstand im Lande einzuspannen. Indessen war er außerstande, Beweise für seine Unschuld beizubringen, die das Beweismaterial für seine Beteiligung an der Verschwörung widerlegt hätten: die Briefe, die Geheimcodes, das Gold und den Bruch seines feierlich unterzeichneten Eides, keinen Umgang mit Maria zu pflegen. So wurde er des Hochverrats für schuldig befunden und zum Tod eines Verräters verurteilt.

In einem solchen Fall war eine königliche Vollmacht erforderlich, ehe man zur Hinrichtung schreiten konnte. Elisabeth mußte den Befehl unterschreiben und besiegeln.

Schließlich unterzeichnete sie die Anordnung, den Herzog am Montag, dem 10. Februar, zusammen mit zwei anderen Verrätern, Berney und Mather, auf dem Tower Hill hinzurichten.

Elisabeth ging in ihrem Gemach auf und ab. Es war später Abend am Sonntag, dem 9. Februar. Das Heulen des Windes draußen übertönte das Knistern des Feuers in ihrem Kamin. Elisabeth hatte alle Ringe abgelegt und massierte sich die Finger. Sie trug keine Perücke und fuhr sich alle paar Minuten nervös mit der Hand durchs Haar. Sie hatte langes und immer noch dichtes und gesundes Haar, aber sie besaß einen ganzen Schrank voller Perücken mit den verzwicktesten Frisuren. Doch niemals trug sie eine andere Haarfarbe als Rot.

Morgen … morgen würde der Herzog sterben. Und sie mußte

warten, bis sie hörte, wie sein Kopf gefallen war, ganz wie ihr Vater gewartet hatte ... nein, es war zu furchtbar.

Keine Enthauptungen bis heute. Kein Verrat auf hoher Ebene bis heute. Das Blut meines Vetters. Und man wird sagen: *Sie ist eben doch die Tochter ihres Vaters. Das Blut läßt sich nicht verleugnen. Und der nächste ist ... wer?*

Elisabeth schaute aus dem Fenster. Sie war in Richmond, und sie konnte die Themse vorüberfließen sehen, matt beleuchtet vom Licht des Halbmonds. Die Nacht verging, Norfolks letzte Nacht auf Erden ... Die Themse floß auch am Tower vorbei, und auch er konnte sie sehen und hören. Dasselbe Wasser würde bei ihm vorüberziehen, in ungefähr einer Stunde.

Mußte es denn so sein? Mußte er sterben? Wenn ihm der Kopf einmal abgeschlagen war, konnte man ihn nicht wieder auf die Schultern setzen.

Bei diesem Gedanken mußte sie unwillkürlich lächeln. Wäre es doch nur möglich, einen Kopf wieder zu befestigen, zu sagen: »Oh, wir haben es uns anders überlegt – bitte, lebt doch weiter.« Aber das ging nur vorher.

Sie zitterte.

Als wäre ich diejenige, die hingerichtet werden soll. Und ich weiß sehr wohl, wie es ist, im Tower zu warten.

Unvermittelt rief sie einen Pagen und befahl ihm, sofort Cecil herzubringen.

Cecil, der noch an den Nachwirkungen des letzten, verheerenden Gichtanfalls zu leiden hatte, begab sich unter Schmerzen zu Elisabeth in ihr Privatgemach. Er war gezwungen, sich dabei auf einen Stock zu stützen; aber sehr viel mehr Sorge und Unruhe bereitete ihm die Frage, was ihn bei seiner Königin erwartete.

Sie stand mitten im Zimmer, die Hände sittsam gefaltet. Ohne Perücke und ungeschminkt sah sie so jung aus wie damals, als sie den Thron bestiegen hatte. »Madam«, sagte er und verneigte sich, so tief er konnte.

»Ich danke Euch, daß Ihr um Mitternacht noch herkommt, mein lieber Cecil. Ich hoffe, es macht Eurer Gemahlin keine allzu großen Ungelegenheiten.«

»Sie ist daran gewöhnt, Madam.«

Elisabeth lachte. »Einer der Nachteile Eures Amtes. Daß sie Lady Burghley wird, entschädigt sie hoffentlich dafür.« Sie fuhr herum, und ihre Stimmung wechselte binnen eines Augenblicks. »Oh, Cecil, mir mißfällt diese Hinrichtung!«

Er hatte befürchtet, daß es darum gehen werde. »Eine höchst unglückselige Sache«, pflichtete er ihr bei.

»Er ist mein Vetter! Sein Großvater und meine Großmutter waren Geschwister!«

»Ja, es ist überaus unglückselig«, wiederholte Cecil. Was erwartete sie von ihm zu hören?

»Erinnert Euch an die Bibel – wie Kain bestraft wurde, weil er das Blut seines Bruders Abel vergossen hatte. ›Die Stimme des Bluts deines Bruders schreit zu mir von der Erde. Und nun verflucht seist du auf der Erde, die ihr Maul hat aufgetan und deines Bruders Blut von deinen Händen empfangen.‹ Was ist, wenn Gott mich bestraft? Ich selbst kann es ertragen, aber ich bin mehr als nur ich selbst, und ich fürchte, er könnte das ganze Land durch mich bestrafen. Und ich – ich, die ich England an Gemahls und Kindes Statt angenommen habe – ich will kein Unglück über mein Land bringen.«

Cecil seufzte. »Kain erschlug Abel aus Zorn und Bosheit. Wir haben hier eine völlig andere Situation. Sechsundzwanzig Peers des Reiches – einschließlich meiner selbst – haben das Beweismaterial begutachtet und sind zu dem Schluß gekommen, daß er ein Verräter ist und eine Gefahr für das Reich. Wenn Ihr ihn hinrichtet, seid Ihr weit davon entfernt, Unglück über das Land zu bringen, aber Gefahr droht, wenn Ihr es nicht tut.«

Elisabeth kratzte sich die Arme, daß lange weiße Spuren darauf zurückblieben. »Aber er ist von meinem eigenen Blut!«

»Das ist unglückselig«, konnte Cecil nur wiederholen. Dann schwieg er.

»Gerechtigkeit muß sein«, meinte sie schließlich. »Man hat ihn für schuldig befunden.«

»Jawohl, Eure Majestät.«

»Die Gerechtigkeit vereiteln heißt Unrecht tun.«

»Jawohl, Eure Majestät.«

»Aber Barmherzigkeit ist eine höhere Tugend als Gerechtigkeit.«

»Bei Gott, ja.«

»Bin ich nicht Gottes Gesalbte auf Erden? Sollte ich nicht zum Himmel schauen, um ein Vorbild für mein Verhalten zu finden, statt auf die Peers des Reiches?«

»Madam, dieser Blick zum Himmel kann eine Straße sein, die geradewegs zur Tyrannei führt. Wenn ein Herrscher beginnt, die Gesetze seines Landes zugunsten himmlischer Anleitung zu mißachten, dann tritt er oftmals die gemeinsten Grundsätze des Rechts mit den Füßen. Bleibt auf den Pfaden des Gesetzes, und Ihr könnt Euch nicht in die Tyrannei verirren.«

»Ihr habt recht«, sagte sie und setzte sich unvermittelt auf einen Stuhl. »Und mir droht Gefahr von all diesen Verschwörungen! Mein Vetter hat nicht gezögert, mit meinen geschworenen Feinden Umgang zu treiben. Mein Leben hat er gering geachtet, scheint mir. Sein Haupt wollte das Gewicht einer Krone spüren. Nun, jetzt wird es statt dessen die Schneide eines Schwertes zu fühlen bekommen!« Mit der Handkante schlug sie auf die Armlehne ihres Stuhls.

»Jawohl, Eure Majestät.« Cecil verbeugte sich. Erleichterung durchflutete ihn.

»Aber nicht morgen«, sagte sie. »Setzt die Hinrichtung aus. Ich verspreche Euch, sie ist nur aufgeschoben, nicht aufgehoben.«

Die Menge umdrängte das neu errichtete Schafott auf dem Tower Hill, dem Hügel vor dem Tower, auf dem öffentliche Hinrichtungen vollstreckt wurden. Seit Elisabeth auf dem Thron saß, hatte es in London keine Hinrichtungen mehr gegeben, und das alte Schafott war unbenutzt verrottet. Nun waren die ersten Leute schon im Morgengrauen erschienen, um sich einen guten Platz zu sichern, wo sie die Hinrichtungen sehen könnten. Es versprach ein ordentliches Spektakel zu werden, denn die blauschwarzen Wolken waren aufgerissen und hatten einen fahlen Himmel enthüllt. So würde man von Regen oder Schnee – Plagen bei jeder winterlichen Hinrichtung – verschont bleiben.

Auf dem neuen Schafott stand der ehrwürdige Block vom alten, geheiligt von den Hieben, mit denen Thomas More, Cromwell, Anne Boleyns Liebhaber, und Henry Howard, der Vater des Herzogs, ihre Köpfe verloren hatten. Es waren zwei Dellen darin, für die Schultern auf der einen Seite und für das Kinn auf der anderen, und eine gerade Fläche dazwischen, wo der Hals flach aufliegend der Axt dargeboten werden konnte.

Eine dicke Schicht von frischem Stroh bedeckte die ganze Plattform, und Tücher lagen bereit, mit denen die enthaupteten Körper bedeckt werden würden. In anderen Tüchern sollten die Köpfe aufgefangen werden, wenn sie herunterfielen. Die Tücher paßten zueinander, so daß der richtige Kopf zum richtigen Rumpf gelegt werden konnte, wenn die einzelnen Teile zur Bestattung eingesammelt wurden … das heißt, wenn die Köpfe nicht auf der London Bridge zur Schau gestellt werden mußten.

Eigentlich erforderte das Urteil, daß die Delinquenten erst gehängt, dann ausgeweidet, gestreckt und gevierteilt und schließlich enthauptet würden. Aber zweifellos würde man den Herzog nur köpfen, während die anderen beiden das ganze Urteil ertragen würden.

Die Menge johlte, als Kenelm Berney herausgeführt wurde, ein junger Mann, der sich dazu verschworen hatte, Cecil zu ermorden. Er sprach die üblichen Abschiedsworte und Gebete, und dann wurde er aufgeknüpft und gehängt, bis er tot war – und so ersparte man ihm gnädig das Leiden, als nun das restliche Urteil buchstabengetreu ausgeführt wurde.

Innerhalb von fünfzehn Minuten hatte man seine Überreste entfernt, das Stroh erneuert und seinen Komplizen, Edmund Mather, herausgebracht. Auch er erlitt einen schnellen Tod.

Jetzt verstummte die Menge in Erwartung des Herzogs. Dies war der Grund, weshalb sie gekommen waren; die beiden gewöhnlichen Verräter waren nur ein Vorspiel gewesen, ein Appetithappen. Der höchste Lord im Land sollte enthauptet werden! Ja, es war so lange her, daß man einen solchen Anblick – einst beinahe alltäglich – hatte genießen können. Manche Kinder hatten es noch nie gesehen und mußten sich mit den Erinnerungen der Älteren begnügen: »Die Bussarde stießen herab auf Sir Francis Weston«, und »More machte noch einen Scherz über seinen Bart; er bat den Henker, ihn nicht abzuschneiden, denn er habe ja keinen Verrat begangen«; »Henry Howard hatte ungewöhnlich viel Blut in sich; zehn Minuten lang floß es und verdarb dem Henker die Schuhe.« Jetzt würden sie es selbst sehen und ihren Kindern davon erzählen können.

Jemand trat vor; er trug die Livree der Königin. Er würde das Urteil verlesen, und dann würde man den Herzog in prächtiger Gewandung herausführen. Das Volk geriet in immer größere Aufregung.

»Es ist der Wunsch Ihrer Majestät, der Königin, daß die Hinrichtung des Herzog von Norfolk heute noch nicht stattfinde«, gab der Herold bekannt. Die Menge stöhnte auf. Einige fluchten.

Die Hinrichtung wurde auf den letzten Tag des Februar, sechs Uhr früh, verlegt. Um vier Uhr widerrief Elisabeth den Befehl.

Elisabeth lag im Bett; sie war so krank, daß sie zu träumen glaubte, als die Gesichter Robert Dudleys und Cecils vor ihren Augen erschienen. Seit mehreren Tagen lag sie schon so, und das Reich war starr vor Schrecken. Wenn sie nun starb? Was würde dann werden? Der Herzog von Norfolk lebte noch, und die Königin der Schotten auch. Würden spanische Truppen kommen, um Maria auf den Thron zu setzen? Ein Thronfolger war nicht benannt. Ohne Elisabeth wären sie verloren. Alles, was zwischen ihnen und dem Chaos stand, war das Leben einer unverheirateten, achtunddreißigjährigen Frau.

»Ihr müßt wieder zu Kräften kommen«, flüsterte Dudley. »Ich selbst will Euch füttern wie ein Vater sein Kind.«

Er und Cecil sahen einander an. Sollte sie am Leben bleiben ... man würde Vorkehrungen treffen müssen. Sie durfte ihnen nicht länger ausweichen.

Elisabeth behauptete, ihr Leben sei niemals in Gefahr gewesen; ihr ganzes Leiden sei von einem verdorbenen Fisch gekommen, den sie gegessen habe. Gut, sie habe Fieber und heftige Magenschmerzen gehabt und sich übergeben müssen, aber das sei in solchen Fällen normal. Ihr Körper habe sich vom Gift des Fisches reinigen müssen.

Der Staatsrat blieb unerbittlich; sie müsse das Parlament zusammenrufen, das sich mit den ernsten Fragen des Tages zu befassen habe. Sie könne nicht weiterhin alles auf ihre eigenen Schultern nehmen – auf ihre zerbrechlichen Schultern.

Grollend willigte sie ein, und gegen Ende März versandte sie die Einberufungsorder für eine neue Parlamentssitzung.

Im April, als die neuen Mitglieder des Parlaments sich anschickten, nach London zu kommen, schloß Elisabeth einen Vertrag mit den Franzosen. Ihr ehemaliger Freier Karl IX. war jetzt anderwärtig verheiratet, aber Elisabeth tat, als interessiere sie sich nun für den nächsten Sohn, Henri, der achtzehn Jahre jünger als sie war.

Die Vertragsverhandlungen waren schon seit einigen Monaten im Gange; die Franzosen beharrten stets darauf, daß Maria bei irgendwelchen Vereinbarungen berücksichtigt werde. Aber an dem Tag, als der englische Gesandte sich vom französischen König verabschiedete, trafen Briefe vom französischen Botschafter in London ein, in denen Marias Beteiligung an der Ridolfi-Verschwörung bestätigt wurde.

König Karl explodierte vor Zorn und Abscheu. »Ah, die arme Närrin wird niemals aufhören, bis sie wirklich den Kopf verliert. Ich wollte ihr helfen, aber wenn sie sich nicht helfen läßt, dann kann ich nichts weiter tun.« Er wedelte mit den juwelenfunkelnden Fingern. Seine Spaniels kamen eifrig herangetrabt und erwarteten einen Leckerbissen.

»Ja, mein Lieber«, sagte Katharina von Medici. »Es ist sehr traurig.«

Karl nahm einen großen Schluck Zuckerwasser aus einem langstieligen venezianischen Glas. Dann seufzte er. »Lieber Herr Botschafter, dieser Vertrag wird zweifellos von großem Nutzen für unsere beiden Länder sein. Wir wollen die Königin der Schotten ganz herauslassen und die Vereinbarungen so formulieren, daß ein Verteidigungsabkommen zwischen unseren beiden Ländern daraus wird. Wenn einer von uns – von *irgend jemandem* – angegriffen wird, so wird der andere ihm zu Hilfe kommen.« Er beugte sich nieder und küßte einem Hund den Kopf. Das Tier warf sich auf den Rücken und lag zappelnd auf dem Teppich. Ein zweiter Hund fing an zu winseln.

»Erlaubt Ihr, daß die Königin der Schotten Geschenke empfängt?« fragte er den Gesandten. »Ich könnte ihr ein paar Welpen schicken. Vielleicht würde sie das trösten.«

Maria öffnete eifrig den Korb. Sie hörte die Geräusche der Welpen darin und fühlte die Wärme der kleinen Leiber. Sie spähte hinein.

In dem warm gefütterten Korb lagen drei zusammengerollte, schwarz-braune Hündchen, Toy-Spaniels. Der bloße Anblick versetzte sie wieder nach Frankreich, wo die königliche Familie so viele dieser Hunde besessen hatte. Ihr Schwager, König Karl, hatte sie ihr geschickt.

Vorsichtig hob sie sie, einen nach dem anderen, aus dem Korb und reichte sie Mary Seton, Lady Livingston und Anthony Babington. »Kommt und schaut!« rief sie Madame Rallay zu; die alte Frau legte ihre Handarbeit beiseite und kam schlurfend herüber. Sie konnte inzwischen kaum noch gerade stehen.

»Erinnert Ihr Euch?« fragte Maria leise. »Das müssen die Enkel der Hunde sein, die in Chambord und Blois durch unsere Gemächer gestreift sind.«

Madame Rallay, beinahe siebzig Jahre alt, lächelte. »Oh, tatsächlich. Ich glaube, ich sehe hier ein wenig Ähnlichkeit mit Sleepy.« Sleepy war eine lethargische, aber fruchtbare Hündin gewesen. »Es war sehr freundlich von Karl, sie zu schicken. Jetzt werden die Vögel Gesellschaft bekommen.«

»Meine Menagerie wird größer.« Maria nahm den Brief des französischen Botschafters, der mit den Hündchen gekommen war. Sie wartete mit dem Öffnen, bis sie an ihrem Schreibtisch war. Briefe waren für sie jetzt ein Quell der Macht – ihrer einzigen Macht. Wenn sie an ihrem Tisch saß und Brief um Brief an jeden kritzelte, der ihr in den Sinn kam – an den Papst, an Philipp, Karl, Katharina von Medici, an die Botschafter, die schottischen Lords, Elisabeth, Cecil, Knollys –, dann fühlte sie sich weniger hilflos und allein. Die Worte, die ihr aus der Feder flossen, gaben ihr ein Gefühl der Macht. Sie hatte keine Lust, sich vorzustellen, daß man sie mißachten oder ignorieren könnte, wenn sie sie aus der Hand gegeben hätte.

Es war ein Genuß, das feine Papier aufzureißen – so viel mehr als bei dem minderen Schreibzeug, das sie benutzen mußte. Die Franzosen umgaben sich stets mit so viel Schönheit. Und erst das Siegel! Ein Wachs von so guter Qualität, spröde und glänzend. Es machte ihr Freude, das Blatt zu entfalten.

Ihr Lächeln verschwand, als sie die Worte des Botschafters las. Langsam las sie alles ein zweites Mal.

»Die Franzosen lassen mich im Stich«, wisperte sie schließlich, mehr zu sich selbst als zu irgend jemand anderem.

»Was gibt's denn?« fragte Willie Douglas.

Wortlos reichte sie ihm den Brief.

»Die Franzosen haben also einen Vertrag mit den Engländern geschlossen, in dem Ihr und Eure Rechte mit keinem Wort erwähnt werden«, stellte er schließlich fest.

»Man wirft mich beiseite. Mein früheres Land hält mich und meine Nöte für etwas, das man abstreifen kann wie eine alte Haut«, sagte sie staunend.

Die Franzosen. Das Land, das sie als das ihre angenommen hatte, das Land ihrer Mutter, ihrer Lieblingssprache, ihrer Empfindsamkeit, ihrer Kleidung, ihrer Erinnerungen. Die Familie ihrer Mutter. Alles dahin. Von dort kam keine Hilfe mehr.

Ihr war zumute, als habe sie einen Tritt bekommen. Frankreich, ihre kostbare Vergangenheit, das Land, in dem sie begraben werden wollte, wollte sie nicht haben.

Und wenn ich nun dorthin gegangen wäre, statt nach England? Vier Jahre lang habe ich mich damit gequält, ich könnte die falsche Entscheidung getroffen haben, mir eingebildet, daß mich dort ein sicherer Hafen erwarte, dachte sie. Aber nein – es ist nicht sicherer dort als in England.

Sie begann stürmisch zu weinen und ließ den Kopf auf die Arme sinken. Anthony und Madame Rallay versuchten, sie zu trösten, aber die Wahrheit ließ keinen Trost zu. So ließ man sie allein.

Draußen vor der Tür schüttelte Willie den Kopf und sagte leise zu Mary Seton: »Das ist ein schwerer Schlag. Sie hat immer darauf gezählt, daß Frankreich ihre letzte Zuflucht sei. Erst Bischof Leslie mit seinem Verrat und seinen Verleumdungen, und jetzt dies – das kann ihr das Herz brechen.«

Als Maria wieder klar sehen konnte, las sie den Brief noch einmal. Erst jetzt sah sie, wo der Vertrag unterschrieben worden war: im Château von Blois.

Sie lachte bitterlich. Die achteckige Treppe dort hatte sie immer geliebt, und sie hatte seitdem oft davon geträumt, seit sie dort weggegangen war. Eines Tages, hatte sie sich gelobt, werde ich wieder darauf stehen.

Shrewsbury kehrte zurück, nachdem er seine Aufgabe erfüllt und bei dem Prozeß gegen Norfolk den Vorsitz geführt hatte, und gab bekannt, daß Elisabeth höchst verstimmt über ihre Cousine, die Königin der Schotten, sei und deshalb angeordnet habe, daß sie die Zahl ihrer Bediensteten auf der Stelle zu verringern habe. Sie solle sich diejenigen auswählen, die bleiben sollten; der Rest müsse Sheffield verlassen. Betrübt stellte Maria eine Liste auf. Ohne Mary Seton oder Willie konnte sie nicht sein, ebensowenig ohne Madame Rallay oder Bastian Pages und seine Frau Margaret Carwood. Unter ihren Bediensteten waren Schotten, Franzosen und Engländer gewesen; der Befehl lautete, daß sie nur sechzehn davon behalten dürfe.

Shrewsburys war in einem geschwächten Zustand zurückgekommen. Vermutlich, dachte Maria, war er gescholten worden, weil er es zugelassen hatte, daß unter seinem Dach Komplotte blühten, und weil er sie nicht streng genug bewacht hatte. Bess warf ihr giftige Blicke zu und gab ihr die Schuld am Zustand ihres Gemahls. Mit den gemeinsamen Handarbeiten war es aus.

Aber Marias geheime Korrespondenzkanäle waren unentdeckt geblieben, und sie konnte weiter Briefe schreiben. Als sie von dem

Urteil gegen Norfolk erfahren hatte, war sie, von Schmerz und Schuld gepeinigt, zu Bett gegangen. Aber als die Hinrichtung auf königliches Geheiß zweimal verschoben wurde, fragte sie sich allmählich, was in Elisabeth vorgehen mochte. Warum zögerte sie?

Nachdem Elisabeth von ihrer Erkrankung genesen war, erging wiederum der Befehl zu Norfolks Hinrichtung, und wiederum wurde er dann ausgesetzt. Shrewsbury zeigte Maria wortlos eine Abschrift von Elisabeths Befehl.

> Mir scheint, daß ich dem hinteren Teil meines Kopfes stärker verbunden bin, als ich wagen möchte, seiner vorderen Seite zu vertrauen, und sende daher dem Lieutenant die Order, diese Hinrichtung aufzuschieben, bis sie weiteres hören. Die Gründe, die mich dazu bewegen, sollen vorerst nicht ausgesprochen werden, damit nicht inzwischen eine unwiderrufliche Tat begangen werde.
> Eure liebende Herrscherin
> Elisabeth R.

Es wurde bestätigt durch Cecil, »am 11. April 1572, daß die Kön. Majestät, mit eigner Hand angewiesen, die Hinrichtung des H.V.N. auszusetzen. Empfangen um 2 in der Früh«.

Bedeutete dies, daß Elisabeth außerstande war, eine Exekution vollstrecken zu lassen? Maria erkannte plötzlich, daß dies der Fall sein könnte. Und überraschend wäre es nicht.

Sie war sicher. Norfolk war sicher. Letzten Endes konnte ihnen doch nichts geschehen. Elisabeth war eine ohnmächtige Siegerin.

Marias Stimmung besserte sich, als der Frühling nach Sheffield kam. Das wärmere Wetter besserte ihren Rheumatismus, und es war unmöglich, nicht auf das Ergrünen der Erde zu reagieren, auf die Blumen, die überall an den Wegen erblühten. Es war die Rede von einem Umzug ins Landschloß, nach Sheffield Manor, damit die Burg gereinigt werden konnte. Das Schloß, mitten im Jagdpark gelegen, war eine willkommene Sommerresidenz. Und die Sicherheitsmaßnahmen waren dort lockerer; es war schwieriger zu bewachen.

Anthony hatte sich als geschickter Briefeschmuggler erwiesen; ein Junge erregte keinen Verdacht bei den Leuten, schon gar nicht einer, dessen Familie seit langem mit den Shrewsburys befreundet war. Er hatte seinen Spaß daran, neue Geheimschriften zu erfinden und mit ausgehöhlten Korken und wasserdichten Paketen zu experimentieren, die in Flaschen versenkt werden konnten. Einer seiner Triumphe war der Vorschlag, Botschaften unter schwarzem Papier in dunklen Aborten zu verstecken, denn es war nicht wahrscheinlich, daß jemand sich hier lange aufhielt oder genauer umschaute.

Maria raffte ihre Röcke hoch und nahm ihr privates Tagebuch – in einem Nähkorb verborgen – mit hinaus an einen Ort bei Sheffield Manor, den sie »die Laube« nannte. Es war ein von Fliederbüschen umgebener Platz zum Sitzen mit einer Rasenbank. Sie ordnete ihre Röcke und schaute hinauf zu den von Knospen bedeckten Zweigen; erst in zwei Wochen würde der Flieder blühen. Aber wenn er dann blühte – was für ein Duft!

Zu ihren Füßen tollten und spielten die drei kleinen Hunde; sie waren glücklich, weil sie im Freien sein durften. Sie hatte sie Soulagement, Douleur und Souci getauft: Trost, Schmerz und Sorge. Es waren lebhafte Tiere, und Douleur war der munterste von allen.

»Ich habe dich Douleur genannt, weil du beinahe völlig schwarz warst«, sagte Maria und kraulte ihm die Ohren. »Aber du hast eine fröhliche Natur.« Der Hund wedelte mit dem Schwanz und begann, an ihrem Ärmel zu nagen.

»Bitte nicht«, sagte sie. »Meine Kleider sind nicht leicht zu ersetzen.«

Sie holte ihre Feder hervor, stellte das Tintenfaß auf einen Stein, wo die Hunde es wahrscheinlich nicht erreichen konnten, klappte ihr Buch auf und fing an zu schreiben.

8. Mai, im Jahr der Gnade 1572, im Monat Unserer Lieben Frau. Rings um mich her sehe ich fest verschlossene Blätter, die sich bald entfalten wollen. Sie waren so fest eingeschlossen wie ich und haben doch den Winter überstanden, den Frost und die Dunkelheit. Ich aber bin immer noch eingeschlossen und sehe keinen Sommer für mich.

Fünf Jahre sind vergangen seit meiner Hochzeit mit Bothwell, und fast fünf Jahre seit unserer Trennung. Seit langem habe ich keine Nachricht mehr von ihm. Ich glaube, man hält ihn immer noch in Malmö fest. Ich habe seiner Mutter geschrieben, der alten Lady Bothwell, denn ich hoffe, sie hat vielleicht eine Nachricht, die mich nicht erreicht hat. Ich bete täglich für ihn – nein, viele Male täglich, und oft träume ich auch von ihm. Die Träume sind jetzt verblichene Bilder, nicht mehr erfüllt von jener weißglühenden Hitze, die früher in der Nacht zu mir kam. Aber immer noch lebendig, sehr lebendig, und kein Geist. Ich versuche, meine Gedanken zu ihm zu senden; ich glaube, sie können irgendwie über das Meer und durch steinerne Mauern dringen. Ich weiß, er wird verstehen, daß ich versuche, mittels eines Heiratsversprechens eine ehrenvolle Flucht zu bewerkstelligen.

Ich hebe die Hand zum Hals und berühre den Diamanten, den Norfolk mir geschenkt hat; ich dachte, er sei mein Paß in die Freiheit. Jetzt scheint er nur noch eine Erinnerung an die Verzweiflung zu sein. Ich bete zu Gott, daß Elisabeth ihn weiterhin schonen möge. Offenbar schreckt sie davor zurück, Blut zu vergießen. Das ist etwas völlig Neues für mich – haben meine Erfahrungen in Schottland mich so sehr verdorben? Dort war Blut nicht heilig; jeder hielt einen Dolch bereit, um ihn seinem Nachbarn bei Tisch in den Leib zu stoßen. Selbst die Gottesmänner heulen dort nach Blut. Blut ist alles, was sie verstehen.

Ohne Zweifel bin ich hier sicherer. Man meuchelt nicht in diesem Land. Der einzige mutmaßliche Mord ist der an Amy Robsart, und da ging es darum, den Weg für eine Heirat freizumachen. Natürlich bin ich gewohnheitsmäßig – wie jedermann – auf der Hut vor Gift. Aber das ist eher eine Vorsichtsmaßnahme als irgend etwas anderes. Ich tauche stets das Horn des Einhorns, ein machtvolles Gegenmittel gegen Gift, in Speise und Trank, bevor ich etwas zu mir nehme.

Ich betrachte mich als Trauernde und kleide mich entsprechend; ich trage Schwarz, aufgelockert nur durch weiße Schleier und Spitze. Ich trauere um meinen verlorenen Thron, meinen verlorenen Gemahl, meine verlorene Freiheit. Sie wollen mich dazu bringen, daß ich mich wieder farbig kleide, aber das will ich nicht. Sie sollen mich sehen und sich daran erinnern, was sie mir angetan haben. Sollen sie sich selbst ins Gesicht sehen.

Ich verbringe eine Stunde täglich im Gebet, und zweimal täglich wird in meinem Haushalt gebetet. Nicht alle, die mir dienen, sind katholisch, und die Gebete müssen daher auch für Protestanten annehmbar sein; ich bemühe mich, welche auszuwählen, die uns allen etwas sagen.

Was mein eigenes, stilles Gebet angeht – was für eine seltsame Reise war es doch! Ich bemühe mich, meine Verabredung mit dem Herrn einzuhalten, damit er mir nicht vorwerfen kann: »Konntest du nicht eine Stunde mit mir wachen?« Doch als die

Monate vergingen, stellte ich fest, daß es ein Land voller Täler und Spalten ist. Es waren vier Etappen, die ich zurücklegte. Während der ersten – mein Herz war schwer, mein Geist betäubt, mein Leib erschöpft – hielt ich die Verabredung der Form nach ein. Ich saß vor meinem Kruzifix und sprach Gebete, Worte. Den Rosenkranz. Das Paternoster. Andachtssprüche aus meinem Stundenbuch. Gott war eine ferne, furchterregende Gestalt, die ich auf bestimmte Bereiche meines Lebens beschränkte. Ich hatte die Hand an der Tür und öffnete sie nur ein kleines Stück weit.

Jede Etappe hatte ihre Krise, und bei dieser bestand die Krise darin, daß es nach einigen Monaten langweilig wurde. Die Verabredung mit Gott wurde so eintönig und öde, daß mir allmählich davor graute. Nach und nach wagte ich es, die Tür weiter aufzustoßen, ehrlicher gegen Ihn zu sein, Ihm von meinen Gefühlen zu berichten, sogar von meinem Zorn und meinem Haß gegen Ihn. Ich öffnete Ihm mein Herz, und meine Gebete wurden einfacher. Manchmal schwieg ich sogar und spürte leise Seine Gegenwart. Und für einen Augenblick betrat ich den Raum tatsächlich.

Dann aber gingen mir sündhafte Gedanken und Ablenkungen durch den Sinn, und ich mußte wieder zu Worten greifen, um mich in Seine Gegenwart zurückzubringen. Und diese Gegenwart wurde immer süßer, und sie wurde etwas, wonach ich mich sehnte.

Aber zu dieser Süße gehörte Reinheit, und in Gegenwart dieser Reinheit fühlte ich mich befleckt. Ich sehnte mich nach der Liebe Gottes – sie war mir zunehmend notwendig geworden, zunehmend nährend –, aber je mehr ich mich danach sehnte, desto weniger hatte ich das Gefühl, sie zu verdienen. Ich watete hilflos in der Aufzählung meiner Sünden und meiner Schuld. Ich erinnerte mich nicht nur an das, was ich tatsächlich getan hatte, sondern auch an alles, was ich nicht oder nur halb getan hatte: an das, was ich nicht zu schätzen gewußt hatte, an die Menschen, denen ich Hilfe und Trost versagt hatte, an versäumte Gelegenheiten, an alles, was ich verschwenderisch um mich gestreut, an die Geschenke, die ich mit Füßen getreten hatte. Jede gute Idee und Absicht, die ich gehabt und nicht ausgeführt hatte, fiel mir wieder ein und plagte mich: der Brief, den ich an eine Soldatenwitwe hatte schreiben wollen und dann vergessen hatte, bis es zu spät war; die Blumen, die ich hatte schneiden und in die Kammer bringen lassen wollen, wo die Köchin krank darniederlag; oder wie ich versprochen hatte, für jemanden zu beten, und es dann nicht getan hatte. Selbst der blaue Himmel, den ich nicht einmal für einen Augenblick dankbar angeschaut hatte.

Ich war nur ein Mensch, aber ich glaubte, daß Gott doch mehr von mir erwartete. Ich vergrößerte meine Sünde, indem ich annahm, Gott wolle, daß ich vollkommen sei, und ich hätte versagt. In dieser Zeit fertigte ich einen Katalog all meiner Unzulänglichkeiten und akzeptierte jede einzelne, und dabei haßte ich mich. Aber eines Tages war es damit wunderbarerweise zu Ende. Ich konnte als menschliches Wesen vor Gott stehen. Und so schlich ich mich ganz in den Raum hinein und saß stumm da, eingetaucht in Seine Gegenwart. Es war Gott, der mir die Tür geöffnet und mich hereingewunken hatte.

Schweigend saß ich da, Tag für Tag. Es war, als säße ich in einem Regenbogen. Ich war durchtränkt von seiner Liebe, gebannt von ihr. Ich wagte kaum, zu atmen oder mich zu rühren, vor lauter Angst, es könne verschwinden, dieses Gefühl. Wie eine Liebende eilte ich stets von neuem zu dieser mystischen Gegenwart, wie ich früher zu Bothwell eilte. Und stets erwartete mich das Herz Gottes, und ich hatte einen Platz darin.

Und dann, eines Tages, war er nicht mehr da. Ich schlich mich an meinen gewohnten Ort und wartete, aber Er kam nicht. Ich war verlassen. Die Tür war verschlossen und verriegelt.

War alles nur ein Schabernack gewesen? War es nur meine innige Sehnsucht gewesen, meine Einsamkeit, meine Phantasie, die alles erschaffen hatte? Das war das grausamste Gefühl von allen, der größte Verrat, den ich je erlebt hatte.

Alle bemerkten meine Trauer. Aber niemandem konnte ich davon erzählen. Sie vermuteten schlechte Nachrichten aus Schottland, keine Nachrichten aus Schottland, Rheumatismus, die Perfidie Elisabeths. Aber alles das konnte ich ertragen mit meinem Geliebten; ohne Ihn jedoch war alles dunkel. Ich war von Ihm abhängig geworden, und das nach so kurzer Zeit. Endlich erzählte ich es meinem Beichtvater, und ich dachte, er werde empört oder verblüfft sein. Doch nein, er war damit vertraut; er meinte, ich müsse meine Schuldgefühle beiseite schieben, die daher rührten, daß ich glaubte, ich hätte Ihn vielleicht vertrieben, und ich müsse einfach warten. Warten auf Seine Rückkehr.

Drei Wochen waren eine lange Zeit. Aber endlich kehrte Er zurück, wenngleich in einer anderen Gestalt. Er war nicht mehr ein Geliebter, den ich heimlich traf, sondern Er umgab mich unbestimmt zu allen Seiten wie die tiefe Frühlingsluft. Eine Zeitlang schien alles von Seiner Gegenwart durchflutet wie von den Feuerstrahlen der untergehenden Sonne. Dann schwand es allmählich, und schließlich war ich wieder – bei meinen formalen Gebeten.

Noch einmal muß ich die Leiter erklimmen, in der Hoffnung auf jene glorreiche Vision dort oben.

Werde ich je wieder frei sein? Hält Gott mich hier fest, eine Gefangene in dieser Welt, um mich für die nächste zu läutern? Es stimmt, ich habe viel gesündigt, obgleich die Sünden, die mir groß erschienen, jetzt kleiner aussehen, während kleine plötzlich riesig geworden sind. Ich weiß nicht mehr, welche die meiste Buße erfordern, und welche bei Gott den größten Anstoß erregen.

Sie schloß die Augen und holte tief Luft. Ihr war, als stehe sie auf dem Grund eines tiefen Schachtes, und das Auge Gottes sei auf sie gerichtet.

Die Parlamentarier versammelten sich in London; die gewählten Gemeinen begaben sich an ihren gewohnten Versammlungsort in der St. Stephens Chapel in Westminster Palace, und die Lords in einen Saal am südlichen Ende des Palastes. Dies war ein sehr protestantisches Parlament; eine Reihe seiner Mitglieder gehörten jenem Flügel der anglikanischen Kirche an, den man jetzt als »puritanisch« bezeichnete. Sie kamen herbei und brannten darauf, die Frage der Schottenkönigin zu klären, dieser ränkeschmiedenden Papistenspinne in ihrer Mitte.

Der Parlamentsvorsitzende, Mr. Bell, sprach das Problem in seiner Eröffnungsrede an. »Es gibt da einen Fehler, der uns aufgefallen ist: daß nämlich eine Person im Lande ist, der das Gesetz nichts anhaben kann.« Und einer nach dem anderen erhoben sich die Parlamentarier und sagten ihre Meinung.

»Eine allgemeine Ermächtigung zum Verrat ward noch keinem je gewährt!« rief Thomas Norton.

»Sollen wir denn sagen, unser Gesetz sei außerstande, solch ein

Übel zu unterbinden? Dann könnten wir sagen, es sei in höchstem Grade mangelhaft!«

Mr. Peter Wentworth, ein feuriger Puritaner, nannte Maria »die berüchtigtste Hure der ganzen Welt«. Mr. St. Leger stimmte mit den Worten ein: »Der ungeheure und riesenhafte Drache, so groß wie die Erde, die Königin der Schotten.«

Ein weiterer alter Puritaner erhob sich und wetterte mit zitternder Stimme: »Wollte ich sie nennen die Tochter des Aufstandes, die Mutter der Rebellion, die Amme der Gottlosigkeit, die Magd des Lasters, die Schwester der Unschamhaftigkeit, oder wollte ich Euch erzählen, was Ihr bereits wißt – daß sie von schottischer Nation, französischer Erziehung, papistischem Bekenntnis, guisischem Blute, spanischer Praxis und libertärem Lebenswandel ist, so würde ich sie mit all dem doch nicht annähernd beschreiben, sie, deren Schurkerei die Erde besudelt und die Luft vergiftet hat. Wollte man sie vernichten, so erwiese man der Kirche Gottes einen Befreiungsdienst, wie sie ihn schöner kaum je erlebt.« Dabei fuchtelte er wild mit den Armen.

»Ja, und hört ihre Verbrechen: Sie hat sich angemaßt das Wappen und den Titel der Königin von England. Sie hat ohne Wissen der Königin ihre Vermählung mit dem Herzog von Norfolk verabredet. Sie hat im Norden einen Aufstand angezettelt. Sie hat das Ausland um Hilfe ersucht: den Papst, die Spanier und andere, und zwar durch Ridolfi, auf daß man in England einfalle. Sie hat den Papst veranlaßt, eine Bulle zur Absetzung der Königin Elisabeth zu verfassen«, fügte ein anderer hinzu.

»Laßt uns nicht weiter fackeln und ihr den Kopf abschlagen!« rief Richard Gallys, ein Mitglied aus New Windsor.

»Ja!«

Ein gemeinsamer Ausschuß der beiden Häuser des Parlaments suchte Elisabeth auf und unterbreitete folgenden Vorschlag: Maria solle hingerichtet oder doch wenigstens von der Thronfolge ausgeschlossen werden; und eine Verfügung solle erlassen werden, Maria wegen Hochverrats den Prozeß zu machen, sollten in ihrem Namen weitere Verschwörungen gebildet werden.

Elisabeth aber lehnte dies entschieden ab. »Soll ich den Vogel töten, der mir schutzsuchend vor die Füße geflogen ist, um dem Falken zu entkommen? Meine Ehre und mein Gewissen verbieten es mir!«

Daraufhin legten die Parlamentarier ihr eine dritte Forderung vor: Sie solle die Hinrichtung des Herzogs von Norfolk vollstrecken lassen.

Elisabeth verbrachte den Maiennachmittag mit einem Spaziergang in den Gärten von Hampton Court; sie sah die frisch erblühten Schlüsselblumen, die Akelei und die Rosen und betrachtete die Erdbeerbeete, von denen ihre Lieblingsfrüchte kamen. Christopher Hatton hatte erwähnt, er wolle gern den Besitz des Bischofs von Ely zu Holborn pachten, weil dort, das war zumindest einer der Gründe, so köstliche Erdbeeren gediehen.

»Dann könnte ich Euch damit überhäufen, und zwar körbeweise«, hatte er gesagt.

»Bitte! Der Saft gibt Flecken«, hatte Elisabeth geantwortet. »Wie ich höre, ist der Bischof auch gar nicht so recht einverstanden. Aber vielleicht werde ich selbst einmal mit ihm sprechen.« Sie hatte Hatton angelächelt, und da wäre er fast in Ohnmacht gefallen.

Elisabeth war ein paar Tage zuvor nach Hampton Court umgezogen; jetzt kamen weitere Angehörige des Hofstaats in der Dämmerung in beleuchteten Booten angefahren; wie Sterne glitten sie über das Wasser, und sie lachten und sangen. Die Abendluft war mild, und schlendernd bewegten sie sich auf die Höfe zu; sie hatten es nicht besonders eilig, in ihre Gemächer zu kommen. Motten flirrten, von ihren Laternen angezogen, mit lautlosen Flügeln um sie herum.

Nur Cecil kam zielstrebig den Weg heraufgehumpelt und stieß seinen Stock auf den Boden. Er mußte seiner Königin etwas zeigen, etwas, das sie vielleicht endlich zum Handeln veranlassen würde.

»Dies haben wir aus der Korrespondenz der Schottenkönigin beschlagnahmen können«, sagte er, als sie unter sich waren, und reichte ihr ein Papier. »Es ist ein Brief an den Herzog von Alba, Philipps General! Oh, er war verschlüsselt, aber wir haben den Code dechiffriert.«

Elisabeth nahm den Brief, und sie verspürte furchtbare Angst. Sie hielt eine Lupe über das Papier und las.

> … und ich beschwöre meinen überaus geliebten Bruder Philipp, er möge Schiffe nach Schottland senden und den Prinzen, meinen Sohn, an sich nehmen und in Sicherheit bringen. Ich werde

hier in England streng bewacht, und doch zähle ich noch viele zu meinen Freunden und Verbündeten. Es gibt noch eine starke Partei zu meinen Gunsten, und es begünstigen meine Sache etliche Lords, deren Leben die Königin nicht anzutasten wagt, wenngleich sich gewisse auch in Haft befinden.

»So!« sagte sie. »Maria glaubt also, ich ›wage‹ Norfolk nicht anzutasten.« Sie warf den Brief zu Boden und trat darauf. »Ist ihr nicht klar, daß er es allein meiner Gnade zu verdanken hat, wenn er noch lebt? Daß ich niemanden fürchte? Bin ich nicht die Tochter eines Königs? Habe ich nicht den Mut eines Königs? Und habe ich sie nicht kraft meines Mutes verschont?« kreischte sie.

Cecil legte einen Finger an den Mund. »Leise, Eure Majestät. Ihre Spione können überall sein. Ja, sie ist kühn und übermäßig zuversichtlich. Das Volk schreit nach ihrer Hinrichtung, und wer schützt sie? Ihr! Aber das weiß sie offenbar nicht zu würdigen. Nun möchte ich Euch daran erinnern, daß der Herzog von Norfolk rechtmäßig überführt und verurteilt worden ist. Wenn Ihr jetzt nicht erlaubt, daß das Urteil vollstreckt wird, dann wird das ganze Reich denken, was *sie* denkt: daß Ihr es nicht *wagt*. Man wird Euch für schwach halten, wankelmütig, hilflos, wie Richard II. Und was geschieht dann? Rebellion, Aufstand, alles das, was Ihr zu vermeiden hofft! Um Eurer Friedensliebe willen, teure Königin, müßt Ihr das Urteil vollstrecken lassen.«

Elisabeth schüttelte den Kopf. »Ich lasse mich nicht zu etwas drängen, was meinem Gewissen mißfällt.«

»Wenn Ihr *sie* retten wollt, dann müßt Ihr bei Norfolk nachgeben. So einfach ist das.« Die Gicht plagte ihn, und er sehnte sich danach, irgendwo zu sitzen und sein Bein ruhen zu lassen. »Es gibt nur diese oder jene Möglichkeit. Für welche entscheidet Ihr Euch?«

»Für keine von beiden!«

»Dann lest diesen Brief von Knox. Er wird Euch höchstwahrscheinlich zu einem Entschluß bringen. Er drängt darauf, alle hinzurichten, besonders aber sie. Er sagte« – Cecil zog das Schriftstück hervor und las es langsam vor – »›so Ihr nicht die Wurzel abhackt, werden die Äste, die schon gebrochen schienen, wieder von neuem erblühen‹. Sie ist wie ein äußerst haltbarer Baum, der wieder und wieder aufsprießt, so oft man ihn auch zurückstutzen möchte. So streng Ihr sie auch bewachen laßt, so sehr Ihr sie auch einzuschüchtern trachtet, sie wird immer wieder neuen Verrat und Ungemach im Lande aufblühen lassen. Besser gesagt, sie wird andere dazu anstiften.«

»Es muß doch eine Möglichkeit geben, sie daran zu hindern, ohne daß man sie tötet!«

»Nein, Madam. Hört weiter, was Knox geschrieben hat. ›Legt die Axt an die Wurzel des Bösen. Solange die schottische Königin nicht tot ist, kann die englische weder ihre Krone noch ihr Leben in Sicherheit wägen.‹«

»Knox wiederholt sich.« Es fröstelte sie. »Ich dachte, er sei todkrank.«

»Auch er ist hartnäckig.«

In diesem Augenblick klopfte es. Ein Korb wurde abgegeben, und dazu ein Billett an Gloriana, die schöne Göttin. Elisabeth öffnete den Umschlag. »Ich hoffe, er kommt nicht auch von Knox.«

Er kam von Hatton.

> Teuerste, schönste Göttin, ich sende Euch diese für Euren Gaumen. Süßer und köstlicher seid Ihr selbst, und sie werden von Eurer Essenz sich nähren. Ah! mir schwindelt bei dem Gedanken!

Sie reichte Cecil den Brief, und der las ihn mit hochgezogenen Brauen. Er wagte nicht, darüber zu lachen; die Miene der Königin hatte sich merklich aufgehellt.

Es war ein Korb Erdbeeren, rote und weiße und auch ein paar von den kleinen Walderdbeeren. Hatton mußte am Spätnachmittag ausgezogen sein, um sie zu suchen. Elisabeth kostete eine und lächelte. »Sie sind ausgezeichnet«, sagte sie und bot Cecil den Korb an.

Schweigend saßen sie da und aßen. Dann sagte Elisabeth: »Ich werde James VI. als König anerkennen. Und ich werde die Hinrichtung vollstrecken lassen.«

»In beiden Fällen?«

»Die Schottenkönigin ist von keinem Gericht für schuldig befunden worden«, sagte Elisabeth leise.

»Aus eben diesem Grund will das Parlament, daß Vorkehrungen getroffen werden, ihr den Prozeß zu machen, wenn weitere Komplotte ans Licht kommen. Man muß sie doch für ihr Handeln zur Rechenschaft ziehen! Wenn nicht diesmal, dann eben beim nächstenmal.«

»Ihr seid sicher, daß es ein nächstes Mal geben wird?«

»So sicher, wie ich hier sitze.« Cecil seufzte und streckte sein geschwollenes, gichtiges Bein von sich. »Ihr habt doch gehört, was Karl IX. gesagt hat: Die arme Närrin wird nicht aufhören mit ihren Komplotten, bis man ihr wirklich den Kopf abschlägt. Es verrät einen Mangel an Intelligenz, wenn sie damit fortfährt; aber Gefangene müssen manchmal wahnsinnige Dinge tun, um nicht wahnsinnig zu werden und um Ordnung in ihre Tage zu bringen, die sonst sinnlos werden. Was kann sie denn tun von früh bis spät? Nähen? Beten? Lesen?«

»Was hatten die Mönche anderes zu tun?« fauchte Elisabeth.

»Die Mönche hatten sich ihr Dasein erwählt, und sie fühlten eine Berufung dazu. Maria ist nicht dazu berufen, eine Gefangene zu sein. Alle ihre Fluchtversuche zeigen das.«

»Monarchin zu sein war ihre Berufung auch nicht. Das war offenkundig, von dem Augenblick an, da sie nach Schottland zurückkehrte, um die Herrschaft zu übernehmen. Das arme Ding – hat sie überhaupt eine Berufung?«

»Sie hat viele Talente, viele Begabungen, aber vielleicht keine Berufung«, pflichtete Cecil ihr bei. »Aber die Vorzeichen dieses Jahr – der Komet, der erschienen ist – alle sind sich darin einig, daß vielleicht eine Katastrophe in England geschehen wird. Höchstwahrscheinlich irgendein verräterisches Unternehmen zu Eurem Sturz! Wir haben ja erst Mai –«

»Ein Komet!«

»Erinnert Euch an den Kometen, der im Jahr 1066 die normannische Invasion ankündigte. Macht Euch nicht lustig darüber.«

»Ihr klingt wie ein altes Bauernweib, Cecil. Schämt Euch! Nein, ich habe entschieden, was zu tun ist, um der Schottenkönigin Einhalt zu gebieten. Ich werde die Kassettenbriefe veröffentlichen lassen. All den Dreck, den sie an ihren Liebhaber Bothwell schrieb – soll die Welt ihn sehen und sie danach beurteilen! Und dazu gebe man Buchanans *Offenbarung der Taten der Königin von Schottland*. Dann wird niemand sie mehr in den Himmel heben. Bis jetzt sind die Briefe vertraulich herumgereicht worden, und auch nur in England und in Schottland. Aber jetzt – laßt auch französische und lateinische Übersetzungen veröffentlichen, damit das gemeine Volk in jedem Land erfahren kann, was für ein Mensch sie ist! Das gemeine Volk: Knox' neugefundene Waffe. Nun, die können auch andere benutzen!«

»Eure Majestät! Das ist brilliant!« Cecil lächelte zum erstenmal, seit er hereingekommen war. »Aber seid Ihr sicher? Es ist immer noch ein Glücksspiel. Auf Eure Art seid Ihr noch wagemutiger als sie. Sie hat nichts zu verlieren, denn sie hat schon alles verloren. Ihr aber habt viel zu verlieren, wenn Ihr den vernünftigen Ratschlag Eures Volkes und Eures Staatsrates in den Wind schlagt und die Schlange an Eurem Busen am Leben laßt – und wenn sie dann beißt!«

Elisabeth lachte. »Die Schlange an meinem Busen! Walsingham weiß seine Worte zu wählen!« Sie öffnete das Fenster weit und schaute hinaus. »Ich sehe keinen Kometen.«

»Dann seid Ihr sicher? Ihr seid fest entschlossen?«

»Ja. Ich fordere das Schicksal heraus. *Jacta est alea* – der Würfel ist gefallen.«

Als Cecil gegangen war und sie sich zum Schlafen umgekleidet hatte, setzte sie sich in einem lohfarbenen Seidenmantel an ihren Schreibtisch. Immer wieder griffen ihre schlanken Finger in den kleinen Korb; die Erdbeeren waren köstlich, mit einem Hauch von Bitterkeit hinter der Süße.

Elisabeth schrieb ein Gedicht. Aber es war kein Liebesgedicht, kein Päan an den blühenden Mai oder an die römischen Götter.

Die Tochter der Zwietracht

Die Ahnung künftger Feinde
hat die Freude des Jetzt verbannt,
Doch die Unruhe nicht zu vertreiben,
des mahnt mich mein Verstand.
Denn Falschheit flutet heuer,
da Treue am Boden rinnt,
So nicht die Vernunft regieret
und das Netz die Weisheit spinnt.
Doch unversuchte Dinge
umwölken manch forschen Sinn,
Die bei wechselndem Winde
zum Regen der Reu' sich verziehn.
Der Spitze, der erhofften,
wird die Wahrheit Wurzel stehn,
Und die aufgepfropften Listen
wird man letztlich fruchtlos sehn.

Die stolzgeblendeten Augen,
 von großem Ehrgeiz blind,
Sollen würdige Männer öffnen,
 deren Vorsicht Falschheit find'.
Und jene Tochter des Zweifels,
 die mannig Zwietracht hegt,
Sie erntet nicht, wo die Herrschaft
 den Frieden hat gepflegt.
Noch soll'n die Verbannten der Fremde
 in diesem Hafen verweilen;
Wir brauchen keines Fremden Macht,
 laßt sie anderswohin eilen.
Unser rostiges Schwert in Ruhe
 soll erst seine Schneide nützen,
Um deren Spitzen zu kappen,
 die ob solchen Tuns sich ergötzen.

Maria schreibt von Liebe und von Leidenschaft in ihren Gedichten, dachte Elisabeth. Ich schreibe von England.

Sie schob das Blatt zur Seite.

Ich fühle das Bedürfnis, zu schreiben, aber ich fürchte, meine Verse sind so steif wie Cecils Bein. Wir sind einander sehr ähnlich, dachte sie. Nicht immer hat die Seele eines Dichters auch die Flügel, die zum Fliegen nötig sind.

Am 2. Juni wurde der Herzog von Norfolk die Stufen zum Schafott auf dem Tower Hill hinaufgeführt. Diesmal wurden die Leute nicht enttäuscht. Nachdem er die erforderliche Rede gehalten und christliche Reue mit Abschiedsgrüßen vermengt hatte, legte er den Kopf auf den Block. Der Scharfrichter war an diesem Morgen in guter Verfassung und brauchte nur einen Hieb, um ihn abzuschlagen.

Am 22. August wurde der Earl von Northumberland zu York in gleicher Weise hingerichtet, nachdem er von Schottland ausgeliefert worden war.

Am selben Tag verübten die Mordbuben Katharina von Medicis ein Attentat auf den Hugenottenführer Admiral Coligny, und zwar in

Paris, wohin Hugenotten in großer Zahl gekommen waren, um dabei zu sein, wenn Marguerite Valois und Henri von Navarra miteinander vermählt wurden. Der Attentäter schoß daneben, weil der Admiral sich bückte, um sich den Schuh zuzubinden, und traf nur seinen Arm. Die Hugenotten riefen: »Der Arm des Admirals wird dreißigtausend Katholikenarme kosten!«

Zwei Tage später, am St.-Bartholomäus-Tag – dem Fest des Apostels und Märtyrers, der bei lebendigem Leibe gehäutet worden war – mordeten die Katholiken von Paris, angeführt von den Guise und vorgeblich aus Angst vor dem hugenottischen Schwur, viertausend Hugenotten, Männer, Frauen und Kinder, auf offener Straße. Der Duc de Guise persönlich erschlug den Admiral Coligny. Das Blut in den Straßen rann wie ein rotes Netz in den Ritzen zwischen den Pflastersteinen.

In der Provinz wurden weitere sechstausend Hugenotten ermordet.

Elisabeth empfing den französischen Botschafter am 8. September, einen Tag nach ihrem neununddreißigsten Geburtstag, in Woodstock.

Sie trug Trauerkleidung und hatte ihren Bediensteten befohlen, sich ebenso zu kleiden. Drei Tage hatte sie den Botschafter warten lassen, bevor sie ihm eine Audienz gewährte – nur um ihm deutlich zu machen, wie ernst die Situation sei. Protestantische Untertanen waren abgeschlachtet worden, und sie, eine protestantische Königin, war empört.

Doch als sie ihn dann empfing und ihn beiseite nahm, um unter vier Augen mit ihm zu sprechen, war sie keineswegs so streng wie ihre Gewänder. Anscheinend war sie bereit, die offizielle Version vom Gang der Ereignisse und das Versprechen des Königs, die Freundschaft mit England fortzusetzen, zu akzeptieren. Der anglofranzösische Vertrag von Blois blieb bestehen.

Die anti-katholischen Ressentiments in England nahmen hysterische Ausmaße an. Die Rufe nach Marias Hinrichtung wurden immer lauter. Ihre Familie, das Haus der Guise, hatte das Massaker angeführt.

Ein strahlender Oktoberhimmel spannte sich über Schottland; in zwei Tagen wäre Hallowe'en, sonst eine trostlose Zeit, aber in diesem Jahr würde sie golden werden. Morton hatte am Allerheiligenabend immer großen Gefallen habt, auch wenn er als gläubiges Mitglied der Kirk galt. Er winkte Erskine zu einem Platz, wo dieser auf die Bäume vor dem Fenster von Mortons Landhaus zu Dalkeith blicken konnte.

Morton sah den Regenten, der ihm gegenübersaß, leidenschaftslos an. Erskine mit seinem langen Gesicht konnte damit rechnen, noch zwölf Jahre in Schottland zu regieren; erst dann würde der Prinz seinen achtzehnten Geburtstag feiern. Die Gefahr, daß Maria wieder auf den Thron zurückkehrte, schien nicht zu bestehen; mit der Ridolfi-Verschwörung hatte sie Elisabeth gegen sich aufgebracht. Jetzt wollte sie von ihr befreit werden. Nun, das würde sie mehr kosten, als selbst der Earl von Northumberland besaß – in Gold.

»Mein lieber Erskine, Ihr seht matt und kränklich aus. Seid Ihr ganz sicher, daß Ihr Euch vom Fieber erholt habt?« fragte Morton fürsorglich und schenkte Wein ein.

Erskine hustete. »Noch nicht ganz. Und jetzt, da der Winter kommt – Stirling ist so zugig.« Wieder keuchte er.

»Man sollte meinen, Ihr wäret es inzwischen gewöhnt. Ich dachte auch, es sei alles gut isoliert.«

»Nein. Nichts kann diesen Wind abhalten.« Ihn schauderte. »Das einzige Mittel besteht darin, daß man im Bett bleibt, unter Bergen von Decken. Aber unser Gesandter in Dänemark hat mir einige bemerkenswerte Unterkleider geschickt, die einen bestimmt warmhalten sollen – und sie tun es auch, obwohl sie jucken.«

»Dänemark. Ich bin froh, daß wenigstens *etwas* von dort kommt. Ich bin sehr verärgert über König Frederick! Wieso liefert er uns Bothwell nicht aus?«

»Wir sollten die Geschichte mit dem ›Gerichtsverfahren‹ fallenlassen und ohne weitere Umstände zu einem Bestechungsgeld kommen«, meinte Erskine. Er betrachtete die Schüssel, die vor ihm stand: Taubenbrust mit Wacholder und gebratener Hasenrücken. Dann bediente er sich. Sie speisten allein.

Morton lächelte. Das war sein Stichwort. »Ja. Aber dafür brauchen wir Geld. Wie dringend ist es Euch damit? Wäret Ihr bereit, eine Hinrichtung dafür in Kauf zu nehmen?«

»Einen Mord, meint Ihr?« Er kaute langsam.

»Nein, eine richtige Hinrichtung.« Morton nahm einen großen Schluck französischen Wein aus der Gascogne. »Die Mutter des Königs.«

»Maria?« Erskine legte die Gabel hin und starrte Morton an.

»Die Engländer sind bereit, sie unserer Gerichtsbarkeit auszuliefern. Anscheinend strapaziert das Geschrei und der Aufruhr um ihre Haft doch ihre Nerven. Sie – das heißt, Cecil – würden uns dafür bezahlen, daß wir sie zurücknehmen.«

»Wieviel denn?« Erskines Stimme klang dünn. »Vielleicht ist es ein Täuschungsmanöver, und sie wollen sie wieder auf den Thron bringen.«

Er will es nicht, dachte Morton. Er hat seinen Mumm verloren und ist eine verschlissene Kreatur geworden.

»Das weiß ich noch nicht. Die Frage ist, wäret Ihr einverstanden?«

»Darauf kann ich nicht antworten.« Er schüttelte den Kopf. »Knox geht es zusehends schlechter. Er kann schon nicht mehr ungestützt gehen. Was werden wir tun, wenn er uns verläßt?«

»Dann sorgt dafür, daß seine letzten Tage glücklich sind. Er drängt uns seit langem dazu.« Morton bemühte sich, einen mißtrauischen Unterton aus seiner Stimme zu verbannen. »Wir sollten handeln, solange die Engländer in der Stimmung dazu sind. Elisabeth ist gekränkt wegen der Komplotte ihrer Cousine. Aber – wie Frauen sind – sie wird es sich bald genug anders überlegen.«

»Ich kann es nicht«, bekannte Erskine schließlich. »Es ist ein monströses Verbrechen, eine gesalbte Königin zu töten. Das kann ich nicht auf meine Seele nehmen.«

»Elisabeth kann es anscheinend auch nicht. Meine Güte, von was für Feiglingen sind wir umgeben!«

Er kann nicht noch zwölf Jahre Regent bleiben und herrschen, dachte Morton. Er wird uns alle noch in schüchterne Jungfern und röcketragende Eunuchen verwandeln. Schottland braucht einen starken Mann am Steuerruder, keinen zitternden Schlappschwanz.

»Nennt es, wie Ihr wollt.« Erskine blieb fest. »Ich könnte manches von dem, was wir getan haben, Tyrannei und Sünde nennen.«

Das war besorgniserregend. »Habt Ihr vor, Euch in Euer Familienkloster nach Inchmahome zurückzuziehen, Erskine? Was soll diese Kehrtwendung?« fragte Morton spöttisch.

»Es ist nur Nachdenklichkeit. Davon gibt es zu wenig unter uns.«

»Also schön. Dann vergeßt den Vorschlag der Engländer. Wie

geht es dem kleinen König?« Morton bemerkte, wie klar und ungetrübt der französische Wein war, als jetzt das Licht vom Fenster hindurchschien. Soeben war ihm ein Gedanke gekommen.

»Ein richtiger Gelehrter. Sehr still, sorgfältig und gehorsam. Ganz anders als die beiden Eltern – es sei denn, er hielte seine wahre Natur verborgen. Er hat einen zahmen Affen«, fiel ihm plötzlich ein. »Er nennt ihn ›kleiner Ungläubiger‹ und läßt ihn an sich herumklettern. Ein Matrose hat ihm das Tier als Haustier mitgebracht. Es ist das einzige, wofür er jemals Zuneigung erkennen läßt.«

»Seine Mutter wollte ihm ein Pony schicken, aber das haben wir nicht erlaubt«, erinnerte Morton sich. »Ich hoffe, er haßt sie noch immer?«

»Ja, dafür hat Buchanan gesorgt.«

»Gut. Sonst könnte er eines Tages noch versuchen, sie zu ›retten‹.«

»Das ist ausgeschlossen«, meinte Erskine. »Ich denke, er wird lernen, seinen Thron sorgsam zu hüten, und keine Lust haben, beiseite zu treten und jemand anderem Platz zu machen. Daß er sie haßt, war wahrscheinlich ganz überflüssig.« Er sah Morton betrübt an.

Er hat sich verändert, dachte Morton. Er schwenkt auf einen neuen Kurs um. Und dies die nächsten zwölf Jahre? Nein!

Sie sprachen über allgemeine Dinge: Klatsch über Elisabeths neuesten Günstling Hatton; eine Übersetzung von Caesars *Commentarii*, die soeben in England gedruckt worden war; die Tatsache, daß Iwan der Schreckliche von Rußland gegen die Brutalität des Massakers am St.-Bartholomäus-Tag protestiert hatte. Drake war kürzlich mit Elisabeths Segen auf Kaperfahrt in die Spanischen Meere gegangen. In London war die Königliche Börse eröffnet worden, und es hieß, es sei ein glanzvolles Gebäude. In der Seeschlacht von Lepanto hatten die Streitkräfte Philipps in heroischem Kampf die Türken unter Ali Pascha in die Flucht geschlagen. Suleimans Flotte war vernichtet, zehntausend christliche Galeerensklaven waren befreit. Leider hatte Philipp jetzt die Muße, seine ganze Energie der Ausrottung seines zweiten Feindes zu widmen: des Ketzertums.

»Wir leben in aufregenden Zeiten«, sagte Erskine und blickte auf den Nachtisch, den Morton selbst geholt und aufgetischt hatte. Es war ein fahler Klumpen, bestreut mit Mandelblättern und Zimt.

»Schlichte Landkost«, sagte Morton. »Es ist Quark, der nach Zitronen schmeckt. Manchmal ist der Geschmack erfrischend bitter.

Aber das muß so sein. Meine Köchin sagt, die Leute hier in der Gegend essen es, um Kräfte für den Winter zu bekommen.«

Beide griffen nach ihrem Löffel und kosteten vorsichtig; dann aßen sie.

Der Geschmack war leicht scharf, nach Zitrone und etwas anderem, dachte Erskine. Eine Spur Rainfarn vielleicht.

Kurz danach verabschiedete er sich, um die vierzig Meilen zurück nach Stirling zu reiten.

»Es ist ein prächtiger Tag, und ich werde den Sonnenuntergang genießen«, sagte er. »Wenn es dunkel ist, steige ich bei Linlithgow ab.«

Als er dort ankam, hatte er Magenschmerzen, die so heftig waren, daß man ihm aus dem Sattel helfen mußte. Man brachte ihn in seine gewohnte Herberge, wo er nach einer qualvollen Nacht verstarb – der zweite Regent, der in Linlithgow verschied.

Morton trat unverzüglich seine Nachfolge an.

Gleich nach Allerheiligen schlug das Wetter um; Unwetter durchtosten Schottland und brachten Sturzbäche von peitschendem Eisregen und heftige Stürme. Das Meer geriet in Aufruhr, und die Brandung krachte gegen die Küste und in den Firth of Forth und schleuderte Wolken von Gischt hoch in die Luft. Die wenigen verbliebenen Blätter wurden von den Bäumen gerissen und weit übers Meer hinausgewirbelt.

Knox, schwer leidend, schleppte sich am 9. November auf die Kanzel von St. Giles und predigte seinem Nachfolger von den Pflichten eines Geistlichen; aber seine Stimme war so schwach, daß niemand, der mehr als ein paar Schritt weit entfernt stand, ihn noch hören konnte. Zitternd ließ er sich wieder hinunterhelfen, und die ganze Gemeinde folgte ihm, als er unter Qualen zu seinem Haus zurückhumpelte.

Er hatte ein paar Freunde zum Abendessen eingeladen, und er bestand darauf, mit ihnen zu Tisch zu sitzen.

»Mach das neue Oxhoft Wein auf«, befahl er Margaret mit rasselnder Stimme.

»Nein«, sagte einer der Gäste abwehrend. »Das wären über hundert Gallonen, und so viel können wir nicht trinken. Verwahrt es Euch für eine größere Schar.«

Knox antwortete gelassen: »Bitte trinkt, soviel Ihr wollt, und haltet Euch nicht zurück. Ich werde nicht mehr erleben, daß das Faß leer wird.« Er tätschelte Margaret die Hand.

Nach dem Abendbrot begab er sich zu Bett.

»Ich kann nicht lesen«, sagte er zu seiner Frau. »Ich kann den Blick nicht mehr auf dem Text halten. Bitte lies mir aus dem siebzehnten Kapitel des Johannesevangeliums vor. Dort, weißt du, warf ich zum erstenmal Anker.«

»W-was meinst du damit?« Sie begriff nicht, weshalb er sich verabschieden wollte. Er war noch keine sechzig, und seine geheimnisvolle Krankheit – die Schwäche, die Lähmungen und der Husten – schien nicht auf ein spezielles Leiden hinzuweisen.

»Ich meine damit, daß dies die Worte sind, die mich unvermittelt riefen, in denen mir die innig vertraute Stimme meines Herrn zu sprechen scheint.«

»John, warum rufst du nicht den Arzt?« fragte sie.

»Du magst ihn rufen, wenn du willst«, sagte er sanft. »Ich will die gewöhnlichen Mittel zur Heilung nicht vernachlässigen, aber ich weiß, daß der Herr meinem Feldzug bald ein Ende setzen wird. Meine Fanfaren sind alle erklungen. Andere aber werden mich heimrufen.« Wieder tätschelte er ihre Hand. »Und jetzt, ich bitte dich, lies.«

»›Ich habe Dich verklärt auf Erden und vollendet das Werk, das Du mir gegeben hast, daß ich es tun sollte. Ich habe Deinen Namen offenbart den Menschen, die Du mir von der Welt gegeben hast. Ich bitte für sie: Dieweil ich bei ihnen war in der Welt, erhielt ich sie in Deinem Namen. Die Du mir gegeben hast, die habe ich bewahrt, und ist keiner von ihnen verloren als das verlorene Kind.‹«

Er seufzte und ließ den Blick zum erleuchteten Fenster seines Studierzimmers schweifen, welches auf die High Street hinausging.

»Soviel Eitelkeit«, murmelte er. So viele waren unter diesem Fenster vorbeigekommen, auf dem Weg nach Holyrood Palace und von dort zurück. Noch hörte er die Rufe und Schreie an jenem Tag vor elf Jahren, als die Königin ihren feierlichen Einzug nach Edinburgh gehalten hatte und hier vorübergezogen war, funkelnde Juwelen auf dem Busen, den grauen Mantel über die Flanken des Pferdes gebreitet.

»Das verlorene Kind«, flüsterte er. Ja, das verlorene Kind war dahin; es war ihm nicht gelungen, sie zu retten. Sie war in den Untergang gezogen, und ihr Weg war gesäumt von Liebhabern, Laster und Mord. Und es war immer noch nicht vorüber. »Jezebel …« seufzte er. »Die Hunde werden dein Blut trinken, wie ich es vorausgesagt habe.«

»John, quäle dich nicht mit der Erinnerung an sie!« sagte Margaret. »Denke an deine Kinder! An unsere kleinen Töchter sollst du denken – nicht an *sie*!«

»Ich denke an Schottland, geliebtes Weib, und an das, was es betrifft.«

Schottland war in Gefahr. Obwohl die böse Königin geflohen war, obwohl die Kirk triumphiert hatte, obwohl Elisabeth James VI. anerkannt hatte, schien sich das Land in den Klauen von Gesetzlosigkeit und Unordnung zu befinden. In nur vier Jahren waren drei Regenten gestorben, und niemand vermochte die Anordnungen der Regierung durchzusetzen. Bothwells Soldaten standen nicht mehr zur Verfügung, um das Grenzland zu kontrollieren, so daß die Gesetzlosen dort wieder frei umherschweiften. Der Haß zwischen den Clans – den Hamiltons und den Lennox-Stewarts, den Douglas und den Gordons – tobte unvermindert weiter. Maitland und Kirkcaldy hielten noch immer Edinburgh Castle besetzt und ließen Kanonenkugeln auf die hilflosen Stadtbürger herabregnen, auch wenn die übrigen Lords, die der Königin fest die Treue hielten – Argyll, Huntly, Hamilton – sich inzwischen aus der Stadt zurückgezogen hatten.

Martha, Margaret und Elisabeth, seine drei kleinen Töchter, drängten sich um sein Bett. »Vater!« rief die sechsjährige Martha und zog sanft an seinem Bart.

»Du darfst ein bißchen abschneiden, wenn du möchtest«, sagte er. Sie trieben ein Spiel mit seinem Bart, den seine Tochter gern stutzte. Manchmal erlaubte er es, aber einmal hatte sie gepatzt, und da hatte er mit einem struppig auf und ab flatternden Bart in St. Giles predigen müssen. »Du darfst ihn sogar ungleichmäßig schneiden.«

»Was ist das?« fragte Margaret, die Vierjährige, und deutete auf einen geordneten Bretterstapel an der Wand.

»Nein, das darfst du nicht!« warnte ihre Mutter Knox.

»Und warum sollte ich es ihr nicht sagen? Das wird mein Sarg, Liebste. Ich habe meinen Freund Bannatyne gebeten, ihn zu zimmern.«

Margaret, die Mutter, begann zu weinen.

Am Neunzehnten kam Morton. Der neue Regent war streng, und er war in den letzten paar Monaten stark gealtert. Das wilde Rot von

Haar und Bart war sanfter geworden, und man sah weiße Fäden darin. Seine dunklen Augen blickten besorgt, wenngleich er dies vor Knox zu verbergen suchte.

Knox erinnerte sich daran, wie er in den ersten Tagen gewesen war, als die Lords den Bund der Kongregation geschlossen hatten. Morton war von Anfang an ein entschiedener Mitstreiter gewesen und niemals wankelmütig geworden wie so viele andere. Damals hatte er in der Blüte seines Lebens gestanden, und auch jetzt war er noch gesund und kräftig. Und jetzt hatte er seinen Lohn empfangen: Er war der mächtigste Mann in Schottland.

»Laßt uns allein«, bat Knox die anderen Anwesenden, und sie zogen sich zurück. Dann winkte er Morton, er möge sich über ihn beugen. »Hattet Ihr Kenntnis von dem Mord an Darnley?« fragte er. »Ihr müßt mir die Wahrheit sagen.«

Morton zögerte. Galt eine Lüge gegen einen Propheten als schwerere Sünde denn eine Lüge gegen einen anderen Menschen? Und hatte Knox die Macht, Sünden zu vergeben? Durchschaute er die Lüge? Er hatte die Gabe des Sehens. »Ich ... ich wußte, daß bestimmte Leute die Welt von ihm befreien wollten«, sagte er schließlich. »Aber ich habe es abgelehnt, mich daran zu beteiligen. Ich schäme mich, aber ich muß gestehen, daß es nicht aus Mitleid mit dem König war, sondern aus Vorsicht und um meiner selbst willen. Ich hatte eben die Erlaubnis bekommen, nach dem Mord an Rizzio nach Schottland zurückzukehren, und da wagte ich nicht, mich so rasch an einem weiteren zu beteiligen.«

Knox ließ Mortons Handgelenk los. »Dann mögt Ihr jetzt die andern wieder hereinrufen.«

Lord Boyd, David Lindsay und der neue Pfarrer von St. Giles kamen wieder zum Bett zurück. Knox mühte sich, aufrecht zu sitzen, und Boyd half ihm und legte ihm ein Polster in den Rücken.

»Ich bin besorgt wegen der Lords, die noch immer in Edinburgh Castle sitzen und tagtäglich unter den Menschen in den Straßen der Stadt ihre Verwüstungen anrichten«, sagte er mit brüchiger Stimme. »Auf dem Sterbebett bitte ich Euch: Geht zu Kirkcaldy in die Burg und sagt ihm in meinem Namen dies: Wenn er seine Abkehr von den Lords nicht bereut, so wird er eines jämmerlichen Todes sterben. Denn weder der zerklüftete Fels, auf den er so elend vertraut, noch die mörderische Klugheit Maitlands, den er für einen Halbgott ansieht, noch auch die Unterstützung des Auslandes, deren er sich schmeichelt, wird ihn befreien. Er wird ausgespien werden nicht durch das Tor, sondern über die Mauer.« Plötzlich saß er kerzengerade aufrecht, und seine Stimme wurde tiefer. »Denn in Schande wird man ihn aus seinem Nest zerren und seiner Strafe zuführen, und man wird ihn im Antlitz der Sonne an einen Galgen hängen, so er nicht schleunigst sein Leben bessert und sich in die Barmherzigkeit Gottes flüchtet.« Seine Stimme ließ wieder nach. »Die Seele dieses Mannes ist mir teuer, und ich will nicht, daß sie untergeht, wenn ich sie retten kann.«

»Und sein Kumpan? Maitland?« fragte Morton.

»Er ist ein gottloser Mann – ja, ich wage zu sagen, er ist Atheist. Für ihn habe ich keine Hoffnung.« Und Knox ließ sich wieder zurücksinken, keuchend und würgend.

Am Abend des 24. November rüttelte der Sturm an seinem Haus. Knox lag bewegungslos im Bett, umgeben von seiner Frau, seinem Arzt und den Freunden, denen er seine Familie anvertraut hatte. Die Abendgebete wurden gesprochen, und Knox regte sich.

»Könnt Ihr die Gebete hören?« fragte der Arzt.

»Ich wünschte bei Gott, Ihr und alle Menschen hätten sie gehört, wie ich sie gehört habe, und ich preise den Herrn für diesen himmlischen Klang.« Knox lächelte und starb.

Morton führte die trauernden Lords bei der Beerdigung zwei Tage später an. Knox wurde in seinem neugezimmerten Sarg auf dem Kirchhof von St. Giles bestattet, und als der Sarg ins Grab gesenkt wurde, sagte Morton: »Hier ruht einer, der nichts Fleischlichem Furcht noch Schmeichelei entgegenbrachte.«

In seinem Vermächtnis wandte Knox sich an »die Papisten und die undankbare Welt« und erklärte, weil sie »mich als Mahner nicht gelten lassen, überantworte ich sie dem Gericht Dessen, Der die Herzen aller kennt«. Seine weltlichen Güter wurden an seine Familie verteilt.

Im Februar 1573 konnte Morton nacheinander mit Huntly und den Hamiltons verhandeln, und endlich waren sie bereit, James VI. als König und Morton als Regenten anzuerkennen. Argyll folgte. Nur Maitland und Kirkcaldy, verschanzt dort oben in Edinburgh Castle, hielten Maria weiter die Treue. Sechs Jahre waren seit Darnleys Tod vergangen, und einer nach dem anderen waren ihre Anhänger geflohen, gestorben oder auf die andere Seite übergewechselt.

Die Lords griffen die Festung an, wurden aber zurückgeschlagen. Im April kam Hilfe aus England: Schiffe ankerten vor Leith, und Soldaten und Artillerie rumpelten an Land, angeführt von Sir William Drury, dem Marschall von Berwick. Unter den Kanonen war eine der berühmten »Seven Sisters«, die den Engländern vor langer Zeit in der Schlacht von Flodden Field in die Hände gefallen war und jetzt in der Hand des Feindes nach Schottland zurückkehrte.

Nach einem erfolglosen Versuch, das Kastell zu unterminieren, wurde es Tag und Nacht aus fünf verschiedenen Stellungen beschossen. Die Schwäche der Festung lag in ihrer Wasserversorgung, und es gelang den Belagerern, eine Leitung mit Kalk und Weizen zu verstopfen. Aber erst nach einem massiven Angriff auf den David's Tower, bei dem die Mauer einstürzte, konnte der zweite Brunnen verschlossen werden. Dennoch kämpfte die Festung weiter, bis die Engländer die Außenwerke eroberten, die den weniger steilen Zugang auf der Ostseite der Festung sicherten.

Drury stand auf den Außenwerken und rief: »Ergebt euch! Tut ihr's, sind alle Verteidiger frei und mögen in Frieden abziehen, nur nicht die Anführer, Maitland und Kirkcaldy. Mit denen will ich reden!«

Kirkcaldy erschien auf dem Schutt, der sich vor den Bastionen häufte. »Welche Bedingungen habt Ihr zu bieten?« schrie er.

»Eine ehrenvolle Kapitulation. Gebt auf, und es wird Euch kein Haar gekrümmt werden.«

Mehrere Stunden lang wurde hin und her gebrüllt, und schließlich willigte Kirkcaldy ein und wollte sich mit Drury treffen; er konnte aber nicht durch das Tor hinaus, weil es vom Schutt des Bombardements versperrt wurde. So ließ man ihn mit einem Seil an der Mauer herunter.

»Knox hat prophezeit, er werde ausgespien werden nicht durch das Tor, sondern über die Mauer«, raunten die Zuschauer.

Drinnen schleppte Maitland sich zum Fenster und sah, was geschah. Drurys Leute hatten Kirkcaldy gepackt und schleiften ihn, allen Versprechungen zum Trotz, roh davon.

»Lügner bis zum Ende«, flüsterte Maitland. »Es ist keine Wahrheit in ihnen, in diesen ›Männern Gottes‹.« Er hätte gelacht, aber er hatte nicht mehr die Kraft dazu. Tatsächlich plagte ihn seit einigen Monaten eine schleichende Lähmung, und fast versagten ihm die Beine den Dienst.

»Der neunundzwanzigste Mai. Dann muß ich dir also Lebewohl sagen, Welt.« Er hatte sich darauf vorbereitet, und jetzt holte er mühsam eine Phiole aus seinem Schrank. »Verzeih mir, liebstes Weib.« Die schöne Fleming! Diese Ehe war wenig mehr als eine Prüfung ihrer Duldsamkeit und Treue gewesen – himmelweit entfernt von dem Leben, das er ihr zu geben gehofft hatte.

In die Welt, die früher war, da alles jung war, da man sang und tanzte, dachte er, dorthin wollte ich dich für alle Zeit bringen. Nicht in diese hier – eine Welt voll Mord und Flucht und körperlichen Gebrechen.

Langsam goß er den Inhalt der Phiole in ein Glas. Dabei hielt er die Hand so ruhig, wie er nur konnte, damit er nur ja keinen kostbaren Tropfen verschüttete. Die Flüssigkeit war *venin de crapaud*, hergestellt aus einem Destillat der Körperflüssigkeiten von Kröten, die mit Arsen vergiftet worden waren, und sie würde den Tod in wenigen Stunden herbeiführen.

Er hielt das Glas hoch und betrachtete den Inhalt. Der Tod in einem Becher. Das Gegenteil von Ambrosia, das die Sterblichen auf dem Olymp trinken konnten und das sie unsterblich machte.

Wie kommt es, dachte er, daß wir uns einen Becher des Todes brauen können, nicht aber einen Becher des Lebens?

Er setzte sich auf seinen Stuhl und atmete tief. Unten hörte er Geschrei. Bald würden sie hereinbrechen. Er mußte es tun.

Er umfaßte das Glas und schloß die Augen.

Du schiebst es hinaus, sagte er sich. Wenn du Herr deines Schicksals sein willst, dann trinke es. Wenn sie es sein sollen, dann laß es bleiben.

Er hob das Glas an die Lippen und schluckte den bitteren, zähflüssigen Trank. Sein Schlund brannte bis in den Magen.

»Lebt wohl, ihr Männer Gottes«, murmelte er. »Verschont mich mit eurer sanften Barmherzigkeit. Die Güte des Giftes ist mir lieber – sie ist vertrauenswürdiger. Gift hält immer, was es verspricht.«

Kirkcaldy wurde beim Marktkreuz in der High Street aufgehängt. Er hatte nach Holyrood geblickt, und das letzte, was er gesehen hatte, waren die Kegeltürme des Schlosses gewesen. Als er aber starb, drehte sein Körper sich zur Nachmittagssonne hinter der Burg.

»Wie Knox es vorhergesagt hat«, murmelten die Leute. »Er wurde gehängt im Antlitz der Sonne.« Und sie verstummten.

Jetzt gab es keine Queen's Men mehr in Schottland.

Bothwell sah zu, wie der Fleck des Sonnenlichts auf dem Boden seines Zimmers länger und immer länger wurde. Bald würde die Sonne untergehen und den Himmel verlassen, und so etwas wie Dunkelheit würde herrschen. Um diese Jahreszeit war es nie völlig dunkel, nicht einmal um Mitternacht. Aber der Himmel nahm dann eine tiefe, sattblaue Farbe wie von Saphir und Pflaumen an, und das würde genügen, um sein Unternehmen zu verhüllen.

Heute nacht würde er fliehen.

Die Ebbe kam zur rechten Zeit. Das Licht würde richtig sein. Bewachung würde es fast nicht geben, denn heute war ihr geliebtes Fest der Mittsommernacht, da die Leute sich die ganze Nacht hindurch vergnügten, die Liebespaare sich im Walde trafen und der Gouverneur der Burg immer ein ausgelassenes Fest feierte, bei dem es Wein nach Herzenslust und schrille Trompetenmusik gab. Bothwell hatte dieses alljährliche Treiben fünfmal miterlebt; dies wäre das sechste Mal.

Und ein siebtes wird es nicht geben! schwor er sich.

Jedes Jahr hatte er bemerkt, wie nachlässig die Sicherheitsvorkehrungen wurden, und jedes Jahr schienen ihm die Feierlichkeiten üppiger zu werden. Freudenfeuer loderten überall am Strand, und der Lärm der betrunkenen Städter, die durch die engen Gassen tollten, hallte bis hinauf zur Festung. Die ganze Stadt Malmö war aus dem Häuschen, und alles Normale war außer Kraft gesetzt. Und in den nächsten paar Tagen war alles halb betäubt von den Nachwirkungen des Weins.

Sie sagen, die Mittsommernacht sei eine Nacht des Zaubers, der Magie, dachte er. Dann soll sie mich unsichtbar machen! Die Liebespaare ziehen in dieser Nacht aus und sammeln Farnsaat, die ihnen Unsichtbarkeit verleihen soll – und die braucht niemand nötiger als ich!

Er hatte seine Bewacher gut kennengelernt: den untersetzten Sven, den wollüstigen Tor und den gewissenhaften Björn. Im Laufe der Jahre hatte er Dänisch gelernt, und er war ein angenehmer und sehr hilfsbereiter Gefangener gewesen, bis er ihr Vertrauen gewonnen hatte. Stundenlang hatte er ihnen zugehört, wie sie über ihre Frauen, über ihre Religion und über ihre Leiden diskutiert hatte, und so hatte er sich mit ihren Stärken und Schwächen vertraut machen können.

Der Gouverneur der Festung, Hauptmann Kaas, war ein rauher,

schlichter Bursche, der stets genau nach Vorschrift verfuhr. Er hielt Gemächer für König Frederick mit frischem Linnen und Duftkräutern bereit, aber der König kam nie. Bothwell hatte nie eine Audienz bei ihm erhalten, und jetzt wußte er, daß er auch keine mehr erhalten würde. Der König hatte ihn vergessen, so gründlich, als sei er tot. Was Frederick anging, *war* er tot; er hatte absolut keinen politischen Wert mehr. Aber Frederick war ein sparsamer Mensch, und was er einmal hatte, gab er nie wieder auf, für alle Fälle. Und so hielt er auch Bothwell fest, hier in seiner Burg zu Malmö.

Anfangs hatte Bothwell noch Besuch bekommen und war über das, was jenseits des Oresund vor sich ging, auf dem laufenden gehalten worden. Aber mit den Jahren hatten die Besuche aufgehört; er war auf das angewiesen, was die Wachen zufällig in der Stadt aufschnappten, und so erfuhr er nur von den wirklich herausragenden Ereignissen. Er wußte, daß Maria immer noch gefangen war, und daß es ihr nie gelungen war, Elisabeth zu sehen, wie ihm nie eine Audienz bei Frederick gewährt worden war. Er wußte, daß Knox tot war, und daß der Partei der Königin in Schottland die Kräfte ausgegangen waren. Er wußte, daß Elisabeth exkommuniziert und Lord James ermordet worden war. Er hatte vom Massaker der Bartholomäusnacht gehört. Aber die Motive, die hinter diesen Dingen standen, die feinen Nuancen, die diplomatischen Folgen, die kannte er nicht. König Karl IX. half ihm nicht, und mehr noch, er beantwortete nicht einmal seinen Brief. Briefe von Maria, wenige und in großen Abständen, drangen hin und wieder zu ihm durch. Darin beschwor sie ihn immer, guten Mutes zu sein und sich ihrer Treue sicher zu wissen.

Wenn die Wachen in den benachbarten Hof hinausgingen, um beim Anzünden des Freudenfeuers zuzuschauen, würde er handeln. Seine Gemächer lagen zu ebener Erde, und er hatte sorgfältig die Rückwand einer hölzernen »Kammer« an der dem Meer zugewandten Seite seines Quartiers gelöst. Dahinter lag der Strand, und man hatte sie verstärkt, um zu verhindern, was Bothwell jetzt zu vollbringen hoffte. Aber er hatte sechs Jahre Zeit gehabt, um daran zu arbeiten. Er glaubte, daß seine Kraft ausreichte, um die Bretter jetzt aufzubrechen, wenn er nur zehn Minuten Zeit hätte. Dann könnte er sich hinausquetschen, am Meeresufer landen und sich über die Steine davonmachen. Auch dazu war dieser Abend günstig; die Ebbe würde die Steine freilegen, so daß er von einem zum andern springen und davonlaufen könnte. In der Nähe des Hafens würden kleine

Boote vertäut liegen, und die würden unbewacht sein – ein Kinderspiel, eins davon zu stehlen.

Und dann? Über den Hafen hinausrudern, sich in einem Fischerdorf verstecken und dann auf einem der größeren Kauffahrer, die über die Ostsee nach Deutschland fuhren, als Matrose anheuern. Gottlob konnte er inzwischen Dänisch, und er konnte sich eine plausible Geschichte über sich selbst ausdenken.

Unter meinen Vorfahren war der eine oder andere Wikinger, dachte er, oben auf den Shetland-Inseln. Hoffentlich habe ich genug Ähnlichkeit mit ihnen, um mich unter die Dänen zu mischen.

Die Sonne ging pünktlich unter, und da Bothwells Fenster nach Süden lagen, war es noch geraume Zeit hell in seinen Räumen. Er hörte, wie die drei Wachtposten Geräusche der Ungeduld von sich gaben, während sie auf ihre Ablösung warteten. Das ganze Jahr hindurch freuten sie sich auf diese Nacht. Endlich – vier Stunden schienen vergangen zu sein – erschien der junge Soldat, der dazu ausersehen war, in dieser Nacht auf das Feiern zu verzichten. Er hatte seinen Teil bereits getrunken, wie um seinen Vorgesetzten Trotz zu bieten. Bothwell hörte, wie er sich schwerfällig hinsetzte, und ein paar Minuten später ertönte unverkennbares Schnarchen aus der Wachstube.

Flugs ging Bothwell an die Tür seines Wandschranks. Er hatte nichts mitzunehmen; man hatte ihm nie erlaubt, Waffen oder Geld zu behalten, und so mußte er jetzt auch nichts zusammenraffen. Nur seine Nerven und sein Verstand würden ihm helfen, diese Flucht zu überleben.

Er zog die Nägel heraus – die er im Laufe vieler Monate gelockert und immer wieder sorgfältig hineingesteckt hatte, damit sie fest aussahen –, öffnete die Tür ein Stückweit und schlüpfte dahinter. Jetzt mußte er sich so schnell wie nur menschenmöglich bewegen, denn sonst würde die Wache ins Zimmer spähen und niemanden sehen. Die rückwärtigen Bretter, dicke Bohlen, waren mit wuchtigen Nägeln festgeschlagen, hatten sich aber durch Salzluft und Meeresgischt ein wenig gelockert. Er warf sich mit der Schulter dagegen und betete, daß sie ohne viel Lärm nachgeben würden.

Sein Gebet wurde erhört; eines der Bretter splitterte leise. Er stieß noch einmal dagegen, und es brach mitsamt seinem Nachbarn heraus. Frischer Wind wehte ihm ins Gesicht. Er trat gegen ein drittes Brett und hörte zu seinem Entzücken, wie es nachgab. Jetzt! Die Öffnung war groß genug. Er zwängte sich hindurch und sah, daß er sich etwa zehn Fuß hoch über moosbedeckten Steinen befand. Vorsichtig kletterte er ganz hinaus und ließ sich an den Händen hinunterhängen, um sich dann so lautlos wie möglich fallen zu lassen.

Die Felsen unten waren so glatt, als seien sie mit Fett beschmiert. Seine Füße rutschten sofort weg, und er landete schwer auf dem Rücken. Schmerz durchzuckte ihn, und einen schrecklichen Augenblick lang glaubte er, er könne seine Beine nicht mehr bewegen. Doch dann flutete das Gefühl wieder zurück, und er rollte sich herum und kroch vorsichtig und leicht erschüttert auf allen vieren über die felsige Fläche. Drei, vier Schritt weiter nagte das Meer an den Steinen, die hier mit langen Strähnen von Seetang bedeckt waren.

Das Gelände, das er zu durchqueren hatte, zog sich sehr viel weiter hin, als er erwartet hatte. Aber er hatte es nie gesehen und sich deshalb nur vorstellen können. Zum Hafen würde er auf diese Weise nie gelangen; dazu würde er die ganze Nacht brauchen. Nervös schaute er sich um und blickte zurück zu den dunklen Massen der Festung; ihre Bastionen spiegelten sich im Wassergraben. Er glaubte den roten Schimmer der Flammen aus dem Hof leuchten zu sehen, aber bis jetzt war kein Alarm zu vernehmen.

Er würde durch die Stadt gehen müssen, um den Haupthafen zu erreichen. Aber in dieser Dämmernacht der Ausgelassenheit würde er aussehen wie irgendein Zecher. Er sah die Stadtmauer zur Rechten vor sich; das Tor stand in dieser Nacht weit offen, und die Leute hatten sich ringsum versammelt und lauschten einem Fiedler, der Lieder von Trollen und Hexen sang. Bothwell näherte sich ihnen und verlangsamte seinen Schritt.

Sie schauten ihn an und lächelten, und niemand ließ erkennen, daß er irgend etwas Ungewöhnliches an ihm fand. Rasch lief er durch das Tor und ging dann die alte Västergatan hinunter. Dies war das Herz der alten Stadt; die Straßen waren eng und dunkel, und das paßte ihm gut. Zur Rechten hörte er lautes Geschrei und Musik; vermutlich brannte dort ein Sonnwendfeuer auf dem großen Platz, von einer entsprechenden Menschenmenge umgeben. Am besten hielt er sich davon fern; die Västergatan hatte er fast für sich; nur gelegentlich rannte ein Jüngling vorbei, der es eilig hatte, irgendwohin zu gelangen.

Eilig habe ich es auch, dachte Bothwell. Aber unter keinen Umständen darf ich es zeigen.

So ging er weiter, bis er an eine Straße kam, die aussah, als führe sie zum Hafen hinunter – oder dorthin, wo er den Hafen vermutete.

Leichtfüßig lief er dahin und versuchte, den Lauf der anderen nachzuahmen, wie sie sorglos und fröhlich einhersprangen. Seine Zuversicht war gewachsen, und sein Herz klopfte in freudiger Erregung, so daß er seine ganze Willenskraft aufwenden mußte, um nicht den Kopf zu verlieren und sich in triumphierender Erregung zu verzetteln. Er war entflohen! Er hatte sie überlistet! Ihr ausbruchssicheres Gefängnis war bezwungen!

Der Hafen tat sich vor ihm auf, dunkel und einladend. Die großen Schiffe der Hanse-Kaufleute lagen hier vertäut, und alles war wohlgeordnet, wie sie es gewohnt waren. Die Verlockung war groß, sich auf einem zu verstecken. Vielleicht konnte er sich im Lagerraum verkriechen und abwarten. Aber alle diese Schiffe würde man durchsuchen, und selbst wenn er nicht gleich entdeckt wurde, würde das Schiff vielleicht noch tagelang nicht in See stechen. Nein, am besten, er entfernte sich so weit wie möglich, ehe seine Flucht entdeckt wurde.

Auf der anderen Seite des Hafens lagen die kleineren Boote: Fischkutter, Ruderboote, Kohlenschuten. Eins davon würde er stehlen und aufs Meer hinausrudern, und dann würde er irgendwo an der Küste einen Ort suchen, wo er an Land gehen könnte. Er ging hinüber und fragte sich, wie sie wohl gesichert sein mochten, und welches er am besten nähme. Es müßte groß genug sein, um ihm ein wenig Schutz zu bieten; er konnte nicht allzu dicht an der Küste bleiben, da er hier die Riffe und Untiefen nicht kannte. Andererseits mußte es so klein wie möglich sein, damit er keine Aufmerksamkeit erregte.

Ein kleines Boot, das aussah wie ein Fischerboot, lag auf der anderen Seite des Hafens am Strand. Im violetten, dunstigen Licht schien es in gutem Zustand zu sein, und ziemlich neu dazu. Er roch die frisch geölten Planken.

Er ging hin und schaute es sich an. Es war kaum vertäut, und er bekam den Knoten mühelos auf. Er warf das Tau ins Boot, stieß ab und sprang hinein. Dann packte er die Riemen und begann, wie wild zu rudern. Das Boot schaukelte und glitt dann durch die sanften Wellen.

»Dank sei Gott und allen seinen Heiligen!« explodierte er. Er fühlte, wie das Holz der Ruder in seinen Handflächen brannte, und nie war ein Gefühl besser gewesen. Es war Wirklichkeit; er hatte es geschafft.

Plötzlich regte sich etwas im Boot, und es raschelte. Ratten! Ihn fröstelte. Er verabscheute sie, und jetzt würden sie jeden Augenblick anfangen, mit ihren ekelhaften kleinen Füßen über seine Beine zu huschen und zu wieseln.

Ich hätte dort auf die Persenning schlagen sollen, um sie hinauszutreiben, bevor ich ablegte, dachte er. Aber er hatte keine Zeit gehabt.

Und jetzt war es zu spät. Hafenratten waren bösartig; hoffentlich würden sie ihn nicht angreifen.

»Was zum Teufel …?« Eine große Gestalt erhob sich aus der Persenning wie ein Gespenst. »Zur Hölle mit dir!«

Es war ein Mann, ein riesenhafter, nackter Mann. Wieder regte sich etwas, und dann richtete eine Frau sich neben ihm auf; sie war ebenfalls nackt. Sie kreischte.

Ein Liebespaar! Er hatte sie bei einem Schäferstündchen gestört. Wieso hatte er nicht gesehen, daß sich unter dem Segeltuch etwas bewegte? Weil sich nichts bewegt hatte. Sie hatten stillgelegen und gehofft, er werde weggehen.

»Ich … ich …« stotterte Bothwell und hielt die Riemen umklammert.

»Du dreckiger Dieb!« schrie der Mann. »Das ist nicht dein Bruder, Astrid! Es ist bloß ein dreckiger Dieb!« Er stürzte sich mit ausgestreckten Armen auf Bothwell, um ihn bei der Kehle zu packen.

Bothwell ließ die Ruder los und versuchte, die Hände des Mannes von seinem Hals loszureißen. Der Kerl war stark wie ein Teufel, und er war wütend, erfüllt von der moralischen Empörung eines aufgestörten Liebhabers. »Bitte – nicht – nein –«

Die Frau, deren langes Blondhaar Schultern und Brüste bedeckte, schlug gleichfalls auf ihn ein und kreischte dabei aus Leibeskräften. Sie purzelten übereinander, und dann hob der Mann einen hölzernen Eimer, um ihn Bothwell über den Kopf zu schlagen. Aber der wehrte sich so wild inmitten des glitschigen, nackten Fleisches, daß der Mann keinen Hieb führen konnte. Bothwell erhaschte einen Blick auf ein Gesicht, das nur aus gelbem Bart und gefletschten Zähnen zu bestehen schien. Der Geruch menschlicher Erregung war stärker als der Geruch der See, als das Paar über Bothwell herfiel und ihn umschlang.

»Bitte …« sagte Bothwell und versuchte sich loszureißen. »Ich wollte nichts Schlechtes tun; ich will bezahlen für das Boot …« Und noch während er dies sagte, begriff er, daß er dem Untergang geweiht war, denn er hatte ja keinen Penny.

»Das Boot gehört nicht uns. Glaubst du, wir wollen mit dir zusammen zu Dieben werden?« schrie die Frau.

Der große Mann hatte sich auf die Ruderbank gesetzt und ruderte zum Hafen zurück. Offensichtlich war ihnen nichts wichtiger, als das Boot zurückzubringen und ihr Treiben zu verbergen, und davon würde sie nichts abbringen. Wahrscheinlich war mindestens einer von beiden verheiratet, oder die Frau galt als Jungfrau.

»Wartet – bitte. Könnt ihr mir helfen, ein anderes Boot zu finden?« flehte Bothwell.

»Wozu? Welcher ehrliche Mann braucht ein Boot, um in der Mittsommernacht aufs Meer hinauszurudern?«

»Ich ... ich möchte mich doch auch mit meiner Liebsten treffen«, sagte Bothwell hastig. »Ihr Vater hütet sie so streng. Aber ich weiß, daß sie heute nacht hinaus darf. Ich bin arm, und ihr Vater hält nichts von mir. Aber ich spare jetzt, um bald eine Schmiede zu eröffnen ...«

Der Mann starrte ihn an. »Wo ist denn dieses Mädchen?«

»Im nächsten Dorf. In« – o Gott, ein Name! – »in Klashann.«

»Er spricht merkwürdig«, sagte die Frau. »Er ist Ausländer.«

»Ja«, sagte Bothwell, »das stimmt. Ich bin auf einem Schiff der Hanse gekommen; ich bin Matrose aus Lübeck. Aber ich bin hiergeblieben ...«

»Ein Deutscher! Kein Wunder, daß der Vater nichts von ihm hält!« Der Mann nickte langsam mit dem mächtigen Bärenschädel.

»Aber die Liebe kennt keine Grenzen«, sagte Bothwell. »Das versteht ihr doch.«

»Vielleicht mit dem kleinen Boot deines Bruders ...«

»Nein, er würde toben vor Wut!« widersprach die Frau.

Der Mann ruderte unerbittlich weiter auf den Strand zu. Vom Pier erscholl bedrohlicher Lärm.

Bothwell drehte sich um und sah eine Anzahl Männer mit lodernden Fackeln am Ende des Piers stehen. Einige trugen Soldatenuniformen und waren mit Arkebusen bewaffnet.

»Ihr könnt mich hier aussteigen lassen«, sagte Bothwell und deutete an den Strand, so weit weg vom Pier wie möglich. Dabei bemühte er sich, die Panik aus seiner Stimme herauszuhalten.

»Was sind das alles für Männer?« fragte der Ruderer. Er steuerte das Boot an den alten Platz zurück und ließ es auf den Strand laufen. Dann machten er und seine Geliebte sich hastig daran, ihre Kleider anzuziehen.

Um Höflichkeit bemüht, nickte Bothwell ihnen noch einmal zu und kletterte über den Bootsrand. »Lebt wohl«, sagte er.

Im Halbdunkel lief er eilig über den Kies, so weit weg vom Pier wie möglich. Aber er hörte, wie der Suchtrupp zu dem kleinen Boot kam; sie befragten das Paar. Gleich darauf nahmen sie mit Geschrei die Verfolgung auf.

Bothwell fing an zu rennen und bemühte sich, auf dem steinigen Strand nicht das Gleichgewicht zu verlieren. Wenn er nur das sumpfige Schilf erreichen könnte, das hundert Schritt vor ihm begann. Die Aussicht darauf, stundenlang darin zu kauern, war gräßlich, aber es war seine einzige Hoffnung.

Mit gesenktem Kopf stolperte er vorwärts. Hinter sich hörte er seine Verfolger.

Dann hatte er den Sumpf erreicht und plantschte hinein. Er tauchte unter und schwamm unter Wasser, bis er glaubte, seine Lunge würde bersten. Der Sumpf war voller Algen und Schleim und zog ihn in die Tiefe. Nach Luft schnappend, kam er zwischen Schilfrohr und Lilien an die Oberfläche.

Aber hinter sich hörte er die Hunde, die ihm ins Wasser folgten, Hunde, die sich darauf verstanden, Wild aufzustöbern. Sie heulten triumphierend, als sie ihn gefunden hatten.

»Mir scheint, unser Gast hat seine Gemächer für unzureichend befunden«, sagte Hauptmann Kaas. Die Sonne strahlte durch die Fenster seines Quartiers; es war heller Vormittag. Man hatte Bothwell über den Hof in die Gemächer des Gouverneurs geführt. Er war zum erstenmal hier; durch die kleinen Fenster sah er den Hafen, in dem er so jämmerlich gescheitert war. Die Kauffahrer mit ihren hohen Masten wiegten sich sanft; hinter ihnen lagen die kleinen Boote, und dahinter war der Sumpf. In der Junisonne sah das alles unschuldig und verlockend aus.

Bothwell war klug genug, nicht zu antworten und auch nicht zu flehen.

»Ja«, fuhr Kaas fort. »Wir haben uns bemüht, es ihm behaglich zu machen, haben ihm ein luftiges Quartier gegeben, Kohlenbecken im Winter … aber er war nicht zufrieden. Er hat uns unsere Gastfreundschaft mit Undankbarkeit vergolten, hat versucht, uns ohne Erlaubnis zu verlassen. Das hätte strenge Strafen für uns, seine Gastgeber, nach sich gezogen.« Er warf Bothwell einen vorwurfsvollen Blick zu. »Mir scheint, er hat überhaupt nicht an uns gedacht.«

Der Hauptmann ging zielstrebig zu seinem Schreibtisch und schrieb ein paar Befehle. »Mit großem Bedauern gewähre ich Euch den Wunsch, uns zu verlassen. Es gibt ein Gefängnis, das Euch mit Zuneigung an uns wird denken lassen. Aber es stimmt ja, was die Dichter sagen: daß wir etwas erst zu schätzen wissen, wenn wir es nicht mehr haben. Beizeiten also werdet Ihr Eure Tage in Malmö zu schätzen wissen und Euch wünschen, sie könnten wiederkehren. Aber das wird unmöglich sein.« Er nickte den beiden Wachen zu. »Ihr werdet den Gefangenen über den Sund zu seiner neuen Unterkunft bringen. Für den Transport durch Zeeland wird ein Wagen nötig sein.«

»Wohin wird man mich bringen, Sir?« fragte Bothwell.

»In das Staatsgefängnis nach Dragsholm«, sagte Kaas.

Die beiden Wachen schnappten nach Luft.

Der Karren rumpelte über die flache Ebene westlich von Kopenhagen, durch jenes dem Meer abgewonnene Marschgebiet namens Zeeland. Darin fuhr Bothwell, die Hände auf den Rücken gefesselt. Mit einem Fußeisen war er an einen Riegel auf dem Karrenboden geschlossen, aber er konnte stehen und sich umschauen, während die Ochsen voranstapften.

Der Himmel war wie ein frischgewaschenes Laken, das zum Trocknen aufgehängt war, glatt und straffgespannt. Vögel kreisten dort oben und verspotteten Bothwell mit ihrem freien Flug. Er genoß die frische Luft und die Weite ringsumher und sah zu, wie der Wind sanft über ebene Kornfelder wehte und von warmen Geheimnissen wisperte. Der Anblick erweckte eine so schneidende Sehnsucht nach den verlorenen Feldern des Grenzlandes, daß er merkte, wie ihm die Tränen aus den Augen rinnen wollten. Noch einmal an diesen Feldern entlangzureiten, frei zu galoppieren, die Hunde zu hetzen … Wie viele Welpen die Leute im Moor inzwischen wohl aufgezogen haben mochten? Wenn er Gelegenheit dazu gehabt hätte, dann hätte er die Rasse verbessert und versucht, den vollkommenen Terrier zu züchten – einen unbezwingbaren, treuen, wilden Kämpfer, ganz wie die besten Männer im Grenzland.

Es waren fast fünfzig Meilen quer durch Zeeland nach Dragsholm, und der Karren würde mehrere Tage für diesen Weg brauchen. Der Kärrner und die beiden Wachen machten an kleinen Gasthöfen halt, um sich dort zu erfrischen, und sie ließen auch Bothwell mit hineinkommen; allerdings mußte er seine Fußkette anbehalten.

Zum Essen banden sie ihm auch die Hände los, aber er durfte kein Messer benutzen, um Brot und Käse zu schneiden; sie schnitten es für ihn in Stücke wie für ein kleines Kind.

Einfach in einem Wirtshaus zu sitzen, einen Krug kühles Bier zu trinken, etwas zu essen: Bothwell tat das alles auch mit kindlichem Staunen. Nie hatte er den Glanz dieser ganz gewöhnlichen Dinge gesehen. Und er ahnte, daß er sie nie wieder sehen würde.

Es gelang ihm nicht, jemanden dazu zu bringen, daß er ihm von Dragsholm erzählte; er erfuhr lediglich, daß es ein Staatsgefängnis war, auf dem Wasser gelegen, und der Aufseher heiße Frans Lauridson. Sein Gehilfe war ein Mann namens Olluf Nielsen. Keiner der beiden besaß einen Adelstitel, und das bedeutete, daß der König gemeine Leute als Aufseher ausgesucht hatte, die niemandem außer ihm loyal sein mußten, folgerte Bothwell. Das aber ließ für ihn, einen Edelmann, nichts Gutes ahnen. Solche Leute haßten den Adel oft.

Sie näherten sich Dragsholm; es ragte vor ihnen auf wie ein Schiff aus einem Meer von Kornfeldern und Wald auf der Landseite. Mit jedem Ruck des Karrens schien der hohe Turm ein Stückchen höher zu werden, und dann kamen auch die grauen, abweisenden Mauern in Sicht. Endlich war die kleine Festung ganz zu sehen.

Der Karren hielt vor einem schwer befestigten Tor mit Fallgitter und Wachstube. Die Wache überprüfte ihre Papiere und zog dann mühevoll das Tor auf, um sie rumpelnd hindurchfahren zu lassen.

Sie kamen in einen kleinen, grasbewachsenen Innenhof. In einer Ecke ragte ein düsterer Steinturm empor. Sie warteten, bis ein Mann strammen Schritts zu ihnen herüberkam und etwas auf Dänisch sagte; er sprach so schnell, daß Bothwell ihn nicht verstand. Papiere wurden ihm überreicht, und er las sie aufmerksam. Erst als er fertig war, blickte er auf und musterte Bothwell.

Ihre Blicke bohrten sich ineinander. Der Mann hatte schmale blaue Augen mit feinen Fältchen an den Lidern. Er sah aus, als habe er einen großen Teil seines Lebens unter freiem Himmel verbracht, vielleicht sogar auf See. »Hauptmann Lauridson«, sagte er und nickte Bothwell zu.

»Der Earl von Bothwell«, antwortete Bothwell.

Wieder wurde schnell Dänisch gesprochen. Dann winkte Lauridson den beiden Soldaten, die am Fuße des Turmes auf ihrem Posten standen. Sie kamen sofort herüber, kletterten auf den Karren, packten Bothwell bei den Armen und hoben ihn herunter. Dann führten sie ihn zu der Tür im Turm.

Er hatte gerade genug Zeit, um zu sehen, daß die Mauern sehr dick waren, und er konnte noch einen Blick hinauf zum Fenster werfen, bevor er eintrat. Drinnen war es kalt und dunkel, obwohl draußen ein strahlender Tag war; aber nach einer Weile hatten sich seine Augen daran gewöhnt. Er sah einen Lichtschimmer, der aus den oberen Räumen kam, und wollte sich der Treppe zuwenden.

»Nein!« Sie packten ihn wieder bei den Armen und drehten ihn um. Ein dritter Mann zog den Ring einer Falltür im Boden hoch; ächzend klappte er die schwere Steinluke auf.

»Hier!« Einer der Männer schob eine Fackel hinein.

Es war ein Kellergewölbe, ganz ohne Tageslicht, was ihn dort erwartete. Sie ließen eine Leiter hinab, und einer stieg hinein. Bothwell mußte ihm folgen. Die Kälte schlug ihm entgegen wie eine eisige Hand. Er sah sich um: mitten in dem Verlies stand ein dicker Eichenholzpfosten. Der Boden war aus Erde.

»So«, sagte einer der Männer, und sie schoben ihn mit Gewalt an den Pfosten. Er wehrte sich, so gut er es mit auf den Rücken gefesselten Händen vermochte, aber im Handumdrehen hatten sie eine kurze, an den Fuß des Pfeilers genietete Kette an sein Fußeisen geklinkt. Dieserart gefesselt, konnte er nur halb um den Pfeiler herumgehen – wie ein angeketteter Bär. Sie schnitten ihm die Handfesseln los und traten zurück.

Die Leiter knarrte, als Hauptmann Lauridson herunterstieg. Er kam herüber und betrachtete Bothwell kritisch. »Jetzt, mein lieber Freund, könnt Ihr Euch jede Hoffnung auf Flucht aus dem Kopf schlagen. Der letzte, der es versuchte, hat sich aus Verzweiflung erhängt, als man ihn wieder einfing. Er liegt unter dem Galgen begraben.«

Er hob die Fackel und steckte sie in eine Halterung an der Wand. »Ich lasse sie hier, damit Ihr Euch Eure Umgebung anschauen könnt. Sie wird noch zwei Stunden brennen. Seht Euch aufmerksam um, solange Ihr es könnt.« Er nickte. »Guten Tag, Euer Gnaden.«

Der Kerkermeister und seine Wachen kletterten die Leiter hinauf, und oben schloß sich dröhnend die steinerne Luke. Bothwell war allein in dem Verlies, und er wartete darauf, daß die Dunkelheit ihn verschluckte.

Als zur gewohnten Stunde um sechs Uhr im äußeren Hof der Trommelwirbel erklang, wurde Maria davon nicht geweckt; sie lag bereits seit jener Stunde wach, da die Nacht sich, obgleich es noch dunkel ist, unmerklich in den Morgen verwandelt. Die Schmerzen hielten sie wach, der Rheumatismus, der ihre Gelenke jetzt ständig geschwollen sein ließ, selbst im Sommer.

Aber der Trommelwirbel bedeutete, daß der übrige Haushalt sich jetzt regen würde. Mary Seton würde sich sofort aufrichten, wie sie es immer tat, wachsam wie ein Soldat im Felde, und sich von der Bettstatt in der Nähe ihrer Herrin erheben, wo sie zu schlafen pflegte. Die kleinen Hunde würden sich rühren, begierig danach, gefüttert und ausgeführt zu werden. Im angrenzenden Gewirr der Zimmer von Sheffield Manor würden Marias Sekretäre, ihr Arzt, ihre Pagen, Kammerdiener und *femmes de chambre* mit der Runde ihrer immer gleichen Pflichten beginnen: einen kleinen Hof zu halten, der in allen Abläufen und Protokollen einem richtigen Hof entsprach – nur daß er für die Außenwelt unsichtbar war. Sie vollzogen ihre Rituale und Aufgaben für niemanden außer für sich selbst, denn Königin Elisabeths Absicht war es, daß niemand hier auf dem Lande sich der Anwesenheit der Schottenkönigin bewußt sein sollte.

So durfte sie nicht über die großen, achteckigen Türme hinausgehen, die das Tor des Schlosses bewachten, und niemand durfte zu ihr hereinkommen. Sie hielt Hof in der Einsamkeit, eine Königin, die in ihrem Audienzgemach keine Audienzen geben konnte, und in deren Staatsgemach mit Thron und Staatsbaldachin kein Staat gemacht wurde. Königshöfe im Exil pflegten traditionell Orte des geschäftigen Treibens zu sein, wenn der König ein Mann war; die einzige Exilkönigin in der europäischen Geschichte indessen hielt Hof in einer versiegelten Gruft.

Mary Seton zog die Tücher von den Vogelkäfigen, und sofort fingen Turteltauben und Perlhühner an zu gurren und zu zirpen. Marias Aviarium wuchs; die Guise sandten ihr zahme Vögel, und Philipp hatte Kanarienvögel und Papageien versprochen, aber er hatte noch keine geschickt. Philipp ließ sich mit all seinen Versprechungen Zeit. »Wenn der Tod aus Spanien käme, würden wir alle steinalt werden«, lautete eine verbreitete Redensart. Es war verdrießlich, Philipp fortgesetzt mit Bitten bedrängen zu müssen, und sie wagte nicht, ihn zu verärgern. Vielleicht würden die Kanarienvögel ja eines Tages kommen.

»Ah. Seton, guten Morgen«, sagte Maria und stand auf. In ihren Knien pochte es schmerzhaft, als sie sie mit ihrem Gewicht belastete.

Seton brachte ihr zwei Kleider zur Auswahl; das eine war kohlschwarz, das andere grau, mit schwarzen Zopfmustern besetzt. Maria wollte auf das schwarze deuten, aber Seton sagte: »Oh, Majestät, es ist doch ein warmer Junitag! Seid ein *wenig* leichten Herzens! Nehmt das graue!«

Maria lächelte und willigte ein. Sie trug keine Farben mehr; alle ihre Gewänder waren schwarz, weiß, grau oder violett – die Farben der Trauer. Sie milderte die strenge Kleidung mit einem langen, durchscheinenden weißen Schleier, der ihr bis über die Schultern fiel. Aber dazu trug sie auch immer ein schweres, religiöses Schmuckstück: einen dicken goldenen Rosenkranz, ein Agnus Dei aus Bergkristall, in das die Passion eingraviert war.

Wenn Ronsard mich jetzt nur sehen könnte, dachte sie. Wenn nur *irgend jemand* mich jetzt sehen könnte. Wie mechanisch vollziehe ich mein Leben, verborgen vor den Augen der Außenwelt. Würde Ronsard mich überhaupt erkennen, wie ich jetzt bin? Er erinnert sich an das Mädchen am französischen Hof; die schwarzgekleidete, gefangene Invalide ist eine ganz andere Person. Nicht einmal mein eigenes Haar zeige ich mehr; es ist, als trauere es auch und sei deshalb nie wieder dicht geworden, nachdem ich es abgeschnitten habe. Und jetzt wird es grau, obwohl ich erst zweiunddreißig bin.

Ronsard hatte ein Gedicht an Königin Elisabeth gerichtet. Es ging so:

Königin, die Du eine so unvergleichliche Königin gefangenhältst,
Dämpfe den Zorn und ändere Deinen Sinn,
Denn die Sonne, vom Aufgang zum Untergang hin,
Sah nie eine Tat so barbarisch auf Erden!
Du Volk, das du des Willens zum Kampfe so kläglich ermangelst,
Beschämst deine Ahnen, Renauld und Roland und Lancelot,
Die frohen Herzens traten ein, wo einer Dame Unrecht
ward getan,
Und schützten sie, und bargen sie – derweil doch ihr, Franzosen,
Nicht wagt, nicht Blick noch Hand gar euren Schwertern
zuzuwenden,
Zu retten aus der Sklaverei die Königin so süß!

Elisabeth war erbost über diesen poetischen Ruf zu den Waffen und ließ Maria noch strenger bewachen als zuvor. Aber wegen der Franzosen hätte sie sich keine Sorgen zu machen brauchen; der Vertrag, den sie mit ihr geschlossen hatten, zeigte, daß sie für Maria keine Hand rühren würden.

»Ich werde heute die rotbraune Perücke tragen«, sagte sie zu Seton und setzte sich, um sich frisieren zu lassen. Seton war geschickt darin, ihr das Haar hochzustecken – nachdem sie es sorgsam gebürstet und die Kopfhaut massiert hatte –, die Perücke anzupassen und die Haarsträhnen ineinanderzukräuseln, bis es völlig natürlich aussah. Niemand in den äußeren Gemächern wußte, daß es nicht ihr eigenes Haar war. Anthony Babington pries unaufhörlich seinen schönen Glanz. Wäre es doch nur ihres!

Einmal war es so, dachte sie. Früher einmal war mein Haar gerade so schön, wie ihr heute glaubt.

Anthony war immer noch ihr Page, obwohl er sich mit Riesenschritten dem Alter näherte, da man ihn fortschicken würde. Fünfzehn war er jetzt, hochgeschossen und atemberaubend hübsch in seinen lebhaften Schwarzweißfarben. Mit ihm zusammen hatte sie allerlei Wege ersonnen, Botschaften hinauszuschmuggeln: Sie hatten sie in einem ausgehöhlten Korken in die hohen Absätze von Pantoffeln gesteckt, hatten sie zwischen einzelne Holzschichten in Truhen und Koffern geschoben. Sie erdachten eine Methode, Nachrichten in Büchern zu übermitteln, indem eine unsichtbare Schrift zwischen den Zeilen nur jeder vierten Seite versteckt war; so behandelte Bücher trugen ein grünes Lesezeichen und gehörten zu ganzen Lieferungen anderer Bücher. Mit Alaun behandelter Stoff hatte stets ein vom Rest abweichendes Maß, so daß der Empfänger ihn erkennen konnte. Anthony hatte viel Freude an diesen Spielen, denn er sah sich als Ritter, der einer gefangenen Königin half – wozu Ronsard seine trägen Landsleute so flehentlich aufgefordert hatte.

Anthony glaubte, daß sie gerettet werden würde. Sie auch? Oder hielt sie es nur für ihre Pflicht, es immer wieder zu versuchen, als werde sie zu nichts dahinwelken, wenn sie es vollends aufgäbe? Seit das Parlament nach ihrem Tod geschrien und damit den des Herzogs von Norfolk herbeigeführt hatte, war ihr Leben verhältnismäßig ruhig verlaufen. In den Jahren seitdem hatte es keine Rettungsversuche mehr gegeben, keine Verschwörungen, keine Pläne. Das einzige, was erschreckend klar geworden war, war die Tatsache, daß mögliche Hilfe nur noch aus Spanien kommen konnte. Die englischen Sympathisanten im Lande waren nicht stark genug, wie der Aufstand im Norden gezeigt hatte, und die Franzosen versanken in ihren Glaubenskriegen, ertranken in ihrem eigenen Blut.

Und so umwarb sie pflichtbewußt Philipp als ihren Erretter, ihre Hoffnung. Sie hatte um den Herzog von Norfolk getrauert, obgleich sie ihm nie begegnet war. Er hatte für sie die einzige Gelegenheit verkörpert, auf respektable Weise aus ihrer Haft zu entkommen, und mit ihm war der einzige englische Fluchtweg dahin. Jetzt war sie zu dem gezwungen, was die Engländer als Verrat bezeichnen würden – zu Verhandlungen mit den Spaniern.

Aber Briefe waren nur Briefe, und bis jetzt war nichts geschehen, was den friedlichen Gang der Tage in Sheffield gestört hätte.

Im Ausland hielt der Tod weiter Ernte unter den Valois: Karl IX. starb an einer auszehrenden Krankheit – manche sagten, an der quälenden Reue für das Massaker an St. Bartholomäus –, und sein Nachfolger war Heinrich III. Auch Marias Onkel, der Kardinal von Lothringen, trat vor seinen Schöpfer, umgeben von einer Wolke aus Samt und Seide und Parfüm. Der Himmel – oder die Hölle – wäre fortan ein feinerer Ort.

Die Glocke läutete leise und rief den Hofstaat zum Gebet. Maria und ihre Bediensteten gingen hinaus in das Empfangsgemach, welches das größte Zimmer war, das ihnen zur Verfügung stand, und dort warteten sie, bis die gut vierzig übrigen Angehörigen des Haushalts erschienen waren. Da war Bourgoing, der Arzt. Andrew Beaton, der Bruder Johns, der gestorben war, nachdem sie ins Exil gegangen waren. Bastian Pages. Claud Nau. Andrew Melville, ihr Haushofmeister. Gourion, ihr Chirurg. Gervais, der Apotheker. Balthazzar, ihr alter, gebrechlicher Schneider aus Frankreich. Anthony Babington und Willie Douglas, inzwischen ein erwachsener Mann von zweiundzwanzig Jahren. Ihre Damen – Seton, Jane Kennedy, Marie Courcelles und die alte Madame Rallay – stellten sich im Halbkreis um sie herum vor den französischen Priester, Camille de Préau, der offiziell das Amt eines Almoseniers innehatte und Nachfolger des englischen Priesters geworden war.

Pater de Préau kam hereingerauscht, und die Silbernadel an seinem Hut blinkte.

Er sieht aus, wie wir alle einmal aussahen, dachte Maria. Noch sieht er nicht aus wie ein Gefangener oder ein Verbannter. Aber ihm steht es auch frei, zu gehen, wohin er will.

Sie schaute sich unter ihrem Hofstaat um. Ihnen allen steht es frei, zu gehen, wohin sie wollen, dachte sie. Jeder hier kann seine Sachen packen, den Earl von Shrewsbury davon in Kenntnis setzen, daß er zu gehen beschlossen hat – und das Tor schwingt auf. Nur ich kann nicht weg. Ich allein.

Pater de Préau betete auf Französisch vor. Da einige Mitglieder ihres Haushalts Protestanten waren, bestand Maria stets darauf, daß Lesungen und Gebete so beschaffen waren, daß auch sie daran teilhaben konnten. Die private Messe und die Beichte fanden zu anderer Gelegenheit in ihrem Gemach statt.

»Der heilige Paulus sagt in seinem zweiten Brief an die Korinther: ›Wir haben allenthalben Trübsal, aber wir ängstigen uns nicht; uns ist bange, aber wir verzagen nicht; wir leiden Verfolgung, aber wir werden nicht verlassen; wir werden unterdrückt, aber wir kommen nicht um. Denn unsere Trübsal, die zeitlich ist und leicht, schafft eine ewige und über alle Maßen wichtige Herrlichkeit.‹ Meine Freunde, meine Brüder und Schwestern, faßt Euch ein Herz!« ermunterte der Priester sie.

Maria spürte die bohrende Stimme, die sie seit einer Weile plagte: Wird dies alles seinen Lohn finden? Oder ist das nur eitle Hoffnung, etwas, das mir jeden Tag erträglich machen soll? »Denn da ist nicht Werk noch Plan, nicht Wissen noch Weisheit in dem Grabe, wo du hingehst«, sagt die Schrift uns auch. Und wenn hiernach nichts mehr kommt, dann bin ich eine bedauernswerte Törin, und das Leiden bedeutet überhaupt nichts.

Die Gebete waren zu Ende, und der Haushalt würde seinen stets gleichen Tätigkeiten nachgehen, bis es um elf Zeit zum Mittagessen wäre. Shrewsburys Leute speisten dann ebenfalls, und zu dieser Stunde wurden die Tore abgeschlossen.

Maria und ihre Damen zogen sich in ihre Gemächer zurück, um dort an ihren Stickereien zu arbeiten. Sie stickten unaufhörlich; es gab inzwischen überall bestickte Schemel, Bettbehänge, Kissen und Wandbilder. Maria machte Geschenke für Elisabeth – Mützen und Unterröcke – und schickte ihren französischen Verwandten kleine Andenken. Auf diese Weise erinnerte sie sie an ihre Existenz.

Heute war sie mit einem sorgfältig ausgearbeiteten Satz genealogischer Bettvorhänge beschäftigt, die sie ihrem Sohn James schicken wollte. In einem Feld von tiefem Smaragdgrün spürten sie ihren Vorfahren in Frankreich und Lothringen nach und zeigten auch Karl den Großen und den Hl. Ludwig. James durfte diese Seite seiner Familie und sein glorreiches Erbteil nicht vergessen.

Sie nahm den Goldfaden heraus, mit dem die glänzenden Oberflächen von Schilden, Schwertern und Helmen ausgefüllt werden würden. James war jetzt fast zehn und in der Obhut des Earl von Morton. Das arme Kind, dachte sie. Er ist ebenso gefangen wie ich. Mit einem Unterschied: Jedes Jahr, das vergeht, bringt ihn der Freiheit ein Stück näher, während meine Hoffnung darauf immer weiter zurückweicht. Eines Tages wird er erwachsen sein und kann seine Wärter und Kerkermeister fortschicken, wenn er will.

Maria hatte ihm im Laufe der Jahre ein paarmal geschrieben und ihm Geschenke geschickt, aber sie hatte nie eine Antwort erhalten. Aber sie fuhr damit fort, denn sie wußte nie, was aus ihren Sendungen wurde. Den Brief, der dieses Geschenk begleiten sollte, hatte sie bereits geschrieben, und sie hatte sich sehr damit geplagt, die rechten Worte zu finden. Sie forderte ihn auf, treu gegen Gott zu sein und an seine Mutter zu denken, »sie, die Dich in ihren Flanken getragen«.

Seufzend rieb sie sich die Augen; auch sie machten ihr in letzter Zeit Beschwerden. Sie verbrachte so viele Stunden damit, angestrengt auf dicht vor ihr liegende Arbeit zu schauen – Sticken, Nähen, Schreiben –, daß sie die Augen damit belastete. Sie merkte, wie die Muskeln in der Stirn sich entspannten, wenn sie aufblickte.

Ich muß aufhören zu blinzeln, ermahnte sie sich.

Sie winkte ihre kleinen Spaniels herbei, und sie kamen eilig herangetrippelt; ihre Krallen klickten auf dem glatten Fußboden, und die Zungen hingen ihnen aus dem Maul. Sie hatte sie inzwischen an Kindes Statt angenommen, um sich zu belustigen. Sie allein schienen hier glücklich zu sein.

»Ja, meine Lieben«, sagte sie, »ich glaube, es wird Hühnchen zum Abendessen geben, und vielleicht auch Hammel. Ich werde euch etwas davon bringen.«

Die Glocke läutete zum Abendessen, wie jeden Tag, Tag für Tag für Tag. Die Damen erhoben sich und gingen in die Halle hinaus, wo weiße Tücher auf langen Tischen ausgebreitet waren. Sie aßen niemals mit Shrewsburys Gefolge in der Großen Halle; die beiden Haushalte durften keinen Verkehr miteinander pflegen.

Wie immer waren sechzehn Gerichte zuzubereiten – sieben Fleisch- und sieben Gemüsegerichte, drei Suppen und drei Süßspeisen. Eine Abweichung davon gab es niemals. Wie Schlafwandler setzten sie sich zu einem Mahl, zu dem sie sich schon so viele Male gesetzt hatten. Gestern, heute, morgen – es war alles eins.

Jetzt weiß ich, was die Ewigkeit ist, dachte Maria. Irgendein Spaßvogel hat einmal gesagt: »Die Ewigkeit, das sind zwei Leute und eine Hirschkeule.« Aber er hat nie erlebt, was vierzig Leute und immer wieder sechzehn Gerichte bedeuten.

Sie erhoben sich. Die Männer wandten sich ihren Aufgaben zu und dehnten sie aus, so weit es ging, um die Stunden auszufüllen. Die Kutscher polierten die Kutschenräder, die vom gestrigen Polieren noch glänzten, weil sie seitdem nirgendwo hingefahren waren. Der Apotheker ordnete seine Flaschen und stellte die gemahlene Alraunwurzel dahin, wo die Tinktur aus Salomonssiegel und Kreuzblume gestanden hatte. Die *femmes de chambre* lüfteten und bürsteten die Kleider der Königin, die vom gestrigen Lüften noch frisch waren, und hängten sie wieder an ihren Platz. Alles, was bereits makellos gefaltet war, falteten sie von neuem. Die Roßknechte führten die drei Pferde der Königin aus, um ihnen Bewegung zu verschaffen – Bewegung, die die Königin ihnen nicht verschaffen durfte. Die Sekretäre stapelten das Schreibpapier und glätteten den Siegellack. Sie hatten noch mindestens zehn Stunden hinter sich zu bringen, ehe sie schlafengehen konnten, um dann am nächsten Morgen wieder von vorn zu beginnen.

Als Maria langsam und unter Schmerzen in ihre Gemächer zurückging, überlegte sie, ob sie heute nachmittag nähen oder in einem Geschichtsbuch lesen sollte. Vielleicht könnte sie auch die Erlaubnis bekommen, mit ihren kleinen Hunden im Innenhof spazierenzugehen. Aber ihre Knie und Knöchel plagten sie so sehr, daß schon ein kurzer Gang zur Strapaze wurde. Und Kopfschmerzen hatte sie auch.

»Madam«, sagte Bourgoing und kam mühsam an ihre Seite gehumpelt, »ich muß feststellen, daß Euer Schritt heute besonders langsam ist.«

Sie sah ihn belustigt an. Er war im Laufe der Jahre geschrumpft und sah krumm und gnomenhaft aus. Seine Gicht war viel schlimmer als ihre.

»Eure Schmerzen sind ärger als meine, mein Freund«, sagte sie. »Aber ich gebe zu, die Beine tun mir heute weh. Habt Ihr mich dazu vor den Narben der Windpocken bewahrt?« Sie achtete darauf, daß sie bei diesen Worten lachte, damit er wußte, sie scherzte nur.

»Habt Ihr *irgendeine* Nachricht von der Königin, wann Ihr nach Buxton reisen dürft?« wollte er wissen.

»Ja – wenn die Kirschen im Januar reif sind und die Schweine die Galliarde tanzen«, sagte sie.

»Gewiß ist sie doch so grausam nicht! Shrewsbury geht regelmäßig hin!«

»Ja, aber sie sagt, ich könnte fliehen, und selbst seine neue Residenz dort sei nicht sicher genug. Man braucht schon starke Gefängnismauern, um eine von Gicht und Rheumatismus verkrüppelte Frau zu halten, wißt Ihr.«

»Schreibt ihr noch einmal!« sagte er.

»Ich habe ihr schon mindestens fünfzehnmal deshalb geschrieben. Ich fürchte, ich weiß nicht, was ich zum sechzehnten Mal anderes sagen soll.« Maria lächelte. »Ich muß mich mit Euren Heißwachsbehandlungen begnügen. Und wahrlich, sie helfen auch.«

Zusammen gingen sie durch die Galerie, in der sie Porträts ihrer schottischen Ahnen aufgehängt hatte, und wollten eben ihre Privatgemächer betreten, als Anthony gelaufen kam.

»Ein Bote aus Schottland!« rief er und zeigte in den Hof hinunter, wo ein staubbedeckter Mann mit einem großen, bedeckten Korb mit der Wache redete. Es wurde heftig gestikuliert. Schließlich zog der Reiter einen Brief hervor und gab ihn der Wache zum Lesen. Erst, als der erste und noch zwei andere Soldaten den Brief gelesen hatten, durfte der Mann absteigen und, von einem Soldaten eskortiert, hereinkommen.

Maria blieb stehen und wartete, als der Mann und sein Begleiter die Galerie herunter auf sie zukamen.

»Allergnädigste Königin«, sagte der Bote, und er beugte das Knie und nahm den Hut ab. »Ich komme von Lady Bothwell, der Mutter Eures Gemahls. Von seiner ... verstorbenen Mutter.«

Lady Bothwell! Maria war ihr nie begegnet, aber sie wußte, daß Bothwell seinen störrischen Mut von seiner Mutter geerbt hatte, die selbst ihren Mann gestanden hatte, nachdem sein Vater sie so feige verstoßen hatte. Als Lady von Morham hatte sie erhobenem Hauptes zugesehen, wie ihr früherer Gatte ein schmähliches Ende genommen hatte – ohne Schadenfreude, aber auch ohne sich abzuwenden. Bothwell hatte oft von ihr gesprochen, und sie wußte, daß er sie auch besucht hatte.

Die *verstorbene* Lady Bothwell, hatte er gesagt?

»Sie ist tot?« fragte Maria. »Es betrübt mich, das zu hören.« Sie winkte ihm, ihr in ihre Privatgemächer zu folgen.

Drinnen fragte sie ihn nach dem Brief. Er stellte den Korb ab und gab ihr den Brief, und er entschuldigte sich dafür, daß er geöffnet worden sei.

»Ich habe gesehen, warum«, sagte Maria. »Alle Briefe, die nicht heimlich zu mir kommen, werden so behandelt. Deshalb habe ich – wir« – sie deutete mit einem Kopfnicken auf Anthony und Monsieur Nau, die drinnen gewartet hatten – »noch einen anderen Weg der Nachrichtenübermittlung ... einen allerdings, der leider oft versperrt ist.«

Sie faltete den Brief selbst auseinander und las.

Meine zuhöchst geschätzte Königin und Tochter,

Da meine Zeit auf Erden zu Ende geht, schickt es sich, daß ich meine weltlichen Angelegenheiten in Ordnung bringe. So will ich meinen letzten Willen verfassen und gedenke meine Habe dem William Hepburn zu vermachen, meinem natürlichen Enkel, der sein Leben lang in meiner Nähe gelebt. Mein Land hinterlasse ich meiner verwitweten Tochter Janet. Ich sage Euch dies, damit mein Sohn James, Euer Gemahl, es erfahre, solltet Ihr mit ihm in Verbindung treten können.

Nachdem ich so viele Jahre gelebt, so viel Trauer, aber auch so viel Freude gesehen habe, bin ich nun bereit, mich von allem in Frieden zu verabschieden. Ich bedauere nur wenige Dinge, und eines davon ist, daß ich Euch nie gesehen als Weib meines Sohnes, da Ihr so bald davongeschafft wurdet und er nicht lang danach gefolgt ist.

Es schmerzt mich in meinem Mutterherzen, zu wissen, daß der Sohn hinter dem Meer im Kerker schmachtet, getrennt von seiner Frau. Ich will Euch etwas von ihm geben, sozusagen. Als Knabe hatte er eine besondere Zuneigung zu Hunden, die er, wie ich stolz sage, von mir geerbt. Vor einigen Jahren nun sandte er mir zwei Skye-Terrier. Sie gediehen wohl, und diese Welpen sind ihre Ururenkel. Ich höre, daß Ihr kleine Hunde gern habt und bereits mehrere Tiere besitzt; so hoffe ich, diese hier werden ein freundliches Heim bei Euch finden als Erinnerung an ihn.

Die Skye-Terrier, wie Ihr wohl vermutet, kommen, so höre ich, ursprünglich von der Insel Skye. Sie werden nicht sehr groß, nur ungefähr acht Zoll. Wenn sie erwachsen werden, wird das Fell länger und länger, bis manche sagen: »Man sieht den Hund vor lauter Haaren nicht.« Doch laßt Euch davon nicht täuschen. Sie sind keine Spielhunde wie die lockigen Gecken am französischen Hof, sondern starke, furchtlose Stöberhunde, die graben und in tückischen Gewässern schwimmen können. Sie gehören immer nur einem und sind dann von wilder Treue. Aber seid gewarnt: Wenn sie sich der Liebe ihres Herrn nicht sicher sind, mag es geschehen, daß sie in Melancholie verfallen.

Ich nehme nunmehr meinen Abschied von Euch und der Welt und bitte Euch, sie gut zu behandeln und anstelle meines James nun diese seine »Hinterbliebenen« zu Euch zu nehmen.

Agnes Sinclair, Lady Bothwell von Morham

Maria fühlte, wie ihre Augen in Tränen schwammen. Der Mut der alten Dame und ihre heiter-gelassene Art, dies alles hinzunehmen, das tat weh. Rasch faltete sie den Brief zusammen und wandte sich dem Korb zu. Dies waren die Nachkommen der Hunde aus der Hütte im Moor!

»Ihr habt diese Welpen also den ganzen Weg von Schottland hierher getragen«, sagte sie zu dem Boten. »Die Reise muß Euch lang geworden sein!«

»Nein, sie haben keine Mühe gemacht«, sagte er, und er klappte den Deckel des Korbes auf und offenbarte drei kleine Hunde darin, alle von verschiedener Farbe: einer schwarz, einer gelblich weiß und einer grau. Sie fingen an zu winseln und zu zappeln, als sie das Licht sahen.

»Sie sind eben erst entwöhnt«, sagte er. »Lady Bothwell ist gestorben, bevor sie sie hat abschicken wollen, aber ich habe sie trotzdem weggebracht, damit sie nicht in dem Durcheinander verlorengehen.«

Maria hob den schwarzen heraus. »Was für seltsame Ohren! Sie fangen an, hochzustehen wie ein Segel!«

»Ja, bei der Mutter waren sie ausgebreitet wie zwei Segel oben auf dem Kopf, saßen einfach so da. Natürlich werden die Haare noch länger.«

»Werden sie wirklich so lang, wie sie schreibt?«

»Sie streichen über den Boden, Majestät.«

Sie erinnerte sich an die Hunde bei dem Häuschen im Moor. Ja, das Fell hatte ausgesehen wie die Schabracke auf einem Pferd. Sie lachte. »Sie sind willkommen in unserem Haushalt. Aber sie werden sich mit den französischen Spaniels vertragen müssen.«

»Zwischen Franzosen und Schotten gab es schon immer seltsame Ehen«, sagte der Bote.

»Sagt mir – wann und woran ist sie gestorben?«

»An sehr hohem Alter – von einer anderen Krankheit weiß ich nichts. Sie war immer gesund, und dann fing sie einfach an, zu …

verblassen. Wie die Farben in einem Kleid, das zu lange zum Trocknen in der Sonne gelegen hat: Alles wird blasser. Ihre Haut wurde fahler, ihr Griff lockerer, ihr Augenlicht schwächer ... und sie hörte sehr schlecht. Nicht einmal das Bellen der Hunde hörte sie noch! Sie brauchte länger, um durch ein Zimmer zu gehen, brauchte länger, um aufzuwachen, und dann, eines Tages, wachte sie nicht mehr auf. Es ging sehr einfach – wie ein reifer Apfel, der von einem Baum fällt ... oder, besser gesagt, wie ein überreifer Apfel, der schließlich den Geist aufgibt.«

Maria bekreuzigte sich. »Gebe Gott uns allen einen solchen Tod! Ein leichter Tod – ein so großes Geschenk! Und sie wußte, daß es geschehen würde?«

»Es hat den Anschein – so wohlgeordnet, wie sie alles zurückließ, bis hinunter zur Sorge um ihre Welpen.«

Ein leichter Tod. Gott muß sie geliebt haben, dachte Maria.

Der Nachmittag verging langsam; Mary Seton, Jane und Marie saßen stickend auf bereits bestickten Schemeln im Kreis um ihre Herrin. Bei diesen Gobelins – wohin, oh, wohin würden sie sie nur hängen – bildeten sie Tiere ab, exotische Tiere. Ein Tukan aus Amerika war dabei, ein Einhorn, ein Affe und ein Phönix. Maria selbst arbeitete an einem scharlachroten, mit silbernen Blumen bestickten Petticoat, den sie Elisabeth schicken wollte. Es war eine sehr ehrgeizige Arbeit mit einem vollständigen Rand aus verschlungenen Blumen, Stielen und Blättern. Vielleicht würde sich Elisabeths Herz damit erweichen lassen.

Wie kann sie eigentlich etwas tragen, das ich mit meinen eigenen Händen gemacht habe, und mich trotzdem nicht als wirklichen, atmenden Menschen sehen, fragte sich Maria, während sie die harten Silberfäden durch den Stoff zog.

Die Sonne wärmte das Zimmer, und obwohl die Schiebefenster offenstanden, wurden die Frauen schläfrig. Maria legte die Handarbeit beiseite und beschloß, lieber zu lesen. Ihr Lesezeichen steckte in *Lancilot de Laik*, an der Stelle, wo Lancelot und Guinevere ein Liebespaar wurden. Sie war entschlossen, es zu Ende zu lesen – zum erstenmal, seit Bothwell in ihr Leben getreten war. Es war ihr ein Graus gewesen, zu wissen, daß nach der Liebe die Abrechnung mit König Arthur kam, und dann das Urteil: Tod durch Verbrennen ...

Verbrennt die Hure!

Aber sie haben mich nicht verbrannt, dachte sie bei sich, und Darnley war kein gütiger, edler König Arthur ...

Am Spätnachmittag merkte sie, daß sie gegen den Schlaf ankämpfte, und sie legte sich zur Ruhe. Sie wußte, daß sie einschlafen würde, und das widerstrebte ihr sehr, denn es bedeutete, daß sie dann wieder lange aufbleiben würde. Irgendwie mußte der Kreis durchbrochen werden, aber dazu gab es keinen Anreiz. Die Stunden der Gefangenschaft erschienen spät abends irgendwie freundlicher und milder, wenn man Karten spielte und leise im Kerzenschein plauderte. Dann war es leichter, sich vorzustellen, sie sei des Abends in Fontainebleau oder in Holyrood, umgeben von ihren Vertrauten, nachdem alle anderen zu Bett gegangen waren … Aber sie schlief, einen Arm über die Augen gelegt, und träumte von Lancelot und seinem See und von der Dame vom See, und von Arthurs Schwert, von dem das Wasser tropfte und dann das Blut. Sie erwachte mit einem leisen Aufschrei.

In diesem Augenblick hörte sie wieder den Trommelwirbel aus dem Hof. Der Ton des Abends; wieder hatte sich ein Tag davongeschleppt und würde nun weggeschlossen werden. Wieder ein Tag war aufzuzeichnen, das Gute und das Schlechte gegeneinander aufzurechnen, Mäkel und Vorzüge der Seelen, die bis in die Ewigkeit strahlten. Es waren Menschen gestorben an diesem Tag, und sie mußten in diesem Augenblick Rechenschaft geben über alle ihre Tage – an diesem Tag, der ihr so ganz gewöhnlich erschien. *Sei mit uns jetzt und in der Stunde unseres Todes.*

Sie zwang sich, aufzustehen und den Kopf schütteln, um wieder klar zu werden. Bald wäre es Zeit zum Abendessen – mit einer verminderten Zahl von Gerichten und weniger Zeremoniell. Sie hatte keinen Appetit, aber sie mußte ihren Platz an der Tafel einnehmen.

Nach dem Essen zogen sich die Damen in ihr Gemach zurück. Maria griff wieder nach ihrem *Lancelot*, bis der Haushalt sich zum Abendgebet versammelte.

Wiederum kamen sie im größten Zimmer zusammen und hörten zu, als der Priester den Psalm intonierte. »›Mein Gott, mein Gott, warum hast Du mich verlassen? Ich heule, aber meine Hilfe ist fern.‹«

Das Licht im Zimmer schwand dahin, und alle schwiegen und kehrten einzeln in ihre Gemächer zurück.

Dort würden die Frauen noch ein wenig lesen, noch einmal ihre Sachen ordnen, und dann, gähnend von der tiefen Erschöpfung nach tagelangem Nichtstun, würden sie sich zu Bett begeben und zu schlafen versuchen. Nau und Andrew Beaton würden sich an ihre

Bücher setzen und in den entsprechenden Spalten ordentliche Eintragungen vornehmen, sie dann zuklappen und weglegen. Willie Douglas, Bastian Pages, Anthony, die Kutscher und die Türsteher versammelten sich in einer Ecke der Galerie und spielten bis tief in die Nacht hinein Karten. Manchmal setzten sich Maria und ihre Frauen zu ihnen.

Aber nicht heute abend.

Das Herz ist mir so seltsam schwer heute abend, dachte sie, als sie sich zum Schlafengehen bereit machte. Ich habe nicht den Wunsch nach Gesellschaft.

Sie hörte das Rumoren der bewaffneten Wachen auf ihrem Posten, die den Eingang zu den königlichen Gemächern bewachten, wie sie es jede Nacht taten, wenn das große Außentor geschlossen wurde. Ein paar von ihnen lachten und plauderten. Warum sollten sie auch nicht, dachte Maria. Sie waren jung, und die Nacht war warm und sternenklar.

Sie legte sich ins Bett und zündete die einzelne Kerze an, die in ihrem Halter am Kopfende steckte. Sie schloß die Augen und betete darum, schlafen zu können, damit die Stunden unbemerkt und ungezählt vorübergingen.

Acht Stunden später ertönte der morgendliche Trommelwirbel, und wieder begann ein Tag.

Eines Tages im Hochsommer erfuhr die Eintönigkeit nach dem Essen eine Unterbrechung: Der Earl von Shrewsbury stattete Maria einen formellen Besuch ab, pflichtgemäß angekündigt durch ihren Pagen.

»Ah! Mein lieber Shrewsbury!« Maria begrüßte ihn mit erhobenen Händen.

Sie und Shrewsbury unterhielten eine einzigartige Beziehung. Einerseits besaß sie all die Behaglichkeit, die zwischen solchen herrscht, die in enger Nachbarschaft miteinander leben, die Kameraderie, die unter Zwangsgefährten unwillkürlich entspringt. Andererseits war sie erfüllt von dem Mißtrauen zwischen Wärtern und Gefangenen, das durch einen weiteren Faktor noch komplexer gemacht wurde: Indem er als ihr Kerkermeister agierte, hatte Shrewsbury sich selbst zu einer Art Hausarrest verdammt, denn auch er konnte nie fortgehen und sich etwa an den Hof begeben. Insofern war auch sie in gewisser Weise seine Kerkermeisterin. Über allem stand stets das unausgesprochene Wissen, daß es eine Augenblickssache sein konnte – ein plötzlich auftretendes Fieber, ein trockener Husten, der sich in etwas anderes verwandelte –, daß Elisabeth starb, und dann wäre Maria Königin von England. So war es vielleicht seine Souveränin, vor der Shrewsbury jetzt stand.

»Madam, ich bringe gute Nachrichten.« Er hielt ihr einen Brief entgegen.

Maria sah das grüne Wachs des offiziellen englischen Siegels. Sie riß den Brief auf.

»Sie erlaubt mir, nach Buxton zu gehen!« Vor lauter Aufregung wäre sie Shrewsbury fast um den Hals gefallen.

»Ich weiß.« Er hatte auch einen Brief, den er jetzt hochhielt. »Ich bin erfreut.«

»Ich bin so dankbar«, sagte Maria

»Wir können nächste Woche abreisen«, sagte er. »Ich werde dafür sorgen, daß Euch ein Quartier bereitet wird. Ich ... ich freue mich darauf, Majestät.« Mit schüchternem Lächeln verbeugte er sich.

Die Kutsche holperte durch die ausgefahrenen Gleise dessen, was hier als Straße zu gelten hatte, und Maria schaute eifrig hinaus in die Landschaft, während sie die zwanzig Meilen von Sheffield nach Buxton zurücklegte. Sie war allein – natürlich abgesehen von Mary Seton und Shrewsbury, der vor ihr herritt und die Menschen grüßte, die den Weg säumten, um einen Blick auf ihren Lord zu werfen.

Er hatte Maria befohlen, die Sonnenblenden an der Kutsche herunterzulassen, nicht hinauszuschauen und vor allem den Leuten nicht zuzuwinken. Aber sie hatte eine kleine Ecke hochgerollt und lugte doch hinaus. Die verschlossene Kutsche erregte beinahe soviel Aufsehen, wie wenn sie sich armeschwenkend hinausgelehnt hätte.

»Die Schottenkönigin!« tuschelten die Leute und deuteten mit den Fingern auf sie. »Hat sie einer gesehen?« fragten sie dann. Kleine Jungen rannten der Kutsche nach und versuchten, hinten aufzuspringen, so daß die Wachen sie hinunterstoßen mußten. Shrewsbury hörte die Leute rufen: »Zeigt sie! Zeigt uns Eure gefangene Königin!« Er ritt weiter und kümmerte sich nicht um diese Rufe, aber ihm graute vor dem Aufruhr, der in Buxton entstehen würde.

Königin Elisabeth hatte ausführliche und detaillierte Anweisungen gegeben, aber alles lief darauf hinaus, daß Maria in strenger Vereinzelung bewahrt werden müsse. Es ließ sich nicht ändern, daß sie beim Baden in den warmen Quellen an sich Gelegenheit haben würde, anderen zu begegnen, aber was alle sonstigen gesellschaftlichen Anlässe betraf – Spaziergänge, Kegelpartien, Falkenjagden –, so sollte sie daran nicht teilnehmen. Es durften keine Fremden nach Buxton kommen oder von dort weggehen; eine Stunde vor dem Verlassen ihrer Gemächer mußte Maria Bescheid geben, und nach neun Uhr abends durfte sie keinen Besuch mehr empfangen.

Unterdessen würde Königin Elisabeth sich auf einer Staatsreise in den Midlands befinden, und vielleicht – *vielleicht* – würde sie selbst auch nach Buxton kommen. Sollte sie es tun, so erwartete sie, ihre Anordnungen buchstabengetreu ausgeführt zu sehen.

Shrewsbury seufzte. Er wußte nicht, sollte er nun hoffen, sie möge kommen, oder sollte er es lieber nicht hoffen.

Die warmen Quellen in Buxton galten als heilkräftig bei mancherlei Krankheiten, von der Rachitis bis zur Sehnenschwäche, von der Hautflechte bis zu »hypochondrischen Darmwinden«, aber am besten waren sie für ihre lindernde Wirkung auf schmerzende Gelenke bekannt. Das Wasser war nicht kochendheiß wie in Bath und deshalb attraktiver für die Gebrechlichen. Es rauschte aus einer tiefen Quelle in ein geschlossenes Badehaus mit Marmorbänken ringsum im Becken, auf denen die Patienten zwei oder drei Stunden lang sitzen und das Wasser genießen konnten, während ihre Kleider gelüftet wurden. Überdies sollten die Heilungssuchenden das Wasser aus dem St.-Annen-Brunnen trinken, zunächst täglich drei Pinten, dann aber, das Quantum langsam steigernd, bis zu acht; die unterschiedlichen Kuren, die verschrieben wurden, dauerten vierzehn, zwanzig oder vierzig Tage.

Nach dem Baden, in frisch gelüftete Gewänder gekleidet, sollte der Patient sich ertüchtigen. Die kräftigeren Männer konnten auf die Falkenjagd gehen, schießen oder kegeln; die kränklicheren und alle Frauen mußten sich auf eine leichtere Abart des Kegeln beschränken, zu der man ein Brett mit Rillen verwandte.

Männer bei Hofe – wie Cecil –, die zu jener Zeit nicht dort sein konnten, tranken Buxtoner Wasser aus Fässern, die eigens zu diesem Zweck heruntergeschickt wurden. Auch Dudley schwor auf dieses Wasser.

Nach der Ankunft führte man Maria aus der Kutsche in ihre Gemächer in der neuen, vierstöckigen Herberge, die Platz für dreißig Personen bot und die Shrewsbury gehörte. Genaugenommen war Bess die Besitzerin von Buxton, und sie hatte einen Gebührenplan erlassen, nach welchem die Patienten zur Kasse gebeten wurden; die Hälfte des Geldes ging an die Armen, die andere Hälfte an den diensttuenden Arzt am Ort. Summendes Stimmengewirr erfüllte die Herberge, denn sie war ein betriebsamer Ort und der Mittelpunkt mancher Aktivität. Das Gemurmel verstummte, als die Königin der Schotten sich durch die öffentlichen Räume hinauf in ihre Gemächer begab.

Sie war erleichtert, als sie in ihrem Zimmer war. Das Anstarren war ihr ein Greuel gewesen; zum erstenmal war ihr entsetzlich bewußt, wie sie in den Augen anderer aussehen mußte: gebeugt, kränklich, älter, als sie war. Es war ein ganz neues und unwillkommenes Gefühl. Sie hatte ihre reizvolle Anmut immer für selbstverständlich gehalten – bis jetzt, da sie unvermittelt verschwunden war. Vielleicht wäre es besser gewesen, nicht herzukommen.

Erst wird mein Ruf ruiniert, indem sie die Kassettenbriefe drukken; dann wird mein Glaube durch das Massaker am St.-Bartholomäus-Tag beschmutzt; als nächstes fällt Edinburgh Castle, und meine Sache ist am Ende; und jetzt ist mir noch mein letzter Besitz, meine Schönheit in den Augen der Allgemeinheit, entrissen, dachte sie. Um meiner selbst willen stört mich der Verlust nicht so sehr, aber sie war anderen ein Ansporn zum Handeln. Die Leute helfen lieber einer schönen armen Gefangenen als einer häßlichen armen Gefangenen. Und … wenn ich Bothwell jemals wiedersehen sollte, so soll er mich nicht häßlich sehen.

Sie betrachtete ihr Spiegelbild im Glas der Fensterscheiben. Aus einiger Entfernung, und in diesem welligen Glas, sah sie immer noch hinreißend aus. Aber sie wußte, daß davon bei Tageslicht und aus der Nähe betrachtet nichts mehr übrig war, zumindest nicht in den Augen Fremder.

Maria zog ein weißes Badegewand an und begab sich zögernden Schritts an den Rand des Beckens. Sie tauchte den Fuß ins Wasser und stellte fest, daß es angenehm warm und liebkosend war, und so ließ sie sich hinab und setzte sich auf die Bank im Wasser. Kleine Wellen umplätscherten ihre Schultern; Dampf stieg sacht empor und legte sich wie Dunst auf ihr Gesicht. Ihre Knöchel und Knie, die morgens manchmal so stark angeschwollen waren, daß sie kaum noch in der Lage war, sie zum Aufstehen zu biegen, begannen zu kribbeln und sich in der warmen, kreisenden Wasserströmung zu lockern. Sie streckte die Beine, um die Muskeln zu dehnen, die oft von Krämpfen heimgesucht wurden und steif waren. Seufzend legte sie den Kopf zurück.

Nur wenige andere Badende waren an diesem Morgen da – eine alte Frau mit irgendeinem Hautleiden, ein Mann, der von der Wassersucht aufgedunsen war, ein dünner Knabe, der von Asthma keuchte. Sie sahen sie an, und ihre Augen waren stumpf vom Schmerz, und anscheinend sahen sie in ihr nichts weiter als eine Leidensgenossin.

Nach dem Bad, einem langsamen Spaziergang in ihren Gemächern und einem leichten Abendessen – denn die verordnete Diät war ein halbes Fasten – brachte man sie zu Bett und legte zwei Schweinsblasen mit heißem Wasser dazu, damit sie schwitzte. Die Hitze hatte ihren therapeutischen Nutzen bereits bewiesen: Die Verspannung in ihren Gliedmaßen war zurückgegangen. Und ihre Kopfschmerzen hatten nachgelassen.

Shrewsbury kam, um nach ihr zu sehen, aber sie bat um Entschuldigung, weil sie ihr Bett nicht verlasse.

»Gott behüte, daß ich die Behandlung Eurer Majestät unterbreche – dafür sind wir ja hergereist!« sagte er. »Wie ich sehe, lächelt Ihr – sind Eure Schmerzen schon zurückgegangen?«

»Das sind sie in der Tat. Ich glaube wirklich, ich kann hier Heilung finden.«

»Ich habe eine Neuigkeit, die Euch vielleicht noch leichter ums Herz werden läßt. Ich habe soeben erfahren, daß Ihre Glorreiche Majestät, Königin Elisabeth, in der Nähe ist, in Kenilworth nämlich, nur sechzig Meilen weit von hier.«

»Sechzig Meilen!« sagte Maria. »So nah waren wir noch nie beieinander!«

»Vielleicht kommt Ihr einander noch näher«, sagte er. »Sie will von dort nach Chartley Castle, und das liegt nur sechsunddreißig Meilen von hier. Und dann vielleicht – nach Buxton selbst.«

»Hierher? Dann darf ich sie endlich von Angesicht zu Angesicht sehen?«

»Es ist möglich, Majestät. Durchaus möglich.«

Elisabeth! Sie jetzt zu sehen – und in diesem Zustand!

»Ich bete, daß es glücken möge«, sagte Maria.

»Es liegt in der Hand der Götter – besonders in der Hand der Heidengötter, die Robert Dudley nach Kenilworth befohlen hat, damit sie ihn und seine Königin dort begrüßen.«

Die Feenkönigin zog unter der azurblauen astronomischen Uhr im Caesar's Tower durch den Hof von Kenilworth, als zarte Engelsstimmen von ihrer göttlichen Schönheit zu singen begannen. Elisabeth – in so steifen, glänzenden Brokat gehüllt, daß sie sich im Sattel nicht umdrehen konnte: umschlossen von einer Rüstung aus goldenem Tuch, Perlen und Edelsteinen, den Kopf von einer gestärkten Krause umrahmt, die aufrechtstand wie ein Segel aus Spitze – schaute hoch und sah einen als Amor verkleideten Knaben, der an einem vergoldeten Seil vor dem Zifferblatt der Uhr schwebte. Er berührte die Zeiger und hielt sie an.

»Für Euch, Gloriana, jungfräuliche Königin schön, soll die Zeit verharr'n und nicht mehr weitergehn, solang Ihr unter uns verweilt!« sang der Chor.

»Seht Ihr, meine Geliebte?« sagte Robert Dudley, der neben ihr ritt. »Sogar die Zeit ist Euer gehorsamer und Euch anbetender Untertan.«

Sie lächelte und setzte den Weg zu ihrem Quartier fort. Es dämmerte – eine verschlafene Sommerdämmerung –, und sie war endlich in Kenilworth, dem monumentalen Besitz Dudleys in Warwickshire, dem »Nabel Englands«. Er hatte ihn von ihr bekommen, denn es war ihr Vorrecht, diesen Besitz an ihren Günstling zu verleihen. Aber obwohl sie wußte, daß er es vergrößert und zahlreiche Änderungen vorgenommen hatte, war sie nie hingereist, um es sich anzuschauen.

Jetzt sollte sie bei ihm zu Gast sein – sie und dreihundert ihrer Höflinge, die sie auf dieser Staatsreise begleiteten –, und zwar für den ausgedehnten Zeitraum von siebzehn Tagen. Er hatte ihr versprochen, sie werde die gewöhnliche Welt hinter sich lassen und ein Reich betreten, das eigens für sie geschaffen worden sei.

»Ihr werdet nicht enttäuscht sein, mein Herz«, hatte er gesagt. »Kommt nur und erweist mir die Ehre, den Fuß in meine Welt zu setzen.«

Er hatte sie empfangen, als sie noch sieben Meilen weit entfernt gewesen war, und hatte ihr und ihrem Gefolge ein Bankett in einem goldenen Zelt aufgetischt; das Zelt war so groß, daß sieben Wagen nötig waren, um es fortzuschaffen, nachdem es wieder abgebaut worden war. Dann hatten sie mit Pfeil und Bogen gejagt und waren auf diese Weise nach Kenilworth gekommen. Als Elisabeth sich dem künstlich angelegten Ziersee genähert hatte, war eine erleuchtete

»Insel« emporgeschwebt, auf der eine Nereide gesessen und gesungen hatte: »Ich bin die Dame dieses schönen Sees. Kommt her, erfrischt Euch!«

Und eine Sybille neben ihr, in ein fließendes weißes Gewand gekleidet, hatte ihr prophezeit: »Gesundheit, Wohlstand und Glück für Eure Majestät!«

Und plötzlich schmetterten Trompeter von übermenschlicher Größe in arthurianischer Kleidung eine Fanfare auf den Zinnen.

»Die Legende sagt, dies war eins der Schlösser König Arthurs«, sagte Robert. »Und deshalb muß unser See auch eine Dame haben.«

Kanonen schossen donnernd Salut, und dann zog Elisabeth über eine vorübergehend errichtete Brücke, bewacht von Herkules und anderen Göttern und Göttinnen, die auf jedem der sieben Pfeiler standen: Jupiter, der eine geziemende Jahreszeit und gutes Wetter verhieß; Luna versprach allnächtlich zu scheinen; Ceres versprach Malz für Bier; Bacchus volle Becher allenthalben; Aeolus gelobte den Wind wehen zu lassen und die Stürme zu bändigen; Merkur wollte Dichter und Musikanten zur Unterhaltung entsenden; und Diana versicherte gute Jagd. Aus den großen Fenstern des neuen Flügels flutete das Licht und beleuchtete die Umgebung wie eine riesige Laterne.

Elisabeth wandte sich an Robert, als die Zeiger der Uhr angehalten wurden. »Könnten wir's nur wirklich befehlen!« sagte sie.

»Glaubt es nur!« drängte er.

Aber wenn sie zu ihm hinüberschaute, sah sie, daß die Zeit auch an ihm selbst nicht spurlos vorübergegangen war. An die Stelle jugendlicher Geschmeidigkeit war eine gewisse Härte der Gestalt getreten; sein Gesicht war oft rot, und sein prachtvolles rotbraunes Haar wurde schütter und fahl. Mein Robert, dachte sie. Stände es wirklich in meiner Macht, ich wollte der Zeit befehlen, dich aus ihren Klauen zu lassen.

Sie gingen hinein, und Elisabeth sah mit Staunen die glänzenden Holzfußböden, die hohen Decken, die weite Galerie, einen mindestens fünfzig Fuß langen türkischen Teppich mit zartblauem Hintergrund. Wohin das Auge blickte, war Licht; kristallene Kerzenleuchter funkelten zu Hunderten.

»Das ist … wirklich bezaubernd«, sagte sie schließlich. Sie hatte nie selbst ein Schloß gebaut, und so war keine ihrer königlichen Residenzen derart modern, mit großen Fenstern, Treppen und Galerien, so breit wie eine Straße in London.

»Das alles wurde erbaut in der Hoffnung, Ihr könntet es für einen Augenblick mit Eurer Glorie erfüllen«, sagte er.

Und sie wußte, daß es in gewissem Sinne so war.

Es war auf dem Höhepunkt des Sommers, im Juli, da die Hitze am Horizont flimmerte und jedes Blatt an den Bäumen reglos hing, von Staub bedeckt.

Die Zeit schien stehengeblieben zu sein, ja, die Jahreszeit selbst stockte: der Sommer verharrte bebend auf seinem Gipfel, um noch einmal ein- und auszuatmen, ehe er dann in den Herbst hinabstiege. Reife durchdrang die Luft; man fühlte, daß alle Vegetation vollendet war: grün, dick und schwer.

Jeden Tag gab es Zerstreuung und Unterhaltung in dem bezaubernden Lande Nirgendwo, das Robert Dudley geschaffen hatte. Man tanzte in dem umfriedeten Garten, auf einem Morgen voller blühender Blumenbeete mit Obelisken, Kugeln und marmornen Springbrungen, auf denen Statuen von Neptun und Thetis die Vorübergehenden schelmisch bespritzten. Ein klassischer Tempel war dem Garten benachbart; seine Säulen waren so bemalt, daß sie aussahen wie Edelsteine, und er war umschlossen von einem Netz, der ihn in ein Aviarium verwandelte, in dem exotische Vögel aus Europa und Afrika sangen und sich putzten.

Im Gehege machte man Jagd auf Hirsch und Rotwild. Bei der Rückkehr wartete Wodwose, ein wilder Mann aus dem Wald, über und über mit Laub und Moos bedeckt, der dann das Loblied der Königin sang.

In einem besonderen Theaterstück wurden die Raubzüge der Dänen dargestellt, die Jahrhunderte zuvor in Ost-England stattgefunden hatten. Ein ganzer Tag war »ländlichen Freuden« geweiht; es gab eine gespielte »Brautfeier«, einen Mohrentanz und ritterliche Geschicklichkeitsspiele. Es gab eine wilde Bärenhatz mit dreizehn Bären und einer Meute Mastiffs. Ein Tag war der »Zeremonie der Königin« vorbehalten: Fünf Männer wurden zum Ritter geschlagen, und die Königin berührte neun, die an der »Königskrankheit« litten, um sie von den Skrofeln zu heilen.

Abends fanden Bankette statt, darunter eines, bei dem es über dreihundert verschiedene Gerichte gab, gefolgt von einem Feuerwerk, das nicht nur den Himmel erhellte, sondern auch in den See fiel, ohne zu erlöschen, so daß auch das Wasser leuchtete. Es gab einen Mummenschanz von Gascoigne und einen italienischen

Schlangenmenschen, der überhaupt keine menschliche Wirbelsäule zu haben, sondern aus lauter Bändern zu bestehen schien.

Ein vollends überwältigendes und über die Maßen ausgeklügeltes Ereignis war ein Wasser-Tableau, das die »Erlösung der Dame vom See« darstellte und eine Seejungfrau mit einem zwölf Fuß langen Schwanz zeigte; Triton und Arion kamen zu ihrer Errettung auf einem ungewöhnlichen Delphin herangeritten – auf einem Delphin nämlich, in dem ein Chor samt Orchester verborgen war. Als Arion sich der Königin zu Pferde näherte, ritt er ganz hinauf auf den Rükken des Delphins und begann dort, seine Verse zu deklamieren.

»O Schönste Du, o Beispiellose«, rief er. »O Göttin aus des Himmels Höh'n!« Dann trat eine lange Pause ein, und die Seejungfrau fing an, ihm Zeichen zu geben. Arion aber stand nur da, und schließlich knurrte er und riß sich die Maske vom Gesicht. »Ich bin kein Arion, ich nicht. Bin nur der ehrliche Harry Goldingham!« sagte er.

Die Königin brüllte vor Lachen und erklärte, dies sei die schönste Unterhaltung gewesen.

Die siebzehn Tage waren vorüber, und die königliche Reisegesellschaft bereitete sich zum Aufbruch. Sogar das Wetter hatte allen ihren Wünschen entsprochen, und nichts Rauhes oder Unangenehmes hatte gestört, ganz wie Jupiter es verheißen hatte.

Elisabeths Haushofmeister war bereits nach Chartley vorausgesandt worden, dem Heim des Earl und der Gräfin von Essex.

»So weit im Norden war ich noch nie«, sagte Elisabeth. »Auch wenn es immer noch nur hundertzwanzig Meilen weit von London entfernt ist.«

»Und wohin von Chartley aus?« fragte Hatton. »Wollt Ihr dann noch weiter nach Norden hinauf?«

»Vielleicht.« Dort war Buxton, etwa fünfunddreißig Meilen weiter nördlich. Buxton – wo das Thermalbad war. Und Maria, die Königin der Schotten.

Ich könnte hingehen und sie endlich einmal sehen. Es wäre nicht das gleiche, wie wenn ich sie in London empfinge, bei Hofe. Es könnte ein Impromptu sein, ungeprobt, ein nachträglicher Einfall zu einem ausgefüllten Reiseplan ... Wenn ich sie sehe, ist der Bann vielleicht gebrochen, und sie ist nur noch eine Frau für mich, nicht ein Symbol.

Ich werde darüber schlafen, dachte sie. Und es morgen entscheiden, wenn ich weiterreite.

Am nächsten Morgen, als der Zug über die Brücke hinauszog, wo die traurigen Götter und Göttinnen zum Abschied winkten und Amor die Zeiger der Uhr losließ, damit sie weitergehen konnte, schaute Elisabeth hinüber zu den hohen Türmen von Kenilworth, und ihr war, als verlasse sie Camelot.

Sylvanus, der Gott des Waldes, kam zwischen den Bäumen hervor und verkündete in Versen, wie betrübt er sei, sie gehen zu sehen, und er versprach, die Zahl der Rehe zu verdoppeln und in den Gärten ewigen Frühling regieren zu lassen, wenn sie nur niemals fortgehen wollte. In einer Laube von Stechpalmen am Ende der Allee flehte eine Gestalt, die sich als »Tiefe Sehnsucht«, ein Bote aus der Ratskammer des Himmels, ausgab, sie möchte doch bleiben.

Elisabeth sah, daß unter dem Kostüm ein vierschrötiger Landmann steckte, ein Bauer wahrscheinlich oder ein Schmied. Sie dachte an Harry Goldingham und an sein vor Verlegenheit glühendes Gesicht, als er den Arion gespielt und seinen Text vergessen hatte. Vielleicht war es besser, die Legenden nicht allzu genau anzuschauen.

»Ich werde nicht noch weiter nach Norden reisen«, sagte sie plötzlich zu Hatton.

Sie würde nicht nach Buxton gehen, nein. Maria blieb besser ungeschaut.

Der junge Sten verabscheute es, wenn er seinem Großvater helfen mußte, im Hof von Dragsholm die Runde zu machen und seine Aufgaben zu erledigen. Sie waren alle unangenehm: Man mußte Mist schaufeln, die Mastiffs und die Maultiere füttern, unter dem Galgen nachschauen, ob sich dort Wiesel und Schlangen versteckten.

Der Geruch des nahen Meeres war heute morgen besonders stark, denn ein frischer Wind wehte vom Wasser herein. Es war April, und der Himmel war gleißend blau. Das Land erwachte aus dem Winterschlaf, und die bereits gepflügten Furchen verströmten den charakteristischen Duft von frisch gewendeter Erde, der so viel verhieß. Während er so im Hof umherstapfte, war Sten doch wenigstens froh, daß er draußen arbeiten konnte. Wie furchtbar es wäre, wenn man nie hinauskönnte, sondern seine ganze Arbeit in einem Zimmer tun müßte, an einem Tisch, wie ein Schulmeister oder ein Graveur oder ein Geldverleiher. Oder überhaupt nichts zu tun, nur einfach zu *sein* …

»Großvater, ist heute der Tag, wo wir den Gefangenen zu essen geben?« fragte er plötzlich. Das war die schlimmste Arbeit von allen. Es war ihm ein Graus, die Holzteller unter den Türen hindurchzuschieben und das Scharren zu hören, wenn dahinter jemand danach griff.

»Ja, das machen wir gleich. Sag dem Koch, er soll die Portionen aufteilen und das Brot in Stücke schneiden.«

Die Gefangenen bekamen Brot, Bier und die Reste aus der Garnisonsküche.

Eine Stunde später stapfte Sten hinter seinem Großvater daher und schleppte einen Stapel gefüllter Teller. Unten an jeder Tür – dick und massiv, verschlossen und verriegelt – war ein flacher Spalt, gerade breit genug, daß ein Teller hindurchpaßte. »Essen!« rief sein Großvater immer, und dann wurde der alte Teller heraus- und der neue Teller hineingeschoben. Manchmal hörte man Gemurmel, und man sah knochendünne Finger am Tellerrand, aber nie sah man ein Gesicht. Zwar hatte jede Tür ein kleines Guckloch, so daß man hineinspähen und feststellen konnte, wo der Gefangene sich aufhielt, damit man keine Überraschung erlebte, sollte man die Tür einmal aufsperren müssen; aber sonst schaute man nie hinein.

Einen Gefangenen jedoch gab es, den sie ansehen mußten. Er hauste im Kellergewölbe, und sein Teller mußte an einem Seil hinuntergelassen und dann mit einer Stange zu ihm hinübergeschoben werden, damit er ihn erreichen konnte. Es war stockfinster da unten, und der Wärter mußte auch eine Laterne mit hinablassen, damit er etwas sehen konnte. Der Mann war an einen dicken Pfosten gekettet, und er hatte sich in den fünf Jahren, die er jetzt hier war, nach und nach in ein Tier verwandelt. Sten glaubte sich an eine Zeit zu erinnern, da der Mann richtige Kleider getragen und normale Worte gesprochen hatte; aber damals war Sten selber erst vier oder fünf Jahre alt gewesen, und vielleicht irrte er sich. Vielleicht waren es gar keine richtigen Erinnerungen, sondern nur Bruchstücke von einer Geschichte, die man ihm erzählt hatte.

Jetzt jedenfalls war der Mann völlig wahnsinnig, sagte sein Großvater, und er war es schon seit langem. Er war über und über mit Haaren bedeckt wie ein Affe, und er sabberte und knurrte und knirschte mit den Zähnen. Manchmal heulte er und warf den Kopf in den Nacken, aber meistens blieb er stumm und lief rastlos im Halbkreis um den Pfosten hin und her, so weit seine Kette es ihm erlaubte. Der Fuß des Pfeilers versank in seinem Kot, aber mit seinem Laufen hatte er einen Weg hindurchgebahnt. Hin und her, hin und her ... Wenn die Luke in der Decke seines Verlieses hochgehoben wurde und das Licht hineinfiel, dann hatte er sich zusammengeduckt und die Augen schützend vor der Helligkeit bedeckt. Jetzt schienen seine Augen verschleiert und nutzlos geworden zu sein, aber immer noch hielt er inne und schaute zum Licht herauf. Er war nackt; seine alten Kleider waren längst verrottet und von ihm abgefallen, und anscheinend hatte er nicht gewußt, wie er die neuen Sachen anziehen sollte, die Stens Großvater ihm gebracht hatte. Die Kleider hatten auf einem Haufen neben ihm gelegen, und die Ratten hatten ihr Nest darin gemacht, bevor sie sie schließlich zerrissen und fortgeschleppt hatten. Daß er nackt war, konnte man unter all dem Haar und Dreck nicht gleich erkennen, aber Sten starrte doch immer seine Schamteile an, denn die waren sichtbar und sahen immer noch aus wie die eines Menschen.

Heute morgen nun zog Stens Großvater auch wieder an dem Steindeckel und hob ihn auf, und Sten zündete unterdessen die Laterne an und machte sich bereit, sie hinunterzulassen. Er tat es langsam und rechnete damit, zur Antwort wieder ein Geheul zu hören, wie er es meistens hörte. Aber es blieb still. Er schlang das Seil um den Teller und ließ ihn hinunter. Dann schob er den Kopf durch die Öffnung, um mit der Stange nach dem Teller zu zielen, und da sah er, daß der Mann regungslos zusammengesackt am Pfosten saß. Er klapperte mit der Stange an dem Teller, um ihn zu wecken.

»Komm schon«, sagte sein Großvater und wollte den Deckel schließen, um zu gehen.

»Nein!« sagte Sten. »Der bewegt sich nicht.«

Sein Großvater grunzte und nahm ihm die Stange ab. Er schob sie so hinein, daß er den Mann berühren konnte, aber der rührte sich nicht. Er fühlte sich hart an, hart wie der Pfosten.

»Ich muß hinunter. Hol eine Wache«, sagte der Großvater zu Sten.

Die Wache kam mit einer Leiter, und sie kletterten vorsichtig hinunter, bewaffnet mit Schwertern, Knüppeln und Pistolen. Wachsam umkreisten sie den Mann und stießen ihn dann noch einmal an. Er bewegte sich nicht. Die beiden Männer blieben einen Augenblick lang stehen. Sten sah, daß keiner von beiden gern näher herangehen wollte, weil sie befürchteten, daß der Mann plötzlich aufspringen könnte. Endlich seufzte sein Großvater und tat die paar Schritte auf ihn zu. Langsam streckte er die Hand aus und berührte dann die struppige Wange des Mannes.

»Tot«, erklärte er und riß die Hand weg, als der Mann zur Seite kippte. »Tot, mausetot.«

»Woran ist er gestorben?« fragte der Soldat.

Stens Großvater ließ den Blick durch das Verlies wandern und schaute dann wieder den Pfeiler mit der Kette an. »An der Haft«, sagte er schließlich. »Er hat länger durchgehalten als irgend jemand hier drin. Aber nicht mal der Earl von Bothwell konnte ewig leben.«

Im Tode wurde der Earl von Bothwell plötzlich in den ehrwürdigen Stand erhoben, der seinem Rang zukam. Man befreite das von Geschwüren bedeckte, haarige Bein von der eisernen Kette und zog den starren Leichnam hinauf; man badete und rasierte ihn und schnitt ihm die Haare, und man hüllte ihn in die Kleider eines Gentleman, die man hastig erstanden hatte.

Man legte ihn in einen breiten Eichensarg auf ein weißes Atlaskissen, in ein feines, mit grüner Seide gefüttertes Leintuch gehüllt. Seine Hände waren ordentlich gefaltet, und Stens Großvater vollzog den ehrwürdigen Brauch, sich den Schmuck eines verstorbenen Gefangenen anzueignen. Aber da war nichts außer einem Ring mit Gebeinen und Tränen aus Email. Der Großvater nahm ihn trotzdem; mit Gewalt mußte er ihn über Bothwells Fingerknöchel drücken. Er hielt ihn in die Höhe und betrachtete ihn.

»Ich habe gehört, dies sei der Verlobungsring, den die Schottenkönigin ihm gegeben hat«, sagte er. »Wenn es stimmt, dann ist das Versprechen wahr geworden.«

»Behalte ihn nicht, Großvater!« rief Sten. »Wer würde ihn je tragen wollen?«

»Ließe man ihn bei ihm, so würde er keine Ruhe im Grab finden, denke ich, und es ist jetzt an der Zeit, daß er Ruhe und Frieden bekommt.« Der Großvater schob sich den Ring auf den Finger, und Sten erschauerte.

»So«, sagte der Großvater und zog Bothwell das Leichentuch beinahe zärtlich um die Schultern.

Aber der Earl sah nicht friedlich aus, sondern zornig. Sein Mund war ein grimmiger, gerader Strich, und auf der Stirn hatte er eine blasse, schräge Narbe, Überbleibsel irgendeines Kampfes. Halb erwartete Sten, daß er sich gleich heulend und messerschwingend aufrichten werde.

Der Großvater befestigte das Leichentuch, und dann schloß er den Sargdeckel und nagelte ihn zu. Die Wache trug den Sarg über den Hof und zum Tor hinaus – das einzige Mal, daß Bothwell die Burg verlassen hatte. Er wurde in der nächstgelegenen Kirche zur Ruhe gebettet, in der Kapelle von Faarevejle auf der Landzunge, wo der Gischt der Meeresbrandung die weißgekälkten Wände besprühte und im Kirchturm ein Leuchtfeuer brannte. Ein reformierter Geistlicher sprach die Gebete, als der Sarg in die Gruft geschoben wurde. Keine Inschrift bezeichnete die Stelle.

Am nächsten Tag trug Lauridson seinen Bericht in seinen offiziellen Kalender ein und schickte Mitteilungen an die Regierungen von Schottland und England. *Der Earl von Bothwell, ehedem Gemahl der Königin der Schotten, verstarb am 14. April 1578. Gott sei seiner Seele gnädig.*

Maria summte, als sie ihr Mittagsmahl beendete und ihr Nähzeug aufhob. Es war Mai, Mitte Mai, und so warm und kraftstrotzend war kaum ein Frühling hier je gewesen. Alles, was wuchs, war gleichzeitig hervorgesprossen, als habe es sich nicht Monate, sondern Jahre aufgestaut; die kleinen Blätter platzten wie Kanonenschüsse aus den Zweigen hervor, Narzissen und Iris brachen aus dem Boden und explodierten zu voller Blüte, und über Nacht war das verfilzte Gras vom letzten Jahr von neuem Grün wie von einem samtenem Teppich überzogen, so süß, daß die Kaninchen wie trunken darin herumhoppelten und sich an den zarten grünen Sprossen mästeten. Maria konnte dem überwältigenden Drängen dieses Frühlingsgeistes nicht widerstehen. Sie mußte heute unter freiem Himmel sitzen und dem Geschenk des neuen Lebens, das Gott ihnen gewährt hatte, die Ehre erweisen.

In Chatsworth gab es stets angenehme Flecken, an denen man draußen sitzen konnte. Maria hatte sich so oft in dem von einem Wassergraben umgebenen Lusthaus niedergelassen, daß man es zum Zeichen ihrer Vorliebe »Königin Marias Laube« getauft hatte. Es wäre ein vollkommener Tag heute, um dort auf dem Klappstuhl –

bestickt natürlich – zu sitzen und sich der ätherisch milden Luft hinzugeben.

Mit Bedacht nahm sie auch ihren breitkrempigen Hut mit. Wie schön es war, ihn wieder zur Hand zu nehmen! Wenn sie ihn während des langen, fahlen Winters an seinem Haken hatte hängen sehen, war er ihr immer vorgekommen wie ein einsamer Überlebender aus einer anderen Welt, inmitten von Eis und Dunkelheit der einzige Beweis dafür, daß es einmal Sommer gewesen war.

Die Hoffnung ist ein Strohhut, der neben einem Fenster mit Eisblumen hängt, dachte sie.

Sie hatte geradewegs zu ihrer Laube gehen wolle, aber am Wege wuchsen so viele blühende Büsche und Sträucher, daß sie sich dort hingezogen fühlte. Stachelbeersträucher waren von kleinen Blüten übersät, die Weinstöcke blühten, und das Geißblatt starrte von kleinen, sahnig zarten Blümchen und verströmte einen charakteristischen Duft, der sich, so stark er war, unmöglich in einem Parfüm einfangen ließ.

Maria schloß die Augen und ging der Nase nach auf einen Geißblattstrauch zu. Der Duft stieg ihr zu Kopf und schien ihren ganzen Körper zu durchströmen, als sie ihn einatmete – als habe er die Macht, sie durch einen schwebenden Zauber zu berauschen.

Er umhüllte sie, und sie schlug die Augen auf. Sie stand unmittelbar davor. Sie streckte die Hand aus, pflückte eine der schlanken, trompetenförmigen Blüten und sog am abgebrochenen Stiel. Der süße Geschmack des Nektars mischte sich mit dem süßen Duft, und beide wurden eins.

Auch die Bienen wurden davon angelockt. Staunend sah sie das Geschwirr so vieler Bienen, die sich von Blüte zu Blüte abwechselten und ein schlaftrunkendes Gesumm verbreiteten. Das war das beruhigende Wiegenlied des Frühlings.

Den Earl von Shrewsbury hörte sie erst, als er nur noch drei Schritt weit entfernt war. Ihr erster Gedanke war, wie sauer, verschlissen und deplaziert er im strahlenden Licht dieses Tages erschien. Menschen passen sich der Jahreszeit nicht immer so mühelos an wie Tiere, dachte sie.

»Guten Tag, lieber Shrewsbury«, sagte sie. Sie lächelte und hoffte, ihn damit ebenfalls zum Lächeln zu bringen. Aber er kam nur weiter herangestapft, die Lippen zusammengepreßt.

Dann betrachtete er eingehend den Geißblattstrauch, als sei darin etwas verborgen, das er suchte. Unwillkürlich schaute Maria selbst hin, aber sie sah nur einen leuchtenden, schwarz-blau geflügelten Schmetterling, der darüber schwebte und gleich landen wollte.

»Ich habe Nachrichten erhalten, die Euch betrüben werden«, bekannte er schließlich.

Plötzlich wußte sie, was es war, und sie wollte sagen: *Nein, nein, sagt es mir nicht, ich kann es nicht ertragen.* Aber sie sagte nichts. Der Schmetterling schien reglos über dem Strauch zu verharren.

»Der Earl von Bothwell ist tot«, sagte er mit dumpfer Endgültigkeit.

Sie sah, wie er die Hände ausstreckte, um die ihren zu ergreifen, sie zu trösten, ihr Halt zu geben, und wie er sie wieder zurückzog. Er hatte nicht das Recht, sie zu berühren.

»Die Nachricht kam heute morgen von Cecil. König Frederick hatte sie in Kenntnis gesetzt, nachdem die Behörden des Gefäng– ... aus Dragsholm ihm Meldung gemacht hatten«, fuhr er fort.

Eine mächtige Hand schien über die Welt hinwegzugehen und alles zum Schweigen zu bringen. Alles hielt inne. Obgleich der Schmetterling jetzt mit bebenden Flügel herabsank und endlich auf einem Blatt landete, war das keine reale Bewegung. Es war gar nichts.

»Wie ist er ... gestorben?« fragte Maria.

Diese Worte habe ich schon einmal gesprochen. Wie ist er ... was waren seine tödlichen Verletzungen, habe ich gefragt. Und der Junge sagte es mir, und ich starb ebenfalls. In Jedburgh, vor so vielen Jahren. Aber da war er nicht tot, er war es nicht, und durch irgendeine Vorsehung ward er mir zurückgegeben, zurückgegeben, und dann erst begann unser gemeinsames Leben wirklich ... Kann er denn zweimal zurückgegeben werden? Oder war es beim erstenmal auch nur ein Traum?

»Ganz friedlich, Mylady. Friedlich im Schlaf. Als die Wache ihm das Essen brachte, fanden sie ihn auf seinem Bett ausgestreckt, ein Lächeln auf dem Gesicht.«

Gott sei Dank, Gott sei Dank, Gott sei Dank ... »War er krank gewesen?« fragte sie mit dünner Stimme.

»Nicht, daß irgend jemand wüßte, nein.«

»Ist er ... hat man ihn schon begraben?«

Diese Worte, diese Worte, die gleichen Fragen, und jetzt muß ich eine neue Antwort hören, eine neue Antwort. Man muß ihn herbringen, hierher, wo ich sein Grab besuchen kann.

»Ja, er wurde in einer kleinen Kirche bei Dragsholm beigesetzt.«

Sie schrie auf. Er war weg, fortgenommen. Sie konnte nicht bei seiner Beerdigung dabei sein, nicht einmal sein Grab sehen.

Shrewsbury konnte nicht anders; er durchbrach das Protokoll und nahm sie in die Arme, und er hielt sie fest, als das Schluchzen sie schüttelte.

»Tröstet Euch, Mylady«, sagte er. »Er hat nicht gelitten. Er wurde gut behandelt, ernährt und versorgt. Sein Quartier war nicht weit von dem Meer, das er so liebte, und wo er begraben ist, kann er die Brandung hören. In alle Ewigkeit kann er das Meer singen hören.«

15. Mai, Anno Domini 1578. Ich sitze hier, halte die Feder, starre auf das Papier, will dir Worte schreiben und kann es doch nicht. Sie hinschreiben heißt, sie fixieren und Wirklichkeit werden lassen. Sie nicht hinschreiben heißt, sie in jedem Augenblick in meinem Kopf mit mir herumzutragen. Wenn ich sie hinschreibe, wird das die Bürde von mir nehmen? Oder wird es sie nur verdoppeln, wenn das Wissen jetzt an zwei Orten bewahrt wird?

An diesem Tag vor elf Jahren wurde ich mit Lord Bothwell verheiratet. Nur einen Monat lebten wir zusammen als Mann und Frau. Den Rest unserer Ehe – zehn Jahre und elf Monate – haben wir getrennt verbracht, in verschiedenen Gefängnissen in verschiedenen Ländern, eingesperrt ohne rechtmäßigen Grund, nur weil wir sind, wer wir sind. Wir haben einander Treue bis zum Tod gelobt, und nun ist er gekommen, und wir sind für immer getrennt.

Mein Lord, meine Liebe, mein Gemahl, James Hepburn, Earl von Bothwell, ist tot.

So. Ich habe es geschrieben.

Aber ich fühle mich nicht besser. Es nimmt mir nichts von meiner Last.

Shrewsbury hat es mir vor zwei Tagen gesagt. Er kam her und sprach selbst mit mir. Er war sehr behutsam, und ich sah, daß es ihn schmerzte, aber ich bin dankbar, daß er den Mut dazu hatte. Es stimmt; Dänemark hat es bestätigt. Er sagt, Bothwell habe keine persönliche Habe hinterlassen und es sei nichts da, was er mir vermacht habe. Er sagt, er habe nicht gelitten, sondern sei im Schlaf gestorben.

Wie konnte Bothwell im Schlaf sterben? Ich kann mir nicht vorstellen, daß er so demütig sein könnte; ich dachte immer, er werde dem Tod wie ein Krieger entgegentreten. Aber der Tod ist ein verschlagener Bube, und er kommt, wenn wir ihn nicht erwarten. Er macht sich einen Spaß daraus, uns um das Ende zu betrügen, das wir für uns geplant haben. Den Soldaten zwingt er zu einem schlafbetäubten Abschied, den Vertrauensvollen ereilt er mit einem Becher Gift oder einem Dolchstoß in den Rücken, den Kräftigen mit langsamer Auszehrung, den Mann der Worte mit Schweigen. Märtyrer auf dem Scheiterhaufen hoffen, mit tapferen Worten ein gutes Beispiel geben zu können, aber oft ist ihnen diese Möglichkeit geraubt, und sie gehen schmählich zugrunde, oder sie widerrufen gar und widerlegen damit ihr ganzes Leben.

Bothwell ist tot.

Kann er mich jetzt sehen? Ist er in der Nähe, hier im Zimmer, sieht er mir zu? Ist sein Geist, aus dem Kerker befreit, hergeflogen? Ach, wäre es doch so!

Als Shrewsbury es mir sagte, fühlte ich, wie mich eine schleichende, kalte Lähmung überkam, als höre das Leben in meinen eigenen Gliedern plötzlich auf. Ich begann mit den Zähnen zu klappern, obgleich es ein warmer Frühlingstag war. Der Tod hat einen eiskalten Griff; seine Finger sind Eiszapfen, seine Hände bleiern kalt, und ich fühlte seine Gegenwart ringsumher und in mir. Ich ging zu Bett und lag einfach da, zitternd, mit starrem Blick.

Es war wie damals in Jedburgh, als man mich aufgegeben hatte. Auch dort lag ich kalt und regungslos, und mein Zustand verschlimmerte sich von Augenblick zu Augenblick. Wäre ich doch in Jedburgh gestorben!

Aber Gott hat mich verschont, damit ich all dieses Elend erleide. Ich habe seitdem nur wenige glückliche Augenblicke erlebt, und die meisten davon mit Bothwell. Jetzt ist er fort, und wir werden einander auf dieser Welt nicht wiedersehen.

Sieht er mich jetzt? Werde ich ihn sehen, wenn ich tot bin?

Die schattenlose Mittagssonne liegt über dem Land, das ich von meinem Fenster aus sehen kann. Am hellichten Tag erscheint der Tod am erbarmungslosesten. In der Dämmerung, um Mitternacht – dann vielleicht werde ich mehr schreiben. Jetzt ertrage ich es nicht mehr.

Der Haushalt schläft, und ich habe die kleine Kerze über meiner Bettstatt angezündet. Ich schreibe im Bett, was schwierig ist, aber ich will nicht hinaus. Nur im Bett fühle ich mich sicher. Das Fenster ist offen, und ein kühler Wind stiehlt sich herein und berührt mich mit eisiger Zuversicht. Der Tod ist daheim; dies ist seine Stunde. Ich sollte ihn begrüßen, sollte Ronsards »Hymne an den Tod« singen. Wenn ich ihn willkommen heiße, wird er dann gütig zu mir sein? Wird er mir die Anwesenheit meines Geliebten gewähren, ihn aus seinem stummen Griff entlassen und ihn zu mir an meine Seite huschen lassen?

Der Tod ist der grausamste Kerkermeister. Ihn kann man nicht bestechen, nicht bereden, und er läßt sich niemals erweichen ... O Tod, bitte nur einen Augenblick ... ich habe ihn schon einmal an dich verloren, und du hast ihn mir zurückgegeben. Tu es noch einmal!

Ich spürte die Gegenwart meines Mannes in diesem Raum, hörte, wie er mich rief, wie er mich bat, vom Bett aufzustehen und ihm zu folgen. Aber als ich es spürte, hatte ich Angst wie noch nie. Ich sagte mir, es sei nur Bothwell, Bothwell, der mir nie etwas zuleide tun würde; aber irgendwie konnte der Tod ihn in etwas anderes verwandelt haben, und das hätte ich nicht ertragen. Und so wartete ich, umschlang die angezogenen Knie mit den Armen und bemühte mich, entweder den Mut zu finden, dem Ruf zu folgen, oder aber zu merken, daß alles nur in meiner Phantasie stattfand, und mich zu beruhigen. Aber ich vermochte weder das eine noch das andere. Er war hier, er rief, doch ich war erstarrt und konnte mich nicht rühren. Ich sah nichts, und es bewegte sich nichts; die Erscheinung sprach unmittelbar zu mir, in meinem Geist.

Bothwell, ich habe dich im Stich gelassen. Verzeih mir. Ich bin sterblich, und ich habe Angst.

Leise klappte sie das Buch zu. Sie hatte Angst, schreckliche Angst. Ihr Herz klopfte auch noch, nachdem sie die Worte in ihr Tagebuch geschrieben hatte. Sie hatte gedacht, es werde sie beruhigen, und das hatte es in gewisser Weise auch getan. Aber das Zimmer mit seiner furchtbaren Dunkelheit umschloß sie lastend – wie ein Grab. Sie wollte nicht länger im Bett bleiben, denn entweder würde sie starr und schlaflos die ganze Nacht daliegen, oder sie würde von Alpträumen geplagt werden.

Langsam und vorsichtig tastete sie sich zu dem Stuhl vor dem Kamin, wo Mary Seton gewöhnlich einen Schal verwahrte, den sie sich um die Schultern legen konnte. Er war tatsächlich da, und sie hüllte sich darin ein und ging auf die Tür zum äußeren Gemach zu. Ihre bloßen Füße machten kein Geräusch auf dem Boden, der nicht so kalt war, daß es sich gelohnt hätte, zum Bett zurückzukehren und ihre Pantoffeln zu suchen. Sie beschloß, in ihre Privatkapelle zu gehen, um zu beten. Dort würde die Dunkelheit nicht so bedrohlich sein.

Als sie ins Nachbargemach kam, sah sie zu ihrer Überraschung einen Lichtschimmer, der aus dem angrenzenden Zimmer drang, und sie hörte leise Männerstimmen. Sie hatte gedacht, alle schliefen schon. Langweilten sich die Wachen? Waren sie unruhig in dieser warmen Frühlingsnacht?

Vor allem wollte sie nicht, daß die Leute sie sahen; sie wollte allein sein! Auf Zehenspitzen ging sie zur Tür, und sie wollte verstohlen daran vorbeigehen, als sie das Wort hörte: *Bothwell*.

Sie blieb stehen, als habe jemand mit einem Stein nach ihr geworfen. Sein Name, sein Name schien krachend um sie herum zu hallen. Es war, als habe niemand außer ihr die Erlaubnis, ihn zu benutzen.

Wie können sie es wagen, war ihr erster, zorniger Gedanke. Wie vom Donner gerührt stand sie da.

»War schon seit ein paar Tagen tot, hieß es«, sagte eine vertraute Stimme.

»Wer hat ihn eigentlich gefunden?«

»Irgendein Junge, der das Stroh wechselt. Sie hatten ihn derart isoliert in seinem Verlies, daß normalerweise kein Mensch in seine Nähe kam.« Das war Babington – Anthony Babingtons Stimme! »Er hatte völlig den Verstand verloren und lebte angekettet wie ein Tier. Aber ich glaube, letzten Endes war es die Dunkelheit. Fünf Jahre lang eingesperrt im Dunkeln!«

»Woher wißt Ihr das?«

»Ich habe einen Freund, der Cecil bei seiner Korrespondenz hilft. Bei Hofe wurde es allen zugetuschelt, die es betrifft – allen außer Königin Maria. Die arme Frau – wer wollte ihren Schmerz noch vergrößern?« meinte Babington. »Shrewsbury hat ihr erzählt, er sei friedlich in einem bequemen Bett gestorben. Es ist besser so.«

»Aber was ist denn genau *passiert*?« fragte die andere Stimme hartnäckig.

»Ich sage doch, sie haben ihn tot aufgefunden! Er saß aufrecht da, völlig steif! Aber er war schon lange davor wahnsinnig geworden. Man erzählt sich« – die Stimme wurde leise und vertraulich, und

Maria mußte den Atem anhalten, um die Worte zu verstehen – »er habe gekämpft und sich gegen den Pfosten geworfen, an den er gekettet war. Aber nur am Anfang. Am Ende hatte er sich ganz und gar und restlos aufgegeben und hockte nur noch still da. Es heißt, er war über und über bedeckt mit Haaren und Dreck …«

Maria rannte in ihr Zimmer zurück und umklammerte den Kopf mit beiden Händen, als werde das die Pein vertreiben und die Worte aus ihrem Gedächtnis verbannen.

Oh, meine Liebe, dieses Wissen kann ich nicht ertragen. Sie weinte, während sie rannte, von Verzweiflung gekrümmt. *Ich kann es nicht, ich kann es nicht. Wäre doch ich an deiner statt gestorben! Meine Liebe, mein Leben, meine Seele!*

Sankt-Swithins-Tag. 15. Juli 1579. Hier glaubt man, wenn es am Tag des heiligen Swithin regnet, dann wird es vierzig Tage regnen. Es hat etwas damit zu tun, daß es einen Wolkenbruch gab, als man im Jahr 971 den Leichnam des Heiligen gegen seinen Wunsch verlegte. Es gibt hier manchen bezaubernden Glauben von dieser Art. Anthony Babington hat mir heute morgen von diesem erzählt, als alles vom prasselnden Regen geweckt wurde.

Wenn es hier regnet, kann es in unglaublichen Gießbächen regnen. Der Himmel wird schwarz, die Wolken grollen, und das Wasser weht in dichten Schleiern herab, so viel, daß die Erde gar nicht alles aufnehmen kann. Die Gräben füllen sich mit wirbelnden Bächen, die Straßen verwandeln sich in Sümpfe. Hier in Sheffield Manor, wo wir den Sommer verbringen, klingt das Prasseln des Regens auf den großen Eichen im Park, als schlügen römische Soldaten mit den Speeren auf ihre Schilde.

Anthony kam, um mir Lebewohl zu sagen. Wieder verläßt jemand mein Leben, jemand, der mir am Herzen lag. Einer nach dem anderen gehen sie alle fort. Anthony hat ganz recht damit; er ist ein junger Mann, der bereit ist, in die Welt hinauszuziehen.

»Ich gehe nach London«, sagte er. »Ich habe mein Erbe angetreten, wie Ihr wißt, und es ist ein stattliches Erbe. Aber ich werde niemals von meinen Grundsätzen abweichen, teure Königin, und ich werde weder von Euch noch vom wahren Glauben abfallen. Ja, ich suche sogar eine katholische Gemahlin. Es ist an der Zeit.«

Ich sah ihn an. Er war noch hübscher als in seinen Knabenjahren, und jede Frau hätte eine verlockende Partie in ihm gesehen. Da sein Vater tot war, stand es ihm freier als den meisten, seine Wahl allein zu treffen.

»Ich werde Euch vermissen, Anthony«, sagte ich unwillkürlich. Die ewige Stimme der Zurückgelassenen. »Aber es tröstet mich, zu wissen, daß Ihr der Kirche treu bleiben wollt. Gott weiß, es wird immer schwieriger.«

»Ja, und mehr als das – vielleicht werde ich tatkräftig helfen können«, sagte er. »Es gibt da Pläne ...«

»Pst, Anthony«, sagte ich. »Verstrickt Euch da nicht hinein. Jetzt noch nicht.« Lebe erst ein wenig, wollte ich damit sagen. Setze dein Leben nicht aufs Spiel, bevor du davon gekostet hast.

Er sah enttäuscht aus. Wenn er gedacht hatte, ich würde seinen Plänen Beifall spenden, dann irrte er sich. Es wird immer gefährlicher, sich mit diesen Dingen zu befassen. Seit ich in England bin, ist die Lage der Katholiken immer ärger geworden. Elisabeth hoffte offenbar, daß der Katholizismus mit seinen alten Priestern aussterben werde. Aber ein paar Unbeugsame haben im Exil in Douai ein katholisches Seminar gegründet, und zwar ausdrücklich zu dem Zwecke, katholische Priester auszubilden; seit 1575 kommen diese nun heimlich nach England, und unvermittelt haben viele heimliche Katholiken, die immer gehorsam in den anglikanischen Gottesdienst gegangen waren, damit aufgehört, und junge Leute lassen sich zum alten Glauben zurückbekehren. Die alten katholischen Familien – wie die Anthonys – haben ein geheimes Netzwerk von Häusern gebildet, in denen die Priester sich verstecken können. Es hat sich sogar eine Profession von Zimmerleuten und Maurern entwickelt, die darauf spezialisiert sind, einfallsreiche Verstecke für Priester in die Häuser zu bauen. Wie alles Verbotene ist der Katholizismus jetzt von besonderer Anziehungskraft für die aufsässige, abenteuerlustige Jugend. Oxford hat eine besonders ausgeprägte Neigung zum Katholizismus.

Ich kenne Anthony, und ich weiß, daß er sich davon angezogen fühlt; wahrscheinlich sieht er sich als Führer der verfolgten englischen Katholiken, der sie versteckt, lenkt und finanziert. Er ist ehrgeizig, und er möchte Anführer sein, nicht Mitläufer.

Er sah mich funkelnd an. »Ich werde Jura studieren«, sagte er schließlich.

»Gut, Anthony. Das wird Euch Ansehen bringen.«

»Die Jesuiten kommen«, sagte er. »Das ändert manches. Sie

werden die Führung übernehmen, und dann ist Schluß mit diesem feigen Schleichen und Sichverstecken. O ja! Das ist nämlich nicht ihre Art.«

»Anthony, ich bete darum, daß die Jesuiten *nicht* kommen mögen«, sagte ich zu ihm. »Der neue Papst, Gregor XIII., hat genug englischen Patriotismus entfacht mit seiner unglückseligen Invasion in Irland. So ein dummer, dummer Plan – die Engländer zu vertreiben! Damit ist die Verteidigung der Priester für alle Zeit zunichte gemacht; sie können nun nicht mehr sagen, ihre Arbeit sei nicht politisch, und für die Engländer sind sie jetzt böse Auslandsagenten im Land.«

»Papst Gregor hat zumindest die Bulle zurückgezogen, die Elisabeth exkommuniziert – *das* dürfte ihnen doch gefallen haben!« sagte Anthony.

»Nein, es hat es schlimmer gemacht!« sagte ich. Anthony machte ein verdattertes Gesicht (vielleicht war sein Sinn für Politik doch noch naiv), und ich erklärte es ihm. »In seiner *Explanatio* sagt er, die Bulle sei nicht verbindlich, ›außer wenn die öffentliche Ausübung besagter Bulle möglich ist‹. Mit anderen Worten: Alle katholischen Untertanen dürfen *so tun*, als gehorchten sie Elisabeth, bis die Armee kommt, die Elisabeth stürzt.«

»Und!« Er machte ein geringschätziges Gesicht.

»Daraus folgt: Wenn ein Katholik ihr jetzt Treue schwört, hat das nichts zu bedeuten – außer daß er eben abwartet. Die *Explanatio* hat uns alle zu heuchelnden Verrätern gemacht.«

»Euch doch nicht!« widersprach er. »Wie kann eine Königin eine Verräterin sein?«

»Ich meinte, alle Katholiken. Anthony, seht Euch vor.«

Aber er stürmte davon, lächelnd, lachend. Er ist jung, und er will Abenteuer erleben.

Ich hatte ihn an Cuthbert Mayne erinnern wollen, der vor zwei Jahren hingerichtet wurde, und an die beiden anderen katholischen Priester, die vor einem Jahr starben. Sie waren die ersten Märtyrer, die unter Elisabeth für ihre Religion in den Tod gehen mußten. Ich fürchte, sie werden nicht die letzten sein.

22. Juli 1579. Es regnet noch immer, wie schon seit sieben Tagen. Der Boden ist so aufgeweicht, daß die Pferdehufe bis an die Fesseln einsinken, und so sind alle Botschaften lange unterwegs, ob sie nun kommen oder gehen.

Ich wünschte, ich hätte Anthony noch an andere Dinge erinnert, etwa an die zunehmend militante Haltung Philipps. Er hat kürzlich eine Proklamation herausgegeben, in der er Wilhelm von Oranien die Schuld an den Unruhen im Christentum im allgemeinen und in den Niederlanden im besonderen gibt, und er hat es für rechtens erklärt, wenn man ihn ermorden wollte. Erst wurde Lord James in Schottland ermordet, dann Coligny in Frankreich, und jetzt ruft Philipp zum Mord an Wilhelm auf. So *werden* die Katholiken zu den Meuchelmördern, die die Protestanten fürchten. Zwei der entschiedensten Führer der Reformation *sind* schon ermordet worden. Da nimmt es kaum Wunder, daß Elisabeth sich bedroht fühlt und daß ihre Untertanen sie zu schützen trachten.

Alles das bedeutet für mich, daß man mich immer mehr als die gefährliche »Schlange am Busen« betrachtet, wie Walsingham mich nennt: als Feind in ihrer Mitte. Dabei haben sie doch darauf bestanden, mich in ihrer Mitte zu *behalten*, als ich bat und flehte, man möge mich freilassen!

15. Oktober, Anno Domini 1580. Kann es wirklich so lange her sein, daß ich in dieses kleine Buch geschrieben habe? Als ich nach England kam und man es mir schenkte, da dachte ich, es werde nicht einmal ein Jahr halten. Aber ich stelle fest, daß der größte Teil dessen, was ich schreibe, Briefe sind, und wenn ich damit fertig bin, habe ich keine Lust, noch mehr zu schreiben, denn dann tun mir die Hände weh und sind gefühllos. Diese Briefe – wie viele gibt es wohl? Genug, um mehrere Bände zu füllen, wollte man sie sammeln. Und das Traurige oder Erheiternde an ihnen – je nach dem, wer man ist – besteht darin, daß sie alle das gleiche sagen. In ihnen schreit eine Gefangene nach der Freiheit, und sie schreit nach jedem, von dem sie glaubt, er werde helfen. Kein Stratagem, das da nicht benutzt würde: Es finden sich Bitten und Appelle an die Sentimentalität, Appelle an die Gerechtigkeit, Appelle ans Blut und Appelle an die Barmherzigkeit; da sind Drohungen sowohl für das Hier und Jetzt als auch für das Jenseits. Wilde Versprechungen sind dabei, aber auch Angebote, alles mögliche zu tun. Am Ende aber war die Antwort immer: Nein. Und so wäre ich vielleicht besser beraten gewesen, wenn ich einfach nur meine Gedanken für mich selbst und für

die Nachwelt aufgezeichnet hätte, statt solche Mühen darauf zu verwenden, vor tauben Ohren zu weinen.

Doch nein. Es war unmöglich, zu schweigen. Denn es bestand immer die Hoffnung, daß vielleicht diesmal …

Allmählich verblaßte meine Erinnerung daran, wie es war, *nicht* gefangen zu sein. Dreizehn Jahre ist es jetzt her, daß man mich nach Lochleven brachte. Man sagt, ich habe die Verbindung zur Welt verloren; sie verändere sich rasend schnell, und ich lebe in der Vergangenheit, inmitten von toten Ideen und toten Menschen. Vielleicht stimmt das, obwohl es mir so erscheint, als lebte ich mehr und mehr im Reich der Ewigkeit, in einer Zeit, die erst noch kommen wird. Wenn ich endlich meine Angst vor dem Tod besiegt habe, wird hier nichts mehr sein, was mich hält. Aber noch habe ich sie nicht besiegt; für mich ist er immer noch ein grober Offizier, der mich festnimmt und abführt, wie es die Engländer getan haben, und mich trennt von den wenigen Dingen, die mir noch teuer sind.

Strafe. Vergeltung. Heimzahlung. Ist es das, was ich zu erleiden habe? Als sich zum erstenmal die Gefängnistüren hinter mir schlossen – und die Türen sind alle gleich, seien sie nun in Lochleven, in Carlisle, in Tutbury, Wingfield oder Sheffield –, da glaubte ich es. Aber inzwischen währt die Strafe, die Vergeltung, das Leiden, die Auswirkungen des Versagens, wie immer man es nennen will – inzwischen währt es so viel länger als die Sache selbst. Es scheint mir jedes Verhältnismaß zu sprengen, und so muß ich mich immer wieder fragen: Warum?

Schottland erscheint mir manchmal wie ein Traum, und noch jetzt im Rückblick finde ich es verwirrend. Man sagt, mit der Entfernung wird alles klarer, aber aus der Ferne sieht Schottland noch unwirklicher und nebelhafter aus. Es war meine Bewährungsprobe, und ich habe sie nicht bestanden.

Schottland existiert natürlich weiter, und es ist immer noch ein gefährlicher Ort. In letzter Zeit ist ein neues Element entstanden; es war vorhersehbar, aber die Lords sind nichtsdestoweniger in Panik geraten. James wird erwachsen; er ist jetzt vierzehn und hat seinen eigenen Kopf. Er ist nicht so leicht zu beherrschen, und er hat sich seinen französischen Cousin Esmé Stuart an seine Seite geholt, um gegen seine Hüter zu rebellieren. Es heißt, die Guise hätten ihn herübergeschickt, um James zu »verderben«. Wie dem auch sei, es hat jedenfalls wieder einen Aufstand und ein Komplott gegeben, und der Earl von Morton wurde seines Amtes als Regent enthoben und vor Gericht gestellt. Und weshalb? Wegen Mordes an Darnley.

Morton wurde mit seinem Lieblingsgerät hingerichtet, mit einer Enthauptungsmaschine namens »Jungfrau«, bei der eine schwebende Klinge von oben auf das Haupt des Delinquenten heruntersaust. Man nennt es »die Jungfrau«, weil man sagt: »Zwar haben schon viele Männer bei ihr gelegen, aber noch keiner hat sie übermannen können«. Es soll viel sauberer und sicherer sein als ein menschlicher Henker. Und so ist er dahingegangen, dieser scheußliche Mann, mein Feind.

Jetzt, da James von ihm befreit ist, kann ich vielleicht an ihn herankommen. In all den Jahren haben sie verhindert, daß wir Verbindung miteinander hatten. Aber sicher wird er jetzt auf seine Mutter hören. Ich habe ihm einen Vorschlag zu machen, der uns vielleicht beiden Nutzen bringen kann.

11. Juni, Anno Domini 1582. Ich bin jetzt in meinem vierzigsten Jahr – wie mich bei diesen Worten friert! Ich kann kaum die erste sein, die überrascht feststellt, daß sie plötzlich so »alt« ist, aber als ich fünfzehn war, zwanzig, fünfundzwanzig, da dachte ich, die Jugend dauert ewig.

Nicholas Hillard war kürzlich in Sheffield, um Miniaturen von Shrewsbury und seiner Familie zu malen, und von mir hat er auch eine gemacht. Ich fand sie abscheulich. Die Frau, die er malte, war wie eine merkwürdig verzerrte Version des Mädchens, das Clouet vor langer Zeit in Frankreich malte. Sie hatte die gleichen Gesichtszüge, aber sie waren verschwommen, zerlaufen, aufgeweicht wie eine überreife Birne. Ich habe oft gesehen, wie solche Birnen auf dem Teller liegen. Sie behalten wohl ihre Form, aber sie sind so weich, daß sie unten, wo sie aufliegen, ein bißchen platt geworden sind, und die Schale ist leicht geschwollen. Sie schmecken dann übrigens am besten, vorausgesetzt, daß man sie auch wirklich in diesem Augenblick ißt. Einen Tag später sind sie unweigerlich matschig, und sie bekommen Flecke.

Wenn ich mir vorstelle, daß ich in diesem Stadium bin! Und doch, wenn ich in den Spiegel schaue, muß ich zugeben, daß das Porträt zutreffend war; es hatte alle Züge eingefangen. Es war sogar, um die Wahrheit zu sagen, ein bißchen schmeichelhaft. Mein Kinn ist voller, als er es gemalt hat, und meine Nase spitzer.

Eine Frau von vierzig Jahren. Man sieht sie als einfältiges, albernes Mädchen, als Hexe oder als laszive Menschenfresserin, die es nach jungem Männerfleisch gelüstet. Bothwells Janet Beaton sah man auch so, und selbst die elegante Diana de Poitiers mit ihrem jungen Heinrich II. – beide Frauen waren ungefähr zwanzig Jahre älter als ihre Liebhaber. Ich habe Chaucer gelesen, und sein Weib von Bath ist eine glucksende, lippenschmatzende Libertine, die zugibt, daß sie ihren zwanzigjährigen Gemahl nahm, als sie vierzig war, »und wahrlich, wie meine Gatten mir alle sagten, ich hatte das seidigste *quoniam*, das man sich denken konnte; nie konnte ich meine Venus-Kammer vor einem braven Kerl verschließen.« Ich erröte, wenn ich derlei niederschreibe, auch wenn Chaucer es nicht tat.

Ich nehme an, wenn ich die Neigungen des Weibes von Bath hätte, dann wäre Anthony Babington bei der Hand gewesen, auch wenn er für mich immer ein kleiner Junge sein wird. Aber Anthony hat mich, auch wenn er mich zu verehren und zu mögen schien, niemals mit einem unschicklichen Blick bedacht. Und ich habe gehört, nachdem er nach London gegangen war, habe er eine gute Ehe mit einem katholischen Mädchen geschlossen, und er sei eine sehr modische Erscheinung bei Hofe gewesen. Er hat sich dann nach Frankreich verfügt und dort, wie ich höre, Verbindung mit Thomas Morgan, meinem Repräsentanten in Paris, aufgenommen. Er lechzt noch immer nach Abenteuern, glaube ich, und ich bete darum, daß er nicht echten Abenteurern und Schurken zur Beute wird.

Aber noch zu dieser Geschichte mit dem Weib von Bath – es ist da jetzt eine überaus erstaunliche, jämmerliche und komische Brautwerbung zwischen Elisabeth und dem kleinen François, dem Sohn Katharina von Medicis, im Gange. Der Altersunterschied zwischen ihnen beträgt zweiundzwanzig Jahre. François, der erst sechs Jahre alt war, als ich England verließ, ist nach England gekommen, um sie zu freien, und allen Berichten zufolge ist sie ganz vernarrt in ihn! Anscheinend ist er der einzige von ihren zahllosen Freiern, der tatsächlich den Kanal überquert hat und persönlich hergekommen ist, um sie zu umwerben – und so gibt sie vor, ihn ganz bezaubernd zu finden, obwohl er kleinwüchsig, pockennarbig und von hysterischer Disposition ist. Sie nennt ihn ihren »Frosch« und trägt eine goldene Froschbrosche mit Smaragdaugen, und sie hängt sich an ihn und seufzt.

Robert Dudley findet das nicht erheiternd, aber er kann sich nicht leisten, sich zu beschweren. Er selbst hat sich heimlich verheiratet, mit Lord Knollys' Tochter Lettice, und die Königin hat getobt, als sie es erfuhr – vom *aide* ihres »Froschs«. Ihr getreuer Robin hatte schließlich, nach siebzehn Jahren, das Warten satt und desertierte von seinem Posten. Manche meinen, sie strebt diese französische Verbindung nur aus Rachsucht an; andere sagen, sie braucht einen Ausgleich. Sie ist kurz davor, überhaupt keine Kinder mehr bekommen zu können, und vielleicht greift sie hier nach einem letzten Strohhalm. Auf alle Fälle bezweifle ich, daß sie ihn nach Art des Weibes von Bath begehrt. Aber jetzt ist ihr Staatsrat und das halbe Reich nicht mehr so sicher, ob sie wirklich wollen, daß die Jungfräuliche Königin ihren Posten ebenso sicher aufgibt wie Robert Dudley den seinen. Seit über zwanzig Jahren drängen sie sie zum Heiraten, und jetzt, wo sie es vielleicht tun wird, da sind sie entsetzt.

Und ich? Wenn sie heiratet und ein Kind bekommt, dann ist mein Sohn aus der Thronfolge verdrängt. Aber ich kann ihr die Ehe nicht mißgönnen – auch wenn ich selbst nie wieder heiraten würde. Ich werde als Bothwells Witwe sterben – und so will ich es auch.

Und was James angeht, so habe ich einen Vorschlag veröffentlicht, der ernsthaft in Erwägung gezogen wird: Er und ich sollen in einer sanktionierten Assoziation gemeinsam regieren. Damit wäre sein Königtum bestätigt und mir die Freiheit wiedergegeben. Ich glaube, es besteht eine reale Möglichkeit, daß der Vorschlag angenommen wird, und so wird dann endlich jeder zufrieden sein. Meine alten Feinde in Schottland sind alle tot: Lord James, Morton, Lennox, Knox. Meiner Rückkehr dürfte jetzt nichts mehr im Wege stehen. Und sicher wären die Engländer erleichtert, wenn sie mich nicht länger festhalten müßten!

Denn immer mehr wirkt es sich zu ihrem Nachteil aus, mich hier zu haben. Jeden Zweck, den es einmal gehabt haben mag, hat es längst überlebt, und statt ihnen Sicherheit zu erkaufen, provoziert es im Gegenteil lauter Verschwörungen und Unruhe. Ich kann nichts dazu, daß das Verhältnis zwischen Katholiken und Protestanten sich derart verschlechtert hat. Aber das hat es getan, und meine Anwesenheit hier ist gefährlich für mich und für sie. Es steht ja nicht in meiner Macht, Wahnsinnige daran zu hindern, daß sie rings um mich herum ihre Ränke spinnen und schmieden. Ich bin Geisel meiner eigenen Parteigänger, und für ihre Pläne wird man mich bestrafen.

Es ist geschehen: Jemand hat versucht, Wilhelm von Oranien, den protestantischen Herrscher der Niederlande, auf Philipps Aufruf hin zu ermorden. Zum Glück hat er überlebt, aber jetzt fürchtet man auch um Elisabeths Leben, denn sie ist die zweite große protestantische Herrscherin. Kardinal Como, der päpstliche Außenminister, hat – schriftlich – erklärt, daß derjenige, der Elisabeth ermorde, eine gute Tat begehe. Er sagt: »Da das schuldige Weib in England die Ursache für soviel Unrecht wider den katholischen Glauben ist, besteht kein Zweifel daran, daß jedweder, der sie aus der Welt schickt in der frommen Absicht, Gott einen Dienst zu erweisen, sich nicht nur nicht versündigt, sondern gar verdient macht, zumal im Hinblick auf das Urteil der Exkommunikation, ausgesprochen durch Pius V. seligen Angedenkens.« Der Heilige Stuhl rät also zum Mord – was würde der Friedensfürst dazu sagen?

Zur Antwort hat das englische Parlament eine Reihe bösartiger Gesetze gegen die Katholiken erlassen: Es ist jetzt Hochverrat, einen Anglikaner zum Katholizismus zu bekehren; wer die Messe liest oder mitfeiert, riskiert eine hohe Geldbuße und ein Jahr Kerkerhaft, und mit schwerer Buße wird jeder belegt, der es versäumt, am anglikanischen Gottesdienst teilzunehmen.

Aber die Jesuiten kommen immer weiter hierher; sie setzen ihr Leben für ihren Glauben aufs Spiel – und das meine dazu. Sie haben eine geheime Druckerei eingerichtet und bringen einen Strom von Traktaten und Büchern hervor; eines wurde sogar in mehreren hundert Exemplaren in Oxford verteilt, und zwar genau in der Kirche, in der gerade formelle akademische Exerzitien abgehalten wurden! Seit kurzem sind sie auch in der Gegend von Sheffield, und zu meiner übergroßen Freude habe ich einen von ihnen, Pater Samerie, empfangen können. Er konnte zwar nicht bleiben, aber es war schon ein Segen, ihn wenigstens für einen Tag bei mir zu haben. Dennoch, ich fürchte für ihn und seine Brüder. Möge Gott sie beschützen!

In diesem Klima wurde das »Heilige Unternehmen« in Gang gesetzt – das heißt, es wurde mit Worten in Gang gesetzt. Das »Heilige Unternehmen« ist nicht mehr und nicht weniger als die

Rückeroberung Englands für den katholischen Glauben. Diesmal stehen meine Verwandten, die Guise, als führende Köpfe dahinter, und mit ihnen Papst Gregor, Philipp und die englischen Exilkatholiken. Sie träumen davon, mit fünftausend aus den Niederlanden entliehenen spanischen Soldaten in England einzufallen, angeführt vom jungen Duc de Guise, meinem Neffen; in England werden sich ihnen zwanzigtausend Einheimische anschließen. Sie werden mich befreien, sagen sie. Durch meinen geheimen Boten, Francis Throckmorton, Nicholas' Neffen, habe ich mich über alle diese Pläne auf dem laufenden halten können. Wer bin ich, daß ich mich dagegen wendete? Sie versprechen, mich zu befreien. Wenn meine Kerkertür weit aufgesperrt wird, soll ich mich dann weigern, hinauszugehen? Soll ich sein wie der hl. Paulus und meine Ketten behalten? Nein, das werde ich nicht tun. Denn der hl. Paulus wurde eingekerkert für das, was er predigte und woran er glaubte; ich hingegen wurde ohne guten Grund eingesperrt – ohne irdischen Grund zumindest. Wenn Gott einen Grund hat, will ich mich fügen. Und wenn es Gottes Wille ist, dann kann keine Macht auf Erden mich befreien.

15. August 1584. Das Fest Mariä Himmelfahrt. Gestern bin ich aus Buxton zurückgekommen, und ich fürchte, ich werde es nie wiedersehen. Es war ein Gefühl, das mich überkam, ein Wispern, daß bald alles anders sein werde – bedeutet das, ich muß sterben? Sechs Wochen hatte ich in den warmen Quellen gebadet, im Wasser gelegen und meinen steifen Gliedern Linderung verschafft. Ich weiß inzwischen, daß ich niemals Heilung finden werde, sondern nur vorübergehende Erleichterung der Symptome. Der ganze Tag drehte sich um die Kur, und nachts kehrte ich in meine Gemächer in Shrewsburys Haus zurück, wo ich mir die Glieder mit dem Öl reifer Oliven, gemischt mit Kamille und Rosentau, einrieb und fühlte, wie sie warm und geschmeidig wurden. Dann konnte ich in Frieden schlafen. Mary Seton, die immer bei mir ist, hat jetzt ebenso schlimmen Rheumatismus wie ich, und auch sie hat sich der warmen Quellen bedient.

Dann saß ich wohl am Fenster und schaute auf die leere Straße hinunter – sie ist leer, weil so wenige Leute herkommen dürfen, wenn ich da bin, damit ja kein Spion oder Bote durchschlüpfen kann. Allein aus diesen Grund kann ich nicht lange dort bleiben, denn ich kann nicht guten Gewissens die ganze Stadt für mich beanspruchen.

Aber als ich gestern abend hinunterschaute, erfaßte mich plötzlich der Drang, Abschiedsworte in die Glasscheibe zu schreiben; da nahm ich den Diamanten des Herzogs von Norfolk vom Halse und ritzte folgende Worte ins Glas: *Buxtona, quae calida celebrisis nomine Lymphae, forte mihi post hac non adeunda, vale.* Das heißt: »Buxton, dessen Ruhm deine milchwarmen Wasser künden und das ich vielleicht nicht wiedersehen werde, lebe wohl.« Ich habe Buxton geliebt, aber ich kann Lebewohl sagen. Ich habe gelernt, allem Lebewohl zu sagen, was mir lieb oder teuer war. Heute, das habe ich meinen englischen Kerkermeistern gesagt, gibt es nur noch zwei Dinge, die man mir niemals wegnehmen kann: mein königliches Blut und meinen katholischen Glauben, die wahren Gründe für meine Haft.

Die Schönheit des Landes im Hochsommer war die der Erfüllung und des Friedens, als wir durch die Felder nach Sheffield Manor zurückkehrten. Ich erinnerte mich, daß es in Frankreich am Tag von Mariä Himmelfahrt immer Prozessionen in den Feldern gegeben hatte; das Bildnis Unserer Seligen Jungfrau wurde durch das Korn getragen und zog wie ein Schiff durch die Sommerernte. Doch nichts dergleichen gibt es mehr in England. Als wir durch den ausgedehnten Rotwildpark kamen, der Sheffield Manor umgibt – denn ursprünglich war es ein Jagdschloß und eine Sommerresidenz –, da wirkte der Schatten unter den wuchtigen Eichen so kühl und erholsam wie ein tiefer Brunnen und lockte uns, innezuhalten und ein Weilchen zu rasten. Aber natürlich wurde das nicht erlaubt. Wir mußten geradewegs durch das hohe, backsteinerne Torhaus und in unsere Gemächer zurück.

Man erlaubte mir, zu ruhen, und meine Damen durften auspakken, ehe man mir die unwillkommene und ominöse Nachricht überbrachte: Wilhelm von Oranien war ermordet worden, erschossen in seinem eigenen Hause in Delft, von einem burgundischen Agenten Philipps. »Niedergeschossen aus widerwärtig kurzer Entfernung«, wie Shrewsbury es ausdrückte.

»Das betrübt mich«, sagte ich.

»Es betrübt aber nicht Eure Verwandten, die Guise, und auch nicht den Papst oder die Jesuiten, die sich hier herumschleichen, und natürlich auch nicht Philipp von Spanien. Eure Freunde!«

»Das sind nicht meine Freunde«, erwiderte ich. Und wahrhaftig hatte ich mich mit der Tatsache abgefunden, daß sie es nicht waren. Alles, was sie mir zu geben hatten, waren Worte. Ich hatte allmählich den Verdacht bekommen, daß sie gar nicht wirklich die Absicht hatten, mir zu helfen, und daß ich nur eine Schachfigur war, die sie in ihrem Spiel der internationalen Politik mit Worten hin und her schoben. Nur sie hatten die Macht – mit Armeen und Soldaten –, mich zu befreien, aber sie würden es niemals tun, weil es sie gar nicht kümmerte. Diejenigen, die es kümmerte – fanatische Loyalisten, Adelsfamilien mit uralten katholischen Bindungen –, hatten nicht die Macht dazu. Und deshalb würde ich hier in England sterben, in meinem Turm, bewacht von unerschütterlichen protestantischen Drachen.

»Natürlich sind sie Eure Freunde!« sagte er. »Wenn nicht, warum beteiligt Ihr Euch dann an ihren Intrigen? Die Throckmorton-Verschwörung ...« Shrewsburys traurige Augen begannen zu glühen.

Ja. Die Throckmorton-Verschwörung. So nannten sie es – nach meinem Agenten, den Francis Walsingham gefaßt und gefoltert hatte. Er hatte als Kurier zwischen mir, dem spanischen Botschafter und allen Verschwörern in Europa gedient, die sich an der Planung des »Heiligen Unternehmens« beteiligten.

»Man hat mich nur darüber informiert«, sagte ich. »Ich habe weder Rat noch Unterstützung gegeben.«

»Aber Ihr hättet es Königin Elisabeth melden müssen! Daß Ihr es nicht getan habt, bedeutet, daß auch Ihr Verrat begangen habt! Habt Ihr nie vom pflichtwidrigen Unterlassen einer Anzeige gehört? So etwas liegt vor, wenn Ihr von einem Verrat wißt und ihn nicht zur Anzeige bringt. Es ist ein Verbrechen!« Seine Stimme wurde lauter, und sein sanftes Benehmen wandelte sich. In letzter Zeit hatte Shrewsbury sich verändert; er war erschöpft und verschlissen und der undankbaren Aufgabe müde, mein protestantischer Wachdrache zu sein. Verständlicherweise fühlte er sich überdies verraten, weil ich es gewagt hatte, mich vor seiner Nase an einer »Verschwörung« zu beteiligen.

»Lieber Freund, laßt uns nicht streiten. Dies ist bloß die Widerspiegelung eines sehr viel größeren Problems, eines, das sich vom ersten Augenblick meiner illegalen Haft hier auftürmte. Ich habe damals zu Sir Francis Knollys gesagt und sage noch heute: ›Wenn man mich hier gewaltsam festhält, dann mögt Ihr sicher sein, daß ich in meiner Verzweiflung jeden Versuch unterstützen werde, der meinen Zielen dient, ob nun ich selbst oder meine Freunde die Urheber sind.‹ Es gehört zur Rolle eines Gefangenen, daß er zu fliehen versucht, und es gehört zur Rolle des Gefängniswärters, daß er es verhindern will. Aber innerhalb dieser vorgeschriebenen Verhaltensformen können wir immer noch ehrbare Leute sein.«

»Ehrbar! Wenn man versucht, Elisabeth zu ermorden!«

»Nirgendwo hat jemand empfohlen, Elisabeth zu ermorden.«

»Dieser Somerfield ...«

»Dieser Somerfield war ein Irrer«, unterbrach ich ihn. »Ihr meint den Mann, der von Warwickshire kam, um die Königin zu erschießen und ihren Kopf auf eine Stange zu spießen, denn sie sei ›eine Schlange und eine Viper‹. Sicher wißt Ihr doch, daß jeder Herrscher in Angst vor solchen Leuten lebt. Wir alle zittern bei dem Gedanken daran.«

»Ich bin sicher, Ihr würdet weniger zittern als sonst jemand, wenn er Erfolg gehabt hätte.« Shrewsbury reckte mir das bärtige Kinn entgegen.

Ich war darüber zutiefst gekränkt, bemühte mich aber, mir nichts anmerken zu lassen. Ich, die ich Rizzio und Darnley durch blutigen Mord verloren hatte, konnte den Gedanken nicht mehr ertragen. Mord war etwas Furchtbares, ob er nun durch Gift, Kugel, Dolch oder Knüppel geschah – selbst wenn das Resultat nicht unerwünscht war. »Ihr verleumdet mich«, sagte ich schließlich nur.

»Ihr wißt so gut wie jeder andere, was beim Tod der Monarchin geschieht!« Jetzt brüllte er fast. »Spielt mir doch nicht die Unschuldige! Mit ihr erlöschen sämtliche Bestallungen: die Sheriffs, die Staatsräte, die Friedensrichter, die Richter, die Magistrate, das Parlament. Die Autorität liegt allein beim Erben, dem nächsten in der Thronfolge. Und hier wäret das Ihr!«

»Dann müßte ich den Mörder nicht minder fürchten«, sagte ich. »Glaubt Ihr wirklich, man ließe mich den Thron besteigen?«

»Ihr habt also schon daran gedacht!«

»Selbstverständlich habe ich daran gedacht. Wer hätte das nicht? Indem Elisabeth keinen Erben benennt, spielt sie doch jeden Tag ein Glücksspiel.«

»Weil es Komplotte gegen sie gibt?« Shrewsbury verbiß sich in das Thema wie ein Mastiff.

»Nein, sondern weil jeder Tag unseres Lebens ein Geschenk von Gott ist. Jeden Augenblick kann uns das Ende ereilen – auf natürliche Art. Nichts ist sicher.«

»Sicher *ist*, daß ein Meuchelmord schneller und zuverlässiger ist als diese schwerfälligen ›Invasions‹-Komplotte, die so viel Koordination und Planung erfordern, daß sie sich selbst auflösen. Und man benötigt so viele Kuriere und Botschaften, daß sie unausweichlich entdeckt werden«, fügte er selbstgefällig hinzu.

»Dank Eurem Walsingham und seinem Folterknecht im Tower«, erwiderte ich. Sie hatten Throckmorton gefaßt, seine Papiere beschlagnahmt und ihn gefoltert, ehe sie ihn hingerichtet hatten. Der spanische Gesandte, der im Zentrum der Verschwörung gestanden hatte, war von Elisabeth ausgewiesen worden. Jetzt gab es keinen spanischen Botschafter mehr in London, und so war ich jetzt mit all meiner Korrespondenz auf die Franzosen angewiesen.

»Ja, dank ihm! Und dank ihm, das freut Euch vielleicht zu hören, wurde dieser Jesuit Creighton von den Holländern auf seinem Schiff nach Schottland gefaßt. Oh, er war beladen mit Papieren über das ›Heilige Unternehmen gegen England‹ – jede Tasche in seinen Gewändern platzte aus den Nähten! Er zerriß sie und warf sie über Bord. Aber was glaubt Ihr? Der Wind liebte Elisabeth und wehte alles wieder zurück an Bord, wo unsere Agenten es einsammelten! Was sagt Ihr dazu?«

»Nur, daß die Allegorien dann wahr geworden sein müssen und die ganze Natur voller Ehrfurcht vor der Feenkönigin Gloriana steht.«

»Wagt Ihr es, wider unsere Königin zu lästern?« Jetzt stammelte er fast vor Wut.

»Elisabeth ist sterblich, und wider Sterbliche kann man nicht lästern«, sagte ich. »Dichtung und Wirklichkeit sind zwei verschiedene Dinge. Ich fürchte, für Euch und alle Engländer verschwimmt allmählich die Grenzlinie zwischen den beiden. Nennt sie Feenkönigin, Gloriana, Astraea, Cynthia oder Britomart nach Herzenslust – aber sie ist zuerst und zuvorderst eine Politikerin und keine Göttin. Außerdem« – konnte ich mir nicht versagen hinzuzufügen – »ist es denn nicht lästerlich von *Euch*, sie zu einer heidnischen Göttin zu erheben und einen Staatskult der Jungfrau um sie zu machen?«

»Demnächst tritt das Parlament zusammen, und dann werden

wir entscheiden, wie sie am besten zu schützen ist. Für Euch wird es kein guter Tag sein, das versichere ich Euch.«

»Mein Freund«, sagte ich, »für mich hat es hier keinen guten Tag gegeben, seit ich in Workington aus dem Boot stieg, stolperte und fiel. Ich habe mich seitdem nicht wieder zu voller Größe erhoben. Und inzwischen« – ich versuchte, dem Gespräch eine Wendung zum leichteren zu geben – »kann ich nicht einmal mehr gerade stehen, wegen meines Rheumatismus. Der sich übrigens sehr gebessert hat – dank Eurer Freundlichkeit, mit der Ihr mich nach Buxton zur Kur habt fahren lassen.«

Er lächelte matt. Er war in einer schwierigen Position. Wir konnten niemals wirklich Freunde sein.

Während all dessen hatte ich immer noch eine Hoffnung: Die Assoziation mit James. Es konnte immer noch einen ehrenvollen Ausweg aus diesem Fegefeuer für mich geben. Aber wenn nicht … dann mußte ich es ertragen, denn es war der Wille Gottes, des Allerhöchsten. Er, der Herrscher über Elisabeth und mich, die beiden schwesterlichen Königinnen, wird das letzte Wort haben, ungeachtet aller Pläne und Komplotte und aller Walsinghams.

Solange dieses teuflische Weib lebt«, sagte der schmale, dunkle Mann leise, »kann Ihre Majestät Königin Elisabeth nicht damit rechnen, weiterhin ruhig auf ihrem Thron zu sitzen – noch können wir, ihre getreuen Diener, uns unseres Lebens sicher sein.«

Er hielt die Miniatur von Maria, der Königin der Schotten, hoch und zeigte sie seinem Gefährten, als sei es ein Talisman von furchtbarer Macht.

»Aber, Sir Walsingham, unsere glorreiche Herrin weigert sich, der Wahrheit ins Auge zu sehen«, antwortete der Mann; es war Walsinghams oberster Agent Thomas Phelippes. Phelippes sah aus, als sei er aus schmelzendem Talg gemacht: Sein Haar und seine Haut hatten einen fettigen Glanz, und sein Gesicht war von Pockennarben übersät, als sei er einer Flamme zu nah gekommen, so daß er zu schmelzen angefangen hatte.

Walsingham nahm eine zweite Miniatur zur Hand; sie steckte in einem identischen Rahmen und stammte sogar von demselben Maler, von Nicholas Hillard. Er hielt die beiden Bilder vergleichend nebeneinander. »Sie sieht die Wahrheit wohl«, sagte er. »Aber ihr Motto ist: *Video et taceo* – ich sehe und schweige. Sie sieht die Wahrheit seit der Verschwörung des elenden Ridolfi, und die liegt vierzehn Jahre zurück. Das Parlament hat damals Marias Tod gefordert, und das Parlament hatte recht. Aber die Königin wollte nichts davon hören.« Er starrte die Porträts eindringlich an. »Da ist doch eine gewisse Ähnlichkeit zwischen ihnen. Eine Familienähnlichkeit.«

Seufzend lehnte Walsingham sich auf seinem Stuhl zurück. Er saß hier in seinem Londoner Quartier, dem Nabel seines weitverzweigten Spionage- und Sicherheitssystems zum Schutze Ihrer Majestät. Die Einrichtung war streng, aber funktional, wie Walsingham selbst.

»Wein?« fragte Walsingham in einem Ton, der es Phelippes zur Pflicht machte, abzulehnen.

Phelippes schaute sich im Raum um. Was weiter entfernt war, konnte er schlecht sehen, als habe er sich die Augen damit verschlissen, daß er so viele Jahre lang über Büchern gebrütet und Geheimschriften entziffert hatte. Nur verschwommen erkannte er die säuberlich aufgereihten Schubkästen an der Wand, jeder mit einem stolzen Etikett versehen: Spanien, Frankreich, Italien, Deutschland, Schottland, die Niederlande, Byzanz, Afrika. Jeder Kasten enthielt Berichte, die von den Agenten in jenen Ländern geliefert worden waren, insgesamt ungefähr fünfzig. Seinem Herrn war es sogar gelungen, Spione in die Pariser Botschaft der schottischen Königin zu schleusen, und seit zehn Jahren hatte er auch Informanten in ihrem englischen Haushalt. Der Kasten mit diesen Meldungen trug die schlichte Aufschrift »Schlange«, denn das war sein Lieblingsname für sie. In England hatte Walsingham Agenten und Informanten allerorten: in den Häfen, in den Schenken von London, in den ausländischen Botschaften.

In einem Rahmen über der Reihe der Kästen prangte ein Motto: »Ein überaus feinsinniger Entdecker von Geheimnissen«. Cecil, sein alter Meister, hatte ihn so genannt, und auf diesen Titel war er stolzer als auf die Ritterwürde, die ihm 1577 für seine Spitzelarbeit verliehen worden war. Darunter stand ein zweites Motto: »Wissen ist niemals zu teuer«. Wenn er nur die Königin davon überzeugen könnte; so aber bestritt er trotz seines Etats einen großen Teil seiner Aufwendungen aus eigener Tasche. Dennoch, er beklagte sich nicht. Die Sicherheit der Königin war niemals zu teuer bezahlt.

»Es gibt nur eine Möglichkeit, die Königin zum Handeln zu bewegen«, sagte Walsingham schließlich. »Es muß den Beweis, den unumstößlichen – und schriftlichen – Beweis dafür geben, daß Maria Stuart an einer Verschwörung zur Ermordung Elisabeths beteiligt ist. Dann könnte man sie vor Gericht stellen, und wenn sie erst überführt ist …«

»Aber genau das war doch beim Herzog von Norfolk der Fall«, erinnerte Phelippes ihn und strich sich eine glatte Strähne seines gelben Haars aus der fettigen Stirn. »Und die Königin hat die Exekutionsverfügung immer wieder zurückgezogen. Sie hat der Hinrichtung dann nur zugestimmt, um die Königin der Schotten zu retten. Er war ihr Sündenbock. Aber für wen könnte Maria der Sündenbock sein? Es gibt niemanden, den Elisabeth so beschützt wie sie.«

»Sich selbst, Phelippes. Sich selbst.« Walsingham legte die Hände zusammen und murmelte dazwischen. »Sie wird die Schottenkönigin nur opfern, wenn es das letzte Mittel ist, sich selbst oder ihren Thron zu retten. Deshalb ist es unsere Pflicht, sie davon zu überzeugen, daß dies in der Tat der Fall ist.«

»Ich bitte um Vergebung, aber ich kann Euch nur schwer verstehen.«

»Ich sagte« – Walsingham nahm die Hände herunter – »nur wenn sie davon überzeugt ist, daß Maria die Absicht hat, sie zu ermorden, wird Elisabeth sich dazu aufraffen können, *sie* zuerst zu ermorden.«

Phelippes zog eine Grimasse. »Müßt Ihr es ›ermorden‹ nennen?«

»Nichts anderes ist eine Hinrichtung – Mord, durch Ritual geadelt. Eine zivile Version der verhaßten Messe, sozusagen.«

Phelippes blinzelte. Walsingham war im Begriff, eine Attacke gegen den Katholizismus zu reiten, und davon mußte er abgebracht werden. Nicht, daß Phelippes nicht mit ihm übereingestimmt hätte, aber er hatte das alles schon gehört – und zwar schon oft. Sein Herr war besessen von diesem Thema.

»Das Volk hat versucht, ein Verfahren zu inszenieren, mit dem sich die Bedrohung durch die Königin der Schotten hätte beenden lassen, aber Elisabeth hat sie wieder einmal beschützt.« Der Ärger ließ ihn lauter werden.

»Ja.« Walsingham saß regungslos da und starrte ins Leere, tief in Gedanken versunken. »Der Treuebund, den Tausende loyaler Engländer unterzeichnet haben, und in dem sie geloben, Elisabeth mit ihrem eigenen Leben zu beschützen und Maria unverzüglich zu töten, sollte jemand auch nur versuchen, Elisabeth in ihrem Namen ein Haar zu krümmen – er war weitsichtig, wenn man annimmt, daß niemand, wäre es bekannt, daß zusammen mit Elisabeth auch die Schottenkönigin zu existieren aufhören würde, sich noch die Mühe machen würde, um ihretwillen Komplotte zu schmieden, oder? Das Motiv dafür wäre im voraus beseitigt. Aber Elisabeth hat nein gesagt. Und warum? Weil niemand für die Sünden anderer bestraft werden dürfe!« Angewidert warf er die Hände in die Höhe. »Als würden wir nicht alle jeden Tag für die Sünden anderer bestraft!«

»Ich kann das verstehen, denn Elisabeth war ja selbst der Gnade anderer ausgeliefert, ehe sie den Thron bestieg. Aber daß sie nicht einmal erlauben wollte, die Schottenkönigin von der Thronfolge auszuschließen! Das kann ich nicht begreifen – sie würde doch niemals *wollen*, daß Maria ihre Nachfolge antritt? Eine Katholikin, behaftet mit dem Makel der Verschwörung! Warum sie also nicht beseitigen?«

Walsingham schüttelte den Kopf. »Ich weiß es nicht«, sagte er leise. »Ich weiß es nicht. Sie ist ein großes Geheimnis. Nach der Ridolfi-Verschwörung begann sie mit den Schotten zu verhandeln; sie wollte Maria zu Morton zurückschicken, um ihr den verdienten Lohn zukommen zu lassen, aber dann überlegte sie es sich anders.«

»Und jetzt ist der arme Morton selbst dahingeschieden. Nun, das Parlament wird die Frage klären, wenn es zusammentritt. Sie sind militant diesmal, und sie werden die jesuitische Bedrohung ebenso wie Maria attackieren; seid unbesorgt.«

»Allmählich wird alles klar. Die verbliebenen katholischen Lords, Verräter wie Paget und Arundel, sind ausgeräuchert. Paget ist nach Paris geflohen und hat sich dort den Parteigängern der Schottenkönigin angeschlossen.« Er lachte ohne Heiterkeit. »Einmal Verräter, doppelt Verräter.«

»Was meint Ihr damit?« Phelippes fand dies aufregend.

»Paget ist zu uns übergelaufen«, sagte Walsingham. »Er erstattet mir Bericht.« Er stand auf, öffnete den Schubkasten mit der Aufschrift »Paris – Schlange« und nahm ein Dokument heraus. Er reichte es Phelippes.

»Aber das ist chiffriert«, wandte dieser ein.

»Ich dachte, es gebe keine Chiffre, die Ihr nicht lesen könnt. Ich dachte, Ihr träumt sogar chiffriert.«

»Es ist eine leichte Chiffre, wie Kinder sie benutzen«, sagte Phelippes. »Ich kann sie im Kopf entschlüsseln.«

»Dann tut es.« Walsingham lehnte sich zurück und beobachtete ihn aufmerksam.

»›Ich … verfolge … alle Depeschen, und es ist … im Augenblick nichts im Gange. Die Guise … geben sich alle Mühe … Marias Witwenbesitzungen … auszuplündern. Nach dem Tod ihres Onkels, des Kardinals, ist niemand mehr da, der … ihre Interessen wahrnimmt.‹« Stolz und mit schwungvoller Gebärde reicht er Walsingham das Papier zurück.

Walsingham lächelte. »Sehr gut! Sehr gut! Und so schnell! Es stimmt in der Tat alles, was Eure Feinde über Euch sagen. Lauft ja nicht selbst zu ihnen über! Das wäre ein schmerzlicher Verlust. Ja, wie Ihr seht, haben die Einkünfte der Schottenkönigin eine arge Minderung erfahren. Die Franzosen sind es leid, drei Königinwitwen zu unterstützen – die Witwen Heinrichs II., Franz' II. und Karls IX. Katharina von Medici hat sich beklagt: ›Die Königin von Schottland hat die schönste Rose Frankreichs‹, und sie hat die reichen Witwenländereien von Touraine gegen minderwertige andere ausgetauscht. Damit sind Marias Einkünfte halbiert, und ihre Möglichkeiten, Verschwörungen zu finanzieren, sind stark beeinträchtigt, von ihren demonstrativen Almosenspenden hier in England ganz zu schweigen. Das Blatt wendet sich, Phelippes, es wendet sich zu unseren Gunsten.«

»Können wir ehrlich sprechen?« fragte Phelippes. »Ich zögere, zu sagen, was ich denke und mich frage, selbst im geheimen.«

»Es sollte keine Schranke zwischen uns sein. Zwischen Mann und Frau, zwischen Liebhaber und Geliebter, zwischen Mutter und Kind – jawohl, aber niemals zwischen dem Meisterspion und seinem Agenten. Bitte sprecht«, sagte Walsingham. »Ich bin den Meinen treu.«

»Jetzt, da man annehmen kann, daß Elisabeth keinen leiblichen Erben haben wird, da ja aus dem französischen ›Frosch‹ nichts geworden ist … wer wird es sein?«

»James von Schottland«, sagte Walsingham. »Er ist Protestant, und er zeigt sich begierig, Elisabeth zu Gefallen zu sein, sogar so weit, daß er die Notlage seiner Mutter ignoriert. Königin Elisabeths Nachfolger wird König James heißen.«

»Oder, wie man sich auf der Straße manchmal erzählt, König Elisabeths Nachfolger wird Königin James heißen«, kicherte Phelippes.

Walsingham straffte sich. »Bitte macht keine Scherze über Ihre Majestät! Aber was James angeht, jawohl, er zeigt die bestürzende Vorliebe der Stuarts für männliche Günstlinge.« Er verzog schmerzlich das Gesicht. »Zumindest ist dieser naseweise französische Cousin verjagt. Wieder ein Schlag für die Guise. Ich sagte ja, das Blatt wendet sich, wendet sich zu unseren Gunsten.«

»Nicht, wenn James bereit ist, gemeinsam mit seiner Mutter zu regieren.«

»Das ist er nicht. Wie alle echten Stuarts will er allein auf dem Thron sitzen. Er hat nichts dabei zu gewinnen, wenn er seiner Mutter erlaubt, ihn mit ihm zu teilen. Sie ist ihm nur lästig, wie sie Elisabeth lästig ist, und wie sie aller Welt lästig ist. Es gibt keinen Platz mehr für sie, Phelippes. Und wißt Ihr, was mit einer Sache passiert, wenn es keinen Platz mehr für sie gibt?« Er riß eine der Schubladen auf und nahm einen Brief heraus. »Der ist überholt. Sein Inhalt ist ohne Bedeutung.« Er warf den Brief aus dem Fenster, und er landete auf der Straße. Drei Pferde traten nacheinander darauf und stampften ihn in den Schlamm. »Das passiert. Es ist sehr einfach. Wir müssen unsere Schubladen in Ordnung halten, Phelippes. Alles Nutzlose müssen wir beseitigen.«

Er stand auf und öffnete noch eine Schublade. »Ich halte meine Sachen in Ordnung. Alle diese Schubladen haben Schlösser, und die Schlüssel – ich will es einmal so sagen: Es ist unmöglich, sie nachzumachen. Die Schlosser, die sie gemacht haben ... stehen nicht mehr zur Verfügung. Die Fenster sind vergittert, und es führt nur eine Tür in dieses Zimmer. Ich lasse es niemals unverschlossen, niemals auch nur für einen Augenblick, so wie ich auch einen Käfig mit Giftschlangen niemals offenstehen lassen würde. Ein Augenblick der Unachtsamkeit kann lebenslange Reue nach sich ziehen. Versteht Ihr, Phelippes?«

»Ja.«

»Ich will damit sagen, daß alles hier kostbar und gesichert ist. Hier in diesem Schubkasten nun liegen Beweisstücke, die zeigen, wie ich bewirken werde, daß die schottische Königin jenem Brief dort auf die Straße folgt, wo sie zertrampelt werden wird.« Er zog die Lade heraus und stellte sie auf den Tisch. Sie hatte einen Deckel, den er aufklappte. Er nahm einen hochhackigen Schuh, eine Flasche, ein Gebetbuch und ein Stück Stoff heraus und legte alles säuberlich aufgereiht auf den Tisch.

»Vor einigen Jahren, 1575, um genau zu sein, hatte ich die glückliche Gelegenheit, einen gewissen Londoner Schreibwarenhändler, Henry Cockyn, mit der Folter zu bedrohen. Die bloße Drohung genügte! Er enthüllte mir sämtliche geheimen Methoden der Schottenkönigin, ihre Korrespondenz zu bewerkstelligen. Albernes Zeug wie das hier!« Er hielt den Schuh hoch und schabte an der Mitte des Absatzes. Nach kurzer Zeit fiel ein runder Stopfen heraus und offenbarte eine hohle Kammer. »Und das hier!« Er zog den Korken aus der runden Flasche und öffnete ein ähnliches Versteck. »Das hier war ein bißchen verzwickter, weil der Inhalt vor der Feuchtigkeit des Weins geschützt werden mußte.« Er klopfte mit der flachen Hand auf den Stoff. »Das hier hat sie mit Alaun beschrieben. Wie um mir zu helfen, hat sie allen ihren Korrespondenten genaue, schriftliche Anweisungen gegeben.« Er schüttelte den Kopf. »Sie hat ein gewisses Vergnügen an all diesen Dingen gehabt. Vermutlich war es wie mit der Stickerei: Es hat ihr geholfen, sich die Zeit auf schöpferische Weise zu vertreiben.«

»Wo habt Ihr das alles gefunden?« fragte Phelippes.

»Hier und dort«, sagte Walsingham. »Der Umfang ihrer Korrespondenz ist atemberaubend. Natürlich – je mehr es gab, desto mehr konnte man abfangen. Den Schuh verdanken wir der Verbindung zu Lady Northumberland in der Zeit des Nördlichen Aufstandes. Der Stoff reiste unter dem Schutz des französischen Gesandten, der glaubte, er übermittele ein einfaches Geschenk. Die Flasche wurde von einem Jesuiten überbracht, der in der Verkleidung eines Weinhändlers aus Bordeaux nach Dover kam. Und als Anthony Babington noch in ihrem Haushalt lebte, blühten die Geheimschriften wie Narzissen auf einer Frühlingswiese. Jetzt ist er fort und schürt seine Komplotte nicht minder geschäftig in Paris, was uns aber prompt von Paget berichtet wird.«

»Ihr werdet eine Truhe brauchen, um das alles unterzubringen«, meinte Phelippes.

»Das glaube ich nicht. Ich habe endlich begriffen, wie ich sie vernichten kann«, sagte Walsingham. »Ist Euch der fünfunddreißigste Psalm geläufig? ›Denn sie haben mir ohne Ursache ihr Netz gestellt, mich zu verderben, und haben ohne Ursache meiner Seele Gruben zugerichtet. Er müsse unversehens überfallen werden, und sein Netz, das er gestellt hat, müsse ihn fangen; und er müsse darin überfallen werden.‹«

Walsingham wedelte mit der Hand über seine Beweisgegenstände. »So werden wir sie fangen. Ihr kindisches Vertrauen in solche Possen wird der Köder sein. Es ist ganz einfach: Wir verschließen ihre Kommunikationswege. Und dann öffnen wir einen, von dem *sie* glauben wird, er sei ganz und gar geheim. Dazu verwenden wir alle diese Gegenstände: geheime Flaschen, Chiffren und so weiter. Jede

Zeile, die sie empfängt und abschickt, wird von uns überwacht werden. Früher oder später wird sich eine Verschwörung auftun, und wenn sie dann – schriftlich – ihr Einverständnis erklärt ...« Er warf den Kopf ruckartig zur Seite, als habe sich eine Schlinge zugezogen.

»Soll die Verschwörung falsch sein?«

»Gar nicht nötig. Eine echte wird genügen. Freilich wird sie harmlos sein, weil wir ja von Anfang an davon wissen.« Er legte die Gegenstände wieder zurück in ihre Schublade. »Die Throckmorton-Verschwörung hat uns in entscheidender Weise enthüllt, wie groß ihre Freiheit, Briefe zu schreiben und zu empfangen, wirklich ist. Shrewsbury war viel zu lax. Es wäre an der Zeit, ihn durch jemanden von unserer Art zu ersetzen, damit sie wirklich eine Gefangene ist. Man wird sie einschließen wie die Prinzessin im Turm, als die ihre Bewunderer sie immer sehen, und es wird keinerlei Briefe mehr geben.« Er seufzte. »Oh, wie betrübt sie sein wird ... und wie glücklich dann, wenn sich der ›geheime‹ Kommunikationsweg eröffnet!« Er lachte zum erstenmal an diesem Nachmittag. »Ich wage zu behaupten, das wird der glücklichste Tag in ihrem Leben – und in unserem.«

Die beiden Damen standen auf dem Dach von Turret House, einem kleinen, viereckigen Turm am Rande des großen Wildparks, der zum Schloß gehörte, und schauten in die Oktoberlandschaft hinaus. Die Jagd begann; von unten hörten sie das Gebell der Hunde, die ihre eigene sonderbare, süße Musik machten, die Musik des Herbstes und der frostigen Jagd. Shrewsbury hatte prächtige Hunde, und heute waren alle seine Meuten bereit. Da waren langbeinige Hetzhunde für Hirsch und Reh, und die kleineren Hunde, die Fährten aufspürten, wie Bassets und Bluthunde. Ihre Stimmen mischten sich untereinander und stiegen zum Himmel empor; sie brannten darauf, mit der Jagd zu beginnen, und die Hundeführer hatten alle Mühe, sie zurückzuhalten.

Marias kleine Terrier und Spaniels zu ihren Füßen antworteten ihren größeren Vettern; sie wieselten umeinander und kläfften mit ihren schrillen Stimmen.

»Nein, meine Lieben, ihr könnt nicht zu ihnen«, sagte Maria, und sie beugte sich nieder und versuchte, sie zu beruhigen. »Ihr müßt hier bei uns bleiben und könnt nur zuschauen. Ihr seid doch so klein, daß sie euch mit einem Hasen verwechseln und über den Haufen rennen könnten.« Sie hob den Skye-Terrier auf und strich über sein glattes Fell. »Ich weiß, du hast eine feine Nase, und der Zwingermeister sagt, du kannst eine Fährte verfolgen, die zwei Stunden alt ist. Aber, mein alter Freund, die Wahrheit ist, *ich* könnte es nicht ertragen, dich zu verlieren.« Sie drückte ihn an sich; er war der einzige Überlebende aus dem Wurf, den Lady Bothwell ihr vor fast zehn Jahren geschickt hatte. Sie hatte ihn Armageddon getauft, weil das ein langer, komischer Name für das wilde kleine Tier war, und weil Bothwell, was immer er sonst noch gewesen sein mochte, ein Krieger gewesen war, der sich nach der letzten Schlacht gesehnt hatte. Natürlich hatten sie den Namen dann zu Geddon abgekürzt, und das klang unschuldig genug.

»Seht! Shrewsbury ruft uns!« sagte Mary Seton, die ihre Herrin auf das Dach begleitet hatte. Sie beugten sich über die Brüstung und schauten hinunter.

Shrewsbury saß auf seinem Jagdpferd und winkte zu ihnen herauf. »Wenn wir von der Jagd zurück sind, kommen wir hinauf«, rief er.

Maria winkte zurück, um zu zeigen, daß sie verstanden hatte. Oft kamen die Jäger zum Turmhaus zurück, um sich nach der Jagd zu erfrischen, und dann erzählten sie von ihren Abenteuern. Erst vor kurzem hatte Shrewsbury den dreistöckigen Turm, eine modische Bereicherung der Jagdparks, erbauen lassen und wunderschön ausgestattet: Es gab herrliche Stuckdecken mit Blumen aus Frankreich, Schottland und England, das Familienwappen über den Kaminen, und heraldische Muster in den Glasfenstern.

Die Jagdgesellschaft gab ihren Pferden die Sporen und galoppierte davon; die helle Sonne glänzte auf den Flanken der Pferde, und die Hunde sprangen ihnen aufgeregt voraus.

Mary Seton sah, wie sehnsüchtig ihre Herrin ihnen nachblickte. Es hatte Zeiten gegeben, da man ihr erlaubt hatte, auf die Jagd zu gehen, aber übertriebene Berichte – manche behaupteten, sie sei dann endlos weit durch die Gegend gestreift – waren zum englischen Staatsrat durchgedrungen, und Shrewsbury war wegen seiner Unvorsichtigkeit getadelt und das Privileg war aufgehoben worden. Nicht, daß es noch darauf angekommen wäre; aus gesundheitlichen Gründen konnte Maria heutzutage gar nicht mehr reiten. Im vergangenen Sommer hatte es sogar Tage gegeben, da hatte man sie in einer Sänfte hinaustragen müssen, und sie hatte draußen nichts mehr tun können, als friedlich am Ufer des Ententeiches zu sitzen. Aber Seton wußte, daß sie immer noch nicht fähig war, das Gebell der Hunde zu hören und sie davonstürmen zu sehen, ohne daß sie mitgehen wollte und vergaß, in welchem Zustand sie jetzt war. Ihr Herz war immer noch athletisch und jung, aber eingesperrt in einem alternden, unbeweglichen Körper.

Wie das meine, dachte Seton. Auch ich habe steife Finger und ein Rückgrat, das sich nicht mehr beugen oder Lasten tragen will.

Maria war umrahmt vom lodernden Rot und Gold der Bäume im Park, und das tiefe, strahlende Blau des Himmels umhüllte alles. Plötzlich erinnerte sich Seton, daß sie das schon einmal gesehen hatte ... aber wo?

»Wie gut Euch diese Farben stehen«, sagte sie. »Es sind ... Juwelentöne wie die, welche Clouet benutzte, um Euch zu malen.« Ja, das war es gewesen.

»Clouet!« Maria lachte. »In längst vergangenen Tagen. Du hast das Gedächtnis eines Gelehrten.« Seufzend deutete sie in den Park hinaus. Die Jäger waren fast außer Sicht, aber die Hunde konnten sie noch hören. »Diese Farben sind schöner, als irgendein Bild es je sein könnte.«

»Kommt, laßt uns eine Bank herüberbringen und uns setzen.«

Seite an Seite saßen sie dann auf einem dicken, bestickten Polsterkissen und ließen sich von der Sonne wärmen. Sie trugen beide schwarze Kleider, die die Sonnenstrahlen aufsaugten und sich erhitzten.

Marias Profil war immer noch klar und angenehm; es hatte sich im Laufe der Jahre kaum verändert. Seton hatte es schon gesehen, bevor sich der Nasenrücken geformt hatte und die Nase noch kindlich aufwärts gewandt gewesen war; sie hatte es zur vollen Schönheit erblühen sehen, aufrecht getragen auf einem Schwanenhals, damals in Frankreich, und schließlich hatte sie es fast verschwinden sehen – hinter Schleiern und Hauben, die die alternde Verbannte sich zu tragen angewöhnt hatte. Heute aber war es sichtbar, geküßt von der Sonne und immer noch hübsch.

Ich glaube, ein Mann würde sie immer noch lieben, dachte Seton, wenn es einen gäbe, der ihrer würdig wäre. Aber sie wird keinem mehr begegnen – nein, nimmermehr.

»Erinnerst du dich an die Eichen bei Chambord?« fragte Maria. »Und wie wir um diese Jahreszeit die Blätter sammelten und die größten Eicheln suchten, um Puppentassen daraus zu machen?«

Ja, in jener Zeit, da alle Welt noch jung gewesen war … »Ich könnte es nie vergessen.«

»Ich wünschte, wir wären wieder dort.«

»Wünscht Ihr Euch, wir wären nie von dort weggegangen?«

»Nein. Das nicht. Aber ich wünschte, man würde mir erlauben, zurückzukehren. Nun, man wird es tun – eines Tages.«

Wie seltsam, daß Maria dies mit solcher Sicherheit behauptete. »Woher wißt Ihr das?«

»Weil es in meinem Testament steht. Ich habe darum gebeten, in Reims begraben zu werden, in der Nähe meiner Mutter und meines Onkels. Aber ich fürchte, ich werde von dieser Reise nichts mehr mitbekommen!«

Wie ruhig sie das sagte! »Sprecht nicht so!« rief Seton.

»Und du wirst dort sein, um mich zu empfangen«, fuhr Maria fort.

»Wie meint Ihr das?« fragte Seton erschrocken.

»Ich meine, liebe Seton, liebste Gefährtin – ich schicke dich nach Frankreich zurück, und zwar vor dem Winter.«

»Nein! Nein! Ich verlasse Euch nicht!«

Maria wandte sich um und sah sie an. Ihre Augen waren von Falten umgeben, und in ihren Tiefen lag solche Trauer, daß Seton plötzlich wußte, was gemeint war, wenn man sagte: »Die Seele wohnt in den Augen.«

»Ich bin deine Königin, oder?« sagte Maria. »Wenn ich es befehle, wirst du gehen.«

Seton fiel auf die Knie und umfaßte Marias Füße. »Dann befehlt es mir nicht! Verstoßt mich nicht!«

Maria streichelte Setons Schulter. Der Stoff ihres Kleides war warm von der Sonne. »Ich möchte, daß du in das Kloster von St. Pierre gehst. Meine alte Tante Renée ist immer noch Äbtissin dort, und sie wird dich aufnehmen. Seton, Seton – du bist fast so alt und verkrüppelt wie ich. Ja, du kannst mir doch nicht einmal mehr das Haar frisieren! Bald wird jeder wissen, daß ich grau bin!«

»Wenn Ihr es ertragen könnt, hierzubleiben, kann ich es auch«, sagte Seton. »Wie könnte ich dahin gehen, wo Ihr so gern hingehen würdet, und Euch zurücklassen?«

»Es wird fast so sein, als ginge ich selbst, und mehr werde ich nie erreichen. Und, Seton – ich werde auch nicht hierbleiben. Man verlegt mich nach Tutbury. Ich kann dir nicht erlauben, auch dort hinzugehen. Mein Gewissen würde es nicht zulassen. Denk doch nur –

nach Frankreich zurück ... deine alten Freunde und Verwandten wiedersehen ... deinen lieben Bruder ... ah, auch er hat gelitten!«

»Das hat er in der Tat.« Nachdem Lord Seton bei Langside verwundet und gefangengenommen worden war, hatte er sich ins Exil nach Frankreich begeben, und dort hatte ihn die Armut gezwungen, als Karrenkutscher zu arbeiten.

»Du kannst mir nicht weismachen, daß du dich nicht danach sehnst, ihn wiederzusehen.«

»Nicht so sehr, wie ich mir wünsche, hier bei Euch zu bleiben.«

»Du hast keine Wahl. Ich befehle dir, zu gehen, und zwar, bevor der Winter kommt und du hier festsitzt.« Sie nahm Setons Gesicht in beide Hände und hielt es zärtlich umfaßt. »Wir waren einander immer so nah. Du warst meine treue Gefährtin mein Leben lang, und schon unsere Mütter waren Gefährtinnen: Die deine kam mit der meinen aus Frankreich, zwei Französinnen, die mit Schotten verheiratet waren. Und jetzt mußt du mein Herz mit dir zurück nach Frankreich nehmen, denn wenn du gehst, werde ich das Gefühl haben, ich sei auch gegangen.«

Seton fing an zu weinen, und die Tränen rannen ihr lange und lautlos über die Wangen hinab.

»Bitte weine nicht«, sagte Maria. »Das kann ich nicht ertragen. Bis heute war mein ganzes Leben ein Abschied, aber dies ist das erste Mal, daß ich es selbst bestimme. Wenn du erst dort bist, wenn du in Sicherheit bist, geliebt, versorgt, wirst du mir dankbar sein. Und ich werde etwas haben, worauf ich stolz sein kann, weil ich jemandem etwas Gutes getan habe.« Sie seufzte. »Weißt du, daß sie jetzt sogar versuchen, mich daran zu hindern, Almosen zu geben? Aber das macht nichts; mein Einkommen ist dermaßen geschrumpft, daß ich kaum noch Almosen zu geben habe. In Frankreich ist es jetzt anders als früher. ›Da kam ein neuer König auf in Ägypten, der wußte nichts von Joseph.‹ Die Führer, die wir kannten, sind alle tot, und die Herrschaft liegt in den Händen derer, die Kinder waren, als wir dort waren. Der kleine Henri ist König! Und der andere kleine Henri ist Duc de Guise! Sie haben keine Erinnerung an mich, und ich auch nicht an sie. Meine eigene Gesandtschaft dort ist zu einer Schar von Verbannten heruntergekommen, und es gibt keinen Franzosen von Rang, der meine Angelegenheiten lenkt. Deshalb werden sie so schlecht vertreten, fürchte ich. Auch läßt die Zeit meine Ansprüche wunderlich erscheinen; es ist ja über zwanzig Jahre her, daß ich dort weggegangen bin.«

»Stellt Euch nur vor – wir sind vor den Religionskriegen fortgegangen«, sagte Seton. »Ich fürchte, Frankreich ist inzwischen ein verwüsteter Ort. Nein, selbst wenn ich zurückgehe, ich kann nicht in *unser* Frankreich zurück, in das Frankreich, das wir liebten.«

»Das ist für immer dahin.« Geddon winselte und tappte mit der Pfote an Marias Kleid. »Was – du bist auch traurig? Du bist ein alter, weiser Hund, mein Lieber.« Sie tätschelte ihm den Kopf und zog ihn an den Ohren, was sie nach all den Jahren immer noch belustigte. »Bitte schenke mir ein paar tröstende Worte.« Geddon leckte ihr die Hand und schüttelte sich.

»Hunde sind zu vernünftig, um zu trauern und sich in Melancholie zu suhlen«, meinte Seton. »Vielleicht müssen wir uns deshalb mit ihnen umgeben. Gibt es Hunde dort im Kloster?«

»Ich glaube ja. Früher hatten sie welche. Aber vielleicht hat sich auch das geändert.«

Sie sahen zu, wie die Sonne über den Baumwipfeln unterging und bronzene Strahlen verströmte. Dunst lag über dem Horizont, schlummernd und golden. Ein tiefer Frieden war in all dem, das Drängen, diese letzten Stunden des Lichts noch anzunehmen. Maria nahm Setons Hand und hielt sie fest, und sie saßen schweigend und regungslos beieinander.

In der glühenden Dämmerung hörten sie das ferne Hundegebell, und sie wußten, daß die Jäger zurückkehrten. Sie würden sich am Fuße des Turms sammeln und durcheinanderwimmeln, während sie von ihren Pferden stiegen und das Wild zum Ausweiden fortgebracht wurde.

Maria stand auf und beobachtete, wie Lichtpunkte näherkamen; man hatte Fackeln angezündet. Die Gesellschaft sang und schrie durcheinander trotz ihrer Erschöpfung. Drei Rehkadaver wurden an Stangen transportiert. Die Hunde trabten mit hängenden Zungen daher.

»Eure Majestät!« Maria erkannte Shrewsburys Stimme und rief hinunter: »Ja, mein guter Lord Shrewsbury?«

»Wir werden im unteren Zimmer eine Erfrischung zu uns nehmen«, rief er. »Bitte laßt Feuer machen, und dann kommt und gesellt Euch zu uns!«

»Mit Vergnügen«, sagte sie und wandte sich dann an Seton. »Ich fürchte, ich werde eine Stunde brauchen, um die Treppe hinunterzusteigen. Komm, laß uns zusammengehen.«

Unten knisterte bereits das Feuer und beleuchtete das verschnörkelte weiße Stuckwappen der Shrewsburys mit den Greyhounds, die das Wappenschild der Familie trugen, über dem Kamin. Die Schatten, die das Feuer warf, betonten noch die exquisiten sechseckigen Verzierungen und verschlungenen Blütenmuster, die sich an der Decke umeinanderrankten. Es erinnerte Maria ein wenig an Frankreich und an die großen Jagdschlösser dort, nur daß es kleiner war.

Shrewsbury hatte den Hut in der Hand und fächelte sich Luft zu. »Ziemlich warm hier«, sagte er eben.

»War die Jagd gut?« fragte Maria.

Er antwortete zurückhaltend, als fürchte er, sie habe einen verschleierten Wunsch geäußert. »Ja, wir haben Rehböcke und Damhirsche erlegt«, sagte er. »Ah!« Er nahm sich einen Becher dampfenden Rotwein. Gebratene Äpfel schwammen in der Schüssel. »Die Hunde haben gut gearbeitet, vor allem die Parforce-Hunde und meine besondere Züchtung, die ›Talbot-Hunde‹. Wie ich höre, ist Euer kleiner Terrier gut für Dachse. Er muß einmal mitkommen.« Er sah sich um, als suche er Rettung.

»Ich fürchte, er ist jetzt zu alt«, sagte Maria. »Er könnte nicht mehr mithalten – genau wie seine Herrin.«

Einer von Shrewsburys Söhnen war zugegen, und auch ein paar Edelleute aus der Nachbarschaft. Wie immer starrten sie Maria an, bereit, sich jede Einzelheit einzuprägen, um nachher darüber berichten zu können. Auch dafür war Shrewsbury getadelt worden. Der englische Rat hatte sich darüber beklagt, daß er seine berühmte Gefangene zur Schau stelle. Nun, damit war es jetzt fast vorüber, dachte er erleichtert. Fünfzehn Jahre Gefangenschaft für uns beide, die bald ein Ende haben.

»Madam«, sagte er mit leiser Stimme und hielt den Weinbecher vor den Mund, »es ist so, wie ich es gehört habe. Ihr werdet aus meinem Gewahrsam an jemand anderen überstellt.«

»An wen?« Das war das Geheimnis gewesen. Wer würde Shrewsbury ersetzen? Es mußte ein vornehmer, reicher, politisch vertrauenswürdiger Mann sein. Robert Dudley? Cecil?

»Sir Amyas Paulet«, sagte Shrewsbury.

»*Wer?*« Maria hatte noch nie von ihm gehört.

»Ein würdiger Gentleman, und ein guter Freund von Sir Francis Walsingham.«

»Gehört er … derselben religiösen Konfession an?« Maria wußte, daß Walsingham der zunehmend bekannten Kirchenpartei der Puritaner angehörte; es waren militante, strikte Protestanten von der Art, die dem heiteren Martin Luther großes Unbehagen bereitet hätte. Puritaner waren die geistigen Kinder eines John Knox.

»Ja, und zwar noch entschlossener«, sagte Shrewsbury, und Mutlosigkeit überkam Maria.

Als die Jäger gegangen waren und es Nacht geworden war, zogen Maria und Seton sich in ihre Gemächer zurück. Man hatte bereits Feuer angezündet, um die Kälte zu vertreiben, so gut es ging. Der gute alte Pater de Préau erwartete sie, um zum Abschluß des Tages die Nachtgebete zu sprechen. Der ganze Haushalt war versammelt, und als die Gebete gesprochen waren, fügte Maria noch hinzu: »Und möge Gott uns behüten, wenn wir auseinandergehen müssen.«

Nachher kamen mehrere Leute zu ihr und zeigten sich verwirrt.

»Ich habe soeben erfahren, daß ich einem neuen … Gastgeber überantwortet werde. Es ist möglich, daß sie mich ersuchen werden, meinen Haushalt zu verkleinern. Ich weiß es nicht; ich bitte Euch nur, es im Gedächtnis zu behalten, so daß wir bereit sind, wenn es soweit ist«, sagte Maria.

Bevor sie weiter fragen konnten, zog sie sich in ihr Privatgemach zurück. Sie wollte im Augenblick weder darüber noch über irgend etwas anderes reden. Der Entschluß, Seton fortzuschicken, hatte ihr alle Kraft geraubt.

Schweigend kleidete sie sich in ihr Nachtgewand; Seton half ihr mit sanfter, geübter Hand, wie sie es immer tat. Bevor sie sich zur Ruhe legte, öffnete Maria ihren Koffer mit den Miniaturen, und sie nahm eine nach der anderen heraus und hielt sie ins Kerzenlicht.

Da war Franz und hier ihre Mutter. Darnley, wie er damals gewesen war, als er nach Schottland gekommen war, und unverhofft erinnerte sie sich an die Begegnung in dem nebligen, kalten Garten, und weshalb sie ihn geliebt hatte. Da war Darnleys Mutter, die sie nie kennengelernt hatte. Da war Katharina von Medici mit ihrem flachen Gesicht, und das Kindergesicht des kleinen James. Und dann war da noch … Elisabeth.

Ein Gesicht, das ich niemals sehen werde, dachte sie. Nicht in diesem Leben. Und doch … wenn ich sie nur einmal sehen könnte …

Schluß damit, ermahnte sie sich. Schluß damit.

Sie wickelte die Miniaturen ein und legte sie zurück in ihr kleines Grab. Langsam stand sie auf und ging zu dem Kruzifix, das über dem

Betstuhl hing, flankiert von zwei Kerzenhaltern. Mühsam ließ sie sich auf die Kniebank sinken und richtete den Blick auf den alten, geliebten Gegenstand.

Sie wußte noch, wie sie es das erste Mal gesehen hatte, in der Kammer im Kloster St. Pierre, wo sie davor gekniet und sich mit der Frage gequält hatte, ob sie nach Schottland zurückkehren solle oder nicht.

Das Herz tat mir damals weh, dachte sie. Ich dachte, aller Schmerz der Welt sei im Verlust meines Gemahls Franz enthalten. Ich ahnte nicht, daß es nur der Anfang war. Und dann meine Tante Renée – sie kam herein und sprach mit mir. Und alles erschien klar und vorherbestimmt.

Maria schaute zu Seton hinüber, die still dasaß und las.

Ja, es ist richtig, daß sie hingeht. Es ist richtig, daß es immer noch einen schützenden Hafen gibt, den ich meinen Dienern geben kann. Ich danke Dir, Gott, daß Du Tante Renée verschont hast! Sie ist jetzt zweiundsechzig Jahre alt – bitte bewahre sie noch viele Jahre gesund in Deinen Diensten.

Sie schaute sich im Zimmer um, in dem Zimmer, das fast fünfzehn Jahre lang eine Art Heim für sie gewesen war – länger als irgendein anderes Heim. Es war ihr tröstlich vertraut.

Ja, ich war länger in Shrewsburys Gewahrsam, als ich in Frankreich gelebt habe, erkannte sie.

Und jetzt soll auch das zu Ende gehen. Ich bin bereit für das, was nun kommen soll, was immer es sei. Aber ich fürchte, daß Veränderungen in meinem Leben immer zum Schlechteren sind.

Tutbury. Ich hasse Tutbury!« sagte Claud Nau, ihr Sekretär, und rieb sich die Hände heftig, um sie zu wärmen.

»Von all meinen Gefängnissen ist dies das schlimmste«, pflichtete Maria ihm bei.

Wenn ihnen daran gelegen wäre, mir das Dasein so jämmerlich wie möglich werden zu lassen und meinen Tod oder meine vollständige Verkrüppelung zu beschleunigen, dann hätten sie keine bessere Wahl treffen können, dachte sie. Aber ich weigere mich, anzunehmen, daß sie es deshalb taten; ich weigere mich, ihnen derart dämonische Einsichten zuzusprechen. *Ihnen* – oder muß ich sagen: *ihr*?

»Ich kann bei dieser Kälte nicht arbeiten«, sagte er und legte die Feder hin.

Der Februarwind heulte über die Burg hinweg, die sich hundert Fuß hoch über die Ebene erhob, nach allen Seiten ungeschützt. Diesmal war Maria in einem unzulänglichen Haus aus Holz und Putz untergebracht, das »Jagdhaus« genannt wurde, denn als solches hatte es einst den Adeligen gedient, die zur Erholung nach Nedwood Forest gekommen waren. Jetzt klafften in den Wänden tatsächlich Risse, und die Fensterscheiben hatten Löcher. Überdies schmiegte es sich mit der Rückseite an den Erdwall der Bastion, so daß an der Längsseite weder Sonne noch Luft hineindringen konnte. Dadurch war alles so feucht, daß alle Möbel, die man hineinstellte, unausweichlich verschimmelten.

Der Burghof war schlammig, und das einzige, was Ähnlichkeit mit einem Garten hatte, war ein kleiner, eingezäunter Bereich bei den Stallungen, der aussah wie ein Schweinekoben; der Gestank der Aborte, die sich über die Mauer entleerten, erfüllte die Luft, und Fieber und Pestilenz stiegen mit den Dünsten aus dem sumpfigen, abflußlosen Marschland am Fuße des Burghügels empor.

»Dann laßt es für heute gut sein«, sagte Maria. »Ich glaube, wir sind bis zu meiner Flucht von Langside gekommen. Ich muß mir noch mehr Einzelheiten meiner Flucht nach Dundrennan ins Gedächtnis rufen, wenngleich die Erinnerung daran mir ein Graus ist.«

Zusammen verließen sie die winzige Privatkammer und gingen in das Empfangsgemach, wo Marias Thron aus einem hochlehnigen Stuhl mit gesplitterten Sprossen bestand. Es kam niemals jemand, dem sie eine Audienz hätte gewähren können, aber der Stuhl stand trotzdem da. Vielleicht würden einmal Boten von Elisabeth kommen, von James oder vom französischen Gesandten. Vielleicht würden sie kommen; eines Tages würden sie kommen.

In diesem Augenblick wurde die Tür aufgerissen, und Sir Amyas Paulet kam hereinmarschiert. Die Schnallen blinkten auf seinen polierten Schuhen. Er blieb stehen und funkelte Maria an; offensichtlich paßte es ihm nicht, sie hier zu sehen.

»Guten Tag, Madam«, sagte er knapp, und Nau bedachte er mit einem Kopfnicken. Dann ging er schnellen Schritts zu ihrem Thron und begann, an ihrem Staatstuch zu reißen, dem alten grünen mit ihrem geliebten Motto *In meinem Ende ist mein Anfang*. Mit einem mächtigen Rauschen fiel es herunter und verhüllte den Thron wie ein Zelt.

»Halt! Was macht Ihr da?« kreischte Maria. Sie stürzte so schnell zu ihm hin, wie sie sich seit ihrer Ankunft nicht mehr bewegt hatte.

Er zog eine Braue hoch und sah sie mit eiskaltem Blick an. »Nun, Madam, wie ich sehe, bewegt Ihr Euch noch ganz behende, wenn Ihr wollt!« Er zog an dem Tuch und knüllte es vor seiner Brust zusammen.

»Rührt das nicht an!« rief sie. »Legt es hin! Ich befehle es Euch!«

Er hielt inne und lachte schneidend auf. »Ihr befehlt es mir? Aber Ihr seid nicht meine Souveränin. Ich schulde Euch keine Gefolgschaft.«

»Es stimmt, Ihr seid mir nicht untertan; aber die Untertanen anderer Könige sind verpflichtet, jeden Herrscher mit Höflichkeit zu behandeln.«

»Und in welchem Regelbuch steht das?« höhnte er. »In einem dieser überkommenen französischen Bücher über die Ritterlichkeit, auf die Ihr so versessen seid?«

»Es steht im Buch des allgemeinen menschlichen Anstandes«, versetzte sie. »Mit welchem Recht entfernt Ihr dieses Symbol meiner Königswürde?«

»Es war Euch von vornherein niemals erlaubt, und deshalb habe ich recht, wenn ich es entferne«, sagte Paulet. »Es gab keine Anweisung dazu, und alles, was nicht ausdrücklich erlaubt ist, das ist verboten.«

»Nein«, sagte Nau plötzlich. »Das Gegenteil ist der Fall. Alles, was nicht verboten ist, sollte erlaubt sein.«

»Schweigt still, Diener!« bellte Paulet. »Ihr kläfft wie einer dieser lästigen Hunde Eurer Herrin! Also, Madam: Ihr zeigt mir einen Befehl von Königin Elisabeth, und ich werde diesen Plunder früh genug wieder anbringen.« Er klemmte das Tuch unter den Arm.

»Wie kann ich irgend etwas von Königin Elisabeth beschaffen, wenn ich keine Briefe schreiben kann? Ihr und Euer Freund Walsingham habt alle meine Verbindungen zur Außenwelt durchtrennt. Ich kann Briefe weder schreiben noch empfangen!« rief sie. »Bitte, Sir, zerstört es nicht! Es hat meiner Mutter gehört!«

»Wenn man Euch daran hindert, Briefe zu schreiben, dann deshalb, weil Ihr in der Vergangenheit zu viele geschrieben habt«, sagte Paulet. »Aufrührerische Briefe, schurkische Briefe, Briefe mit dem Ziel, Elisabeth und das englische Königreich zu gefährden. Verschwörerische Briefe – *papistische* Briefe!« Er spuckte auf den teppichlosen, fleckigen Holzboden. »Ihr habt nichts getan, als dazusitzen mit Eurer Feder und Ströme von Unfug und aufrührerischem Geschwätz an Eure katholischen Verbündeten in Europa zu schikken und sie zur Invasion in England einzuladen! Nein, jetzt beschränkt Ihr Euch auf Eure Memoiren und Euren geschwätzigen französischen Sekretär – mehr erlaube ich nicht!«

»Aber es sollte mir erlaubt sein, an die Königin zu schreiben. Noch der niederste Untertan im Lande hat das Recht, an die Königin zu schreiben«, beharrte Maria.

»Oh, jetzt beansprucht Ihr also die Rechte einer Untertanin? Wollt Ihr damit sagen, Ihr seid eine Untertanin?«

»Nein, natürlich nicht.« Wie flink er war!

»Dann müßt Ihr Eure Isolation und Bestrafung ertragen.«

»Bestrafung! Wessen bin ich denn schuldig?« rief sie.

Er schüttelte voller Abscheu den Kopf. »Oh, Madam! Das wißt Ihr ganz genau!« Er wandte sich ab und stapfte hinaus. Sie hatte ihm nicht gestattet, sich zu entfernen, aber er betrachtete sich auch nicht als ihren Untergebenen, sondern umgekehrt.

Als die Tür ins Schloß fiel, sagte sie zu Nau: »Habt Ihr je solche Unverschämtheit erlebt? Schreibt es auf, Nau, schreibt es auf, damit eines Tages andere davon erfahren und dann selbst ihr Urteil fällen können!«

Er zitterte vor Zorn. »Ein ordinärer kleiner Mann, nicht einmal ein Edelmann! Und aller Anschein, Ihr könntet ein ›Gast‹ sein, ist mit Shrewsbury dahin: Dieser Mann ist offensichtlich ein Gefängniswärter. Er bewacht Euch in einer Burg, die nicht ihm gehört; er empfängt seine Befehle nicht einmal von der Königin, sondern von ihrem ersten Sekretär, und hält sich an die Vorschriften, die Walsingham festgelegt hat. Und die sind so streng!«

»Ja. Wißt Ihr noch, wie Paulet sie uns vorgelesen hat? Kein Verkehr zwischen den beiden Haushalten, meine Bediensteten dürfen nicht auf den Mauern umhergehen, der Kutscher darf nicht ohne Paulets Wachen hinaus, keine Waschfrauen, ich darf nur in seiner Anwesenheit mit irgendeinem Mitglied seines Haushalts sprechen, ich darf nur durch die französische Botschaft Post verschicken oder empfangen, und auch nur, wenn sie durch seine Hände geht. Er öffnet meine Briefe und wagt es, sie mir mit erbrochenem Siegel zu überreichen! Diese Unverschämtheit, Nau. Diese Unverschämtheit!«

»Das ist eine neue Welt, diese Welt der Auserwählten Gottes«, sagte Nau. »Sie macht kleine Leute zu Tyrannen.«

Maria zitterte immer noch. »Mein Staatstuch! Das Zeichen meiner Königswürde!«

»Sie können Euch Eure Königswürde nicht wegnehmen, Madam. Deshalb fürchten sie sich, wenn sie ihre Symbole sehen.«

Maria und ihr verminderter Haushalt waren jetzt seit fast zwei Monaten in der Hand Sir Amyas Paulets. Nie hatte sie sich solche Trostlosigkeit vorgestellt, eine Trostlosigkeit, die nicht nur aus der Umgebung und aus ihrer schlechten Gesundheit herrührte, sondern auch aus der selbstgerechten Bosheit ihres puritanischen Bewachers. Sie zweifelte nicht daran, daß man sie deshalb in seine Hand gegeben hatte, weil man glaubte, er sei gegen ihre Überredungskünste gefeit. Ihr Leben lang war sie mit der Gabe gesegnet gewesen, die Menschen für sich einzunehmen, wenn sie ihr von Angesicht zu Angesicht begegneten. Nur Knox hatte sie wirklich verabscheut und sie als lästig und störend empfunden. Jetzt war es, als sei Knox' Geist wieder hervorgekommen, um im Körper eines anderen zu wohnen, denn der gleiche schmaläugige Abscheu starrte ihr aus Paulets Antlitz entgegen, wann immer er sie anschaute.

Die alte Madame Rallay war fünf Wochen nach der Ankunft hier gestorben; sie war fast achtzig gewesen, und die Kälte und die Feuchtigkeit waren zuviel für sie gewesen. Voller Trauer hatte Maria mit angesehen, wie sie in der kleinen Klosterkirche von St. Mary, gleich draußen vor den Mauern von Tutbury, beigesetzt worden war. Früher war hier einmal ein Benediktinerkloster gewesen, gegründet als Dankopfer durch den ersten Besitzer von Tutbury in jenen Tagen kurz nach Wilhelm dem Eroberer. Aber Heinrich VIII. hatte den Mönchen den Garaus gemacht, und so war die treue alte katholische Dienerin aus Frankreich mit einem anglikanischen Gottesdienst zur Ruhe gebettet worden, und der scheinheilige Paulet hatte aus der Schrift vorgelesen. Er hatte darauf bestanden, dabei zu sein, und der Blick seiner dunklen Augen war hierhin und dorthin gehuscht, stets auf der Suche nach Boten oder geheimen Botschaften, die weitergegeben werden könnten.

Aber Maria hatte an diesem Tag nicht an die große Welt gedacht, sondern an die immer kleiner werdende private, in der sie wohnte.

Einer nach dem anderen verlassen sie mich alle, dachte sie. Bald werde ich mutterseelenallein auf der Bühne stehen.

Als sie sah, wie der schlichte Holzsarg in die Grube hinabgelassen wurde, sprach sie ein stummes Dankgebet, weil sie Seton fortgeschickt hatte, weg von dieser eiskalten Hölle, die dem Höllenring in Dantes *Inferno* so ähnlich war.

Im März suchte Paulet sie in ihrem Gemach auf. »Madam«, sagte er, »es schmerzt mich, zu hören, daß Ihr Euch wieder einmal in den Kopf gesetzt habt, meine Vorschriften zu umgehen. Ich beziehe mich insbesondere auf Eure papistische Angewohnheit, in der Karwoche Almosen zu geben, in der Zahl, die Eurem Alter entspricht. Mir ist zu Ohren gekommen, daß Ihr an zweiundvierzig arme Weiber Wollstoff habt verteilen lassen, und als wäre das noch nicht genug, auch noch an achtzehn arme Knaben zu Ehren James'. Als würde James sich solchem abergläubischen Unfug hingeben! Da Ihr aber weiterhin der Illusion zu frönen scheint, daß alles, was nicht ausdrücklich verboten ist, auch erlaubt sei, will ich der Liste meiner Verbote noch dies hinzufügen: *Keine Almosen*!«

Maria antwortete: »Guter Sir, ich leide am Körper wie im Geiste, und ich brauche die Gebete der Armen.«

»Unsinn!« brüllte er. »Genug von diesen absurden Diskussionen! Ihr versucht doch nur, sie für Eure Sache zu gewinnen, Euch zu einem Gegenstand ihrer Gefolgschaftstreue und Bewunderung zu machen. Aber mir könnt Ihr nichts vormachen, so gut Ihr auch ein paar einfache Leute zum Narren halten könnt.«

Sie spürte, daß ihr die Tränen in den Augenwinkeln brannten, aber sie ließ sich nichts anmerken.

»Ich wollte Euch in anderen Angelegenheiten sprechen, als mir diese Torheit berichtet wurde. Was nun diese anderen Angelegenheiten angeht – hier sind zwei Schreiben, die Euch interessieren werden.« Er reichte ihr zwei Briefe, die bereits aufgerissen waren. Dann blieb er stehen; er wollte sehen, wie sie reagieren würde, wenn sie sie las.

»Ihr könnt gehen«, sagte sie. »Ich kann ohne Eure Hilfe lesen.«

Stirnrunzelnd wandte er sich ab und ging.

Sie wartete, bis er draußen war; erst dann fühlte sie sich sicher genug, um zu lesen. Der erste Brief war ein Bericht des französischen Botschafters.

Meine teuerste Tochter,

Dies soll Euch von den Maßnahmen in Kenntnis setzen, die kürzlich vom Parlament beschlossen wurden, einem von den sogenannten Puritanern und anderen entschiedenen Anhängern alles Englischen beherrschten Parlament. Wie Ihr wißt, hat der Geheime Staatsrat der Königin einen Treuebund aufgesetzt, in dem sie alle geloben, für sie einzustehen oder zu sterben – ganz nach Art des alten König Arthur und seiner Ritter –, und Tausende ihrer Untertanen haben diesen Bund unterzeichnet.

Hervorgerufen wurde dies durch Verschwörungsdrohungen gegen sie und als hysterische Reaktion auf die Mordtaten im Ausland. Die Königin gab bekannt, ihr sei es lieber, wenn es ein spontaner Akt der Gefolgschaftstreue sei und kein Gesetz *per se*, aber das Parlament bestand darauf, es zum Gesetz zu erheben. So steht also jetzt ein neues Gesetz in den Büchern, das Gesetz zur Sicherheit der Königin. Es ermächtigt eine Richterkommission, gegen Verschwörungen oder Verschwörer zu ermitteln und sie nach Gutdünken zu bestrafen.

Außerdem wandte sich das Parlament mit harter Hand gegen die Jesuiten. Jeder seit Elisabeths Thronbesteigung geweihte Priester, hat vierzig Tage Zeit, England zu verlassen, oder er wird wegen Hochverrats angeklagt. Laien, die solchen Priestern Unterschlupf geben, machen sich strafbar.

Als wären diese Ereignisse nicht beunruhigend genug, ist noch eine weitere Mordverschwörung ans Licht gekommen: Ein Dr. William Parry behauptet, er sei von Eurem Agenten in Paris, Thomas Morgan, und dem Papst beauftragt worden, Elisabeth zu töten. Er hatte einen Brief vom päpstlichen Sekretär, Kardinal Como, dabei, in dem ihm Absolution versprochen wurde, sollte er Erfolg haben. Er kam, bewaffnet mit einer von Rom gesegneten Kugel, um die Tat zu vollbringen. In der Folge hat mein König es für richtig befunden, Thomas Morgan in den Kerker der Bastille zu sperren. Parry wird den Preis für seinen Verrat zu Tyburn entrichten, indem er dort gehängt, gestreckt und gevierteilt wird, und so weiter – die ganze bestialische Prozedur. So erbost waren die Bürger, daß sie noch extremere Maßnahmen forderten – als könnte es etwas Schlimmeres geben! Aber Elisabeth sagte, die üblichen Methoden würden genügen.

Es schmerzt mich, daß ich Euch nur solche unglücklichen Neuigkeiten übermitteln kann. Möge Gott Euer Tröster sein.

Maria legte den Brief hin. Sie hatte Herzklopfen. Auf eine ganz neue und subtile Weise fühlte sie sich als Gefangene: Jeder Irre konnte mit dem Finger auf sie zeigen und sie beschuldigen, um sie so in derart wüste Pläne zu verwickeln. Anscheinend fegte das Mordfieber über das Land.

Soll ich den zweiten Brief lesen? fragte sie sich. Sie dachte an Paulets trimphierende Miene. Beide Briefe mußten unglückselige Kunde für sie bringen. Mit zitternden Fingern zog sie das zweite Dokument heraus und begann zu lesen.

An die Allerhöchste und Großmächtige Fürstin Elisabeth:

Nach ausführlichen Erwägungen und Untersuchungen sind Wir zu dem Schluß gelangt, daß die von Unserer Mutter gewünschte Assoziation, in welcher Wir gemeinsam mit ihr regieren sollten, weder rechtens ist noch von uns erstrebt werden kann. Daher beliebt es Uns, daß eine solche Assoziation weder gewährt noch hinfort jemals wieder erwähnt werde.

James VI., durch Gottes Gnaden König von Schottland.

Amtliche Kopie, bestätigt durch Wm. Cecil, Lord Burghley & Francis Walsingham, Erster Sekretär. Diesen 2. März 1585.

Maria stöhnte auf, und das Papier fiel ihr aus der Hand.

James verstieß sie ganz und gar, und er hatte nicht einmal den Mut oder die Sohnesgüte, unmittelbar an sie zu schreiben. Er war jetzt fast neunzehn – so alt wie Darnley, als sie ihn kennengelernt hatte, und wahrlich der Sohn seines Vaters.

Der Seewind brannte von Salz und peitschte Sir Gilbert Giffords lederne Wangen, als er an der Reling des Kauffahrerschiffes stand, das sich durch die wogende See zwischen Frankreich und England pflügte. Das Schiff rollte auf und ab, in Wellentäler hinunter und wieder hinauf, und wenige Passagiere waren nicht seekrank, aber Gifford hielt sich etwas darauf zugute, den Magen eines Wassermannes zu haben. Er konnte verfaulte Speisen essen und verdorbenes Bier trinken, ohne auch nur Magenknurren zu bekommen. Es war ein Segen von Gott, dachte der rebellische Katholik.

Oh, es gab so viele Segnungen von Gott, dachte er und begann sie zu zählen. Da war, zuerst und zuoberst, seine Abkunft – aus einer alten, ehrbaren katholischen Familie in Staffordshire. Da waren seine Verwandten – sein schlüpfriger Bruder George und sein feuriger Onkel William, allesamt aktiv in der Schar derer, die auf Dauer ins Exil gegangen waren; sie hatten ihre Zelte in Paris aufgeschlagen und lebten in einer Fiebertraumwelt, in der sie England für den Wahren Glauben zurückeroberten. Ja, ein Mann brauchte eine Mission, so weit hergeholt sie auch sein mochte.

Er, Gilbert, hatte sein Leben lang mit dem Wahren Glauben getändelt. Was für eine Strapaze – sich berufen und doch nicht berufen zu fühlen! Endlich hatte er sich nach einer Romreise zu Reims zum Diakon weihen lassen. Aber die Gewänder hatten ihm nicht recht gepaßt. Unterdessen hatte sich sein Onkel William in den unangenehmen Streit zwischen den regulären Priestern und den Jesuiten verstricken lassen, die alle zusammen England retten wollten. Gilbert hatte sich nach Paris verfügt und dort seine Dienste den »regulären« Priestern angeboten, die dort die kleine Botschaft der Schottenkönigin umschwärmten wie die Wespen einen süßen Kuchen. Es war ein Bienenstock der Verschwörungen und grandiosen Pläne. Im Handumdrehen hatte er sich bei Thomas Morgan beliebt gemacht, dem Geheimschreiber des Botschafters, und bei seinem Gehilfen Charles Paget. Oh, es war ein feines Leben, wie sich herausstellte – sehr viel befriedigender und spannender als Beten und Lesen. Und auch das war ein Segen: daß er eine Arbeit gefunden hatte, die ihm Spaß machte.

Und sie machte ihm Spaß. Gescheimschriften. Geflüster. Geschmuggeltes Geld. Gefahr. Der arme alte Morgan war darin gescheitert. Einer der Attentäter, die er unterstützt hatte, ein Dr. Parry, war in England gefaßt worden, bevor er Elisabeth hatte umbringen können, und jetzt schmachtete Morgan im Kerker – in der Bastille. Aber die Haft war nicht streng, und er konnte seine Verschwörungen ohne große Unterbrechung von dort weiterbetreiben. Dieses Ränkeschmieden war anscheinend etwas, das einem Manne nach einer Weile in Fleisch und Blut überging. Das Leben war langweilig, wenn es fehlte. Selbst Gilbert hatte sich in einem hitzigen Augenblick zu einem Mordkomplott gegen Elisabeth verschwören lassen, und zwar mit seinem Onkel und einem Soldaten, der den passenden Namen Savage – »der Wilde« – trug. Aber das Komplott war im Sande verlaufen.

Thomas Morgan blieb unerbittlich dabei, daß Maria, die Königin der Schotten, gerettet und England rekatholisiert werden müsse. Jetzt beförderte Gilbert Briefe von ihm an sie und verbürgte sich als vertrauenswürdiger Kurier und Bote zu dem Versuch, ihrer Korrespondenz einen neuen Kanal zu eröffnen. Sie war seit mehreren Monaten von der Außenwelt abgeschnitten – seit sie nämlich ihrem neuen Aufseher, diesem Paulet, überstellt worden war. Aber es mußte einen Weg geben, ihn und seine Einschränkungen zu umgehen. Die Katholiken in der Gegend würden Mittel und Wege wissen; Gilbert kannte sie aus seiner Kindheit und hatte ihr Vertrauen.

Es dürften ein paar aufregende Monate werden, bis er keine Lust mehr hätte. Er war dankbar dafür, daß er nicht die vollen Priesterweihen empfangen hatte, denn jetzt galt es als Verrat, wenn ein Priester den Fuß auf englischen Boden setzte. Ja, der Krieg wurde hitziger; selbst die tolerante Elisabeth hatte strenge Maßnahmen zum Schutz der Staatsreligion erlassen.

Kümmerte es ihn, ob England wieder katholisch wurde? Ganz ehrlich, und im Grunde seiner Seele? Diese Frage stellte er sich, während er sich an die Reling klammerte und auf dem Meere ritt wie ein Reiter auf bockendem Pferd.

Tja, schön wäre es schon … es würde sich auch geziemen, zu den alten Sitten zurückzukehren.

Ja, aber *kümmert* es dich, ehrlich? fragte er sich. Kommt es dir darauf an, ob es Englisch oder Latein ist, was in einem Kirchenlied über dem Altar emporklingt? Genauer gefragt, kümmert es dich, ob es das Abendmahl des Herrn oder die Eucharistie ist? Was ist es für dich?

Gar nichts, beantwortete er sich seine Frage. Aber es gefällt mir, für eine Sache zu arbeiten; es ist aufregender, als Schuhe zu flicken oder Kranke zu pflegen.

Er konnte die englische Küste vor sich sehen. Lange würde es jetzt nicht mehr dauern.

Das Schiff war Dover ausgewichen und hatte in Rye angelegt, einem kleinen Hafen in Sussex. Die Untiefen waren hier tückisch, und es gab zahlreiche Sandbänke und verborgene Strömungen. Aber sie landeten unversehrt, und Gilbert nahm seine Sachen und ging voller Tatkraft an Land. Er trug wenig bei sich, um jede mißtrauische Durchsuchung zu vermeiden. Nur die Briefe.

Als er über die Kaianlagen ging, vorbei an Ladestegen und Warenhäusern, fühlte er plötzlich eine Hand auf seiner Schulter.

»Ihr seid nicht an unserer Inspektion vorbeigegangen«, sagte eine Stimme, und Gilbert drehte sich um und sah einen Zollbeamten der Königin. »Kommt, Sir.«

»Ich bitte um Vergebung«, sagte Gilbert geschmeidig. »Ich habe Eure Inspektion nicht gesehen, und der Kapitän hat mich auch nicht ermahnt, danach Ausschau zu halten, denn ich habe keine Waren bei mir. Ich bin ein einfacher Passagier.«

»Ein Passagier? In Geschäften?«

»Nein, nur ein Sohn der Heimat, der nach Hause kommt.« Er brachte einen Seufzer zustande. »Ich habe solches Heimweh, und meine Mutter ...«

»Wo wart Ihr im Ausland?«

Es gab keine ungefährliche Antwort. Die Niederlande beherbergten Exilanten, und Frankreich auch. Rom war verdächtig, Spanien ebenfalls. »In Paris«, sagte er schließlich. In Paris fand man alles mögliche: Schule, den Dienst am französischen Hof, Kultur, Frauen, Söldnerdienste.

»Wo ist Euer Paß?«

Gehorsam zeigte Gilbert ihn vor. Er war in Ordnung; nichts war gefälscht.

»Von Walsingham unterzeichnet«, sagte der Zollbeamte.

»Aber es steht nicht drin, was seine Geschäfte sind«, meinte ein anderer. »Wie lange wart Ihr in Paris?« wollte er von Gilbert wissen.

Bevor er antworten konnte, packten sie ihn und begannen, ihn zu durchsuchen. Sie beschlagnahmten seine Tasche mit den persönlichen Habseligkeiten. Die Briefe waren zwischen Schichten des Leders versteckt. Aber ihre Finger ertasteten die dickeren Partien, ein Messer blitzte im matten Nachmittagslicht, und das Geheimfach war aufgeschlitzt.

»So!« Sie zogen die Dokumente hervor. »Post für die Königin der Schotten! Ich denke, am besten erzählt Ihr Eure Geschichte dem Sekretär Walsingham, Freundchen!«

Es war noch früh am Nachmittag, aber Walsingham hatte an diesem kurzen Dezembertag bereits die Kerze auf seinem Schreibtisch angezündet, und jetzt starrte er, ohne mit der Wimper zu zucken, Gilbert an, der ihm gegenüber saß. Das gelbe Kerzenlicht ließ Walsinghams Haut noch gelblicher als sonst aussehen. Mit dunklen, glänzenden Augen betrachtete er seine Beute, und er bewegte nur sie und nicht seinen Kopf, als er den Mann musterte.

Es hatte die erwünschte Wirkung. Gilbert wurde nervös und fing an, auf seinem Stuhl hin und her zu rutschen.

Wahrlich, der Mann sieht aus wie ein Spanier, dachte Gilbert. So dunkel und schweigsam. Still. Völlig still, abwartend. Es heißt, Philipp von Spanien sei auch so. Ruhig, gelassen, stets Herr der Dinge.

Warum *sagt* er nichts, dachte Gilbert.

Walsingham starrte ihn immer noch an. Er verschränkte die Hände wie jemand, der etwas zu erwägen hat. Draußen hörte Gilbert die Rufe der Londoner Straßenhändler, die etwas von Weihnachten schrien.

»Ihr seid also ein Spion für Morgan und die Schottenkönigin«, stellte Walsingham in flachem, gleichförmigem Ton fest.

»Nein, kein Spion! Ich wollte heim nach Staffordshire, und Morgan hat mich gebeten, einen einfachen Brief zu übermitteln.« Er lächelte und hoffte, es sei ein überzeugendes, entwaffnendes Lächeln. Ich bin nur ein einfacher Bursche vom Lande, sagte das Lächeln hoffentlich. Ich verstehe nichts von diesen Dingen.

»Unsinn.« Walsinghams Stimme war scharf. »Ihr kommt nicht nach Hause. Ihr wart acht Jahre nicht hier, und Ihr gehört nicht mehr hierher. Ihr seid ein Glücksritter, ein Mann, der keine richtige Heimat mehr hat.«

»Nein, ich –«

»Ein moderner Mann, ein Mann, der über Kirchturmsstreitigkeiten erhaben ist. Wem gilt Eure Gefolgschaftstreue, Gilbert? Der katholischen Kirche? Eurer Familie? Das glaube ich nicht, Ich glaube, Ihr seid niemandem treu außer einem, und der heißt Gilbert Gifford. Habe ich recht?« Er starrte ihn weiter mit diesen unbewegten Augen an.

»Ja, natürlich bin ich mir selber treu, aber nicht bloß mir selber! Auch größeren Dingen!«

»Zum Beispiel der Königin der Schotten?«

»Mit ihr verbindet mich keine besondere Gefolgschaft. Ich wollte nur auf eine unbedeutende Weise helfen, sie wieder mit den Außenwelt zu verbinden«, sagte Gilbert.

»Wäret Ihr überrascht, zu erfahren, daß auch mir sehr daran gelegen ist, sie wieder mit der Außenwelt zu verbinden?« sagte Walsingham.

»Ja«, sagte Gilbert und lachte. »Denn ausgerechnet Ihr wollt ihr doch einen Knebel in den Mund stopfen, damit sie nicht noch mehr Verschwörungen anzetteln kann. Und auf Euren Befehl hin *ist* sie geknebelt.«

»Ja, aber jetzt finde ich, daß der Knebel *zu* fest sitzt. Versteht Ihr mich, Gilbert?«

»Ja … ja, ich verstehe.«

»Nun, Ihr wißt, welche Strafe auf der Beförderung solcher Briefe steht, wie Ihr sie dabei hattet, nicht wahr? Die Todesstrafe. Leider.« Walsingham spreizte die Hände in einer Geste der Hilflosigkeit. »Wollt Ihr sterben für die Lady, die da in Tutbury sitzt? Denn das werdet Ihr.«

»Es sei denn …?«

Walsingham lächelte zum erstenmal, seit das Gespräch begonnen hatte. »Ihr zieht also ein ›es sei denn‹ in Erwägung?«

»Allerdings, das tue ich.«

Da klopfte es, und jemand trat ein und brachte Feigenkuchen und kandierte Früchte. »Ein Weihnachtsgeschenk, Sir«, sagte er und stellte das Silbertablett hin.

Walsingham betastete die Süßigkeiten. »Ich liebe diese Weihnachtsspeisen, wenngleich die Exzesse dieses Heidenfestes mir ein Graus sind«, sagte er und schob sich ein Stück süßen, kristallisierten Ingwer in den Mund. »Hier.« Er hielt Gilbert den Teller entgegen.

Gilbert zwang sich, ein Stück zu nehmen und wälzte es in seinem trockenen Mund herum.

»Nun, Gilbert, ich möchte, daß Ihr Euch mir anschließt«, sagte Walsingham. »Arbeitet für mich. Meine Agenten sind die besten. Ihr könntet eine Arbeit tun, auf die Ihr stolz sein könntet. Ich glaube, Ihr habt die Fähigkeit dazu. Aber Eure Aufgabe wäre einfach: Tut weiter genau das, wozu Ihr hergeschickt wurdet. Liefert Eure Briefe ab. Knüpft Eure Verbindungen. Nehmt Botschaften in Empfang. Nur – erstattet mir über alles Bericht. Weiter nichts. Das ist der einzige Unterschied. Glaubt Ihr, dazu könntet Ihr Euch bereitfinden?«

»O ja!«

Als gäbe es die Wahl zwischen Hängen und Spitzeln!

»Und, Gilbert – wenn Ihr versucht, mich zu täuschen, werde ich es merken«, sagte Walsingham. »Und dann werdet Ihr es zutiefst bereuen und Euch wünschen, Ihr hättet Euch statt dessen gleich für die Bestrafung entschieden. Ein Doppelspion, der versucht, Verrat auf einer dritten Ebene zu begehen, findet auf keiner Seite mehr Gnade.«

»Jawohl, Sir.«

»Haltet Euch verfügbar«, sagte Walsingham. »Bald werde ich Euch brauchen.«

An diesem Abend nach dem Essen trafen Walsingham und Phelippes sich in dem bewachten inneren Zimmer in Walsinghams Haus. Drei aufeinanderfolgende Türen wurden hinter ihnen abgeschlossen. Dann zog Walsingham ein Uhrwerk aus Scheiben und Zahnrädern und Gongs und Klöppeln auf; als es in Gang gesetzt war, machte es ein solches Getöse von metallischen und dumpfen Schlägen, daß jeder Lauscher Mühe gehabt hätte, die leisen Stimmen wahrzunehmen, die im Hintergrund redeten.

Phelippes hatte die Untätigkeit rastlos gemacht, und er brannte auf diese Besprechung. Hoffentlich bedeutete sie, daß ein neues Unternehmen in Angriff genommen wurde.

»Wir haben einen neuen Agenten, Phelippes«, sagte sein Herr. »Ich hatte das Vergnügen, ihn heute nachmittag in unsere erhabene Gesellschaft aufzunehmen. Er ist genau das, was wir gesucht haben: jemand mit makellosen Referenzen, absolut akzeptabel für die andere Seite. Er braucht keine erfundene Geschichte, um sich zu rechtfertigen, denn seine eigene Geschichte ist vorzüglich: ein Mann aus einer wohlbekannten katholischen Familie aus der Gegend, aktiv in katholischen Überseekreisen tätig, empfohlen von Thomas Morgan persönlich! Gleichwohl stehen *seine* Katholiken in Opposition zu den Jesuiten hier, und das gibt ihm einen tadellosen Vorwand für den Umgang mit unserem Büro.«

»Und sein Name?« fragte Phelippes mißtrauisch. Seine ohnehin schon schlitzförmigen Augen wurden noch schmaler, als sitze er hier zu Gericht.

»Gilbert Gifford.« Walsingham wartete ab, um zu sehen, ob Phelippes den Namen kannte. »Jetzt läßt sich auch der Rest des Plans verwirklichen. Es wird Zeit, daß das Postamt der Schottenkönigin wieder geöffnet wird. Sie wird jetzt von Tutbury nach Chartley verlegt, und das wird sich als ein Wandel zum Besseren erweisen – soweit es ihre Post betrifft. Wir werden einen Blick in ihre Briefe werfen können, indem wir dafür sorgen, daß es einen scheinbar sicheren Beförderungsweg für sie gibt. Wie ich schon sagte, Phelippes: Sie liebt das, dieses Spiel mit den ›geheimen Botschaften‹. Lassen wir sie also gewähren! Lassen wir ihre Briefe mit … oh, mal sehen, was wäre dramatisch? Ein Bierfaß. Ja, sie soll ihre Geheimbotschaften wasserdicht verpackt in einem Bierfaß verstecken. Chartley hat keine eigene Brauerei, und so wird ein Faß zwischen dem Schloß und der nächsten Stadt hin und her gehen müssen.«

»Und jedesmal mit einem Brief?« fragte Phelippes.

»Natürlich. Wir wollen ja keine ganze Flut davon, und das Bierfaß wird auch keine Möglichkeit bieten, ein besonders großes Paket zu verstecken.«

»Aber der Brauer! Was ist, wenn er nicht mitmachen will?«

»Phelippes! Das ist Eure Aufgabe – dafür zu sorgen, daß er mitmacht!« Walsingham sah ihn streng an. »Ich habe allgemein festgestellt, daß sie angesichts des angedrohten Unwillens der Regierung, des versprochenen Geldes sowie des Reizes, den derlei zumeist mit sich bringt, nie nein sagen.«

Am Neujahrstag konnte Phelippes vermelden, daß der Brauer, der unter dem Decknamen »der ehrliche Mann« geführt werden wollte, gewonnen sei.

»Er sieht aus wie sein eigenes Bierfaß«, sagte Phelippes. »Und, Ihr werdet es kaum glauben, sein Name ist Bruno! Wie man sagt: ›ein großer, dicker Bär von einem Mann‹. Er hat auch einen Bärenhunger, was die Bezahlung angeht; er hat viel mehr gefordert, als Ihr gesagt hattet.«

»Und?« fragte Walsingham.

»Ich habe natürlich gezahlt. Ich hatte keine Wahl.«

Walsingham verzog schmerzlich berührt das Gesicht. Ja, er hatte natürlich recht, aber das alles war so teuer, und von der Königin würde er seine Ausgaben nie erstattet bekommen. »Allerdings, ja. Nachdem das nun erledigt ist … übrigens, hat ihm die Idee gefallen?«

Phelippes lachte – es war ein blökendes Lachen – und nickte. »Er ist wie die meisten Menschen: Zu gern möchte er böse sein, aber er will sich dabei sicher fühlen. Ich gab ihm zu verstehen, daß *er* – und nur er – in der ganzen Kette ›korrupt‹ sei. Der Sekretär der Schottenkönigin, der Franzose Nau, wird ihm die Pakete geben.«

»Und er gibt sie unverzüglich an Paulet weiter, und der gibt sie Euch. Ihr werdet sie entschlüsseln und Paulet zurückgeben, und der gibt sie dem Brauer. *Dann* gibt sie der Brauer, unser ›ehrlicher Mann‹ jemandem, den er für einen einfachen Boten hält, damit er sie auf geradem Weg zur französischen Botschaft bringt. Dieser Bote jedoch wird unser Freund und neuer Kollege sein, Gilbert Gifford. Gifford gibt sie wieder Paulet, und der gibt sie Euch.«

»Wieso ein zweites Mal? Das ist zeitraubend, und vielleicht erregt die Verzögerung Verdacht …« Phelippes runzelte die Stirn, und die Gruben in seinem pockennarbigen Gesicht verschoben sich.

»Um den Brauer zu kontrollieren und sicherzustellen, daß er nichts hinzufügt und Paulet nichts vorenthält. Um sicherzustellen, daß er kein doppeltes Spiel spielt. Und das gleiche gilt umgekehrt für die Briefe, die zurückkommen: Man muß Gilbert kontrollieren. Auf die eigenen korrupten Agenten muß man stets ein Auge haben, um sicher zu sein, daß ihre Bestechlichkeit nicht aus dem Ruder gerät oder von anderen genutzt wird.«

Phelippes' Gesicht entspannte sich. »Deshalb seid Ihr der Meister«, gestand er. »Niemand kommt Euch in diesem Spiel gleich.«

Walsingham gestattete sich einen Augenblick des Wohlbehagens. Wenn nur Elisabeth ihren Beifall einmal so zeigen wollte! »Ich danke Euch. Ich tue das alles für Ihre Majestät. Kein Wissen ist je zu teuer. So – ich möchte Euch heute noch mit unserem Gilbert Gifford bekanntmachen.« Er verstummte und zog die Lärmmaschine auf, denn sie war abgelaufen. Dann wandte er sich wieder Phelippes zu und fuhr fort: »Er hat sich in London umgetan und sich bei den Franzosen in der Botschaft eingeschmeichelt. Der Sekretär des Botschafters, Sieur de Cherelles, ist eine vertrauensvolle Seele, und Gilbert überzeugt ihn gerade von seiner inbrünstigen Ergebenheit gegen die Königin der Schotten. Er gibt Cherelles jetzt Gelegenheit, seine Referenzen zu überprüfen. Demnächst wird er Cherelles von dem geheimen Postweg erzählen und sich erbieten, die Briefe zu überbringen, die sich seit nunmehr einem Jahr in der französischen Botschaft türmen. Cherelle wird einschlagen, und – *voilà* – unsere Verbindung ist vollständig. Der Weg wird sich auftun – der Weg in den Abgrund, auf dem die schottische Königin hoffentlich in ihren Untergang galoppieren wird.«

Wir bekommen ein Weihnachtsgeschenk«, verkündete Maria ihrem Haushalt, als alle sich in der Haupthalle im Jagdhaus zu Tutbury um den Kamin gedrängt hatten.

»Ein Buch mit kommentierten Bibelzitaten von Sir Paulet?« fragte Jane Kennedy und kicherte.

»Nein, Unterhosen mit eingestickten Ermahnungen«, sagte Marie Courcelles, die frohgemute Französin, die sich bemühte, Setons Platz in Marias Herzen einzunehmen.

»Einen Abortstuhl mit dem Gesicht der Königin Elisabeth auf dem Grund«, meinte Willie Douglas.

»Willie!« rief Maria. »Das ist nicht lustig!«

Aber alle krähten vor Lachen.

»Wir werden verlegt«, rief sie durch das Gelächter. Sogleich brach großer Jubel aus. »Nach Chartley Manor, in ein fast neues Schloß ganz in der Nähe, das dem Earl von Essex gehört.«

»Neu!« rief Marie. »Neu!«

»Wem haben wir das zu verdanken?« fragte Willie, stets mißtrauisch.

»Vielleicht Gott und seiner liebevollen Sorge um uns«, sagte Maria. »Vielleicht auch bloß dem Glück. Niemand hat immer nur Pech, wißt ihr. Selbst unser Mißgeschick muß sich einmal wenden.«

»In Chartley Manor wird es Daunenmatratzen geben«, sagte Marie und warf einen Blick auf die alte, fleckige Matratze mit den verrotteten, platten, schimmeligen Federn im Bett ihrer Herrin.

»In Chartley Manor wird es große Glasfenster geben, durch die die Sonne hereinscheint«, sagte Jane.

»Chartley Manor wird aus rosenroten Ziegelsteinen gebaut sein, die die Wärme aufsaugen und sie noch lange in sich behalten, wenn die Sonne schon untergegangen ist«, sagte Barbara Curle, eine neue Zofe, die sich bald nach ihrer Ankunft in Marias schottischen Sekretär Curle verliebt und ihn geheiratet hatte. In fadenscheinigen Gewändern hatte man nur zwei Monate zuvor in der zugigen Halle von Tutbury die Hochzeit gefeiert.

»In Chartley Manor werden Spalierbirnen vor diesen warmen Ziegelmauern wachsen«, sagte Elizabeth Curle, die Schwester des Sekretärs. »Und eine Laube, in der man sitzen und lesen kann, und dort kann man sich einfach zurücklehnen und faul eine Birne pflükken.«

»Chartley Manor hat offenbar eure Phantasie entflammt«, sagte Maria zärtlich. »Ich kann mir solchen Luxus gar nicht mehr vorstellen.« Sie blickte in den dunklen, häßlichen Raum mit der einen blakenden, qualmenden Kerze. »Aber Träume sind frei.«

Geddon kam herübergetrabt und blieb vor ihr stehen, die Ohren so steil aufgerichtet, wie es nur ging.

»Hast du mich gehört, Geddon?« sagte sie. »Wir ziehen in ein neues Heim. An einen besseren Ort für deine alten Knochen. Wenn im Hundeleben ein Jahr sieben Menschenjahren entspricht, dann bist du jetzt ... siebenundsiebzig Jahre alt. Fast so alt wie die alte

Madame Rallay, Gott hab sie selig.« Maria schaute sich nach den Vogelkäfigen um, die schon alle zur Nacht zugedeckt waren. Nicht, daß es darauf angekommen wäre, denn die Tage waren jetzt fast so finster wie die Nächte. Nur wenige Vögel hatten Tutbury überlebt; die meisten hatte die Zugluft umgebracht. Und der Kardinal, der sie ihr geschickt hatte, lebte auch nicht mehr. Es gab niemanden mehr in Frankreich, der sich um Kleinigkeiten für sie bekümmerte. Nur die Exilanten waren noch da, mit ihren ewigen Verschwörungen.

Für sie bin ich keine Frau, die gern einen kleinen Vogel oder ein bißchen silbernes Stickgarn hätte, sondern nur ein Symbol des Katholizismus. Symbole brauchen keine lebendigen, atmenden Dinge; sie lesen nicht, werden nicht einsam, benötigen keine Medizin. Sie leben von lauter Schlagworten – das wenigstens glauben sie: Morgan, Paget und ihresgleichen. Etwas anderes haben sie nicht, um mich zu trösten. Manchmal hätte ich aber lieber ein Paar Turteltauben.

Früh am nächsten Morgen kam Willie in die Halle gestürzt, wo sie gerade die Becher mit Frühstücksbier füllten.

»Verdammt sei seine schwarze Seele!« schrie er und warf einen glühenden Kasten zu Boden. Funken und Asche wirbelten auf. »Er wollte ihn gerade in den Ofen an der Wand stecken!«

»Ja, aber Willie, was ist es denn?« Maria ging auf den Kasten zu, von dem kleine Rauchwölkchen aufstiegen.

»Er ist von Mary Seton«, sagte er. »Sie haben ihn wirklich durchgelassen, über die französische Botschaft. Da war ein Bursche hier, ein Nicholas de Cherelles, und der hat ihn unserem Freund Paulet übergeben. Und während ich noch zuschaute – denn ich war hinausgegangen, um die Nachttöpfe auszugießen –, da machte diese elende schwarze Seele, dieser selbstgerechte Esel, da machte er den Kasten auf und lugte hinein, und dann schob er ihn in den Ofen!«

»Und da? Wie wurde er gerettet?«

»Ich rannte hin und stieß ihn beiseite. Ich riß den Kasten heraus und schrie ihn an. Und wißt Ihr, was er da sagte, dieser Trottel mit einem Rückgrat aus Bibeln?« Willie zog eine Grimasse und ahmte den Mann vorzüglich nach. »›Das Ding ist vollgestopft mit abscheulichem Papistenmüll!‹«

»Aber du durftest es behalten?« Maria war überrascht.

»Ich gab ihm keine Gelegenheit, es mir wieder wegzunehmen«, sagte Willie. »Er kommt mir wahrscheinlich jeden Augenblick nach, um es zu holen.«

Maria und ihre Damen traten an das verschmierten Fenster und schauten hinaus in den Hof. Paulet war tatsächlich draußen und redete ernsthaft nickend mit zwei Männern. Aber er folgte Willie nicht.

»Der da ist Cherelles; ich habe ihn seinen Namen nennen hören«, sagte Willie. »Der andere – ich weiß nicht, wer das ist.«

Maria hatte sich nach dem Kasten gebückt und klappte den versengten Deckel auf. Darin lagen Rosenkränze, Heiligenbilder, heilige Medaillons und seidene Aufnäher mit der Inschrift *Agnus Dei*. Ein Brief war nicht dabei – wenn einer dagewesen war, so hatte man ihn herausgenommen.

»Ich weiß, daß Seton die Sachen geschickt hat«, sagte Maria. »Ich kann mich erinnern, daß die Schwestern in St. Pierre solche Aufnäher gemacht haben.«

Sie würde die kleinen Andachtsgegenstände hüten wie einen Schatz. Aber, oh! es hätte ihr soviel bedeutet, von Setons eigener Hand zu erfahren, wie es ihr in Frankreich erging.

Chartley Manor war tatsächlich ein imposantes Haus; es stand auf einem Hügel, von einem Wassergraben umgeben, und blickte über die Landschaft ringsum hinaus. Ein älteres Schloß war ihm benachbart, dessen Türme mit Kreuzen verziert waren; sie kündeten davon, daß der alte Besitzer auf Kreuzzug ins Heilige Land gefahren war. Im Sommer würde es sich hier zweifellos als recht angenehm erweisen, aber jetzt hielten Eis und Schnee es in den Klauen, und große Scharen von Krähen hockten auf den kahlen Bäumen rings um das Haus. Sie schienen eine Parlamentssitzung abzuhalten, denn sie krächzten und fielen einander rauh lärmend ins Wort. Maria schauderte es, als sie unter ihnen vorbei mußte.

Als sie sich eingerichtet hatten, schienen alle – Paulet eingeschlossen – besserer Stimmung zu sein. Die Quartiere erfüllten zwar nicht die hochfliegenden Träume, denen Marias Gefolge sich hingegeben hatte, aber sie waren doch um so viel geräumiger und bequemer, daß sie ihnen wie das Paradies vorkamen. Wieder setzte die öde, versteinerte Routine ein, und für Maria nahmen die Tage ihren wohlgeordneten Verlauf vom Morgen bis zur Nacht. Sie verbrachte sie wie ein Esel in seinem Geschirr, der ein Schöpfrad treibt, rundherum im Kreis, nirgendwohin.

Sie saß auf ihrem Stuhl, den man ihr rücksichtsvoll aus Sheffield geschickt hatte – sie hatte ihn immer besonders gern gehabt, weil er eine Sprosse hatte, auf die sie ihre Füße stellen konnte, um sie vor dem kalten Boden zu bewahren –, als Nau herankam. Sie seufzte. Es war also Zeit für die täglichen Geschäfte. Lieber hätte sie weiter gelesen. Aber jede Abweichung vom Plan brachte den Haushalt durcheinander, vor allem für die Älteren wie Nau, den Schneider Balthazar, den Arzt und den Apotheker. Also mußte es sein.

»Ja, Nau, ich weiß, es ist Zeit, mit den Memoiren fortzufahren.«

Er blieb stehen und nagte an seiner Lippe. Sie sah, daß er zitterte.

»Ja, was ist denn? Schlechte Nachrichten? Ist jemand krank?«

»Ich kann es Euch kaum berichten, so sehr erfüllt es mich mit Freude«, flüsterte er. »Da ist … er kam heute morgen … ein Bote. Aus Paris.«

»Ohne daß Paulet davon weiß?« Sie bemühte sich, ihre Stimme im Zaum zu halten. Konnte das sein? War es möglich? War es tatsächlich möglich?

»Ja. Er sagt, er sei gekommen, um Paulet Briefe aus der französischen Botschaft zu bringen. Aber es gelang ihm, mir ein Zeichen zu geben … als sei ich ihm bekannt …«

»Vielleicht seid Ihr ihm beschrieben worden?«

»Das müßten dann unsere Freunde getan haben. Niemand bei Hofe hat mich je gesehen. Das ist ein großer Vorteil – vielleicht der einzige –, den es hat, so abgeschieden von aller Welt zu sein, wie wir es sind. Er sagte … er sagte – man habe eine Möglichkeit arrangiert, Briefe herein- und hinauszuschmuggeln, unmittelbar vor Paulets Nase. Anscheinend ist es unseren Sympathisanten gelungen, den Brauer zu bestechen, der jede Woche das Bier aus Burton bringt; er wird Briefe befördern.«

»Das kann nicht wahr sein«, sagte Maria. »Paulet hat uns so gründlich eingesperrt, das nichts durchgedrungen ist.«

»Doch! Eine völlig abgeschlossene Behausung, das gibt es nicht. Und dieser Bursche –«

»Wie heißt er?« fragte Maria.

»Gilbert Gifford. Er stammt aus einer katholischen Familie hier aus der Gegend.«

»Und wie sollen wir Verbindung mit ihm aufnehmen?«

»Durch den Bierbrauer. Ich übergebe die Briefe dem Brauer, wenn er kommt. Wir müssen warten, bis das Bier im Keller verstaut wird, ehe wir ihn ansprechen. Gifford selbst wird nur selten kommen; es erregt sonst Verdacht. Er sagt, wir sollten die erste Sendung am

Samstag, dem sechzehnten Januar, erwarten. Und Ihr sollt die Briefe bereithalten, die Ihr absenden wollt. Aber nur einen oder zwei, denn das Geheimfach in dem Bierfaß ist notwendigerweise klein, damit es nicht auffällt.«

Sie lächelte entzückt. »Ein wasserdichtes Fach in einem Bierfaß! Wie einfallsreich!«

Ihre Augen leuchteten.

Sie wagte nicht, Briefe zu schreiben; sie fürchtete, das Ganze sei ein Schabernack, und Paulet würde sich auf sie stürzen, ihre Gemächer durchsuchen und die Briefe finden. Aber sie wartete so bang, daß sie froh war über die langen Nächte in der Januarkälte, weil die anderen nicht sehen konnten, wie sie sich aufgeregt hin und her wälzte. Sie, die sonst so freimütig redete, behielt dieses Geheimnis ganz für sich und betete darum, daß es wahr sein möge.

Der 16. Januar kam, ein kalter, klarer Tag. Das Fuhrwerk würde auf den zwölf Meilen von Burton-upon-Trent keine Schwierigkeiten haben. Es war Samstag, und der starre Tagesablauf lockerte sich im Vergleich zu den andere Wochentagen ein wenig. Wäscherinnen kamen und gingen – bis aufs Hemd durchsucht von den Frauen aus Paulets Haushalt –, und der Müller lieferte sein Mehl. Und dann sah Maria, wie der Karren mit dem großen Faß knarrend die Zufahrt heraufkam. Er rumpelte schwerfällig über die Zugbrücke und hielt im Hof an. Der fette Kärrner rief nach Hilfe, und wenig später plagten sich drei Wachsoldaten damit ab, das schwere Faß vom Wagen zu wuchten. Inzwischen wurde das leere Faß der vergangenen Woche herausgerollt.

Maria zupfte Nau am Ärmel. »Ist es da drin?« flüsterte sie. »Ist es wirklich da drin?«

»Wir müssen abwarten und einen Pagen in den Keller schicken. Daß ich hinuntersteige, ginge ja nicht an; nicht einmal Willie könnte es tun.«

Sie wünschte, sie hätte ihre kleine Uhr noch gehabt – oder wenigstens ein Stundenglas. So konnte sie nicht festsetzen, wie lange sie warten wollte. »Laßt uns bis hundert zählen«, sagte sie. »Nein – laßt uns einen Rosenkranz beten!«

Als das Rosenkranzgebet gesprochen war, spähte Nau aus dem Fenster und sah, daß der Brauerkarren fort war. Er rief einen der Pagen herüber, der ihm immer bei seinen regelmäßigen Pflichten zur

Hand ging, und erteilte ihm Anweisungen. Der Junge nickte ernst und verschwand.

Maria zog sich in ihren privaten Winkel zurück – in dem sie niemals gestört werden durfte – und wartete. Sie konnte nicht einmal beten; sie versuchte, das Denken ganz einzustellen. Und wenig später überreichte Nau ihr wortlos ein in Leder gewickeltes Paket. Sie stand auf, nahm ihn beiseite und wickelte das Paket aus.

Es enthielt zwei Briefe.

Ihr Herz klopfte, und sie wagte kaum, den ersten zu öffnen. Aber sie tat es, und zwar hastig.

Meine teuerste Herrin und Königin,

Ich bestätige hiermit, daß der Überbringer, Mr. Gilbert Gifford, in völligem Einklang mit unserer Mission steht. Ihr mögt Euch selbigem getrost anvertrauen und Euch seiner bedienen, denn er ist ein Diakon unserer Heiligen Mutter Kirche und Eurer Sache treu ergeben. Sein Onkel wohnt keine zehn Meilen von Chartley.

Euer Diener in liebendem Gehorsam,
Thomas Morgan.

Maria seufzte tief; es war fast ein Aufschrei. So lang hatte es gedauert!

Sie faltete den zweiten Brief auseinander und las ihn. Er war vom französischen Botschafter und bestätigte noch einmal die Integrität des Boten; außerdem wurde ihr mitgeteilt, daß sich einundzwanzig Briefpakete in der französischen Botschaft türmten – die Korrespondenz eines ganzen Jahres wartete darauf, zugestellt zu werden.

»Er ist vom französischen Botschafter«, sagte Maria, »und beweist, daß alles in Ordnung ist.«

Sie gab ihn Nau, und der las ihn schnell.

»Meine ganze Post! Von einem Jahr!« sagte sie.

In den nächsten paar Tagen verbrachte sie ihre ganze Zeit damit, vier Briefe zu schreiben: drei nach Frankreich – an ihren Agenten Morgan, an ihren Botschafter Erzbischof Beaton und an ihren Neffen, den Duc de Guise – und einen an den französischen Botschafter in London. Sie legte ihnen die neue Chiffre bei, die für zukünftige Korrespondenz verwendet werden sollte. Dem französischen Botschafter versicherte sie, sie habe Gifford als getreuen Kurier kennengelernt, wie er es versprochen hatte: »Ihr mögt getrost alle Briefe, die Euch für mich gesandt worden sind, diesem neuen und ergebenen Agenten anvertrauen, durch welchen Ihr hinfort gefahrlos mit mir in Verbindung treten könnt.«

Am letzten Tag des Februar übergab der französische Botschafter Gilbert Gifford einen Sack mit den einundzwanzig Paketen von Briefen aus aller Welt – von Morgan und Paget und Beaton in Paris; von katholischen Politikern und Agenten im niederländischen Exil; von Robert Parsons, dem Kopf der Jesuiten; von Sir Francis Englefield in Spanien; vom Duc de Guise; vom Herzog von Parma.

Im März trafen die ersten in Chartley ein – die Siegel waren erbrochen, weil sie sonst nicht in das kleine Fach gepaßt hätten –, und Maria konnte zum erstenmal lesen, was sich seit dem Scheitern der Throckmorton-Verschwörung in der Außenwelt zugetragen hatte.

Sie las, wie die Katholiken ihre auf Guise und seine »Heilige Liga« gesetzte Hoffnung verloren und sich zunehmend Spanien und dem Versprechen zugewandt hatten, daß spanische Truppen in England einfallen würden. Sie las, daß die feindseligen Handlungen zwischen England und Spanien bereits begonnen hatten; die Spanier kaperten englische Schiffe, und Elisabeth hatte die holländischen Rebellen formell unter ihren »Schutz« gestellt.

»Ja, Elisabeth hat sogar Truppen hinübergeschickt!« erzählte sie Nau ungläubig. »Und ihr geliebter Earl von Leicester befehligt sie!«

»Ah! Wenn die Engländer derart beschäftigt sind, dann ist die Gelegenheit zur Flucht so gut wie nie!« meinte er. »Wenn der Herzog von Parma nur ein paar Soldaten erübrigen und eine Landung bewerkstelligen kann …«

»Nau!« Sie schlug die Hand vor den Mund. »Wir haben einen neuen Papst! Hier – Sixtus V.! So viele Veränderungen!«

»Ja, die Welt ist weitergeeilt, während wir hier verschimmeln«, antwortete er grimmig.

Ende März geschah das Unerwartete: Nicholas de Cherelles, der Assistent des französischen Botschafters, kam nach Chartley. Er brachte Briefe von der königlichen Familie in Frankreich und bat darum, sie Maria persönlich übergeben zu dürfen. Paulet machte ein großes Spektakel; er runzelte die Stirn und beschwerte sich, er öffnete die Briefe selbst und erklärte schließlich, er könne die Erlaubnis erteilen, aber nur, wenn er selbst dabei zugegen sei.

Der junge Mann wurde vor Maria geführt; sie saß auf ihrem behelfsmäßigen Thron ohne das Staatstuch, und er fiel sofort auf die Knie.

»Oh, Madam«, sagte er, »Euer glorreiches Antlitz zu gewahren, das ist ewas, wonach sich alle treuen Ritter sehnen!« Die Worte sprudelten aus ihm hervor wie ein Gießbach im Frühling.

»Ihr braucht Eure Rede nicht zu verstümmeln und auch nicht im Galopp zu sprechen«, sagte Paulet. »Ich verstehe ganz gut Französisch, denn ich habe Ihrer Glorreichen Majestät Königin Elisabeth in Frankreich als Botschafter gedient.«

»Es war uns eine Ehre, Euch bei uns zu haben, Sir«, sagte Cherelles.

»Und wie geht es Seiner Majestät König Heinrich III. und seiner königlichen Mutter?« erkundigte sich Paulet.

»Sie kämpfen gegen ihren Vetter Henri de Navarre und den Duc de Guise«, antwortete er. »Sie nennen es den ›Krieg der drei Henris‹.«

»Immer nur Krieg«, sagte Maria. Es machte sie traurig. Seit ihrem Abschied dort hatte Frankreich beinahe unausgesetzt gegen sich selbst gekämpft. Dieser Cherelles – ein hübscher, blonder junger Mann – konnte sich vermutlich an gar nichts anderes erinnern.

Er gab ihr die Briefe, und sie entfaltete sie und rief aus, wie entzückt sie sei, Briefe zu bekommen, und sie dankte Paulet dafür, daß er es erlaubt hatte. Während sie las, wurde Paulet plötzlich hinausgerufen und ließ sie allein.

»Madam«, flüsterte Cherelles, »mein Herr, der Botschafter, hat mich gebeten, Euch zu fragen, ob Ihr ihm noch einmal eine Kopie der Chiffre senden könnt. Er hat seine verloren! Keine Angst, sie wurde nicht gestohlen; es war nur ein Mißgeschick. Dem Hund Seiner Exzellenz – ich sehe, Ihr habt ebenfalls Hunde; Ihr werdet es deshalb verstehen – dem Hund also ist ein ... natürliches Mißgeschick unterlaufen, und jetzt ist alles unleserlich.«

Maria fing an zu lachen. Geddon an ihrer Seite begann zu bellen. »Ja, Geddon, wir wissen schon, was er da meint. Gewiß. Er soll sogleich bekommen, was er will.«

Paulet kam murrend ins Zimmer zurück. Cherelles verabschiedete sich, und als er gegangen war, sagte Paulet naserümpfend: »Heinrich III., höre ich, bevorzugt Frauenkleider und Männergesellschaft, und er trägt kleine Hunde an seinem Busen mit sich herum.« Er sah sie traurig an, als wäre es ihre Schuld.

Walsingham langte über den Schreibtisch, nahm eine kleine, verschlossene Arzneiflasche, nahm den Stopfen ab und trank daraus. Der bittere Geschmack der Medizin – sie enthielt Sauerampfer aus Cecils eigenem Heilkräutergarten – tat ihm in der Kehle weh, aber sie sollte gut tun, wenn man an einem »schwachen Magen« litt, und Walsinghams Magen war entschieden schwach. Er hatte die Absicht, ihn zu beruhigen, ehe Phelippes eintraf.

Aber nicht nur sein Magen, auch sein Bein machte in letzter Zeit Schwierigkeiten. Das tat es immer, bevor der Frühling mit seiner ganzen Wärme kam. Aber jetzt, im Wohlgefühl des blühenden Mai, würde es ihm bald besser gehen.

Mai. Er hatte die Fensterflügel weit aufgesperrt, um die süße, sanfte Luft hereinzulassen. Blütenblätter rieselten draußen vom Apfelbaum. Ja, an einem solchen Maienmorgen war es gewesen, daß Anne Boleyn auf das Schafott gestiegen war und für ihren Verrat bezahlt hatte. Er hatte sich immer vorgestellt, daß dieses Datum einem das Sterben um so schwerer machte.

Nächstes Jahr um diese Zeit – wird die Busenschlange da noch leben, dachte er. Oder wird sie dann bald zu ihrer Hinrichtung schreiten? Oder – Gott behüte – werden wir immer noch ihre Briefe abfangen und auf eine Möglichkeit hoffen, sie zu vernichten?

Phelippes klopfte, und Walsingham ließ ihn ein. Er bot ihm frischen Met an und ging dann widerstrebend zum Fenster, um es zu schließen. Es war traurig, daß man den Mai aussperren mußte, aber es war möglich, daß Spione sich gerade auf solche Sorglosigkeiten und menschliche Schwächen verließen wie den Wunsch, den Frühling zu riechen.

Er sah den Mann mit den eigentümlich schmalen Augen, der da vor ihm saß, an. Er war zufrieden mit ihm und den Vorkehrungen, die er getroffen hatte.

»Die Briefe von heute, Sir«, sagte Phelippes und reichte sie herüber. »Ich denke, Ihr werdet finden, daß sie von beträchtlichem Interesse sind.«

»Hmmm.« Walsingham nahm bedächtig seine Lesebrille heraus und klappte den Brief – besser gesagt, Phelippes' dechiffrierte Abschrift – auseinander. »Von Maria an ihren – und unseren – Agenten Paget, und einer an Mendoza, den spanischen Botschafter.« Seine Augenbrauen zuckten hoch, als er las. »So. Sie hat sich schriftlich auf den Plan eingelassen, daß Philipp um ihretwillen in England einfallen soll. Sie erlaubt es nicht nur, sondern sie ermuntert sogar mit Nachdruck dazu. Sie macht Vorschläge, wie die Sache anzugehen wäre. Wie hilfreich. Ich bin sicher, General Parma wird ihre Anweisungen sehr zu schätzen wissen, angesichts ihrer ungeheuren militärischen Erfahrung.«

»Wir haben sie!« sagte Phelippes. »Wir haben sie! Wann setzen wir Elisabeth in Kenntnis und schlagen zu?«

»Nein, wir haben sie noch nicht«, sagte Walsingham.

»Was?« Phelippes klang verärgert. »Wieso wollt Ihr Euch noch zurückhalten?«

»Weil wir etwas noch Unumstößlicheres brauchen als das hier? Was sagt es uns, was wir nicht schon wissen? Daß Maria vorbehaltlose Sympathie für die Feinde Englands empfindet? Daß sie im Falle einer Invasion ihre Partei ergreifen wird? Wer wüßte das denn nicht schon?«

»Aber der Beweis! In ihrer Handschrift!«

»Das wird Elisabeth niemals davon überzeugen, daß Maria beseitigt werden muß. Es gibt keine Invasion; also ist das Ganze nur eine Übung in Worten. Elisabeth wird niemals einwilligen, Maria wegen einer solchen Nichtigkeit wie dieser nicht erfolgten Invasion hinrichten zu lassen. Ah, Phelippes ... es muß schon zwingender sein.« Er seufzte. »Und nachdem wir eine so perfekte Falle aufgestellt haben, sollten wir sie nicht offenbaren, solange wir nicht absolut sicher sind, daß wir haben, was wir wollen.«

Er befingerte ein Blatt an einer großen Topfpflanze, die auf dem Boden stand. Die Blätter waren lang und weich wie Hundeohren. »Wißt Ihr, was das ist?« fragte er Phelippes. »Tabak. Ich habe vor, ihn auf dem Lande in Barn Elms auszupflanzen. Aus der Neuen Welt. Eine der Expeditionen, in die ich ein bißchen Geld investiert hatte, hat solche Exotica mitgebracht. Nicht, daß ich es rauchen würde – ich nicht ...« Seine Stimme verklang, als er die Magenschmerzen wieder spürte. Manche Leute sagten ja, es sei gut gegen Krämpfe. Nun, vielleicht ...

»Da ist noch ein Brief aus der entgegengesetzten Richtung, von Paget an Maria. Die üblichen Verschwörungen und Pläne.« Phelippes legte ihn vor Walsingham auf den Tisch und machte ein gelangweiltes Gesicht.

Walsingham las ihn und schien ihn zu Phelippes' Überraschung ernstzunehmen. »Der verrückte Priester, dieser Ballard, läuft also noch herum«, sagte er dann. »Und er kommt soeben von einer Konferenz mit Paget zurück. Allmählich beginne ich an Paget zu zweifeln. Er gehört vielleicht doch nicht zu uns, denn *uns* hat er darüber nichts berichtet. Ballard behauptet, die englischen Katholiken seien bereit, sich zu erheben, sobald die spanischen Truppen hier landen? Und Paget hat ihn mit Mendoza zusammengebracht. Und Ballard hat mit John Savage gesprochen, dem Soldaten, der im letzten Sommer geschworen hat, Elisabeth zu ermorden. Ballard selber war vor zwei Jahren in Rom, und er hat möglicherweise auch geschworen, Elisabeth zu töten. Worauf läuft das hinaus, Phelippes?« Walsingham trommelte mit den Fingern auf der Tischplatte. »Zwei Mordkomplotte gegen Elisabeth schließen sich zusammen, so scheint mir. Wo ist Ballard jetzt?«

»Unser Agent Bernard Maude sagt, er ist soeben nach England zurückgekehrt. Er ist vor zwei Tagen in Dover gelandet. Anscheinend hat er einen Paß, der ihm erlaubt, zu kommen und zu gehen, wie es ihm beliebt.«

»Und wo ist er hingegangen?«

»Nach London. Er ist jetzt hier. Ich habe mir die Freiheit genommen, ihn beschatten zu lassen.«

Walsingham lehnte sich zurück und lächelte. »Gut, Phelippes, gut. Wenn wir jetzt sehr viel Glück haben, wird vielleicht jemand die schottische Königin von dieser Ballard-und-Savage-Verschwörung in Kenntnis setzen, und sie wird tollkühn genug sein, sich daran zu beteiligen.«

»Sir, Ballard hat einen Freund in London, einen Anthony Babington ...«

»Ah!« Walsingham richtete sich kerzengerade auf und schlug mit der Faust in die flache Hand. »Ah!«

Phelippes war verwirrt. »Sir?«

»Ich habe es hier, ich habe es hier ...« Walsingham war aufgesprungen und hatte das Schubfach mit der Aufschrift »Schlange – England« aufgerissen. »Ja, ja, hier ist es!« Er drückte Phelippes einen Brief in die Hand.

»O ja, den Brief schrieb Paget Ende April; er schlug vor, die Schottenkönigin solle sich mit Babington in Verbindung setzen. Er hat sogar einen Entwurf geschickt. Ihr habt ihn nicht nach Chartley weitergeleitet?«

»Nein. Ich habe abgewartet. Jetzt weiß ich, warum.« Er schüttelte den Kopf. »Darum: Wenn Babington in das Komplott hineingezogen werden kann, wenn Maria sich irgendwie daran beteiligt ...! Oh, es wäre genau das, was wir gesucht haben! Dieser Babington – sagt mir, was Ihr über ihn wißt.«

Phelippes zog eine Braue hoch. »Sir, ich bin nur ein bescheidener Dechiffrierer und kein richtiger Geheimagent. Ich weiß nicht viel über ihn – außer daß er in einem modischen Teil Londons wohnt und Beziehungen zum Hof unterhält. Ihr müßt doch über ihn Bescheid wissen. Sagt *Ihr* mir, was Ihr wißt.« Er verschränkte die Arme und wartete.

»Mit Vergnügen. Ich wollte Euch nur auf die Probe stellen. Übrigens, Phelippes, ich bin beeindruckt von Eurer Arbeit in dieser Operation. Und es war wirklich ein Geniestreich, daß Ihr die Kühnheit hattet, den französischen Sekretär geradewegs zu Maria zu schicken und den Geheimcode einfach abholen zu lassen, nachdem wir bei einem der Briefe Schwierigkeiten mit dem Entschlüsseln gehabt hatten. Kühn, kühn! Bewundernswert!« Er griff plötzlich nach einer Depesche, die auf dem Tisch lag. »Hier ist noch mehr Kühnheit, von einem unserer Agenten in den Niederlanden. Also, das ist der Traum jedes Spions: dort zu sein.«

Phelippes nahm den langen Bericht entgegen und überflog ihn. Er enthielt eine Menge Informationen über Kanonen und Pferde und Munitionslager. Dann folgte eine Seite mit Versen. »Verse?« schnaubte er. »Wieso schickt ein Agent Verse?«

»Gedichte können zu interessanten Ideen führen, Phelippes. Verachtet sie nicht.« Er hielt das Blatt vor sich und zitierte: »›Die Faten hab' ich fest in Eisenketten, und dreh' Fortunas Rad mit eig'ner Hand.‹ Ist es nicht genau das, was wir tun – oder zu tun hoffen? Der junge Christopher Marlowe hier schreibt über Tamburlaine, aber in Wirklichkeit schreibt er natürlich über Elisabeth und Philipp.«

»Wieso sind heutzutage alle Soldaten Dichter und alle Dichter Soldaten? Der Schuster soll bei seinen Leisten bleiben. Wenn Spione sich nun für Dichter halten und ihre Berichte in Blankversen abliefern?«

»›Es ist ein feines Spiel, Poet zu sein‹, gibt Marlowe zu. Ihr müßt lernen, zu verstehen, wie die jungen Leute denken, wenn Ihr sie benutzen wollt. Dieser Anthony Babington zum Beispiel hält sich für geistreich, und er verkehrt mit dichtenden Höflingen wie Chidiock Tichborne und Charles Tilney – lauter Katholiken natürlich. Er stammt aus einer alten katholischen Familie und war früher Page in Shrewsburys Haushalt, und dort hat er eine verehrungsvolle Anhänglichkeit zur schottischen Königin entwickelt. Vor sechs Jahren ist er dort fortgegangen und nach London gezogen, hat geheiratet, sich katholischen Geheimgesellschaften angeschlossen und die üblichen Reisen zu den Verschwörernestern in Frankreich unternommen. Er war in der Vergangenheit sogar für sie tätig und hat Briefe übermittelt und befördert. Der springende Punkt, Phelippes, ist: Sie *kennt* ihn. Und besser noch: Sie *vertraut* ihm. Wenn er ihr jetzt diese Verschwörung nur aufdrängt …«

»Glaubt Ihr, er wird sich in Ballards Netzen verstricken?«

»Höchstwahrscheinlich. Er ist ein Feuerkopf, und vor sechs Monaten drängte er auf ein törichtes Komplott, ›alle Ratsherren auf einmal in der Sternenkammer zu ermorden‹. Ja, ich bin sicher, er wird anbeißen.«

»Und dann werden *wir* zubeißen.«

»Mit den stählernen Kiefern einer Falle, Phelippes.« Er beugte sich vor und nahm noch einen Schluck von der Medizin, um seine nagenden Magenschmerzen zu lindern. Ihm war, als sei die Stahlfalle in *ihm*.

Rosen, Rosen für alle!« Anthony Babington tauchte die Hand in die Silberschüssel und nahm ein Dutzend Rosen heraus, die er seinen Gefährten am Tisch weiterreichte. Er selbst nahm sich eine dunkelrote und steckte sie sich hinters Ohr, wo sie sich in dunklen Locken verhedderte. »Sie kommen aus meinem eigenen Garten, erst in der Abenddämmerung gepflückt. Gibt es etwas Berauschenderes als Rosen im Juni?«

Er fühlte sich berauscht. Vielleicht lag es an der einlullenden, parfümierten Luft, die ihn umhüllt hatte, als er mit einem Korb Rosen am Arm zur Schenke geschlendert war. Vielleicht waren es auch die traulichen Laute, die er ringsumher auf den Londoner Straßen hörte, da Sehnsüchte und Geheimnisse sich nach den Beschränkungen des Winters jetzt ins Freie ergossen. Vielleicht war es die Verheißung eines großen Abenteuers in dem Dienst, der vor ihm lag. Vielleicht lag es auch nur daran, daß es Juni war, und er war fünfundzwanzig Jahre alt und reich.

»Sie sind von überaus delikatem Duft«, sagte Charles Tilney. Er schloß die Augen und atmete ein.

»So delikat wie der Duft der parfümierten Handschuhe der Königin?« fragte Babington. Tilney gehörte bei Hofe zur königlichen Ehrenwache Elisabeths.

»Welcher Königin?« fragte Tilney. »Die unserer *wahren* Königin, oder die der widerrechtlichen Konkurrentin?«

»Pst!« Babington lachte. »Vielleicht sind Spitzel in der Nähe! Wir wollen *sie* deshalb zur Sicherheit nur die ›WK‹ nennen.« Er hob sein Weinglas. Der Wein kam frisch aus Frankreich; er war rosenrot und schmeckte nach Sonne und sanftem Regen. »Trinkt, soviel ihr wollt; es ist mir ein Vergnügen!« Er reichte die Karaffe herum.

»Die Handschuhe der WK sind äußerst delikat parfümiert. Sie erträgt keine starken Gerüche. Was unsere Königin angeht, so kann ich es nicht wissen«, gab Tilney zu.

»Nun, aber ich! Ich kann euch sagen, es gibt kein Geschöpf, das ihr vergleichbar wäre«, sagte Babington. »Ihr eigener Duft ist wie das Parfüm eines Traums.« Er seufzte und schloß die Augen, in Erinnerungen schwelgend.

Am Tisch saßen seine besten Freunde hier in London, Männer, die ebenso wie er auf das große Abenteuer brannten: Sie wollten eine gefangene Königin befreien. Und mehr noch: Sie wollten sie wieder auf den Thron setzen, der ihr zukam. Babington lachte leise. »Ich muß euch etwas zeigen. Es ist fertig!« Er nahm ein Porträt aus einem Lederbeutel und trat vom Tisch zurück, um es hochzuhalten.

Es zeigte die ganze Gesellschaft – mit Babington in der Mitte –, angetan in ihren besten Gewändern. Darüber stand in fetten Lettern *Hi mihi sunt comites, quos ipsa pericula dicunt*: »Sie sind mir verbündet in gefährlichem Unterfangen.«

»Ist es nicht gut getroffen?« fragte er.

»In der Tat, ja, aber …« Chidiock Tichborne sah über die Schulter in die vollbesetzte Schenke. »Ist es ratsam, es derart in der Öffentlichkeit zu zeigen?«

»Aber, Mann, was kann es denn schaden? Niemand hier wird wissen, was es bedeutet!«

»Laßt uns das Schusterlied singen«, sagte Tilney. »Ich fange an: Wir Schuster sind eine fröhliche Schar, dam dam dam dam dam!«

»Sind frei von Neid und Mühen immerdar«, sang der nächste, Jerome Bellamy, »dam didel dam.«

»Die Muße ist groß, und die Arbeit ist klein«, fuhr Robert Gage fort, »dam dam dam dam.«

»Doch wird unser Lohn um so größer einst sein«, krähte John Tavers. »Dam didel dam.«

»Erzähle mir Genaueres«, flüsterte Tichborne im Lärm des Refrains.

»Auf dem Heimweg«, flüsterte Babington zurück. »Oh, bin ich an der Reihe? Zu fröhlichem Treiben und lustigem Tun, dam dam dam dam …«

Am späten Abend, als die Taverne sich fast geleert hatte, tranken auch Babington und seine Gefährten ihre letzte Runde und torkelten dann hinaus in die sanfte, lockende Dunkelheit. Zu dritt und zu viert machten sie sich auf den Weg, und Chidiock, der in Babingtons Nachbarschaft wohnte, wanderte mit ihm nach Hause. Die Straßen waren alles andere als leer; London schlief niemals, und in warmen Nächten wie dieser zog es die Menschen ins Freie, wie eine flakkernde Kerze die Motten anlockt. Die beiden Männer gingen zielstrebigen Schritts einher, um nicht auf die gemurmelten Bemerkungen antworten zu müssen, die sie im Vorübergehen hörten, und ihre Geldbörsen trugen sie am Hals unter dem Hemd. Aber die Versuchung war groß, langsamer zu gehen und die köstliche Nacht zu genießen.

Sie gingen die Bishopsgate Street hinunter, über einen Gemeindekirchhof und dann vorbei an einem Hospital für »Verwirrte«, das St. Mary of Bethlehem hieß.

»Manchmal ist mir, als könnte auch ich dort hingebracht werden«, sagte Babington und warf einen Blick auf die Ziegelmauer, die es umgab.

»Ja, ist denn dein Verstand aus den Angeln geraten?« fragte Chidiock. »Manchmal führst du zwar wilde Reden. Und seit ich dich kenne, bist du nervös. Aber doch nicht unlogisch!«

»Ich weiß es nicht«, sagte Babington, und alles Scherzhafte war aus seiner Stimme gewichen. »Manchmal habe ich Gedanken, die mich verfolgen, mich gefangennehmen, und ich weiß nicht genau, woher sie kommen. Dann sage ich: ›Hebe dich von mir, Satan!‹« Er lachte matt.

»›Satan‹ – jetzt klingst du wie ein Puritaner. Die reden dauernd von *ihm*.«

Sie hatten die Ziegelmauer des Hospitals hinter sich gelassen und kamen jetzt zu einer Herberge für Reisende, dem »Delphin«. Die meisten Gäste waren zu Bett gegangen, aber aus der benachbarten Taverne war noch leises Treiben zu hören.

»Ich bin mir seiner Gegenwart sehr bewußt«, sagte Babington.

»Es heißt, er kann angenehme Gestalt annehmen. Manchmal höre ich seine Stimme ...« Er brach ab, als er sah, daß Chidiock ihn anstarrte. »In meiner Phantasie, meine ich.«

Jetzt kamen sie an einer Wasserleitung vorbei; auch zu dieser späten Stunde drängten sich dort die Menschen und füllten ihre Krüge. Das Plätschern des Wassers klang spielerisch und einladend. Sie gingen hin, ließen Wasser in die gewölbten Hände laufen, wuschen sich das Gesicht und ließen sich das Wasser am Hals herunterlaufen.

»Glaubst du, dieses Unternehmen ist ... sein Werk?« fragte Chidiock. »Denn ich muß zugeben, auch meine eigenen Gefühle sind verwirrend.«

Schweigend gingen sie weiter, vorbei an weiteren Herbergen, dann an Kaufmannshäusern, bis sie schließlich zu Babingtons wunderschönem Haus mit seinem Lustgarten und der Kegelbahn gelangten. Plötzlich merkten sie, daß hinter ihnen Schritte zu hören waren, die das Echo ihrer eigenen zu sein schienen: Sie hörten auf, wenn sie stehenblieben, wurden schneller, wenn sie sich beeilten – aber wenn sie sich umschauten, war niemand zu sehen.

Babington befahl, das Tor seines Hauses zu öffnen, und sie betraten das Anwesen. »Laß uns in den Garten gehen«, sagte er. Irgendwo schlug eine Uhr zweimal.

»Es ist so spät«, sagte Chidiock.

»Kommt es dir denn spät *vor*?« fragte Babington. Irgendwie war es in dieser Nacht, als spielte die Zeit ihnen einen Streich. »Komm! Du kannst heute nacht hierbleiben.«

Lachend lief er auf die dunklen Umrisse der Zypressen zu und sprang die Marmortreppe in den sinnreich angelegten Garten hinunter. Weit hinten am Ende plätscherte ein Springbrunnen wie ein Bergquell. Babington fing an, mit ausgebreiteten Armen im Kreis herumzulaufen und dabei auf und nieder zu fahren. Chidiock folgte ihm und sah, wie die stummen Marmorstatuen griechischer Götter und Göttinnen aus ihren kleinen Eibenholzalkoven hervortraten und die Possen der beiden Männer beobachteten. Der Mond schien hell und freundlich.

Chidiock faßte Babingtons Arm. »Warum?« fragte er. »Warum willst du es tun? Sieh doch, was du hast.« Er deutete die lange Gartenallee hinunter und auf das prachtvolle Haus. »Du bist jung, reich, hast eine hübsche Frau. Warum bist du nicht zufrieden? Warum willst du es verspielen? Ich kann nicht glauben, daß du so religiös bist. Wenn du es wärest, dann wärest du Priester geworden. Du liebst dieses Leben zu sehr. Weshalb es wegwerfen?«

»Es wird ja nicht weggeworfen. Du schreibst zu viele Gedichte. Du denkst immer nur an Verlust und Trauer. Dieses Gedicht, das du verfaßt hast … das davon handelt, jung zu sterben …«

»Meine ›Elegie‹?« sagte Chidiock. »›Meine Jugend ist dahin, und doch bin ich nicht alt, ich sah die Welt und ward doch nicht gesehen; mein Faden ist zerschnitten und ward doch nicht gesponnen. Ich lebe, und mein Leben ist dahin.‹«

»Düsteres Zeug«, sagte Babington.

»Du solltest darüber nachdenken. Warum tust du es? Ist es für *sie*? Oder für *ihn*?«

»Für sie natürlich. Du weißt, daß ich sie immer geliebt habe.« Er hielt den Atem an und wartete. Es war totenstill. »Ich habe einen Brief von ihr bekommen, von ihr selbst, gestern erst. Sie will wissen, wie es mir geht, und so weiter. Und zugleich habe ich mit Ballard gesprochen, dem Priester. Er ist bereit, die Tat zu vollbringen – die widerrechtliche Konkurrentin zu beseitigen. Er und sechs andere. Ich nehme an, du wirst zu ihnen gehören wollen? Du kannst in ihre Nähe vordringen.«

»Zu *ihnen*?« Chidiocks Stimme wurde matt.

»Ich werde ihr unseren Plan offenbaren. Ohne ihren Segen kann nichts daraus werden. Aber *mit* ihrem Segen kann er nicht scheitern!«

»Ich flehe dich an, schreibe nichts davon auf!« rief Chidiock. »Und was ihren Segen angeht – alles, was sie anfaßt, scheint doch schiefzugehen. Fast, als wären *sie* und *er* eins!«

»Du suchst deine Feigheit zu übertünchen! Ich werde jemand anderen finden, der deinen Platz einnimmt!«

»Nein, ich bin ja dabei – nur …« Er verstummte. »Bitte handle mit Vorsicht.«

Allein in seinem geräumigen Arbeitszimmer, modisch eingerichtet mit einem italienischen Intarsienschreibtisch, ebenholzverzierten Stühlen, goldenen Kerzenleuchtern und einer Marmorbüste von Marcus Aurelius, setzte Anthony Babington sich hin und schrieb an seine erwählte Königin. Auf dem Schreibtisch stand eine elfenbeinerne Heilige Jungfrau, die beschwörend zu Marcus Aurelius hinüberschaute. Anthonys Großvater hatte diese Jungfrau wie einen Schatz gehütet, und sie war sehr alt; die Familienlegende berichtete, sie sei zum Dank dafür, daß die Familie vor dem Schwarzen Tod verschont geblieben war, geschnitzt worden.

Aber jetzt schleicht ein anderer Schwarzer Tod durch das Land, dachte Babington. Der Schwarze Tod der Ketzerei, der verlorenen Seele ... Er schüttelte den Kopf, um klar denken zu können. Er war müde; der Wein und die späte Stunde forderten jetzt doch ihren Tribut. Aber er mußte den Brief jetzt schreiben, solange er ungestört war und völlige Ruhe hatte.

Er zündete eine Kerze auf seinem Schreibtisch an und schaute einen Augenblick lang zu, wie das Licht die Schönheit im zarten Antlitz der Heiligen Jungfrau hervorbrachte. Solche Schönheit, und das alles wird heutzutage zertrampelt, entweiht ... es muß schmerzlich sein für Christus und Seine selige Mutter.

Ja, deshalb tue ich es. Deshalb *muß* es getan werden.

Er strich das vorzügliche Papier glatt und begann seinen Brief an Maria, Königin der Schotten, widerrechtlich eingekerkert – die wahre Königin von England.

Er legte die Pläne dar, wie Savage und Ballard sie ihm beschrieben hatten. Es würde eine Invasion von außen geben, dank dem König von Spanien, und zwar mit einer hinreichend großen Streitmacht, um den Erfolg sicherzustellen. Ihr würden sich die loyalen Katholiken des ganzen Landes anschließen, auch sie ein mächtiges Heer. Elisabeth mußte festgenommen und ermordet werden, denn sonst wäre alles sinnlos.

O mächtige und tugendsame Königin,

Ich grüße Euch, der ich Euch, wie Ihr wißt, stets treu gewesen. Nunmehr bin ich mit meinen Freunden entschlossen, unser Leben und Vermögen aufs Spiel zu setzen, um Eure Befreiung aus der Haft zu bewerkstelligen, sowie auch die Beseitigung Eurer Widerrechtlichen Konkurrentin. Wir erwarten Eure Billigung; wenn wir sie haben, werden wir sogleich beginnen und obsiegen oder sterben. Ich bitte Euch demütig, mich zu ermächtigen, in Eurem königlichen Namen zu handeln, und bitte Euch, unser Unternehmen zu leiten.

Für die Beseitigung der Thronräuberin, der wir nach ihrer Exkommunikation keinen Gehorsam mehr schulden, stehen sechs edle Gentlemen zur Verfügung, meine privaten Freunde allesamt, die es wegen ihres Eifers für die katholische Sache und den Dienst an Eurer Majestät unternehmen werden, die tragische

Hinrichtung zu vollstrecken. So bleibt, daß ihr heldenhafter Anschlag entsprechend ihrem Verdienst und der Großzügigkeit Eurer Majestät in Ehren belohnt werde, wenn sie lebend entkommen, oder aber, daß der Lohn ihren Erben zuteil werde. Ich bitte Eure Majestät, mich soweit zu ermächtigen, daß ich ihnen dies versprechen kann.

Ja, hoffentlich würde sie zustimmen. Es war in der Tat ein ernstes und riskantes Unternehmen.

> Ich selbst werde Euch mit zehn Gentlemen unter meinem Befehl aus Eurem Gefängnis holen. Wir werden Teil einer größeren Streitmacht von mindestens einhundert Mann sein, die in der Lage sein wird, unverzüglich die Garnison, die Euch gefangenhält, zu überwältigen und Euch fortzubringen.
>
> O meine ehrfurchtgebietende Königin und Lehnsherrin, ich ertrage kaum mehr den Gang der Tage, die verstreichen müssen bis zu dem Augenblick, da ich Euch von Angesicht zu Angesicht gegenübertrete und Euch in die Freiheit führen kann.

Er seufzte. Es stimmte. Jeder Augenblick bis zu diesem Zeitpunkt erschien ihm verschwendet, töricht, wertlos.

Draußen erwachte ein matter Lichtschimmer. Die Nächte im Juni waren kurz. Er hörte die leicht veränderten Geräusche, die den frühen Morgen von den toten, stillen Stunden der Nacht unterschieden. Alles raschelte, regte sich.

Drei Häuser weit von seinem entfernt stand die Residenz des Botschafters, der Frederick II. von Dänemark vertrat. Der Gedanke daran ließ einen Schatten über seine Freude ziehen. Bothwell. *Alles, was sie anfaßt, scheint schiefzugehen.* Oder zu sterben.

Aber alles muß sterben, dachte er. Für eine vornehme Sache zu sterben ist ein Privileg. Das Blut der Märtyrer, heißt es, ist der Samen der Kirche.

Trotzdem – vielleicht sollte ich so vorsorglich sein, mir einen Paß zu beschaffen, damit ich England verlassen kann. Sollte die Verschwörung scheitern, wäre es sicher vornehmer, mich in Sicherheit zu bringen und neue Verschwörungen zu planen, als mich hier wie ein Hase fangen zu lassen. Ist die Verschwörung einmal gescheitert, hat es keinen Sinn, dafür zu sterben.

Walsingham ging langsam in sein Hauptbüro, welches jedermann von der Straße betreten konnte, um einen Paß oder eine Importlizenz zu beantragen oder um sonst eines der tausendundein legitimen Begehren vorzubringen, die ein loyaler Untertan Elisabeths haben konnte. In diesem Büro, nicht weit von seinem Haus entfernt, hatte er drei Gehilfen, die unaufhörlich beschäftigt waren. Ein ganzer Raum war nur dazu da, die Akten dieser Transaktionen aufzunehmen; wie alles, was Walsingham berührte, geschah auch dies methodisch und ordentlich. Er war sehr stolz darauf; schließlich hatte nicht einmal das Parlament einen festen Aufbewahrungsort für seine Akten – was für eine Vorstellung, dachte er immer, wenn er die Parlamentsschreiber mit ihren Büchern unter dem Arm herumhasten sah, immer auf der Suche nach einen Ort, wo sie sicher untergebracht werden könnten.

Als er jetzt durch die hochsommerlichen Londoner Straßen schritt, betete er darum, daß nicht wieder die Pest ausbrechen möge, wie sie es in dieser Jahreszeit oft tat. Dieser Sommer durfte nicht unterbrochen werden, nein, nicht wenn sie so dicht vor dem Erfolg standen. Die Zutaten begannen allmählich zu gerinnen, sie stockten wie in einem Pudding beim Backen. Nur noch ein Weilchen …

Ringsumher stank der Abfall in den Gossen. Die heiße Julisonne schien die Dünste der Verwesung und des Faulens in die Luft hinaufzuziehen; kein Wunder, daß der Hof London im Sommer verließ. Tote Ratten und weggekippter Kot türmten sich zu schillernden Bergen, wimmelnd von Fliegen. Er wandte den Kopf ab und beschleunigte seinen Schritt, und er mußte einem schwerfälligen Karren ausweichen, dessen Holzräder sich durch den Abfall wühlten und nur noch mehr Gestank freisetzten.

Er war dankbar, als er sein Büro erreicht hatte, eine Insel der Sauberkeit und Ordnung. Seine drei Schreiber saßen bereits an ihren Tischen und blickten respektvoll auf. Er nickte ihnen zu und zog sich in sein inneres Büro zurück.

Er überprüfte eben die jüngste Vereinbarung mit den Bordeaux-Schiffern bezüglich der Maximaltonnagen, als es klopfte und die Tür zögernd geöffnet wurde.

»Ja?« Walsingham ärgerte sich über die Störung. Aber der Ärger verflog, als er sah, wer es war. Er bemühte sich, eine gleichmütige Miene zu bewahren.

»Guten Morgen, Sir. Ich bin Anthony Babington.« Ein glattes, schön gemeißeltes Gesicht lächelte ihn an, umringt von dunklen Locken und gekrönt von einem modischen Hut.

»Ja?« wiederholte Walsingham. »Womit kann ich Euch behilflich sein?«

»Sir, ich erwarte, demnächst womöglich ins Ausland reisen zu müssen und beantrage deshalb schon im voraus einen Paß. Eure Gehilfen bestanden darauf, daß ich Euch mein Ersuchen selbst vortrage.«

»Und diese unbestimmte künftige Möglichkeit ... worum geht es dabei? Aber bitte setzt Euch doch.« Er wies auf seinen bequemsten Stuhl.

»Ich habe oft Geschäfte in Frankreich, Sir – in Paris, genau gesagt.« Babington schaute ihn freundlich an.

»Was für Geschäfte?«

»Es ist mir ein wenig peinlich, das zu gestehen, Sir.« Er ließ bezaubernd den Kopf hängen und lugte unter seinen Locken hervor. Seine Augen waren so blau wie der ägäische Himmel. »Aber ich bin oft bei Hofe, und Kleider sind mir wichtig. Es gefällt mir außerdem, Ihrer Majestät Neues von der Mode zu berichten und ihr Kleinigkeiten mitzubringen, die sie gern hat.«

»Was für Kleinigkeiten?«

»Oh – Handschuhe, Parfüm, ledergebundene Gedichtbücher.«

»Ihr unternehmt also eine Reise nach Frankreich, nur um solche Dinge zu erwerben? Ist es das, was die Jugend von England heutzutage treibt? Sagt mir – weshalb seid Ihr nicht in den Niederlanden und kämpft dort mit anderen Eurer Generation? Sir Philip Sidney ist dort, Christopher Marlowe, der junge Essex – ist das nicht ein edlerer Beruf, als am Hofe zu bleiben und ab und zu nach Frankreich zu fahren, um weibischen Tand zu beschaffen?« Er war selbst überrascht von seinem Ausbruch. »Da seid Ihr doch nichts als ein Schoßhund von der Art, wie sie die Schottenkönigin unter ihren Röcken beherbergt.«

Babington zuckt die Achseln. »Es ist nicht allen Männern gegeben, Soldaten auf dem wirklichen Schlachtfeld zu sein. Wir können auch in anderen Arenen kämpfen. Zweifellos seid Ihr, Sir, dafür das beste Beispiel.« Seine blauen Augen sahen Walsingham geradeheraus an.

»Ich beschwöre Euch dringend, meine Worte zu bedenken«, sagte Walsingham. In diesem Duell freilich sollst du sie in den Wind schlagen. Wie du es notgedrungen tun wirst, du stolzer junger Narr.

»Sir, ich beharre auf meiner Bitte um einen Paß.«

»Für welche Zeit?«

»Oh« – er sah sich unbestimmt um – »für den Rest des Sommers, und für den Herbst.«

»Aha. Nun, ich bin außerstande, Eurem Antrag zur Zeit zu entsprechen. Meldet Euch in zwei oder drei Wochen noch einmal, bei dem Agenten Robert Poley.«

Babington zuckte die Achseln. »Ich denke, das solltet Ihr Euch noch einmal überlegen. Vielleicht kann ich Euch helfen.«

»Auf welche Weise?«

»Wie Ihr sagtet, es gibt noch andere Schlachtfelder. Ich könnte für Euch spionieren.«

»Auf welche Weise?«

»Wie Ihr es haben wollt. Ich bin Katholik, man akzeptiert mich dort …«

Walsingham war erschrocken, und er erschrak über sein Erschrecken. Seit zehn Jahren hatte ihn niemand mehr überrascht.

»Ich habe Zugang zu Morgan in der Bastille und zu Paget und Beaton in der Botschaft der schottischen Königin in Paris. Und zu Mendoza …«

»Ich habe bereits Agenten dort. Was könntet Ihr, was sie nicht können?«

Babingtons Miene zeigte Verwirrung. »Ich dachte, Ihr wäret entzückt über mein Angebot!«

»Kommt, kommt. Spion ist nicht Spion. Ein Tolpatsch ist schlimmer als gar kein Spion, denn er verrät, daß er anwesend ist. Ich will Euer Angebot in Erwägung ziehen, aber Ihr müßt mir schon schriftlich einen detaillierten Plan vorlegen, wie Ihr Eure Aufgaben zu erfüllen gedenkt. ›Viele sind berufen, wenige aber auserwählt.‹ Ihr glaubt doch nicht, meine dreiundfünfzig Agenten überall in der Welt haben ihre Position und mein Vertrauen errungen, indem sie einfach von der Straße hereinspaziert kamen?« Er lachte leise.

»Also schön.« Babington stand auf und schlug mit der Hand an sein Schwert. »Ihr werdet sehen!«

Er ging; Walsingham aber war so verdattert, daß er sich nicht mehr auf den Tonnagebericht konzentrieren konnte.

Nein, mein Freund, dachte er. *Du* wirst sehen.

Die Sonne stieg dem Mittag entgegen, die Hitze nahm zu, und Stille senkte sich über die Stadt. Schließlich stand Walsingham auf und wünschte seinen Schreibern einen guten Tag; er wollte in sein anderes Büro. Sie verschlossen die Türen und gingen drei Häuser weiter in den Weißen Hirschen, um zu Mittag zu essen; Walsingham aber machte sich auf den zehnminütigen Fußweg zu seinem Ziel.

Während er sich zwischen den Müllhaufen hindurch seinen Weg suchte und sich eine Parfümkugel an die Nase hielt, um seine Lunge vor den widerlichen Dünsten zu schützen, spukte ihm der seltsame Besuch im Kopf herum. Wieso war Babington gekommen? Trieb ihn das schlechte Gewissen? Wollte er gestehen? Oder ahnte er, daß sein Komplott entdeckt war, und wollte Walsingham jetzt auf die Probe stellen?

War ich der Beobachter oder der Beobachtete? fragte er sich.

Oder hat er die Nerven verloren und ist im Begriff, seine Mitverschwörer zu verraten? Ist er so instabil? Dann müssen wir schnell handeln, bevor alles auseinanderbricht. Er muß diesen Paß wollen, damit er fliehen kann.

Diese Augen … so sonderbare Augen … ein so unschuldiger Blick … so irreführend …

Walsingham schüttelte den Kopf. Wenn nur mein Glaube mich nicht daran hinderte, die Philosophie Machiavellis vorbehaltlos zu befolgen, dachte er, wäre alles so viel leichter. Ich könnte Beweise fälschen und brauchte mich nicht mit dieser Plackerei abzugeben, und ich müßte auch nicht Babingtons Motive zu ergründen suchen.

Seufzend drehte er den Schlüssel im Schloß und betrat seine dunklen, stillen Räume. Gleich trat er beiseite und untersuchte die feine Schicht Sand aus Alexandria, die er an der Tür auf den Boden gestreut hatte, um Fußspuren sichtbar zu machen. Aber da waren keine. An der nächsten Tür schaute er nach dem feinen Roßhaar, das er zwischen Tür und Rahmen gespannt hatte; es war nicht zerrissen. Niemand war eingedrungen.

Um die dritte, letzte Tür zu prüfen, beugte er sich über den Türknauf, den er leicht mit Gummi arabicum bestrichen hatte, um festzustellen, ob Handabdrücke zu sehen waren. Nichts. Er wischte den Knauf mit seinem Taschentuch ab und betrat sein innerstes Refugium.

Alles hier erwartete ihn, und es gab keinen Gegenstand in diesem Zimmer, der nicht in irgendeiner Weise seine Persönlichkeit widergespiegelt hätte. Hier war er vollständiger er selbst als an irgendeinem anderen Ort auf Erden; zugleich aber fühlte er sich manchmal wie in einem Gefängnis, als beherrschten ihn alle diese Schubfächer und ihr Inhalt, nicht umgekehrt – als gebe es irgendwo einen großen Kasten, auf dem sein Name stand, ein dunkler, trostloser Kerker, in dem er arbeitete.

Er riß die Fenstervorhänge auf, um ein wenig Licht hereinzulassen, und dann ließ er sich an seinem Schreibtisch nieder.

Höchstwahrscheinlich habe ich Schwielen am Hintern, dachte er. Wenn ein junger Mann zu mir käme und mich fragte, welches die wichtigste Eigenschaft sei, die man für diese Arbeit benötige, dann würde ich sagen: ein breiter, flacher Hintern, der es gewöhnt ist, unbeweglich zu sitzen.

Babington … er hat mir diesen Besuch abgestattet, um mich zu beunruhigen. Warum also gelingt es ihm? Ich weigere mich, mir das Spiel von ihm aus der Hand nehmen zu lassen …

Es klopfte.

»Herein«, sagte Walsingham.

Phelippes schob den Kopf durch die Tür; er grinste wie ein Totenschädel. Er schwenkte ein Blatt Papier wie ein Taschentuch und kam hereingeschlendert. Walsingham dachte unwillkürlich, er sehe aus wie die schlechte Imitation einer Koketten. »Hier«, sagte Phelippes und legte Walsingham das Blatt auf den Schreibtisch. »Das ist es.«

Walsingham nahm den Brief und las. Alle Müdigkeit fiel von ihm ab, alle nagenden Zweifel am Wert seiner Arbeit verflogen. Es war ein langer Brief von Babington an die Königin der Schotten mit detaillierten Plänen für Marias Rettung und Elisabeths Ermordung. Babington! Walsingham atmete tief ein und schloß die Augen. »Ja. Das ist es.«

»Hier ist das Original.« Phelippes reichte es Walsingham ehrfürchtig herüber. »Ich bringe ihn selbst nach Chartley; ich will es keinem anderen Boten anvertrauen. Der Ehrliche Mann wird seine nächste Bierlieferung am Samstag, dem neunten Juli, vornehmen. Am selben Abend wird sie dies in ihren Händen halten!«

»Und, das gebe Gott, beantworten!«

»Das wird sie, seid unbesorgt. Überstürztes Handeln ist eine ihrer beherrschenden Angewohnheiten. Wann hat sie je gezögert, ein gefährliches Unternehmen zu beginnen? Schon ganz am Anfang war ihr Benehmen Elisabeth gegenüber kühn und unverschämt: wie sie ohne Paß von Frankreich herüberkam und sie herausforderte, sie doch gefangenzunehmen. Sie hielt eine inszenierte, gefühlvolle Rede in diesem Sinne, ehe sie an Bord ihres Schiffes ging. Erinnert Ihr Euch noch an ihre Worte? ›Ich bin entschlossen, die Sache zu wagen, was immer dabei herauskommen mag; ich hoffe, der Wind wird so günstig sein, daß ich nicht in die Nähe der englischen Küste geraten werde, und wenn doch, so wird die Königin, Eure Herrin, mich in der Hand haben und mit mir tun können, wie es ihr beliebt. Sollte sie so hartherzig sein, mein Ende zu wollen, so mag sie tun, was ihr gefällt, und mich opfern – mag sein, daß dieses Unglück besser für mich wäre als das Leben.‹ Nun, und jetzt hat der Wind sie doch noch nach England geweht, und was sie vor fünfundzwanzig Jahren so vorlaut daherredete, wird jetzt geschehen. Wir sollten auf unsere Worte achten; sie haben es an sich, uns zu verfolgen.«

»Sie hat nie auf ihre Worte geachtet«, sagte Walsingham. »Das ist eine Konstante, auf die wir zählen können.« Er starrte wie gebannt auf den Brief. »Fünfundzwanzig Jahre lang ist sie ihrem Schicksal entkommen. Jetzt holt es sie ein. Übermittelt ihr den Brief, und zwar schnell. Und, Phelippes ...« Er wollte von Babingtons Besuch erzählen, aber irgend etwas hinderte ihn.

»Was, Sir?«

»Nichts.« Er warf einen langen, durchdringenden Blick auf den Brief. »Wir erwarten, daß sie ihr ganzes Herz in die Antwort legt.«

Maria hatte die Miniatur ihres Sohnes James nicht wieder eingepackt, als könnte das Kind auf dem Porträt wie durch einen Zauber den erwachsenen Mann im Brief beschwören. Konnten die beiden wirklich ein und derselbe Mensch sein? James hatte eben seinen zwanzigsten Geburtstag begangen. Zwanzig Jahre, seit sie ihn an jenem Junitag in Edinburgh Castle zur Welt gebracht hatte. Darnley war da gewesen, Bothwell, Maitland ... die Reihe der Namen war wie ein melancholischer Glockenschlag. Alle tot, und sie waren tot ... warum? Nur ich bin noch da, dachte sie. Nur ich stehe noch auf der Bühne. Ich und Elisabeth.

Und James, jetzt ein erwachsener Mann. Zu einem Fremden herangewachsen. Das Wesen, dessen Rache ich Rizzios Mördern verheißen habe, hat mich verlassen und verraten wie alle anderen.

Zwei Tage zuvor, am 6. Juli, hatten James und Elisabeth einen Vertrag unterzeichnet, den Vertrag von Berwick. Sie waren jetzt auf Dauer miteinander verbündet und dazu verpflichtet, einander zu helfen und zu beschützen. James hatte – zum Lohn – ein englisches

Jahrgeld verliehen bekommen. Maria wurde in dem Vertrag nicht erwähnt. Was die beiden Könige anging, so existierte sie nicht. Unnötig, sie bei ihren Verhandlungen und gegenseitigen Zusagen zu berücksichtigen.

Für sie bin ich tot, dachte sie. Ich habe die Bühne verlassen, ebenso unwiderruflich wie Darnley und Maitland. Früher einmal hätte es eine prekäre Einigung mit den Franzosen gegeben, mit Garantien für dies und jenes. Jetzt – nichts. Elisabeth kann unmittelbar mit James verhandeln, ohne irgendwelche Repressalien zu fürchten.

Sie nahm die Miniatur des Kindes in die Hand und starrte sie an, fast als wollte sie sie mit ihrer Willenskraft zum Leben erwecken. Aber die sanften blauen Augen schauten sie ohne ein Wimpernzukken an.

Mein Kind, mein Kind, dachte sie. Sogar mein eigenes Kind läßt meine Sache im Stich und verkauft mich an meine Feindin. Er will König sein; wenn ich Königin von Schottland bin, kann er natürlich nicht König sein. Wie ein echter Stuart glaubt er an sein absolutes, gottgegebenes Recht zu herrschen. Und dabei bin ich ihm im Weg.

Aber über allem und jenseits davon stand das schmerzhafte Gefühl, daß der letzte ihrer Familie nun fort war, ausgerechnet der, der hätte bleiben müssen, wenn alle anderen geflohen, desertiert oder gestorben waren. Ein Sohn sollte doch die rechte Hand seiner Mutter sein und ihre Sache verfechten, sollte im Alter für sie sorgen und ihr Trost für alles erlittene Unrecht, allen ertragenen Schmerz spenden. Er war ihr teuerster Besitz, ihr größter Erfolg.

Damit ist der Katalog meiner Verluste vollständig, dachte sie. Den Vater verloren, die Mutter, drei Männer, ein Königreich, die Gesundheit … und jetzt mein einziges Kind.

Sie schaute hinüber zu ihrem Betstuhl, über dem das alte Kruzifix hing. Auf ausdrücklichen Befehl von Elisabeth hatte Paulet ihr erlaubt, es zu behalten.

Ich sollte niederknien und beten, dachte sie. Ich sollte alle meine Sorgen vor Gott bringen, damit Er mich trösten kann, wie er es versprochen hat.

Aber das will ich nicht, dachte sie. Gott kann nicht wissen, was ich empfinde! Er hat vielleicht das Universum erschaffen, aber Er war niemals eine Mutter.

Als sie an diesem Nachmittag mit steifen Beinen zum Garten ging, wo sie gern saß und sich von der Julisonne durchwärmen ließ – wie eine alte, sieche Katze, dachte sie –, erblickte sie Paulet mit einem sonderbar aussehenden Begleiter. Der Mann hatte fettiges gelbes Haar, und sein Gang war seitwärts gerichtet. Maria setzte sich auf eine Marmorbank und holte ihr Stickzeug hervor; sie arbeitete an einem Bild mit Turteltauben. Die beiden Männer kamen näher, und der Fremde schien sie anzustarren. Er vermied es, mit dem Finger auf sie zu zeigen, aber sie sah, daß er angestrengt herüberspähte. Selbst aus der Ferne sah Maria, daß sein Gesicht von Pockennarben schrecklich entstellt war, und er tat ihr leid. Es gab keine Möglichkeit, ein solches Leiden zu verhüllen, und es war das Auffälligste an seinem Aussehen.

Er und Paulet schienen in ein Gespräch vertieft zu sein, und immer wieder blickten sie zu ihr herüber. Hoffentlich würden sie nicht herkommen; sie hätte es nicht ertragen, sich heute auf einen von Paulets spöttischen Wortwechseln einzulassen. So hielt sie den Kopf gesenkt und hoffte, sie würden fortgehen.

Als sie wieder aufblickte, waren sie weg.

Die Schatten krochen unter den Büschen hervor wie scheue Tiere, die hervorgelockt werden mußten. Wind kam auf, frisch und warm. Das schöne Wetter hatte ihren rheumatischen Gliedern gutgetan; ihr Arzt Bourgoing hatte ihr verordnet, sich so oft wie möglich in die Sonne zu setzen, und war zufrieden mit dem Ergebnis. Sie konnte Knie und Ellbogen mühelos krümmen; nur die Finger taten ihr noch weh.

»Bald werdet Ihr wieder reiten können«, hatte der Arzt gesagt.

»Wenn ich dürfte«, hatte sie geantwortet. »Wie die Dinge aber liegen, macht es kaum einen Unterschied aus.«

»Das könnte sich jeden Augenblick ändern«, hatte er gesagt und dabei eine Braue hochgezogen.

Sie war gerührt von seinem Enthusiasmus, auch wenn er fehlgeleitet war. »Ach, mein Freund«, hatte sie lächelnd geantwortet. »Gott sei gedankt für Eure unerschütterliche Hoffnung!«

In der Dämmerung öffnete sie das kleine Fenster in dem Alkoven, der ihr als Gebetserker diente, und ließ die Sommerluft herein. Sie lehnte sich ans Fensterbrett und atmete tief ein. Die Laute der Nacht erwachten allmählich im Land rings um das Schloß. Am Wiesenteich sangen die Frösche, und der Baß eines alten Ochsenfrosches klang beharrlich stampfend unter dem Chor der höheren Stimmen. Sie hatte gehört, daß in dem Teich Lilien wuchsen, groß und wächsern weiß, aber man hatte ihr nie erlaubt, dort hinzugehen – selbst wenn sie es gekonnt hätte.

Vielleicht hätte ich es gekonnt, wenn man es mir erlaubt hätte, dachte sie. Was kam zuerst – die Haft oder die Verkrüppelung? Ich glaube, heute abend könnte ich hingehen, noch jetzt. Wenn ich jemanden an meiner Seite hätte, nicht nur Geister.

Der Geist Bothwells im freien Feld … wenn ich dächte, du würdest dort sein, mein Liebster, wisperte sie, dann würde ich zu dir kommen, selbst in meinem Zustand.

Sie wußte nicht, ob sie an Geister glaubte. Manchmal spürte sie Bothwells Anwesenheit so deutlich, als wäre er leibhaftig bei ihr; dann wieder sagte sie sich, sie sei froh, daß er sie nicht sehen könne, wie sie jetzt war. Aber beides ging nicht. Entweder sah er sie, wie sie jetzt war, oder er sah gar nichts.

In letzter Zeit sehnte sie sich immer mehr nach dem Augenblick, da sie wieder vereint sein würden; in diesem Zustand wäre sie dann nicht verkrüppelt, nicht entmutigt, sondern behende und strahlend und von Freude durchflutet. Diese Vision hatte stetig an Gestalt gewonnen, bis sie mindestens so wirklich war wie die raschelnden Felder, die sich vor ihr erstreckten, rings um ihr Gefängnis.

Laternen wurden angezündet und an den Mauern aufgehängt, und zwischen den großen Bäumen sah Maria die flinken Schatten der Fledermäuse, die durch die Luft zuckten. Sie flogen ganz anders als irgendein Vogel, viel schneller und ruckhafter. In den dicken, runden Türmen der alten Burg hatte sie sie rascheln hören, wo sie die Tage ungestört verschlafen hatten und die Luft von ihrem seltsamen Geruch erfüllt gewesen war.

Später würde draußen der Mond aufgehen und sich im Weiher spiegeln; die Nachtigallen würden zu singen anfangen. Sie nahm sich vor, später zum Fenster zurückzukommen und zuzuschauen.

Irgendwann in der Stille der tiefsten Mitternacht erwachte sie und trat ihre Wache am Fenster an. Der abnehmende Halbmond war zögernd aufgegangen und erschien eben über den Baumwipfeln.

Sogar der Mond wird alt, dachte sie. Sogar der Mond.

»Meine allerliebste Herrin«, flüsterte eine Stimme an ihre Ohr. Sie erwachte und sah Jane Kennedy, die sich über sie beugte, wo sie eingeschlafen war; ein Arm baumelte aus dem Fenster. Wo der Mond gewesen war, lugte bereits die aufblühende, kraftvolle Sonne mit dunstig goldenen Strahlen über den Horizont. »Ihr betet zuviel«, sagte die Kammerfrau und warf einen vorwurfsvollen Blick auf den kleinen Altar mit dem Kruzifix.

»Nein, nicht genug«, widersprach Maria.

»Wollt Ihr nach dem Frühstück mit mir im Garten spazierengehen?« fragte Jane.

»Gern«, sagte Maria.

In leichten Gewändern traten die beiden am Vormittag hinaus in den Garten. Diesmal war von Paulet oder von dem häßlichen, pockennarbigen Mann nichts zu sehen. Jane nahm Federn, Tinte und Papier mit; in letzter Zeit unterhielt sie sich damit, Blumen und Vögel zu zeichnen. Maria hatte ihr gebundenes Buch dabei, in dem sie im Laufe der Jahre immer wieder ihre Gedanken notiert und Gedichte festgehalten hatte. Manchmal vergaß sie es monatelang, nur um dann plötzlich – wie heute – das Bedürfnis zu verspüren, etwas hineinzuschreiben. Ein Schweigebündnis bestand zwischen ihnen: Jane fragte niemals, was sie da schreibe, und störte sie auch nicht.

Der Garten von Chartley war nach der neuen Mode angelegt: lange, geradlinige, spiegelnde Kanäle, heidnische Götter und Göttinnen in immergrünen Alleen, Marmorspringbrunnen und rieselnde Wasserkaskaden. An einem Ende stand ein zweistöckiger Lustpavillon, und in der Mitte erhob sich ein künstlicher »Berg« mit Treppen und einer Zeus-Statue auf dem Gipfel: eine Nachbildung des Olymp. Der junge Robert Devereaux, der Earl von Essex, hatte das Ganze entworfen, und allen Berichten zufolge war er Spiegelbild und Inkarnation der Mode.

Es war seltsam, dachte Maria, im Haus eines Unbekannten zu wohnen, wenn er nicht da war – ganz wie Psyche im geheimnisvollen Haus ihres unsichtbaren Gatten. Der junge Essex war gerade fünfundzwanzig; aber alles tuschelte über ihn und sagte ihm Großes voraus: »Er ist jung, aber er zeigt sich vielversprechend ...«

Als ich fünfundzwanzig war, war meine Herrschaft vorüber; ich sollte keine Chance mehr bekommen, und niemand sagte: *»Sie ist noch jung ...«* Nein, ich wurde beurteilt und für mangelhaft befunden; nachdem ich den Thron bestiegen hatte, noch ehe ich zwanzig war, wurde ich wieder heruntergezerrt, als ich noch jünger war als die »weise Jungfrau« Elisabeth bei ihrer Thronbesteigung. Hätten sie mir doch nur erst mit fünfundzwanzig erlaubt zu regieren, statt es mir da zu verbieten!

Sie blickte an den staubig dämmernden, sauber geschnittenen Hecken des Gartens entlang, den sie schmückten wie Bordüren eine Uniform. Das Gewand des Earl von Essex.

Nun, mein Jüngling, möge es dir wohlergehen, dachte sie. Schiebe deinen Eintritt in die Welt des Hofes so lange wie möglich hinaus. Aber die Jugend will niemals warten, und sonst wäre sie nicht die Jugend.

Eine sanfte Brise wehte den Duft der frisch gemähten Heuwiesen herein. Zwei weißgeflügelte Schmetterlinge spielten umeinander und gaukelten durch die Luft. Hoch droben hing ausgebleicht der Rest des Mondes am Himmel, so fahl, daß er kaum noch zu sehen war.

Und in einem seltsamen Blitz der Erkenntnis sah Maria, daß sie selbst der Mond war, die Sonne aber Elisabeth. *So verblaßt mein mondheller Geist im strahlenden Tageslicht Elisabeth. Ich verschwinde im Gleißen ihres Himmels.*

»Wollen wir uns hier hersetzen?« fragte Jane und deutete auf eine Bank im Schatten einer Zypresse.

Wie benommen, nickte Maria und folgte ihr. Der Tagmond verschwand hinter den Zweigen des ausladenden Baumes.

Summend packte Jane ihre Federn aus und vertiefte sich in eine Zeichnung der Elstern, die gackernd auf einer Hecke hockten. Auch Maria nahm ihr Buch hervor und starrte mit ausdrucksloser Miene auf die leere Seite. Dann begann sie langsam zu schreiben.

Was bin ich, ach, zu welchem Zweck gezeugt?
Wo nichts mir bleibt, so tot und ohne Herz,
Ein flücht'ger Schatten, Opfer, tief gebeugt,
Und, lebend noch, erfüllt von Abschiedsschmerz.
Ihr Feinde mein: Der Neid sei nun vorbei;
Mein Lebensmut strebt nicht nach Großem mehr.
Endloses Leid frißt mir das Herz entzwei;
Ihr werdet Eures Hasses froh, auf Ehr.
Und ihr, die Freunde, einst mein treuer Halt,
Bedenkt, daß ich, beraubt der Blüte und des Glücks,
Nicht mehr befehlen kann der irdischen Gewalt.
So öffne ich die Tore meines Mißgeschicks
Und bete, wenn mein Schicksalsbuch sich schließt,
Daß Himmelsglanz auch über mir zerfließt.

Sie wartete, ob die Worte noch weiter fließen würden, doch es waren keine mehr da. Sie schaute zu Jane hinüber und sah, daß diese sie betroffen anstarrte.

»Teure Königin, Ihr seht aus wie eine Göttin des Schmerzes«, sagte sie. »Aber es ist unrecht, an einem so prächtigen, sonnigen Tag traurig zu sein.«

Ein prächtiger, sonniger Tag ... Aber darum bin ich ja traurig, meine Freundin.

Maria lächelte matt.

»Es ist bald Zeit für das Mittagsmahl«, sagte Jane. »Kommt, wir müssen zurück.« Und zu den Elstern gewandt, sagte sie: »Ihr müßt noch warten, bis euer Porträt fertig ist.«

Im Innenhof von Chartley herrschte reges Treiben. Maria brauchte einen Augenblick, um sich zu erinnern, daß heute Samstag war, der Tag, an dem der Bierbrauer kam.

Sonst war sie deshalb immer aufgeregt, aber heute war es ihr gleichgültig. Was machte es schon, was er ihr für Briefe brachte? Was machte es schon, was in Frankreich, in Spanien, in Schottland vor sich ging? Sie würde den Rest ihres Lebens hier verschlafen, eingesperrt wie die schlummernden Fledermäuse in ihrem Turm. Es machte nichts. Nichts war mehr wichtig.

Sie sprach nicht einmal mehr mit Nau darüber, daß er in den Keller gehen sollte. In gewisser Weise hatte sie das alles satt – diese lockenden Briefe, die Korrespondenz, die Geheimbotschaften. Kinderspiele, die jeden Abend von den Erwachsenen beiseite geräumt wurden, mehr war es nicht. Etwas, womit man die Gefangene beschäftigen konnte.

Nach dem Mittagessen, als der Tag am heißesten war, legten sich die Damen zur Ruhe. Maria war bereits müde, und von der Hitze wurde sie schläfrig. So schlief sie tief, als Nau sie sanft berührte. Sie schrak hoch.

»Pst.« Er deutete in die Runde. Alle Damen lagen reglos schlummernd da. »Eure Majestät, es ist soweit. Man ruft Euch in die Freiheit«, raunte er. »Steht auf und lest.«

Zu spät. Es kam zu spät. Sie schloß die Augen und schüttelte den Kopf.

»Ich habe es soeben entziffert. Bitte lest es schnell! Sonst muß die Antwort bis zur nächsten Woche warten.«

Seine Stimme zitterte vor Aufregung. So leise wie möglich erhob sie sich vom Bett und ging auf Zehenspitzen durch das Schlafgemach und hinaus ins Audienzgemach. Dann setzte sie sich auf eine Fensterbank und las den Brief, den Nau soeben in Klartext übertragen hatte.

Er war von Anthony Babington. Lieber Anthony. Es war schön, daß er ihr schrieb.

Aber als sie las, weiteten ihre Augen sich.

Eine spanische Invasion. Eine kleine englische Armee zu Marias Rettung, mit Babington an der Spitze. Eine noch kleinere Schar von sechs unverdächtigen Höflingen, die Elisabeth zur selben Zeit ermordeten.

> ... die es wegen ihres Eifers für die katholische Sache und den Dienst an Eurer Majestät unternehmen werden, die tragische Hinrichtung zu vollstrecken. So bleibt, daß ihr heldenhafter Anschlag entsprechend ihrem Verdienst und der Großzügigkeit Eurer Majestät in Ehren belohnt werde, wenn sie lebend entkommen, oder aber, daß der Lohn ihren Erben zuteil werde. Ich bitte Eure Majestät, mich soweit zu ermächtigen, daß ich ihnen dies versprechen kann.

Sie spürte, daß Angst und kaltes Grauen sie jäh übermannten. Was wollte er denn von ihr? Sie las den Brief noch einmal, und diesmal las sie die Worte:

> Wir erwarten Eure Billigung; wenn wir sie haben, werden wir sogleich beginnen und obsiegen oder sterben. Ich bitte Euch demütig, mich zu ermächtigen, in Eurem königlichen Namen zu handeln, und bitte Euch, unser Unternehmen zu leiten.

Er wollte, daß sie ihr General war! Aber wie sollte das gehen? Sie wandte sich um und sah Nau ratlos an.

»Haben wir nicht darauf gewartet?« wisperte er.

»Ja – nein – ich weiß es nicht!« Maria war den Tränen nahe. »Was soll ich ihm antworten?«

»Ich ... daß eine lange Antwort folgen wird und daß ich vorerst nur bestätige, seine Pläne erhalten zu haben.« Sie hielt sich den Kopf mit beiden Händen, als könne sie Weisheit und eine Antwort herausquetschen.

Nau verbeugte sich und ging in sein Schreibzimmer, um die Aufgabe zu erledigen, ehe der Brauer für heute wieder abfuhr. Schon für einen einzigen Absatz brauchte er ungefähr eine Stunde, weil alles verschlüsselt werden mußte.

Maria war nicht mehr schläfrig; sie war so wach, daß sie fröstelte. Was sollte sie tun? Bis jetzt hatte sie es sich immer zum Grundsatz gemacht, sich niemals in diese Verschwörungen verstricken zu lassen und mit Bedacht niemals jemanden zu ermächtigen, in ihrem Namen zu handeln. Das hatte sie gerettet. Beim Aufstand des Nordens, bei der Ridolfi-Verschwörung, beim Throckmorton-Komplott hatte sie immer mit den Verschwörern in Verbindung gestanden, aber niemals hatte sie als ihr Befehlshaber agiert. Elisabeth wußte das und nahm es wohlwollend zur Kenntnis, auch wenn es sonst niemand tat. Hier aber war es anders.

Anthony Babington war der Rädelsführer. Anthony, den sie hatte aufwachsen sehen, der jahrelang ihr Gefährte gewesen und der ihr offensichtlich treuer ergeben war als ihr leiblicher Sohn! Anthony war bereit, für sie sein Leben aufs Spiel zu setzen! Es war eine persönliche Aufforderung, von einem persönlichen Freund, der sie befreien wollte – nachdem er mit eigenen Augen gesehen hatte, unter welchen Bedingungen sie gefangengehalten wurde. Sie war tief gerührt.

Und daß es ihm gelungen war, Engländer zu finden, die tapfer genug waren, »die tragische Hinrichtung zu vollstrecken«, das war außergewöhnlich. Angeblich liebte doch jedermann die »Feenkönigin«. Aber die hier waren keine Ausländer, die sich für diese Aufgabe gemeldet hatten. »Sechs edle Gentlemen, meine privaten Freunde allesamt« – wie hatte es in dem Brief geheißen?

Maria entfaltete ihn und las ihn noch einmal aufmerksam. Es waren höchstwahrscheinlich junge Männer, die ihre ganze Zukunft vor sich hatten, wie Anthony selbst. »... die es wegen ihres Eifers für die katholische Sache unternehmen werden ...« Wie hatten die Jungen der alten Religion nur treu bleiben können?

Bei mir ist es anders, dachte Maria. Ich wurde katholisch erzogen, unterwiesen in dem Glauben, als es nicht nur erlaubt war, sondern erwartet wurde. Heute muß ich den Glauben bewahren, weil ich sein sichtbares Symbol bin. Aber daß sich ein junger Mensch ihm anschließt, wenn es verboten ist! Ich erröte, wenn ich ihren Glauben mit meinem vergleiche.

Und daß sie es voller Angst und Widerstreben tun ... »die tragische Hinrichtung zu vollstrecken ...« Für sie ist es tragisch, nicht gut, nicht abenteuerlich. Und es *wäre* tragisch. Mord ist immer etwas Tragisches, und wer etwas anderes behauptet, lügt. Ich bin froh, daß sie es als etwas Tragisches sehen, denn sonst wären sie nicht besser als die Lords in Schottland, für die das Töten ein Sport war.

Selbstverständlich werde ich nicht einwilligen. Ich kann nicht. Aber wenn ich es täte – welche Rechtfertigung hätte ich?

Sie stand auf und fing an, im Zimmer hin und her zu gehen, und dabei befingerte sie nervös ihren Rosenkranz.

Zunächst einmal, sagte sie sich, werde ich hier widerrechtlich festgehalten. Ich habe im Laufe der Jahre kein Mittel unversucht gelassen, meine Freiheit wiederzugewinnen. Ich habe Elisabeth um eine Privataudienz angefleht. Ich habe darum gebeten, vom Parlament angehört zu werden. Ich habe meine königlichen Vorrechte ruhen lassen und mich der erniedrigenden »Anhörung« zu York unterworfen, als ich hierher kam. Ich habe versucht, mir den Weg aus dem Gefängnis durch Heirat zu ebnen, und mein Verlobter wurde hingerichtet. Ich habe zugesehen, wie meine Sympathisanten und Religionsgenossen aus dem Land gejagt, ebenso eingesperrt oder gar hingerichtet wurden. Erst da wandte ich mich hilfesuchend an das Ausland und bat Frankreich und Spanien um Rettung. Die Franzosen haben mich fallengelassen, und die Spanier spielen nur mit mir. Wenn es ihnen diesmal ernst ist, dann …?

Sie seufzte. Natürlich würde sie es nicht tun. Natürlich würde sie sich nicht zu dieser Verschwörung hergeben. Aber wenn Anthony es nun trotzdem nicht bleiben ließe, weil er annahm, wäre die Tat erst getan, werde sie schon ihren Segen dazu geben? Die Jugend will nicht warten, denn sonst wäre sie nicht Jugend, erinnerte sie sich.

Wenn man Elisabeths Falschheiten so aufzählte, ergab sich eine atemberaubende Liste. Ich bin überhaupt nur in dieses Land gekommen, weil sie mir versprochen hatte, mir zu helfen, dachte Maria. Wie könnte ich das vergessen? Aber Elisabeth hat ihr Herz gegen mich verhärtet wie der Pharao. Was sagt die Bibel noch über den Pharao?

Maria ließ Pater de Préau rufen. Er würde es wissen. Gab es hier vielleicht irgendein geistliches Prinzip, dem sie folgen sollte? Vielleicht wäre es nicht einmal eine schwere Sünde, Elisabeth zu ermorden. Was war mit der Tatsache, daß der Sekretär des Papstes gesagt hatte: »Da das schuldige Weib in England die Ursache für soviel Unrecht wider den katholischen Glauben ist, besteht kein Zweifel daran, daß jedweder, der sie aus der Welt schickt in der frommen

Absicht, Gott einen Dienst zu erweisen, sich nicht nur nicht versündigt, sondern gar verdient macht, zumal im Hinblick auf das Urteil der Exkommunikation, ausgesprochen durch Pius V. seligen Angedenkens.« Was konnte er damit meinen? Gewiß würden Anthonys Freunde »in frommer Absicht« handeln. Er sagt, es sei ihres »Eifers für die katholische Sache wegen«.

Pater de Préau war da. Offenbar war er neugierig, zu erfahren was sie wollte, und wunderte sich, daß sie so hastig auf und ab ging.

»Ah, meine Liebe, es muß Euch besser gehen. Ich habe Euch seit vielen Monaten nicht so energisch gehen sehen.«

Erschrocken blieb sie stehen. Sie hatte gar nicht gemerkt, wie schnell sie sich bewegte. Er hatte recht. Dann begriff sie, warum: Sie war erregt, und neue Kraft durchströmte sie. »Ja, unsere Gebete sind erhört worden«, sagte sie nur. »Guter Pater, habt Ihr die Stelle der heiligen Schrift zur Hand, die von Moses in Ägypten berichtet?«

»Äh ... ja. Soll ich sie holen?«

»Bitte.« Er ging, und sie nahm ihr Nachdenken wieder auf. Wäre es eine Sünde? Oder war es nur eine sehr durchtriebene Prüfung?

»Hier, Eure Majestät«, sagte Pater de Préau; er hatte ein Bündel unter dem Arm. »Es ist höchst anregend, daß Ihr diese Frage verfolgen wollt. So viele, die sich nie über die Evangelien und die Apostelbriefe hinauswagen. Nun aber Moses und der Pharao ...« Er legte den Band auf den Tisch und suchte. »Hier, in Buche Exodus ... ja. Der Herr sagt: ›Ich habe euch heimgesucht und gesehen, was euch in Ägypten widerfahren ist, und ich bin herniedergefahren, daß ich sie errette aus der Ägypter Hand und sie ausführe aus diesem Lande ... Aber ich weiß, daß euch der König in Ägypten nicht wird ziehen lassen außer durch eine starke Hand. Ich aber will sein Herz verstocken, daß er euch nicht hören wird, auf daß ich meine Hand in Ägypten beweise und führe mein Heer, mein Volk, die Kinder Israel, aus Ägyptenland durch große Gerichte.‹ War es das, was Ihr wissen wolltet?«

»Ja. Lest mir vor vom Herzen Pharaos, und wie es verhärtet ward.«

»Hmmm. ›Aber Pharao verhärtete sein Herz auch dieses Mal und ließ das Volk nicht.‹ ›Pharao versündigte sich weiter und verhärtete sein Herz, er und seine Knechte.‹ ›Der Herr aber sprach zu Mose: Pharao hört euch nicht.‹«

»Ja!« sagte Maria. »Es stimmt alles! ›Er verhärtete sein Herz, er und seine Knechte‹ – Cecil, Paulet, Shrewsbury. Ich habe ihr einmal geschrieben: ›Seid nicht wie die Schlange, die sich die Ohren verstopft‹, und ich habe sie angefleht, mich anzuhören. Aber nein, nein!«

Pater de Préau klappte die Heilige Schrift zu. »Bitte erregt Euch nicht. Es ist nur die alte, alte Geschichte von Mose …«

»Es ist mehr als das!« rief Maria. »Mehr als das!«

Und ich führe mein Volk hinaus durch ein großes Gericht. Allerdings, ein sehr großes Gericht! dachte sie. Aber natürlich werde ich niemals einwilligen. Niemals.

Sie war allein vor dem Kruzifix. Es war sehr spät, und der Haushalt schlief schon. Maria hatte ihren Kammerfrauen gegenüber darauf bestanden, ihre Andacht allein abzuhalten. Jetzt kniete sie vor dem Kruzifix, das bei so vielen ihrer Entscheidungen dabeigewesen war, und sprach leise zu ihm.

»Ich biete Dir an, was mir angeboten wurde«, flüsterte sie. »Der junge Anthony Babington will mich aus diesem Gefängnis befreien, und er hat Freunde gefunden, die bereit sind, ihr Leben für diesen Zweck aufs Spiel zu setzen. Bedenke nur – was die Bande der Verwandtschaft und des Blutes nicht haben hervorbringen können, will dieser Mensch in Angriff nehmen. Hast Du … ist es denn möglich, daß Du ihn überhaupt erst geschickt hast, geradewegs in meinen Haushalt? Ich weiß, Du ordnest alle Dinge unter Deiner mächtigen Hand. Er erschien im Hause Shrewsburys, als sei er von jemandem gesandt. Aber ich kann nicht glauben, daß es recht wäre, wenn ich einem solchen Plan zustimmen wollte. Denn Du hast in Deinen Geboten gesagt: ›Du sollst nicht töten.‹«

Sie ließ den Kopf sinken und legte die Stirn auf die Arme. »Hilf mir«, betete sie. Aber sie erwartete keine unmittelbare Antwort mehr, wie sie es vor langer Zeit getan hatte. Sie kannte das Kruzifix und Gott und sich selbst inzwischen so viel besser.

Sie lag im Bett und versuchte zu schlafen. Müßig drehte sie den Trauring an ihrer Hand, den Ring, den Bothwell ihr vor so langer Zeit an den Finger gesteckt hatte. Bothwell … Würde er Skrupel zwischen sich und der Freiheit stehen lassen, wenn diejenigen, die ihn gefangenhalten, sich damit versündigt haben? Diese Frage brauchte sie sich gar nicht zu beantworten. Bothwell hätte sich für sie geschämt, weil sie so still liegen blieb, das Angebot zaghaft beiseite schob und gehorsam Elisabeths schmerzhaftem Diktat folgte.

Früher einmal war ich so tapfer wie er, dachte sie. Wie hat er mich genannt? »Herz meines Herzens, Gebein meines Gebeins, Geist meines Geistes, uns kann nichts halten.« Ja, er starb im Gefängnis, aber nur, weil er eine waghalsige Flucht aus einem anderen Gefängnis unternommen hatte. Nur im grausamsten Verlies konnten sie ihn halten, während ich hier in meinem Zimmer sitze und sage: »Ich wage es nicht, ich wage es nicht!« Die Gefangenschaft hat mir meinen Mut geraubt.

Sie drehte sich auf die andere Seite, und das Herz war ihr schwer. Der Gedanke an Bothwell und daran, wie sie sein Angedenken verriet, tat weh.

Vielleicht bin ich es ihm und meinen treuen Anhängern schuldig, dachte sie. James hat mich im Stich gelassen, aber andere haben es nicht getan.

Plötzlich fühlte sie sich gar nicht mehr so alt und verschlissen. Sie war nicht völlig vergessen. Vielleicht war sie doch mehr als eine Vogelscheuche mit einem Kruzifix, die auf einem Brachfeld Wache stand.

Sie schloß die Augen. Sie würde noch ein paar Tage für die Antwort Zeit haben. Einstweilen …

Der Brief erwartete sie am nächsten Morgen; ja, er hatte gar nicht bis zum Morgen gewartet, sondern hatte auch im Schlaf schon ihr Bewußtsein durchdrungen. Sie hatte davon geträumt – von den lokkenden Worten, von Anthony, der jetzt zum Mann herangewachsen war. Bilder von Englands stolzen jungen Männern blitzten auf – der Earl von Essex und Sir Philip Sidney, der in den Niederlanden kämpfte –, und sie überstrahlten eine andere, geheime Schar nicht minder wagemutiger junger Männer. Nicht jeder war Elisabeths Ruf zum protestantischen Banner gefolgt; noch immer lockten auch andere Schlachtfelder und forderten Loyalität.

Sie merkte, daß die Schlafpause ein wildes Verlangen nach Taten in ihr geweckt hatte – den ersten Taten, die seit Jahren möglich waren. Fortgewischt waren Stunden und Tage des geduldigen Betens und der Resignation, die sie so behaglich eingehüllt hatten und ihr so natürlich vorgekommen waren; wiedererstanden war ihr altes Ich, das sie schon tot geglaubt hatte.

Aber sie erkannte den Brief als das, was er war: eine Fata Morgana, eine Versuchung. Verzweifelt warf sie sich vor dem kleinen Altar auf die Knie und betete, sie möge ihm nicht nachgeben. Nie hatte sie die beiden Seiten ihrer Natur mit schärferer Deutlichkeit empfunden: die spirituelle, die danach strebte, die Begrenzungen des Irdischen zu transzendieren, und die natürliche, stark und vital und unfähig, zu sterben, solange das Herz noch schlug.

Der Brief war sichtbar; sauber zusammengefaltet lag er in der Nähe auf dem Tisch. Sie konnte ihn aus dem Augenwinkel dort liegen sehen, und noch eifriger konzentrierte sie den Blick auf das Kruzifix.

»Und so stelle ich fest, daß das Gesetz am Werke ist, von dem der heilige Paulus spricht«, flüsterte sie. »Wenn ich Gutes tun will, ist das Böse hier bei mir. Was bin ich nur für ein glückliches Weib! Wer wird mich von diesem Leib des Todes befreien?«

Sie vergrub das Gesicht im weichen Samtpolster des Betstuhls.

Errette mich aus diesem Leib des Todes.

Darum geht es bei diesem Brief. So oder so, er wird mich aus dem Leib des Todes erretten. Der Ruf ist endlich ergangen.

Sie stellte fest, daß Naus Begeisterung sich über Nacht in Vorsicht verwandelt hatte.

»Mein Freund«, sagte sie seltsam ruhig und erfüllt von einer unweltlichen Entschlossenheit, »dieses Angebot kommt zur rechten Zeit. Ich gedenke mich darauf einzulassen.«

Der kleine Franzose mit dem adrett gekämmten Spitzbart schüttelte den Kopf. Sein Bart zitterte dabei nicht, so stark war er eingeölt. »Nein, Madam – ich habe Bedenken.«

»Gestern wart Ihr voller Begeisterung.«

»Aber in der Nacht sind mir andere Gedanken gekommen. Alle diese Verschwörungen sind gescheitert. Und die hier ist nicht anders als die anderen.«

»Mit einem Unterschied: Die hier spricht ausdrücklich vom Tod Elisabeths.«

»Ja, und gerade das läßt mich zögern.«

»In Wahrheit wäre es auch bei allen anderen darauf hinausgelaufen«, sagte Maria. »Denn Elisabeth hätte sich nicht damit zufriedengegeben, sich aufs Land zurückzuziehen. Eine Königin tut das nicht; ich selbst bin dafür Beispiel genug. Ich will ihren Tod nicht, aber ich will meine Freiheit. Bitte nehmt meine Antwort auf, und zwar sogleich.«

»Sehr wohl.« Nau setzte sich, um das Diktat aufzunehmen, das sie auf Französisch aufgeben würde, in der Sprache, in der sie sich am besten auszudrücken verstand.

Maria blieb neben ihm stehen und rezitierte in mechanischem Ton: »›Lieber Freund, von ganzem Herzen gebe ich Euch die Erlaubnis, in meinem Namen zu handeln, und ich bin bereit, Euer Unternehmen zu führen. Was meine Rettung angeht, so ließe sie sich auf dreierlei Weise bewerkstelligen. Erstens: Wenn ich in der Ebene zwischen diesem Hause und Stafford zu Pferde die frische Luft genieße, wo man gewöhnlich nur wenigen Menschen begegnet, so könnten fünfzig oder sechzig Mann, beritten und gut bewaffnet, wohl kommen und mich mit sich nehmen … Zweitens: Man komme zur Mitternacht und lege Feuer an Scheunen, Ställe und Außengebäude … Drittens: Wenn die Fuhrwerke, die zumeist sehr früh am Morgen kommen, hier erscheinen, so könntet Ihr Euch verkleidet dazugesellen …‹«

Detaillierte Pläne sprudelten aus ihrem Munde, ohne daß sie sich lange bedachte, und sie erkannte, daß sie sie schon seit einiger Zeit geschmiedet hatte, verborgen vor ihrem wachsamen Gewissen. Angesichts ihrer Vollständigkeit empfand sie Schrecken, beinahe Angst.

Nau schrieb in wütender Hast. Schließlich sagte er: »Vielleicht, Madam, solltet Ihr nicht ganz so deutlich werden. Antwortet nicht auf ihre Pläne – ignoriert sie, wie Ihr es in ähnlichen Fällen früher getan habt. Was ist, wenn es eine Falle ist?«

»Vielleicht ist es die letzte Gelegenheit; früher oder später wird Paulet das geheime Postfach entdecken, oder der Brauer überlegt sich, daß er uns lieber nicht länger helfen möchte.«

»Aber es ist unklug, Euch schriftlich in dieser Weise festzulegen!« protestierte er.

»Bitte schreibt weiter«, beharrte sie. »›Wenn die Truppen aus Spanien gelandet sind, nachdem die Vorbereitungen dergestalt getroffen und die Streitkräfte in Bereitschaft versetzt sind, sowohl im Ausland wie auch im Reich, wird es Zeit sein, die sechs Gentlemen ans Werk gehen zu lassen, wobei sie zu beauftragen sind, mich sogleich nach Vollendung obgenannten Planes unverzüglich von hier fortzubringen.‹«

Sie hielt inne und holte Atem. *Die sechs Gentlemen ans Werk gehen zu lassen* … das klang so geschäftsmäßig. Als hätten sie eine Sänfte zu tragen. Oder einen Sarg. Brauchte man nicht immer sechs Sargträger?

Nau zupfte an seinem Ärmel. »Meine Hand zittert, wenn ich dies schreiben soll«, sagte er.

»Und mein Herz zittert, wenn ich daran denke«, erwiderte sie.

»Aber weiter. ›Da nun kein fester Tag vereinbart werden kann, da besagte Gentlemen ihren Plan vollenden, so daß darauf andere bereitstehen können, mich von hier fortzubringen, wünsche ich, daß besagte Gentlemen stets in ihrer Nähe oder wenigstens bei Hofe vier kräftige Männer wissen, ausgestattet mit guten und schnellen Pferden, die gleich bei Vollendung besagten Planes mit Eifer herkommen und alle, die zu meiner Rettung benannt, davon in Kenntnis setzen, ehe mein Bewacher die Kunde von der Exekution besagten Planes erhalte oder Zeit finden kann, sein Haus zu befestigen.‹«

»Warum sagt Ihr immer ›besagter Plan‹?« fragte Nau mit bebender Stimme. »Glaubt Ihr, damit könnt Ihr irgend jemanden zum Narren halten? Oder Euch retten, wenn Eure Feinde es lesen?«

»Ich weiß nicht, wie ich es sonst nennen soll. Ich will es nicht benutzen, dieses ... Wort«, sagte sie. »Aber ich will ja nicht, daß es geschieht! Vielleicht kann ich auch so gerettet werden, und auch dafür muß ich einen Plan haben. Weiter: ›Laßt nicht zu, daß es ohne ausländische Hilfe zu einem englischen Aufstand kommt, und rührt Euch auch nicht, ohne Euch zuvor zu vergewissern, daß ich in Sicherheit bin – entweder aus meinem Gefängnis fortgebracht oder aber dort von einer guten Armee geschützt. Sonst nämlich würde die Königin mich einfach wieder gefangennehmen und mich in irgendein Loch sperren, aus dem ich nie wieder hervorkäme. Und sie würde mit äußerster Entschlossenheit alle verfolgen, die mir bei meiner Flucht zu Hilfe gekommen sind, was mich viel mehr reuen möchte als jedes Übel, das mir selbst widerfahren kann.‹«

»Jetzt bringt Ihr sie aber durcheinander«, gab Nau zu bedenken. »Erst sagt Ihr, Elisabeth müsse zuerst getötet werden, und dann sagt Ihr, zuerst müßt Ihr gerettet sein. Wie wollt Ihr es denn haben?«

»Wie das Schicksal es beschließt!« Fast hätte sie geschrien; so groß war die Qual des Ganzen. »Gleich welchen Weg das Schicksal nehmen will – ich weiß es nicht ... Ihren Tod, oder meinen, oder keinen, oder beide ...«

»Dann, Madam, wäret Ihr besser beraten, überhaupt nicht zu antworten oder allenfalls etwas Unbestimmtes zu erwidern. Das hier sagt ihnen gar nichts, Euren Feinden aber alles«, sagte er streng.

»Das ist mir gleich!« brach es aus ihr hervor. »Das ist mir gleich! Sollen meine Feinde mich doch ergreifen – ich erlaube es ihnen, aber es muß nun ein Ende haben! Ich kann so nicht weiterleben, als lebende Tote; die Strafe ist zu groß! Sei mir willkommen also, du Krönung meines Unglücks!«

Nau erhob sich. »Ich werde Pater de Préau kommen lassen. Denn jetzt sprecht Ihr von Selbstmord; es ist aber eine Todsünde, in der Verzweiflung den eigenen Tod herbeizuführen.«

Maria packte ihn beim Arm. »Ich verbiete Euch, zu gehen. Ich erwäge keinen Selbstmord, und ich bin auch nicht verzweifelt. Dies ist meine letzte Entscheidung, die Entscheidung, die allen anderen ein Ende setzt, und damit füge ich mich meinem Schicksal. Ich umarme das Schicksal wie eine Liebende. Mein Leben lang hat das Schicksal mein Liebhaber sein wollen und hat versucht, mich zu beherrschen. Jetzt wende ich mich um und füge mich seinen Umarmungen.«

»Auf diesen Brief zu antworten ist eine unübertreffliche Torheit.«

»Mein Freund, nicht Torheit, sondern ein Glücksspiel. Aber es ist ein Glücksspiel, dem ich mich bereitwillig stellen will, denn was immer geschieht, ich werde es gewinnen. Werde ich befreit, so will ich frohlocken. Werde ich ertappt, vor Gericht gestellt und hingerichtet, so bin ich gleichfalls frei und werde frohlocken. Ich will keine Gefangene mehr sein!«

»Aber, teuerste Madam, Eure treuen Anhänger ...«

»Ich bin es meinen treuen Anhängern schuldig. Sie sind bereit, für mich zu sterben; sie sind wahrhaft tapfer. Sollte ich nicht ebenso bereit sein, für sie zu sterben und Zeugnis abzulegen für die Wahrheit – die Wahrheit, daß man mich nicht gefangenhält für das, was Darnley vor zwanzig Jahren in Schottland widerfuhr, sondern wegen meines Glaubens und meines königlichen Blutes?«

»Gebt dieser Versuchung nicht nach!« sagte Nau. »Ich flehe Euch an!«

Sie aber fühlte sich ruhig und befreit von aller Angst. Sie wußte, daß sie es tun mußte, und sie wußte es in einem Winkel ihres Herzens, der jenseits aller Worte und Gedanken lag. »Gebt Curle den Brief und laßt ihn verschlüsseln. Bereitet alles vor, damit der Brauer ihn bei der nächsten Gelegenheit mitnehmen kann.« Sie brach in Tränen der Erleichterung aus.

Nau brachte den Brief dem Pagen, und der Page trug ihn am 16. Juni, dem Tag, da der Brauer kommen sollte, in den Keller und schob ihn in das Geheimfach. Am Nachmittag wurde das leere Faß hinausgerollt und auf das Fuhrwerk geladen, und das Fuhrwerk rollte davon, bis das Schloß außer Sicht war. Dann hielt der Brauer an und nahm den Brief heraus. Paulet und Phelippes warteten in der Nähe und nahmen ihn in Empfang.

Als der Abend kam, hatte Phelippes ihn entziffert. Grinsend saß er da. Es war vorüber. Er malte das Zeichen eines Galgens außen auf seine Übersetzung. Walsingham würde seinen Humor zu schätzen wissen.

Plötzlich hatte er eine Idee. Es wäre eine große Erleichterung, wenn der unglückselige Babington ihnen die Namen aller Verschwörer gleich schriftlich gäbe. Als kundiger Fälscher hatte er keine Mühe, dem Originalbrief eine Nachschrift hinzuzufügen.

> Es würde mich freuen, Namen und Stand der sechs Gentlemen zu erfahren, die den Plan in die Tat umsetzen sollen, denn es kann sein, daß ich, sobald ich die Beteiligten kenne, weiteren Rat geben kann, der dabei zu befolgen wäre; und ebenso von Zeit zu Zeit zu hören, wie Ihr fahrt und, sobald Ihr es sagen könnt, zum selben Zweck auch, wer bereitsteht und wie weit ein jeder in besagten Plan eingeweiht.

Dann gab er den Brief Arthur Gregory, seinem Gehilfen; Gregory verstand sich in genialer Weise darauf, versiegelte Briefe zu öffnen und wieder zu verschließen, ohne eine Spur zu hinterlassen.

Phelippes lehnte sich auf seinem Stuhl zurück. Es war an der Zeit, die Verschwörer zu verhaften; sie hatten ihren Zweck erfüllt. Sie brauchten nur noch auf Babingtons Antwort zu warten, und selbst das war eigentlich nicht mehr nötig; es vervollkommnete die Sache nur.

Walsingham hatte gewußt, daß es schwierig werden würde, aber nicht, daß es so schwierig werden würde. Er hatte sein Beweismaterial in aller Ehrerbietung der Königin vorgelegt. Er hatte erwartet, daß sie traurig sein werde; ihn selbst machte sein Erfolg niedergeschlagen. Ein einziges Mal hatte er sich gewünscht, es werde sich als

Irrtum erweisen, daß er von jemandem das Schlechteste angenommen hatte. Aber so fügte es sich nie.

Trotzdem traf es die Königin schwer. Sie las den Brief und las ihn noch einmal, und sie sagte kein Wort.

»Teuerste Königin«, sagte Walsingham schließlich, »haben wir Eure Erlaubnis, sie zu verhaften?«

»Nein!« fauchte Elisabeth.

»Aber wir brauchen Zugang zu ihren Papieren«, beharrte Walsingham. »Sie hat ganze Stapel davon in ihren Gemächern in Chartley, und sie hütet sie eifrig. Aber jetzt ist es um Eurer Sicherheit willen nötig, daß wir sie beschlagnahmen, damit wir das Ausmaß der Verschwörung kennenlernen.«

Elisabeth kratzte sich am Hals, daß rote Striemen zurückblieben. »Dieser Brief ...«, sagte sie schließlich mit matter Stimme. Ganz offenbar war sie über die Maßen verstört. Sie machte ein Gesicht, als habe man sie geohrfeigt; ihre Miene zeigte Enttäuschung. »Dieser Brief ... ich wünschte, sie hätte ihn nie geschrieben.«

»Das wird sie bald ebenso sehen. Aber wie sagte Pilatus? ›Was ich geschrieben habe, habe ich geschrieben.‹ Es muß stehenbleiben, wie es ist. Und sie muß verhaftet werden.«

Elisabeth lachte; es war ein dünnes, leises Lachen. »Wie kann man eine Gefangene verhaften?«

»Und man muß sie in aller Form ihres Verbrechens anklagen«, fuhr Walsingham hartnäckig fort.

»›Endlich‹, würde sie dann sagen. ›Nach achtzehn Jahren erhebt man endlich eine formelle Anklage gegen mich.‹ Vielleicht hat sie es ja deshalb getan. Vielleicht –«

»Es gibt keine Entschuldigung. Verrat ist Verrat.«

»Was ich geschrieben habe, habe ich geschrieben. Also schön. Tut es.« Sie klang schroff.

Als Walsingham gegangen war, saß sie lange Zeit regungslos da und hoffte, der Schmerz werde vergehen.

Das Ausmaß dieses Schmerzes war erstaunlich. Ein König mußte lernen, sich damit abzufinden, daß er sich jeden Tag im Schatten des Todes bewegte, mußte sich abfinden mit dem Haß, den ein paar Unzufriedene immer gegen ihn hegen würden.

Aber daß mein eigen Fleisch und Blut, eine Frau wie ich, eine gesalbte Königin, meine Ermordung plant! Die Worte gingen ihr immer wieder durch den Kopf, marschierten in stolzer Prozession wie eine Parade von Rittern: ... *wird es Zeit sein, die sechs Gentlemen ans*

Werk gehen zu lassen, wobei sie zu beauftragen sind, mich sogleich nach Vollendung obgenannten Planes … Es schauderte sie, und sie spürte den Dolch. Wer waren diese Höflinge? Wer waren die Leute, die in ihrer Nähe dienten, ohne Argwohn zu erregen?

Und damit sie nicht mißdeutete, was gemeint sei, hatte Walsingham ihr den Brief dazugelegt, auf den Maria hier antwortete und in dem es explizit stand: … *die es wegen ihres Eifers für die katholische Sache und den Dienst an Eurer Majestät unternehmen werden, die tragische Hinrichtung zu vollstrecken …*

Vielen Dank, Walsingham, dachte sie.

Gleichzeitig aber war sie wirklich zutiefst dankbar für einen so geschickten und treuen Diener. Was wäre, wenn er für die andere Seite arbeiten wollte?

Es war immer ein Segen für mich, daß die Schottenkönigin keinen tüchtigen und treuen Diener hatte. Die Tüchtigen haben sich als untreu erwiesen, und die Treuen taugen nichts.

Ihr graute vor dem, was jetzt kommen sollte, was jetzt kommen mußte.

Am 20. Juli setzte Gilbert Gifford zum Kontinent über, um allen Fragen aus dem Weg zu gehen. Zwei Wochen später wurde Ballard verhaftet; als Babington es erfuhr, floh er aus seinem Haus in den tiefen Forst von St. John's Wood. Er hielt sich tagsüber verborgen, schnitt sich das Haar ab, färbte sich das Gesicht mit Walnußsaft braun und bewegte sich nur nachts im Wald. Den kostbaren Paß hatte er nicht bekommen, und so konnte er nicht darauf hoffen, England zu verlassen. Schließlich trieb ihn der Hunger in das Haus eines Mitverschwörers, zu Jerome Bellamy.

Walsinghams Agenten erwarteten ihn dort und verhafteten ihn auf der Stelle. Der junge Mann mit den wilden Augen wurde fortgeschleppt, und die dunkle Haut ließ ihn hager und zigeunerhaft aussehen.

»Nein! Nein!« schrie er. »Gnade!«

Während Babingtons Frau im Garten ihres großen Hauses im Barbicon auf ihn wartete, wurde der Rest der kleinen Verschwörerbande verhaftet und ins Gefängnis gesperrt.

Das Komplott war vorüber, mühelos enthüllt und rasch beendet, vergangen wie ein Seufzer.

Als der Brief abgeschickt war, fühlte Maria sich von einer Panik übermannt, die ihre Ruhe rasch vertrieb. Wie hatte sie es nur tun können? Sie erinnerte sich deutlich an alle ihre Gründe, aber sie traten vor einer gewaltigen Tatsache in den Hintergrund: Sie hatte der Versuchung nachgegeben. Zwar stimmte es immer noch, daß es weniger Strafe als vielmehr die Befreiung von einem leidvollen Dasein sein würde, wenn die Sache ans Licht käme und sie zur Rechenschaft gezogen würde, aber sie schämte sich dennoch. Ihr einziger Trost rührte aus dem Umstand, daß aus dem Komplott zweifellos gar nichts werden würde, wie ja auch aus allen anderen nichts geworden war. Ironischerweise hatte ihr Körper bei der Aussicht auf den Kampf begonnen, sich zu regen: Die Schwellung ihrer Knie war zurückgegangen, ihre Wirbelsäule hatte sich gestrafft, und ihre Finger kribbelten von neugefundener Geschmeidigkeit.

Durch das Fenster sah sie, wie das satte, stumpfe Grün der Julifelder gegen Anfang August vom ersten Goldschimmer überhaucht wurde. Manchmal zitterte sie, wenn sie den Kopf gegen die Fensterscheibe legte und auf die Straße hinunter und über die Felder hinwegschaute. Sie hatte keine Ahnung, aus welcher Richtung Babingtons Männer kommen würden oder ob sie sie überhaupt sehen würde. Es war auch nicht wichtig, und das war das Geheimnisvolle. Ihre Rolle dabei war zu Ende, nachdem sie die Antwort abgeschickt hatte. Es gab keine Tagträume von einer Überfahrt nach Frankreich, wo sie den Rest ihrer Tage verleben würde, keine Phantasien, in denen sie James endlich von Angesicht zu Angesicht entgegentrat, sich mit ihm einigte und all den Schaden behob, der zwischen ihnen angerichtet worden war. Sie stellte sich nicht mehr vor, wie sie das Grab ihrer Mutter in Reims besuchte, oder wie sie ihre Tante Renée wiedersah. Die Zukunft war leer und ging sie nichts an; zum erstenmal im Leben war sie frei von ihren Drohungen wie auch von ihren Verheißungen. Sie hatte ihre letzte Entscheidung getroffen.

Paulet hatte sich angewöhnt, sie sonderbar anzusehen und ihre Bewegungen zu beobachten, als inspiziere er ein Rennpferd. Er war selbst nicht ganz wohlauf gewesen und hinkte ein wenig. Marias Bedienstete berichteten, er sei gesehen worden, wie er durch die Felder spazierte und sich ernst mit jemandem vom Hofe unterhielt, so weit draußen, daß niemand ihn hören konnte. Sollte sie wiederum verlegt werden? Würde man sie einem neuen Bewacher übergeben? Ihr war es jetzt gleichgültig.

Am 8. August, Maria hatte eben ihre Morgengebete beendet, erschien Paulet persönlich auf ihrer Schwelle. Er stützte sich auf seinen Stock, und sein Lächeln sah aus wie aufgemalt.

»Madam«, schnarrte er, »es ist eine Einladung von einem unserer Nachbarn gekommen, von Sir Walter Aston; er bittet zur Rotwildjagd auf seinen Ländereien zu Tixall. Hättet Ihr Lust, es damit zu versuchen? Ich sehe, Eure Gesundheit hat sich im letzten Monat erheblich gebessert.«

»Jagen?« sagte sie. Es war so lange her, daß sie auf der Jagd gewesen war, und Paulet hatte sie nie über die Grenzen des Gutes hinausgelassen. »Aber, mein Freund, was ist denn mit Euch? Eure Beine scheinen Euch ebensoviel Beschwer zu bereiten wie mir in letzter Zeit.«

Er gestattete sich ein leises Lächeln. War dies ihr berühmter Charme – daß sie Kleinigkeiten rings um sich her bemerkte und sich darum kümmerte? Er wußte, daß es nicht echt war, und doch fand er es eigentümlich erwärmend. »Ich komme ganz gut zurecht. Würde es Euch also gefallen?«

»O ja!«

»Dann macht Euch bereit. Ihr dürft ein paar Bedienstete mitnehmen. Wer weiß, wem Ihr begegnen werdet? Wie ich höre, wird Sir Walter sich vielleicht anschließen; und wenn er nicht bei der Jagd selbst dabei ist, wird er uns hernach in seinem Haus bewirten.«

»Ist Tixall nicht ein neues Schloß?«

»Allerdings, ja. Es wurde erst vor kurzem fertiggestellt und ist das luxuriöseste hier auf dem Lande, zumindest, was die Bequemlichkeit angeht. Vielleicht wird er uns herumführen und uns die neuen Erfindungen zeigen, die er hat einbauen lassen. Ich habe gehört, es gebe dort einige … sanitäre Einrichtungen …. ahem …« Er wurde rot. »Und er hat den Bau nach Süden ausrichten lassen – überaus gewagt, wenn man an die bösen Winde denkt, die aus dieser Richtung wehen … Nichtsdestominder braucht er im Winter jetzt weniger Holz und Kohle zum Heizen.«

»Ich freue mich darauf, es zu sehen, und ich danke ihm für die Einladung«, sagte Maria.

»Könnt Ihr in einer Stunde bereit zum Aufbruch sein?« fragte Paulet. »Zu Mittag können wir ein Picknick auf dem Feld veranstalten.« Er verneigte sich steif und zog sich zurück.

»Nau, Curle! Habt Ihr gehört?« fragte Maria. »Möchtet Ihr mitkommen? Und Jane? Elizabeth?«

»Nein, wir haben zu arbeiten«, sagten die Frauen.

»Das haben wir auch, aber wir können es beiseite legen«, sagten die Männer.

»Eure Hauptarbeit ist getan«, sagte Maria zu den beiden Sekretären. »Jetzt könnt Ihr ausspannen. Kommt, wir wollen uns bereit machen.«

Sie riß ihre Truhe auf und zog ein grünes Reitkostüm heraus. Sie hatte keine Gelegenheit gehabt, es zu tragen, seit der alte Balthazzar es zwei Jahre zuvor mit zittrigen Händen fertiggestellt hatte. Sogar eine kleine Federhaube gehörte dazu. Sie hatten es nach Zeichnungen entworfen, die aus Frankreich gekommen waren, kurz bevor die Briefe aufgehört hatten, und so war es nicht gar zu unmodern.

Jane frisierte sie und setzte ihr ihre beste Perücke auf. Sie ging niemals ohne ihre Perücken hinaus, denn ihr eigenes Haar war kurzgeschnitten, damit die bevorzugte Behandlung ihrer rasenden Kopfschmerzen – medizinische Umschläge – desto leichter vorgenommen werden konnte.

»Ihr seht wunderbar aus«, sagte Jane und betrachtete Marias Gesicht. Die Farbe war darin zurückgekehrt, und die Konturen hatten sich gemildert, und das alles ohne erkennbaren Grund. Nichts war geschehen, und die Bedingungen ihrer Haft waren nicht erleichtert worden, und dennoch diese merkliche Veränderung.

»Danke.« Maria fragte sich, ob sie wohl irgendwelchen Nachbarn begegnen würden, wenn nicht auf der Jagd, dann wenigstens bei dem Empfang auf Tixall. Es wäre himmlisch, einmal neue Gesichter zu sehen.

Es war ein heißer, schöner Tag, und um zehn Uhr ritten sie über den Schloßgraben hinaus – Maria, ihre beiden Sekretäre und ihr treuer Leibarzt. Nicht, daß sie damit rechnete, krank zu werden, aber sie war froh, ihm diesen Ausflug zu ermöglichen, eine kleine Annehmlichkeit in den langen Tagen seines Dienstes für sie.

Das Wachkontingent war stärker als gewöhnlich, aber das war ohne Bedeutung. So ritten sie den Hang hinunter und ließen Chartley hinter sich. Maria schaute sich um und konnte es zum erstenmal in seiner Umgebung betrachten. Ihr eigenes Quartier sah ganz winzig aus.

Die dunstige Augustluft, der satte Duft der warmen Erde, das alles umhüllte sie wie ein Mantel.

Kein Wunder, daß die Heiden immer eine Erdgöttin hatten,

dachte sie. Heute fühle selbst ich ihre Anwesenheit – milde, strotzend, gütig. Ich sehe sie in den schweren Weinranken und in den Ästen der Birnbäume, die sich unter der Last der Früchte biegen. Ich fühle ihre strahlende Berührung in der Sonne auf meiner Wange, ich rieche ihren Duft in den Flanken dieser gesunden Pferde, und ich höre ihre Stimme in den Rufen und Schreien der halbflüggen Vögel, die jetzt ihre Nester verlassen und das Fliegen lernen. In Frankreich verstand man, daß man dem wahren Gott nicht untreu war, wenn man die klassischen Götter verehrte; in Frankreich …

Wenn ich nach Frankreich gehe … Nein, du sollst nicht daran denken.

Die Jäger machten Halt und sammelten sich, bevor man ins Horn stieße und die Hunde losließe. Maria wußte, daß dies die letzte Gelegenheit war, ihre Haube noch einmal festzubinden und einen Schluck aus ihrer Sattelflasche zu nehmen.

Plötzlich erschien ein Trupp Reiter am Horizont und kam schnell näher.

Sie müssen jemanden jagen, dachte Maria. Aber ich habe auf der Straße niemanden gesehen.

Dann begriff sie plötzlich: Es war Babington! Er kam sie holen!

Aber ich bin noch nicht bereit, dies ist nicht der richtige Augenblick, ich wollte doch auf die Jagd …

Närrin! Wie kannst du so undankbar sein?

Sie umklammerte die Zügel und hielt sich bereit. Ihr Herz pochte. Das sollte doch nicht passieren, nicht wirklich passieren, es war doch alles nur ein Spiel gewesen, und sie hatte so getan …

Die Männer kamen heran, ohne ihre Geschwindigkeit zu vermindern. Wollten sie Paulet und die Wache über den Haufen reiten? Es blitzte, und Metall blinkte in der Sonne. Die Schwerter waren aus den Scheiden gefahren. Sie zog die Schultern hoch und wandte den Kopf.

Sie hörte Hufgedonner und dann Stimmen. Als sie den Blick wieder hob, sah sie, wie ein untersetzter Gentleman in einem feinen grün-goldenen Anzug vom Pferd stieg. Er grüßte Paulet, der nicht überrascht wirkte. Auch Paulet stieg ab, und zusammen kamen sie zu ihr herüber.

»Sir Thomas Gorges, Sonderbeauftragter Ihrer Majestät, Königin Elisabeth!« verkündete Paulet in hohem, näselndem Ton.

»Madam!« rief der grün-goldene Abgesandte mit tönender Stimme. »Die Königin, meine Herrin, empfindet es als höchst sonderbar, daß Ihr Euch gegen Vertrag und Übereinkunft zwischen Euch verschworen habt wider sie und ihren Staat, was sie nicht hätte glauben können, hätte sie nicht den Beweis dafür mit eigenen Augen gesehen, so daß sie es nun sicher weiß.« Er funkelte Maria an.

»Sir, ich weiß nicht, was Ihr meint. Ich habe nicht –«

»Eine schreckliche Verschwörung gegen das Leben der Königin wurde entdeckt, und Ihr habt Euch daran beteiligt!« rief er. »Infolgedessen soll ich Euch jetzt nach Tixall bringen. Ihr seid verhaftet, Madam!«

Nau und Curle waren herbeigeritten und hatten sich zu ihrer Rechten und zur Linken postiert.

»Weg mit denen!« rief Gorges. »Sie sind ebenfalls verhaftet! Bringt sie in den Tower.«

Sogleich hatten Soldaten die beiden Sekretäre umzingelt und schleppten sie davon.

»Und jetzt, Madam, wendet Euer Pferd nach Tixall!«

Er nickte einem der Soldaten zu, und der zielte mit seinem Speer auf Marias Pferd.

»Master Paulet, Ihr habt davon gewußt!« rief Maria. »Nur deshalb habt Ihr mich hergebracht!«

Ihr Bewacher sah sie nur an und antwortete nicht.

»Ich gehe nicht! Ich weigere mich!« rief sie. »Ihr wollt nur meine Gemächer durchsuchen und mein Eigentum stehlen, und dann wollt Ihr in meiner Abwesenheit gefälschte Beweise dort verstecken! Dazu habt Ihr kein Recht, und Ihr wißt, es ist gegen das Gesetz! Judas!«

»Ich bin kein Judas«, erwiderte Paulet mit gekränkter Miene. »Ich weiß, wem ich diene: meiner Königin Elisabeth. Ich habe niemals vorgegeben, Euer Freund zu sein oder Euch zu dienen. Im Gegenteil, es wäre mir geradezu unmöglich, denn Ihr seid ja die Feindin meiner Königin!«

»Nein! Das stimmt nicht!«

»Seid still! Gehorcht jetzt, oder ich werde Euch binden und in einer Kutsche nach Tixall bringen lassen. Denn, wohlgemerkt, dorthin geht Ihr!«

Gorges riß am Zaumzeug ihres Pferdes. »Los!«

Umringt von Soldaten mit starrenden Speeren, ritt Maria schweigend auf der Straße nach Tixall. Nur ihr Arzt war noch an ihrer Seite; Nau und Curle hatte man fortgeschafft.

Sollte sie an Ort und Stelle hingerichtet werden? Was hatte dieser

Mann gesagt? *Ihr seid verhaftet.* Aber das Gesetz zur Sicherheit der Königin – was hatte es noch vorgesehen? Daß jeder, der in eine Verschwörung gegen die Königin verwickelt war, hingerichtet werden konnte? Oder war das der Treuebund gewesen? Ja, so hatte es der Treuebund bestimmt. Das Gesetz hatte die Bestimmung so weit gemildert, daß die Schuldigen jetzt zumindest vernommen werden mußten, ehe man sie hinrichtete.

Aber es war nichts darüber gesagt, wie offiziell diese »Vernehmung« vonstatten gehen mußte. Vielleicht genügten der Form halber ein paar grobe Fragen von Gorges, dem »Sonderbeauftragten«.

Ihr habt Euch verschworen … eine schreckliche Verschwörung … das waren seine Worte gewesen.

Wovon redete er? War es die Babington-Verschwörung oder eine ganz andere Sache? Handelte es sich überhaupt um eine wirkliche Verschwörung, oder hatte die Regierung für ihre eigenen Zwecke etwas konstruiert?

Ihr Herz schien jetzt stillzustehen, obwohl es noch ein paar Augenblicke zuvor so rasend gehämmert hatte, daß sie ohnmächtig zu werden glaubte. Ihre Hände waren kalt, und alle Wärme war aus dem Sommernachmittag gewichen.

Du mußt bereit sein zu sterben. So weit ist es nun gekommen. Heute ist der Tag.

Sie gelangten zum Torhaus von Tixall, einem grauen, dreistöckigen, kastenförmigen Gebäude am Rand des Jagdreviers. Vier achteckige Türme, von runden Dächern und starren Bronzewimpeln gekrönt, bewachten die Ecken des Hauses. Sie trabten durch einen Torbogen im italienischen Stil, und Maria fühlte sich immer noch kalt wie der Tod, als sie in den Schatten kam.

»Mut!« sagte Bourgoing, der Arzt. »Königin Elisabeth ist tot. Das alles dient nur Eurem Schutz, für den Fall, daß noch andere Attentäter unterwegs sind.«

»Nein«, antwortete Maria. »Diese Königin hier ist es, die tot ist.«

Sie stießen sie in ein Zimmer im älteren Teil des Schlosses und schleppten Bourgoing weg. Die Tür wurde zugeschlagen, und sie war ganz allein. Keine Kammerfrau war da, kein Diener, nicht einmal eine Wache. Eine kleine Kammer grenzte an die große, und es gab kein Papier, keine Feder, keine Bücher. Und ausnahmsweise hatte sie weder Kreuz noch Rosenkranz bei sich.

Als es dunkel wurde, brachte ein Dienstmädchen eine Kerze herein und stellte sie stumm auf den Tisch. Dann ging sie wieder hinaus und schloß die Tür hinter sich ab.

Maria ließ sich auf einen kleinen Stuhl sinken; sie war so ausgelaugt, daß sie sich kaum noch rühren konnte.

Es ist soweit, dachte sie. Dazu ist es nun gekommen.

Ich wußte es ja, antwortete sie sich selbst. Und es ist richtig; es ist annehmbar. Ich kann es ertragen. Elisabeth lebt noch, und aus dem Komplott ist nichts geworden. Gott hat sich barmherzig gezeigt; Er hat mich davor bewahrt, zur Mörderin zu werden. Jetzt werde ich nicht ihren Tod auf dem Gewissen haben. Die Prüfung, die Er mir gestellt hat, habe ich nicht bestanden, aber Er hat mich vor Schaden bewahrt.

Sie kroch auf das Bett und schlief dort ein, zutiefst erleichtert.

Siebzehn Tage blieb sie auf Tixall. Nach ein paar Tagen gestatteten sie, daß zwei Kammerzofen ihr frische Kleider brachten. Sie bat um die Erlaubnis, an Königin Elisabeth zu schreiben, aber Paulet – der dortgeblieben war, um sie zu bewachen – lehnte ab.

In diesen siebzehn Tagen ließ sie ihr ganzes vergangenes Leben an sich vorüberziehen. Es gab nichts zu lesen, keine Ablenkung, keine Gespräche, und die endlosen Stunden mußte sie mit Nachdenken verbringen. Während die Dinge tatsächlich geschahen, schien ihnen kein Plan zugrundezuliegen. Aber wenn man sie rückblickend betrachtete, trat doch einer hervor. Erst am Ende eines Lebens war das Muster zu erkennen; erst jetzt war das vollständige Gewebe zu sehen. Und ihres sah so aus: Vom Augenblick ihrer Geburt an war sie eine störende Person gewesen, eine Person, welche nirgends hinpaßte und die ordentlichen Pläne der anderen Menschen zerstörte.

Sie war als Mädchen zur Welt gekommen, als ihr Vater sich sehnlichst einen männlichen Erben wünschte, als Prinzessin, als das Reich sich einen Prinzen wünschte.

Sie hatte französisches Blut und eine französische Erziehung, und so war sie eine Fremde in dem Land, das ihrer Herrschaft anvertraut war, und verhaßt bei ihrem eigenen Volk.

Sie war eine katholische Herrscherin in einem protestantischen Land, die einzige auf der ganzen Welt.

In Geschlecht, Erziehung, Religion – in allem stand sie in Widerstreit zu ihrem eigenen Volk. Aber diese drei Dinge ließen sich nicht einfach ablegen: Sie *waren* ja das, was sie war.

Sie hatte versucht, diese Unzulänglichkeiten durch eine Heirat auszugleichen, aber ihre Ehen hatten bei ihrem Volk nur noch größeren Anstoß erregt. Einen ausländischen Fürsten, einen Katholiken, wollten sie nicht tolerieren, aber die Söhne des Landes, die sie statt dessen heiratete, waren ebensowenig akzeptabel. Der eine war zu schwach, der andere zu stark.

Sie war friedliebend in einem Lande, wo man nur Skrupellosigkeit und Macht respektierte. Sie hatte Rebellen verziehen, statt sie hinzurichten; nach jedem Komplott hatte sie den Verrätern erlaubt, sich nach Schottland und in ihre Gunst zurückzuschleichen. Sie hatte es für christliche Milde gehalten, aber für die Lords war es Schwäche gewesen, und sie hatten sie verachtet.

Lord James, Knox, Morton, Erskine, Darnley, Lennox ... die Liste war endlos. Die, zu denen sie gut gewesen war, hatten sie verraten.

Was waren die Aufgaben des Messias und somit aller christlichen Herrscher? *Den Armen die Frohe Botschaft zu predigen, den Gefangenen die Freiheit zu geben und den Blinden das Augenlicht, und die Unterdrückten zu erlösen.* Aber die Blinde war ich, und ich war am Ende in Gefangenschaft.

Nach dem letzten Umsturz war es klar gewesen, daß es keinen Ort auf Erden gab, der sie auch nur aufnehmen wollte. Es gab keine Ruhe für sie, keinen Hafen. Ihr geliebtes Frankreich – das Land, für das sie in ihrem eigenen Land so sehr gelitten hatte – wollte keinen Finger für sie rühren. Für Elisabeth von England, ihre Cousine, war die Blutsverwandtschaft zu eng gewesen, um sie zu beseitigen, und die Fremdheit zu groß, um sie willkommenzuheißen.

Welch ein Gedanke: kein Ort auf Erden, wo ich eine Heimat finden kann! mußte sie erkennen. Tag für Tag beschäftigte sie sich mit diesen melancholischen Gedanken und dem Katalog ihres Scheiterns.

Am sechzehnten Tag stand sie auf, und alles war verändert. Ihr war ein einfacher, revolutionärer Gedanke gekommen: Mein Leben ist noch nicht vorbei. Durch meinen Tod kann ich es wiedergutmachen.

Aus weiter Ferne, aus ihren Kindertagen in Frankreich, waren die Worte ihres mächtigen Onkels Guise zu ihr zurückgekehrt.

»Mein Kind«, hatte er gesagt und ihre Locken gestreichelt, »du hast den ererbten Mut deiner Familie im Blut. Ich glaube, wenn die Zeit kommt, wirst du wohl zu sterben wissen.«

Wohl zu sterben wissen.

Wie konnte man wohl zu sterben wissen? Es war das einzige, was man nicht proben konnte.

Aber es ist auch das einzige Mal, daß die Augen der ganzen Welt auf dir ruhen, wenn du eines öffentlichen Todes stirbst …

Ein öffentlicher Tod, betete sie. Gewähre mir einen öffentlichen Tod! Mehr erbitte ich nicht. Gewähre mir einen öffentlichen Tod, und überlaß es mir, den Rest so zu fügen, wie es Dir gefällt – als Opfer, das Du hoffentlich annehmen wirst. Ein Opfer zur Wiedergutmachung dafür, daß ich – wenn auch nur für einen Augenblick – mein Einverständnis zu einem Mord gegeben habe …

Als siebzehn Tage vergangen waren, kamen sie Maria schließlich holen, um sie … wohin zu bringen? Geradewegs in den Tower? Hätte sie es nicht bedauert, wenn sie ihren treuen Dienern nicht von Angesicht zu Angesicht Lebewohl sagen könnte, wäre es ihr so am liebsten gewesen. Sollte es nur geschehen, und sollte es rasch geschehen, ehe ihre Entschlossenheit ins Wanken geriete.

Als sie durch das langgestreckte Torgewölbe in dem kühnen Torhaus ins Freie kam, begrüßte sie eine Schar von Bettlern. Sie hatten gehört, daß sie dort festgehalten werde, und hatten sich versammelt, um auf ihre Freilassung zu warten; die Königin der Schotten galt als großzügige Almosenspenderin.

»Almosen! Almosen!« riefen sie und drängten herzu. Mütter hielten ihre zerlumpten Kinder hoch und zeigten auf sie; verkrüppelte Männer stützten sich auf ihre Krücken und streckten ihr klauenartige Hände entgegen.

»Ach, ihr guten Leute«, sagte Maria und schaute sie an, »ich habe keine Almosen für euch, denn ich bin jetzt selbst eine Bettlerin.«

»Lügnerin!« zischte Paulet ihr ins Ohr. »Immer stellt Ihr Euch falsch dar, und immer zum Besseren. Ihr seid keine Bettlerin; Ihr habt Rollen über Rollen von Münzen in Euren Schränken versteckt.«

»Das ist Geld für meine Beerdigung«, sagte Maria.

»Dann tut Ihr ganz recht daran, es zu sparen, denn Ihr werdet es brauchen«, antwortete er vielsagend und schob sie in die wartende Kutsche, an deren Fenstern die Blenden herabgelassen waren.

Als sie nach Chartley zurückgekehrt waren, sah Maria, was geschehen war. Ihre Gemächer waren durchwühlt, ihre privaten Papiere fortgeschafft und etliche persönliche Habseligkeiten, die offenkundig ohne politischen Wert waren, gestohlen: Schmuck, ein Wollschal, sogar Spielzeug. Die Eindringlinge hatten sich nicht die Mühe gemacht, die Verwüstung wieder aufzuräumen, sondern verachtungsvoll alles gelassen, wie es war. Die Türen standen offen, und beiseite geworfene Dinge lagen haufenweise rings um Schränke und Truhen.

»Die Papiere, Briefe und Chiffren wurden in Kästen verpackt und an Königin Elisabeth gesandt«, erklärte Paulet.

»Ich bin neugierig, wie Ihrer Majestät zumute sein wird, wenn sie so viele geheime Briefe zu meiner Unterstützung von ihren eigenen getreuen Höflingen liest«, sagte Maria.

Paulet funkelte sie wütend an, machte auf dem Absatz kehrt und ließ sie allein.

Langsam ging sie im Zimmer umher. Sie hatte nicht mehr das Gefühl, daß es ihr Zimmer war, und sie hatte auch nichts mehr damit zu schaffen. Diese Sorgen lagen hinter ihr.

Schnell, dachte sie. Schnell, bevor die alten Sorgen und Befürchtungen zurückkehren! Jetzt weiß ich, warum Thomas More frohlockte, als sie ihn in den Tower brachten und er nicht mehr fliehen konnte. Bis dahin hatte er jederzeit durch das große, weite Tor auf die breite Straße hinausflüchten können.

»Man wird Euch den Prozeß machen«, sagte Paulet. »Er wird anderswo stattfinden. Macht Euch bereit.«

»Wann soll es sein?« fragte Maria

»Das weiß ich nicht. Und wo, weiß ich auch nicht. Der Geheime Staatsrat wollte Euch in den Tower bringen, aber die Königin hat es abgelehnt. Sie sind jetzt dabei, einen Ort auszuwählen.«

»Aha.« Es fiel ihr schwer, längere Zeit zu stehen; das alte Leiden war in ihre Beine zurückgekehrt. Aber sie war entschlossen, so groß und aufrecht wie möglich dazustehen.

»Seid Ihr nicht neugierig, zu erfahren, was aus Euren Mitverschwörern geworden ist?« fragte Paulet. Sein Abscheu gegen sie verschwand hinter der Verwunderung über ihr seltsames Benehmen.

»Ich weiß nicht, wovon Ihr sprecht«, erklärte sie.

»Sehr gut, sehr gut; juristisch gesehen, müßt Ihr das behaupten. Schlau. Eure Beine mögen zwar verrottet sein, aber Euer Verstand ist so scharf wie eh und je. Ich will es Euch trotzdem sagen: Ballard und Babington und Tichborn und alle die vierzehn wurden verhaftet, in den Tower geschafft und vor Gericht gestellt. Und für schuldig befunden, selbstverständlich. Das Volk war in Aufruhr und forderte einen Tod ganz neuer Art für sie, sehr viel grausamer als die übliche Hinrichtung eines Verbrechers. Aber unsere gnädige Königin weigerte sich; sie sagte, die übliche Exekution, würde sie den Verordnungen gemäß durchgeführt, sei genug.« Er beobachtete sie aufmerksam und wartete auf ein Zeichen von Gefühl. »Also wurden Ballard und Babington und fünf andere nach St. Giles gebracht und dort gestreckt und gevierteilt. Diesmal ließ der Henker sie aber nicht baumeln, bis sie tot waren, sondern schnitt sie bei lebendigem Leib wieder ab, um ihnen die Gedärme herauszureißen und sie zu kastrieren.«

Maria spürte, wie Wellen von Ekel und Angst sie zu überwältigen drohten. Sie begann leicht zu schwanken und griff nach der Tischkante, um sich zu stützen.

»Man hat ihnen die Schamteile abgeschnitten und verbrannt ...«

»Genug!« Sie hob die Hand. »Es ist eine Sünde, im Leiden anderer zu schwelgen, mein Freund. Ich muß Euch deshalb verbieten, weiter davon zu sprechen.«

»Ich schwelge nicht darin!« entgegnete er entrüstet. Aber wie viele andere war er empört über den Befehl der Königin, die andere Hälfte der Verbrecher so human wie möglich hinzurichten. Solche Zimperlichkeit und verfehlte Barmherzigkeit trugen nicht dazu bei, vor weiteren Attentatsversuchen abzuschrecken.

»Dann hoffe ich, wenn Ihr von meinem Leiden sprecht, werdet Ihr es mit weniger leuchtenden Augen tun.«

Es gab keine Vorwarnung. Am Abend noch sprach Maria mit ihrem Haushalt die Abendgebete, und am nächsten Morgen wurden ihre Bediensteten in ihren Zimmern eingeschlossen, und es erschienen Sir Thomas Gorges und sein Scherge Stallenge, um sie fortzubringen. Sie waren mit Pistolen bewaffnet und behandelten sie, als wäre sie entweder ein gefährlicher Schwertfechter oder eine giftige Natter, die jeden Augenblick mit tödlichem Biß zustoßen konnte. An den Fenstern ihrer Diener stellten sie Wachen auf, so daß sie ihr nicht einmal zum Abschied zuwinken konnten.

Maria ging langsam die Treppe hinunter, so sehr sie sich auch bemühten, sie zur Eile anzutreiben. Sie konnte nicht so schnell gehen, wie sie glaubten, aber sie weigerte sich auch, sich tragen zu lassen.

Draußen wartete eine Kutsche, und zwei braune Pferde wedelten munter mit den Schwänzen.

»Wohin bringt man mich?« fragte Maria.

»Nach Fotheringhay Castle in Northamptonshire«, sagte Gorges.

Ein bewaffneter Trupp protestantischer Landedelleute umringte die Kutsche. Ihre Speere und Musketen glänzten in der freundlichen Septembersonne.

»Wollte eine Taube hinfliegen, wären es siebzig Meilen bis dorthin«, sagte Gorges. »Auf den Straßen, die wir haben, ist es weiter. Drei oder vier Tagereisen.«

»Werde ich die Landschaft betrachten dürfen?«

Gorges und Paulet lachten und schauten einander an. »Sie will die Sehenswürdigkeiten genießen! Stellt Euch vor!« sagte Gorges. »Sollen wir vielleicht auch bei den alten Denkmälern anhalten und sie Euch zeigen? Ja, Ihr könnt aus dem Fenster schauen. Aber bei dem kleinsten Versuch, den Leuten zuzuwinken oder um Sympathie zu werben, gehen die Blenden wieder herunter!«

Die Kutsche rollte den langen Weg von Chartley hinunter, den der Brauer mit seinem Fuhrwerk hinaufgerumpelt war, und bog auf der Hauptstraße nach Osten. Chartley mit seinen runden Türmen und großen Glasfenstern schrumpfte zusammen, bis es nur noch ein Fleck am Horizont war, nicht größer als ein Halm.

Die Straße führte sie zuerst durch den Needwood Forest und durch Burton-upon-Trent – die Heimatstadt des schicksalhaften Bierbrauers –, und dann weiter durch den Charnwood Forest und in die große, blühende Stadt Leicester.

Kardinal Wolsey war hier begraben; das wußte Maria. In den letzten Monaten hatte sie ausgiebig in der englischen Geschichte gelesen. Auch er war von seinem Monarchen aufgefordert worden, wegen »Verrats« vor Gericht zu erscheinen und sich den Prozeß machen zu lassen; auch er hatte eine Zeitlang in Wingfield Manor gewohnt. Er war schließlich bei den Mönchen in Leicester Abbey gestorben, womöglich von eigener Hand, und seine inzwischen berühmten Abschiedsworte lauteten: »Hätte ich meinem Gott nur mit halb soviel Eifer gedient, wie ich meinem König gedient habe, so hätte Er mich in meinem Alter nicht nackt meinen Feinden ausgeliefert.«

Ein Schauer überlief sie, und sie bekreuzigte sich. Sie hatte noch

Zeit, dafür zu sorgen, daß diese Worte, diese trauervollen, tragischen Worte, nicht auch für sie galten. Noch gab es einen großen Dienst, den sie Gott erweisen konnte.

Fotheringhay ragte aus einer reizlosen Landschaft empor. Nach Osten hin waren die welligen Hügel verschwunden, und das Land war allmählich eben geworden, aber die Wiesen waren immer noch recht angenehm. Der gigantische Steinhaufen lag am River Nene und war umgeben von zwei riesigen Wassergräben: Der äußere war fünfundsiebzig Fuß breit, der innere fünfundsechzig. Die Straße, die hinaufführte, hieß seit ewigen Zeiten Perryho Lane.

In Marias Ohren klang es lateinisch, und überdies wie ein trauriges, angemessenes Wort. »*Pereo*«, sagte sie leise. »Ich gehe zugrunde.«

Die Kutsche rollte über die Zugbrücke und durch das massige Nordtor, den einzigen Eingang. Schon die Steine der uralten Festung waren grau und fleckig, und Düsternis ging von ihnen aus.

Zu allen Seiten des Hofes ragten dicke Mauern in die Höhe, so daß nur wenig Tageslicht herunter drang. Seit den Tagen des Eroberers stand hier eine Burg, und die dräuende Düsternis eines jeden Zeitalters schien darin gesammelt und geballt. Jetzt diente Fotheringhay nur noch als Staatsgefängnis. Früher einmal hatte es David von Schottland gehört, aber dann war es an die Plantagenets verloren worden, die hier ihre eigenen schmerzlichen Rollen gespielt hatten. Richard Plantagenet, der Earl von Cambridge, war wegen einer Verschwörung gegen Heinrich V. hier enthauptet worden; Richard III. war hier geboren; Richard Courtenay, der Earl von Devonshire, hatte hier im Kerker gesessen. Heinrich VIII. hatte Katharina von Aragon herschicken wollen, aber sie hatte sich geweigert.

Maria stieg aus der Kutsche und stand im Hof. Sie sah eine Große Halle und eine Kapelle an der einen Seite der Gebäude. Ein achteckiger Turm stand an der Nordwestecke, und dorthin wurde sie jetzt von einem Trupp Bewaffneter geführt. Eine formelle Begrüßung hatte es nicht gegeben, und keinen Willkommensgruß vom Kastelan, wer immer es sein mochte.

Mühsam erklomm sie die Treppe, und auf jeder fünften oder sechsten Stufe blieb sie stehen. Die altmodische Steintreppe war dunkel, und die Stufen waren von zahllosen Füßen ausgetreten, bis die Kanten sich abwärtssenkten wie Lilienblätter. Endlich erreichte sie einen Absatz im ersten Stock.

»Dieser Turm gehört Euch«, sagte Gorges. »In diesem Stockwerk sind zwei Gemächer, und zwei in dem darüber.«

Sie sah sich in dem fast leeren Raum um. Er maß nur etwa sechzehn Fuß im Durchmesser, und das andere »Gemach« war nichts als ein winziges Kämmerchen.

»Ich danke Euch«, sagte sie schließlich. »Werden meine Möbel, soweit sie noch vorhanden sind, hergeschickt?«

»Ja, sie kommen nach.«

Als sie gegangen waren und die Tür sich dröhnend geschlossen hatte, blieb Maria fröstelnd mitten im Zimmer stehen. An Orten wie diesem wurden politische Morde begangen – und davon hatte es in der englischen Geschichte so viele gegeben: die erstickten kleinen Prinzen im Tower, der grausige Mord an Edward III. mit einem glühenden Schüreisen in Berkeley Castle, und die geheime Ermordung Richards II. in Pontefract Castle. Und wer hatte diese Könige ermordet? Andere Könige, denen sie störend im Weg gestanden hatten.

Haben sie mich hergeschickt, um mich hier ermorden zu lassen, rief sie lautlos bei sich. O Gott, bewahre mich vor einem heimlichen Meuchelmord! Denn damit könnte ich Dich nicht ehren, könnte keine Erklärung für die Nachwelt abgeben. Und genau dies dürften die Engländer verhindern wollen …

Schaudernd sank sie auf einen Schemel in der kalten, dunklen Kammer.

Nach einigen Tagen traf ihr weiter verkleinertes Gefolge ein, und auch ein paar ihrer Möbel wurden gebracht. Ihr Betstuhl, der tragbare Altar und das alte Elfenbeinkruzifix wurden zu einem behelfsmäßigen Andachtswinkel aufgestellt. Die Überreste ihrer persönlichen Habe – die Miniaturen ihrer Familie sowie kostbare Briefe, die die Durchsuchung überstanden hatten – erschienen wie Freunde, die sie trösteten.

Ihr Gefolge war jetzt ganz klein: Jane Kennedy, Elizabeth und Barbara Curle, Gilles Mowbray, Andrew Melville, ihr Haushofmeister, Bastian Pages und seine Gemahlin, Willie Douglas, ihr alter Schneider Balthazzar, der ebenso alte Pförtner Didier, Dominique Bourgoing, ihr Arzt, der Apotheker Jacques Gervais, der Chirurg Pierre Gorion und Pater de Préau. Ihr ganzes »Außengesinde«, ihre Roßknechte und ihr Kutscher, waren entlassen worden. Sie sollte nie wieder ins Freie gehen.

Alle diese Leute zwängten sich in die Gemächer des achteckigen Turms; ein paar Kühnere unter ihren Bediensteten erkundeten den Rest der Burg und berichteten nachher, es gebe eine große Zahl von leeren Staatsgemächern, die eine ganze Seite des Innenhofes ausfüllten.

»Ah«, sagte Maria; sie begriff, was das bedeutete. »Dort also sollen die Männer wohnen, die kommen, um über mich zu Gericht zu sitzen.«

Eine Woche nach ihrer Ankunft kam Paulet zu ihr herein. Mit triumphierender Miene erklärte er: »Madam, Eure Übeltaten sollen nun bestraft werden. Die Lords des Landes werden Euch verhören. Ich rate Euch daher, gesteht Euer Verbrechen jetzt und bittet um Vergebung, ehe Ihr von einem Gerichtshof in aller Form überführt werdet.«

Sie sah ihn an, wie er so ernsthaft dastand. Sie selbst blieb sitzen und erhob sich nicht. »Ihr behandelt mich wie ein Kind«, sagte sie, »das vor seinen Eltern ein Geständnis ablegen soll, um einer Tracht Prügel zu entgehen. Ich habe aber nichts zu gestehen.«

Sein Mund klappte auf, und Ärger zog über sein Gesicht. »Nun, Ihr –«

»Als Sünderin«, unterbrach sie ihn, »ist mir durchaus bewußt, daß ich bei meinem Schöpfer manches Mal Anstoß erregt habe, und Ihn bitte ich um Verzeihung. Aber als souveräne Königin weiß ich von keinem Fehltritt oder Verstoß, für den ich hier unten jemandem Rechenschaft ablegen müßte.«

»Königin! Souverän!« stammelte er.

»Da ich also nicht fehlgegangen sein kann, will ich auch keine Vergebung; ich suche sie nicht, und ich würde sie auch von keinem lebenden Menschen annehmen.«

Erbost schüttelte er den Kopf. »Stolz, Madam, Stolz! Ihr ertrinkt in Eurem Stolz!«

Als er gegangen war, sagte Jane: »Man wird Euch für diese Worte bezahlen lassen, fürchte ich.«

»Was ich jetzt noch sage, hat nichts zu bedeuten. Das ›Gesetz zur Sicherheit der Königin‹ wurde ersonnen, um mich zu vernichten. Es ist wahr; sie haben kein legitimes Recht, mich zu verurteilen oder über mich zu Gericht zu sitzen. Aber dessen ungeachtet halten sie meinen Leib gefangen und werden ihn bestrafen.«

Am 12. Oktober suchte eine kleine Abordnung der Lords, darunter wiederum Paulet, Maria in ihren Gemächern auf. Sie kamen, um anzukündigen, was Maria nach einem einfachen Blick aus ihrem Fenster bereits wußte: daß die Mitglieder der Gerichtskommission in Fotheringhay eingetroffen waren, eindrucksvoll begleitet von einer Streitmacht von zweitausend Soldaten. Es würde einen Prozeß geben, und Maria würde sich gegen den Vorwurf verteidigen müssen, sich an einer Verschwörung zum Schaden Elisabeths beteiligt zu haben. Man würde sie richten als »eine Person, die das Recht auf die Krone des Reiches beansprucht hat oder beanspruchen möchte«. Zur Strafe würde ihr zunächst der Anspruch auf die englische Krone für allezeit aberkannt werden, und sodann würde man sie hinrichten.

»Ihr wißt, daß es Euch nach Recht und Gesetz gar nicht zukommt, über mich zu richten«, sagte Maria. »Ich bin souveräne Königin, und so kann nicht der Adel über mich zu Gericht sitzen; das können nur Monarchen. Sollen die Gerichtsbänke mit den Königinnen und Königen der Erde gefüllt werden? Wenn ja, so sollen sie mir willkommen sein. Wenn nicht, so weigere ich mich, zu erscheinen.«

Paulet drückte ihr einen Brief in die Hand. »Die Königin befiehlt Euch, zu erscheinen.«

»Die Königin kann mir nichts ›befehlen‹. Ich bin ihr nicht untertan.« Maria las rasch den Brief und reichte ihn Paulet zurück. »Und ich bin den Gesetzen Englands nicht unterworfen.«

Der Lordkanzler Thomas Bromley fauchte: »Doch, das seid Ihr! Ihr lebt unter ihrem Schutz und seid ihnen deshalb unterworfen.«

Maria konnte nicht anders, sie mußte leise lachen. »Ich kam nach England, um Elisabeth um Hilfe zu bitten, und wurde statt dessen eingesperrt. Ich habe also weder Schutz noch Nutzen aus diesen Gesetzen gezogen – noch hat mir irgend jemand klargemacht, was für Gesetze das eigentlich sind. Es scheinen mir in der Tat seltsame Gesetze zu sein.«

»Eure Privilegien als Souveränin nützen Euch in diesem Lande nichts«, erklärte Cecil. »Und wenn Ihr nicht erscheint, macht das auch nichts. Dann werdet Ihr eben *in absentia* verurteilt.«

Damit hatte Maria nicht gerechnet. »So ist es also?« murmelte sie. »Ich werde verurteilt, auch wenn ich nicht erscheine? Wie Ihr doch die Gesetze verdreht! Ich habe darum gefleht, daß man mich anhört. Zwanzig Jahre lang habe ich darum gebeten, mit Elisabeth sprechen und vor einem freien Parlament alle Fragen beantworten zu dürfen. Aber vor einem geschlossenen Geheimtribunal zu erscheinen … was fürchtet *Ihr* denn so sehr, das andere hören könnten?«

Cecil hatte es vor ihren Argumenten und ihrer Widerspenstigkeit gegraut. »Keine Sorge, alles, was Ihr sagt, wird im ganzen Land vernommen werden – und alle Eure Taten werden bekannt. Ihr werdet noch Anlaß haben, Euch zu wünschen, sie wären geheim geblieben.«

Sir Christopher Hatton ergriff plötzlich das Wort. Maria sah, wie sehr der einst so hübsche Höfling gealtert war, seit er damals zur Taufe nach Schottland gekommen war. Die Taufe … »Wenn Ihr nicht erscheint, wird man glauben, Ihr hättet schändliche Dinge zu verbergen. Wenn Ihr unschuldig seid, habt Ihr nichts zu fürchten. Aber wenn Ihr ein Verfahren meidet, besudelt Ihr Euren Ruf mit einem unauslöschlichen Flecken.«

»Lieber würde ich tausend Tode sterben, als daß ich mich der Autorität der Königin von Elisabeth in irgendeiner Weise zum Nachteil meiner königlichen Majestät unterwürfe«, antwortete Maria. »Ich kann mich daher nicht den Gesetzen des Landes unterwerfen, ohne mir selbst zu schaden, dem König, meinem Sohn, und allen anderen souveränen Fürsten. Ich erkenne die Gesetze Englands nicht an; ich kenne sie nicht und verstehe sie nicht. Und was ein Gerichtsverfahren angeht, so bin ich allein, ohne Beistand und Vertreter. Meine Papiere und Aufzeichnungen wurden mir weggenommen, so daß ich meine Verteidigung allenfalls aus dem Gedächtnis vorbereiten könnte. *Ihr* habe meine Papiere und wollt sie gegen mich verwenden, derweil man *mir* verweigert, mich mit ihrer Hilfe zu verteidigen.«

»In keinem Verratsprozeß wird dem Angeklagten ein Rechtsbeistand gewährt«, sagte Bromley.

»Genug davon«, sagte Cecil. »Höret die Worte, welche die Königin unmittelbar an Euch richtet. Sie hat diese Einwände und Euren Widerstand vorausgesehen. ›Ihr habt auf verschiedenerlei Art und Weise geplant, Mir das Leben zu nehmen und Mein Königreich durch Blutvergießen zu zerstören.‹«

Maria verschlug es den Atem. Dies waren unverblümte, grobe Worte – nicht von einem Souverän an einen anderen, sondern vom Herrn an einen unbotmäßigen Sklaven gerichtet. »Gehörte kein Gruß dazu?« unterbrach sie Cecil.

»Nein. Kein Gruß, keine Titel.«

In der Tat: die Mitteilung der Herrin an eine Sklavin.

»›Ich habe niemals so roh gegen Euch gehandelt‹«, fuhr Cecil fort. »›Im Gegenteil, ich habe Euch beherbergt und Euer Leben bewahrt mit der gleichen Sorgfalt, die ich auf mich selbst verwende.‹«

Maria deutete in die enge, dunkle Kammer. »So also lebt sie?« fragte sie.

»›Diese Verrätereien werden Euch bewiesen und dingfest gemacht werden. Aber es ist mein Wille, daß Ihr Euch verantwortet vor den Edlen und Peers des Reiches, als wäre ich selbst zugegen. Ich wünsche, verlange und befehle daher, daß Ihr Euch verantwortet, denn man hat mich von Eurem Dünkel in Kenntnis gesetzt‹«, verlas Cecil. »›Zeigt Euch offen, und Ihr werdet desto größere Gunst von mir empfangen.‹« Er hielt das Papier in die Höhe und drehte es langsam, damit alle es sehen konnten.

Maria schaute in die Gesichter, die sie im Halbkreis umgaben. »Ich bin bereits im voraus für schuldig befunden und zum Tode verurteilt von dieser hier zusammengetretenen Versammlung; doch ich beschwöre Euch, schaut in Euer Gewissen und bedenkt, daß das Theater der Welt größer ist als das Reich Englands!« rief sie. »Erinnert Eure Königin daran!«

Als sie gegangen waren, winkte sie Jane herbei. »Ich bitte Euch«, sagte sie, »bringt mir warme Tücher für meinen Kopf. Ich habe hämmernde Schmerzen in der Stirn.«

»Verzeiht mir, aber ich konnte nicht anders, ich mußte alles mit anhören«, sagte Jane.

Maria lächelte. »Das solltet Ihr auch. Ich wünschte, Elisabeth hätte meine Worte auch hören können, statt sie sich später in verdrehter Form wiederholen zu lassen.«

»Sie haben barsche Worte gesprochen.«

»Ja, und es war ihnen ernst damit. Ihr wißt, Jane, sie werden mich niemals am Leben lassen. Ich weiß es, und ich bin bereit.« Seufzend legte sie den Kopf nach hinten, und Jane deckte ihr lindernde warme Tücher über die Stirn. »Ich bete nur darum, daß mein Mut diese Prüfung bestehen wird. Es ist leicht, hier in meinen eigenen Gemächern tapfer zu sein; vor seinem Spiegel ist jedermann ein Held.«

»Ihr werdet also erscheinen?« Jane rieb methodisch über die Tücher und ließ die Wärme tief in Marias Schädel eindringen.

»Ja. Nicht, weil es rechtens wäre, sondern aus höheren Gründen. Ich muß endlich sprechen; ich werde nicht stumm in das Grab fahren, das sie mir bereitet haben.« Sie tat einen langen Seufzer des

Bedauerns. »Mein Mut war immer eher von körperlicher Art – laufen, kämpfen, reiten. Die Art, die aus pulsierendem Blut und aus dem Zorn entspringt. Dies aber erfordert Mut einer ganz anderen Sorte. Und, ich bitte Euch – was immer geschieht: Wenn Ihr von hier fortgeht, erzählt meine Geschichte. Laßt nicht zu, daß meine Worte und Taten untergehen oder hier in dieser Burg ausgelöscht werden.«

Jane schauderte es. »Ich kann es nicht ertragen, daran zu denken! Aber Ihr plant das alles so ruhig.«

»Einmal im Leben muß ich alles vorhersehen. Ich weiß, es wird ihr Ziel sein, mich zum Schweigen zu bringen, und dem muß ich begegnen. Ich entstamme einer alten und ehrenvollen Linie von Königen, und es ist unerläßlich, daß ich meines Blutes würdig sterbe.«

Auch wenn ich nicht immer seiner würdig *gelebt* habe, fügte sie bei sich hinzu.

Am Abend vor der Eröffnung des Prozesses verbrachte sie eine Stunde im Gebet, bevor sie Pater de Préau rufen ließ. Als der alte Priester kam, nahm sie ihn bei der Hand und zog ihn in eines der winzigen Kämmerchen, um ungestört zu sein.

»Segnet mich«, sagte sie. »Gebt mir Kraft für morgen!«

»Das tue ich«, sagte er. »Und denkt daran, macht Euch keine Sorgen darüber, was Ihr sagen sollt und was Ihr nicht sagen sollt; im rechten Augenblick wird es Euch schon gegeben sein, was zu sagen ist. Glaubt daran.«

»Ich habe Angst.« Ihre Hände waren kalt, und sie wußte, daß sie in dieser Nacht nicht schlafen würde. »Ich habe Angst, daß man mich zwingen wird, mich zu verraten, meinen Glauben zu verraten, und mein königliches Blut. Denn das sind die Dinge, derer man mich für schuldig befindet, und sie sind es, die ihren Anstoß erregen.« Sie zitterte. »Ich werde allein gegen ihre Übermacht stehen.«

»Nicht ganz allein«, sagte der Priester. »*Er* wird da sein und an Eurer Seite stehen.«

»Ich wünschte, ich könnte mich wirklich anlehnen an Ihn. Ich wünschte, Er wäre greifbar zugegen.« Sie ballte die Hände und grub die Fingernägel in die Handflächen, damit der Schmerz ihr Halt gebe. »Oh, Pater, ich habe solche Fehler begangen! Aber jede Entscheidung, die ich getroffen habe, habe ich guten Glaubens getroffen, weil ich dachte, sie sei zum Besten. Ich habe stets nach dem Wissen gehandelt, das ich hatte, und das war begrenzt. Ich sah, daß ich heiraten sollte, und ich liebte Darnley, und er war von königlichem Geblüt, so daß er für den Adel annehmbar war. Auf dem Papier war er der vollkommene Gemahl für mich! Aber was ich damals alles nicht wußte …«

»Das ist vorbei«, sagte de Préau fest. »Kein Mensch ist wie Gott und kann einem anderen ins Herz blicken oder in die Zukunft schauen. Verzeiht Euch selbst; Gott hat es schon getan. Und vergeßt niemals, daß aus dieser ›Sünde‹ James entsprang, der eines Tages die beiden Königreiche vereinen wird. Überlaßt diese Dinge nur Gott.«

Maria lag die ganze Nacht hellwach, und die ganze Zeit fürchtete sie, die Erschöpfung könne ihren Geist abstumpfen.

Das Sonnenlicht, verwässert, aber gleichwohl golden, strömte durch die winzigen Fenster, als Maria am Morgen des 15. Oktober angekleidet wurde. Sie fühlte sich zittrig, aber Angst hatte sie nicht mehr; es war, als sei alles bereits geschehen und würde sich nun im Gerichtssaal vor ihr entfalten. Sie fürchtete deshalb nicht, zu verderben, was bereits geschrieben war; sie war nur noch neugierig, zu erfahren, was es war.

Der Prozeß sollte in einem Raum unmittelbar über der Großen Halle stattfinden. Sie stellte fest, daß ihre Beine ausgerechnet heute morgen ungewöhnlich steif und geschwollen waren, sehr zu ihrer Verlegenheit. Es bedeutete, daß sie sich auf zwei Leute wie auf Krükken würde stützen müssen – kaum ein königlicher Auftritt. Aber auch das war bereits geschrieben. Also erwählte sie Melville und Bourgoing und umschlang sie mit den Armen, so daß sie langsam durch das Spalier der Hellebardiere zum Eingang des Gerichtssaales schreiten konnte.

Vor ihr aufgereiht, siebzig Fuß weit bis zum Ende des Saales, saßen ihre Richter. Zwei lange Bänke erstreckten sich über die ganze Länge des Raumes, in der Mitte dazwischen ein kleinerer Tisch mit den Justizbeamten der Krone: ein inneres und ein äußeres Rechteck, gefüllt mit Männern. Sie war die einzige Frau im Raum. Als sie eintrat, wandten sich vierundvierzig Gesichter um und starrten sie an. Sie zählte sie, langsam und mit Bedacht, um sich zu festigen.

Einer für jedes Jahr meines Lebens, dachte sie. War das beabsichtigt – oder ist es ein Augenzwinkern von *Ihm*, der mich daran erinnert, daß es eine Ordnung gibt, die über allem steht, was sie sich vornehmen?

Stille herrschte; die Männer glotzten sie an, begafften die legendäre Busenschlange. Nur wenige in England hatten sie in all den

Jahren, die sie unter ihnen geweilt hatte, tatsächlich gesehen – ja, eher hatten sie wahrscheinlich ein Gespenst gesehen.

War das die *femme fatale*, die Frau, die so viele Männer ins Unglück, in den Untergang getrieben hatte? Die Zeit hatte ihren gefährlichen Zauber verstummen lassen, hatte sie restlos entwaffnet. Enttäuschung regte sich in ihnen wie ein Stich, gemischt mit Erleichterung. Die schwarz gekleidete Frau, die da durch die Tür kam, hatte ein Doppelkinn und eine starke Taille.

Am vorderen Ende des Raumes stand ein Thron unter einem Baldachin auf einer kleinen Estrade. Maria ging darauf zu, aber man hielt sie sanft auf und deutete auf einen Stuhl, der unterhalb davon stand.

Maria warf einen Blick voller Verzweiflung auf den leeren Thron. »Ich bin eine Königin von Geburt, und mein Platz sollte unter dem Baldachin sein!« wandte sie ein.

»Das ist Elisabeths Platz«, sagte der Lordkanzler.

Elisabeths Platz – höhnisch leer. In ihrer Abwesenheit war sie greifbarer als die lebendig zugegenen Richter.

Maria nahm ihren Platz auf einem Samtsessel unterhalb des leeren, lauernden Throns ein; behutsam ließ sie sich nieder.

Sie sah sich um. Dies also waren die Gesichter zu den Namen, die sie seit Jahren hörte. »So viele Ratsherren«, flüsterte sie Melville zu. »Und keiner, der mir rät!«

Der Lordkanzler erhob sich und verlas die Anklage gegen sie. Sie stand vor Gericht wegen einer Verschwörung zum Schaden der Person Elisabeths und des Reiches England und wegen Unterwanderung der nationalen Religion. Sie antwortete, wie sie schon oft geantwortet hatte: daß sie widerrechtlich in England festgehalten worden sei, und daß sie nur bereit gewesen sei, hier zu erscheinen, um zu zeigen, daß sie des versuchten Mordes an Elisabeth nicht schuldig sei. Nur in dieser Frage werde sie Rede und Antwort stehen. Sie erkenne die Zuständigkeit dieses Gerichtshofes für sie nicht an, sondern sei nur hier, um ihren guten Namen reinzuwaschen.

Der Lordkanzler verlas auf Lateinisch die Gerichtsvollmacht gegen sie; Maria protestierte: Das neue Gesetz sei nur eingerichtet worden, um ihr eine Falle zu stellen.

Kronanwalt Gawdy erhob sich nun im Namen der Krone und beschuldigte sie, sie habe versucht, Elisabeth zu ermorden, und sie habe das Ausland zur Invasion in England aufgefordert; beides sei Verrat nach dem Gesetz zur Sicherheit der Königin, und dies sei

Gesetz, ungeachtet dessen, seit wann oder aus welchem Grund es erlassen sei. Sodann schilderte er die Babington-Verschwörung in allen Einzelheiten und beschuldigte sie, davon gewußt und allem zugestimmt zu haben; sie habe den Rebellen außerdem ihre Unterstützung zugesagt und ihnen Mittel und Wege gewiesen.

»Ich kannte Babington als Pagen in Shrewsburys Haushalt!« antwortete sie. »Aber seit er von dort fortgegangen ist, habe ich weder mit ihm gesprochen noch ihm geschrieben und auch keine Briefe dieser Art von ihm empfangen, noch habe ich mich je zur Vernichtung Eurer Königin verschworen oder mich an solchen Verschwörungen beteiligt.« Er würde wollen, daß sie dies sagte, und soviel Loyalität schuldete sie ihm. Das war es, was man immer sagte: Man leugnete stets und forderte die anderen heraus, das Gegenteil zu beweisen.

»Babington hat gestanden!« sagte Gawdy. »Jawohl, er hat eifrig gestanden, weil er dachte, er könne sich damit irgendein Privileg erkaufen. Als könnte man sich Vergebung erkaufen, indem man einen Verrat gesteht!«

Er hat gestanden, dachte Maria, und der Mut wollte sie verlassen. Er hat sich selbst und seine Überzeugungen verraten. Sie zuckte innerlich zusammen, als sie ihn vor ihrem geistigen Auge gebrochen sah, mit jener Gebrochenheit, die schlimmer war als der Tod.

»Er hat uns von den Briefen erzählt, die zwischen Euch hin und her gegangen sind; ja, er war so freundlich, uns einen zu rekonstruieren. Und wie es sich fügte, sagte er die Wahrheit – denn wir haben eine bestätigte Kopie des Originalbriefes!«

Maria fühlte sich einer Ohnmacht nahe. Wie waren sie darangekommen? Die geheime Post ... wie hatte man sie entdeckt?

Walsingham ergriff das Wort. »Die Sache mit dem Bierbrauer haben wir selbst eingerichtet«, erklärte er und sah ihr in die Augen.

Das also war Walsingham: dieser gelbgesichtige, halskrausenbewehrte Puritaner, der dunkle Mann, der so lange ihr Gegenspieler gewesen war. Sie starrte ihn an, von Schrecken und Zorn erfüllt.

Sie haben alles selbst eingerichtet, dachte sie. Von Anfang an ... und daß ich auf ihren Köder angebissen habe, ohne Fragen zu stellen ... Ihr wurde übel.

Walsingham las Babingtons Brief vollständig vor, und dann auch ihre Antwort darauf. Sie fragte sich plötzlich, ob Babington diesen Brief überhaupt geschrieben hatte; vielleicht war ja der ganze Brief nur eine Fälschung von Walsingham.

»Ich ... es kann sein, daß Babington diesen Brief geschrieben hat; aber man soll beweisen, daß ich ihn empfangen habe! Und um zu beweisen, daß ich gottlosen Plänen meine Zustimmung gegeben habe, muß man meine eigene Handschrift vorlegen! Chiffren und Zeichen zu fälschen ist eine leichte Sache!« sagte sie. »Außerdem – wenn Babington ein solches Geständnis abgelegt hat, warum hat man ihn dann hingerichtet, statt ihn mir als Zeugen von Angesicht zu Angesicht gegenüberzustellen, um mich zu überführen?« Verzweifelt schaute sie in die Runde. »Ich berufe mich auf das im fünfzehnten Jahr der Königin Elisabeth verfügte Gesetz, welches ausdrücklich vorsieht, daß niemand angeklagt werde, einen Anschlag auf das Leben des Souveräns geplant zu haben, wenn nicht die eidliche Aussage zweier rechtskräftiger Zeugen vorliegt, die ihm von Angesicht zu Angesicht gegenübergestellt werden.«

Cecil bemerkte sarkastisch: »Ich dachte, Madam, Ihr verstündet so wenig von den englischen Gesetzen! Ihr seht also, Gentlemen, wie wenig Glauben man ihren Behauptungen und Dementis schenken kann.«

»Vielleicht ist der Babington-Brief eine Fälschung!« rief sie. »Woher wißt Ihr, daß man sich nicht daran zu schaffen gemacht hat? Er ist offensichtlich durch viele Hände gegangen! Dies ist Walsinghams Werk! Er wird vor nichts zurückschrecken, wenn er meinen Tod zuwege bringen kann!«

Mit blitzenden Augen erhob sich Walsingham. »Gott ist mein Zeuge«, verkündete er laut, »daß ich als Privatperson nichts getan habe, was einem ehrlichen Mann nicht geziemt, noch habe ich, wo ich eine öffentliche Stellung innehabe, etwas dieser Stellung Unwürdiges getan. Ich bekenne wohl, daß ich, da ich äußerst sorgsam auf die Sicherheit der Königin und des Reiches bedacht bin, alle Ränke wider selbige aufmerksam ausgeforscht habe. Hätte Ballard oder Babington mir in dieser Sache Hilfe angeboten, so hätte ich sie nicht zurückgewiesen; ja, ich hätte sie sogar für ihre Mühen entschädigt. Wenn ich aber mit ihnen konspiriert habe, warum haben sie es dann nicht gesagt, um ihr Leben zu retten?«

»Ich sage nur, was ich gehört habe, Sir: daß Ihr nicht darüber erhaben seid, Euch Euer Beweismaterial selbst zu fabrizieren!« rief Maria. »Ihr seht daran, wie gefährlich es ist, wenn man denen glaubt, die übel wollen. Ich bitte Euch, glaubt meinen Verleumdern nicht mehr, als ich den Euren glaube.«

Die Verhandlung ging weiter; man verlas die Geständnisse, die

Curle und Nau abgelegt hatten. Die beiden Sekretäre hatten bestätigt, was in dem Babington-Brief gestanden hatte.

»Dann hat man sie mit der Folter bedroht«, beharrte Maria.

So ging es immer weiter; nur am Mittag legte man eine kleine Pause ein, um sich zu erfrischen. Maria war durstig und matt. Die Fassung begann ihr zu entgleiten; ihr war, als würde sie von einem Rudel Wölfe angegriffen.

Am Nachmittag wurden weitere Einzelheiten vorgeführt. Die Aussagen Naus und Curles wurden noch einmal untersucht, und dann warf Cecil ihr vor, daß sie sich geweigert habe, den Vertrag von Edinburgh zu unterschreiben. Als nächstes kamen das Parry-Komplott und die Rolle, die Morgan dabei gespielt hatte, zur Sprache, und Maria wurde gefragt, weshalb sie Morgan eine Rente gezahlt habe. Sie beantwortete dies mit der Gegenfrage, weshalb Elisabeth dem Lord James und den anderen schottischen Rebellen eine Rente gezahlt habe.

Weitere Anschuldigungen wurden ihr entgegengeschleudert: daß sie sich 1558 das englische Wappen und die dazugehörigen Titel angeeignet habe, daß sie sich zum alleinigen legitimen Sproß Heinrichs VII. erklärt habe, daß sie sich angemaßt habe, sich einen Stammbaum zu zeichnen, in dem sie sich als Vertreterin der uralten britischen Dynastie und Nachfahrin von Edmund Ironside dargestellt habe, daß sie es versäumt habe, den Papst zu tadeln, weil er sie als Königin von England bezeichnet hatte – und die Kommissare warteten nicht erst, bis sie an der Reihe waren, sondern schrien: »Schuldig, schuldig, schuldig!« Es erhob sich allgemeines Geplapper und übertönte das fröhliche Knistern des Feuers im großen Kamin. Die Verhandlung wurde unterbrochen und vom Lordkanzler auf den nächsten Morgen vertagt.

Maria war so erschöpft, daß sie kaum ohne Hilfe in ihre Gemächer zurückgehen konnte. Aber sie war entschlossen, aufrecht zu stehen, solange das Gericht sie noch sehen konnte. Als sie in ihrem Zimmer war, hatte sie gerade noch so viel Kraft, daß sie ihren Bediensteten sagen konnte: »Es ist noch nicht erledigt.«

Sie legte sich auf ihr Bett und streckte sich der Länge nach aus, und allmählich hörte sie auf zu zittern. Die Verhandlung hatte fast acht Stunden gedauert. Das Beweismaterial war vernichtend; es war klar, daß sie verloren war.

Dennoch glaube ich, daß ich gut und geschickt geantwortet

habe, dachte sie. Vielleicht werden einige einen etwas freundlicheren Eindruck mitnehmen als den, mit dem sie hergekommen sind. Jesus, so viele, und mancher, den ich immer gern gesehen hätte. Der gute alte Shrewsbury. Er hat kaum ein Wort gesagt ... Hatton, so verschlissen ... Sir Ralph Sadler, der mich nackt sah, als ich ein Baby war und der gekommen war, um mich anzuschauen ... wer hätte je gedacht, daß er mich überleben würde? All diese Gentlemen – was, sagten sie, waren sie? Neun Earls, dreizehn Barone, sechs Staatsräte ...

Die Verhandlung wurde am nächsten Morgen wieder aufgenommen. Wieder betrat Maria den Raum, auf die Arme ihrer Diener gestützt, und nahm ihren Platz auf dem karmesinroten Samtstuhl ein. Die vierundvierzig Gesichter ließen erkennen, daß sie darauf brannten, fortzufahren; ihre Wangen waren gerötet, ihre Stimmen laut. Als Maria sich im Raum umschaute, bemerkte sie einen subtilen Unterschied zum vergangenen Tag, aber sie konnte nicht gleich sagen, worin er bestand.

Sie erhob sich und redete die Versammlung an. »Freunde«, begann sie; dann sah sie, daß die Verwendung dieses Wortes allenthalben heftiges Kopfschütteln hervorrief. »Richter«, verbesserte sie sich. »Ich bin freiwillig hergekommen, im Gedanken an meine Ehre, um mich zu verteidigen gegen den schrecklichen Vorwurf, ich sei an dem Versuch beteiligt gewesen, Königin Elisabeth zu schaden. Aber statt dessen habe ich mich mit vielen anderen Vorwürfen attackieren lassen; Ihr habt versucht, mich zu verwirren und von der Hauptanklage abzulenken. Was nun aber den Hauptvorwurf angeht, so habt Ihr keinen Zeugen beibringen können; auch habt Ihr keine Originaldokumente vorgelegt, sondern nur ›beglaubigte Kopien‹. Wenn Ihr mich auf Grund meiner eigenen Worte oder Briefe verurteilen könnt, so will ich mich fügen. Aber ich bin sicher, daß Ihr davon nichts vorlegen könnt.«

Es stimmt ja, daß ich in einem Augenblick der Schwäche mein Einverständnis gegeben habe, dachte sie. Aber ich bin nicht bereit, mich auf Grund von falschen oder verfälschten Beweisen verurteilen zu lassen. Gott hat in seiner Barmherzigkeit dafür gesorgt, daß es keinen irdischen Beweis für meinen Fehltritt gibt. Er ist mein Schild und Schutz.

»Hört nur, wie sicher sie ist! Es ist nicht Unschuld, was da spricht, sondern Schläue! Sie weiß sehr wohl, daß derlei nicht existiert, weil sie systematisch alles vernichtet hat – zum Beweis ihrer Verschlagenheit!«

»Hört, hört!« bestätigten andere.

Der Lärm schwoll zu einem Donnergrollen an. Plötzlich erkannte sie, was an den Männern heute anders war: Sie trugen bereits Reitkleidung und waren gestiefelt und gespornt. Sie hatten vor, die Verhandlung so früh zu beenden, daß sie noch bei Tageslicht abreisen konnten. Der Zeitpunkt war bereits festgelegt; es kam nicht mehr darauf an, was sie noch sagte.

»Meine Verbrechen, für die ich heute in Wahrheit hier vor Gericht stehe«, fuhr sie hocherhobenen Hauptes fort, »bestehen in meiner Geburt, in dem Unrecht, das man mir angetan, und in meiner Religion. Auf das erste bin ich zu recht stolz, das zweite kann ich verzeihen, und das dritte ist mir in all meinem Leid mein einziger Trost und meine Hoffnung gewesen. Ich bin das letzte katholische Mitglied der Königshäuser von England und Schottland, und ich würde mit großer Freude mein Herzblut für die Befreiung der leidenden Katholiken des Reiches geben; aber nicht einmal um ihretwillen würde ich den Preis eines Religionskrieges und des Blutes vieler Menschen bezahlen, denn ich war stets besorgt um das Leben noch des gemeinsten Gottesgeschöpfes.«

»Doch wer sich um Fohlen und Ferkel sorgt, ist oftmals grausam zu seinem Weib!« rief jemand.

»Und jeder Mörder hat eine Mutter, die am Galgen steht und den Verwandten seine Güte preist!« schrie ein anderer. »›Nicht mein Gregory! Er hat doch stets die Blumen so treulich begossen!‹«

Alles johlte, und sogar Walsingham brüllte vor Lachen. Cecil bemühte sich, die Ordnung wiederherzustellen.

Maria brach in Tränen aus, was sie nur noch mehr aufstachelte. Die Bärenhatz war ihr immer verhaßt gewesen, wo das angekettete Tier von einer Meute kläffender Hunde wieder und wieder angefallen wurde, daß ihnen der rote Schaum von den Lefzen troff. Sie hatte sich stets geweigert, bei diesem sogenannten Vergnügen zuzuschauen, und sie hatte sich immer schmerzlich an ihren zahmen Bären in Frankreich erinnert, der so sanft und folgsam gewesen war. Jetzt fühlte sie sich, als sei sie selbst in eine Bärin verwandelt worden, die man angekettet hatte, um sie zu zerfleischen und zu töten. Und es hieß, daß Elisabeth großen Spaß an der Bärenhatz habe und daß es eine ihrer liebsten Zerstreuungen sei ...

»Laßt uns fortfahren«, mahnte Cecil. »Wir wollen zum nächsten

Anklagepunkt übergehen: Umgang mit den Feinden Englands, und Aufforderung zur Invasion durch die Spanier.« Er nickte Walsingham zu.

Walsingham erhob sich. »Es gibt zahlreiche Briefe, die das beweisen. Sie hat an ihre Agenten in Paris geschrieben, an Mendoza, den spanischen Botschafter, an Philipp selbst, und auf ein solches Unternehmen gedrängt.« Er öffnete eine große Ledermappe und ließ die Briefe herausregnen wie fallendes Laub. Einer oder zwei landeten auf dem Boden.

Maria zwang ihre schluchzende Brust zur Ruhe und beendete ihr Zittern mit der Kraft ihres Willens. »Ich leugne nicht, daß ich mich nach der Freiheit gesehnt und daß ich mein Möglichstes getan habe, sie zu erringen. Solchem Handeln liegt ein ganz natürlicher Wunsch zugrunde. Als Königin Elisabeth sie mir verweigerte, habe ich mich an andere Länder gewandt«, erklärte sie. »Dazu aber sah ich mich erst getrieben, nachdem ich durch grausame Abmachungen verhöhnt worden war und man alle meine freundschaftlichen Angebote verächtlich abgetan und meine Gesundheit durch rigorose Gefangenschaft zerstört hatte.«

Endlich war es still geworden.

»Ich habe meinen Freunden geschrieben und sie gebeten, mir zur Flucht aus Elisabeths elenden Kerkern zu verhelfen, in denen sie mich jetzt neunzehn Jahre lang festgehalten hat, bis meine Gesundheit und alle meine Hoffnungen grausam zunichte gemacht waren.«

»Genug!« sagte Bromley und hob die Hände. »Nicht Königin Elisabeth steht heute hier vor Gericht!«

»Und, Madam«, sagte Cecil, »als über das letzte Abkommen, Eure Freiheit betreffend, verhandelt wurde – über die Assoziation mit Eurem Sohn, dem König –, was hat Ihr da getan? Parry wurde hergeschickt, und zwar von dem in Eurem Sold stehenden Morgan, damit er die Königin ermorde!«

»Nein!« rief Maria. »Davon wußte ich nichts! Wenn Morgan diese böse Tat beging, so tat er es ohne mein Wissen.«

»Ha!« sagte Cecil. »Wir wissen, daß Ihr hinter allen diesen Verschwörungen standet. Oh, Ihr glaubt, Ihr könnt uns täuschen, aber wir wissen, was Ihr seid! Die Tochter des Aufruhrs, fürwahr!«

Maria starrte ihn an. »Mylord«, sagte sie schließlich, »Ihr seid mein Feind.«

»Ja!« rief Cecil. »Denn ich bin der Feind aller Feinde meiner Königin Elisabeth!«

Sie sah die Gesichter der Männer, gerötet und erregt. Ihre Sporen klirrten, als sie auf ihren Stühlen hin und her rutschten. Bald würden sie draußen an der frischen Oktoberluft sein, nach Süden reiten, lachen, in Wirtshäusern absteigen. Sie würden sie nachahmen und verhöhnen und kleine Vorstellungen für die anderen Gäste geben. Einer würde sich in eine schwarze Decke hüllen, sich einen weißen Schleier über den Kopf drapieren und mit quäkender Stimme verkünden: »Ich bin eine gesalbte Königin ...«

»Ich werde nur noch zu einem vollwertigen Parlament sprechen, in Anwesenheit der Königin und ihres Staatsrates«, sagte sie. »Denn ich sehe schon, es ist blanke Torheit, hier über mich richten zu lassen, wo doch jedermann ganz offensichtlich und notorisch voreingenommen gegen mich ist.« Sie erhob sich und verließ ihren Stuhl. »Ich verzeihe Euch allen«, sagte sie, zu der Versammlung gewandt. »Meine Lords und Gentlemen, ich lege meine Sache in Gottes Hand.«

Sie wandte sich ab und ging langsam auf die nahe Tür zu, durch die sie auch hereingekommen war. Dabei kam sie an einem Tisch vorbei, an dem lauter Rechtsanwälte hastig Notizen machten. »Möge Gott verhindern, daß ich mit Euch allen noch einmal zu tun habe«, sagte sie lächelnd.

Bevor Cecil oder Bromley sie aufhalten konnte, war sie zur Tür hinausgegangen.

Cecil stand auf und rief die Versammlung zur Ordnung.

»Gentlemen, Gentlemen! Die Verhandlung ist geschlossen. Unsere gnädige Königin ersucht uns, in London erneut zusammenzukommen, um das Urteil zu verkünden, und zwar heute in zehn Tagen.« Er hielt die gekritzelten Anweisungen von Elisabeth in die Höhe. »Es steht Euch nun frei, zu gehen!«

In einer energischen Aufwallung sprangen die Männer von Stühlen und Bänken auf.

Aus dem Fenster schaute Maria in den Hof, wo es von Männern wimmelte; ihre bunten Mäntel bildeten ein reichhaltiges Muster auf den stumpfgrauen Pflastersteinen. Bald würden sie hinauswirbeln und ihre Neuigkeiten ins Land hinaustragen.

Sie legte sich hin und schloß die Augen. Als sie später aufstand und hinausschaute, war der Hof leer.

Walsingham zog sein schmerzendes Bein nach, als er neben Cecil herging; auch dieser hinkte infolge eines Reitunfalls. Unter Schmerzen bewegten sich die beiden Männer langsam vom Bootssteg zu dem Pfad, der hinauf zu Walsinghams Landhaus Barn Elms führte.

Es war noch lange warm geblieben; obgleich der November sich seinem Ende näherte, brauchten die beiden Männer keinen Mantel, und die Sonne beschien ihre Schultern. Hinter ihnen plätscherte die Themse an die Uferböschung, und noch immer durchpflügten viele Boote das Wasser.

»Mein Leiden ist durch einen Sturz herbeigeführt worden«, berichtete Cecil. »Wenn man bedenkt, daß ich versuchen wollte, meine Reisen zu beschleunigen, und nichts weiter erreicht habe, als mich zu lähmen.« Sein rechtes Bein war geschient und verbunden.

»Bei mir liegt es an der Verstocktheit Ihrer Majestät«, sagte Walsingham. »Wirklich, ich weiß nicht, wie es weitergehen soll. Mein Magen dreht sich, mein Knie schwillt an, mein Bein blutet ...« Seine Stimme hob sich verzweifelt, und Cecil sah ihn erschrocken an. Wollte er etwa in Tränen ausbrechen?

Sie kamen an den Reihen der Tabakpflanzen vorbei, die Walsingham ausgesetzt hatte; sie schienen vorzüglich zu gedeihen.

»Es kümmert sie nicht!« murrte Walsingham. »Nicht Eure harte Arbeit, nicht unsere Sorgfalt, nicht ihre Sicherheit ... es war alles umsonst, Cecil, umsonst! Die Schlange wird weiterleben!«

Cecil legte ihm den Arm um die Schultern. »Nein, nein. Die Sache macht Fortschritte. Die Richterkommission hat die Schlange für schuldig befunden, und beide Häuser des Parlaments haben die Königin ersucht, die Hinrichtung zu verfügen.«

»Aber sie weigert sich! Sie dankt ihnen nur für ihre Mühen und sagt, sie könne darauf nicht antworten! Sie bittet sie, eine andere Möglichkeit zu suchen – sie werde eine persönliche Entschuldigung von Maria akzeptieren, sagt sie ... weiß Gott, es scheint, daß sie nicht tun kann, was sie zu ihrem eigenen Wohl tun muß!«

Cecil seufzte. Er schaute zu einem großen Felsblock hinüber. »Kommt, wir wollen uns dort in die Sonne setzen. Das wird uns gut tun.« Seufzend ließ er sich nieder und streckte das verletzte Bein von sich. »Ihr müßt begreifen, daß sie in einer schrecklichen Lage ist. Ihr graut davor, daß man sie beim Blutvergießen sehen könnte. Vielleicht möchte sie den Geist ihres Vaters auslöschen. Vielleicht setzt sie Maria in irgendeinem Winkel ihres Herzens mit ihrer Mutter gleich, mit Anne Boleyn. Beide wuchsen ja in Frankreich auf, beiden legte man Indiskretionen zur Last, beide wurden des Verbrechens überführt, dem Monarchen nach dem Leben getrachtet zu haben. Gleichwohl kann Elisabeth wie viele andere nicht mit Sicherheit glauben, daß Anne Boleyn schuldig war; vielleicht will Elisabeth auf diese Weise dafür Buße tun. Wer kann das sagen?«

»Vielleicht ist sie auch bloß unentschlossen«, schnaubte Walsingham. »Oder feige.«

»Die Schlange hat die Gerichtsverhandlung als Bühne für ihre Beredsamkeit und ihren Witz benutzt«, sagte Cecil. »Genauso, heißt es, hat Anne Boleyn es gemacht. Aber genützt hat es ihnen nichts. Und was Maria angeht – selbst ihre Anhänger mußten zugeben, daß die Beweise gegen sie überwältigend waren. Dennoch ...« Seine Stimme verklang. »... sie war überaus eindrucksvoll.«

»Jetzt klingt Ihr, als wäret Ihr in sie verliebt!«

»Nein. Was ich gesagt habe, ist die Wahrheit. Ich bin der Feind aller Feinde meiner Königin Elisabeth.«

»Ich war von ihr enttäuscht. Sie war nur eine füllige Frau in mittleren Jahren, die Frömmeleien und Platitüden von sich gab und von Selbstmitleid überquoll.« Walsingham verzog das Gesicht, als er sich das Bein massierte. »Wie Katharina von Aragon. Kein Wunder, daß Heinrich VIII. sie in einen Turm sperren ließ. Diese ermüdenden, gekünstelten Reden ...« Er schüttelte den Kopf. »Statt Mitleid zu wecken, bewirkten sie das Gegenteil. Sie erregten Abscheu!«

»Der Earl von Leicester kommt zurück«, sagte Cecil unvermittelt. »Vielleicht hört die Königin auf ihn, wenn alle Stricke reißen. Er hat sie zum Handeln gedrängt, aber Briefe sind nicht so überzeugend wie ein persönlicher Appell.«

»Unterdessen haben die Botschafter Schottlands und Frankreichs bereits angefangen, in ihrem Sinne zu agitieren, und untergraben die Entschlossenheit Ihrer Majestät damit noch weiter. Und es ist auch nicht gerade hilfreich, daß die Schlange sich jetzt auf das Märtyrertum verlegt hat und *will*, daß Elisabeth sie öffentlich hinrichten läßt. Es könnte sein, daß Elisabeth sie am Leben läßt, um ihre Pläne zu durchkreuzen! Ich glaube, diese schmutzige und böse Kreatur aus Schottland ist von Gott gesandt, um uns zu strafen! Oh, Cecil! Was für eine undankbare Aufgabe wir da zu erfüllen haben!«

Cecil zuckte die Achseln. »Soll sie ihr jämmerliches Märtyrertum nur ausspielen«, meinte er. »Die gottlosesten Verbrecher führen unablässig den Namen Gottes auf den Lippen, denn Gott ist der einzige, der sie verdauen kann.«

»Ach, laßt nur Lord Leicester bald kommen!« Walsingham wandte die traurigen Augen zum Himmel. »Mag er seinen Zauber auf die Königin wirken lassen!«

Elisabeth stand in ihrem Privatgemach zu Richmond vor dem Spiegel. Sie trug nur ein Hemd, und ihre nackten Füße schauten darunter hervor. Die Perücke war abgelegt, und ihr eigenes Haar war gelöst und fiel ihr über die Schultern. Aller irdischen Verklärung durch Schmuck, Spitze, Brokat, Polster und Schminke entblößt, starrte sie an, was übrig war.

Wenn sie blinzelte, konnte sie behaupten, sie habe sich kaum verändert, seit sie den Thron bestiegen habe. Sie war immer noch schlank, ihr eigenes Haar war immer noch golden rot, und sie hatte immer noch die meisten Zähne. Sie war jetzt dreiundfünfzig, und ihre fruchtbaren Jahre waren vorüber. Von der Mutterschaft verschont, hatte ihr Körper sich seine mädchenhaften Konturen und eine ungewöhnliche Jugendlichkeit bewahrt. Aber sie wußte auch, daß mit ihrer Fruchtbarkeit ihre letzte Romanze dahingegangen war. Nach dem Frosch war kein Freier mehr gekommen.

Ich habe meine Jungfräulichkeit bewahrt, und meine Jungfräulichkeit mich, dachte sie, als sie sich betrachtete. Und ich bin dankbar.

Sie legte sich einen Mantel um, drehte sich das Haar auf und steckte es mit einer silbernen Spange fest. Dann schenkte sie sich ein wenig süßen Wein aus Zypern ein und nahm einen kleinen Schluck. Maßvolles Essen und Trinken hatten ebenfalls dazu beigetragen, ihre Gesundheit zu erhalten.

In meine Alter war mein Vater, der König, unglaublich fett. Ich weiß noch, daß jemand sagte, drei der stärksten Männer des Reiches paßten zusammen nicht in sein Wams. Ich lebe jetzt fast so lange wie er; er starb mit fünfundfünfzig, und da nannte er sich schon lange den »alten Mann«. Aber ich fühle mich nicht wie eine »alte Frau«!

Der Tod ... Ich habe nicht das Gefühl, daß der Tod nahe ist, kein natürlicher Tod jedenfalls, aber ...

Sie trank ihren Wein aus und betrachtete das Intarsienmuster ihres Schreibtisches. Auf dem Tisch stand als *memento mori* ein Totenschädel. Ein Bild in ihrem aufgeschlagenen Gebetbuch zeigte den Tod, wie er unschuldige Menschen hinraffte: der Tod als kunstreicher Handwerker, der flüsterte: »Umschweif und List / vergeblich ist.« Ein anderes Motto war in den Sarkophag eines liegenden Ritters eingraviert: »Nicht mit Kunst und List und Mühen / konnt dem Tode ich entfliehen.« Es schauderte sie, und sie klappte das Buch zu.

Sie strich sich mit den Händen über die Wangen und fühlte die vorstehenden Wangenknochen dicht unter der Haut.

Selten hatte sie sich so bedrängt gefühlt wie jetzt, in ihrem dreiundfünfzigsten Jahr. Daß sie eine unvermählte Jungfer bleiben würde, stand nun fest und war nicht mehr zu ändern. Robert Dudley, ihr Robert, der Earl von Leicester, war jetzt seit sieben Jahren wieder verheiratet. Im letzten Jahr war ihr seine Gegenwart bei Hofe versagt gewesen, weil er die englischen Streitkräfte in den Niederlanden befehligte. Seine Leistungen dort hatten sie enttäuscht, und ebenso das Ausmaß seines Ehrgeizes, das sich dort offenbarte. Trotzdem fehlte er ihr an ihrer Seite in England.

Der Krieg in den Niederlanden war ein grausiger Fehler gewesen. Trotz ihrer umsichtigen Sparsamkeit versiegte die Staatskasse allmählich. Stück für Stück wurde sie in den immer umfassenderen, rücksichtslosen Religionskrieg hineingezogen, den sie hatte vermeiden wollen; die Beziehungen zu Spanien wurden immer angespannter, und bald würden offene Feindseligkeiten ausbrechen. Sie sah sich in die Rolle einer universellen Vorkämpferin für den Protestantismus gedrängt – durch die Umstände.

Und dann die Sache mit der Schottenkönigin.

Niemand schien Elisabeths Dilemma zu begreifen, die Zwangslage, in der sie sich befand. Niemand hatte Verständnis dafür, daß es ihr widerstrebte, ihre königliche Cousine hinrichten zu lassen. Sie stand völlig allein.

Trotz Parlament, trotz ergebener Diener wie Cecil und Walsingham, trotz Tausenden loyaler Untertanen, die ihre Bereitschaft erklären, für mich zu sterben, habe nur ich die Macht, zu handeln, dachte sie. Ich bin es, die das Todesurteil unterschreiben muß; ich bin es, die die ganze Schuld auf sich nehmen muß. Vor den Augen der Welt stehe ich allein.

Das ist die wahre Bürde des Königtums: Letzten Endes muß ich allein entscheiden und die Konsequenzen auf mich nehmen, dachte sie. Bis jetzt konnte ich diese Bürde mit meinen Ratgebern und meinem Volk teilen; wir haben in allen Angelegenheiten einmütig gehandelt. Aber so sehr sie mich jetzt bedrängen: Dies ist meine Entscheidung, und nur meine.

Ist Maria schuldig? Allerdings, das ist sie. Nicht die Gerechtigkeit bringt sie jetzt aufs Schafott; hätte man der Gerechtigkeit Genüge getan, dann wäre sie schon vor Jahren dort hingekommen. Das ist längst überfällig.

Sie wickelte die Miniatur der Schottenkönigin aus, die sie seit Jahren aufbewahrte. Sie zeigte sie in jungen Jahren, als schöne, von Glück gesegnete Herrscherin kurz vor ihrer Thronbesteigung in Schottland. Aus demselben Papier nahm sie den Diamantring, den Maria ihr geschickt hatte, nachdem sie als Flüchtling nach England gekommen war; mit ihm habe sie einen Anspruch auf Elisabeths Hilfe, hatte sie behauptet. Der kleine Ring funkelte im Kerzenschein. Elisabeth drehte ihn hierhin und dorthin, als könne sie jetzt etwas daran entdecken, was ihr bis dahin entgangen war.

Es ist nur ein Spielzeug, dachte sie. Es ist unvorstellbar, daß dieses kleine Ding so gewaltige Folgen hervorgebracht haben soll – daß wegen dieses Ringes eine Königin sterben könnte.

Sterben könnte? Viele Könige sind schon gestorben. Es ist weder ein Traum noch ein Spielzeug; es ist ein echtes *memento mori*.

Am nächsten Morgen kleidete Elisabeth sich in ihre schmeichelhaftesten Farben – Rostbraun und Gold – und legte die schwarze Perlenkette der Schottenkönigin an, um sich so den ganzen Tag an Marias Anwesenheit zu erinnern. Die Lords hatten sie ihr vor langer Zeit verkauft, gleich nachdem sie Maria vom Thron gestoßen hatten. Es waren wunderschöne Perlen; sie waren nicht wirklich schwarz, sondern von einem tiefen, opalisierenden Purpurgrau, und sie schimmerten wie Trauben an der Ranke im spätherbstlichen Sonnenlicht. So viel hatte Maria verloren … Die von kundiger Hand aufgetragene Schminke war ein Abbild jugendlich lebhafter Gesichtsfarbe, und sie trug ihre beste Perücke mit den dicksten und glänzendsten Locken. Das Geschöpf im Spiegel war eine überhöhte Darstellung der blassen, zierlichen Gestalt vom Abend zuvor; jetzt erstrahlte Gloriana im Sonnenschein gleißender Majestät.

Robert Dudley kam, und sie wollte sein, wie sie für ihn immer gewesen war. Die Zeit durfte sich niemals zwischen sie drängen – und weder Ehefrauen noch andere Höflinge. Lettice Knollys und Christopher Hatton und Walter Raleigh waren nur Anhängsel für sie beide, die allezeit eins sein würden: Robert und Elisabeth.

Sie wartete in ihrem Privatgemach. Draußen schien eine fahle Sonne, dünn und kalt. Dann hörte sie Schritte und wußte, daß er fast da war.

»Robert!« Sie erhob sich, als er hereinkam.

Er war dicker geworden; sein Gesicht war rot, und die Haare fielen ihm aus. Aber das hatte nichts zu bedeuten; sie sah es nicht einmal: Das war er nicht wirklich, sondern nur spaßige Tünche. Der wirkliche Robert veränderte sich niemals, ebensowenig wie die wirkliche Elisabeth, und sie waren immer jung und schön.

»Meine Königin!« Er fiel auf die Knie und küßte ihr die Hand. »Oh, jetzt bin ich wahrhaft zu Hause!«

»Steht auf, mein Lieber«, sagte sie und zog ihn hoch. »Jetzt bin ich wieder in Sicherheit!«

Sie standen da und schauten einander eine ganze Weile an. Dann winkte Elisabeth ihm, Platz zu nehmen, und bot ihm heißen Wein an.

»Meine allerliebste Majestät«, sagte er, »ich fürchte, in Sicherheit seid Ihr erst, wenn Ihr Euch dazu bewegen laßt, zu tun, worum Euer Volk Euch bittet.«

»Haben sie Euch geschickt?« fragte sie in scharfem Ton. »Cecil, Walsingham? Sollt Ihr mich überreden?«

»Nein, das haben sie nicht«, antwortete er leise. In seinen braunen Augen stand nur die Sorge um sie. »Walsingham liegt krank daheim; er hat sich aufgerieben in Eurem Dienst, und jetzt ist er betrübt und voller Furcht. Aber seine Rolle ist beendet. Doch das Parlament ist zusammengekommen und hat beschlossen, daß Ihr das Urteil gegen die Königin der Schotten zur Ausführung bringen müßt.«

»Ich muß? Ich muß?« rief sie. »Wer ist das Parlament, daß es mir sagt, was ich ›muß‹? Wer regiert denn hier? Die Krone oder das Parlament?«

»Die Krone«, antwortete er sofort. »Das Parlament hat nicht die Macht, das Urteil auszuführen. Wenn Ihr den Schuldspruch nicht kundtut und Eure Unterschrift unter das Todesurteil setzt, dann kann es nicht vollstreckt werden. Sie wird leben, bis Ihr beschließt, daß sie sterben muß. So einfach ist das.«

»Das weiß ich!« fauchte sie. »Was, glaubt Ihr denn, quält mich so?«

»Aber«, sagte Robert, »Euer Genius als Königin hat immer darin bestanden, daß Ihr Euch in völliger Eintracht und Harmonie mit

Eurem Volk befandet. Ihr spiegelt es wider wie ein stilles Wasser die Wolken; zusammen formt Ihr ein nahtloses Ganzes. Ihr sprecht davon, daß Ihr mit Eurem Volk vermählt seid, und besser als jeder andere weiß ich, wie wahr das ist. Ihr und das Volk, Ihr seid ein Fleisch. Und jetzt ist das Volk fest davon überzeugt, daß diese Gefahr für Euch und für alle beseitigt werden muß. Wenn Ihr diesen Wunsch mißachtet, zeigt Ihr, daß Ihr Eure und die Sicherheit des Volkes auf die leichte Schulter nehmt. Das wird man Euch nicht verzeihen und auch nicht vergessen.«

»Oooh.« Sie verschränkte die Arme vor dem Leib und krümmte sich, als habe sie Magenschmerzen. Die Perlen glitten über ihre Unterarme. »Ich weiß, daß Ihr recht habt«, sagte sie schließlich.

»Ihr habt das Parlament gebeten, einen anderen Weg zu suchen. Sie haben gesucht und dann erklärt, es gebe keinen. Ihr habt sie aufgefordert, Euch dabei zu helfen, diese Bürde zu tragen –«

»Nein! Ich habe das Parlament einberufen – weil die Welt dann leichter zufriedengestellt wäre. Weil sogar meine Feinde wissen sollen, daß ich gerecht war, damit sie mich niemals tyrannischer oder überstürzter Handlungen bezichtigen können!«

Robert lachte. »Überstürzte Handlungen! Nein, derer habt Ihr Euch nun gewiß noch nie schuldig gemacht, in keiner Weise! Im Gegenteil, müßte ich ein Symbol für Eure Herrschaft wählen, so könnte ich nur die Schildkröte nennen: weise, vorsichtig, langsam und friedliebend.«

Auch Elisabeth lächelte jetzt. Sie streichelte die schimmernden Perlen, als könne sie damit einen dienstbaren Geist heraufbeschwören. »Und langlebig, hoffe ich.« Der Schädel ging ihr jäh durch den Sinn.

»Nicht, wenn es nach Maria und ihren Parteigängern geht«, sagte Robert. »Und niemand weiß, was morgen ist.«

Nicht mit Kunst und List und Mühen / konnt dem Tode ich entfliehen.

»Wenn sie Euch überleben sollte«, fuhr Robert vorsichtig fort, »und kränkliche Menschen werden manchmal sehr alt – dann könnte sie Eure Thronfolgerin werden. Der Katholizismus würde wiederhergestellt, alle Eure weisen Kompromisse wären dahin. Ihr und Euer Volk seid eins, aber sie und eben dieses Volk würden in Zwietracht leben, genau wie sie und ihr Volk in Schottland. Und Ihr wißt, wie es dort ging. Erspart Eurem Volk diese Möglichkeit.«

»Wißt Ihr noch, Robert, was ich vor langer Zeit sagte?« fragte sie plötzlich. »Ich sagte, ich sei ihre gesalbte Königin, und ich würde mich niemals durch Gewalt zwingen lassen, etwas zu tun. Aber dies ist jetzt geschehen – und darum ist es mir so zuwider!«

»Ich weiß nicht, was Ihr meint.« Er machte ein verständnisloses Gesicht.

»Erst war ich gezwungen zuzulassen, daß man Babington und seinen Mitverschwörern den Prozeß machte. Als man über sie gerichtet und sie für schuldig befunden hatte, war ich gezwungen, sie hinrichten zu lassen. Ich hoffte, damit könnte ich das Volk zufriedenstellen und Maria verschonen, wie es mit der Hinrichtung Norfolks gelang. Aber nein! Sie ließen keinen Zweifel daran, daß sie Marias Kopf wollten, nicht den der Verschwörer. Sie gaben sich nicht zufrieden! Sie warfen ihr vor, sie habe diese armen jungen Männer umgarnt! Also war ich gezwungen zu erlauben, daß man Maria vor Gericht stellte. Als es geschehen war, sah ich mich gezwungen, das Parlament einzuberufen, um die Mächte des Auslands zu besänftigen. Und als das Parlament einmal damit befaßt war, drängte es mit größtem Eifer auf ihre Hinrichtung. Schritt um Schritt hat man mich vorangeführt; ich werde gewaltsam gezwungen!«

»Es gibt Dinge, denen sogar Ihr gehorchen müßt«, sagte Robert. »Nicht dem Parlament, aber der Gesinnung, die dahinter steht. Die Zeit der juristischen Nichtigkeiten und des Zauderns ist vorüber. Die Schottenkönigin muß sterben!«

Sie ballte die Fäuste und hämmerte hilflos gegen ihre Hüften.

»Wenn Ihr es nicht ausführt«, sagte Robert, »was soll dann aus den Gesetzen des Staates werden? Man wird finden, daß keines mehr gilt. Aber wir sind ein Rechtsstaat, und wir sind stolz auf unsere Gesetze. Ihr System zu umgehen, wäre ein Rückschritt in die Barbarei.«

»Aber eine gekrönte Königin hinzurichten ...!« rief sie. »So etwas hat es noch nie gegeben. Was wird dann geschehen?«

»Was wird geschehen, wenn Ihr es nicht tut?« entgegnete er. »Bitte legt doch nicht mehr Gewicht auf die Meinung ausländischer Mächte als auf die Meinung Eures eigenen Volkes!«

»Aber was wird Frankreich tun? Und was wird Schottland tun?«

»Die Franzosen werden gar nichts tun. Es kümmert sie seit langem nicht mehr, was aus ihr wird. Was Schottland angeht ... James muß notwendigerweise ein öffentliches Getöse um seine Mutter veranstalten. Aber insgeheim wird er sich für seine eigenen Interessen entscheiden, und die bestehen darin, daß er mit England weiterhin auf gutem Fuße steht. Er genießt seine Rente, und nicht für alle Mütter der Welt wird er den Vertrag mit dem impliziten Anerkenntnis seines Erbes aufs Spiel setzen, den er soeben mit Euch unterschrieben hat. Schon gar nicht für diese Mutter. Wißt Ihr noch, was er sagte, als man ihm berichtete, sie sei im Zusammenhang mit der Babington-Verschwörung verhaftet worden? ›Jetzt muß sie das Bier trinken, das sie gebraut hat.‹ Nein – er wird stillhalten.«

»Man hat mir aber berichtet, daß bestimmte schottische Adelige, darunter der stets ritterliche George Douglas, ihn bedrängen, er möge in England einfallen und sie befreien.«

»Die Schotten, die selbst daran gehindert werden mußten, sie hinzurichten, werden jetzt wohl kaum Leib und Leben für sie in die Bresche werfen. Nein, aus dieser Ecke droht Euch nichts.«

»Ach, ich wünschte, es wäre schon alles aus und vorbei!« rief sie.

»Dann macht der Sache ein Ende«, sagte Robert. »Macht Schluß, allergnädigste Majestät.«

Elisabeth vertagte das Parlament auf den 15. Februar. Zwei Tage später, am 4. Dezember, erlaubte sie, daß das Urteil mit Fanfarenklang veröffentlicht werde: Maria sei für schuldig befunden worden, »nicht nur durch Beihilfe und Mitwissen an der Verschwörung beteiligt gewesen zu sein, sondern auch die Ermordung Ihrer Majestät erdacht und zu selbiger angestiftet zu haben«. Die Kirchenglocken läuteten vierundzwanzig Stunden lang in London, Freudenfeuer loderten, und die Menschen tranken und tanzten in wilder Festfreude in den Straßen.

Elisabeth ersuchte Cecil, die Hinrichtungsverfügung abzufassen und entsandte eine Abordnung ihres Rates nach Fotheringhay zu Maria, um ihr Schuldspruch und Urteil bekanntgeben zu lassen. Dann schloß sie sich für zwei Tage in ihren Gemächern ein.

Maria hatte eben ihr Mittagessen beendet, das in aller Stille im großen Raum des achteckigen Turmes serviert wurde, als Paulet in der Tür erschien.

»Ihr habt Besuch«, sagte er geheimnisvoll.

Bevor sie Zeit hatte, sich vom Tisch zu erheben oder sich wenigstens den Mund mit ihrer Serviette abzutupfen, kam eine Gruppe von Männern herein.

Sie kannte keinen von ihnen; das eine oder andere Gesicht kam ihr von der Verhandlung her bekannt vor, aber wie sie hießen, wußte sie nicht.

»Ich bin Robert Beale, der Schreiber des Geheimen Staatsrats Ihrer Majestät«, sagte einer der Männer und trat vor. Er war ein gesund aussehender Mann, stämmig, aber nicht dick.

Maria erhob sich und verließ den Tisch mit den Speiseresten und schmutzigen Tellern. Langsam ging sie ans andere Ende des Raumes, wo ihr Thron seinen Platz gehabt hätte. Dort wandte sie sich um und sah sie an.

»Madam, wir sind beauftragt, Euch das Urteil zu verkünden: Ihr seid für schuldig befunden, Euch gegen das Leben der Königin Elisabeth verschworen zu haben, und Ihr seid durch das Parlament dieses Landes zum Tode verurteilt«, sagte er leise.

Maria sah ihn nur an und sagte kein Wort.

Die anderen Männer hinter ihm traten von einem Fuß auf den anderen.

»Diese Gentlemen, allesamt führende Mitglieder des Geheimen Staatsrates, Anwälte der Krone sowie andere Beamte, werden bezeugen, daß wir Euch dies mitgeteilt haben. Das Urteil ist durch Herolde verkündet und im ganzen Reich bekanntgemacht worden«, fuhr Beale fort.

»Ah«, sagte Maria.

»Jetzt ist es Zeit, zu gestehen und um Vergebung zu bitten!« sagte Paulet, der herzugetreten war.

»Gestehen? Um Vergebung bitten?« wiederholte Maria. »Der Prozeß und das Urteil sind unrechtmäßig.« Die Männer begannen zu murren, und sie sprach rasch weiter. »Aber das macht nichts. Ich kenne den wahren Grund, weshalb ich sterben soll, und ich bin in aller Demut dankbar dafür. Der Grund ist meine Religion. Welch ein Privileg, das mir damit gewährt wird!«

»Damit mögt Ihr nur gleich wieder aufhören!« sagte Beale. »Es ist ein schlauer Schachzug, daß Ihr versuchen wollt, Euch zur Heiligen und zur Märtyrerin zu stilisieren, aber die Wahrheit ist, daß Ihr weder das eine noch das andere seid. Ihr seid zum Tode verurteilt wegen einer gemeinen Verschwörung und wegen Verrats gegen die Königin.«

»Ich habe Ihn angefleht, Er möge die Leiden und Verfolgungen, denen ich ausgesetzt war an Körper und Geist, als eine Buße für meine Sünden anzunehmen, und ich sehe, Er hat meine Gebete erhört!« fuhr Maria fort.

»Da seht Ihr, Gentlemen, was ich habe ertragen müssen«, sagte Paulet. »Lange, ermüdende Reden, die nichts zu tun haben mit der Sache, um die es geht! Es wäre ja barmherzig, könnte man wenigstens sagen, daß die lange Haft sie um den Verstand gebracht hat, aber gesunden Menschenverstand hat sie nie besessen. Hirngespinsten hat sie sich hingegeben, sich selbst in Schottland umringt mit Schmeichlern und Ausländern – mit dem Erfolg, daß sie ihr Leben lang in ihrer eigenen kleinen Welt gelebt hat. Und jetzt errichtet sie schon wieder eine kleine Bühne, auf der sie eine Rolle spielen kann: die Rolle der heiligen Märtyrerin, die ihre Augen zum Himmel verdreht, ihren Rosenkranz umklammert und unentwegt Latein murmelt.«

»Madam«, sagte Beale beharrlich, »wenn Ihr der Königin ein Geständnis ablegen wolltet ...«

»Wann soll das Urteil vollstreckt werden?« fragte Maria.

»Das liegt bei Ihrer königlichen Majestät«, antwortete Beale.

»Und es wird eine öffentliche Hinrichtung sein?«

»Ja.«

»Ihr werdet mich nicht heimlich töten und mich so meines öffentlichen Todes berauben?« fragte sie Paulet.

»Madam!« Er brüllte fast. »Ich bin ein Mann von Ehre und ein Gentleman, und ich würde mich niemals entehren, indem ich eine solche Greueltat beginge oder mich benähme wie ein Türke!«

»Dafür bin ich dankbar«, sagte Maria.

Als die Abordnung gegangen war, kam Paulet noch einmal herein; mit einem Bündel unter dem Arm stieg er eilig hinauf in ihr Schlafgemach. Sie stand auf und folgte ihm, aber sie brauchte einige Zeit für die Treppe. Als sie schließlich oben ankam, wollte ihr das Blut in den Adern gefrieren.

Paulet verhängte ihr Bett mit schwarzen Tüchern.

»Was macht Ihr da?« fragte sie.

»Es soll anzeigen, daß Ihr in den Augen des Gesetzes bereits tot seid. Dies ist Euer Sargbehang. Der Rest des Zimmers wird ebenfalls schwarz ausgeschlagen werden.« Geschäftig fuhr er fort, die Tücher anzubringen.

»Mein Bett soll also mein Sarg sein«, sagte sie. »Ich soll hier aufgebahrt liegen?«

»Sozusagen«, erwiderte er. »Und über Eure Bestimmung in der Ewigkeit nachdenken.« Er stieg von seinem Schemel herunter und betrachtete sein Werk.

»Und Euer Billardtisch wird jetzt weggenommen«, sagte er. »Dies ist nicht die Zeit für müßige Zerstreuung.«

»Ich habe ihn nicht benutzt, seit er hier ist. Ich hatte anderes zu tun. Bitte schafft ihn fort; dann haben wir mehr Platz.«

Er schnaubte verächtlich und ging.

An diesem Nachmittag rief Maria ihren Haushalt zusammen, um bekanntzugeben, was geschehen war. Hoffentlich würde niemand in Klagen oder Wutausbrüche verfallen.

»Meine Freunde, ich habe heute das Urteil zugestellt bekommen«, sagte sie. »Wir alle wissen, wie es lautet. Und Paulet war so freundlich, mein Schlafgemach so zu dekorieren, daß ich mich jederzeit fühlen kann, als wanderte ich schon jetzt im finstern Tal.«

»Wann soll es geschehen?« fragte Jane Kennedy. In ihren Augen glänzten Tränen, aber ihre Stimme zitterte nicht. Maria war dankbar dafür.

»Ich weiß es nicht. Deshalb muß ich gleich meine Vorbereitungen treffen. Ich werde Papier brauchen, und von meinem verbliebenen Eigentum müssen bestimmte Listen angefertigt werden. Ich muß Abschiedsbriefe schreiben und mein Testament aufsetzen.«

Bei diesen Worten stieß Elizabeth Curle einen Schrei aus, und Willie Douglas stöhnte auf.

»Ich bin glücklich, ich bin es wirklich, denn dies wird das Ende meiner Sorgen sein«, beharrte Maria. »Wenn ihr mich liebt, frohlockt ihr mit mir. Die Gefangene soll endlich frei sein! Und wenn ich frei bin, seid ihr es auch. Helft mir nur noch, leicht und mit Würde aus dieser Welt zu scheiden. Das ist eure Aufgabe, und mehr erbitte ich nicht mehr. Helft mir, diesen Trauermantel abzulegen und mich in meine himmlischen Gewänder zu kleiden.«

Die Hand tat ihr weh. Der Rheumatismus war in ihrer Schreibhand besonders schlimm, als sollte es eine Heimsuchung sein. Aber sie hatte ihre Briefe geschrieben: einen an Erzbischof Beaton, ihren Gesandten in Paris, einen an Mendoza, den spanischen Botschafter, der wegen des Throckmorton-Komplotts aus England ausgewiesen worden war und jetzt in Paris stationiert war. Einen an den Papst, ihren geistlichen Vater. Und einen an Henri de Guise, das Familienoberhaupt der Guise.

In dem Brief an Guise erlaubte sie sich, über ihre Hinrichtung zu spekulieren.

Ich soll nun durch ein ungerechtes Urteil einen Tod erleiden, wie ihn noch kein Mitglied unserer Familie und erst recht niemand meines Ranges je hat erleiden müssen. Doch ich danke Gott dafür, denn ich bin unnütz für Ihn und für die Sache Seiner Kirche in meinem gegenwärtigen Zustand. Und wiewohl kein Scharfrichter je die Hand in unser Blut getaucht, schämt Euch dessen nicht, mein Freund.

Es blieb noch das Testament zu verfassen, und dann der schwerste Brief von allen – der unerläßliche Brief an Elisabeth.

Den ganzen Tag über war sie von einem merkwürdigen Überschwang beseelt gewesen, aber jetzt verebbte er, und sie fühlte nur noch Müdigkeit.

Habe ich die Kraft, noch weiterzumachen? fragte sie sich. Aber ich muß; vielleicht wird man mir später keine Zeit mehr geben, den Rest abzufassen. Und geschrieben werden muß es.

Das Testament erforderte lediglich die Auflistung ihrer Finanzen, nach Möglichkeit ein paar Vorkehrungen für ihre Dienerschaft und den Wunsch, in Frankreich bei ihrer Mutter begraben zu werden. Sie versuchte, sich an alle kleinen Beträge und Besitzungen zu erinnern, aber ohne ihre Rechnungsbücher konnte sie nicht sicher sein. Gleichwohl hoffte sie, daß entweder der König von Spanien oder der König von Frankreich oder der Duc de Guise ihre kleinen Verfügungen mildtätig abdecken würde.

Und jetzt der Brief an Königin Elisabeth. Sie schloß die Augen und betete um die rechten Worte. Dann begann sie langsam zu schreiben. Die ersten Worte waren bloße Formalitäten. Dann aber stieß sie zum Herzen der Angelegenheit vor.

Da ich nun von Eurer Seite von dem Urteil, welches in der letzten Sitzung des Parlaments ergangen, in Kenntnis gesetzt und von dem Lord Beale ermahnt wurde, mich auf das Ende meiner langen und mühseligen Pilgerschaft vorzubereiten, so bat ich sie, Euch meinen Dank für solch angenehme Kunde auszurichten und Euch zu bitten, mir zur Erleichterung meines Gewissens einige Dinge zu gewähren.

Ich will niemanden anklagen, sondern verzeihe aufrichtig einem jeden, wie ich mir auch wünsche, daß jeder andere, vor allem aber Gott, mir verzeihen möge. Und da ich weiß, daß Euer Herz mehr als das irgendeines anderen sollte angerührt sein von der Ehre oder Unehre an Eurem eigenen Blut und an einer Königin dazu, bitte ich Euch, Madam, um Jesu willen: Wenn meine Feinde ihr schwarzes Gelüsten nach meinem unschuldigen Blute gestillt, so erlaubet meinen armen und untröstlichen Dienern, meinen Leichnam mit fort zu nehmen, auf daß er begraben werde in heiliger Erde bei meinen Ahnen in Frankreich, vor allem bei der verstorbenen Königin, meiner Mutter, da in Schottland die sterblichen Überreste der Könige, meiner Vorgänger auf dem Thron dort, geschändet, die Kirchen aber eingerissen und entweiht wurden.

Da ich in diesem Lande leiden werde, wird man mir keinen Platz in der Nähe Eurer Ahnen einräumen, die auch die Meinen sind, und Personen meines Glaubens liegt viel daran, in geweihter Erde bestattet zu sein. Ich hoffe, Ihr werdet mir die letzte Bitte, die ich Euch vortrage, nicht abschlagen und diesem Leibe zumindest freie Grabstatt gewähren, wenn die Seele von ihm getrennt, der ja, solange sie vereint, nie die Freiheit erringen konnte, in Frieden zu leben.

In der Furcht vor der geheimen Tyrannei einiger derer, denen Ihr mich ausgeliefert, beschwöre ich Euch: Verhindert, daß sie mich im stillen beseitigen, und ohne daß Ihr davon wißt. Nicht weil ich den Schmerz fürchte, den ich doch zu leiden bereit, sondern der Berichte wegen, die nach meinem Tod würden verbreitet werden. Es ist daher mein Wunsch, daß meine Diener mein Ende bezeugen und attestieren, und auch meinen Glauben an meinen Erlöser und meinen Gehorsam gegen Seine Kirche. Darum ersuche ich Euch im Namen Jesu Christi in Achtung unserer Blutverwandtschaft, um König Heinrich VII., Eures Urgroßvaters willen und des Meinen, und im Namen der Würde, die wir beide innehatten, und des Geschlechts, dem wir angehören.

Ihre Hand zitterte. Ihr graute bei dem Gedanken, wie Elisabeth diesen Brief in der Hand hielt und las. Zugleich wußte sie, daß sie verzweifeln würde, wenn sie sicher wüßte, daß Elisabeth ihn niemals lesen würde. Sie schrieb weiter.

Ich flehe zu dem Gott der Gnade und Gerechtigkeit, Er möge Euch mit Seinem Heiligen Geist erleuchten und mir die Gnade schenken, voller Nachsicht zu sterben, wie ich es vorhabe, und meinen Tod all denen zu verzeihen, die ihn entweder verursacht oder daran mitgewirkt; und dies wird mein Gebet bis zum Ende sein.

Werft mir nicht Anmaßung vor, wenn ich, da ich diese Welt verlasse und mich für eine bessere bereite, Euch daran erinnere, daß Ihr eines Tages werdet Rechenschaft für das Euch Anvertraute ablegen müssen, gerade so wie die, die Euch vorausgegangen, und daß man meines Blutes und des Jammers meines Landes gedenken wird, weshalb wir unseren Geist gleich mit dem ersten Aufschimmern unseres Verstandes geneigt machen sollen, die vergänglichen Dinge vor den ewigen zurückstehen zu lassen.

Eure Schwester und Cousine, zu Unrecht gefangen,
Marie Royne

So. Es war vollbracht. Maria faltete das Papier zusammen und stand auf. Sie hatte hämmernde Kopfschmerzen. Viele, viele Seiten hatte sie geschrieben; als sie den Stapel anschaute, konnte sie es kaum glauben.

Bei ihrem kleinen Altar flackerte immer noch die Kerze. Mattgelbes Licht fiel auf das auf Holz gemalte Gesicht der Heiligen Jungfrau, die ihr als wichtigster Andachtsgegenstand diente, seit sie das Elfenbeinkruzifix weggenommen und dort an die Wand gehängt hatte, wo eigentlich ihr Staatstuch hätte hängen müssen. Als Paulet betreten zugegeben hatte, daß er kein Recht gehabt habe, es abzunehmen, hatte sie ihm beruhigend versichert, ihr sei das Kruzifix ohnehin lieber.

Jetzt kniete sie vor der Jungfrau nieder, schloß die Augen und fühlte, wie ein Friede sie durchflutete, der aus Größerem geboren war als einer vollendeten Aufgabe. Sie staunte darüber und stellte sich vor, sie hätte dieses sichere Todesurteil zu einer anderen Zeit oder an einem anderen Ort in ihrem Leben empfangen, als das Blut noch kraftvoll durch ihre Adern geströmt und ihre Bindung an die Erde noch voll wilder Kraft gewesen war.

In Frankreich, wo ihre Sinne in Schönheit ertranken; in Schottland, wo ihr Stolz und Ehrgeiz sich auf die Herausforderungen des Regierens richteten; oder später dann, als ihr Mut in Bothwells Armen vor den Gefahren des Verrats bestehen mußte, und als sie von Verlangen und Liebe besessen war, daß jeglicher Aspekt des irdischen Daseins sie frohlocken ließ ... nein, zu keiner Zeit hätte sie aus dieser Welt abberufen werden wollen. Erst war sie ihr ein Garten gewesen, dann eine Arena, und dann ein Freudenbett, und von allem hatte sie in tiefen Zügen getrunken. Jetzt aber war es ein Trank, den sie beiseite stellte, um niemals wieder davon zu kosten.

In geheimnisvoller Weise kamen ihr Worte in den Sinn, lateinische Worte, die sie aufschreiben mußte, als seien sie ihr geschenkt. Sie erhob sich und kehrte an ihr Schreibpult zurück.

O Domine Deus,
Speravi in Te;
O care mi Jesu
Nunc libera me.
In dura catena,
In misera poena,
Desidero Te.
Languendo, gemendo
Et genuflectendo
Adoro, imploro,
Ut liberes me.

O Herr und mein Gott,
Ich hoffte auf Dich.
Geliebter Jesus,
Befreie Du mich.
In grausamen Banden,
Von Schmerzen zuschanden,
Verlange ich Dich.
Schmachtend und stöhnend,
Auf Knien lehnend,
Bitt' ich und beschwör' Dich,
Befreie Du mich.

Freiheit, Freiheit ... löse Du meine Ketten, flüsterte sie in die Stille des Zimmers.

Kein Laut war zu hören. Es war nach Mitternacht.

Heute ist der 8. Dezember, dachte sie. Mein Geburtstag. Mein vierundvierzigster, und mein letzter auf Erden. Dies zu wissen ist ein kostbares Geschenk.

Am nächsten Morgen schickte sie nach Balthazzar; er sollte zu ihr kommen. Der alte Mann, halb vornübergebeugt, bewegte sich mühsam durch das Zimmer; er hatte kaum noch die Kraft, seine Füße zu heben. Deshalb schlurften sie oft mit wischendem Geräusch über den Steinboden.

»Mein Freund«, sagte Maria, »heute ist mein Geburtstag, und ich bin gesonnen, Euch noch einmal zu beschäftigen, wie ich es so viele Jahre lang getan habe.«

Balthazzars Augen waren weiß und verschleiert. Dennoch blickte er zu ihr auf und nickte. Sie sah, daß er in der Nacht geweint hatte.

»Ihr habt mir mein Kleid zur Erstkommunion gemacht. Und mein Hochzeitskleid, als ich François heiratete. Und das Gewand, das ich zu James' Taufe trug. Glaubt Ihr, Ihr könntet jetzt das großartigste Gewand von allen beginnen?«

Er schüttelte den Kopf. »Ich kann nicht mehr gut sehen, und meine Hände zittern so sehr, daß ich den Stoff nicht gerade schneiden kann.«

»Das können andere machen. Ich will nur, daß Ihr mir das Gewand entwerft. Ein fertiges Gewand könnt Ihr Euch doch immer noch vorstellen, oder?«

»Ja. Besser denn je.«

»Dann stellt Euch dieses vor: Ich will ein Gewand, in dem ich unsterblich werde. Ein Gewand, in dem ich aus der Natur in die Ewigkeit hinübergehe. Seht Ihr es vor Euch?«

»Ja, Madam.« Er wischte sich über die Augen. »Im Geiste sehe ich es.«

»Und was seht Ihr?«

»Ein rotes Gewand. Karmesinrot. Die Farbe des Märtyrertums. Ein tiefer Halsausschnitt, ein weiter Rock. Ja, ich sehe es vor mir.«

»Dann meßt es mir an, getreuer Diener. Und macht es mir fertig. Sagt niemandem etwas davon, außer Euren Gehilfen. Es wird unser Geheimnis sein. Bis der Tag kommt.«

Balthazzar ließ den Kopf in die Hände sinken und weinte.

»Nein, mein Freund«, sagte Maria. »Ich bin froh, daß ich gehen kann; als ich zu meinen Hochzeiten schritt und zu meinen anderen Festen, da war das nur ein Schatten dessen, was jetzt kommt, ein flüchtiger Vorgeschmack auf diese Freude jenseits aller Freuden. Ich will Euch ein Geheimnis verraten: Ich fühle es schon. Die Ewigkeit hat für mich bereits begonnen, und sie ist Seligkeit und Frieden, wie man es nicht beschreiben kann.«

Marias vierundvierzigster Geburtstag kam und ging; Weihnachten kam und ging, ein trostloses kleines Fest. Alle außer Maria waren niedergeschlagen und kaum imstande, auch nur oberflächlich und mechanisch ihren Alltag zu absolvieren – mit Ausnahme derer, die rasend vor Zorn waren. Nur Maria schien in einer geschützten, eigenen Welt zu schweben, unberührt von Kälte, Feuchtigkeit, Dunkelheit und den endlosen Gerüchten, die trotz der Bewachung in den Turm drangen. Im ganzen Reich kursierten Geschichten: Maria sei entkommen, spanische Truppen seien in Wales gelandet, im Norden sei ein neuer Aufstand ausgebrochen. Es gab sogar eine neuerliche Verschwörung gegen Elisabeth; angeblich wollte man ihren Sattel und ihre Steigbügel mit Gift beschmieren.

Jeden Tag bereitete Maria sich darauf vor, daß der Beamte mit der Hinrichtungsverfügung erscheine. Für sie befand er sich in einem Wettlauf mit dem geheimen Meuchelmörder, der jeden Augenblick zuschlagen und ihren Tod aller Bedeutung berauben konnte. Sie war sicher, daß er sich irgendwo im Innern von Fotheringhay aufhielt, dieser selbsternannte Scharfrichter.

Aber als die Tage vergingen und nichts passierte, erfaßte sie ein schleichendes Grauen. Möglicherweise würde Elisabeth in ihrer »Barmherzigkeit« beschließen, sie zu verschonen. Elisabeth konnte die Unterzeichnung des Hinrichtungsbefehls hinauszögern, wie sie alles hinauszögerte, bis sie ihren Willen durchgesetzt hatte und das Volk aufhörte, sie zu bedrängen – wie man sie nicht mehr bedrängte, zu heiraten. Maria vertraute diese Befürchtungen ihrem Tagebuch an.

29. Dezember, Anno Domini 1586. So könnte man mich noch zwanzig Jahre festhalten! Auf diese Weise würde niemand sagen können, Elisabeth habe mein Blut vergossen. Noch einmal zwanzig Jahre mit verschlossenen Räumen, ohne Briefe, Jahre der Krankheit und Vereinzelung. Jahre der unvermeidlichen Verschwörungen. Draußen würden sie sich immer weiter verschwören, und ich würde mich hineinziehen lassen. Neue Geheimschriften, neue Kuriere – o mein Erlöser, verschone mich vor diesem Leben im Tod! Verurteile mich nicht dazu!

1. Januar, Neujahrstag, Anno Domini 1587. Wieder dämmert ein Jahr herauf. Paulet hat gestern eine Bemerkung über die Löhne für meine Dienerschaft gemacht. Dem Ton und der Wortwahl nach klang es, als würden sie in absehbarer Zukunft beschäftigt bleiben. O Gott, o Du zärtlichste und mitleidigste Heilige Mutter,

spannt mich nicht noch länger auf diese Folter! Ich kann es nicht ertragen, kann es nicht ertragen, kann es nicht ertragen …

8. Januar, Anno Domini 1587. Doch, ich kann es ertragen. Ich vermag alles durch Christum, welcher mich stärket. Aber, o Gott, ich will mehr als nur dies ertragen. Ich will Dir mit meinem Tod ein Opfer zum Geschenk machen. Ich will Dich mit meinem Tod verherrlichen, um damit zu büßen, daß ich Dich mit meinem Leben so oft nicht verherrlicht habe.

Enthülle Deine Gegenwart,
Auf daß der Anblick Deiner Schönheit mich töte.
Denn siehe, das Elend
Der Liebe ist unheilbar,
Wenn nicht durch Deine Gegenwart und vor Deinem Antlitz.

So schreibt mein Leidensgenosse Johannes vom Kreuze. Oh, hätte ich die Gabe solcher Worte! Aber ich darf nicht begehren, was Du anderen zu geben beliebst ….

Hier ist alles still, und nichts geschieht. Elisabeth hat mich ganz vergessen; sie läßt mich warten …. und warten. Meine körperlichen Gebrechen, die ich ganz vernachlässigt hatte – denn welchen Sinn hat es, das Dach zu flicken, wenn das Haus abgerissen werden soll –, werden demnächst wieder behandelt werden müssen. Bourgoing muß bestimmte Kräuter für die Behandlung besorgen.

Oh, ich hasse diese kleinen Demütigungen! Ich sollte doch keine Kräuter mehr nötig haben!

Aber vergib mir meine Aufsässigkeit, o Herr.

Elisabeth war das Neujahrsfest mit dem üblichen Austausch von Geschenken ein Greuel. Nicht, daß sie nicht einige kostspielige und ungewöhnliche Geschenke erhalten hätte – goldene Salzfässer in der Form von Galeonen, juwelenbesetzte Tiere, smaragdene Halsbänder. Aber sie wollte nicht sehen, wie das Jahr 1586 sich in das Jahr 1587 verwandelte. Das Parlament würde zu Anfang des Jahres wieder zusammentreten, und das bedeutete, daß sie immer weniger Zeit hatte, eine Lösung des quälenden Problems um Maria, die Königin der Schotten, zu finden. Sie mußte es gelöst haben, wenn sie dem Parlament gegenüberträte.

Der Januar brachte nichts, was ihr geholfen hätte, aus dem Dilemma zu entrinnen. Aber alles, was geeignet war, sie zu Marias Hinrichtung zu drängen, schien sich zu ereignen: eine neue Mordverschwörung, diemal unter Beteiligung der französischen Botschaft. Das Volk geriet täglich mehr in Erregung, als ein sensationelles Gerücht nach dem anderen durch das Land wogte; alle drehten sich um eine Invasion durch die Spanier oder um Marias Flucht, und manche behaupteten auch, London stehe in Flammen, und im Norden sei wieder ein bewaffneter Aufstand ausgebrochen. In London war sogar etliche Male Aufruhr entstanden, als die Menschen forderten, der »monströse Drache« solle endlich seine gerechte Strafe empfangen.

Aber wenn es einmal geschehen ist, kann es nie mehr ungeschehen gemacht werden, murmelte sie und ging im Zimmer auf und ab. Und so etwas hat es noch niemals gegeben: den Justizmord an einem gesalbten Souverän. Welche Tore werden sich da öffnen? Das Volk zwingt mich dazu. Heute zwingen sie mich, Maria hinrichten zu lassen, morgen werden sie vielleicht auch aus eigener Machtvollkommenheit einen Monarchen hinrichten. Sie werden es gar nicht mehr nötig haben, einen anderen Herrscher dazu zu überreden.

Mit Schaudern sah sie plötzlich, wie vor ihrem geistigen Auge eine Welt entstand, in der das Regiment des Mob zum Gesetz des Landes wurde.

Das wird nicht morgen geschehen, ja, auch nicht übermorgen, dachte sie, aber geschehen wird es, und ich werde die Ursache dafür gegeben haben.

Aber auch Robert hat recht – was geschieht, wenn die Leute gesprochen, wenn sie nach Recht und Vorschrift gehandelt haben, nur um dann ignoriert zu werden? Könnte die ohnmächtige Enttäuschung sie dann nicht zum selben Ziel führen, nur schneller?

Plötzlich spürte sie, daß Kraft sie durchzuckte wie ein Blitz. Sofort rief sie nach William Davison, ihrem Staatssekretär, und bat ihn, ihr die Hinrichtungsverfügung zu bringen.

Während sie darauf wartete, daß er zurückkam, wurde ihr klar, daß diese Gelegenheit sich niemals wieder bieten würde. Die Franzosen saßen, nach Entdeckung der Verschwörung in Ungnade gefallen, eingesperrt in ihrer Botschaft und konnten nicht in Marias Namen einschreiten. Die Schotten hatten aufgehört, für sie zu bitten, und kein Retter war erschienen. Der schottische Sondergesandte hatte, statt für die frühere Königin zu bitten, nur lächelnd geraunt:

»Ein totes Weib beißt nicht mehr.« Das Wetter war der Jahreszeit gemäß schlecht, und die Spanier würden jetzt unter keinen Umständen eine Flotte nach Norden entsenden. Jetzt mußte es sein, jetzt war der Zeitpunkt gekommen; eine solche Konstellation würde sich niemals wieder ergeben.

»Schlagen oder geschlagen werden«, wiederholte Elisabeth bei sich wieder und wieder wie in einer Litanei. »*Aut fer, aut feri, ne feriare, feri*. Ich bin eine Närrin und ungeeignet für mein Amt, wenn ich jetzt nicht tatkräftig handele.«

Davison erschien unverzüglich mit der Hinrichtungsverfügung – die schon vor etlichen Wochen, gleich nach der Urteilsverkündung, verfaßt worden war – in der Hand. Ehrfürchtig überreichte er sie. Elisabeth las sie langsam, und Davison blieb vor ihr stehen.

Elisabeth, durch Gottes Gnaden Königin von England, Irland, Frankreich & cet. An Unsere getreuen und geliebten Vettern: George, Earl von Shrewsbury, Henry, Earl von Kent, Henry, Earl von Derby, George, Earl von Cumberland, und Henry, Earl von Pembroke, mit Grüßen & cet.

Sintemalen das Urteil, gefällt von Euch und anderen Unseres Rates wider die Königin der Schotten, Maria, wohlbekannt ist, hat das ganze Parlament das nämliche Urteil nicht nur erlaubt und gebilligt als gerecht und ehrenhaft, sondern auch Uns in aller Demut aufgefordert, ersucht und bedrängt, die weitere Vollstrekkung gegen ihre Person zu verfügen, wie sie es nach ihrem Urteil wohl verdient. Sie fügten dem hinzu, daß jegliches Säumen alle Tage eine sichere und unzweifelhafte Gefahr nicht nur für Unser eigenes Leben bedeute, sondern auch für sie selbst, ihre Nachkommenschaft und die öffentliche Verfassung des Reiches. Worauf Wir das Urteil durch Unsere Proklamation bekanntgegeben, indes bisher vermieden haben, nämlichem Urteil weitere Genugtuung widerfahren zu lassen.

Und nun, da Wir alle Tage erfahren, wie die klügsten, größten und geliebtesten aller Untertanen minderen Ranges, wie gewaltig und tief bis zum Grunde ihres Herzens sie trauern und leiden in täglicher, ja, stündlicher Furcht um Unser Leben, so Wir die weitere Exekution, wie sie ist verdient, unterlassen und ihre allgemeinen und beständigen Bitten, Gebete, Empfehlungen und Ratschläge mißachten, haben Wir uns daraufhin, und im Gegensatz zu Unserer natürlichen Disposition, vom offenkundigen Gewicht ihres Rates überwältigt, bereit gefunden, der Gerechtigkeit ihren Lauf zu lassen und die Hinrichtung zu verfügen.

Es ist Unser Wille, und Wir ermächtigen Euch dazu mit diesem Befehl, daß Ihr Euch zu Unserem Schloß Fotheringhay begebt, wo obgenannte Königin der Schotten sich im Gewahrsam Unseres vertrauenswürdigen und getreuen Dieners und Ratsherrn Amyas Paulet befindet. Dort sollt Ihr sie in Eure Obhut übernehmen und durch Euren Befehl veranlassen, daß die Hinrichtung vorgenommen werde an ihrer Person, und zwar in Anwesenheit Eurer selbst sowie des obgenannten Sir Amyas Paulet sowie anderer Justizbeamten, deren Beiwohnung Ihr verfügt; selbiges soll geschehen in der Art und Weise, an demjenigen Ort und Zeitpunkt und durch diejenigen Personen, die Ihr nach Eurem Gutdünken dazu auswählet.

Diese Unsere königliche Patentschrift, besiegelt mit dem Großen Staatssiegel von England, sei Euch und allen, die zugegen sein werden, hinreichende Vollmacht und Entlastung für alle Zeit.

Zum Zeugnis dessen haben Wir diese Schrift öffentlich machen lassen. Gegeben in Unserem Hause zu Greenwich am Ersten Tag des Februar im neunundzwanzigsten Jahr Unserer Regentschaft.

Elisabeth legte die Urkunde auf den Tisch und unterzeichnete sie rasch mit ihrer kühnen Unterschrift.

Elisabeth R.

Davison starrte sie an.

»Nun?« fuhr sie ihn an. »Bringt das dem Lordkanzler Bromley, damit er das Großsiegel daruntersetzt. Haltet die Sache geheim. Aber Ihr könntet so gut sein, bei Sir Walsingham daheim vorbeizugehen; er liegt krank zu Bett. Der Schmerz dieses Anblicks wird ihn geradewegs an den Rand des Todes bringen.«

Aber sie lächelte nicht bei diesen Worten, und Davison wagte es auch nicht.

Sie reichte ihm die Verfügungsurkunde mit versteinerter Miene. »Die Hinrichtung soll nach Möglichkeit geheimgehalten werden und zu Fotheringhay stattfinden.« Sie schwieg einen Moment und fuhr dann zornig fort: »Andere, die mich liebten, hätten mir diese Bürde ersparen können! Vor aller Welt in diese Lage gebracht zu werden! Ich wünschte, irgendeine Macht übernähme es, mir ihre Liebe und Treue zu beweisen und mich vor dem Urteil der Welt zu bewahren!«

»Teuerste Königin, ich –«

»Bitte, setzt Euch mit Walsingham zusammen, wenn Ihr an Paulet schreibt. Drängt ihn, irgendeine Möglichkeit zu finden, das Leben dieser Königin abzukürzen, abgesehen von ...« Sie deutete auf den Exekutionsbefehl.

Zitternd vor Angst und Aufregung nahm Davison die kostbare Urkunde an sich und eilte zu Walsinghams Londoner Haus. Er fand ihn im Bett, das geschwollene Bein mit einem Kissen hochgelegt. Aber als die Urkunde vor seinen Augen entrollt wurde, richtete er sich auf wie einer, der eine heilige Vision hatte.

»Endlich! Kann es denn sein?« Er las den Text wieder und wieder.

»Da ist ... da ist noch etwas«, murmelte Davison. »Es widerstrebt Ihrer Majestät, es ausführen zu lassen. Sie wünscht von dieser Bürde befreit zu werden. Kurz: Sie möchte, daß Paulet die Königin ermordet, bevor sie den Block erreichen kann.«

Walsingham stöhnte. »O nein!«

»Und wir haben den Befehl, Paulet diesen ›Vorschlag‹ schriftlich zu übermitteln.«

»O nein!«

»Doch.«

»So läßt sie sich herab zu dem, wofür die Königin der Schotten zum Tode verurteilt wurde!« rief Walsingham. »Oh, es widert mich wahrlich an!«

Als Davison Walsinghams Haus verließ, hatte er ein zweites Schreiben bei sich, das an Sir Amyas Paulet adressiert war.

> Nach unseren aufrichtigen Empfehlungen stellen wir aufgrund mündlicher Äußerungen Ihrer Majestät fest, daß sie bei Euch bemerkt einen Mangel sowohl an Sorgfalt als auch Eifer, ihr zu Diensten zu sein, wie sie ihn bei Euch erwarten möchte, insofern als Ihr in all der Zeit keine Möglichkeit gefunden habt, das Leben der Königin der Schotten abzukürzen, bedenkt man, welch großer Gefahr Königin Elisabeth stündlich ausgesetzt ist, solange die Königin der Schotten am Leben ist.
>
> Und daher empfindet sie es als große Unfreundlichkeit, daß Männer, welche sie zu lieben vorgeben, wie Ihr es tut, ihr in man-

gelhafter Pflichterfüllung eine solche Bürde auferlegen, da Ihr doch wißt, wie sehr sie abgeneigt ist, Blut zu vergießen, vor allem solches, das von Geschlecht und Rang dem ihren so verwandt, wie das obgenannter Königin.

Davison eilte durch die Nacht zum Hause des Lordkanzlers Bromley, wo er sich das Großsiegel in gelbem Wachs geben ließ. Nachdem sie den Privatbrief nach Fotheringhay expediert hatten, begaben sie sich zusammen zu Cecil.

Am nächsten Morgen versammelte Cecil den Rest des Geheimen Staatsrates, und noch immer hielt Davison den kostbaren Hinrichtungsbefehl in Händen. Er berichtete, was die Königin gesagt hatte; er war kurz zuvor noch einmal zu ihr gerufen worden.

»Sie tat einen mächtigen Fluch und sagte, sie wolle nun nichts mehr davon hören, bis es geschehen sei«, sagte er. »Erst hatte sie gesagt, ich sollte noch ein wenig abwarten, ehe ich das Großsiegel anbringen ließe. Im nächsten Atemzug aber sagte sie, sie wünsche, es sei endlich aus und vorbei.« Verwirrt schüttelte er den Kopf.

»Ich kenne sie gut«, sagte Cecil. »Wir müssen den Befehl ausführen. Wir müssen es auf uns nehmen. Wenn wir alle einmütig handeln, kann die Strafe nicht einem einzelnen allein zufallen. Aber wir müssen uns sputen, bevor sie sich wieder anders besinnt. Beale, macht Euch bereit, London unverzüglich zu verlassen und nach Fotheringhay zu reisen!«

»Walsingham wird den Scharfrichter beschaffen«, sagte Davison. »Das hält er für seine Pflicht.«

Am nächsten Morgen, Beale war bereits, von den Earls von Shrewsbury und Kent begleitet, wohlbehalten unterwegs, wurde Davison unversehens noch einmal nach Greenwich zu Königin Elisabeth befohlen.

»Ah! Mein lieber Davison!« sagte sie zuckersüß. »Ich habe letzte Nacht überaus eigenartig und beunruhigend von Euch geträumt!«

»Ja?«

»Ich träumte, ich sei gezwungen, Euch mit dem Schwert zu durchbohren, weil Ihr den Tod der Schottenkönigin herbeigeführt habt.« Sie gab den Worten keinen spielerischen Klang, sondern sprach sie einfach und unverblümt aus.

»Madam, meine allergnädigste Königin – ist es denn Euer Wille, daß die Hinrichtung vollstreckt werde?« fragte er matt. Er fragte sich, wo Beale in diesem Augenblick sein mochte.

»Bei dem Atem des Herrn und Seiner Leber, jawohl!« rief sie. »Jawohl, es ist mein Wille! Ich wünschte, es wäre schon geschehen!« Dann wandte sie sich zu ihm um und fragte: »Gibt es Antwort von Paulet?«

»Ja. Das hier kam, als ich gerade fortgehen wollte.«

Sie riß ihm den Brief aus der Hand und öffnete ihn hastig. Mit einem Blick erfaßte sie den Inhalt, und sie schleuderte das Blatt zu Boden. »Oh, diese Narren mit ihrem allzu feinen Gewissen!« Sie stampfte auf. »Bei Gottes Engeln in der Hölle! Lest!« Sie schob den Brief zu ihm herüber.

Sirs, Walsingham und Davison,

Nachdem Euer Brief von gestern am heutigen Tage um fünf Uhr nachmittags in meine Hände gelangt, wollte ich, Euren Anweisungen entsprechend, nicht versäumen, in aller Schnelle meine Antwort zurückzusenden, welche ich Euch aber mit großer Trauer und Bitterkeit im Geiste übermittele. Ich bin betrübt, daß ich diesen Unglückstag erleben mußte, an welchem ich von meiner Allergnädigsten Königin die Anweisung erhalte, eine Tat zu vollbringen, die Gott und das Gesetz verbieten. Mein gutes Einkommen und mein Leben stehen im Belieben Ihrer Majestät, und so bin ich bereit, sie morgen einzubüßen, sollte es ihr gefallen, in Anerkenntnis dessen, daß ich sie nur ihrer allergnädigsten Gunst verdanke und nicht den Wunsch habe, mich all dessen zu erfreuen ohne das Wohlgefallen Ihrer Majestät. Aber Gott bewahre mich davor, mein Gewissen in so widerwärtiger Weise zerschellen zu lassen oder einen so großen Makel auf meiner armen Nachkommenschaft zu hinterlassen, indem ich Blut vergieße wider das Gesetz und ohne eine Vollmacht.

»Oh, diese zartbesaiteten Kerle, die in einem Treuebund geschworen haben, große Taten zu meinem Schutz zu vollbringen – alles, was sie vollbringen, sind große Reden!« rief Elisabeth.

»Madam – ich bin sicher, daß Paulet Euch liebt und verehrt«, sagte Davison.

»Ach, geht!« fauchte sie. »Es wird Zeit, daß die Angelegenheit erledigt wird! Jesus! Eine Schande, daß es nicht schon geschehen ist, wenn man bedenkt, daß ich doch getan habe, was Gesetz und Vernunft von mir verlangen!«

Die Kutschen rumpelten auf der Straße nach Fotheringhay dahin; in einer saß Beale mit dem besiegelten Befehl. Er erreichte Fotheringhay am Sonntag abend, dem 5. Februar, zwei Tage, nachdem er aus London abgereist war, und nur wenige Stunden, nachdem Elisabeth Davison zum letzten Mal entlassen hatte. Er fuhr geradewegs zur Burg und suchte Paulet auf.

Dicht dahinter folgte ein geschlossener Wagen, in dem ein ganz in schwarzen Samt gekleideter Mann saß; diskret zu seinen Füßen stand ein Kasten. Es war Mr. Simon Bull, Henker von Beruf, und er führte seine Axt in dem Kasten mit sich. Walsinghams Diener Digby begleitete ihn. In Fotheringhay angekommen, stiegen sie in einem Gasthof ab und warteten, bis sie gerufen wurden. Kein Edelmann in der Umgebung hatte ihnen Quartier geben wollen.

Weiter hinten brachte eine dritte Kutsche den Earl von Shrewsbury und den Earl von Kent nach Fotheringhay. Zur Tarnung ihrer Mission waren sie mit anderen gerichtlichen Untersuchungen in Bedfordshire und Hartfordshire beauftragt. Der Wunsch der Königin nach einem schnellen und geheimen Vollzug der Hinrichtung sollte ausgeführt werden. Verloren schaute Shrewsbury hinaus in die vorüberziehende Landschaft und wünschte sich mit aller Macht seines Wesens, er wäre nicht verstrickt in diese grausige, tragische Mission.

Die Königin der Schotten hat mein Leben verändert, dachte er. Daß ich sie vierzehn Jahre lang in Gewahrsam hielt, hat mein Geschick gelenkt, bei Hofe wie in meiner Ehe … Ich wollte, es wäre nie geschehen. Aber wäre ich zufrieden, wenn ich sie nie gekannt hätte? Oh – hätte ich sie nie gekannt, ja. Aber jetzt – niemals …

Er fühlte, wie Tränen in seinen Augenwinkeln brannten. Er würde ihr eröffnen müssen, was geschehen würde, dann würde er als Zeuge dabei sein müssen. Er wußte nicht, ob er es würde ertragen können.

Was ist das für ein Geheul?« fragte Jane Kennedy. Draußen vor dem Turm erhoben sich Stimmen.

Maria bedeutete ihr, sie solle aus dem Fenster schauen. Für sie selbst waren alle Bewegungen mit solchen Schmerzen verbunden, daß sie versuchte, sich auf die dringlichsten Aufgaben zu beschränken.

Jane öffnete die Läden und schrie auf.

»Es ist ein – ein helles Licht am Himmel ...« rief sie. »Nein – eine Flamme!« quiekte sie und wich zurück. »Am Fenster!«

Maria sah, daß Flammen das Fenster zu umzüngeln schienen, und kleine Feuerblitze schossen ins Zimmer. Erschrocken sprang sie auf und lief zum Fenster.

Die Flammen hatten sich wieder zurückgezogen, als habe die Luft sie aufgesogen. Die Wachen draußem im Hof stöhnten und rieben sich die Augen.

Dann loderten die Flammen erneut heran, wichen zurück und stießen noch einmal zu, ehe sie endgültig verschwanden.

Maria klammerte sich an das Fensterbrett und rang nach Luft. »Es ist soweit«, sagte sie. »Dies ist ein Zeichen.«

Unten liefen die Leute durcheinander. Sie hörten, wie die Wachen sagten: »Nirgendwo sonst – nur hier, unter *ihrem* Fenster ...« Mit angstvollen Augen starrten sie herauf. »*Sie* ist es.«

Maria schloß die Läden mit zitternden Händen.

Sie lag im Bett, steif und mit schmerzenden Gliedern. Ihr Körper schien zu rebellieren: Er wollte nicht mehr aufstehen.

Als es halbwegs hell geworden war, rief sie Bourgoing zu sich. »Erinnert Ihr Euch an die Kräuter, die mir immer halfen, wenn meine Knie steif waren? Glaubt Ihr, es ist möglich, noch einmal welche zu beschaffen? Ich muß wieder beweglich werden. Denn wenn sie mich zum Tode rufen, dann möchte ich nicht außerstande sein, mich vom Bett zu erheben. Das könnte man als Widerstreben oder als Angst deuten.« Sie sprach mit fester Stimme.

»Ich werde Paulet fragen, Madam«, sagte er. »Einstweilen sollen Eure Damen Euch die Glieder massieren und heiße feuchte Umschläge machen.«

Nach dem Mittagessen ging Bourgoing zu Paulet und vertraute ihm ihre verzweifelte Lage an. »Sie kann die Gelenke kaum noch krümmen. Es gibt bestimmte Kräuter, die ihr helfen können. Wäre es möglich ... könntet Ihr mir erlauben, hinaus in die Felder zu gehen und sie zu sammeln?«

Paulet zeigte sich unbehaglich und nicht so selbstsicher wie sonst. »Schreibt mir die Namen der Pflanzen auf, die Ihr braucht, und ich schicke jemanden hinaus, der sie holt«, sagte er schließlich.

»Das würde ich gern tun, aber ich weiß die englischen Namen nicht.« Als der Arzt sah, wie Paulet die Stirn runzelte, fügte er eilig hinzu: »Ich will keine Schwierigkeiten machen. Es ist so, so wahr mir Gott helfe.«

Paulet legte das Gesicht in Falten und nagte sich an den Lippen. »Ich werde mich mit Sir Drue Drury beraten, der mir seit kurzem hier beigeordnet ist. Und wenn er einverstanden ist, dürft Ihr morgen mit dem Apotheker hinaus.«

»Ich darf das Schloß verlassen?« Bourgoing war überrascht.

»Ja. Fragt mich morgen noch einmal, am Montag. Erinnert mich daran, falls ich es vergesse.«

Als Bourgoing Maria davon erzählte, war sie sehr verwundert. »Seit wir hier sind, durfte niemand hinaus«, sagte sie. »Und wenn man bedenkt, daß es diesmal keine List war … Vielleicht beweist das auch nur, daß es wirklich am besten ist, immer die Wahrheit zu sagen.« Sie lachte.

Als am Abend die letzten Gebete gesprochen wurden, wartete Willie Douglas und flüsterte ihr zu: »Da ist jemand von außerhalb gekommen.«

Sie betete weiter, bedeutete ihm aber, zu warten. Als die paar verbliebenen Diener entlassen waren, nahm sie Willie beiseite.

»Ah, Willie, was hast du gesehen? Deine Augen sind scharf wie eh und je.«

»Jemanden, dessen Ankunft große Unruhe erregt hat. Paulet und Drury haben ihn im Hof empfangen und schleunigst hereingeholt, und dabei haben sie ständig heraufgeschaut, um zu sehen, ob jemand sie beobachtete.«

»Hast du ihn erkannt?«

»Nein. Ich habe den Mann noch nie gesehen.«

Am nächsten Nachmittag kam Bourgoing wegen der Kräuter noch einmal zu Paulet.

»Habe ich Eure Erlaubnis, hinauszugehen?« fragte er strahlend.

Paulet wollte ihm nicht in die Augen schauen. »Diesmal nicht«, antwortete er. »Vielleicht wird die Königin sie nicht mehr brauchen.«

»… und nun darf ich doch nicht gehen«, berichtete Bourgoing verbittert.

»Dann sehe ich wohl, daß ich die Kräuter nicht mehr brauchen werde. Ihr könnt aufhören, danach zu suchen«, sagte Maria.

Es war Montag, der 6. Februar. Abgesehen von dem Wortwechsel zwischen Paulet und Bourgoing ereignete sich nichts Außergewöhnliches. War der Befehl wirklich gekommen? fragte Maria sich. Vielleicht war der mysteriöse Mann ja nur in alltäglichen Angelegenheiten hier. Fotheringhay war ein Gebäude, und ein Gebäude erforderte so mancherlei, vor allem im Winter. Dächer waren undicht, Kamine verstopft, Stallungen überflutet. All das hat nichts mit mir zu tun, sagte sie sich.

Ich werde ewig hier verweilen, dachte sie, während sie im Bett lag und tat, als schliefe sie. Ein Tag wird mit dem nächsten verschmelzen, und schließlich wird Gras und Dornengestrüpp das ganze Schloß überwuchern, und wir werden ganz und gar in Vergessenheit geraten ... für immer und alle Zeit.

Jesus sprach zu ihm: Wenn ich will, daß er warte, bis ich komme, was geht das dich an?

Wenn Du willst, daß ich warte und warte und warte, nun, dann muß ich gehorchen, dachte sie müde.

Der nächste Tag war trüb; Nebel wallte über dem Boden, und die Sonne war ein verschwommenes, graues Licht. Mit großer Mühe stand Maria auf und setzte sich zum Frühstück, und dann las sie still, bis es Zeit war, zu Mittag zu essen. Es war ein karges Mahl, denn um diese Jahreszeit gab es nur wenig: ein paar schlaffe Möhren, muffigen Kohl, gedörrten Fisch. Aber sie hatte wenig Appetit.

Ich muß mich hinlegen, dachte sie. Es widerstrebt mir sehr, dem nachzugeben, aber ich muß mich ausstrecken.

Langsam stand sie auf, drückte beide Hände ins Kreuz und spürte die kleinen Erhebungen ihrer Wirbelsäule. Sie waren empfindlich und schmerzten.

»Madam, es ist jemand hier«, sagte Willie und kam aus dem Nachbarzimmer. »Jemand, den Ihr gut kennt.«

»Wer?« Jähe Angst versetzte ihr einen Stich.

»Es ist der Earl von Shrewsbury. Er möchte gern mit Euch sprechen.«

»Ich wollte gerade ruhen. Ich fürchte, ich muß mich niederlegen. Gib mir Zeit, zu Bett zu gehen, und dann mag er zu mir kommen.«

Shrewsbury! Was wollte er hier? Doch sicher nicht ... nein, das würde Elisabeth nicht von ihm verlangen – von ihnen beiden nicht!

Sie ordnete die Decke über ihren geschwollenen Füßen und schob sich ein großes Kissen hinter den Kopf. »Bitte laßt den Earl herein«, sagte sie zu Jane, und dann lehnte sie sich zurück und wartete, daß die Tür sich öffnete.

Shrewsbury kam zögernd herein, gefolgt von zwei anderen Männern, und Paulet und Drury waren auch dabei.

»Willkommen, mein Freund«, sagte sie. Sie war überrascht, wie gut es tat, ihn zu sehen; er hatte ihr gefehlt, ohne daß es ihr bewußt gewesen war.

Er sah betroffen aus; seine Augen waren geschwollen und von dunklen Ringen umgeben.

»Es schmerzt mich, daß ich in dieser Mission herkommen mußte«, murmelte er schließlich, »auch wenn es mir eine große Freude ist, Euch zu sehen.«

Robert Beale trat zu ihr ans Bett. »Wie Ihr wißt, bin ich der Schreiber des Geheimen Staatsrates Ihrer Majestät«, begann er leise. »Ich bringe ...« Er öffnete eine samtene Mappe und nahm ein viereckiges Stück Pergament heraus, an dem das Großsiegel baumelte.

Da war es. Der Hinrichtungsbefehl. Maria hatte sich nie vorstellen können, was für ein Gefühl es war, ihn tatsächlich zu Gesicht zu bekommen. Ungeheuerlich sah er aus, tödlich. Für einen Augenblick versickerte all ihr Mut. Dies war die Wirklichkeit, keine Geschichte.

»Der Befehl zu meiner Hinrichtung«, sagte sie mit schwacher Stimme. »Scheut Euch nicht, ihn mir vorzulesen. Die Seele ist nicht würdig der ewigen Freuden des Himmels, deren Leib nicht für einen Augenblick den Streich des Henkers kann ertragen.«

Beale verlas die Urkunde Wort für Wort.

Maria hörte aufmerksam zu. *Sondern auch Uns in aller Demut aufgefordert, ersucht und bedrängt, die weitere Vollstreckung gegen ihre Person zu verfügen ... sollt Ihr sie in Eure Obhut übernehmen und durch Euren Befehl veranlassen, daß die Hinrichtung vorgenommen werde an ihrer Person ... die Ihr nach Eurem Gutdünken dazu auswählet ...*

Sie neigte den Kopf. »Im Namen Gottes, diese Botschaft ist willkommen, und ich will Ihn loben und preisen, da das Ende meiner bitteren Leiden gekommen ist.« In ihren Knien pochte der Schmerz. Jetzt war das ohne Bedeutung; bald würde es für immer aufhören. »Wann soll es sein?« fragte sie.

»Morgen früh um acht«, sagte Shrewsbury mit unsicherer Stimme.

»Um acht? Dann werde ich morgen um diese Zeit schon seit vier Stunden tot sein?« rief sie. »Das ist nicht genug Zeit, mich vorzubereiten!«

»Madam, es ist zwei Monate her, daß man Euch das Urteil verkündet hat«, sagte Paulet. »Ihr solltet inzwischen vorbereitet sein.«

»Es steht nicht in meiner Macht, die Frist zu verlängern. Ihr müßt morgen zur genannten Zeit sterben«, sagte Shrewsbury vergebungheischend.

»Aber ich muß noch – meine Dienerschaft muß versorgt werden, diejenigen, die um meinetwillen alles geopfert haben und die mit mir alles verlieren werden; mein Testament muß niedergeschrieben werden, denn das konnte ja erst im letzten Augenblick geschehen, da ich doch von einem Tag zum andern nicht weiß, was mir an Geld und Besitz noch geblieben ist«, sagte sie. »Dazu brauche ich meine Papiere und meine Rechnungsbücher.«

»Das geht nicht. Sie sind noch in London, wo man sie von Chartley aus hingebracht hat«, sagte Paulet.

»Und, bitte, gebt mir meinen guten Kaplan zurück, den Pater de Préau. Ihr habt uns in den letzten paar Wochen voneinander getrennt. Jetzt brauche ich ihn; er muß mir bei den Vorbereitungen zum Tode helfen, die meine Kirche für notwendig erachtet.«

»Nein, das kann nicht erlaubt werden. Es ist gegen die Gesetze des Landes und gegen unser Gewissen. Aber wir werden erlauben, daß ein protestantischer Kaplan Euch seine Aufwartung macht«, sagte Paulet.

»Nein, das nützt mir nichts«, widersprach sie. »Ich muß nach der Religion sterben, in der ich getauft bin.«

»Madam, Euer Leben wäre der Tod unserer Religion, und Euer Tod ist ihre Rettung!« platzte der Earl von Kent heraus.

Sie lächelte, als habe er ihr ein großes Geschenk gemacht. »Ah! Ich selbst habe mir nie geschmeichelt, daß ich eines solchen Todes würdig sei, und demütig empfange ich dies als Zeichen dafür, daß ich endlich eine von Gottes auserwählten Dienerinnen bin.« Freude verwandelte ihren Gesichtsausdruck.

Die Männer schickten sich an, sich zu entfernen.

»Schickt die Königin eine Antwort auf meine Bitten?« fragte Maria. »Soll ich in Frankreich bestattet werden?«

»Das wissen wir nicht«, sagte Shrewsbury. Seine Stimme bebte, und Paulet warf ihm einen Blick zu.

»Oh, Sir!« rief Bourgoing, und Tränen strömten ihm über das Gesicht. »Noch der niedrigste Mensch, nein, der größte Verbrecher bekäme eine längere Frist, sich auf seinen Tod vorzubereiten! Wenn Ihr kein Mitleid mit dieser edlen Königin habt, dann habt wenigstens welches mit uns, ihren Dienern, die ganz mittellos zurückbleiben werden, wenn sie nicht für uns sorgen kann!«

»Es steht nicht in meiner Macht, die Frist zu verlängern!« sagte Shrewsbury noch einmal und ging hinaus. Die Tür fiel ins Schloß.

Jane Kennedy sank weinend auf das Bett.

Maria schaute ihre trauernden Diener an. Plötzlich war sie wieder stark; sie hatte zu arbeiten.

Sie legte Jane die Hand auf den Kopf. »Auf, Jane Kennedy!« befahl sie mit lauter Stimme. »Hört auf zu weinen und sputet Euch, denn die Zeit ist kurz!«

Sie klatschte in die Hände, um die Aufmerksamkeit der anderen auf sich zu lenken. »Habe ich Euch nicht gesagt, meine Kinder, daß es geschehen würde? Gepriesen sei der Herr, daß es nun so weit ist und Angst und Trauer ein Ende haben. Weint nicht, und jammert nicht, denn das wird nichts nützen; freut Euch lieber, daß Ihr mich dem Ende meiner langen Mühen und Plagen so nahe seht!«

Sie schwang sich aus dem Bett und ging an ihren Schreibtisch, wo sie sich daranmachte, ihre wenigen verbliebenen Habseligkeiten und das bißchen Geld, das sie noch hatte, aufzuteilen, und sie schrieb die Namen der jeweiligen Empfänger auf kleine Blätter. Sie bemühte sich, keinen Gegenstand zu vergessen, und wünschte, sie hätte ihnen mehr zu hinterlassen als diese Kleinigkeiten.

»Bringt das Abendbrot zeitig«, sagte sie zu Bourgoing. »Ich möchte mein letztes Mahl zu mir nehmen und mich dann den wirklich wichtigen Dingen widmen.«

Das Essen wurde ohne feierliche Umstände aufgetragen, denn Marschallstab und Estrade waren mit dem Priester entfernt worden. Alle saßen weinend und schluchzend da und konnten keinen Bissen essen.

»Habt Ihr gehört, wie sie sagten, ich müsse für meine Religion sterben?« sagte Maria. »Oh, welch glorreicher Gedanke, daß ich ausersehen sein soll, für eine solche Sache zu sterben!« Sie nahm einen großen Becher, füllte ihn mit Wein und reichte ihn Bourgoing.

»Ich möchte, daß ein jeder von Euch mir zutrinkt und mir ein letztes Mal die Treue gelobt«, sagte sie.

Bourgoing fiel vor ihr auf die Knie und hob den Becher; er konnte kaum sprechen und flüsterte nur. »Gott schenke Euch Frieden.«

Jane Kennedy tat es ihm nach und kniete ebenfalls nieder. »Ich will Euch folgen bis zum Richtblock, und ich werde Euch niemals untreu sein oder Euch vergessen«, sagte sie. Ihre Augen schwammen in Tränen, aber ihre Stimme war fest. Sie reichte den Becher an Elizabeth Curle weiter.

»Ich schwöre, daß ich Euren Namen vor allen Menschen strahlend sauber halten werde, und daß ich Eure Sache weiterführen werde bis ans Ende meiner Tage«, erklärte sie.

»Ich habe Euch geholfen, von Lochleven zu entfliehen«, sagte Willie Douglas, »und jetzt muß ich hilflos abseits stehen, da Ihr einem schlimmeren Schicksal entgegengeht, dem Ihr nicht entrinnen könnt.«

»Ach, Willie, du bist wahrlich ein treuer Diener. Aber bedenke, ich entfliehe meinen Nöten. Die Königin, meine Cousine, erweist mir einen großen Gefallen.«

Der alte Balthazzar sank auf die Knie. »Ich habe es fertig«, sagte er. »Das Kleid. Hätte ich doch noch ein anderes Geschenk, das ich Euch machen könnte.«

»Es gibt keines, das ich lieber entgegennehmen würde«, antwortete sie.

Als alle vor ihr vorübergezogen waren, nahm sie selbst den Becher und trank ihnen zu. »Lebt wohl, meine guten Freunde. Wenn ich Euch einmal unrecht getan habe, so bitte ich Euch um Vergebung.«

Nach dem Abendbrot nahm Maria auf einem Stuhl am hinteren Ende des Zimmers Platz und bat Jane, ihr die wenigen Juwelen und Kleinodien zu bringen, damit sie sie verteilen könnte. Eines nach dem anderen hielt sie die Stücke hoch und betrachtete sie.

»Das sind die Überreste meiner früheren Pracht«, sagte sie. »Und sie werden als meine Abgesandten von hier fortgehen.« Sie nahm einen Saphirring mit einem großen, eckig geschliffenen Stein vom Finger. »Der ist für meinen tapferen Verwandten, Lord Claud Hamilton.«

Andere Schmuckstücke sollten an den König und die Königin von Frankreich gehen, an Katharina von Medici und an die Guise. Bourgoing bekam ihr samtgebundenes Notenbuch. »Ich bitte Euch, erinnert Euch stets an unsere Winterabende, da wir gesungen haben«, sagte sie.

»Diesen goldenen Rosenkranz will ich zur Hinrichtung mitnehmen«, fuhr sie fort. »Aber auf dem Schafott werde ich ihn Euch geben, Jane. Ich möchte, daß er nach meinem Tod zu Anna Dacres gebracht werde, der treuen katholischen Schwiegertochter des Herzogs von Norfolk.« Sie berührte den Diamanten, den sie immer noch am Halse trug. »Es wird Zeit, daß er abgenommen wird«, meinte sie. »Ich habe versprochen, ihn bis zu meinem Tode zu tragen. Und nun ist er da.« Sie gab ihn Jane. »Desgleichen will ich das Agnus Dei bis zum Richtblock tragen, aber danach sollt Ihr es haben, Elizabeth. Laßt nicht zu, daß der … der Henker es nimmt.«

Elizabeth brach von neuem in Tränen aus.

Es war jetzt nach neun. Sie mußte immer noch ihr Testament aufsetzen. Vorgebeugt saß sie an ihrem Schreibtisch und bemühte sich, aus dem Gedächtnis über alle ihre Aufwendungen Rechenschaft abzulegen. Sie ernannte den Duc de Guise, Erzbischof Beaton, Bischof Leslie und du Ruisseau, den Kanzler ihres Witwenvermögens in Frankreich, zu ihren Testamentsvollstreckern. Sie mußte Vorkehrungen für die Requiemmessen zum Heil ihrer Seele treffen, mildtätige Verfügungen für arme Kinder und für Priester in Reims erlassen, eine Spende für die Seminaristen festsetzen. Ihre Damen sollten die Kutsche und die Pferde nach London bringen und dort verkaufen, und mit dem Erlös sollten sie ihre Heimfahrt bezahlen.

Als sie fertig war, rollte sie das Dokument zusammen. Die Hand tat ihr weh. Aber sie hatte noch weitere Briefe zu schreiben. Da sie keine persönliche Beichte bei de Préau ablegen konnte, mußte sie es schriftlich tun. Mühsam nahm sie die Feder in die steife Hand und versuchte nachzudenken, und sie stellte sich vor, wie sie spräche. In den tiefen Schatten in den Winkeln des Zimmers konnte sie den Tod selbst sehen, wie er dastand und sie beobachtete, an die Wand gelehnt, die Knochenarme verschränkt, mit starrem Blick aus leeren Augenhöhlen.

Lieber Vater in Christo.

Ich bitte Euch, wachet und betet mit mir in dieser Nacht, meiner letzten auf Erden. Freimütig bekenne ich meine Sünden, und ich weiß, es sind viele …

Die Mitternachtsstunde nahte. Still wartete sie, ob sie irgendwo den Klang einer Glocke hörte, die den siebenten Februar formell vom achten trennte, aber da war nichts.

Sie nahm einen neuen Bogen Papier und begann ihren letzten Brief, den an Heinrich III., den König von Frankreich.

8. Februar 1587

Königlicher Bruder, nachdem ich mich nach Gottes Willen für meine Sünden, wie ich glaube, in die Macht der Königin, meiner Cousine, gegeben habe, von deren Hand ich seit fast zwanzig Jahren manches gelitten, bin ich nun von ihr und ihren Ständen endgültig zum Tode verurteilt worden ...

Ich habe nicht die Zeit gehabt, Dir einen umfassenden Bericht über alles, was geschehen ist, zukommen zu lassen, aber wenn Du meinem Arzt und meinen anderen unglücklichen Bediensteten zuhörst, wirst Du die Wahrheit erfahren und auch, wie ich, Dank sei Gott, den Tod geringachte ...

Voller Unbehagen blickte sie auf und spähte, so gut sie konnte, in die dunklen Ecken. Meinte sie das wirklich ernst? Es war besser, ihn nicht vor der Zeit geringzuachten ...

Sie schrieb weiter und schüttete ihm ihre Sorgen um ihre Bediensteten und ihre Bestattung aus. Würde er ihr bei diesen Dingen helfen? Sie mußte auf ihn vertrauen. Schließlich nestelte sie an einer kleinen Samtbörse und nahm zwei ungefaßte Edelsteine heraus; der eine war ein Amethyst, der andere ein Blutstein.

Ich habe mir die Freiheit genommen, Dir zwei kostbare Steine zu senden, Talismane gegen Krankheit in der Hoffnung, daß du Dich guter Gesundheit und eines langen und glücklichen Lebens erfreuen mögest. Nimm sie von Deiner Dich liebenden Schwägerin in Empfang, die Dir, da sie stirbt, ihr herzliches Gefühl für Dich bezeugt.

Mittwoch, um zwei Uhr morgens.

Deine Dich über die Maßen liebende und treue Schwester,
Marie R.

An den Allerchristlichsten König, meinen Bruder und alten Verbündeten.

Zwei Uhr morgens! Die Nacht glitt ihr davon.

Aber was tut das? dachte sie. Man kann wohl kaum von mir erwarten, daß ich sie schlafend verbringe. Schlafen werde ich noch früh genug.

War es zu spät für die gewohnte Lektüre mit ihren Damen? Ja, natürlich. Steif stand sie auf und begab sich zu ihrem Bett. Jetzt war es zu spät, sich auch nur auszukleiden. Dafür wollte sie niemanden wecken, und ihre eigenen Finger waren zu geschwollen, als daß sie es allein hätte tun können. So legte sie sich angekleidet auf ihr Bett und schloß die Augen. O Gott, gib mir Mut! Laß mich im Augenblick des Todes nicht versagen, betete sie. Bei meiner letzten Prüfung habe ich versagt vor Dir, aber Du in Deiner Barmherzigkeit hast mir noch eine gewährt. Hilf mir jetzt!

Sie hörte ein Rascheln neben sich, und als sie aufblickte, sah sie Jane und Elizabeth an ihrem Bett stehen. Beide trugen bereits schwarze Trauerkleidung.

»Ihr seid früh bereit«, sagte Maria. Aber die beiden schon für das Ereignis gekleidet zu sehen, erschreckte sie zutiefst. »Ich bin saumselig. Aber obwohl es spät ist, würde ich den Tag gern auf die gewohnte Weise beenden. Jane, könnt Ihr laut aus meinem Stundenbuch vorlesen?«

»Natürlich«, sagte Jane und ging das Buch holen.

»Nehmt das große Sünderleben«, sagte Maria.

Jane las im Inhaltsverzeichnis. »Maria Magdalena?«

Maria schüttelte den Kopf.

»Sankt Augustin?«

»Nein.«

»Der bußfertige Dieb am Kreuze?«

Maria seufzte. »Ja. Er war ein großer Sünder, aber kein so großer Sünder wie ich. Möge mein gepriesener Erlöser eingedenk Seines Leidens Sich meiner erbarmen in der Stunde des Todes, wie Er Sich seiner erbarmt hat.«

Sie ließ sich auf das Kissen zurücksinken und schloß die Augen; sie wartete darauf, daß Jane mit ihrer beruhigenden Stimme zu lesen anfing.

»›Aber der Übeltäter einer, die da gehenkt waren, lästerte ihn. Endlich aber, bewegt von der göttlichen Gnade, strafte ihn der andere und sprach: »Und du fürchtest dich auch nicht vor Gott, der du doch in gleicher Verdammnis bist? Wir empfangen, was unsere Taten wert sind; dieser aber hat nichts Ungeschicktes getan.« Und er sprach zu Jesu und sagte: »Herr, gedenke meiner, wenn du in dein Reich kommst.«

Und Jesus sprach zu ihm: »Wahrlich, ich sage dir, heute wirst du mit mir im Paradiese sein.«‹«

Heute ... im Paradies ... Werde ich wirklich in ein paar Stunden dort sein? fragte Maria sich. Kann es wahr sein?

Ein gedämpftes Hämmern drang an ihre Ohren. In der Großen Halle, jenseits des Hofes, wurde das Schafott errichtet.

»›Das Erlebnis der beiden Diebe ist nun eine Verdichtung und Abkürzung der gesamten menschlichen Existenz‹«, las Jane weiter und beugte sich herüber, damit Maria sie hören konnte, ohne daß sie die Stimme erhob. »›Es zeigt uns den Kern des Wesentlichen von Leben und Tod, wenn keine Zeit mehr bleibt. Diese Männer aber hatten eine unvergleichliche Eigenschaft, ein Erlebnis, das niemand anders gehabt hat oder auch haben kann. Sie starben neben Jesus, der ebenfalls starb.‹«

Aber ich sterbe allein, dachte Maria. Ich werde keinen Gefährten auf dem Schafott haben.

»›Dies ist sowohl eine einzigartige Gelegenheit, als auch eine einzigartige Herausforderung – zu sehen, wie Gott stirbt, und dennoch zu glauben. Und wie verhielten sie sich? Der erste Dieb blieb zweifelnd und ausweichend: »Beweise es, und ich will dir glauben.« Das ist die übliche Antwort des Menschen; die Welt lehrt uns, die Dinge so zu sehen. Es ist eine verächtliche Doktrin.‹«

Ja, wir alle wollen Beweise, dachte Maria. Macht es mich zu einer so großen Sünderin, daß ich zweifle – und sei es nur für einen Augenblick?

»›Der zweite Dieb sagte: »Herr« – nicht: »*Falls* du der Herr bist ...« Er hatte nicht die Zeit und vielleicht auch nicht die Fähigkeit, verzwickte Fragen der Theologie zu verstehen. Vielleicht begriff er nicht einmal, was »Paradies« bedeutete. Die Hauptsache aber ist, daß er sah – und glaubte.

Was hat das nun für uns zu bedeuten? So verkürzt und verdichtet es auch sein mag – die Diebe mit den paar Stunden des Lebens, die ihnen am Kreuz noch blieben, sind im Wesentlichen genauso wie Du und ich. Wir stehen dem gleichen Tod gegenüber – er kommt vielleicht langsamer, aber deshalb nicht weniger sicher. Wir stehen vor der gleichen ewigen Frage. Wir stehen vor der gleichen Gelegenheit. Wir müssen uns fragen: »Welcher Dieb bin ich?«‹«

Jane klappte das Buch leise zu. Auf Marias Mund lag ein Lächeln. Das Hämmern draußen ging unerbittlich weiter.

»Noch in der Stunde unseres Todes kann es Erlösung geben«, sagte Maria. »Es ist nie zu spät.«

Vor der Tür hörte man plötzlich Stiefeltritte. Die Wache war verstärkt worden, damit die Königin nicht in letzter Minute noch fliehen konnte.

Die stille Zeit der Nacht war vorüber; schon erhob sich der Lärm des bevorstehenden Geschäfts.

Um sechs gab Maria es auf, noch länger so zu tun, als ruhte sie. Sie stand auf, und sogleich erhoben sich auch die Kammerfrauen. Geschlafen hatte keine.

»Ich habe noch zwei Stunden zu leben«, sagte sie staunend. »Es ist eine sonderbare Sache, keine tödliche Krankheit zu haben, keinen umwölkten Geist, und doch zu wissen, daß das Ende nah ist. Ich habe weder das zweite Gesicht noch die Gabe der Weissagung, und doch sehe ich das Unglück, das auf mich zukommt.« Sie betastete ihren Arm, so fest, so warm. Seine unmittelbare Sterblichkeit war eine absolut künstliche Vorstellung.

»Kommt, meine Damen; kleidet mich an wie zu einem Fest; bittet Balthazzar um mein besonderes Kleid. Denn es ist eine festliche Zeremonie, zu der ich nun gehe.«

Während sie sie zurechtmachten, stand Maria still da und lauschte auf ihren Atem. Die Luft an sich erschien wie etwas, das Gewicht hatte und das man genießen mußte; das Atmen wurde zu einem bewußten Akt. Der Atem des Lebens. Atmen heißt Leben.

Und Gott blies ihm ein den lebendigen Odem in seine Nase; und also ward der Mensch eine lebendige Seele.

O mein Gott und Herr, ich muß glauben, daß ich weiterhin eine lebendige Seele sein werde, selbst wenn der Atem mich in zwei Stunden verläßt, dachte sie. Ich muß ...

»Hier, Mylady«, sagte Elizabeth und hielt ihr das karmesinrote Gewand vor. Es war ganz aus Atlasseide, mit einem glatten Rock, das Mieder hinten tief geschnitten, um dem Schlag der Axt Raum zu geben. Vorn war der Halsausschnitt mit Spitze besetzt. Die Ärmel waren abnehmbar.

»Danke.« Maria fing an, es anzuziehen, und plötzlich kam ihr ein wilder Gedanke: Wenn es nun nicht paßte? Sie hatte es nie anprobiert.

Aber es paßte. Es paßte vollkommen.

Und dann brachte Jane ihr Übergewand in Trauerschwarz aus Atlasseide mit samtenen Besätzen und Jettsteinknöpfen. Mit Tränen in den Augen legte sie dieses Gewand um das karmesinrote. Elizabeth brachte Marias feinste Perücke und frisierte sie, bevor sie ihr die Haube aufsetzte, eine weiße mit einem vorstehenden Vorderteil, an dem ein langer, durchscheinender weißer Schleier befestigt war, mit Spitze gesäumt. Er reichte bis zum Boden – wie ihr Brautschleier bei ihrer ersten Hochzeit.

Die Frauen traten zurück und schauten sie an. Sie wirkte bereits entrückt, angetan für eine weite Reise in ein anderes Land. Die Kleider hatten sie verwandelt.

Sie nahm ihre beiden Rosenkränze und befestigte sie zusammen mit einem Kreuz an ihrer Taille; das Agnus Dei hing an einer Juwelenkette an ihrem Hals. Ihre Bewegungen waren sorgfältig und zierlich.

»Ich danke Euch«, sagte sie. »Ich möchte Euch noch um … um eines bitten. Auf dem Schafott, nach der Hinrichtung« – ihre Worte strömten hastig ineinander – »werde ich außerstande sein, mich um diesen Leib zu bekümmern, wie es die Schicklichkeit erfordert. Bitte bedeckt mich; laßt mich nicht entblößt liegen.«

Die Frauen nickten stumm.

»Und jetzt soll der Rest des Haushalts zu uns kommen. Ich will ein letztes Mal zu Euch allen sprechen.«

Als alle versammelt waren, umarmte Maria die Frauen und reichte den Männern die Hand zum Kuß. Sie hatte vorgehabt, ihnen von ihrem Testament zu berichten und ihnen zu sagen, was sie hernach tun sollten, aber sie merkte, das Worte jetzt unnötig waren und nur unbeholfen klingen würden. So legte sie das Testament und ihre Abschiedsbriefe in einen offenen Kasten und deutete lediglich darauf.

Sie sah, daß die Sonne durch ihre Fenster schien. Die Luft roch ein bißchen nach Frühling; wahrscheinlich blühten unten am Ufer des River Nene schon die Schneeglöckchen.

Der achte Februar, dachte sie. Heute, genau heute, am Ende dieses Tages, wird es zwanzig Jahre her sein, daß ich Darnley das letzte Mal sah, und am Tag darauf war er tot. In meinem Ende ist mein Anfang. Denn wahrlich, mein tiefstes Leid begann an diesem Tag, und heute reift es zur Frucht.

Bourgoing hatte ihr zur Stärkung Brot und Wein gebracht; sie nahm ein wenig davon und wandte sich dann ab und begab sich in ihre Andachtsnische, um zu beten.

Sie hatte sich vorgestellt, sie werde Worte und Worte und nochmals Worte zu sagen haben, aber in Wirklichkeit waren es nur sehr wenige. *Gib mir Kraft. Ich danke Dir für dieses Leben.* An ihrer Seite klopfte Geddon mit dem kahlen Schwanz auf den Boden; er war ebenfalls am Ende seiner Tage, aber klammerte sich verbissen ans Leben. Dieses alltägliche Geräusch, die Summe all dieser alltäglichen Dinge, die sie hinter sich lassen sollte, trieb ihr die Tränen in die Augen.

»Was für sonderbare Dinge werde ich doch am meisten vermissen«, flüsterte sie.

Es war schon acht Uhr vorbei, als der High Sheriff an die Zimmertür klopfte und hereingelassen wurde. »Madam, die Lords schikken mich nach Euch«, sagte er.

Maria erhob sich und wandte sich zu ihm. »Ja. Laßt uns gehen.«

Bourgoing stürzte plötzlich quer durch das Zimmer zu ihrem alten Elfenbeinkruzifix, das an der Wand hing, und nahm es herunter. »Tragt es vor ihr her«, sagte er und gab es einem der Kammerdiener. Maria lächelte; wie hatte sie es nur vergessen können?

Geschlossen verließ die Schar die Gemächer und ging die breite Eichentreppe hinunter und durch das Pförtchen, welches die äußere Grenze von Marias Reich markiert hatte und durch das sie niemals hatte schreiten dürfen. Jetzt zog sie hindurch, gestützt von zwei von Paulets Leuten.

Am Fuße der Treppe hielt der Earl von Kent ihr Gefolge an. »Nicht weiter! Ihr dürft die Große Halle nicht betreten!« Er funkelte Maria an. »Ihr sollt allein sterben; das ist der Befehl der Königin.«

Marias Leute begannen zu weinen und zu protestieren. Jane warf sich zu Boden und klammerte sich an Marias Gewand.

Finger, die sich in mein Kleid krallen … Rizzio! Sie machte Janes Hände los und wandte sich an Kent.

»Ich bitte Euch, Sir, laßt sie bei meinem Ende Zeugen sein. Sie sollen sehen, wie ich es ertrage.«

»Nein! Sie werden ohne Zweifel heulen und klagen und den Scharfrichter stören. Und, schlimmer noch, sie werden ihre Taschentücher in Euer Blut tauchen und heilige Reliquien daraus machen. Wir wissen wohl, was Eure Religion mit solchem Plunder treibt!«

Es schauderte Maria. »Mylord«, sagte sie und bemühte sich, mit fester Stimme zu sprechen. »Ich gebe Euch, auch wenn ich tot sein werde, mein Wort, daß sie nichts dergleichen tun werden.« Sie wandte sich an den Earl von Shrewsbury, der sich im Hintergrund verborgengehalten hatte. »Ich weiß, daß die Königin Euch einen solchen Befehl nicht gegeben hat. Sie, eine jungfräuliche Königin, würde mir zweifellos erlauben, daß ich im Tode würdevoll von meinen Kammerfrauen umgeben bin.«

Shrewsbury, Kent, Paulet und Drury berieten sich; schließlich erklärten sie, sie dürfe sich sechs Personen als Begleiter auswählen.

»Dann muß ich Jane und Elizabeth dabei haben. Andrew Melville, meinen Haushofmeister, und meinen Arzt, meinen Apotheker und meinen Chirurgen. Es sei denn ... Ihr wolltet erlauben, daß mein Priester kommt?«

»Kein Priester!« brüllte der Earl von Kent.

»Also gut«, sagte Maria.

Bevor sie weitergehen konnten, warf Melville sich auf die Knie und rief: »Weh mir, daß es mein Los sein soll, so düstere Kunde nach Schottland heimzutragen: daß meine gnädige Königin und Herrin in England enthauptet ward!«

»Weint nicht, Andrew, mein guter und getreuer Diener. Ich bin katholisch, Ihr Protestant, aber da es nur einen Christus gibt, beauftrage ich Euch in seinem Namen, Zeugnis davon abzulegen, daß ich fest im Glauben sterbe, als wahre Schottin und als wahre Französin. Empfehlt mich meinem teuersten und allerliebsten Sohn. Ich gebe ihm meinen Segen auf Erden.« Sie machte ein Kreuzzeichen in die Luft.

»Die Zeit verrinnt schnell!« grollte der Earl von Kent. »Kommt!«

Die Prozession – angeführt vom Sheriff mit seinen Leuten, denen Paulet und Drury, Shrewsbury und Kent folgten – zog in die Große Halle ein. Maria folgte ihnen, entschlossen, ohne Hilfe zu gehen. Mit bloßer Willenskraft hielt sie den Rücken gerade und den Kopf hoch.

Der Raum war sehr groß, aber alles, was Maria sehen konnte, war das Schafott. Sie hatte gehört, wie sie es gebaut hatten, und jetzt sah sie es.

Es maß etwa zwölf Fuß im Quadrat und hatte ein Geländer. Es war fast einen Yard hoch, zu hoch, als daß man es ohne Treppe hätte ersteigen können, und so war ein hübsches Paar Stufen angebracht worden. Die Plattform war ringsum schwarz verhangen. Ein paar Dinge standen darauf: ein Stuhl und ein Tisch, ein Kissen, zwei Schemel ... und der Block.

Sie versuchte ihr rasendes Herz zu bändigen. Aber hierauf hatte es keine Vorbereitung geben können. Für alles andere gab es eine Analogie im normalen Leben. Aber es hatte keine Möglichkeit gegeben, sich gegen die bloße Existenz dieser Todesplattform zu wappnen, keinen Ersatz, an den man sich hätte gewöhnen können.

Die Anwesenden starrten sie an, um zu sehen, ob sie zitterte.

Und noch eine Menge, die sie anstarrte, als sie nach Edinburgh zurückgebracht wurde. Lord Lindsay und Ruthven zur Rechten und zur Linken, wie jetzt Paulet und Drury ...

Verbrennt die Hure!

Auf den Block mit der Verräterin!

Sie schaute geradeaus und konzentrierte ihren Blick auf die schwarzen, gerafften Behänge, die die Plattform wie eine Schürze umzogen. Vor den Stufen blieb sie stehen. Paulet stand daneben und reichte ihr die Hand.

»Ich danke Euch, Sir. Dies ist die letzte Mühe, die ich Euch bereiten werde.«

Shrewsbury, Kent und Beale stiegen hinauf und bedeuteten ihr, auf dem bereitgestellten Stuhl Platz nehmen. Sie gehorchte.

Jetzt gewahrte sie die beiden ganz in schwarz gekleideten Männer. Dann sah sie die Axt, die auf dem Boden lag. Es war ein Werkzeug, wie man es zum Holzhacken benutzte! Kein Schwert für sie. Sie umklammerte die Armlehnen des Stuhls.

Beale begann, den Anwesenden den Hinrichtungsbefehl vorzulesen. Erst jetzt schaute Maria die Leute an. Mehr als hundert waren versammelt, und sie umstanden die Plattform auf drei Seiten.

»Nun, Madam«, sagte der Earl von Shrewsbury. »Ihr seht, was Ihr zu tun habt.«

»Tut Eure Pflicht«, sagte Maria. Sie fühlte, wie großer Friede sie durchströmte, und sie lächelte.

In diesem Augenblick beugte sich ein fülliger Kirchenmann in vollem Staat über die Plattform. »Ich bin der Dekan von Peterborough!« sagte er mit klingender Stimme. »Es ist nicht zu spät, den wahren Glauben anzunehmen! Ja, den reformierten Glauben, der uns –«

Nicht das! Sie war entsetzt; so etwas hatte sie in diesem Augenblick wirklich nicht erwartet.

»Lieber Dekan«, sagte sie, »macht Euch und mir keine Umstände mehr mit dieser Sache. Ich wurde in diesem Glauben geboren, ich habe in diesem Glauben gelebt, und ich bin entschlossen, in diesem Glauben zu sterben.«

»Madam, selbst jetzt noch, Madam, öffnet der Allmächtige Gott eine Tür; verschließet diese Tür nicht durch die Härte Eures Herzens –«

Seine Stimme verhallte, und an ihre Stelle trat die Stimme John Knox': *Gewissen, Madam, erfordert Wissen. Und ich fürchte, am rechten Wissen fehlt es Euch ...*

Shrewsbury unterbrach den Dekan. »Madam, wir werden mit dem Dekan für Euch beten.«

Maria lächelte ihn an. »Wenn Ihr für mich beten wollt, so danke ich Euch. Aber ich will nicht mit Euch zusammen nach Eurer Art beten; das kann ich nicht, denn wir gehören nicht zum selben Glauben.«

Shrewsbury wollte den Dekan zum Schweigen bringen, aber Kent drängte ihn, weiterzusprechen. Der Dekan erhob die Arme und fuhr mit Donnerstimme fort: »So öffne, wir bitten Dich, Deine barmherzigen Augen und blicke auf diese Todgeweihte, deren Augen Du bis heute vor dem Verständnis und dem Lichte des Geistes verschlossen –«

Er sprach einen Fluch! Maria verschloß die Ohren und begann, auf Latein zu beten, damit die alten Worte seine grausame Verkündigung übertönten. Sie sank von ihrem Stuhl auf die Knie.

»*Conserva me, Domine, quoniam speravi in Te ...*«

Bewahre mich, o Gott, denn in Dich habe ich meine Hoffnung gesetzt ...

Sie betete immer lauter, bis das Gegeifer des Dekans in ihren Ohren unter ihren Worten verschwand. Sie hörte ihn nicht mehr; wieder war sie von dem strahlenden Frieden umflutet, den sie beinahe verloren hätte.

Sie erhob sich, umklammerte ihr Kruzifix und hielt es in die Höhe. »Wie Du Deine Arme, Herr Jesus Christus, am Kreuze ausgebreitet«, rief sie, »so empfange mich nun und lösche aus all meine Sünden mit Deinem kostbaren Blute!« Das Kruzifix schien zu schimmern, und dahinter glaubte sie die Wand der Kammer in St. Pierre zu sehen. Alles war eins; die Zeit löste sich auf.

»Laßt diesen Firlefanz!« Der Earl von Kent wollte ihr das Kreuz entwinden. Aber Maria drückte es mit beiden Händen fest an die Brust.

Der Dekan wich zurück; die beiden Henker kamen heran und knieten vor ihr nieder. »Verzeiht uns«, baten sie.

Sie schaute hinunter auf ihre starken Unterarme, die dicker waren als ihr eigener Hals. »Ich verzeihe Euch und aller Welt von ganzem Herzen«, sagte sie. »Denn ich hoffe, dieser Tod wird all meinen Nöten ein Ende bereiten.«

Die beiden erhoben sich. »Sollen wir Euch helfen, Euch bereit zu machen?« fragten sie höflich.

»Nein, an solche Diener bin ich nicht gewöhnt«, erwiderte sie, wiederum lächelnd. Sie drehte sich um und blickte in die Menge. »Auch nicht daran, mich vor einer so großen Gesellschaft zu entkleiden.« Sie winkte Jane und Elizabeth, die unten vor der Plattform knieten. »Ich brauche euch«, sagte sie.

Die beiden Frauen erhoben sich und erklommen das Podest, aber als sie näherkamen, brachen sie in Tränen aus.

»Weint doch nicht«, sagte Maria. »Ich bin glücklich, daß ich diese Welt verlassen darf. Ihr solltet euch freuen, weil ihr mich für eine so gute Sache sterben seht. Schämt ihr euch nicht, zu weinen? Nein – wenn ihr nicht aufhört mit diesem Gejammer, muß ich euch fortschicken, denn ihr wißt, ich habe versprochen, daß ihr euch nicht so aufführen würdet.«

Bei diesen Worten nahm sie ihr Kruzifix und die Rosenkränze und reichte sie Jane. Der Henker wollte sie ihr wegnehmen, aber Maria wies ihn zurück.

Sorgfältig und mit zitternden Händen knöpften Jane und Elizabeth das schwarze Gewand auf und enthüllten das karmesinrote darunter. Die Menge hielt den Atem an. Sie brachten ihr die Ärmel, und sie befestigte sie, und jetzt umhüllte sie karmesinroter Glanz bis hinunter zu den Fingerspitzen. Jane nahm ihr Schleier und Haube ab und legte beides auf einen kleinen Schemel.

Maria küßte ihr elfenbeinernes Kruzifix zum Abschied, und sie legten es mit ihrem Stundenbuch zu den anderen Sachen auf den Stuhl. Dann nahm Maria das goldgesäumte Tuch, mit dem ihre Augen bedeckt werden sollten, und reichte es wortlos Jane.

Hinter all den Leuten sah sie die züngelnden Flammen des Feuers, das im Kamin der kalten Halle brannte.

Das letzte, was ich sehe. Goldene Flammen und schwarze Tücher. Aber es gibt keinen Anblick, der wertvoller wäre als ein anderer, und keinen, der das Verlangen, weiter zu schauen, vollständig stillen könnte.

Jane war in Tränen aufgelöst und konnte das Tuch nicht festbinden.

Rasch, verhülle meinen Blick, und verlängere es nicht weiter!

Aber die zitternden Hände verharrten hilflos vor Marias Augen.

»Sch!« sagte Maria. »Ich habe es für euch versprochen. Weint nicht, sondern betet für mich.«

Sie mußte ihr helfen, das Tuch anzubringen; es mußte am Hinterkopf verknotet werden, und ein Teil davon bedeckte auch ihr Haar, so daß es aussah, als trage sie einen Turban.

Jetzt sah sie nichts mehr. Sie hörte sie neben sich atmen, und dann hörte sie, wie sie fort und die Treppe hinunter geführt wurden.

Jemand half ihr, auf einem Kissen niederzuknien, und sie wußte, daß es vor dem Block lag. Sie ließ sich darauf nieder, streckte die Hände aus und tastete nach dem Block. Sie fühlte seine harte Kante unter dem Tuch, das ihn bedeckte. Sie streckte den Hals und legte das Kinn in die Höhlung, die dafür gedacht war.

Warum war alles so real, so hart? Es sollte doch traumhaft sein und weich und aufgehen in einen Nebel der Ekstase. Statt dessen fühlte sie jetzt das knotige Gewebe des Tuches, ihre schmerzenden Knie, die Augenbinde, die an ihrem Hinterkopf drückte. Sie schluckte und wartete und hielt ganz still.

»In Te, Domine, confido, non confundar in aeternum …« murmelte sie bei sich. In Dich, o Herr, vertraue ich, auf daß ich nicht in Verwirrung gerate in Ewigkeit.

Etwas berührte sie. Eine dicke, breite Hand hielt sie fest, drückte auf ihren Rücken. Sie fühlte, wie Schweiß durch ihr Kleid drang und die Umrisse der Hand zeichnete.

»In manus Tuas …« In Deine Hände, o Herr, befehle ich meinen Geist.

Sie konnte ihre eigene Stimme hören. Alles war schmerzhaft scharf.

Nichts ist jemals so, wie ich es erwartet habe. Immer ist es tiefer, härter, wilder, süßer, großartiger … Ich komme, o Herr, gleichwie … Hilf mir!

Shrewsbury, der Earl Marshal, senkte seinen Stab und gab damit das Zeichen. Der Scharfrichter hob seine Axt hoch und ließ sie krachend herunterfahren. Entsetzt sah er, daß er vor lauter Nervosität danebengeschlagen und nur ihren Schädel an der Seite geritzt hatte. Sie stöhnte und sagte in dünnem Wispern: »Lieber Jesus!« Die Zuschauer schrien auf. Rasch hob er die Axt noch einmal und schlug mit aller Kraft zu. Die Klinge biß sich durch ihren Nacken und trennte den Kopf fast ab. Erbost und beschämt, benutzte er die Schneide der Axt wie eine Säge, um die letzten Fasern zu durchtrennen. Der Kopf fiel herunter und rollte davon. Der Rumpf kippte auf den Rücken; die Schultern waren voller Blut, und aus dem Hals sprudelte es weiter.

»Gott schütze Königin Elisabeth!« rief der Henker und bückte sich, um den Kopf aufzuheben. Er packte ihn bei dem Tuch und hob ihn hoch. Plötzlich fiel ein Teil wieder herunter; der Kopf rollte davon, und der Henker hielt nur das Tuch und die Perücke in der Hand.

Die Leute hielten den Atem an, als sie sahen, wie grau Marias Haar war. Ihr Kopf lag am Boden und schaute sie an, und die Lippen bewegten sich.

»So enden alle Feinde der Königin!« schrie Kent und stellte sich breitbeinig über den heruntergefallenen Kopf.

»Jawohl! Und mögen alle Feinde des Evangeliums ein solches Ende nehmen!« rief der Dekan.

Shrewsbury wandte sich ab und weinte.

Der Henker wollte Marias Röcke hochschieben, um sich ihr Strumpfband zu nehmen, was sein altehrwürdiges Vorrecht war. Als seine Hände in den Röcken wühlten, begann ein jammervolles Kläffen, und aus dem zerknüllten Stoff sprang ein kleiner Hund hervor. Es war Geddon; er war seiner Herrin aus ihren Gemächern gefolgt und hatte sich unter den voluminösen Röcken versteckt.

»Was denn – !« schrie Bull und riß die Hand weg.

Geddon lief zu dem kopflosen Hals und sprang verwirrt dort herum. Dann setzte er sich davor und begann zu heulen – ein lautes, langgezogenes Heulen wie aus einer anderen Welt. Er drehte sich im Blut und bewachte den Leichnam.

Jane und Elizabeth stürzten zu den Stufen. Sie hatten vergessen, was sie ihrer Herrin geschworen hatten, und jetzt wurde ihr Leichnam geschändet. Doch der Weg dorthin wurde ihnen versperrt.

»Nein! Ihr geht dort nicht hin!«

»Aber wir müssen uns um sie kümmern! Wir haben es versprochen –«

»Euer Dienst bei ihr ist zu Ende.«

Der Dekan sprang auf die Plattform und packte Geddon. Er drückte den Hund mit der Schnauze in die Blutlache und versuchte, ihn zum Trinken zu bringen. »Erinnert Euch an Knox' Weissagung: Die Hunde werden ihr Blut trinken!« schrie er. »Trink, du Vieh!«

Aber Geddon wand sich aufheulend herum und schlug dem Dekan die Zähne ins Handgelenk

»Verfluchtes Biest!« brüllte er und ließ das Tier los.

Paulet hatte Marias Kopf genommen und auf ein Samtkissen ins offene Fenster gelegt, damit die Leute draußen ihn sehen könnten.

Aber nichts war, wie es hätte sein sollen. Der Kopf sah nicht mehr aus wie Maria, sondern wie eine unbekannte alte Frau. Der Earl von Shrewsbury weinte. Maria hatte auf dem Schafott keine Angst gezeigt und war nicht zusammengebrochen; sie war heiter und glücklich gewesen. Und plötzlich war die Aufgabe, Königin Elisabeth zu berichten, daß ihre große Feindin untergegangen war, nicht mehr neiderweckend.

Nichts war jemals so, wie man es erwartet hatte.

Sie nahmen ihr Kruzifix und ihr Tagebuch weg, ihre blutigen Kleider, den Richtblock und alles, was sie angerührt hatte, und verbrannten es in einem großen Feuer im Hof zu Asche. Es sollte keine Reliquien geben, keine Erinnerungsstücke. Die irdische Anwesenheit der Schottenkönigin sollte restlos ausgelöscht werden.

Nichts war jemals so, wie man es erwartet hatte.

Es blieben der Leichnam der Königin selbst, der nicht verschwinden würde, die Zeugen der Hinrichtung, die alles, was geschehen war, einem immer größeren Publikum berichten würden, und die Erinnerungsstücke, die sie bereits verschenkt hatte. Es blieben all die Orte, an denen sie gelebt, die Leute, die sie gekannt, das Kind, das sie zur Welt gebracht hatte – und das alles jetzt erhöht und vergrößert durch den Tod, den sie gestorben war. Je gründlicher die Regierung das Schafott schrubbte und ihre Augenbinde verbrannte, desto kostbarer wurden all die übrigen Reliquien. Und als das Feuer ihr karmesinrotes Kleid verzehrte, erwachte irgendwo im Schloß der stockfleckige Gobelin mit ihrem Motto *In meinem Ende ist mein Anfang* zu neuem Leben und begann sich zu regen.

Adoro, imploro, / Ut liberes me. Ich bitte und beschwöre Dich, / Befreie mich.

Von ihrem Körper befreit, entflohen die vielen Maria Stuarts, die in diesem einen Körper enthalten, sozusagen gebündelt gewesen waren, in ihre verschiedenen Domänen und zerfielen zu unversöhnlichen, einzelnen Elementen.

Der schöne, jugendfrische Geist kehrte nach Frankreich zurück. Er flog nach Reims und sah endlich das Grab seiner Mutter, seine geliebte Tante, seine trauernde Freundin Mary Seton. Liebevoll verharrte er vor der Wand, an der das Elfenbeinkruzifix gehangen hatte. Er flog, frei von allen Leibesfesseln, reiner Geist jetzt, zur Notre Dame und hörte seine eigene Trauerrede.

Dort, in der Dunkelheit der großen Kathedrale, in der sie im lodernden Glanz irdischer Pracht geheiratet hatte, hörte ihr Geist, wie ein alter Priester – damals jung – von ihr und von jenen Tagen sprach.

»Viele von uns sahen hier, wo wir jetzt versammelt sind, diese

Königin am Tag ihrer Hochzeit, angetan mit ihrem königlichen Staat, so über und über bedeckt von funkelnden Juwelen, daß die Sonne selbst nicht heller glänzte, so schön und so bezaubernd überdies, wie keine Frau es je war. Diese Mauern waren bedeckt mit Tüchern aus Gold und kostbaren Gobelins, und jeder Fleck war ausgefüllt mit Thronen und Sesseln, und es drängten sich die Fürsten und Fürstinnen aus allen Himmelrichtungen, die gekommen waren, um an diesem Freudenfeste teilzuhaben. Der Palast floß über von Pracht, von strahlenden Festen und Maskenbällen, und die Straßen von Tjosten und Turnieren. Kurz, es schien, als habe unser Zeitalter es an diesem Tag vermocht, den Pomp vergangener Jahrhunderte noch zu übertreffen.

Ein wenig Zeit ist verflossen, und das alles ist verschwunden wie eine Wolke. Wer hätte glauben können, daß eine solche Veränderung über sie kommen könnte, die da so triumphal erschien, und daß wir sie als Gefangene sehen sollten, die selbst Gefangenen die Freiheit wiedergegeben hatte, in Armut sie, die es gewohnt war, anderen so großzügig zu geben, schmählich behandelt von jenen, die sie mit Ehren überhäuft hatte; daß wir endlich sehen sollten, wie die Axt des gemeinen Henkers die Gestalt derer verstümmelte, die zweifache Königin war, wie die Gestalt, die das Ehebett eines französischen Souveräns geehrt hat, entehrt auf dem Schafott mußte enden, und wie die Schönheit, die eines der Wunder dieser Welt gewesen war, in trostloser Gefangenschaft verblaßte und schließlich in einem jämmerlichen Tode ausgelöscht ward?«

Er schaute sich in der Kathedrale um. »Dieser Ort, da sie umgeben war von Herrlichkeit, ist nun um ihretwillen schwarz verhangen. Statt Hochzeitsfackeln brennen Trauerkerzen, statt Freudenliedern hört man Seufzen nur und Stöhnen, statt Klarinetten und Oboen nur den dunklen Schlag der Trauerglocke.

Es scheint, als habe es Gott gefallen, ihre Tugenden durch ihr Leid noch glorreicher zu machen. Andere überlassen der Nachwelt die Sorgen, schöne und prächtige Denkmäler zu bauen, um sich vor der Vergessenheit zu bewahren; diese Königin aber befreit euch mit ihrem Tod von solcher Sorge, denn mit ihrem Tod hat sie den Herzen der Menschen eingeprägt ein Bild von solcher Beständigkeit, daß es nicht allein dieses Zeitalter überdauern wird, sondern alle Zeit und Ewigkeit.«

Der jugendliche Geist war gerührt und zog weiter.

Der monströse Drache, die Geißel des Protestantismus, flog nach London und sah dort endlich Elisabeth. Er sah ihren Schmerz und ihren Schrecken, als man ihr die Hinrichtung vermeldete, und wußte mit seinem neuen Wissen, daß Elisabeths Minister den Hinrichtungsbefehl aus eigener Verantwortung vollstreckt hatten. Aber das war nicht wichtig. Er sah die Feiern in London, verstand den Haß, aber war davon nicht mehr berührt.

Die Mutter zog nach Schottland und sah James, einen erwachsenen Mann, ganz in Schwarz gekleidet. Auch die Höflinge sah sie. Neue, die noch nicht dagewesen waren, als sie dort regiert hatte. Die alten, die in ihrer Zeit geherrscht und Grauen verbreitet hatten, waren verschwunden. Aber Holyrood war unverändert, und Edinburgh Castle war unverändert.

Sie sah den Earl von Sinclair, wie er in seiner Rüstung herangeschritten kam, hörte, wie James verdrossen fragte, ob er den Befehl nicht vernommen habe, daß für die Königin von Schottland Trauerkleidung anzulegen sei, hörte, wie der Earl mit einem Aufschrei an seinen Harnisch schlug: »Dies ist die rechte Trauerkleidung für die Königin von Schottland!« und wie er dabei sein Schwert schwenkte.

Schottland … es hatte sich nicht verändert. Aber jetzt konnte sie es lieben.

Maria, die Tochter Roms, Märtyrerin des Glaubens, sah, wie Flugschriften verbreitet wurden, Berichte von ihrer Frömmigkeit, Porträts und Gedichte, die die Runde machten, kaum daß ihre Bediensteten aus England entronnen und zum Kontinent gekommen waren, um dort die Geschichte von ihren letzten Tagen zu erzählen. Ihr Geist war gerührt über die Hingabe ihrer katholischen Glaubensgenossen. Aber diese nüchterne, ernste Gefangene, die sie da geschaffen hatten, erkannte sie nicht.

Es gab zwei Bestattungen, zwei Trauerfeiern. Die erste fand sechs Monate nach ihrem Tod statt, in der nahegelegenen Kathedrale von Peterborough. Der Gottesdienst war anglikanisch, und es zelebrierte der Dekan. Ihren Geist ärgerte das nicht; er war voller Mitgefühl. Pater de Préau schritt hinter ihm und trug sein Kreuz deutlich sichtbar zur Schau. Elisabeth war die Hauptleidtragende, aber selbstverständlich war sie nicht persönlich anwesend. Sie schickte eine Stellvertreterin, die Gräfin von Bedford. Es war ein sehr heißer Tag, und der Sarg war ungeheuer schwer. Der Geist wußte, daß sie den Leichnam mit eintausend Pfund Blei umhüllt hatten, als fürchteten sie, er könne sonst entkommen. Sie verstanden es nicht – trotz all ihren Gebeten und ihrer Religion.

Die Zeit, die keine Zeit war, verging, und das zweite Begräbnis fand statt. Auf Befehl James', der jetzt König von England und Schottland war, reiste der Sarg langsam hinunter nach London; James wollte seine Mutter ehren und bettete sie zur letzten Ruhe (*sie verstanden es nicht*) in der Kapelle ihres Urgroßvaters, Heinrichs VII. In derselben Kapelle, unter einem Grabmonument und einer Statue, geschaffen vom selben Bildhauer, ruhte Elisabeth.

Der Geist sah, wie sein Sarg nur wenige Schritt weit von Elisabeths Grabmal vorüberzog. Sie sollten durch das Mittelschiff der Kapelle von einander getrennt sein, auseinandergehalten von Mauern und steinernen Lauben, und die eine sollte niemals auf das Grab der anderen blicken.

Auf Marias feingemeißelter Tumba unter dem schwarzweißen Marmorbaldachin lag eine weiße Marmorstatue ihrer Gestalt aufgebahrt. Sie war schön, wie nur irdische Dinge es sein können.

Und so gefiel es dem Geist, die Grabstatt zu besuchen und dort zu verweilen. Einige von denen, die herkamen, spürten seine Anwesenheit, und bald war die Rede von Wundern und von Heiligsprechung.

Sie verstanden es nicht.

Der Geist wurde es müde, zu sehen, wie wenig sie verstanden, daß seine Anwesenheit nichts Außergewöhnliches oder auch nur Ungewöhnliches war; und mit der Zeit, nach und nach, verspürte der Geist immer weniger den Wunsch, umherzuschweifen.

Er fand seine Ruhestatt in Gott, der immer verstanden hatte, daß alle die Maria Stuarts nur eine waren, geschaffen für die Ewigkeit.

Die Exilantin war heimgekehrt.

In meinem Ende ist mein Anfang.

NACHWORT DER AUTORIN

Man hat gesagt, auf das »Zeitalter der Könige« – Heinrich VIII., Franz I. und Kaiser Karl V. – sei das »Zeitalter der Königinnen« gefolgt: Elisabeth I., die jungfräuliche Königin, Katharina von Medici zu Frankreich und Maria Stuart, Königin der Schotten. Auf jeden Fall gab es in der zweiten Hälfte des 16. Jahrhunderts eine ungewöhnlich große Zahl weiblicher Herrscher, wenn man bedenkt, daß vor Elisabeth I. ja Maria I. (die »Bloody Mary«) regierte, und daß vor Maria Stuart ihre Mutter Marie de Guise in Schottland auf dem Regententhron saß. In seinem *Ersten Fanfarenstoß wider das Monströse Regiment der Weiber* behauptete John Knox, es sei unnatürlich, eine Frau an der Spitze des Reiches zu haben. Er war ein eingeschworener Feind Maria Stuarts, der Königin seines Landes, und seine Abneigung gegen sie schien persönlich wie prinzipiell begründet zu sein.

Von all diesen Herrscherinnen ist Maria, die Königin der Schotten, diejenige, die am wenigsten leicht zu fassen ist. Schon zu ihren Lebzeiten waren die Ansichten über sie von heftigen Widersprüchen geprägt, und vier Jahrhunderte haben wenig dazu beigetragen, die unterschiedlichen Meinungen miteinander zu versöhnen. War sie die verkommene Jezebel, als die Knox sie sah, erfüllt von Wollust und Narretei? Oder war sie die lange leidende, tolerante Göttin ihrer Anhänger?

Um einen Versuch der Antwort auf diese Fragen zu unternehmen, mußte ich ein mosaikartiges Bild von Maria als Person aufbauen, ganz so, wie man bei modernen Forschungssatelliten computerunterstützte und einander überlappende Fotos benutzt, um Flächenkarten herzustellen. Ich habe es nicht für nötig gehalten, irgendwelches Material auszuschließen; manche Dinge heben sich gegenseitig auf. Nach und nach tritt ein zusammenhängendes Bild hervor, das Bild einer Frau, die warmherzig ist, loyal, tapfer, großzügig und lebhaft, aber auch unfähig, einen Charakter zu beurteilen, flüchtig, impulsiv und im raschen Handeln besser als in der dauerhaften Strategie. Sie war klug, aber intellektuell nicht brillant, hatte eine ausgeprägte künstlerische und dichterische Begabung und besaß offensichtlich eine Menge Charme und die Fähigkeit, sich jeder Umgebung anzupassen, ob es so opulent wie in Frankreich zuging oder so einfach wie in einem Kaufmannshaus in St. Andrews. Sie hatte keine besondere Vorliebe für raffinierte Moden und Juwelen, und sie hatte eine jungenhafte, ja soldatische Seite. Im späteren Leben trat überdies eine mystische Seite zutage.

Kein Buch über Maria Stuart entgeht den kontroversen Fragen ihres Lebens: 1. Hat sie James Hepburn, den Earl von Bothwell und ihren dritten Ehemann, wirklich geliebt? 2. Wer hat die Kassettenbriefe geschrieben? 3. Wer hat Darnleys Ermordung geplant? 4. Wollte Maria, daß Elisabeth ermordet wurde? Von den Antworten auf diese vier Fragen hängt das Urteil über ihren Charakter ab.

Meiner Meinung nach hat sie den Earl von Bothwell wirklich geliebt und aus freien Stücken geheiratet. Was sie zu diesem Zweck unternimmt, tut sie allzu entschlossen, als daß die Wahrheit anders aussehen könnte, und ich neige zu der Ansicht, daß sie jene berühmte Äußerung tatsächlich getan hat, sie wolle »mit ihm ans Ende der Welt in einem weißen Unterrock« gehen. Es ist kaum glaubhaft, daß ihr Verhältnis nicht schon vor Darnleys Tod begonnen haben soll – aber vielleicht möchte ich ihr ja nur ein kleines bißchen Glück schenken, so kurz es auch gewesen sein mag.

Was die Kassettenbriefe angeht: Wenn alle Texte analysiert und nochmals analysiert sind, dann klingt der berühmte Zweite Kassettenbrief so sehr wie das, was eine verzweifelte Frau, innig verliebt, aber von quälenden Umständen geplagt, schreiben würde, daß ich Maria als Autorin akzeptiere. Das schließt nicht aus, daß andere Briefe von anderen Frauen (wir wissen, daß Bothwell eine turbulente Vergangenheit hatte) hinzugefügt wurden, und vielleicht ist sogar regelrecht gefälscht worden. Der Tonfall der Briefe ist äußerst unterschiedlich, und einiges davon klingt überhaupt nicht nach Maria. Auch wenn sie verliebt war, war Maria niemals kleinlich (obgleich sie wohl eifersüchtig oder wütend gewesen sein kann), und einige der Briefe klingen biestig und gemein, und das paßt nicht zu ihrem Charakter. Von den Originalen ist keines mehr vorhanden, und so können wir nie erfahren, in welcher Weise hier manipuliert wurde.

Was die Frage nach Darnleys Mörder angeht, bin ich zu der Überzeugung gekommen, daß Maria sich zwar danach sehnte, ihn loszuwerden, daß sie den Mord aber nicht befohlen hat. Es gibt verschiedene Ebenen des Wissens, und in ihrem tiefsten Herzen muß sie irgendwie »gewußt« haben, was geschehen war, aber eine bewußte Mörderin war sie nicht.

Die Frage Elisabeths ist eine dornenreiche. Wir wissen, daß Maria während ihrer Gefangenschaft in England an vier größeren Verschwörungen beteiligt war, und auch wenn nur die letzte Elisabeths Ermordung ausdrücklich vorsah, muß sie implizit auch bei den anderen beabsichtigt gewesen sein. Wie hätte Maria – was ihre Befreier ja wollten – Königin von England werden sollen, solange Elisabeth nicht tot war? Aber die Frage, ob jemand, der zu Unrecht eingesperrt ist, das moralische Recht hat, zu jedem Mittel zu greifen, um zu fliehen – diese Frage bleibt besser den Theologen, Ethikern und Rechtsgelehrten überlassen. Im wirklichen Leben wäre Maria mit ihrem impulsivem und feurigem Geist ihrem eigenen Charakter untreu gewesen, hätte sie nicht versucht, sich zu befreien. Sie konnte auf eine Reihe spektakulärer Fluchten zurückblicken: Sie war nach dem Mord an Rizzio aus Holyrood Palace geflohen, aus Borthwick Castle und von Lochleven. Alte Gewohnheiten – vor allem, wenn sie erfolgreich sind – sind schwer auszurotten. Es war vermutlich gerade diese Vergangenheit, die ihr Hoffnung gab und sie daran hinderte, zu erkennen, daß sie in England in einer fundamental anderen Situation war. Es gelang ihr nie, einen ihrer Gefängniswärter zu Komplizen zu machen, wie sie es in Schottland vermocht hatte. Alle waren loyal gegen Elisabeth. Ich glaube, sie konzentrierte sich eher auf den »Flucht«-Aspekt als auf das Schicksal Elisabeths, denn es entsprach ihrer Natur, nach physischen Handlungsmöglichkeiten zu suchen, statt tiefe Gedanken auf langfristige Konsequenzen zu verwenden. Zur Zeit der Babington-Verschwörung war sie wahrscheinlich schon zu demoralisiert, um überhaupt noch klar zu denken.

Ein paar letzte Anmerkungen: Ich habe mir die Freiheit genommen, ein paar Personen miteinander zu verschmelzen, um keine Verwirrung aufkommen zu lassen. So hatte sie in Wirklichkeit zwei französische Ärzte, Monsieur Lusgerie und Monsieur Bourgoing. Aber da Bourgoing bei ihrer Hinrichtung dabei war und einen Bericht darüber verfaßt hat, habe ich ihn einfach für die ganze Zeit zu ihrem Leibarzt gemacht. Es gab auch zwei Messieurs Nau, die Brüder Jacques und Claud, und beide dienten ihr nacheinander als Sekretäre. Und es gab zwei Brüder Melville, James und Robert, die Marias Botschafter waren.

Ich habe Antonia Frasers Unterscheidung zwischen den schottischen Stewarts und dem französischen Zweig der Familie, den

Stuarts, übernommen. Wenn Maria also Henry Stuart, Lord Darnley, heiratet, ändert sich die Schreibweise. Auch wurde ihr Name, als sie in Frankreich lebte, »Stuart« geschrieben.

In diesem Roman werden über zweihundert Personen namentlich erwähnt, und alle sind historisch mit Ausnahme von zwei Nebenfiguren in der Garde der Schottischen Bogenschützen am französischen Hof, Patrick Scott und Rob MacDonald. Desgleichen werden über sechzig Gedichte, Lieder und Briefe zitiert. Alle sind echt, mit Ausnahme von Ronsards *Hymne an den Mond*, Darnleys Gedichts über den Hadrianswall, den Briefen, die Maria und Bothwell einander aus dem Gefängnis schrieben (man weiß zwar, daß sie einander geschrieben haben, aber keiner dieser Briefe ist erhalten geblieben), dem Abschiedsbrief der sterbenden Lady Bothwell an Maria sowie der konkreten Formulierung einiger Noten des französischen Botschafters im Hinblick auf Gifford, Sir Christopher Hattons an Elisabeth und Thomas Morgans an Maria. (Auch hier wissen wir aber, daß diese Noten existierten.)

Ich konnte es mir nicht versagen, ein paar freundliche Bemerkungen über meine Vorfahren, den Scott-Clan, zu machen. (Der Vorname meines Vaters ist vom Mädchennamen seiner Mutter abgeleitet.) Zu meiner Genugtuung habe ich festgestellt, daß sie Maria bis zum Ende treu geblieben sind – und so folge ich jetzt nur der Familientradition.

M. G.

Die französische Linie

Claud, Duc de Guise ∞ Antoinette de Bourbon

2 François, »le Balafre«, Duc de Guise

3 Charles, Kardinal von Lothringen

4 Claud, Duc d'Aumale

5 Louis, Bischof von Troyes

6 Antoinette, Äbtissin von Faremoutiers

7 François, Grand Prior General der Galeeren

8 René, Marquis d'Elbœuf

9 Renée, Äbtissin von St. Pierre, Reims

zwei weitere Söhne, früh gestorben

1 Marie de Guise, heiratet

1 Louis, Duc de Longueville

- François, Duc de Longueville 1535–52
- Louis, geb. und gest. 1537

2 James V. von Schottland

- Maria Stuart heiratet
  - 1 Franz II. von Frankreich reg. 1559–60
  - 2 Henry, Lord Darnley
  - 3 James, Earl von Bothwell

Die schottische Linie

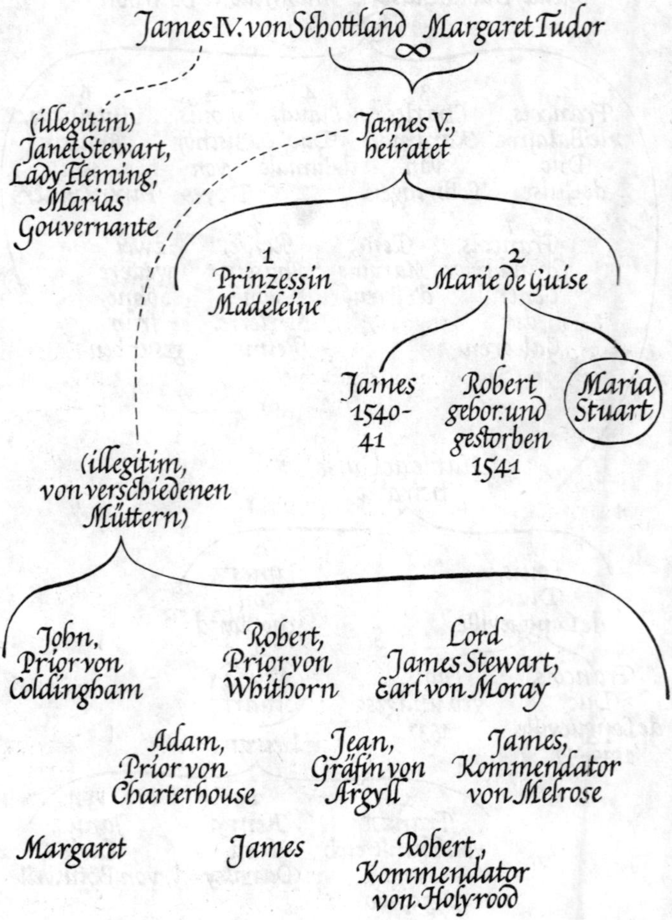

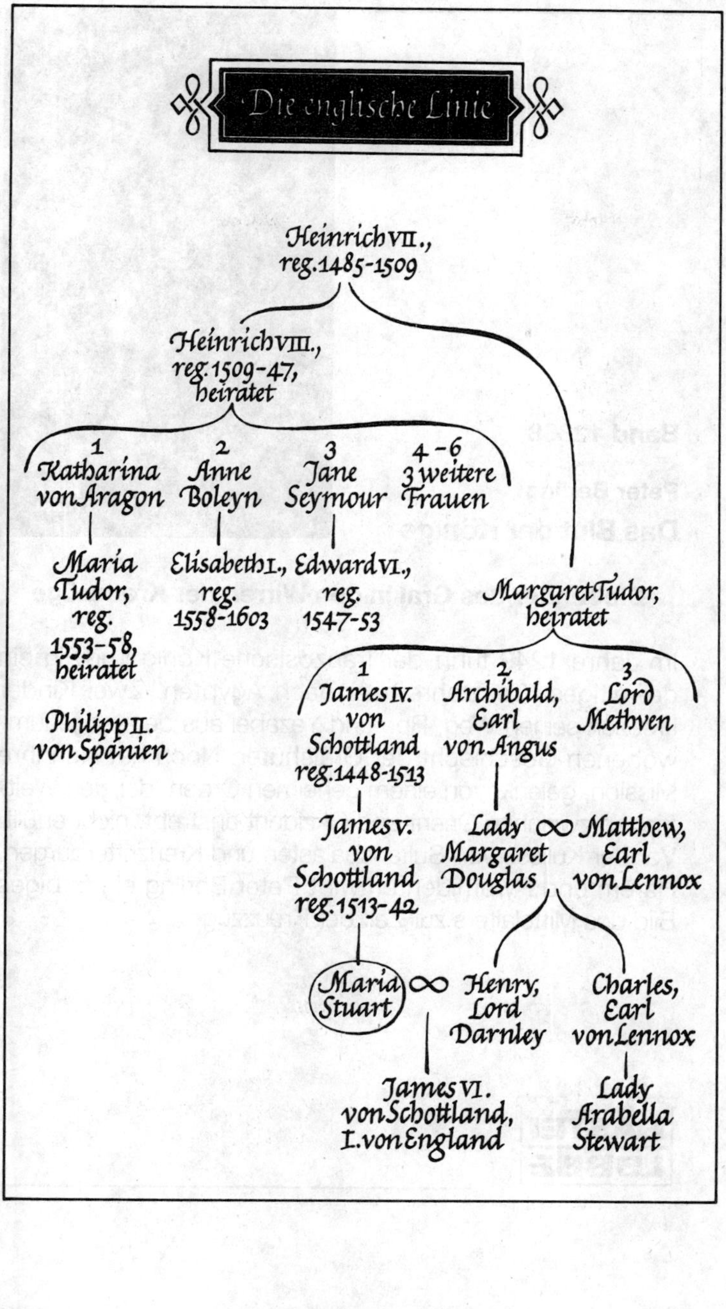
Die englische Linie
Heinrich VII., reg. 1485–1509
Heinrich VIII., reg. 1509–47, heiratet
1 Katharina von Aragon
2 Anne Boleyn
3 Jane Seymour
4–6 3 weitere Frauen
Maria Tudor, reg. 1553–58, heiratet
Philipp II. von Spanien
Elisabeth I., reg. 1558–1603
Edward VI., reg. 1547–53
Margaret Tudor, heiratet
1 James IV. von Schottland reg. 1448–1513
2 Archibald, Earl von Angus
3 Lord Methven
James V. von Schottland reg. 1513–42
Lady Margaret Douglas
∞
Matthew, Earl von Lennox
Maria Stuart
∞
Henry, Lord Darnley
Charles, Earl von Lennox
James VI. von Schottland, I. von England
Lady Arabella Stewart